Miguel de Cervantes
DON QUIJOTE DE LA MANCHA

CLÁSICOS UNIVERSALES PLANETA

Dirección:
GABRIEL OLIVER
catedrático de la Universidad de Barcelona

Miguel de Cervantes

EL INGENIOSO HIDALGO DON QUIJOTE DE LA MANCHA

**Edición, introducción y notas de
MARTÍN DE RIQUER
de la Real Academia Española**

Planeta

© Editorial Planeta, S. A., 1980
   Córcega, 273-277, Barcelona-8 (España)
Diseño colección y cubierta de Hans Romberg (realización de Jordi Royo)
Ilustración cubierta: grabado de la primera edición inglesa, !612 (foto Mas)
Primera edición en Clásicos Universales Planeta: mayo de 1980
Segunda edición en Clásicos Universales Planeta: enero de 1981
Tercera edición en Clásicos Universales Planeta: setiembre de 1982
Cuarta edición en Clásicos Universales Planeta: octubre de 1983
Depósito legal: B. 34.079-1983
ISBN 84-320-3830-X (colección completa)
ISBN 84-320-3831-8
ISBN 84-320-1601-2 (primera publicación)
Printed in Spain - Impreso en España
Grafson, S. A. - Luis Millet, 69 - Esplugues (Barcelona)

SUMARIO

EL INGENIOSO HIDALGO DON QUIJOTE DE LA MANCHA, I

EL INGENIOSO CABALLERO DON QUIJOTE
DE LA MANCHA, II

INTRODUCCIÓN

BIOGRAFÍA DE CERVANTES

A UNQUE no escasean los datos documentales que permitan trazar la biografía de Cervantes, es tal el interés que siempre ha despertado todo lo referente al gran escritor, que se han derrochado mucho ingenio y muchísima fantasía con la finalidad de llenar las lagunas de la información cierta y fehaciente. Por otra parte, son abundantes las alusiones autobiográficas que aparecen en varias obras de Cervantes, las cuales, aunque en ciertas ocasiones hay que considerarlas con cautela, nos ayudan a rehacer algunos momentos de su vida. Sigamos, pues, los hechos que desde el punto de vista humano parecen más seguros y que pueden ser de alguna utilidad para comprender el espíritu y la elaboración del *Quijote,* pues esto es, al fin y al cabo, lo que más importa.

El 9 de octubre de 1547 fue bautizado, en la parroquia de Santa María la Mayor de Alcalá de Henares, Miguel de Cervantes Saavedra, hijo del cirujano Rodrigo de Cervantes y de Leonor de Cortinas. Es probable que hubiese nacido el 29 de setiembre, fiesta de San Miguel, ya que en el bautismo siempre ha sido frecuente poner al nuevo cristiano el nombre del santo del día de su nacimiento. Era el cuarto de los hijos de Rodrigo de Cervantes, pues mayores que él eran sus hermanos Andrés (a veces llamado Juan: no parece que se trate de dos personas distintas), Andrea y Luisa. Siguieron a Miguel otros dos hermanos, Rodrigo y Magdalena.

Cuatro años tenía Miguel, en 1551, cuando toda su familia trasladó la residencia a Valladolid, a la sazón corte, donde esperaban a los Cervantes desdichas y vergüenzas. En efecto, Rodrigo de Cervantes contrajo deudas que no pudo pagar, fue víctima de usureros, sus bienes fueron embargados, y acabó encarcelado durante varios meses, a pesar de sus protestas de hidalguía, que al final fueron atendidas. Residió luego la familia Cervantes en Córdoba y en Sevilla, y en 1566 se estableció en Madrid.

Nada sabemos de cierto sobre los estudios de Miguel de Cervantes. No parece que éstos fueran lo que hoy llamaríamos universitarios, pues su presencia en Salamanca, como estudiante, no pasa de ser una hipótesis. De hecho también lo es, aunque más firme por basarse en un pasaje muy significativo de su novela el *Coloquio de los perros,* que de niño asistiera a un colegio de la Compañía de Jesús, pero ya es más problemático determinar en qué ciudad pudo ser Cervantes alumno de los jesuitas. Tal vez en el mismo Valladolid, o en Córdoba o en Sevilla. Lo único probado respecto a los estudios de Cervantes es que fue maestro suyo Juan López de Hoyos, catedrático de gramática que en 1569 publicó un libro sobre la enfermedad, muerte y exequias de la reina doña Isabel de Valois (tercera esposa de Felipe II), fallecida el 3 de octubre del año anterior, en el cual incluye tres poesías de circunstancias de «Miguel de Cervantes, nuestro caro y amado discípulo». López de Hoyos, no obstante, había entrado al servicio del concejo madrileño el 15 de enero de 1568, y se hace difícil creer que Cervantes, a los veintiún años de edad, y perteneciendo a una familia que pasaba tantas estrecheces económicas, fuera todavía estudiante.

El 15 de setiembre de 1569 se hizo público un mandamiento judicial, en nombre del rey, en el que se contenía lo siguiente: «Sepades que por los alcaldes de nuestra casa y corte se ha procedido y procedió en rebeldía contra un Miguel de Cervantes, ausente, sobre razón de haber dado ciertas heridas en esta corte a Antonio de Sigura, andante en esta corte, sobre lo cual el dicho Miguel de Cervantes por los dichos nuestros alcaldes fue condenado a que, con vergüenza pública, le fuese cortada la mano derecha, y en destierro de nuestros reinos por tiempo de diez años, y en otras penas contenidas en la dicha sentencia»[1]. Algunos biógrafos de nuestro escritor suponen que esta provisión no se refiere a él, sino a otra persona de los mismos nombre y apellido. Aunque ello no es del todo imposible, no deja de ser sintomático que en diciembre de 1569 conste documentalmente que Cervantes estaba en Roma, desde donde solicitó que en Madrid se le hiciera información de limpieza de sangre, que en efecto se practicó. Ello demuestra, por un lado, que Cervantes había salido de España, y por el otro que desde Roma tenía un especial empeño en acreditar su hidalguía, lo que podría menguar el rigor de la sentencia de los alcaldes de corte. El lance entre Cervantes y este Antonio de Sigura ofrece ciertas similitudes con la historia del «bárbaro español» Antonio que se relata en el *Persiles* (libro I, cap. 5), en el que Cervantes, ya viejo, podría haber recordado, novelizándolo, este dramático episodio de su juventud.

Es sumamente probable que, en Roma, el escritor recibiera la protección de su pariente monseñor Gaspar de Cervantes y Gaete, quien sin duda lo presentó a monseñor Giulio Acquaviva, al que Miguel de Cervantes sirvió como camarero por muy breve tiempo. Ambos, Gaspar de Cervantes y Giulio Acquaviva, fueron creados cardenales en 1570. Pero poco antes, a finales de 1569, Miguel de Cervantes debió de ingresar en la milicia y el año

---

[1] Documento publicado por J. Morán, en su *Vida de Cervantes*, 1863; véanse los comentarios de R. Schevill y A. Bonilla en el prólogo de su edición del *Persiles y Sigismunda*, I, Madrid, 1914, páginas XXXVIII-XLI.

siguiente era soldado en la compañía de Diego de Urbina, del tercio de Miguel de Moncada. En Nápoles la compañía de Diego de Urbina embarcó en las galeras mandadas por el Marqués de Santa Cruz que se dirigieron a Otranto, donde se reunieron las escuadras española, veneciana y pontificia que formaron la gran armada que, a las órdenes de don Juan de Austria, venció a los turcos en Lepanto el 7 de octubre de 1571. Disponemos de noticias muy precisas sobre la actitud y participación de Cervantes en esta memorable batalla, que recordará toda su vida con orgullo. En la información hecha en Madrid en 1578, a petición del padre, Rodrigo de Cervantes, prestó declaración, entre otros testigos, el alférez Gabriel de Castañeda, quien manifestó «que al tiempo y sazón que se reconoció el armada del turco por nuestra armada española, el dicho Miguel de Cervantes estaba malo con calentura, y este testigo vio que su capitán [Diego de Urbina] y otros amigos suyos le dijeron que, pues estaba malo, no peleasе y se retirase y bajase debajo de cubierta de la dicha galera [la *Marquesa*], porque no estaba para pelear; y entonces vio este testigo que el dicho Miguel de Cervantes respondió al dicho capitán y a los demás, que le habían dicho lo susodicho, muy enojado: "Señores, en todas las ocasiones que hasta hoy en día se han ofrescido de guerra a Su Majestad, y se me ha mandado, he servido muy bien, como buen soldado; y ansí agora no haré menos, aunque esté enfermo y con calentura; más vale pelear en servicio de Dios y de Su Majestad, y morir por ellos, que no bajarme so cubierta" y que el capitán le pusiese en parte y lugar que fuese más peligrosa, y que allí estaría o moriría peleando, como dicho tenía. Y ansí el dicho capitán le entregó el lugar del esquife con doce soldados, adonde vio este testigo que peleó muy valientemente como buen soldado contra los dichos turcos, hasta que se acabó la dicha batalla, de donde salió herido en el pecho de un arcabuzazo, y de una mano, de que salió estropeado. Y sabido por el dicho señor don Juan [de Austria] cuán bien lo había hecho, le acrescentó cuatro o seis escudos de ventaja de más de su paga»[1].

En Mesina se curó Cervantes de las heridas recibidas en Lepanto, si bien la mano izquierda le quedó para siempre anquilosada. En abril del año 1572 se incorporó a la compañía de don Manuel Ponce de León, del tercio de don Lope de Figueroa —inmortalizado por Calderón de la Barca en el *Alcalde de Zalamea*—, tomó parte en las expediciones navales de Navarino (o Pilos, en el Peloponeso), la Goleta de Túnez (1573) y en otras varias acciones. Luego el tercio hizo vida de guarnición en Cerdeña, Lombardía, Nápoles y Sicilia.

Regresaba de Nápoles a España en la galera *Sol,* con cartas de recomendación de don Juan de Austria y del duque de Sessa, cuando el 26 de setiembre de 1575, a la altura de Palamós, frente a la costa catalana,[2] les salió al encuentro una flotilla turca mandada por el famoso corsario Arnauti Mamí, renegado de origen albanés, y tras un combate, en el que perecieron el capitán de la galera y varios españoles, fueron hechos prisioneros Miguel de Cervantes y su hermano menor Rodrigo, que hacía tiempo que era también soldado en Italia.

En Argel, Cervantes fue adjudicado, en calidad de esclavo, a Dalí Mamí, corsario de origen griego que, en una galera de su propiedad, había tomado parte, a las órdenes de Arnauti Mamí, en el asalto de la *Sol.* Cinco años estuvo Cervantes prisionero en Argel, dura etapa de su vida que conocemos con cierto detalle gracias al libro de fray Diego de Haedo *Topografía e historia general de Argel,* que se publicó en 1612; a los testigos que declararon a su favor en varias informaciones hechas en España y al ser rescatado, y a relatos del propio escritor insertados en la *Galatea,* el *Quijote* y el *Persiles* y a sus comedias *Los tratos de Argel* y *Los baños de Argel,* aunque en estas versiones literarias no hay que buscar un

[1] De los documentos cervantinos publicados en «Revista de Archivos, Bibliotecas y Museos», IX, 1905, pág. 350.
[2] Véase J.-B. Avalle-Arce, *La captura de Cervantes,* «Boletín de la Real Academia Española», XLVIII, 1968, págs. 237-280.

rigor adecuado a los hechos, sino la perfecta captación del ambiente argelino y del espíritu de los españoles cautivos.

Al hallar en poder de Cervantes las cartas de recomendación de don Juan de Austria y del duque de Sessa creyeron los turcos que nuestro escritor era persona importante y por la que se podría obtener un cuantioso rescate, y esto contribuyó a hacer su suerte más penosa y su liberación más difícil. Cervantes se propuso fugarse de Argel y con esta intención acometió cuatro tentativas, que fracasaron. El primer intento fue en enero de 1576, y se frustró porque el moro que debía guiar a Cervantes y a una docena de cautivos, entre ellos su hermano Rodrigo, hasta la plaza española de Orán, los abandonó en la primera jornada, y los fugitivos, desconocedores del camino, tuvieron que regresar a Argel, donde fueron encadenados y vigilados más estrechamente que antes.

Los padres de Cervantes, mientras tanto, hacían cuanto podían para lograr la libertad de sus dos hijos y elevaban toda clase de peticiones, e incluso la madre se hizo pasar por viuda para inspirar más compasión. A base de préstamos y de vender parte de sus bienes reunieron cierta cantidad de ducados, con la esperanza de rescatarlos; pero cuando se concertaron los tratos resultó que la suma no era suficiente para comprar la libertad de los dos, y Miguel prefirió que se rescatara a su hermano Rodrigo, el cual, efectivamente, regresó libre a España. Pero éste llevaba un plan trazado por Miguel a fin de libertarlo a él y a catorce o quince cautivos más. Se puso en ejecución este plan, y a finales de setiembre de 1577 Cervantes se reunió con sus compañeros en una cueva oculta, cerca de la costa, en espera de una fragata española que debía recogerlos. Llegó, en efecto, la fragata, y dos veces intentó acercarse a la playa, pero fue apresada y los cristianos escondidos en la cueva descubiertos, debido a la traición de un cómplice, llamado «el Dorador», natural de Melilla, que denunció todo el plan. Cervantes afirmó ante el bey de Argel, el veneciano Hasán Bajá, que él era el único organizador y responsable del intento de fuga, y que sus compañeros habían procedido inducidos por él. Hasán Bajá —que fue el segundo marido de Zahara, la hija de Hajji Murad, que figura con el nombre de Zoraida en la historia del Cautivo incluida en el *Quijote*— perdonó la vida a Cervantes, pero lo encerró en un «baño», o presidio, cargado de cadenas, donde permaneció varios meses.

En enero de 1578 trazó el tercer intento de fuga, con las esperanzas puestas en llegar por tierra hasta Orán. Envió allí a un moro fiel con cartas para don Martín de Córdoba, general de aquella plaza, exponiéndole el proyecto y pidiéndole guías. Pero el mensajero fue preso, se le encontraron las cartas y fue empalado. En las cartas se demostraba que quien lo había tramado todo era Cervantes, que las firmaba, y fue condenado a recibir dos mil palos, sentencia que no se cumplió porque muchos fueron, tanto cristianos como mahometanos, los que intercedieron por él, y Hasán Bajá lo perdonó otra vez.

El cuarto y último intento de fuga lo realizó Cervantes en mayo de 1580, gracias a una suma en metálico que aprontó un mercader valenciano que estaba en Argel, con la cual nuestro escritor compró una fragata capaz de llevar en ella a sesenta cautivos. Cuando todo estaba a punto, uno de los que debían ser liberados, el ex dominico doctor Juan Blanco de Paz, delató todo el plan a Hasán Bajá. Cervantes, sabedor de la traición, tras varios meses de haber estado escondido, se presentó ante Hasán Bajá para hacerse responsable único del plan. Hasán Bajá le perdonó la vida nuevamente, pero lo hizo recluir en la cárcel de su propio palacio, con grillos y cadenas y estrechamente vigilado. A Blanco de Paz le hizo dar, en pago de su traición, un escudo y una jarra de manteca.

Por entonces llegaron a Argel los padres trinitarios fray Juan Gil y fray Antonio de la Bella. Éste partió con una expedición de rescatados, pero fray Juan Gil sólo disponía de 300 escudos que la familia de Cervantes había reunido para rescatar a Miguel, por el cual se exigían 500.

En vista de ello, el fraile se dedicó a recolectar entre mercaderes cristianos la cantidad que faltaba, y la reunió cuando Cervantes ya estaba con dos cadenas y un grillo en una de las galeras con que Hasán Bajá partía definitivamente para Constantinopla, llevándose entre sus bienes y riquezas a nuestro escritor. Gracias a los 500 escudos, tan angustiosamente reunidos, Cervantes quedaba libre el 19 de setiembre de 1580.

Treinta y tres años contaba Miguel de Cervantes cuando, tras once de ausencia, pisó España, en Denia, el 24 de octubre de 1580. Desde Valencia se trasladó a Madrid, donde se reunió con su familia: su padre, Rodrigo de Cervantes, ya viejo y aquejado de sordera; su madre, Leonor de Cortinas; sus hermanas Andrea y Magdalena. Su otra hermana, Luisa de Cervantes, era monja carmelita descalza de Alcalá, y su hermano Rodrigo estaba en Portugal, incorporado otra vez al tercio de Lope de Figueroa. La familia se encontraba en una triste situación económica, que se había agravado con los esfuerzos para reunir dinero con que rescatar a los dos cautivos. Miguel de Cervantes tenía que rehacer su vida y empezar de nuevo. Sin duda hubiera podido volver a la milicia, pues no hay que olvidar que las heridas recibidas en Lepanto no le impidieron seguir siendo soldado durante los cuatro años que transcurrieron entre la gran batalla y su apresamiento por los corsarios. Pero tal vez su cautiverio le había hecho mudar de parecer, y su edad entonces tampoco era apropiada para volver a ser simple soldado. Las letras, por otra parte, no podían ser una solución económica para un hombre como él, sin ningún grado universitario, que hasta entonces no había publicado ningún libro y era virtualmente un desconocido.

En mayo de 1581 Cervantes se trasladó a Portugal, donde estaba la corte de Felipe II, con el propósito de pretender algo con que organizar su vida y pagar las deudas que su familia había contraído para rescatarle. El rey le encomendó una comisión en Orán, sin duda porque vio en él un hombre con profunda experiencia de las costumbres y vida del norte de África. Su estancia en Orán fue breve.

En febrero de 1582 Miguel de Cervantes se encuentra de nuevo en Madrid y se dirige por carta a Antonio de Eraso, del Consejo de Indias, que estaba a la sazón en Lisboa, agradeciéndole el interés que se ha tomado por su frustrada pretensión de lograr algún oficio en América, lo que se le negó por no haber ninguno vacante. Cervantes anhela, pues, encauzar su vida en las Indias, aspiración que mantendrá varios años. Gracias a esta misma carta sabemos que en febrero de 1582 estaba escribiendo su novela pastoril la *Galatea*[1].

Se ignora la vida de Cervantes en los años 1582 y 1583, durante los cuales, sin duda, tuvo relaciones amorosas con Ana Villafranca (o Franca) de Rojas, mujer de un tal Alonso Rodríguez, de quien reconoció tener una hija que se llamó Isabel de Saavedra.

El 14 de junio de 1584 cobra Cervantes del mercader de libros Blas de Robles 1.336 reales por el privilegio de impresión de la *Galatea*, que aparecerá el año siguiente en Alcalá de Henares. Seis meses después, el 12 de diciembre de 1584, Miguel de Cervantes contrae matrimonio con Catalina de Salazar y Palacios (o Palacios y Salazar: usaba indistintamente el orden de los apellidos), de Esquivias, donde se celebró la boda. Catalina contaba diecinueve años y Cervantes treinta y siete. En Esquivias tuvo Cervantes su primer hogar propio, y es de creer que por entonces escribiera obras teatrales que se representaran en Madrid.

En 1587 fija su residencia en Sevilla, y desempeña el humilde cargo de comisario real de abastos, al servicio de Antonio de Guevara, proveedor de las galeras reales, concretamente con destino a la expedición naval que Felipe II proyectaba enviar contra Inglaterra. Ello obli-

---

[1] Agustín G. de Amezúa, *Una carta desconocida e inédita de Cervantes*, «Boletín de la Real Academia Española», XXXIV, 1954, páginas 217-223.

gó al escritor a recorrer parte de Andalucía con la desagradable misión de requisar cereales y aceite. Seguía
ejerciendo este cargo en 1590 cuando se dirigió a Felipe II, exponiendo sucintamente su brillante historial
militar y sus servicios, y pidiéndole «un oficio en las Indias, de los tres o cuatro que al presente están vacos». El
deseo de marchar a América para salir de la estrechez
acucia todavía a Cervantes, que el 6 de junio de aquel
mismo año encontró una lacónica y seca negativa: «Busque por acá en qué se le haga merced.» Y en Sevilla siguió teniendo Cervantes su residencia, apartado de su
mujer, que se había quedado en su nativa Esquivias.

Se tiene noticia de varios desagradables incidentes
que le ocurrieron a Cervantes en el desempeño de su
misión por villas y pueblos andaluces. En dos ocasiones,
por lo menos, embargó partidas de trigo de propiedad
eclesiástica que le valieron sendas excomuniones. Constantemente se elevaban protestas contra él, muchas veces
exageradas, por parte de los municipios, que se resistían a
hacer entrega de las cantidades de trigo y de aceite que
Cervantes, cumpliendo con su obligación, exigía, apre-
miado por sus superiores.

El 19 de setiembre de 1592, acusado de que, en el
ejercicio de su comisaría, había vendido trescientas fanegas de trigo sin autorización, un corregidor de Écija
encarceló a Cervantes en Castro del Río. Pronto fue
puesto en libertad bajo fianza, hizo sus apelaciones y
fue declarado inocente. Desde 1594 se le encargó la misión de cobrar los atrasos de tercias y alcabalas que se
debían en el reino de Granada, que ascendían a cerca
de dos millones y medio de maravedises, cargo para el
que le fue preciso depositar una gruesa fianza, que en
parte aprontó su mujer. En setiembre de 1597, habiendo depositado lo recaudado en un banco de Sevilla, el
banquero quebró, Cervantes se vio imposibilitado de hacer efectivas las sumas recogidas y fue recluido en la
cárcel sevillana, de la que salió a principios de diciembre
bajo fianza. Otro encarcelamiento de Cervantes en la

misma cárcel real de Sevilla, a finales de 1602 o en 1603, que aceptan algunos biógrafos, no está probado.

En mayo de 1600 se documenta por última vez a Cervantes como residente en Sevilla. A partir de 1603 o de 1604 lo encontramos de nuevo en Valladolid, donde otra vez se ha establecido la corte, y ahora rodeado de su familia, compuesta exclusivamente de mujeres. Viven con Cervantes su mujer; sus hermanas Andrea y Magdalena; Constanza, hija natural de Andrea, e Isabel de Saavedra, hija natural de Miguel. Ana Villafranca de Rojas, antigua amante de Cervantes, había muerto ya, así como el hermano del escritor, Rodrigo, que pereció de un arcabuzazo, en 1600, en la batalla de las Dunas.

La primera parte del *Quijote* debería de estar muy adelantada cuando Cervantes se instaló en Valladolid, y allí sin duda la terminó. El ambiente en que se escribieron las postreras páginas y se dieron los últimos retoques a esta novela es deprimente y afrentoso. El hogar de Cervantes dista mucho de ser un modelo de honor y de dignidad. La hermana mayor del escritor, Andrea, que tendría unos sesenta años, desde los veinticuatro había sido objeto de espléndidas donaciones de joyas y ricos vestidos por parte de señores, con los que a veces se lanzó a pleitear, y había tenido una hija, Constanza, de un tal Nicolás de Ovando, con quien no se llegó a casar.

Magdalena, la hermana pequeña de Cervantes, entonces de unos cuarenta y ocho años, desde los veinte acepta donaciones de jóvenes de su edad; en 1581 amenaza a Juan Pérez de Alcega con llevarle ante el vicario eclesiástico para que le obligue a «desposarse y velarse con ella en haz de la Santa Iglesia», cumpliendo así su palabra de matrimonio, pero al final transige, aceptando del arrepentido galán 300 ducados.

Constanza de Ovando, hija natural de Andrea, que tendría alrededor de los treinta y tres años, había recibido, en 1596, la suma de 1.400 ducados de don Pedro de Lanuza, hermano del famoso Justicia de Aragón, en reparación de la palabra de matrimonio que le había dado y que no había cumplido. Más tarde, en 1614, recibirá mil reales de parte de un tal Gregorio de Ibarra, que estaba en el Perú, deuda sin duda de antiguos amoríos.

Al reunirse la familia en Valladolid, Isabel de Saavedra no debería de llegar a los veinte años, y Catalina de Salazar, la esposa de Cervantes, tenía unos treinta y ocho. Sobre el carácter de esta última no se posee ningún dato infamante, aunque tal vez correrían habladurías poco piadosas, como parece indicar un pasaje del *Quijote* de Avellaneda, en el que se dice, en términos groseros, que los maridos engañados «se fortifican en el castillo de San Cervantes»[1].

A poco de publicarse el *Quijote,* un grave suceso vino a poner de manifiesto las irregularidades que se achacaban a la familia de Cervantes. La noche del 27 de junio de 1605 fue herido mortalmente por un desconocido, ante la puerta de la casa del escritor, el caballero navarro don Gaspar de Ezpeleta. Cervantes se levantó de la cama al oír los gritos de «¡Ah, ladrón, que me has muerto! ¿No habrá quien socorra a un caballero que viene herido?» Don Gaspar fue recogido por los vecinos de la casa, entre ellos la familia de Cervantes, y Magdalena estuvo atendiéndole con solicitud hasta que murió, dos días después. Entonces un arbitrario juez, para favorecer a un escribano que tenía justos motivos para odiar a Ezpeleta y que quería desviar las sospechas sobre su muerte, ordenó la detención de todos los vecinos de la casa donde había sido acogido, entre ellos Cervantes y su familia. El encarcelamiento debió de durar un solo día, pero en las declaraciones del proceso que siguió se nos manifiesta la opinión que se tenía de la familia del escritor. Los testigos declararon que en aquella casa, en la que habitaban varios vecinos, «viven algunas mujeres que en sus casas admiten visitas de caballeros y de otras personas de día y de noche», y, con referencia explícita a la

[1] Cap. 4.

de Cervantes, «que entran de noche y de día algunos caballeros... de que en ello hay escándalo y murmuración, y especialmente entra un Simón Méndez, portugués, que es público y notorio que está amancebado con doña Isabel, hija del dicho Miguel de Cervantes... que el dicho Simón Méndez le había dado un faldellín que le había costado más de ducientos ducados». Por las declaraciones de este proceso sabemos también que a las mujeres que vivían con el escritor se las llamaba despectivamente «las Cervantas». El prestigio literario de Miguel había alcanzado aquellos días una enorme popularidad: el 10 de junio, para conmemorar el nacimiento del príncipe don Felipe, se celebraron en Valladolid unas fiestas en las que desfilaron unos personajes disfrazados de don Quijote y Sancho; el 28 del mismo mes —al día siguiente de que Ezpeleta cayese herido— aún atraía la curiosidad de los vallisoletanos el don Quijote de farsa. Mientras se desarrollaban acontecimientos que revelaban las cosas vergonzosas del hogar del escritor, que iba a parar a la cárcel, su máxima creación triunfaba por calles y plazas.

En 1606 la corte se trasladó de Valladolid a Madrid. Cervantes la siguió con su familia, y allí cambió varias veces de residencia hasta establecerse definitivamente en la calle del León. A poco (agosto de 1608) se casó Isabel de Saavedra con don Diego Sanz del Águila, de quien tuvo una hija, llamada también Isabel; pero pronto enviudó y contrajo nuevo matrimonio con un hombre de negocios llamado Luis de Molina. En 1609 murió Andrea de Cervantes, y en 1611 Magdalena, quien pasó sus últimos años llevando una vida casi monjil. El hogar de Cervantes quedó reducido a su mujer y a su sobrina Constanza de Ovando.

El gran éxito del *Quijote* no tan sólo dio a Cervantes un renombre literario, del que hasta entonces había carecido, sino que suscitó el interés general por sus obras, que desde aquel momento se imprimieron con un ritmo muy veloz: en 1613 aparecen las *Novelas ejemplares,* en

1614 el *Viaje del Parnaso,* en 1615 la segunda parte del *Quijote* y las *Comedias y entremeses,* y en 1617, póstumamente, el *Persiles y Sigismunda.* En 1610 Cervantes pretendió acompañar a su protector, el conde de Lemos, a Nápoles, de donde había sido nombrado virrey, pero sus aspiraciones quedaron frustradas. Frecuenta nuestro escritor la vida literaria madrileña, y consta que asistía a las reuniones de la Academia del Conde de Saldaña, pues Lope de Vega, en una carta de marzo de 1612, escribe, refiriéndose a esta agrupación: «Las academias están furiosas; en la pasada se tiraron dos bonetes dos licenciados; yo leí unos versos con antojos de Cervantes que parecían huevos estrellados mal hechos.» Por esta indicación sabemos que Cervantes, en los últimos tiempos de su vida, por lo menos, usó anteojos, lo que está en contradicción con sus presuntos retratos.

La religiosidad de Cervantes, tan sincera y sin asomos del más pequeño inconformismo, que revelan sus escritos y datos aislados de la documentación que sobre él se posee, se manifiesta también en su profesión en cofradías y congregaciones. En 1609 pertenecía a la Congregación de los Esclavos del Santísimo Sacramento del Olivar, en la que eran cofrades otros escritores como Lope de Vega, Quevedo, Espinel, Salas Barbadillo. Pertenecía también Cervantes, así como su mujer y sus hermanas, a la Venerable Orden Tercera de San Francisco, en la que profesó ya gravemente enfermo diecinueve días antes de morir. Comprendió Cervantes que su vida se acababa, y lo aceptó con cristiana resignación y con humano temor[1]. El 19 de abril de 1616 firma la dedicatoria al conde de Lemos de su libro *Los trabajos de Persiles y Sigismunda,* impresionante epístola escrita al día siguiente de haber recibido la Extremaunción, cuando «el tiempo es breve, las ansias crecen, las esperanzas menguan, y, con todo esto, llevo la vida sobre el deseo que tengo de vivir...,

---

[1] Ha quedado demostrada la falsedad de cierta carta de Cervantes al cardenal Sandoval y Rojas fechada el 26 de marzo de 1616 (véase A. Rodríguez-Moñino en «Nueva Revista de Filología Hispánica», XVI, págs. 81-89).

pero si está decretado que la haya de perder, cúmplase la voluntad de los cielos». Y al acabar el prólogo del mismo *Persiles,* Cervantes se despide de la literatura y de sus lectores con las siguientes palabras: «¡A Dios, gracias; a Dios, donaires; a Dios, regocijados amigos; que yo me voy muriendo, y deseando veros presto en la otra vida!»

El 22 de abril de 1616 murió Miguel de Cervantes en su casa de la calle del León, esquina a la de Francos, de Madrid, seguramente atendido por su esposa y por su sobrina Constanza de Ovando. El 23 fue enterrado: en la misma fecha moría, en Stratford, William Shakespeare, pero no el mismo día, ya que, no habiendo adoptado todavía Inglaterra la reforma gregoriana del calendario, el 23 de abril de allí correspondió a nuestro 3 de mayo.

Debido a su pobreza, la Venerable Orden Tercera se encargó del sepelio de Cervantes, cuyo cadáver, con la cara descubierta y vestido del sayal franciscano, fue sepultado en el convento de las Trinitarias Descalzas de la calle de Cantarranas (hoy Lope de Vega), donde sin duda reposan todavía sus restos, sin que haya posibilidad de identificarlos[1].

La biografía de Cervantes ofrece contrastes y notas que ayudan a comprender el sentido del *Quijote.* Su heroísmo en Lepanto y su valeroso temple en el duro cautiverio en Argel es sin duda lo mejor y más noble de

---

[1] Hay numerosas biografías de Cervantes. Las más características y útiles son las siguientes: G. Mayans y Siscar, *Vida de Miguel de Cervantes Saavedra,* Briga-Real [o sea, Madrid], 1737 (véase la edición comentada por A. Mestre, «Clásicos Castellanos». Madrid, 1972); la de Vicente de los Ríos al frente de la edición del *Quijote* de la Real Academia Española, 1780; M. Fernández de Navarrete, *Vida de Miguel de Cervantes Saavedra,* Madrid, 1819; M. S. Oliver, *Vida y semblanza de Cervantes,* Barcelona, 1916 (reimpresa en 1947); Sebastián Juan Arbó, *Cervantes,* Barcelona, 1945, varias veces reimpresa; Miguel Herrero-García, *Vida de Cervantes,* Madrid, 1948; L. Astrana Marín, *Vida ejemplar y heroica de Miguel de Cervantes Saavedra,* seis tomos, Madrid, 1948-1956. Véase también Alberto Sánchez, *Estado actual de los estudios biográficos,* en *Suma Cervantina,* Londres, 1973, págs. 3-24, y el excelente resumen de Dámaso Alonso en *Diccionario de autores,* Montaner y Simón, I, Barcelona, 1963, págs. 516-526.

su vida, y él mismo no dejará de recordar, a lo largo
de toda su existencia, aquellos años de su juventud heroica y audaz. Pero al regresar a España, tras esta larga
ausencia, se enfrenta con acuciantes problemas económi-
cos y se ve obligado a aceptar las comisiones por Andalucía, difíciles y a veces humillantes. A la victoria de
Lepanto, Cervantes contribuyó con su vigor juvenil y con
su entusiasmo ardoroso; al desastre de la Invencible con-
tribuirá con la tarea más humilde y desagradable: recau-
dando impuestos para construir aquellas naves que serán
destrozadas por las tempestades. Si Lepanto (1571) y la
Invencible (1588) constituyen dos fechas que señalan
una profunda variación en los destinos de España, también en la vida de Cervantes significan los límites de la
gloria y del desengaño. En su calidad de comisario por
Andalucía, Cervantes tuvo que viajar por una parte de
España, visitar las más alejadas y aisladas aldeas, y se
puso en contacto íntimo y directo con el pueblo: con
palurdos ignorantes, con ricachones avaros, con mujeres
hacendosas y hembras de rompe y rasga, con curas de
aldea e hidalgos de villorrio; tuvo que hacer noche en
ventas ruines e incómodas, en las que paraban toda suerte de caminantes, desde el noble señor y la dama principal hasta el tramposo titiritero o el más bajo castrador
de puercos. Mundo variado y confuso que aparecerá
maravillosamente retratado en el .Quijote hasta en sus
matices más sutiles y con sus notas más características.

La vida irregular de las mujeres de su familia, con
las que convivirá y a las que profesará cariño, es tal vez
la nota más amarga de la vida de Cervantes: sus hermanas, su hija y su sobrina, dispuestas siempre a recibir
dinero a cambio del honor, nos hacen particularmente
significativos y dramáticos aquellos relatos de nuestro escritor, en los que con tanta frecuencia las doncellas dan
acceso a sus enamorados bajo promesa de matrimonio
que a veces no se cumple o tarda en cumplirse (en el
Quijote, Dorotea, Claudia Jerónima, y con mayor crueldad, por tratarse de una versión humorística del tema,

la infanta Antonomasia y la hija de doña Rodríguez).

La pobreza, las deudas, los usureros y las angustias de orden económico persiguieron a Cervantes desde su niñez hasta su muerte, desde el encarcelamiento de su padre, en Valladolid, hasta sus propias prisiones en Andalucía y su entierro de caridad. Sus esperanzas —ir a América, servir al conde de Lemos en Nápoles— siempre se vieron frustradas, y la gloria de escritor no le alcanzó hasta ya viejo, en los diez últimos años de su vida. Hombre de sincera religiosidad, si bien fue excomulgado por lo menos dos veces por haber decomisado bienes eclesiásticos, cumpliendo con su deber, jamás ninguno de sus escritos le ocasionó contratiempos con la Inquisición como los que tuvieron otros escritores de su época, muchos de ellos eclesiásticos.

EL QUIJOTE

PUBLICACIÓN DE LA NOVELA. La más antigua edición conocida de la primera parte del *Quijote* es la publicada por Juan de la Cuesta, en Madrid, en 1605, que lleva privilegio real a favor de Cervantes, firmado el 26 de setiembre de 1604, y testimonio de las erratas y tasa de diciembre del mismo año, lo que indica que en este mes ya estaba compuesto el libro y sólo precisaba de estos dos últimos requisitos para que se pudiera imprimir el primer pliego y ponerse en circulación. Muy poco después el mismo Juan de la Cuesta publicaba una segunda edición de la novela, que lleva un nuevo privilegio para Portugal firmado el 9 de febrero de 1605, que supone que, ya a principios de este año, la primera edición de Juan de la Cuesta se agotó y fue preciso preparar otra nueva. Ello revela un extraordinario éxito en pocas semanas. Esta segunda edición de Juan de la Cuesta, que también lleva la fecha de 1605, es una mera reproducción de la anterior, pero en los capítulos 23 y 30 se añaden dos largos pasajes, indudablemente escritos por Cervantes, que relatan el robo del rucio de Sancho por Ginés de Pasamonte y su hallazgo[1].

Es muy posible que antes de agosto de 1604 hubiese aparecido una anterior edición del *Quijote,* seguramente impresa también en Madrid por Juan de la Cuesta. En efecto, en la novela *La pícara Justina* de Francisco López de Úbeda, impresa en 1605, pero con privilegio del 23 de agosto de 1604, hay unos versos en los que la protagonista dice ser más famosa que don Quijote, Lazarillo [de Tormes] y Guzmán [de Alfarache]. En una carta de Lope de Vega, firmada en Toledo el 4 de agosto de 1604, escribe: «De poetas nada digo: muchos en cierne para el año que viene, pero ninguno tan malo como Cervantes, ni tan necio que alabe a don Quijote.» En una anécdota narrada por el morisco Juan Pérez, llamado también Taibilí, en su obra *Contradicción de los catorce artículos de la fe cristiana,* escrita en 1637 (autógrafa en la Biblioteca Casanatense de Roma), el autor dice haber presenciado en la feria de Alcalá de Henares [o sea, el 24 de agosto], de 1604, cómo en una librería un cliente ponderaba las excelencias de los libros de caballerías, a lo que un estudiante comentó: «Ya nos remanesce otro don Quijote»[2]. Esta edición del *Quijote* de 1604, de la que por ahora no se conoce ejemplar alguno, sería seguramente de corta tirada. Ante su éxito se procedió a una nueva impresión (la primera de Juan de la Cuesta de 1605), de la que se tirarían varios millares, y que en gran número consta que se envió a América. La segunda edición de Juan de la Cuesta, también de 1605, debió de cubrir, a mediados de este año, la extraordinaria demanda de que era objeto la novela. En el mismo año 1605 habían aparecido dos ediciones furtivas del *Quijote* en

---

[1] Véase, en la presente edición del *Quijote,* la nota 1 a I, 23.
[2] Véase J. Oliver Asín, *El Quijote de 1604,* «Boletín de la Real Academia Española», XXVIII, 1948, págs. 89-126. La frase del estudiante es sorprendentemente parecida a otra que escribe Cervantes en la segunda parte del *Quijote* (cap. 72, nota 6).

Lisboa y dos en Valencia (éstas debidamente autorizadas). En 1607 se publicaba en Bruselas, y en 1608 lo volvía a imprimir Juan de la Cuesta en Madrid. Esta última, llamada tercera de Juan de la Cuesta, presenta variantes y correcciones que un tiempo se creyó que se debían al propio Cervantes, y por ello se tuvo en mucha estima. Hoy se considera que el texto más genuino del *Quijote* es el de la primera de Juan de la Cuesta de 1605 y que Cervantes no intervino en las posteriores (salvo el caso, tal vez, del ya mencionado robo del rucio).

La segunda parte del *Quijote* se publicó en Madrid, también por Juan de la Cuesta, en 1615, con una de las aprobaciones firmada en febrero, el privilegio en marzo y otra aprobación en noviembre, lo que indica que se debería poner a la venta a finales del año, unos cinco meses antes de la muerte de Cervantes.

Estas indicaciones sobre las ediciones del *Quijote*, además de su interés bibliográfico[1], aspecto marginal en la valoración de la obra, nos revelan el extraordinario éxito de la novela, que desde el mismo momento de su aparición contó con numerosos lectores; éxito que jamás ha conocido eclipses. En su lengua original, el *Quijote* se imprimió unas treinta veces en el siglo XVII, unas cuarenta en el XVIII, unas doscientas en el XIX y en lo que va del XX en un promedio de unas tres veces al año. La primera traducción fue la inglesa de Thomas Shelton (*The history of the valerous and wittie knight-errant don Quixote of the Mancha,* Londres, 1612), cuya segunda parte, atribuida al mismo Shelton, apareció en 1620. La segunda traducción es, para la primera parte, la francesa de César Oudin (*L'ingénieux don Quixote de la Manche,* París, 1614), que se completa con la versión de la segunda por François de Rosset (París, 1618). Sigue la traducción italiana de Lorenzo Franciosini de

[1] Entre las varias bibliografías cervantinas es importante la de J. Givanel Mas y L. M. Plaza Escudero, *Catálogo de la Colección Cervantina* de la Biblioteca Central de la Diputación Provincial de Barcelona, cinco tomos publicados hasta ahora, Barcelona, 1941-1964.

Castelfiorentino (*L'ingegnoso cittadino don Chisciotte della Mancia,* Venecia, 1622 la primera parte y 1625 la segunda). En el mismo siglo XVII aparecieron traducciones alemana y holandesa; en el XVIII, danesa, polaca, portuguesa y rusa, y en el XIX y XX se ha traducido a todas las lenguas cultas o que son susceptibles de escritura impresa.

PROPÓSITO DEL QUIJOTE. Pocas obras literarias expresan tan claramente y con tanta insistencia el propósito con que han sido escritas como el *Quijote.* En esto Cervantes es reiterativo y machacón. En el prólogo de la primera parte afirma que «todo él es una invectiva contra los libros de caballerías» y que lleva «la mira puesta a derribar la máquina mal fundada destos caballerescos libros, aborrecidos de tantos y alabados de muchos más». Y las últimas palabras de la novela, en el postrer capítulo de la segunda parte, son las siguientes: «no ha sido otro mi deseo que poner en aborrecimiento de los hombres las fingidas y disparatadas historias de los libros de caballerías, que por las de mi verdadero don Quijote van ya tropezando, y han de caer del todo, sin duda alguna». Entre estas dos afirmaciones, hechas a diez años de distancia y al principio y al final del *Quijote,* hallamos en el texto otras muchas en el mismo sentido o que corroboran plenamente este propósito, sin desmentirlo ni olvidarlo jamás. Es evidente que el *Quijote* resulta ser mucho más que una invectiva contra los libros de caballerías, y la prueba está en que la novela de Cervantes es leída, admirada, vivida y enjuiciada por millares y millares de lectores de todos los países y que desde hace tres siglos no han leído un solo libro de caballerías o tienen muy vaga idea de lo que fueron. Pero ante una obra literaria de la hondura del *Quijote* no es justo ni acertado dejar de prestar atención al propósito explícito del autor, y no vale escabullirse convirtiendo este propósito en un mero pretexto. «Afirma Cervantes que escribe su libro contra los de caballerías. En la crítica de los últimos tiempos se ha perdido la atención hacia este propósito de Cervantes. Tal vez se ha pensado que era una manera de decir, una presentación convencional de la obra, como lo fue la sospecha de ejemplaridad con que cubre sus novelas cortas. No obstante, hay que volver a este punto de vista. Para la estética es esencial ver la obra de Cervantes como una polémica contra las caballerías»[1].

Los libros de caballerías son, en el siglo XVI, una pervivencia del heroísmo novelesco medieval. Son unas narraciones en prosa, por lo común de gran extensión, que relatan las aventuras de un hombre extraordinario, el caballero andante, quien vaga por el mundo luchando contra toda suerte de personas o monstruos, contra seres normales o mágicos, por unas tierras las más de las veces exóticas y fabulosas, o que al mando de poderosos ejércitos y escuadras derrota y vence a innúmeras fuerzas de paganos o de naciones extrañas. Es el caballero andante de los libros un ser de una fuerza considerable, muchas veces portentosa e inverosímil, habilísimo en el manejo de las armas, incansable en la lucha y siempre dispuesto a acometer las empresas más peligrosas. Por lo común lucha contra el mal —opresores de humildes, traidores, ladrones, déspotas, infieles, paganos, gigantes, dragones—, pero el afán por la acción, por la «aventura», es para él una especie de necesidad vital y constituye un anhelo para imponer su personalidad en el mundo. El constante luchar del caballero supone una serie ininterrumpida de sacrificios, trabajos y esfuerzos que son ofrecidos a una dama, con la finalidad de conseguir, conservar o acrecentar su amor.

Nacido este tipo de literatura en Francia —gracias a Chrétien de Troyes y sus imitadores y seguidores en el perenne tema del Santo Grial y de los caballeros del rey Artús, y a los diversos autores de la leyenda de Tristán—, a partir del siglo XIII comienza a divulgarse por España,

[1] J. Ortega y Gasset, *Meditaciones del Quijote*, I, 10 (*Obras de J. Ortega y Gasset*, Madrid, 1932, pág. 65).

donde alcanzará un gran éxito que lo hará perdurar hasta finales del xvi. En el xiv ya se lee con entusiasmo la versión castellana primitiva del *Amadís de Gaula,* de la que se conservan muy escasos fragmentos, y en el siglo siguiente aparece el texto catalán del *Tirante el Blanco.*

Estos dos libros, el *Amadís* y el *Tirante,* son las mejores novelas caballerescas que se han escrito en España, aunque presentan entre ellas notables diferencias y revelan un espíritu muy distinto. Muy divulgados merced a la invención de la imprenta, los libros de caballerías se multiplicaron durante el siglo xvi gracias, principalmente, al éxito «editorial» del *Amadís de Gaula,* que movió a escritores y a impresores a ofrecer a un extenso público ávido de lecturas de este tipo toda suerte de continuaciones y de imitaciones de aquella novela, en las que el estilo degenera cada vez más y se hace pomposo, campanudo, amanerado e intrincado, la acción se pierde en episodios marginales mal hilvanados y las aventuras son cada vez más inverosímiles y arbitrarias, al paso que se diluye la poesía y la elegancia del *Amadís* primitivo. Al lado del ciclo de los amadises prolifera el de los palmerines, que cuenta con alguna novela de mérito, como es el *Primaleón,* y simultáneamente se van publicando los llamados libros de caballerías sueltos, o sea, independientes de estos dos ciclos.

Los lectores de la literatura caballeresca son de las más diversas condiciones, desde los segadores que escuchaban los libros que tenía el ventero Palomeque del *Quijote* (1, 32), hasta el emperador Carlos V, Santa Teresa de Jesús, San Ignacio de Loyola o Lope de Vega.

Estos libros de caballerías, que a lo largo de todo el siglo xvi gozan entre los españoles de una aceptación entusiasta y que se imprimen sin cesar, son objeto, simultáneamente, de una serie de ataques y de censuras por parte de las mentes más preclaras.

Todo el mundo recuerda aquella estrofa del *Rimado de palacio* en la que el canciller don Pero López de Ayala se lamenta del tiempo que perdió leyendo «libros de devaneos e mentiras probadas» como el *Amadís* y el *Lançalote*. También a finales del siglo XIV el domínico fra Antoni Canals, en el prólogo de su versión catalana de la epístola *De modo bene vivendi,* que creía de San Bernardo, afirma que no se deben leer libros vanos, y pone como ejemplo de éstos «les faules de *Lançalot* e de *Tristany*», el *Roman de Renart* (que llama *Romanç de la guineu*), el *Ars amandi* de Ovidio y el seudoovidiano *De vetula*[1]. Estos antiguos precedentes de lo que ahora vamos a considerar no dejan de ser curiosos por la distinta índole de los autores, contemporáneos entre sí, que emitieron tales juicios: el canciller Ayala, que fue caballero (recuérdese su participación en las principales batallas de su tiempo) y el senequista Antoni Canals, quien evidentemente se dirige a un público cortesano, capaz de entusiasmarse con Ovidio y de leer y apreciar el *Roman de Renart* en francés, ya que no se tienen noticias de traducciones catalanas de esta obra, por otra parte poco imaginables. En nuestro caso lo que realmente interesa es la censura de los libros de caballerías, a lo largo de todo el siglo XVI, por parte de los que llamaremos autores graves, para englobar bajo esta denominación a filósofos, moralistas, historiadores y escritores religiosos de distintas órdenes. Veamos en primer lugar, y por orden cronológico de composición o publicación, una lista de tales autores con referencia a la obra en que los libros de caballerías son censurados[2].

---

[1] *Colección de documentos inéditos del Archivo de la Corona de Aragón,* XIII (Barcelona, 1857), pág. 420.
[2] Me baso en los datos recogidos en Menéndez y Pelayo, *Orígenes de la novela,* I, Madrid, 1943, págs. 440-447; Américo Castro, *El pensamiento de Cervantes,* Madrid, 1925, pág. 26, n. 2; Werner Krauss, *Die Kritik des Siglo de Oro am Ritter- und Schaeferroman,* «Homenatge a Antoni Rubió i Lluch», Barcelona, 1936, I, páginas 225-246; Marcel Bataillon, *Erasmo y España,* Méjico, 1966, págs. 622-623, n. 1; M. de Riquer, prólogo a la edición del *Tirante el Blanco,* Barcelona, 1947, I, págs. XXXII-XLI; E. Glaser, *Nuevos datos sobre la crítica de los libros de caballerías en los siglos XVI y XVII,* «Anuario de Estudios Medievales», III, 1966. Véase también E. Asensio, *El erasmismo y las corrientes espirituales afines (conversos, franciscanos, italianizantes),* «Revista de Filología Española», XXXVI, 1952, pág. 94. Sin duda alguna esta lista se podría

1524:   Juan Luis Vives, *De institutione christianae feminae* (y 1528 traducción de Jerónimo Justiniano, *Instrucción de la mujer cristiana*).

1529:   Fray Antonio de Guevara, *Libro del emperador Marco Aurelio*.

1531:   Juan Luis Vives, *De causis corruptarum artium*.

1533-1535:   Juan de Valdés, *Diálogo de la lengua*.

1539:   Fray Antonio de Guevara, *Aviso de privados y doctrina de cortesanos*.

1544:   Francisco de Monzón, *Espejo del príncipe cristiano*.

1544:   Francisco Cervantes de Salazar, en las adiciones a su versión de la *Instrucción y camino para la sabiduría* de Juan Luis Vives.

1544:   Pedro Mexía, *Historia imperial y cesárea*.

1545:   Francisco Díaz Romano en el prólogo de *Hábito y armadura espiritual* de Diego de Cabranes.

1546:   Alejo de Venegas en el prólogo al *Apólogo de la Ociosidad y del Trabajo* de Luis Mexía.

1547:   Luis de Alarcón, *Camino del Cielo*.

1547:   Alonso de Fuentes, *Summa de philosophia natural*.

1548:   Diego Gracián, *Morales de Plutarco*.

1552:   Diego Gracián, *Historia de la entrada de Ciro Menor en Asia*.

1553:   Alejo de Venegas en el prefacio a la versión de Agustín de Almazán de *La moral y muy*

aumentar, pero tal como se puede formar a base de todos estos trabajos ya es muy elocuente. Pedro Sáinz Rodríguez, *Una fuente posible de «El Criticón» de Gracián*, «Archivo Teológico Granadino», XXV, 1952, pág. 13, n. 12, da un «nomenclátor» de autores que escribieron contra los libros de caballerías, algunos de ellos no recogidos en la lista que aquí formo, pero sin decir en qué obra se hallan las censuras.

graciosa historia del Momo de L. B. Alberti.

1553: Alfonso García Matamoros, *Pro adserenda Hispanorum eruditione.*

1553: Francisco de Barcelos, *Salutiferae crucis triumphus in Christi Dei gloriam.*

1555: Gonzalo Fernández de Oviedo, *Las quinquagenas de la nobleza de España.*

¿1556?: João de Barros, *Espelho de casados.*

1557: Andrés Laguna, *Cuatro elegantísimas y gravísimas oraciones de M. T. Cicerón contra Catilina.*

1563: Melchor Cano, *De locis theologicis.*

1569: Arias Montano, *Rhetoricorum libri IV.*

¿1573?: Fray Agustín Salucio, *Aviso para los predicadores del santo Evangelio.*

1574: Gonzalo de Illescas, *Historia pontifical y católica.*

1580: Miguel Sánchez de Lima, *El arte poética en romance castellano.*

1582: Fray Luis de Granada, *Introducción al Símbolo de la Fe.*

1588: Malón de Chaide, *La conversión de la Magdalena.*

1589: Fray Juan de Tolosa, *Aranjuez del alma.*

1589: Fray Francisco Ortiz Lucio, *Jardín de amores santos.*

1593: Fray Francisco de Ribera, *In XII prophetarum comentarii.*

1595: Fray Marco Antonio de Camós, *Microcosmia y gobierno universal del hombre cristiano.*

1597: (en el colofón; en la portada 1603): Gaspar de Astete, *Tratado del gobierno de la familia y estado de las viudas y doncellas.*

1599: Fray Luis de Granada, *Compendio de doctrina cristiana.*

1599: Fray Pedro de la Vega, *Declaración de los siete psalmos penitenciales.*

1599:   Fray Juan de la Cerda, *Vida política de todos los estados de mujeres.*

Hay que advertir, en primer lugar, que tales censuras no se limitan a los libros de caballerías, pues la mayor parte de estos autores incluyen, en sus ataques, la novela pastoril, la poesía de Boscán y hasta la de Garcilaso, a menudo *La Celestina* y a veces la narración sentimental tipo *Cárcel de amor.* A pesar de ello los libros de caballerías suelen ser los más vilipendiados, y el que más veces es objeto de censura es el *Amadís de Gaula* (aunque algunos autores no lo citen y Juan de Valdés lo alabe), al que siguen *Las sergas de Esplandián* y el *Palmerín de Ingalaterra,* y, en menor proporción de ataques, el *Primaleón,* el *Florisando,* el *Lisuarte de Grecia,* el *Clarián de Landanís,* el *Reinaldos de Montalván* (este libro de carácter distinto de los anteriores). Adviértase que, a pesar de lo escabroso y lascivo que podía parecer a los moralistas del XVI, el *Tirante el Blanco* sólo aparece enumerado en la larga relación de libros que hace Juan Justiniano en 1528 al ampliar los títulos dados por Juan Luis Vives en *De institutione christianae feminae,* siendo así que de aquella novela ya se habían publicado dos ediciones catalanas (de 1490 y 1497), una italiana (de 1501) y otra castellana (de 1511) y se imprimiría tres veces más en italiano (en 1538, 1566 y 1611).

La anterior relación de autores graves que censuraron los libros de caballerías (susceptible, no lo olvidemos, de numerosas adiciones), aunque no es un fenómeno insólito (baste recordar los ataques de los Padres de la Iglesia a los autores paganos, y sería interminable la lista de detractores del cine en lo que va de siglo XX), nos permite reunir los principales argumentos que eran esgrimidos por los enemigos de aquel género literario. Y como sea que Miguel de Cervantes confiesa tantas veces que escribe el *Quijote* para poner en olvido y desterrar los libros de caballerías, se impone señalar en qué puntos o apreciaciones el criterio del gran novelista está de acuerdo con el de los autores graves.

Las censuras apuntan unas veces contra los autores de libros de caballerías, otras veces contra sus lectores. Por lo que a los autores se refiere, se afirma que son incultos y que escriben mal. Fray Agustín Salucio (¿1573?), englobando a los autores de libros de caballerías y de «farsas», es contundente: «...ningún español que haya tenido ingenio lo ha tenido en tan poco que lo haya empleado en semejantes frasquerías; y así, los que se han aplicado a esas composturas de cosas fabulosas, en prosa o verso, han sido parleros y vanos idiotas sin ninguna noticia ni lección de buenos autores ni de buenas letras: todo es mentir de ventaja, sin orden ni tiento, ni lenguaje, y sin estilo, sin saber guardar el decoro ni aun al bajo argumento que tratan»[1]. Cervantes, que varias veces coincide con esta opinión, hace decir al canónigo toledano que los libros de caballerías «son en el estilo duros..., largos en las batallas, necios en las razones, disparatados en los viajes, y, finalmente, ajenos de todo discreto artificio» (I, 47).

Los autores graves, con mucha frecuencia, acusan a los autores de libros de caballerías de ser enemigos de la verdad, pues relatan casos mentirosos e imposibles, lo que puede ocasionar que la gente ignorante los tome por relatos ciertos en detrimento de la auténtica historia. Como ejemplo de tan divulgada opinión véase lo que escribía Diego Gracián (1552): «... a lo menos embotaré con la lección desta obra [la traducción de la *Anábasis* de Jenofonte] a los lectores españoles el gusto del entendimiento para leer los libros de caballerías, de que hay más abundancia en nuestra España que en ningunos otros reinos, habiendo de haber menos; pues no sirven de otra cosa sino de perder el tiempo y desautorizar los otros buenos libros verdaderos de buena doctrina y provecho. Porque las patrañas disformes y desconcertadas que en estos li-

---

[1] Citado en E. Glaser, *Nuevos datos*, pág. 397.

bros de mentiras se lee, derogan el crédito a las verdaderas hazañas que se leen en la historia de verdad.» Esta
crítica es constante, de modo explícito e implícito, en el
Quijote, la locura de cuyo protagonista se basa, en gran
parte, en este error, o sea, en creer que tan históricos
son Lanzarote, Tristán y Amadís como Juan de Merlo,
Suero de Quiñones y el Gran Capitán.

Que los libros de caballerías son incitadores de la sen-
sualidad es, sin duda, la crítica que aparece con más
frecuencia en los autores graves, muchos de ellos moralistas y religiosos, y sin duda una de las acusaciones que
más duraderamente han pesado sobre todo tipo de literatura caballeresca, desde que Dante hizo pecar a Paolo
Malatesta y Francesca de Rimini por culpa de la lectura
de *Lancelot,* hasta el tan poco mojigato Brantôme, que
afirma, en *Les dames galantes,* que quisiera tener tantos
centenares de escudos en la bolsa como mujeres, así se-
glares como religiosas, ha pervertido la lectura del *Amadís.* Cervantes señala a veces la deshonestidad de los
libros de caballerías con observaciones irónicas muy propias de su temperamento: y más que las reflexiones mora-
lizadoras dicen aquellas palabras, puestas en boca del
propio escritor: «... nuestro famoso español don Quijote
de la Mancha, luz y espejo de la caballería manchega, y
el primero que en nuestra edad y en estos tan calamitosos
tiempos se puso al trabajo y ejercicio de las andantes armas, y al de desfacer agravios, socorrer viudas, amparar
doncellas, de aquellas que andaban con sus azotes y palafrenes, y con toda su virginidad a cuestas, de monte en
monte y de valle en valle; que si no era que algún follón,
o algún villano de hacha y capellina, o algún descomunal gigante las forzaba, doncella hubo en los pasados
tiempos que, al cabo de ochenta años, que en todos ellos
no durmió un día debajo de tejado, y se fue tan entera
a la sepultura como la madre que la había parido»
(I, 9). Evidentemente, la burla de la deshonestidad es
mucho más eficaz que la censura. Ya en tono grave Cervantes coincide con la actitud de los moralistas cuando

dice de los libros de caballerías que «este género de escritura y composición cae debajo de aquel de las fábulas que llaman milesias» (I, 47), pues las llamadas fábulas de Mileto eran consideradas deshonestísimas[1].

Existieron prohibiciones oficiales e intentos de prohibiciones de libros de caballerías tanto en España como en las Indias[2], aspecto importante, pero que interesa menos que el paralelismo entre la actitud crítica de Cervantes y la de los autores graves del siglo XVI antes enumerados, ya que, por encima de lo anecdótico o circunstancial, hay entre gran número de éstos y el autor del *Quijote* la inserción en una tendencia que parece típica del erasmismo español[3], de la que, sin duda exagerando las cosas, se podrían apuntar hechos de mayor alcance; ya que, si aceptamos que la novela predilecta de los erasmistas fue el *Teágenes y Cariclea* de Heliodoro[4], el final de la carrera literaria de Cervantes parece tener un sentido muy claro[5]: con el *Quijote* parodia, satiriza y ridiculiza la novela «antigua», la de caballerías nacida en el siglo XII francés; y con el *Persiles*, «libro que se atreve a competir con Heliodoro» (prólogo de las *Novelas*), se sitúa en el camino que sin duda creyó más adecuado para la novela moderna.

La lista de autores graves que atacaron los libros de caballerías supone una perogrullesca conclusión: los libros de caballerías eran muy leídos. Aunque aquella lista sufre adiciones cada vez que un crítico vuelve a este tema, su consideración puede iluminarnos en algunos as-

[1] Véase, para este punto, la nota de Schevill, *Quijote*, II, página 457, y Bataillon, *Erasmo*, pág. 616 y nota.
[2] Véase A. E. Serrano Redonnet, *Prohibición de libros en el primer sínodo santiagueño*, «Revista de Filología Hispánica», V, 1943, págs. 162-166; I. A. Leonard, *Los libros del Conquistador*, Méjico, 1953, págs. 76-88.
[3] Cf. Bataillon, *Erasmo*, págs. 614-615.
[4] *Ibid.*, pág. 620.
[5] Según R. Osuna, *Las fechas del Persiles*, Bogotá, 1970, los dos primeros libros se redactaron entre 1580 y 1605, el tercero entre 1606 y 1609 y el cuarto en los últimos meses de la vida de Cervantes. J.-B. Avalle-Arce, en *Suma Cervantina*, Londres, 1973, páginas 199-204, propone dos etapas principales: entre 1599 y 1605 Cervantes escribiría los dos primeros libros, y entre 1612 y marzo de 1616 la segunda mitad.

pectos del problema. Creo que carece de sentido afirmar que tales censuras se seguían haciendo como de rutina cuando ya había decrecido mucho la boga de los libros de caballerías: difícilmente encontraríamos hoy un moralista que desaconsejara la lectura de Pedro Mata o a un predicador que hablara de la deshonestidad del vals. La lista incluye 35 censuras en 75 años (de 1524 a 1599), y con todo lo arbitrario y provisional que suponen apreciaciones de esta suerte, adviértase que la decena más densa en censuras es la de 1540-1549 (ocho censuras), a la que sigue la de 1550-1559 (siete censuras), decena ésta que corresponde a la niñez de Cervantes. En este lapso de 75 años vienen después de las dos citadas, en razón al número de críticas, la decena de 1580-1589 (cinco censuras) y la de 1590-1599 (seis censuras), y señalemos que en esta última coincide con la concepción e inicio del *Quijote*. Cuando Cervantes imagina y se pone a escribir la primera parte de su gran novela, se van publicando obras serias que contienen ataques contra los libros de caballerías.

Punto delicado y provisional es, también, el cálculo del número de ediciones de libros de caballerías que lanzaron los libreros españoles. Según recientes estadísticas[1], y ateniéndonos al lapso que hemos tenido en cuenta para las censuras de los autores graves, resulta, por decenios, lo siguiente: 1530-1539: 35 ediciones; 1540-1549 49 ediciones; 1550-1559: 20 ediciones; 1560-1569: 29 edi-

---

[1] Véanse, en el trabajo de Maxime Chevalier, *Sur le public du roman de chevalerie,* Burdeos, 1968, los útiles cuadros de las páginas 2 a 4. El autor confiesa que los ha confeccionado a base de la *Bibliografía* de Simón Díaz y, para el *Amadís de Gaula,* a base de la bibliografía de la edición de Place. Es de notar que Chevalier afirma que, entre 1508 y 1630, se publicaron 18 ediciones del *Amadís de Gaula*; en cambio, de ciertos papeles de Diego Clemencín, de 1805, y las notas con que los publicó Juan Givanel, se deduce que entre 1508 y 1589 se publicaron, por lo menos, 28 ediciones de este libro de caballerías: cf. Clemencín, *Biblioteca de libros de caballerías (año 1805),* «Publicaciones Cervantinas», Barcelona, 1942, págs. 2-5. Sin duda las dos cifras son exageradas (demasiado rebajada la de Place-Chevalier y demasiado aumentada la de Clemencín-Givanel), lo que hace toda estadística muy aproximativa. Lo grave es que en estadísticas de este tipo hay que tener en cuenta el número, bastante considerable, de ediciones de las que no existe o no se ha localizado ningún ejemplar.

ciones; 1570-1579: 7 ediciones; 1580-1589: 31 ediciones,
y 1590-1599: 4 ediciones. Observamos que, como en las
censuras, el decenio más denso en ediciones es el de 1540-
1549, y que el tercer lugar en densidad también es ocupado por el decenio 1580-1589. Tanto en censuras como
en ediciones parece advertirse una curva de descenso en
el decenio 1570-1579 (dos censuras y siete ediciones),
pero en los diez años siguientes la línea vuelve a subir.

Lo más importante, y sin duda lo más difícil de establecer, es el censo de lectores de libros de caballerías. Se
sabe documentalmente de algunos nobles y caballeros
que eran aficionados a este tipo de literatura por la sencilla razón de que existen inventarios de sus bibliotecas
o porque alguien, atendida su importancia social, ha narrado alguna anécdota que lo acredita. De los lectores de
condición inferior no podemos tener pruebas porque no
han dejado rastro documental. Ahora bien, es evidente
—y perdóneseme esta nueva perogrullada— que cuando
un libro se reimprime es porque se ha agotado. Datos
muy diversos permiten admitir que es una cifra muy prudente, rayando con la baja, suponer que de cada edición
de un libro de caballerías se tiraban mil ejemplares[1]; y
si cálculos muy bajos admiten 86 ediciones entre 1551
y 1600[2], ello nos da la cifra de 86.000 ejemplares en tiempos en que la población de la monarquía española (inclu-
yendo Portugal, pero no las Indias) era de unos nueve
millones y medio de habitantes. Ello supone que no eran
sólo las clases elevadas las que leían los libros de caballerías, sino también las medias y bajas. No creo que deba
minimizarse el dato que nos da el propio Cervantes
cuando pone en boca del ventero Palomeque las siguientes palabras: «Porque cuando es tiempo de la siega, se
recogen aquí, las fiestas, muchos segadores, y siempre

[1] Véase L. Pfandl, *Cultura y costumbres del pueblo español de
los siglos XVI y XVII: Introducción al estudio del Siglo de Oro*,
Barcelona, 1942, págs. 188-191; y los datos y bibliografía sobre
este punto de J. Rubió en J. M. Madurell Marimón y J. Rubió
y Balaguer, *Documentos para la historia de la imprenta y librería
en Barcelona (1474-1553)*, Barcelona, 1955, págs. 88-89.
[2] Chevalier, *op. cit.*, pág. 5.

hay algunos que saben leer, el cual coge uno destos libros en las manos, y rodeámonos dél más de treinta, y estámosle escuchando con tanto gusto, que nos quita mil canas; a lo menos, de mí sé decir que cuando oyo decir aquellos furibundos y terribles golpes que los caballeros pegan, que me toma gana de hacer otro tanto, y que querría estar oyéndoles noches y días» (I, 32). Y líneas después nos enteramos de que hasta la misma Maritornes se enternecía oyendo los pasajes amorosos de los libros de caballerías. Ello no es una fantasía de Cervantes, porque también Avellaneda hablaba de «desterrar la perniciosa lición de los vanos libros de caballerías, tan ordinaria en gente rústica y ociosa».

Hay que tener en cuenta, además, que un buen número de libros de caballerías, sobre todo los breves, como el *Tablante de Ricamonte,* el *Pierres de Provenza,* el *Clamades,* etc., gozaron de extraordinaria difusión en pliegos sueltos, impresiones en cuadernillos de mal papel y destinadas a un público tosco, la mayoría de las cuales han desaparecido sin dejar rastro, pero de cuya existencia tenemos noticia gracias a catálogos de bibliófilos (empezando por Hernando Colón) y a anuncios de libreros. Ello hace ver, también, que la lectura popular de libros de caballerías no feneció después de la publicación del *Quijote,* pues gran número de ellos siguió publicándose, de este modo humilde, hasta entrado el siglo XX[1]. No se olvide, por otra parte, que lo que nos interesa es el público de los libros de caballerías, parte del cual era lector y parte auditor, como los segadores analfabetos de que nos habla el ventero Palomeque.

Todo lleva a concluir que, cuando Cervantes concibió y empezó a escribir el *Quijote,* los libros de caballerías seguían disfrutando de gran prestigio y tenían un consi-

---

[1] Véase A. Rodríguez-Moñino, *Construcción crítica y realidad histórica en la poesía española de los siglos XVI y XVII,* Madrid, 1965, págs. 45-49, y su *Diccionario de pliegos sueltos poéticos (siglo XVI),* Madrid, 1970, págs. 85-126; E. M. Wilson, *Some Aspects of Spanish Literary History,* Oxford, 1967, pág. 23; y J. Caro Baroja, *Ensayo sobre la literatura de cordel,* Madrid, 1969, páginas 317-331.

derable número de lectores de todas las clases sociales. Lo contrario haría que el propósito explícito de la gran novela, tantas veces recalcado por Cervantes, aunque admitiéramos que es una pantalla para encubrir otras recónditas y pretendidamente más elevadas intenciones, sería inoperante y trasnochado.

Lo que interesaba era destacar que el propósito de acabar con los libros de caballerías —lo que en efecto logró— no es en Cervantes un mero pretexto para escribir el *Quijote* ni el disimulo de otra ambición inconfesada, sino un empeño literario de acuerdo con la manera de pensar de los más graves autores españoles del siglo XVI. Pero si el *Quijote* fuera sólo esto, en cuanto los libros de caballerías dejaron de escribirse, de imprimirse y de leerse, toda su validez hubiera caducado y hoy no sería más que una novela de circunstancias que logró el propósito que perseguía su autor. Lo extraordinario del *Quijote* es que es una parodia que interesa al que desconoce lo parodiado, un libro con una circunstancia muy concreta que llega a los más alejados en el tiempo y el espacio, una diatriba para acabar con algo que hace mucho que se acabó, y que cada día nos abre mayores perspectivas y posibilidades de reflexión y de auténtico regocijo, pues el que no se da cuenta de que el *Quijote* es un libro divertido lo ha entendido tan poco como el que no ha reparado en su tristeza[1].

Contraste esencial con la tónica normal de los libros de caballerías es la contemporaneidad de la acción del *Quijote,* que va sucediendo en la época en que apareció. La primera parte transcurre algo antes de 1605 («no ha mucho tiempo que vivía un hidalgo»), tal vez unos quince años, ya que en la biblioteca de don Quijote no figura ningún libro impreso después de 1591 (véase I, 6, nota preliminar) y se supone que el cautivo narra sus aventuras en 1589 (véase I, 39, nota 4). La segunda par-

[1] La reacción casi unánime que provocó entre sus contemporáneos el *Quijote* fue la risa; véase *¿Qué pensaron de Cervantes sus contemporáneos?,* en el libro de A. Bonilla San Martín, *Cervantes y su obra,* Madrid, 1916.

te, en cambio, publicada en 1615, transcurre en el verano del año anterior (la carta de Sancho a su mujer va
firmada en 20 de julio de 1614; véase preliminar a II, 36),
sin duda alguna porque Cervantes se ha propuesto, en
la última etapa de redacción de su novela, hacer figurar
en ella acontecimientos de candente actualidad que, en
el momento en que está escribiendo, preocupan a todos
los españoles. Observemos que el bandolero catalán Rocaguinarda, que aparece con su mismo nombre en el relato (Roque Guinart), había sido indultado en 1611 y
que en 1613 el bandolero Pere Barbeta, en un audaz
asalto, se había apoderado del oro de Indias apenas entró en Cataluña la bien custodiada expedición que lo
llevaba a Italia (véase II, 60, nota preliminar). Y, sobre
todo, tengamos en cuenta el episodio de Ricote, pues el
primer bando de expulsión de los moriscos es de 1609
(véase II, 54, nota preliminar). En el *Quijote* de 1615
se debaten, pues, serios problemas inexistentes en 1605,
lo que da a la segunda parte de la novela una actualidad
inmediata y apasionada que los contemporáneos debieron
de percibir en toda su gravedad e incluso audacia.

LA LOCURA DE DON QUIJOTE. Se ha afirmado a veces
que don Quijote no estaba loco, o se ha querido genera-
lizar diciendo que todos estamos locos. Con ideas así se
pueden escribir maravillosos ensayos y de ellas se pueden
extraer importantes consecuencias. Pero lo cierto es que
el protagonista de la novela de Cervantes está remata-
mente loco, desde el primer capítulo de la primera parte,
en que «se le secó el celebro, de manera que vino a perder el juicio», hasta el último de la segunda, cuando despierta gritando «¡Bendito sea el poderoso Dios, que tanto
bien me ha hecho!»[1] El *Quijote* carece de tramado nove-

---

[1] Se opone a ello Vicente Gaos, *Claves de literatura española*, I,
Madrid, 1971, pág. 213, quien opina: «No, don Quijote no está
"*rematadamente* loco". Si lo estuviera, sería imposible que la obra
tuviese alcance universal alguno.» Se trata de una opinión, valio-
sa por quien la emite; pero yo me atengo a Cervantes: «En efeto,
rematado ya su juicio, vino a dar en el más estraño pensamiento

lesco. Su asunto se expone en muy pocas palabras: Un
hidalgo aficionado a leer libros de caballerías se vuelve
loco, le da por creer que es un caballero andante y sale
tres veces de su aldea en busca de aventuras, que son
auténticas locuras; hasta que, obligado a regresar a su
casa, enferma, recobra el juicio y muere cristianamente.
Para el lector jamás hay ningún misterio ni nada semejante al *suspense*: desde el principio sabe de qué pie
cojea el protagonista, y cuando éste realiza una de sus
locuras ya sabe de antemano, por ejemplo, que lo que él
se figura que son gigantes o ejércitos son molinos o rebaños. El *Quijote* es una novela clarísima, sin trampa de
ninguna clase; abre de par en par sus páginas para todo
aquel que se acerque a ellas y jamás lo defrauda. Y si
nos quedáramos aquí, ante este libro divertido y prodi-
giosamente escrito, sin indagar más ni pretender buscar
otra cosa, ya habríamos ganado mucho e incluso recono-
ceríamos su mérito universal. Pero difícilmente encontraríamos un lector del *Quijote* que no quisiera ir más
allá, que no pretendiera explicarse aquellas páginas tan
claras o que no intentara indagar qué más persiguió Cervantes con esta novela.

A don Quijote le vuelve loco la lectura de los libros
de caballerías. No era nada nuevo. Descontando el caso
que cuenta Alonso de Fuentes, en su *Summa de filosofía
natural* (1547), de un personaje que se sabía de memoria
el *Palmerín de Oliva* «y no se hallaba sin él, aunque lo
sabía de cabeza»; las anécdotas que se encuentran en el
Arte de galantería de don Pedro de Portugal sobre toda
una familia llorando porque se había muerto Amadís y
sobre el caballero que juraba por los Evangelios que todo
lo narrado en el *Amadís* era cierto, y la desesperación de

---

que jamás dio loco en el mundo» (I, 1); «En los que escuchado
le habían sobrevino nueva lástima de ver que hombre que, al
parecer, tenía buen entendimiento y buen discurso en todas las
cosas que trataba, le hubiese perdido tan rematadamente» (I, 38);
«yo tengo a mi señor don Quijote por loco rematado» (II, 33);
«toda la industria del señor bachiller no ha de ser parte para
volver cuerdo a un hombre tan rematadamente loco» (II, 65).

un gran señor italiano al leer que Amadís hacía penitencia en la Peña Pobre, de que habla Lope de Vega en su
novela *Guzmán el Bueno,* hay además noticia de personas reales a quienes los libros de caballerías llevaron a la
locura. Alonso López Pinciano, en su *Filosofía antigua
poética* (1596), cuenta de un amigo suyo que, leyendo la
muerte de Amadís, quedó largo tiempo inconsciente; y
en ciertos cartapacios de don Gaspar Galcerán de Pinós,
conde de Guimerá, se explica que en el año 1600 un estudiante de Salamanca, «en lugar de leer sus liciones,
leía en un libro de caballerías, y como hallase en él que
uno de aquellos famosos caballeros estaba en aprieto por
unos villanos, levantóse de donde estaba, y empuñando
un montante, comenzó a jugarlo por el aposento y esgremir en el aire, y como lo sintiesen sus compañeros,
acudieron a saber lo que era, y él respondió: —Déjenme
vuestras mercedes, que leía esto y esto, y defiendo a este
caballero: ¡qué lástima! ¡cuál le traían estos villanos!»[1].

Don Quijote también se volvió loco leyendo libros
de caballerías, como el estudiante de esta última anécdota. Y con ello no se quiere indicar un posible modelo
vivo de don Quijote, sino poner de manifiesto que la ficción de Cervantes es completamente verosímil y que
en 1600 había desmesurados entusiastas de la literatura
caballeresca.

Lo importante es que don Quijote se vuelve loco ante
los libros. Su enajenación mental no se debe a desengaños
amorosos, como la demencial furia de Orlando, con quien
ha sido exageradamente comparado[2], sino ante la letra
impresa, y su locura estriba exclusivamente en dos con-
clusiones falsas: 1.ª, que todo cuanto había leído en
aquellos fabulosos y disparatados libros de caballerías era

---

[1] Véanse estas anécdotas en M. Menéndez y Pelayo, *Cultura
literaria de Miguel de Cervantes y elaboración del Quijote,* en
Estudios y discursos de crítica histórica y literaria, I, Madrid,
1941, pág. 350; y Henry Thomas, *Las novelas de caballerías españolas y portuguesas,* traducción de E. Pujals, Madrid, 1952, página 62.

[2] El Orlando de Ariosto, por desmesuras que haga, es un caballero de veras y, sobre todo, no está en desacuerdo con su ambiente, como es fundamental en don Quijote.

verdad histórica y fiel narración de hechos que en realidad ocurrieron y de hazañas que llevaron a término auténticos y reales caballeros en tiempo antiguo; 2.ª, que en su época (principios del siglo XVII) era posible resucitar la vida caballeresca de antaño de los libros de caballerías y mantener los ideales medievales de justicia y equidad. La manifestación de la locura de don Quijote se dará con total plenitud cuando llegue a poner en práctica las fantasías que bullen dentro de su cabeza. Fantasías del tipo de las de don Quijote las podemos llevar todos dentro de nosotros, e incluso recrearnos en ellas, aun sabiendo que se trata de vanas imaginaciones; pero el hecho de darles salida exteriorizándolas y de actuar de acuerdo con ellas convierte las fantasías en auténticas locuras, y esto es lo que hace don Quijote a partir del primer capítulo de la novela.

La locura de don Quijote como asunto narrativo corría el riesgo de convertirse en una payasada —como lo es el *Entremés de los romances,* que pudo inspirar a Cervantes[1], y lo son algunos trances de la continuación de Avellaneda—, si no se le daba una aspiración superior, y ello Cervantes lo solucionó magníficamente con la creación de Dulcinea del Toboso. Recordemos, otra vez, que Orlando enloqueció debido a los desdenes de Angélica la Bella, al paso que don Quijote perdió el juicio leyendo. Al primero el amor lo llevó a la locura, al segundo la locura lo llevó al amor; pues así que don Quijote decidió hacerse caballero andante, además de sus armas y de su caballo se vio precisado «a buscar una dama de quien enamorarse, porque el caballero andante sin amores era árbol sin hojas y sin fruto y cuerpo sin alma» (I, 1). El amor es, pues, una exigencia derivada de la locura caballeresca, y ante esta necesidad don Quijote escoge por dama suya «a una moza labradora de muy buen parecer, de quien él un tiempo anduvo enamorado, aunque, según se entiende, ella jamás lo supo, ni le dio cata

---

[1] Véase la nota preliminar a I, 5.

dello», que se llamaba Aldonza Lorenzo, nombre que el presunto caballero sustituyó por el de Dulcinea del Toboso, pues ella vivía en el lugar así llamado. Desde este momento la aldeana Aldonza Lorenzo queda convertida, en la imaginación de don Quijote, en la princesa Dulcinea del Toboso, dechado de toda hermosura y discreción y que reside en alcázares o palacios. Aunque la frase transcrita pueda hacer suponer lo contrario, don Quijote no había visto jamás a Aldonza-Dulcinea[1]; así lo afirmará luego: «en todos los días de mi vida no he visto a la sin par Dulcinea, ni jamás atravesé los umbrales de su palacio, y... sólo estoy enamorado de oídas y de la gran fama que tiene de hermosa y discreta» (II, 9). El tema del enamoramiento «de oídas» es muy viejo en la literatura europea y se encuentra en Ovidio (*Heroidas,* XVI, versos 36-38 y 104-106). Ya el primer trovador, Guilhem de Peitieu, afirma que jamás había visto a su dama, y el «amor de lejos» constituye el motivo esencial de la poesía del trovador Jaufré Rudel, del siglo XII. La literatura caballeresca recogió este tema, tan adecuado para realzar el concepto de la fama de la mujer, cuyos méritos y virtudes hacen que sea amada por quien jamás la ha visto. Los libros de caballerías castellanos desarrollan en alguna ocasión este delicado tema, como ocurre en el *Amadís de Grecia* y en el *Lisuarte.* Cervantes pudo conocer esta peculiaridad por los libros de caballerías, pero también gracias al romance de Rocaflorida, que pertenece al ciclo de los que tratan de Montesinos, donde se lee:

---

[1] La frase del primer capítulo no supone, necesariamente, que don Quijote hubiese visto alguna vez a Dulcinea. En otra ocasión dice don Quijote: «osaré jurar con verdad que, en doce años que ha que la quiero más que a la lumbre destos ojos que han de comer la tierra, no la he visto cuatro veces; y aun podrá ser que destas cuatro veces no hubiese ella echado de ver la una que la miraba» (I, 25). Ello podría deberse a uno de los tan cacareados descuidos de Cervantes; pero es posible que éste, en el transcurso de la redacción de la novela, fuera modificando este punto, deseoso de incorporar a Dulcinea el tema del «amor de oídas». Como éste se declara abiertamente en la segunda parte de la obra, no podía enmendar lo que escribió en la primera, publicada diez años antes.

Dentro estaba una doncella que llaman Rosaflorida;
siete condes la demandan, tres duques de Lombardía;
a todos les desdeñaba, tanta es su lozanía.
Enamoróse de Montesinos, de oídas, que no de vista...

Sancho, el escudero de don Quijote, estará al principio plenamente convencido de que su señor ama a una
alta princesa llamada Dulcinea que vive en el Toboso,
aunque esto último le sorprenderá un poco, pues jamás ha
tenido noticia de que en una aldea tan próxima a la suya
resida princesa alguna. Pero llega el momento en que
don Quijote decide enviar a Sancho al Toboso con una
carta para Dulcinea, y en esta ocasión le es preciso descubrir la verdad. Don Quijote, que con toda conciencia
dio a Aldonza Lorenzo el nombre de Dulcinea, ha de
renunciar por unos instantes a esta idealización y abrir
un brevísimo paréntesis en su fantasía, no en su locura,
y confesar a Sancho que Dulcinea es Aldonza Lorenzo,
la hija de Lorenzo Corchuelo y Aldonza Nogales (I, 25).
Sancho se queda asombrado al enterarse de que Dulcinea
es esta moza que él bien conoce y hace unos groseros elogios de su fuerza («tira tan bien una barra como el más
forzudo zagal de todo el pueblo...»), pero que no des-
mienten la primera impresión que nos dio Cervantes, o
sea que Aldonza era «de muy buen parecer». La respuesta de don Quijote a la sorpresa de Sancho es perfectamente lógica y cae dentro de las costumbres literarias
de la época: «... por lo que yo quiero a Dulcinea del
Toboso, tanto vale como la más alta princesa de la tierra. Sí, que no todos los poetas que alaban damas, debajo
de un nombre que ellos a su albedrío les ponen, es verdad
que las tienen. ¿Piensas tú que las Amariles, las Filis, las
Silvias, las Dianas, las Galateas, las Alidas y otras tales
de que los libros, los romances, las tiendas de los barberos, los teatros de las comedias, están llenos, fueron verdaderamente damas de carne y hueso, y de aquellos que
las celebran y celebraron? No, por cierto, sino que las
más se las fingen, por dar subjeto a sus versos, y porque

los tengan por enamorados y por hombres que tienen valor para serlo. Y así, bástame a mí pensar y creer que la buena de Aldonza Lorenzo es hermosa y honesta; y en lo del linaje importa poco, que no han de ir a hacer la información dél para darle algún hábito, y yo me hago cuenta que es la más alta princesa del mundo» (I, 25). Don Quijote jamás volverá a hablar así; ha tenido que hacerlo porque era forzoso enviar al Toboso a Sancho y éste tenía que saber a quién había de entregar la carta; pero el hidalgo manchego ha confesado que Dulcinea, que es «*la buena* de Aldonza Lorenzo», para lo que él la quiere, vale tanto como cualquier princesa, y ha revelado que su amor, como su locura, es algo puramente literario, pues está cortado con el patrón de los poetas bucólicos y de las novelas pastoriles.

Hasta aquí la personalidad de la moza-dama está bien definida y se mantiene constante: «la buena de Aldonza Lorenzo», moza de muy buen parecer, pero forzuda como un zagal, tiene el seudónimo poético de Dulcinea del Toboso, dama y princesa, elemento necesario para que el fingido caballero andante no sea una excepción entre los caballeros de los libros de caballerías. Pero Sancho se ve obligado, más adelante, a mentir ante don Quijote y asegurarle que ha cumplido su encargo llevando la carta a Dulcinea. Como el escudero está en el secreto, no puede inventar una escena de tipo caballeresco al estilo de las novelas y contar a su amo que halló en el Toboso un palacio y que habló con la princesa. Sancho inventará una escena lo más aproximada posible a lo que hubiera podido ocurrir si realmente hubiese llevado la carta de don Quijote a Aldonza Lorenzo, aunque matizándola con socarronería. Explica que la encontró en un corral de su casa ahechando trigo rubión, que tuvo que poner un costal sobre un jumento, que estaba sudada y despedía un olorcillo algo hombruno, que rasgó la carta de don Quijote, que no sabía leer ni escribir, y que le dio un pedazo de pan y queso ovejuno. Toda esta inventada narración de Sancho va interrumpida con intervenciones de don Quijote, que le *corrige* lo que va diciendo para amoldarlo a la ficción caballeresca: Dulcinea convertía con sus manos el trigo candeal en perlas, debió de besar la carta, preguntar por don Quijote, despedir una fragancia aromática y dar albricias al escudero con una rica joya. La escena anterior, en la que confesó que Dulcinea era Aldonza, ha sido totalmente borrada por don Quijote; fue un breve paréntesis que para él puede darse por inexistente, pues ahora, como siempre, persiste en la creencia de que Dulcinea es una alta princesa[1]. Mucho más adelante, todavía insistirá en su fantasía: «¡Que todavía das, Sancho..., en creer y en porfiar que mi señora Dulcinea ahechaba trigo, siendo eso un menester y ejercicio que va desviado de todo lo que hacen y deben hacer las personas principales...!» (II, 8). Y afirmará que los perversos encantadores que le persiguen debieron de transformar a Sancho la realidad (Dulcinea en su palacio) en una fantasía (Aldonza en su corral).

Al principio de la segunda parte don Quijote envía otra vez a Sancho al Toboso para que solicite de Dulcinea licencia para visitarla. Sancho, sentado al pie de un árbol, hace largas reflexiones sobre su comprometida situación, que soluciona de un modo sencillo e ingenioso a la vez. Ve que por el camino, viniendo del Toboso, se acercan tres labradoras montadas en tres borricos, y corre hacia donde está don Quijote y le comunica que se aproxima Dulcinea, ricamente ataviada y acompañada de dos de sus doncellas. Don Quijote no lo pone en duda, sale al camino y manifiesta que sólo ve a tres labradoras montadas en tres borricos. Sancho extrema su admiración y su sorpresa porfiando en que se trata de tres encumbradas damas, riquísimamente vestidas y montadas en tres jacas, y casi a viva fuerza hace que don Quijote se hinque de rodillas ante una de las labradoras. Don Quijote sólo ve la realidad: «una moza aldeana, y no de muy

[1] «ésas son las fuerzas de la imaginación, en quien suelen representarse las cosas con tanta vehemencia, que se aprehenden de la memoria, de manera que quedan en ella, siendo mentiras, como si fueran verdades», *Persiles*, II, 15.

buen rostro, porque era carirredonda y chata» (II, 10), que habla en términos rústicos, mientras Sancho asegura que es la hermosa Dulcinea, llena de joyas y con los cabellos sueltos por las espaldas. Entonces don Quijote cree comprender que el maligno encantador ha puesto «nubes y cataratas» en sus ojos y ha transformado la hermosura de Dulcinea en la vulgaridad de una labradora. O sea, la misma solución que antes, pero invertida: ahora es don Quijote quien no ve la realidad (Dulcinea), sino la fantasía (la fea aldeana), y lo cierto es precisamente lo contrario.

Sancho ha creado dos Dulcineas: la que inventó en la primera parte con la escena del mensaje, y la labradora que ahora acaba de convertir en gran señora, engañando a su amo. Éste llegará a la conclusión de que Dulcinea está «encantada» de tal suerte que ha tomado la apariencia de una fea aldeana. Y así, tal como se la ha hecho ver Sancho, la volverá a ver don Quijote en sueños en la cueva de Montesinos, con sus dos mozas acompañantes, «saltando y brincando como cabras» (II, 23), lo que le confirmará en que está encantada. A poco de llegar al palacio de los duques, y en el transcurso de una cacería, aparecerá un carro tirado de bueyes y con toda suerte de personas disfrazadas de magos y encantadores, entre las que se destaca el sabio Merlín. Se trata, naturalmente, de una farsa organizada por los servidores de los duques, con la finalidad de burlarse de don Quijote y Sancho. El sabio Merlín, en versos de grotesco estilo profético, anuncia que Dulcinea está encantada en forma de rústica aldeana (pues los duques ya conocen el engaño del escudero) y que sólo recobrará su estado primero (o sea el de una princesa) cuando Sancho se haya dado tres mil trescientos azotes «en ambas sus valientes posaderas» (II, 35). Ello trae consigo no tan sólo la indignación de Sancho, que no quiere vapulearse, sino su estupefacción cuando, al lado de Merlín, se levanta una «argentada ninfa» que afirma ser Dulcinea (es en realidad un mozo de los duques disfrazado) y exige al escudero que se dé los azotes gracias a los cuales quedará desencantada.

La Dulcinea encantada del carro de Merlín es un nuevo avatar de la amada de don Quijote, y así seguirá hasta el final de la novela, en uno de cuyos últimos capítulos Sancho, víctima de su propio engaño, fingirá que se da los azotes, sin que se produzca, naturalmente, el desencanto esperado por don Quijote.

«Dios sabe si hay Dulcinea o no en el mundo, o si es fantástica, o no es fantástica» (II, 32), afirma en cierta ocasión don Quijote. Él creó su mito, porque Aldonza Lorenzo *le valía* para ello, mito originariamente literario (caballeresco y pastoril), pero que de tal suerte se introdujo en su corazón, alimentado por la fantasía y el ensueño, que real y verdaderamente se enamoró de su propia criatura. Es ello uno de los síntomas de su locura, pero también algo tan sentido y tan elevado que adquiere una validez total. En el hecho de no haber visto nunca a Aldonza Lorenzo y de estar enamorado de ella sólo «de oídas» estriba todo el valor y la verosimilitud del amor de don Quijote, en este caso concreto sublimación, a pesar de la parodia evidente, de uno de los temas más sutiles del llamado amor cortés trovadoresco (el *amor de lonh,* «de lejos», de Jaufré Rudel), acertadamente repetido en algunos de los libros de caballerías. Muchos intérpretes han identificado a Dulcinea con la gloria; si en esta genial figura cervantina, que llena todo el *Quijote* sin asomarse realmente ni a una sola página, hay que ver algún símbolo, lo que no es forzoso, es más natural que se trate del símbolo del amor[1].

Me he extendido tanto en la figura de Dulcinea porque, por su complejidad, es la más difícil de comprender entre todos los personajes del *Quijote* y también porque nos da la medida de un aspecto de la locura del protagonista.

Desde el punto de vista médico don Quijote es un

---

[1] Véase el amplio estudio sobre Dulcinea en Luis Rosales, *Cervantes y la libertad,* II, Madrid, 1960, págs. 91-188.

paranoico magníficamente retratado, según los psiquiatras[1]. Ello revela la aguda penetración psicológica de Cervantes, que en su novela *El licenciado Vidriera* también describió otro caso de locura de un modo magistral. Sus dotes de observación, y el conocimiento de libros como el *Examen de ingenios* (1575) del doctor Huarte de San Juan[2], le permitieron ofrecer una caracterización perfecta de la demencia de don Quijote, loco entreverado, o sea que sólo desatina cuando se refiere a su manía, y es perfectamente cuerdo en las demás circunstancias.

La locura de don Quijote no ofrece siempre las mismas características, y va evolucionando en el transcurso de la novela, en la que manifiesta tres fases principales. La primera salida de don Quijote (I, 1-5) tiene peculiaridades tan propias que podrían corroborar la hipótesis de que Cervantes ideó primeramente una especie de «novela ejemplar» con la materia de los seis primeros capítulos, y que luego amplió en una narración larga[3]. En esta primera salida don Quijote desfigura la realidad que se le ofrece a los ojos, acomodándola a las fantasías que ha leído en los libros de caballerías, y cuando ve una venta cree que es un castillo, el toque de cuerno de un porquero se le antoja el aviso dado por un enano, toma por dos «fermosas doncellas» a unas mujeres de la peor calaña y al ventero por castellano. La vulgaridad de lo más corriente y cotidiano se transforma en el ideal de los libros de caballerías, debido exclusivamente a la imaginación exaltada del loco. Esta característica se mantendrá en la primera parte del *Quijote*. Pero en los cinco capítulos iniciales don Quijote no tan sólo transforma lo

---

[1] Véase A. Vallejo Nájera, *Literatura y psiquiatría,* Barcelona, 1950.
[2] Las relaciones entre Cervantes y Huarte de San Juan fueron señaladas simultáneamente por Rafael Salillas, *Un gran inspirador de Cervantes: el doctor Juan Huarte y su Examen de ingenios,* Madrid, 1905, y por Miguel de Unamuno, *Vida de don Quijote y Sancho,* Madrid, 1905. Véase también M. de Iriarte, *El doctor Huarte de San Juan y su Examen de ingenios,* Madrid, 1948, págs. 311-332.
[3] Véase el comentario preliminar a I, 7.

que perciben sus sentidos, sino que sufre constantes cambios imaginarios de su personalidad. Como «don Quijote» sale de su aldea soñando en la futura gloria; como tal se presenta en la venta, es armado caballero, redime al mozo Andrés e interpela a los mercaderes. Pero al quedar tendido en el suelo, apaleado por éstos, se figura que es Valdovinos, un personaje del romancero, y así lo encuentra su vecino Pedro Alonso, y luego se imagina que es Abindarráez y más adelante Reinaldos de Montalbán. Tales desdoblamientos de la personalidad no vuelven a darse en la novela, en la que, después de esta primera salida, don Quijote siempre será don Quijote.

La segunda salida ocupa el resto de la primera parte (I, 7-52). La compañía de Sancho Panza da el tono inconfundible de la novela. Don Quijote tenía que hablar, que razonar, que convencer, que enseñar e incluso que discutir con un constante compañero, para que así pudiéramos calar hondo en su pensamiento y para evitar el socorrido y falso expediente de los monólogos a que Cervantes se había visto precisado a recurrir en los primeros capítulos. Sancho será en esta segunda salida el encargado de advertir a don Quijote del engaño de sus sentidos y de hacerle ver que las maravillas que su mente imagina no son tal, sino normales manifestaciones de una realidad cotidiana y vulgar. Don Quijote, como se dijo, ya no desdobla su personalidad, pero desfigura la realidad que le circunda cuando es posible acomodarla al mundo fabuloso de los libros de caballerías. Don Quijote se halla ante molinos, rebaños, ventas, etc., y los transforma en gigantes, ejércitos y castillos; pero Sancho ve la realidad tal cual es y se esfuerza en hacer ver a su amo su error. Pasada la aventura, cuando don Quijote ha sido despedido por las aspas del molino o apedreado por los pastores de los rebaños, aceptará la realidad a base de trasmudarla al plano de la fantasía: eran de veras gigantes y ejércitos, pero los encantadores que le tienen ojeriza los han convertido en molinos y en rebaños. El mito de los encantadores es fundamental y constante en todo el *Quijote,* y sin ellos no tan sólo se desmoronaría la lógica y la verosimilitud de la novela, sino que don Quijote experimentaría, además del fracaso real, el fracaso ideal. En la segunda salida, pues, don Quijote desfigura la realidad, pero los que le rodean, en primer lugar Sancho, lo contradicen, aunque hay algunas excepciones, como son el episodio de los cueros de vino, en el que el escudero busca de veras la cabeza del gigante que ha matado su amo, y toda la farsa de Dorotea-Micomicona y del carro de bueyes encantado, elementos en los que ya aparece la técnica normal de la tercera salida. Lo importante es que en la primera y segunda, por regla general, don Quijote va en busca de aventuras por caminos y ventas de la Mancha sin que ocurra nada extraordinario ni insólito. Lo extraordinario e insólito lo crea él con su loca imaginación, en franca contradicción con lo que ven y le dicen ver los que están cuerdos.

La tercera salida, que ocupa toda la segunda parte de la novela, se caracteriza porque en ella los sentidos jamás engañan a don Quijote. Las ventas que ahora frecuenta siempre le parecen ventas, y no castillos, y cuando ve un palacio y mora en él, es un palacio de veras, la residencia de los duques. Ya vimos cómo en esta tercera salida Sancho engaña a don Quijote respecto a Dulcinea: don Quijote ve la verdad, a tres labradoras, por mucho que Sancho porfíe en que son tres encumbradas damas. La situación es exactamente opuesta a las más frecuentes en la segunda salida. Y ahora, ante la realidad tal cual es (una labradora, no Dulcinea), don Quijote creerá que los sentidos le engañan, y ello se deberá a la maldad de los encantadores, que le han transformado la belleza en fealdad. La estancia en el palacio de los duques, que organizan toda suerte de farsas para reírse de don Quijote, es muy característica en esta tercera salida. Don Quijote vivirá inmerso en el mundo lujoso y fantástico de los libros de caballerías: acudirán a él mujeres menesterosas para que socorra a doncellas desvalidas (la Trifaldi y la infanta Antonomasia), montará en un fabuloso caballo volador (el Clavileño), despertará un apasionado amor en el corazón de una doncella (Altisidora). Ello no es más que una hábil tramoya, capaz de engañar a don Quijote y más aún a Sancho (la farsa del gobierno de la ínsula Barataria), pero todo está trazado con apariencias de verdad (ya veremos luego que el episodio de doña Rodríguez, su hija y el lacayo Tosilos es de un tipo muy distinto). En la tercera salida don Quijote no es engañado por sus sentidos, sino por los que le circundan (Sancho, los duques, don Antonio Moreno con su cabeza encantada).

Don Quijote salió de su lugar de la Mancha en busca de las aventuras, de sucesos extraordinarios propicios para las actitudes caballerescas y heroicas. En la Mancha no ocurre absolutamente nada: todo es normal, vulgar, cotidiano y rutinario (ya trataremos luego del paréntesis pastoril), y don Quijote lo sublima al estilo caballeresco: los molinos serán gigantes; los rebaños, ejércitos. En Aragón, donde está el palacio de los duques, la realidad sigue siendo igual y el ambiente continúa no apropiado a las aventuras; pero el ingenio de los que rodean a don Quijote lo transforma engañosamente en un mundo caballeresco y fantástico. Pero en cuanto pisa Cataluña, la aventura de veras hace su aparición en la novela y se ofrece por vez primera a don Quijote. Rodean a don Quijote y a Sancho bandoleros de verdad, de carne y hueso, hombres que viven fuera de la ley, siempre con las armas prestas y llevando una vida ruda, peligrosa y combativa. Roque Guinart, personaje rigurosamente histórico y contemporáneo, como veremos más adelante, es un auténtico aventurero, capitán y jefe de partidas que constantemente tiene en jaque a las fuerzas regulares del virrey de Cataluña. En un solo capítulo (II, 60) por dos veces se derrama sangre en el *Quijote*: la de don Vicente Torrellas, muerto por Claudia Jerónima, y la del bandolero insolente a quien Roque «le abrió la cabeza casi en dos partes». Hasta ahora jamás habían ocurrido sucesos de este tipo y de tan real gravedad. En Barcelona, cuando don Quijote y Sancho van a visitar la galera se produce un hecho extraordinario: el vigía de Montjuich hace señas de alarma, pues un bergantín turco se halla próximo a la costa, y la galera en la que están los visitantes, junto con otras tres, se hace a la mar en su captura. Los turcos disparan sus escopetas y matan a dos soldados españoles, pero el bergantín es apresado. Por vez primera en su vida, don Quijote ha oído disparos bélicos y ha presenciado una batalla, pequeña, sí, pero batalla al fin, entre españoles y turcos, miniatura de las grandes campañas que los caballeros andantes de los libros hacían contra Constantinopla (Tirante, Esplandián, Palmerín de Oliva, etc.), o miniatura de Lepanto, donde también Cervantes luchó contra turcos. Desde que ha entrado en Cataluña las aventuras de veras, tan buscadas y tan mixtificadas antes, se han ofrecido a don Quijote. Y el lector advierte con tristeza que mientras don Quijote estuvo entre los bandoleros su figura se eclipsó ante la gallardía y la viril eficacia de Roque Guinart, y que en cuanto se halló metido en una batalla naval, su voz se calló, su ademán quedó inmóvil y no cometió ninguna de sus locuras, ahora que la suerte le brindaba una ocasión auténtica para demostrar el esfuerzo de su valeroso brazo. Pero como la aventura era de veras, la acabó un general que era «un principal caballero valenciano».

En cuanto aparece la aventura desaparece don Quijote, por la sencilla razón que don Quijote es una falsedad; que no es ni caballero[1] ni fuerte, e incluso su Dulcinea es una moza que se llama Aldonza Lorenzo. Ante el Mediterráneo, el mar latino, se dicen las verdades, y en las arenas de la playa de Barcelona don Quijote será vencido por un bachiller manchego también disfrazado de caballero. Todo ello es triste, muy triste, porque el lector ha cobrado un afecto extraordinario por este don Quijote, bueno, inteligente, simpático, honrado, pero a quien su chifladura ha convertido en un arcaísmo vivien-

---

[1] Véase el comentario preliminar a I, 3.

te, que sólo tiene validez ante lo imaginado o lo fingido y que se desmorona ante la realidad. El lector ya juzgará si hay en ello o no una ejemplaridad y una lección para los quiméricos y fantasiosos, es decir, para los quijotes.

Los románticos creyeron que el *Quijote* era una sátira de la caballería y del heroísmo. Esta interpretación olvida una distinción capital que Cervantes hace siempre, y muchas veces de un modo explícito. El *Quijote* satiriza los libros de caballerías, no la caballería; el inverosímil heroísmo de las novelas fabulosas, no el heroísmo real, como el que Cervantes mostró en Lepanto. El error fundamental de don Quijote es creer que los héroes inventados de las novelas fabulosas tienen la misma realidad que los héroes verdaderos. Cuando hablando con el canónigo toledano afirma que tan históricos son Amadís, Fierabrás, Aquiles, el rey Artús, Pierres de Provenza, etc., como el Cid, Juan de Merlo, Pedro Barba, Gutierre Quijada, Fernando de Guevara, Suero de Quiñones, Luis de Falces, etc., manifiesta a las claras su locura al poner en plano de igualdad a seres fabulosos con seres reales, y por esto «admirado quedó el canónigo de oír la mezcla que don Quijote hacía de verdades y mentiras» (I, 49). Esta distinción, que Cervantes cuida muy bien de dejar bien clara, es fundamental para comprender la actitud del escritor frente al heroísmo: admite y celebra el verdadero, pero condena y ridiculiza el falso.

Sebastián de Covarrubias, en su *Tesoro de la lengua castellana o española,* publicado en 1611 (o sea, entre la primera y la segunda parte del *Quijote*), define: «Libros de caballerías: Los que tratan de hazañas de caballeros andantes, ficciones gustosas y artificiosas de mucho entretenimiento y poco provecho, como los libros de Amadís, de don Galaor, del caballero del Febo y de los demás.» Estas breves líneas indican que los libros de caballerías son narraciones que tienen como protagonistas al caballero andante y cuya acción o trama es, esencialmente, una sucesión de hazañas, pero que son «ficciones». Esto último parece esencial: si los elementos no

3

son ficticios (o sea, si el protagonista ha existido y las hazañas se han realizado), la narración ya no es un libro de caballerías, sino un libro de historia y merecería el grave nombre de «crónica». Ahora bien, como es sabido, el castellano no ha dispuesto hasta tiempos muy recientes del término «novela» para calificar con él la narración ficticia larga, ya que no se pudo adoptar un término gemelo al de *roman* francés o *romanzo* italiano porque la voz «romance» designaba algo muy distinto (composición en versos octosilábicos, etc.). Sospecho (en cosas de este tipo es temerario y pedante afirmar) que esta secular ausencia de designación castellana para la novela puede haber contribuido algo a un equívoco patente en la mente de don Quijote y de ciertos donquijotes de carne y hueso de que se tiene noticia. Un escritor francés deja bien claro que va a narrar una acción ficticia cuando la encabeza con el título de *Roman de Tristan, Roman dou Graal, Roman de Balain, Roman de Jean de Paris,* etcétera. Claro está que puede disfrazar su ficción de realidad y titular la novela *Estoire* o dejar este punto indeciso con un vago *Livre*... Pero el escritor castellano de la Edad Media y de los siglos XVI y XVII (etapa que ahora nos interesa) no disponía de tales opciones y se vio precisado a utilizar abusivamente las denominaciones de «historia» y de «crónica» al frente de libros tan «fingidos y disparatados» como la *Historia del invencible caballero don Olivante de Laura, Primera parte de la grande historia del muy animoso y esforzado príncipe Felixmarte de Hircania* o *Crónica del muy valiente y esforzado caballero Platir, Crónica de Lepolemo,* etc. (Hay que confesar que *Las sergas de Esplandián* es un verdadero acierto.) Lo grave es que simultáneamente a la publicación de libros como los citados se editaban otros, rigurosamente verídicos, con los títulos de *Historia del emperador Carlos V* o *Crónica del Gran Capitán Gonzalo Hernández de Córdoba.* Ello contribuyó, sin duda, a acrecentar la confusión entre el relato de cosas fingidas y el relato de cosas reales, punto central de la discusión entre el cura y el ventero Palomeque (I, 32) y entre el canónigo toledano y don Quijote (I, 49), para destacar sólo dos de los muchos pasajes de la novela de Cervantes en que se debate este equívoco.

La locura de don Quijote sólo afecta, como hemos visto, a la literatura caballeresca, y por lo tanto jamás roza nada que pueda estar en pugna con la religión católica. Don Quijote, «a pesar de su locura, fue un cristiano ejemplar»[1], como sin duda el propio Cervantes, católico de ortodoxia inmaculada y paladín entusiasta de las doctrinas y el espíritu de la Contrarreforma en el *Persiles*[2]. Si con nuestro criterio actual algunas veces ha podido parecer que en el *Quijote* hay algún matiz que pudiera suponer incomodidad, inconformismo o ironía respecto al pensamiento católico tridentino —el rosario y las avemarías de la penitencia en Sierra Morena, la reflexión sobre la mitad de la capa de San Martín—, se trata de observaciones o de donaires que puede permitirse precisamente quien está muy seguro y muy firme en

---

[1] Con estas palabras acaba Amado Alonso su estudio *Don Quijote no asceta, pero ejemplar caballero y cristiano,* recogido en el libro *Materia y forma en poesía,* Madrid, 1955, pág. 229. «La sátira cervantina en el *Quijote* fue vislumbrar el vicio humano con raíz universal, viviente en suelo español. El anhelo de esta sátira es mantener a flote el mundo católico y monárquico; el blanco fue exponer, a la luz de la narración, a los que no acataban ese mundo», F. S. Escribano, *El sentido cervantino del ataque contra los libros de caballerías,* «Anales cervantinos», V, 1955-1956, página 33. Para la religiosidad de Cervantes véase A. G. de Amezúa, *Cervantes creador de la novela corta española,* I, págs. 97-138. La famosa frase del principio del capítulo 36 de la segunda parte del *Quijote* («las obras de caridad que se hacen tibia y flojamente no tienen mérito, ni valen nada»), cuya intención tanto se ha querido exagerar en un escritor como Cervantes, que no era un teólogo, fue condenada en el *Índice expurgatorio* del cardenal Zapata en 1632, pero ya antes se había suprimido en las ediciones de Valencia, 1616, y de Barcelona, 1617. Las censuras de la Inquisición portuguesa hechas en 1624 afectan a frases o pasajes que se consideraron deshonestos, excepto la referente al rosario hecho de tiras de los faldones de la camisa (I, 26), que ya había sido enmendada en la segunda edición de Juan de la Cuesta de 1605, quién sabe si por indicación del propio Cervantes (por lo menos lo toleró).

[2] «En el *Persiles* queda realizado el ideal de la Contrarreforma. Se ve otra vez la realidad, y la Iglesia Católica, Apostólica y Romana, por medio de los sacramentos, lava al hombre arrepentido de toda culpa, devolviéndole la belleza con que fue creado», J. Casalduero, *Sentido y forma de los Trabajos de Persiles y Sigismunda,* Buenos Aires, 1947, pág. 280.

su fe, pues al fin y al cabo a lo que más se parecen es a bromas de sacristía o de seminario. De don Quijote y de Sancho sabemos lo que hacen casi todos los días y casi todas las horas del día: cuándo se despiertan, por qué caminos van, qué manjares comen, dónde duermen, cómo son las camas en que reposan. Lo único que Cervantes no dice jamás es que cumplan con los deberes religiosos de todo cristiano y católico. Nunca rezan y, lo que es más notable, nunca van a misa, siendo así que durante la acción de la novela transcurren varios domingos y otras fiestas de guardar. Don Quijote en misa llegaría a parecernos algo anormal y sorprendente[1]. Ello se debe, sin duda alguna, al respeto religioso de Cervantes: situar a don Quijote, en el interior de una iglesia, frente a un altar y ante el santo sacrificio, corría el peligro de convertirse en una «aventura», y por esto fue mejor y más respetuoso evitarlo de raíz.

COMPOSICIÓN, TIPOS Y ESTILO DEL QUIJOTE. Evitando toda comparación valorativa o de sentido, la primera parte del *Quijote* ofrece una notable diferencia con la segunda. En aquélla, aparecida en 1605, la acción principal y fundamental, o sea las aventuras de don Quijote, se ve cortada y suspendida por otros relatos intercalados en el texto. Estos relatos ofrecen dos características principales: la total desvinculación de don Quijote y la interferencia en sus hechos. Al primer grupo pertenecen la novela *El curioso impertinente,* que el cura lee en la venta mientras don Quijote está durmiendo (I, 33-35). El asunto y el estilo de la novela no tienen absolutamente nada que ver con los de la acción principal del *Quijote,* pues se sitúa en Florencia y un siglo antes. Se trata de un caso de «literatura dentro de literatura», y este largo relato podría suprimirse del *Quijote* sin que pasara nada, como hacen, al saltárselo, muchos de los lectores de la

---

[1] Los héroes de los libros de caballerías suelen oír misa, confesarse y comulgar. Precisamente la escena del caballero andante oyendo misa en una ermita es un tópico viejísimo y corriente en este género.

gran novela cervantina. El relato de la vida del Cautivo (I, 39-41), aunque también está totalmente desligado
de las aventuras de don Quijote, por lo menos es la biografía de un personaje que, si bien de un modo muy
marginal y forzado precisamente para que nos cuente
su vida, interviene en la acción, aunque sólo sea por el
hecho de parar en la venta de Palomeque. *El curioso
impertinente* es una novela de gran interés psicológico, y
digna de todo encomio, y el relato del Cautivo, lleno de
recuerdos autobiográficos, es una narración admirable y
muy bien sostenida, pero ofrecen el grave inconveniente
de hallarse ambas intercalaciones demasiado próximas la
una a la otra y dilatan la aparición de don Quijote, que
es lo que realmente espera con impaciencia el lector.

La historia de los amores de Grisóstomo y Marcela (I, 12-14) está más imbricada en la acción principal
de la novela porque don Quijote escucha su plantea-
miento y asiste y hasta interviene un poco en su final.
Es muy posible que Cervantes, de primera intención, la
situara en Sierra Morena, pero que luego, al repasar lo
escrito, la trasladara donde está ahora[1]. Los amores de
Cardenio y Luscinda y de don Fernando y Dorotea (I, 24
y sigs.) tienen un carácter parecido, ya que se nos narran
sus antecedentes y asistimos a su desenlace, pero aquí ya
no se puede hablar de intercalación ni desvinculación de
la acción principal porque estos personajes, sobre todo
Dorotea, intervienen de un modo decisivo en ella y hasta constituyen una «aventura» de don Quijote.

Estas intercalaciones, principalmente la de *El curioso
impertinente* y la historia del Cautivo, han sido y son consideradas por parte de la crítica como desaciertos de
Cervantes. Sus contemporáneos ya lo criticaron, pues en
la segunda parte, hablando del primer tomo de la obra,
leemos: «Una de las tachas que ponen a la tal historia es
que su autor puso en ella una novela intitulada *El curioso impertinente*; no por mala ni por mal razonada, sino

[1] Véase Geoffrey Stagg, *Revision in don Quixote, part I*, «Hispanic Studies in honour of I. González Llubera», Oxford, 1959.

por no ser de aquel lugar, ni tiene que ver con la historia... del señor don Quijote» (II, 3).

En la segunda parte Cervantes se guardará muy bien de intercalar otras historias en la acción principal; y cuando, una sola vez, se verá tentado a ello, situará la historia de Ricote y de Ana Félix de tal suerte que queda embebida en las aventuras de Sancho (II, 54) y de don Quijote (II, 63). En el *Quijote* de 1615 amo y escudero van siempre juntos, y cuando llega un momento en que deben separarse, pues aquél se queda en el palacio de los duques y éste se va a gobernar la ínsula Barataria, dedica alternativamente un capítulo al uno y al otro, con frases de enlace al final de cada uno de ellos (II, 44-48). Al llegar a esta separación de los dos personajes principales Cervantes se siente obligado a justificar los criterios de composición que presidieron el *Quijote* de 1605: «Dicen que en el propio original desta historia se lee que llegando Cide Hamete a escribir este capítulo, no le tradujo su intérprete [es decir, Cervantes] como él le había escrito, que fue un modo de queja que tuvo el moro de sí mismo, por haber tomado entre manos una historia tan seca y tan limitada, como esta de don Quijote, por parecerle que siempre había de hablar dél y de Sancho, sin osar estenderse a otras digresiones y episodios más graves y más entretenidos y decía que el ir siempre atenido el entendimiento, la mano y la pluma a escribir de un solo sujeto y hablar por las bocas de pocas personas era un trabajo incomportable, cuyo fruto no redundaba en el de su autor, y que por huir deste inconveniente había usado en la primera parte del artificio de algunas novelas, como fueron la del *Curioso impertinente* y la del *Capitán cautivo,* que están como separadas de la historia, puesto que las demás que allí se cuentan son casos sucedidos al mismo don Quijote, que no podían dejar de escribirse» (II, 44). Cervantes ha escrito la segunda parte del *Quijote* con una especie de temor a caer en las digresiones, como revela, cuando sus protagonistas están en casa del Caballero del Verde Gabán, con las siguientes palabras: «Aquí pinta el autor [Cide Hamete Benengeli] todas las circunstancias de la casa de don Diego, pintándonos en ellas lo que contiene una casa de un caballero labrador y rico; pero al traductor [Cervantes] desta historia le pareció pasar estas y otras semejantes menudencias en silencio, porque no venían bien con el propósito principal de la historia; la cual más tiene su fuerza en la verdad que en las frías digresiones» (II, 18). La segunda parte del *Quijote* fue escrita cuando simultáneamente Cervantes tenía entre manos el *Persiles,* novela estructurada precisamente a base de digresiones, historias intercaladas, narraciones de hechos acaecidos en el pasado mezcladas con su propia continuación en el presente, etc., técnica tan distinta, que sin duda le exigió cierto esfuerzo evitar la contaminación.

La acción del *Quijote,* en contraposición a ciertos momentos del *Persiles,* se expone en riguroso orden cronológico, sin retrocesos, y cuando es preciso explicar acontecimientos pasados, se narran en forma de relato hecho en primera persona por los interesados o testigos —Cardenio, Dorotea, el cabrero que explica los amores de Grisóstomo, Ricote, etc.—, pero ello no afecta nunca a don Quijote y a Sancho.

El *Quijote* es una singular novela que se va haciendo ante el lector. Cervantes está siempre a nuestro lado, y nos comunica, como acabamos de ver bien claramente, sus problemas de novelista, sus dudas sobre la perfección o eficacia de lo que va escribiendo, y gracias a la ficción de Cide Hamete Benengeli —en principio parodia y sátira de un recurso común en los libros de caballerías[1]—, la narración se compone ante nuestros ojos: a Cervantes se le agotan los documentos de los archivos de la Mancha que relatan la historia de don Quijote (I, 8), pero venturosamente encuentra en el Alcaná de Toledo el presunto original árabe. Cervantes en persona ha asomado a las páginas del *Quijote* y nos ha hablado directa-

[1] Véase el comentario preliminar a I, 9.

mente, como Velázquez cuando se pinta a sí mismo en
las Meninas. Pero no tan sólo Cervantes aparece en el
Quijote, sino el *Quijote* mismo. En la segunda parte Sancho informa a su amo de que «andaba ya en libros la
historia de vuestra merced, con nombre de *El ingenioso
hidalgo don Quijote de la Mancha;* y dice que me mien-
tan a mí en ella con mi mesmo nombre de Sancho Panza,
y a la señora Dulcinea del Toboso, con otras cosas que
pasamos nosotros a solas, que me hice cruces de espantado
cómo las pudo saber el historiador que las escribió» (II, 2).
La ficción se interfiere perfectamente en la realidad: los
entes creados por el ingenio de Cervantes hablan como seres reales de su historia escrita e impresa, y el libro, la
primera parte de la novela, es un elemento novelesco más
en la segunda, e incluso el bachiller Sansón Carrasco nos
da la primera bibliografía del *Quijote:* «el día de hoy
están impresos más de doce mil libros de la tal historia;
si no, dígalo Portugal, Barcelona y Valencia, donde se
han impreso; y aun hay fama que se está imprimiendo
en Amberes, y a mí se me trasluce que no ha de haber nación ni lengua donde no se traduzga» (II, 3); y tiene toda
la razón, como se ha demostrado, pero lo sorprendente
es que esto lo diga un personaje de la novela desde dentro de la novela misma. Unamuno y Pirandello no serán
más audaces. Pero lo había sido, cuatro siglos antes que
Cervantes, el rey don Alfonso el Sabio, una de cuyas
Cantigas de Santa María (la 209) cuenta cómo el propio
monarca, enfermo en Vitoria, sanó milagrosamente gracias a que le pusieron encima el libro de las *Cantigas de
Santa María,* o sea el mismo en que esto se relata[1].

Cervantes puede ir aún más allá. En la segunda parte
se refiere varias veces al *Quijote* apócrifo de Avellaneda:
en una venta lo leen dos caballeros llamados don Jerónimo y don Juan (II, 59); ve que corrigen sus pruebas
en la imprenta de Barcelona (II, 62); aparece en el sueño de Altisidora (II, 70), y es condenado en el testamen-

---

[1] Véase A. Steiger, *Las Cantigas de Alfonso el Sabio,* «Clavileño», VI, 1955, n.º 33, págs. 14-18.

to de don Quijote (II, 74). Lo curioso es que el falso
Quijote interviene en la acción del auténtico, pues el protagonista decide no ir a Zaragoza y encaminarse a Barcelona para desmentirlo (II, 60). Y lo más sorprendente
es cuando un personaje creado por Avellaneda, el granadino don Álvaro Tarfe, aparece como personaje del
Quijote verdadero (II, 72), para desmentir al falsario
continuador.

Los mismos descuidos de Cervantes, como el del famoso robo del rucio[1], son elementos de la novela, pues se
discute sobre ellos, se justifican y se achacan al impresor,
lo que es, novelísticamente, lo más desconcertante de
todo: ¡en el *Quijote* se habla hasta del mismo impresor
que lo imprimió! Realidad y fantasía, imaginación y certeza, libro, impresor y seres imaginados se entremezclan
tan acertadamente, que ello contribuye de un modo muy
eficaz a hacer del *Quijote* un libro singular que alcanza
plenamente el mayor objetivo de todo novelista: conven-
cernos de que lo que estamos leyendo es verdad.

En el *Quijote* se han querido ver olvidos y descuidos.
No lo son, por ejemplo, la buscada indeterminación del
apellido de don Quijote (Quijano, Quijada, Quesada,
Quijana) ni la del famoso «lugar de la Mancha»[2], porque
de éste Cervantes no se acuerda. Podrían serlo, aunque
tal vez es un rasgo humorístico, los diversos nombres y
apellidos que se dan a la mujer de Sancho[3], y lo es, sin
duda, la anárquica cronología de la novela[4], que no permite ser reducida a un calendario (los intentos hechos en
este sentido han fracasado siempre). Pero Cervantes a
veces escribía de prisa, se olvidaba de ciertos detalles
(siempre insignificantes y que no dañan el valor de la
narración ni del sentido), y es posible que no siempre re-
pasara lo escrito, o que lo hiciera con ligereza. Con frecuencia debió de intercalar rúbricas de capítulos en un
texto redactado anteriormente, y al hacerlo a veces cortó

[1] Véase I, 23, nota 1.
[2] Véase I, 1 y el comentario preliminar.
[3] Véase I, 7, nota 17.
[4] Véase el comentario preliminar a II, 36.

frases por la mitad, que quedaron fragmentadas al final
de un capítulo y al principio de otro o de modo que la
sintaxis resultaba dañada por la inserción del título[1]. Un
leve repaso le hubiera permitido enmendar descuidos de
este tipo. Muy a menudo se encuentra en las obras
de Cervantes la expresión «Olvidábaseme de decir que...»,
que da una nota afectiva al estilo y que un preceptista
no dudaría en identificar con la figura retórica llamada
correctio. Lo cierto es que Cervantes realmente se ha olvidado de escribir algo y en vez de volver atrás en sus
cuartillas para añadir lo que se dejó en el tintero ha pre-
ferido confesar su descuido, lo que intensifica más la sensación que el lector tiene de cercanía del escritor.

Esta falta de lima y de repaso (*felix culpa*, pues contribuye a la espontaneidad de la prosa) también se advierte en la sintaxis. Afirmar que Cervantes escribía bien
es una perogrullada, pero hay en su época muchos escritores españoles mucho más correctos gramaticalmente que
él, si es que es lícito examinar su obra a la luz de una
gramática cuyas reglas son en gran parte posteriores. El
magnífico comentario de Diego Clemencín, que sigue
siendo el mejor, entre los extensos, que se han hecho del
Quijote, peca precisamente por su neoclásica manía de
señalar errores gramaticales a Cervantes y de enmendar-
le la plana. Muchas veces Clemencín no tiene razón, ya
porque no ha entendido el texto, ya porque no se ha
dado cuenta de que el problema es distinto[2].

El abigarrado mundo que ofrece el *Quijote* presenta
una enorme variedad de tipos y personajes; concretamente son unos 150 los hombres y unas 50 las mujeres que

---

[1] Como ejemplos más típicos véanse los principios de los capítulos 4 y 6 de la primera parte.
[2] Para los aspectos gramaticales, véanse A. Rosenblat, *La lengua
del Quijote,* Madrid, 1971, y J. Cejador y Frauca, *La lengua de
Cervantes,* dos tomos, Madrid, 1905-1906. El segundo tomo es un
vocabulario completo del *Quijote.* Cejador registra, en las dos partes de la novela, 9.362 palabras diferentes diccionariables (II, página XI). En el *Vocabulario de Cervantes,* Madrid, 1962, de C. Fernández Gómez, se calcula que en el *Quijote* entran 378.486 palabras
y en toda la obra de Cervantes 1.057.114 (12.372 palabras diferentes).

actúan en la novela[1]. Los más importantes son, claro está, Dulcinea, don Quijote y Sancho. Este último, genial creación cervantina, es un ejemplo típico de personaje que se va haciendo y perfilando a lo largo del relato, no sólo porque el escritor lo perfecciona y lo matiza, sino también porque el contacto con don Quijote hace que experimente una clara evolución. Sancho, cuando entra en la novela, es un «hombre de bien —si es que este título se puede dar al que es pobre—, pero de muy poca sal en la mollera» (I, 7). Ésta era sin duda la idea primitiva de Cervantes: que Sancho fuera un tonto. Pero poco a poco este tonto empieza a hablar y a discurrir, y con las tonterías va entreverando agudezas, y tardará bastante (hasta el final del capítulo 19) en empedrar sus discursos con refranes, lo que se convertirá en una de las más características peculiaridades de su conversación, siempre amena y divertida. Su primer refrán («el muerto a la sepultura y el vivo a la hogaza») lo pronunciará poco después de haber inventado el nombre de «el Caballero de la Triste Figura» para don Quijote, que éste aprobará y adoptará resueltamente. El mundo de la caballería, que hasta entrar al servicio de don Quijote había ignorado totalmente —aunque no el del romancero, tan enraizado en el pueblo—, será para Sancho una novedad en la que creerá a pies juntillas, hasta que su buen criterio le haga poner en duda el juicio de su amo. Ya no tiene «poca sal en la mollera» cuando es capaz de inventar su entrevista con Aldonza Lorenzo, en la primera parte; y en la segunda, ya ha asimilado de tal suerte el mundo caballeresco y ha comprendido con tanta sagacidad la locura de su amo, que es capaz de urdir la farsa de que las tres aldeanas son Dulcinea y dos de sus doncellas y de convencer a don Quijote de ello. Sigue a don Quijote, a cambio de palizas, pedradas, manteamientos y mil desdichas, en parte porque le profesa un auténtico cariño y en parte engolosinado con la promesa de ser rico y pode-

---

[1] Véase A. Rosenblat, *La lengua del Quijote,* pág. 354.

roso. Cuando los duques hagan efectivos sus sueños y se vea gobernador de la ínsula Barataria, emergerán en él todo el ingenio popular, las ideas más elementales de justicia y buen gobierno y el saber folklórico, puesto de manifiesto en sus famosos «juicios». Cervantes se vale de Sancho gobernador para satirizar, con muy buen humor, a los malos gobernantes, que por muy sabios y encumbrados que sean no llegan a la suela del zapato de este humilde campesino analfabeto puesto a regir y a mandar; y es muy posible que, con el episodio de la ínsula, pretendiera crear una utopía política de profunda intención[1]. Pero el gobierno de la ínsula Barataria será una ruda lección para Sancho, que en ella dejará enterradas sus ambiciones; y a pesar del fracaso, está ya tan imbuido del espíritu de aventura de don Quijote, que continuará siguiéndolo fielmente, ahora sin aspirar a recompensas desmesuradas y con el agravante de tener que azotarse para desencantar a Dulcinea.

Acabamos de comprender a Sancho cuando le oímos departir con su mujer, Teresa Panza, en un capítulo (II, 5) que Cervantes, tal vez alarmado por lo mucho que le iba creciendo su figura, afirma que «le tiene por apócrifo, porque en él habla Sancho Panza con otro estilo del que se podía prometer de su corto ingenio, y dice cosas tan sutiles, que no tiene [Cervantes] por posible que él las supiese». Lo que ocurre es que Sancho, al lado de su mujer, nos aparece en una intimidad cotidiana más significativa que en sus correrías con don Quijote y que ante Teresa deja totalmente de manifiesto, incluso con cierta presunción y aires de superioridad, lo que se le ha pegado del quijotismo. La carta de Sancho a Teresa (II, 36) y la respuesta de Teresa a Sancho (II, 52) retratan maravillosamente a este matrimonio manchego, desquiciado por las locuras de don Quijote, pero que a pesar de ello no pierde una brizna de su buen sentido ni su natural gracia. Estos leves contactos con Teresa nos

---

[1] Véase el libro de J. A. Maravall, *Humanismo de las armas en el Quijote*, Madrid, 1948.

hacen comprender a fondo a Sancho, del mismo modo que, en el *Pickwick,* nos hacemos una cabalísima idea de Sam Weller en cuanto entra en escena su padre.

Don Quijote y Sancho son personajes literarios que carecen de tradición precedente. Nacieron con Cervantes, quien los creó con su imaginación y sin recogerlos de anteriores prototipos ni inspirarse en modelos literarios ni folklóricos ya conocidos. Celestina, don Juan, el rey Lear y el doctor Fausto ya existían antes de Rojas, de Tirso de Molina, de Shakespeare y de Goethe[1]. Por esto nos resistimos a ver en don Quijote y en Sancho símbolos —el «idealismo» y el «materialismo», tan cacareados—, porque son algo mucho más importante: dos hombres con ambiciones, problemas, luchas y un gran corazón. Únicamente Dulcinea, debido a su realidad inaprehensible y sus proteicas manifestaciones, podría haber sido infundida por Cervantes de cierta categoría simbólica, ya que ella, precisamente, en oposición a don Quijote y a Sancho, está en la línea de la tradición medieval de la dama lejana que inspira el amor «de oídas».

A pesar de la gran dimensión de don Quijote y de Sancho son muchos los personajes de la novela que, a su lado, no quedan empequeñecidos ni eclipsados. La galería de tipos del *Quijote* cuenta con figuras perfectas e inolvidables, algunas de las cuales, a pesar de ello, hacen una aparición fugaz en el relato o tienen en él un papel casi marginal. Juan Haldudo el rico (I, 4) o el labrador de Miguel Turra (II, 47) quedan perfectamente retratados y definidos en las pocas páginas que a ellos se dedican. Otros tipos, que a primera vista podrían parecer incoloros o imprecisos, resultan dotados de intencionadas características, como ocurre con Cardenio, cuya nota distintiva es la cobardía[2].

Vale la pena de establecer un breve paralelo entre

---

[1] Véase Francisco Ayala, *La invención del Quijote como problema técnico-literario,* «Realidad», V, Buenos Aires, 1947, páginas 183-200.
[2] Véase Salvador de Madariaga, *Guía del lector del Quijote,* Madrid, 1926, págs. 95-108.

dos de las mejores figuras femeninas del *Quijote*: Dorotea, la inteligente, y doña Rodríguez, la tonta. La «discreta» Dorotea tiene un grave problema de honor que
resolver y se sale con la suya gracias a su audacia, su te-
nacidad y su inteligencia, pero cuando aún no tiene solu-
cionado el asunto más grave de su vida y del que depende
todo su futuro, se brinda generosamente a colaborar en
la curación de la locura de don Quijote. Dorotea, que
ha leído libros de caballerías —como muchos de los personajes que aparecen en la novela—, se dispone a desempeñar el papel de la menesterosa princesa Micomicona,
desposeída de su reino por el maligno Pandafilando de
la Fosca Vista, sobre lo cual inventa una magnífica historia, que constituye una parodia excelente de un tipo
de episodio muy frecuente en aquellos libros. Cuando se
encuentra por vez primera ante don Quijote, Dorotea-
Micomicona cae a sus pies y le habla del siguiente modo:
«De aquí no me levantaré, ¡oh valeroso y esforzado caballero!, fasta que la vuestra bondad y cortesía me otorgue
un don, el cual redundará en honra y prez de vuestra persona y en pro de la más desconsolada y agraviada doncella
que el sol ha visto. Y si es que el valor de vuestro fuerte
brazo corresponde a la voz de vuestra inmortal fama, obligado estáis a favorecer a la sin ventura que de tan lueñes
tierras viene, al olor de vuestro famoso nombre, buscándoos para remedio de sus desdichas» (I, 29). Dorotea, que
hasta este momento no había visto nunca a don Quijote
y jamás lo había oído hablar, sabe, con finísima ironía,
imitar su lenguaje libresco e incluso adorna su parlamento con algunos arcaísmos (*fasta, la vuestra, lueñes*).

La tonta de doña Rodríguez lo es tanto que es la
única persona del palacio de los duques que se cree que
don Quijote es un caballero de verdad. Su mentecatez
se manifiesta escandalosamente cuando, sin saberlo sus
señores, recurre a don Quijote para que, con las armas,
obligue a casarse con su hija a un labrador riquísimo que
la burló bajo palabra de ser su esposo, promesa que no
pensaba cumplir (II, 48). Y en presencia de los duques

doña Rodríguez dirige, con toda solemnidad, las siguientes palabras a don Quijote: «Días ha, valeroso caballero, que os tengo dada cuenta de la sinrazón y alevosía que un mal labrador tiene fecha a mi muy querida y amada fija..., y vos me habedes prometido de volver por ella, enderezándole el tuerto que le tienen fecho, y agora ha llegado a mi noticia que os queredes partir deste castillo...» (II, 52). Doña Rodríguez, pues, ha desempeñado un papel muy similar al de Dorotea, ha interpelado a don Quijote en términos muy parecidos y con un parlamento en el que abundan los arcaísmos (*fecha, fija, habedes prometido, fecho, queredes*). Pero hay una diferencia esencial, que es la que separa la inteligencia de la necedad: lo que Dorotea hizo en burla, doña Rodríguez lo ha hecho en serio. Y a consecuencia de esto seguirá la batalla frustrada entre don Quijote y el lacayo Tosilos, aventura muy distinta de las demás de la novela por la sencilla razón que doña Rodríguez y su hija esperarán de ella, con absoluto convencimiento, la solución a un problema de honor; se dispondrá una liza y se tomarán prevenciones completamente de acuerdo con las costumbres de los duelos que tenían lugar en España en el siglo xv[1], y todo acabará gracias a que el amor se aposentará en el «alma lacayuna» de Tosilos, dispuesto a casarse con la ultrajada doncella (II, 56).

Hay otro personaje en la novela que también se tomará en serio a don Quijote y que jamás sospechará que está loco. Me refiero al primo, que lo guía hasta la cueva de Montesinos. El primo hace buenas migas con don Quijote y lo admira con una credulidad ilimitada porque está tan chiflado como él y porque su chifladura también es libresca. El primo es un loco de la erudición, y como ésta no es tan ruidosa, tan espectacular ni tan teatral como la caballería, su chifladura no trasciende tanto como la de don Quijote. El primo la manifiesta, en

[1] Los manuscritos 7.809, 7.811 y 18.444 de la Biblioteca Nacional de Madrid recogen centenares de auténticos desafíos caballerescos del siglo xv que exponen un ceremonial de batalla sobre el que está calcada la de don Quijote y el lacayo Tosilos.

su vida ordinaria, en el silencio de su casa, escribiendo libros «de gran provecho», como el *de las libreas,* el *Metamorfóseos, o Ovidio español,* y, sobre todo, el *Suplemento a Virgilio Polidoro.* Es evidente que Cervantes se está burlando del famoso libro *De inventoribus rerum* del humanista italiano, más o menos erasmista, Polidoro Vergilio, conocido y traducido en España, el cual, aparte de cierta actitud antisuperticiosa y su empeño de buscar el origen de ritos cristianos en las costumbres del paganismo, está lleno de noticias, llamémoslas «eruditas», que forzosamente debieron de dar risa a un espíritu como el de Cervantes. Cervantes, con la figura del primo[1], se burla indudablemente de la pedantería del sabio renacentista; y no se olviden los términos con que lo introduce en la novela: «En el camino preguntó don Quijote al primo de qué género y calidad eran sus ejercicios, su profesión y estudios; a lo que él respondió que su profesión era ser humanista...» (II, 22). «Humanista», palabra en aquel momento muy reciente en español, pero que nos permite ver las intenciones irónicas de Cervantes. El único humanista que aparece en el *Quijote* es un tonto chiflado, a quien toma el pelo el mismo Sancho Panza con su sorna campesina.

Los duques, que en la segunda parte de la novela dan apariencias de realidad a las fantasías librescas de don Quijote, son dos figuras complejas. Cervantes los retrata con dignidad y señorío, y el ingenio suficiente para montar la monumental tramoya de la vida caballeresca en su residencia veraniega, que llega a su mayor exageración en el gobierno de Sancho en la ínsula Barataria. Sería desorbitado concluir de las burlas que los duques hacen a don Quijote y a Sancho que Cervantes se sirvió de aquéllos para satirizar a la nobleza[2]. Los duques son unos

---

[1] Véase también la nota preliminar a II, 22.
[2] En este aspecto hay una curiosa observación en el *Persiles:* «Andaban en la corte ciertos pequeños, que tenían fama de ser hijos de grandes, que, aunque pájaros noveles, se abatían al señuelo de cualquiera mujer hermosa, de cualquiera calidad que fuese; que el amor antojadizo no busca calidades, sino hermosura» (III, 8).

aristócratas a quienes la buena ventura les depara la llegada de don Quijote y Sancho a su pala io, que durante unos días distraerán sus ocios y les servirán, sin darse cuenta ellos, de bufones. Hay, no obstante, algunas notas negativas en las figuras de los duques: la reacción de la duquesa cuando doña Rodríguez descubre el secreto de sus «fuentes» (II, 48); la promesa de «casar altamente» a Sanchica, que va más allá de las bromas (en la carta de la duquesa a Teresa, II, 50); los crueles palos que el duque hace dar a Tosilos (en lo que su conducta no difiere mucho de la de Juan Haldudo); el monjío de la hija de doña Rodríguez y la despedida de ésta, por haber osado hacer intervenir a don Quijote sin su consentimiento (II, 66), y, sobre todo, el haber mantenido hasta el fin la burla de los azotes que debe darse Sancho, que creará entre amo y escudero una situación tirante, motivo de su única indisposición y de la triste escena en que éste derriba a don Quijote, le pone una rodilla sobre el pecho y lo amenaza (II, 60). En las bromas de los duques hay cierta crueldad, pero que no es mayor que la de otros personajes de la novela, como la del bachiller Sansón Carrasco, por ejemplo, que acaba obrando por deseos de venganza (II, 15)[1].

Los duques han sido identificados con los de Luna y Villahermosa[2], así como Ginés de Pasamonte con cierto Jerónimo de Pasamonte[3]. Ello nos lleva al tema de los «modelos vivos» del *Quijote,* que tiene un interés mucho más reducido que el que ciertos cervantistas le han querido dar. Siendo así que en Esquivias, patria de la mujer de Cervantes y donde residió nuestro escritor, existía, entre las familias principales, la de los Quijada, se ha querido ver en algún miembro de este linaje —Alonso Quijada, que vivió en el primer tercio del siglo XVI; Gabriel o Luis de Quijada; fray Alonso de Quijada, sobrino del

---

[1] Luis Rosales, *Cervantes y la libertad,* II, págs. 9-90, estudia con mucho detalle a los duques y su «quijotismo», en actitud positiva.
[2] Véase el comentario preliminar a II, 30.
[3] Véase el comentario preliminar a I, 22.

bisabuelo de la mujer de Cervantes, etc.— el «modelo vivo» de don Quijote[1]. Ahora bien, *aunque se documentara* que en Esquivias, en Argamasilla o en el Toboso existió un hidalgo de apellido Quijada o Quijano que sentía un gran entusiasmo por los libros de caballerías o que era un excéntrico, ¿qué habríamos ganado para la comprensión y valoración del *Quijote*? Un mero dato, ciertamente curioso, que no por ello pondría en duda la «invención» de Cervantes.

En el *Quijote* confluyen tipos de toda suerte, que Cervantes pudo crear o tomar de mil procedencias. Conviven en la novela seres totalmente imaginados por el escritor; otros que, sin que haya identificación expresa, pueden estar inspirados en personas reales (los duques, Ginés de Pasamonte); otros arrancados de la creación ajena (como don Álvaro Tarfe, hechura de Avellaneda), e incluso personas totalmente reales, que vivían contemporáneamente y aparecen en la novela con su nombre verdadero (como Roque Guinart[2]), y el propio Cervantes, leyendo los papeles que encuentra en el Alcaná de Toledo. Lo auténtico y lo ficticio, lo real y lo imaginado, se funden perfectamente gracias al supremo arte de Cervantes, que, sobre todo en el segundo tomo del *Quijote*, ha alcanzado su más profunda madurez y un dominio insuperable en el oficio de hacer novelas, hasta tal punto, que nos llega a dar la impresión de que, como un hábil malabarista, juega con su propia obra, la domina y la lleva por donde quiere, hasta ironizar con ella y consigo mismo. La naturalidad y la verdad se logran de tal suerte, que los personajes que conviven en el *Quijote*, procedan de donde procedan, tengan o no modelos vivos, son absolutamente reales, a veces precisamente por su misma evolución cuan-

---

[1] Véase F. Rodríguez Marín, *El modelo más probable del don Quijote*, apéndice XL a su última edición del *Quijote*, X, Madrid, 1949, págs. 132-149; Constancio Eguía Ruiz, *Cervantes, Calderón, Lope, Gracián, nuevos temas crítico-biográficos*, Madrid, 1951, páginas 5-16; L. Astrana Marín, *Vida ejemplar y heroica de Miguel de Cervantes*, IV, Madrid, 1952.

[2] Véase el comentario preliminar a II, 60.

do se van «haciendo» en la novela misma, como ocurre con Sancho.

La variedad de asuntos y de personajes que se mezclan en la primera parte del *Quijote* hace que el estilo narrativo y dialogado de ésta no sea lo uniforme que es en la segunda. Hay en el *Quijote,* en ambas partes, un estilo perfectamente acomodado a la trama principal de la novela; pero que como ésta es, en su propósito inicial, una parodia de los libros de caballerías, una sutil capa de ironía envuelve todo su asunto, desde el principio hasta el final, que da la impresión de que la obra está escrita en falsete. Las mismas rúbricas de los capítulos revelan este matiz y confirman que el *Quijote* aparenta no tener la pretensión de ser un libro «grave», sino de entretenimiento y de diversión. A veces corremos el peligro de olvidar que están escritos en broma títulos de capítulos como los siguientes: «La espantable y jamás imaginada aventura de los molinos de viento, con otros sucesos dignos de felice recordación» (I, 8); «Alta aventura y rica ganancia del yelmo de Mambrino» (I, 21); «Los inauditos sucesos de la venta» (I, 44); «Donde se cuenta lo que en él se verá» (II, 9); «Del temeroso espanto cencerril y gatuno» (II, 46); «Que trata de lo que verá el que lo leyere, o lo oirá el que lo escuchare leer» (II, 66); «De la cerdosa aventura que le aconteció a don Quijote» (II, 68); «Capítulo setenta: Que sigue al de sesenta y nueve, y trata de cosas no escusadas para la claridad desta historia» (II, 70), etc. En la mayoría de los epígrafes de los capítulos del *Quijote* Cervantes parodia los altisonantes de los libros de caballerías y por lo general evita que falte la nota irónica en ningún encabezamiento, de tal suerte que, en nuestra novela, hasta resulta divertida la lectura del índice.

Pero el tono de los epígrafes es general en el cuerpo del *Quijote* —exceptuando, naturalmente, las historias intercaladas o marginales—, en el que es frecuente la ponderación de las hazañas del protagonista, que están hechas en tono zumbón, aunque a veces lleguemos a olvidarlo. Basta comparar el *Quijote* con la *Galatea* o el *Persiles* para advertir que aquél está escrito como un remedo de la literatura que pretende ser seria y como una broma confidencial, que Cervantes hace con el lector, ambos ya de vuelta de muchas cosas. En la ironía de la prosa del *Quijote,* el aspecto que más fácilmente puede escapar a un lector moderno es el del humorismo producido a base de los arcaísmos. Cervantes se burla del lenguaje antiguo de los libros de caballerías realmente antiguos y del afectadamente anticuado de los más modernos, poniendo, sobre todo en boca de don Quijote, voces y expresiones que ya estaban en desuso a principios del siglo XVII. Cuando en la novela encontramos palabras y formas como «non fuyades», «fecho», «la vuestra fermosura», «fasta», «cautivo», etc., no vayamos a creer que Cervantes y sus contemporáneos hablaban así, pues ya decían, como nosotros, «no huyáis», «hecho», «vuestra hermosura», «hasta», «desdichado». Don Quijote habla de este modo porque es un arcaísmo viviente y remeda el lenguaje de los libros que le han perturbado el juicio. Lo curioso es que esta dicción arcaica se pega a otros personajes de la novela, a veces a Sancho, a doña Rodríguez, como ya vimos, e incluso al mismo Cervantes, quien, ironizando como siempre, emplea arcaísmos en algunos momentos de prosa narrativa. Conviene advertir, no obstante, que, aunque no desaparecen del todo, los arcaísmos menguan mucho en la segunda parte de la novela, donde don Quijote suele hablar, y muy extensamente, sin usar palabras ni expresiones anticuadas.

En la primera parte del *Quijote* hay pasajes de estilo propio de la novela pastoril, como es el episodio de Marcela y Grisóstomo. Los sutiles parlamentos de Ambrosio y de Marcela, ambos pastores ilustrados, nos trasladan al arbitrario mundo literario de las *Dianas* y de la *Galatea,* y no faltan los pastores-poetas, como el propio Grisóstomo y el citado Ambrosio, que compone su epitafio. Incluso Antonio, «zagal muy entendido y muy enamorado, y que, sobre todo, sabe leer y escrebir y es músico de un rabel», regala los oídos de don Quijote con el romance de Olalla (I, 11). Estos pastores cultos ofrecen cierto contraste con el cabrero Pedro, cuyos relatos están salpicados de vulgarismos que crispan a don Quijote. Pero el contraste más destacado con este episodio pastoril lo hallamos en la segunda parte de la novela, cuando don Quijote y Sancho ven «saliendo de entre unos árboles, dos hermosísimas pastoras; a lo menos, vestidas como pastoras, sino que los pellicos y sayas eran de fino brocado, digo, que las sayas eran riquísimos faldellines de tabí de oro. Traían los cabellos sueltos por las espaldas, que en rubios podían competir con los rayos del mismo sol...» (II, 58). Cervantes no va a incidir en un nuevo episodio pastoril, como diez años antes cuando escribió la historia de Marcela y Grisóstomo. A pesar de su ambición de publicar la segunda parte de la *Galatea,* que mantuvo hasta pocos días antes de morir, lo pastoril ahora va a aparecer como la ficción literaria de la literatura ficticia. Aquellas hermosas doncellas no son pastoras, sino hijas de «gente principal» de una aldea próxima, que se han disfrazado de pastoras y se proponen hacer una representación recitando «dos églogas, una del famoso poeta Garcilaso, y otra del excelentísimo Camoes, en su misma lengua portuguesa». Se trata, en resumidas cuentas, de una «fingida Arcadia», que, días después, en su triste regreso, sugerirá a don Quijote la idea de hacerse pastor y andar «por los montes, por las selvas y por los prados, cantando aquí, endechando allí, bebiendo de los líquidos cristales de las fuentes, o ya de los limpios arroyuelos, o de los caudalosos ríos...» (II, 67), con lo que Cervantes apunta un tipo de sátira de la novela pastoril similar a la que ha aplicado a los libros de caballerías.

En algunos momentos de la primera parte del *Quijote* aflora el estilo típico de la novela picaresca, tan en boga en aquel tiempo y que Cervantes rozó en el *Rinconete y Cortadillo* —anterior al *Quijote*— y en el *Coloquio de los perros.* Ello se da principalmente en el capítulo dedicado a la aventura de los galeotes (I, 22), no porque en él aparezca ningún pícaro, sino por ciertos rasgos de Ginés de Pasamonte, delincuente que está escribiendo, «por estos pulgares», su autobiografía, que, como es natural, se titula *La vida de Ginés de Pasamonte,* libro que es tan bueno que «mal año para *Lazarillo de Tormes* y para todos cuantos de aquel género se han escrito y escribieren». La jerga que hablan los tipos que aparecen en este capítulo —jerga que don Quijote no entiende y se ve precisado a hacerse declarar en algunas ocasiones— intensifica su similitud con la picaresca. Ginés de Pasamonte, con el robo del rucio de Sancho y su transformación en maese Pedro, es una especie de pícaro de quien siempre lamentaremos que su *Vida* no se haya convertido en un libro real, escrito por el mismo Cervantes.

La historia del Cautivo, también en la primera parte, cae en cierto modo dentro de la boga de narraciones moriscas, como la del *Abencerraje y la hermosa Jarifa,* que se insertó en la *Diana* de Montemayor, o la de *Ozmín y Daraja,* intercalada en la primera parte del *Guzmán de Alfarache* de Mateo Alemán o los capítulos argelinos que figuran al final del *Marcos de Obregón* de Vicente Espinel. En el caso de Cervantes, al lado de la moda de las historias que podríamos llamar «orientales», existe el deseo de incorporar al *Quijote* un relato que había escrito unos quince años antes[1], que recoge una tradición argelina y curiosas notas autobiográficas[2]. El estilo de la historia del Cautivo se diferencia muy acusadamente del normal en el *Quijote,* gracias a su atmósfera argelina y al gran número de arabismos que aparecen en la narración, procedimiento para dar color local que, en este caso, sólo el español, entre las demás lenguas europeas, puede lograr.

Los discursos que pronuncia don Quijote en varias ocasiones son excelentes muestras de estilo oratorio, aunque siempre hay que ir con sumo cuidado y no interpre-

[1] Véase I, 39, nota 4.
[2] Véase el comentario preliminar a I, 39.

tar en serio lo que puede ser ironía cervantina. Recordemos el de la Edad de Oro (I, 11), ante los cabreros, «que, sin respondelle palabra, embobados y suspensos, le estuvieron escuchando»; el de las armas y las letras (I, 37), ante los concurrentes de la venta de Palomeque, que «obligó a que, por entonces, ninguno de los que escuchándole estaban le tuviese por loco»; la respuesta al eclesiástico que le reprendió en la sobremesa de los duques (II, 32), magnífico alegato, a cuya eficacia contribuyen las más clásicas y típicas figuras retóricas del arte oratoria.

Las cartas que se intercalan en el *Quijote* ofrecen aspectos muy variados. Tenemos la auténtica misiva amorosa, como son la de Luscinda a Cardenio (I, 27) y la de Camila a Anselmo (I, 34), que quedan muy por debajo de la parodia de la epístola amorosa, o sea la carta que don Quijote escribe a Dulcinea (I, 25), que a su vez adquiere una nueva deformación paródica y rústica cuando Sancho la rehace de memoria (I, 26). Ya hemos aludido a las magníficas cartas de Sancho y de Teresa Panza, que retratan perfectamente a estos dos personajes y son de una gracia insuperable. La libranza pollinesca (I, 25) es una estupenda burla del estilo mercantil, que tantos quebraderos de cabeza dio a Cervantes cuando era comisario en Andalucía.

El lenguaje caracteriza perfectamente a los personajes del *Quijote,* que presenta una gama muy extensa de matices. Desde el retórico, y algunas veces pedante, parlamento de la pastora Marcela (I, 14), hasta el lenguaje popular y a ratos populachero de venteros y arrieros. Es lógico que un novelista caracterice a sus personajes dándoles un lenguaje apropiado a cada uno de ellos. Pero adviértase que ello no ocurre siempre en la prosa de Cervantes. En el *Persiles* casi todos los personajes hablan igual, y hasta un cuadrillero de la Santa Hermandad se dirige del siguiente modo a unos presuntos homicidas: «El hombre muerto, sus despojos en vuestro poder y su sangre en vuestras manos, que sirve de testigos vuestra maldad. Ladrones sois, salteadores sois, homicidas sois; y como tales ladrones, salteadores y homicidas, presto pagaréis vuestros delitos, sin que os valga la capa de virtud cristiana con que procuráis encubrir vuestras maldades, vistiéndoos de peregrinos» (III, 4). No cabe duda de que jamás ha existido cuadrillero que hablara de este modo; sí, en cambio, como aquel que en el *Quijote* interrumpe el famoso pleito del yelmo y la albarda con estas palabras: «Tan albarda es como mi padre; y el que otra cosa ha dicho o dijere debe de estar hecho uva» (I, 45).

El diálogo es uno de los mayores aciertos estilísticos del *Quijote*. Es ya un tópico el verismo con que Cervantes hace hablar a sus personajes. La conversación pausada y corriente con que don Quijote y Sancho alivian la monotonía de su constante vagar o comentan la última aventura es algo esencial en la novela. Don Quijote se ve obligado a levantar la prohibición de departir con él que había impuesto a Sancho (I, 21), porque ni el escudero puede resistir el «áspero mandamiento del silencio», ni don Quijote es capaz de seguir callado, ni la novela podría proseguir condenando a sus dos protagonistas al mutismo. Diálogo a veces lento y expresado en largos parlamentos, a veces rapidísimo y cortado con interrupciones, enlazando preguntas y respuestas con una técnica que parece propia del teatro. También las descripciones van de un extremo al otro, desde la pormenorizada, detallista y sugerente de los pies de Dorotea (I, 28), que modernamente podríamos calificar de proustiana, hasta las tumultuosas y dinámicas, de pendencias y riñas, como la que provoca Maritornes en la venta (I, 16)[1].

El humorismo, ya lo señalamos antes, cubre todo el *Quijote,* hasta que el protagonista recobra el juicio para morir poco después, descontando las historias intercaladas o marginales. El habla de muchos de sus tipos ya es cómica de por sí, tanto la de los que naturalmente son

[1] Véase Helmut Hatzfeld, *El Quijote como obra de arte del lenguaje,* traducción de M. C. de I., Madrid, 1949, y E. C. Riley, *Teoría de la novela en Cervantes,* Taurus, Madrid, 1971.

graciosos (como Sancho), la de los que se expresan mal
(las prevaricaciones idiomáticas del cabrero y del vizcaíno,
con su divertida «mala lengua castellana y peor vizcaína», I, 8), como la de aquellos que sencillamente dicen
tonterías (la mujer del ventero Palomeque, el primo,
doña Rodríguez, el labrador de Miguel Turra). La ironía no tan sólo se manifiesta en episodios o trances que ya
de por sí son divertidos, sino en breves notas gratuitas,
a veces en dos palabras, que hacen recordar al lector
que está leyendo un libro de entretenimiento. Las dos
partes del *Quijote* están escritas en actitud irónica y sin
que el humorismo decaiga. Cuando el escritor acaba su
novela tiene ya sesenta y ocho años, ha sufrido toda suerte de penalidades, de estrecheces y de humillaciones, de
las que no se ha escapado su propio hogar, y aunque en
el *Quijote* existe un fondo evidente de amargura y de
tristeza, la forma es alegre y risueña, chistosa y divertida,
como si con estas manifestaciones humorísticas quisiera
ahogar un dolor profundo.

CRITERIO DE LA PRESENTE EDICIÓN

La presente edición del *Quijote* de Cervantes ofrece
el texto íntegro según las primeras (de 1605, para la primera parte; de 1615, para la segunda). Una muy cuidadosa compulsación del texto se ha hecho a base de los
facsímiles de aquellas ediciones publicados por la Real
Academia Española en 1917. Siempre que ha sido posible se ha conservado la lectura del texto impreso en 1605
y 1615, y únicamente se ha variado cuando ha parecido
a todas luces evidente que se trataba de erratas de imprenta. Cuando éstas son muy claras, se enmiendan sin
dar ninguna explicación. En los casos en que existe una
remota posibilidad de que no sean erratas o que, siéndolo
de un modo seguro, no lo es tanto su enmienda, ello se
hace constar en nota. Seguramente la presente edición es

una de las más conservadoras en este sentido, pues acepta lecturas de 1605 y 1615 que en la mayoría de las impresiones modernas aparecen enmendadas con más o menos acierto.

La anotación pretende ser elemental, breve y clara. Se ha procurado explicar todo lo que pudiera entorpecer la lectura del *Quijote* a un lector culto de nuestros días, pero no familiarizado con la lengua, las costumbres y la cultura de la época de Cervantes. Muchos lectores encontrarán que algunas notas sobran por referirse a cosas muy sabidas, pero mientras puedan ayudar a otros lectores no tan ilustrados, el cometido de nuestro comentario se habrá cumplido. La mayoría de las notas aclaran palabras o problemas de lenguaje; pero se ha procurado también dar noticia de los libros o personajes literarios tan abundantemente citados en el *Quijote* y de aspectos de la vida del siglo XVI y principios del XVII que son precisos para comprender algún aspecto determinado, por ínfimo que sea, de la gran novela.

Los comentarios del *Quijote* tienen una tradición muy larga y, como puede suponerse, han sido consultados constantemente al preparar el presente texto y redactar sus breves notas. Principalmente se han tenido en cuenta las siguientes ediciones comentadas, a las que a veces se envía para ampliar o confirmar las notas: De Diego Clemencín, en seis tomos, Madrid, 1833-1839 (aquí se cita por la reimpresión en un tomo de Madrid, Ediciones Castilla, sin fecha). La edición crítica de Clemente Cortejón, acabada por Juan Givanel y Mas y Juan Suñé Benajes, en seis tomos, Barcelona, 1905-1913. Edición reducida y expurgada del P. Rufo Mendizábal, S. I., Madrid, 1945. Edición de Rodolfo Schevill, en cuatro tomos, Madrid, 1928-1941, que forma parte de las Obras Completas de Cervantes publicadas por el citado Schevill con Adolfo Bonilla y San Martín. La última, y póstuma, de las ediciones de F. Rodríguez Marín, en diez tomos, Madrid, 1947-1949.

Martín de Riquer

CRONOLOGÍA

1547   Nace Miguel de Cervantes Saavedra en Alcalá de Henares.

1551   La familia de Rodrigo de Cervantes y Leonor de Cortinas se traslada a Valladolid.

1566   Se trasladan a Madrid.

1568   Miguel de Cervantes va a Italia, al servicio de monseñor Giulio Acquaviva.

Juan López de Hoyos publica en un libro varias composiciones de circunstancias escritas por Cervantes.

1569   A finales de año ingresa en la milicia.

1571   Combate en Lepanto. Es herido en la mano izquierda.

1575   Al regresar de Nápoles a España es apresado y llevado como cautivo a Argel. Intenta fugarse cuatro veces.

1580   Es rescatado por los frailes trinitarios, que pagaron por él la suma de 500 ducados.

1584   Cobra de Blas de Robles, mercader de libros, 1 336 reales por el privilegio de impresión de la *Galatea*.

A finales de año se casa con Catalina de Salazar y Palacios.

1585   Publica la *Galatea*. Gaspar de Porres le encarga dos comedias.

1587   Es nombrado comisario de abastos para la Armada. Continuos viajes entre Madrid y Sevilla.

1592   Es encarcelado en Castro del Río: pasará tres meses en la cárcel, y después es considerado inocente.

Contrata varias comedias con Rodrigo Osorio, empresario sevillano.

Comienza a escribir las *Novelas ejemplares*.

1597   Es encarcelado nuevamente en Sevilla. Sale a los pocos meses.

1604   Se traslada a Valladolid, donde vive con su mujer, sus hermanas, con una hija natural de su hermana Andrea y con Isabel, hija natural del propio escritor.

1605   Aparece la primera parte del *Quijote*, impreso en Madrid por Juan de la Cuesta.

1606   Siguiendo a la corte, se traslada a Madrid.

1613   Publica las *Novelas ejemplares (El celoso extremeño, La gitanilla, Rinconete y Cortadillo, El casamiento engañoso, El coloquio de los perros, El licenciado Vidriera, La ilustre fregona, La fuerza de la sangre, Las dos doncellas, La española inglesa, El amante liberal* y *La señora Cornelia)*.

1614   *Viaje del Parnaso*. Continuación del *Quijote*, de Avellaneda.

1615   Publica la segunda parte del *Quijote* y las *Comedias y entremeses* (las comedias son *El gallardo español, La casa de los celos y selvas de Ardenia, Los baños de Argel, El rufián dichoso, La gran sultana, El laberinto de amor, La entretenida, Pedro de Urdemalas.* Los entremeses están compuestos por *La elección de los alcaldes de Daganzo, El rufián viudo, El retablo de las maravillas, El viejo celoso, La cueva de Salamanca, El juez de los divor-*

cios, *El vizcaíno fingido, La guarda cuidadosa*).

1616 Termina *Los trabajos de Persiles y Sigismunda*. Muere en Madrid el 22 de abril. El 23 es enterrado.

1617 Se publican *Los trabajos de Persiles y Sigismunda*.

EDICIONES DEL «QUIJOTE» EN EL PRIMER CUARTO DEL SIGLO XVII

1604 ¿Primera edición del *Quijote*?

1605 Primera edición conocida.
Dos ediciones furtivas en Lisboa.
Segunda edición de Juan de la Cuesta.
Dos ediciones de Valencia.

1607 Edición de Bruselas.

1608 Tercera edición de Juan de la Cuesta.

1610 Edición de Milán.

1611 Edición de Bruselas.

1612 Primera traducción al inglés, de Thomas Shelton.

1614 Primera traducción al francés, de César Oudin.
Quijote de Avellaneda.

1615 Segunda parte del *Quijote*.

1616 Edición de Bruselas de la segunda parte.
Edición de Valencia de la segunda parte.

1617 Edición de Bruselas de la primera parte.
Edición de Lisboa de la segunda parte.
Edición de Barcelona de la primera y de la segunda partes.

1618 Primera traducción francesa de la segunda parte.

1620 Primera traducción inglesa de la segunda parte.

1622 Traducción italiana de la primera parte.

1625 Traducción italiana de la segunda parte.

BIBLIOGRAFÍA

Principales ediciones anotadas:

CERVANTES, M. DE, *El ingenioso...*, comentado por D. de Clemencín, Madrid, 1833-1839, 6 vols. Comentarios recogidos en la edición de L. Astrana Marín, Madrid, 1966.

CERVANTES, M. DE, *El ingenioso...*, primera edición crítica con variantes (...), por Clemente Cortejón, continuada (vol. 6) por J. Givanel y Mas, y J. Suñé Benajes, Barcelona, 1905-1913 (6 vols.).

CERVANTES, M. DE, *El ingenioso...*, edición reducida y expurgada por el P. Rufo Mendizábal, S. I., Madrid, 1945.

CERVANTES, M. DE, *El ingenioso...*, nueva edición crítica (...) dispuesta por Francisco Rodríguez Marín, Madrid, 1947-1949 (10 vols.).

CERVANTES, M. DE, *El ingenioso...*, edición de R. Schevill y A. Bonilla, Madrid, 1928-1941 (4 vols.).

Estudios diversos:

ASTRANA MARÍN, L., *Vida ejemplar y heroica de Miguel de Cervantes Saavedra* (6 tomos), Madrid, 1948-1956.

AVALLE-ARCE, J. B., *Don Quijote como forma de vida*, Madrid, 1976.

BONILLA, A., *Cervantes y su obra*, Madrid, 1916.

CASALDUERO, J., *Sentido y forma del Quijote*, Madrid, 1966.

CASTRO, A., *El pensamiento de Cervantes*, 2.ª ed., Barcelona, 1972.

CEJADOR Y FRAUCA, J., *La lengua de Cervantes* (2 vols.), Madrid, 1905-1906.

FERNÁNDEZ GÓMEZ, C., *Vocabulario de Cervantes*, Madrid, 1962.

FITZMAURICE-KELLY, J., *Miguel de Cervantes Saavedra*, Buenos Aires, 1944.

GAOS, V., *Cervantes, novelista, dramaturgo y poeta*, Barcelona, 1979.

GONZÁLEZ DE AMEZUA, A., *Cervantes, creador de la novela corta española* (2 vols.), Madrid, 1956-1958.

HATZFELD, H., *El Quijote como obra de arte del lenguaje*, 2.ª ed., Madrid, 1966.

MADARIAGA, S. DE, *Guía del lector del Quijote*, Madrid, 1926.

MAYANS Y SISCAR, G., *Vida de Miguel de Cervantes Saavedra*, Briga-Real (Madrid), 1737.

MENÉNDEZ PELAYO, M., «Cultura literaria de Miguel de Cervantes», en *Estudios y discursos de crítica histórica y literaria*, I, Madrid, 1941.

MOLHO, M., *Cervantes: raíces folklóricas*, Madrid, 1976.

MURILLO, L. A., *Bibliografía fundamental*, vol. III de su ed. del *Quijote*, Madrid, 1978.

ORTEGA Y GASSET, J., *Meditaciones del Quijote*, Madrid, 1932.

PERCAS DE PONSETI, H., *Cervantes y su concepto del arte* (2 vols.), Madrid, 1975.

PREDMORE, R. L., *El mundo del Quijote*, Madrid, 1958.

RILEY, E. C., *Teoría de la novela en Cervantes*, Madrid, 1971.

ROSALES, L., *Cervantes y la libertad* (2 vols.), Madrid, 1960.

ROSENBLAT, Á., *La lengua del Quijote*, Madrid, 1971.

RIQUER, M. DE, *Aproximación al Quijote*, Barcelona, 1967.

SÁNCHEZ, A., «Cervantes. Bibliografía fundamental, 1900-1959», en *Cuadernos bibliográficos*, núm. 1, Madrid, 1961.

Suma cervantina, edit. por J. B. Avalle-Arce y E. C. Riley, Londres, 1973.

VARO, C., *Génesis y evolución del Quijote*, Madrid, 1968.

CEJADOR Y FRAUCA, J., El lenguaje de Cervantes (2 vols.), Madrid, 1905-06.

FERNÁNDEZ GÓMEZ, C. Vocabulario de Cervantes, Madrid, 1962.

HENRÍQUEZ UREÑA, P., Madrid por Cervantes, Buenos Aires, 1924.

GARCÍA, ... novela ...

COTARELO DE ANTONIO, ... Cervantes, creador de la novela corta española (2 vols.), Madrid, 1956-58.

HATZFELD, H. El Quijote como obra de arte del lenguaje, 2.ª ed., Madrid, 1966.

MADARIAGA, S. de, Guía del lector del Quijote, Madrid, 1926.

MENÉNDEZ PIDAL, R., Poesía de Miguel de Cervantes, Buenos Aires, Madrid, 1927.

MENÉNDEZ PELAYO, M., Cultura literaria de Cervantes, en Estudios y discursos de crítica histórica y literaria, I, Madrid, 1941.

MORÓN, M. ... Madrid, 1975.

MURILLO, L. A., Bibliografía ... del Quijote, vol. III de su edición del Quijote, Madrid, 1978.

ORTEGA Y GASSET, J., Meditaciones del Quijote, Madrid, ...

PREDMORE, R., El mundo del Quijote y su concepto del arte, Madrid, 1972.

RILEY, E. C., Teoría de la novela en Cervantes, Madrid, 1972.

ROSALES, L., Cervantes y la libertad (2 vols.), Madrid, 1960.

REDONDO, A., La jeunesse de Quijote, Madrid, 19...

RIQUER, M. de, Aproximación al Quijote, Barcelona, ...

SÁNCHEZ, A., Cervantes: bibliografía fundamental (1900-1959) en Cuadernos bibliográficos, núm. I, Madrid, 1961.

Suma cervantina, edit. E. C. Riley and J. B. Avalle-Arce, Londres, 1973.

VARO, C., Génesis y evolución del Quijote, Madrid, 1968.

EL INGENIOSO HIDALGO
DON QUIJOTE DE LA MANCHA

EL INGENIOSO
HIDALGO DON QVI-
XOTE DE LA MANCHA,

Compuesto por Miguel de Ceruantes Saaueara.

DIRIGIDO AL DVQVE DE BEIAR,
Marques de Gibraleon, Conde de Benalcaçar, y Bañares, Vizconde de la Puebla de Alcozer, Señor de
las villas de Capilla, Curiel, y
Burguilios.

Año,   1605.

CON PRIVILEGIO,
EN MADRID, Por Iuan de la Cuesta.

Vendese en casa de Francisco de Robles, librero del Rey nfo señor.

TASA[1]

Yo, Juan Gallo de Andrada, escribano de Cámara del Rey nuestro señor, de los que residen en su Consejo, certifico y doy fe que, habiendo visto por los señores dél un libro intitulado *El ingenioso hidalgo de la Mancha*, compuesto por Miguel de Cervantes Saavedra, tasaron cada pliego del dicho libro a tres maravedís y medio; el cual tiene ochenta y tres pliegos, que al dicho precio monta el dicho libro docientos y noventa maravedís y medio[2], en que se ha de vender en papel[3]; y dieron licencia para que a este precio se pueda vender, y mandaron que esta tasa se ponga al principio del dicho libro, y no se pueda vender sin ella. Y para que dello conste, di la presente en Valladolid, a veinte días del mes de deciembre de mil y seiscientos y cuatro años.

JUAN GALLO DE ANDRADA.

[1] La *tasa* debía figurar forzosamente en todo libro impreso, y establecía su precio, que no fijaban el impresor ni el librero, sino el Consejo Real.

[2] Los 290 maravedís equivalían a 8 reales y 18 maravedís. «Por ocho reales y medio, aproximadamente, podía adquirirse un ejemplar. ¿Qué cantidad era ésta? Ocho reales, ya en sencillos, o ya en una pieza de las llamadas de a ocho, venían a pesar unos 27 gramos y medio de plata. Era el famoso *peso* o *duro* que constituye la pieza universalmente conocida, durante todos los Austrias como los Borbones; sus ecos han llegado hasta nuestro último monarca en las monedas de cinco pesetas, los duros de 20 reales... dando un duro y una peseta sobraría un gramo» para adquirir un ejemplar de la primera parte del *Quijote* en 1605 (cfr. F. Mateu y Llopis, *Un comentario numismático sobre don Quijote de la Mancha*, Barcelona, 1949, pág. 27). L. Pfandl, *Cultura y costumbres del pueblo español en los siglos XVI y XVII*, Barcelona, 1929, pág. 190, fija esta equivalencia en 3,50 ptas. de la tercera decena de nuestro siglo. En 1920 se vendió un ejemplar por 10.000 ptas. Las primeras ediciones de las dos partes juntas (1605 y 1615) se vendieron en 1920, por 40.000 ptas. en 1930, por 100.000 en 1945 (cfr. Palau, *Manual del librero*, III, 1950, p. 395) y en mayo de 1961, en Nueva York, por 44.000 dólares (2.640.000 ptas.).

[3] *en papel*, o sea en pliegos sin encuadernar.

TESTIMONIO DE LAS ERRATAS[4]

Este libro no tiene cosa digna que no corresponda a su original, en testimonio de lo haber correcto di esta fee. En el Colegio de la Madre de Dios de los Teólogos de la Universidad de Alcalá, en primero de diciembre de 1604 años.

EL LICENCIADO FRANCISCO MURCIA DE LA LLANA.

EL REY[5]

Por cuanto por parte de vos, Miguel de Cervantes, nos fue fecha relación que habíades compuesto un libro intitulado *El ingenioso hidalgo de la Mancha*, el cual os había costado mucho trabajo y era muy útil y provechoso, nos pedistes y suplicastes os mandásemos dar licencia y facultad para le poder imprimir, y previlegio por el tiempo que fuésemos servidos, o como la nuestra merced fuese; lo cual visto por los del nuestro Consejo, por cuanto en el dicho libro se hicieron las diligencias que la premática últimamente por nos fecha, sobre la impresión de los libros, dispone; fue acordado que debíamos mandar dar esta nuestra cédula para vos, en la dicha razón, y nos tuvímoslo por bien. Por la cual, por os hacer bien y merced, os damos licencia y facultad para que vos, o la persona que vuestro poder hubiere, y no otra alguna, podáis imprimir el dicho libro, intitulado *El ingenioso hidalgo de la Mancha*, que desuso se hace mención, en todos estos nuestros reinos de

[4] Para obtener la autorización del Consejo Real para publicar un libro había que presentar el original, que era examinado por un escribano de cámara, el cual señalaba las enmiendas que se habían de introducir y rubricaba y numeraba cada una de sus hojas. Se devolvía el original y el impresor debía componer la obra de acuerdo con el texto examinado y enmendado. Una vez compuesta, se tiraban uno o dos ejemplares que, junto con el original examinado, se presentaban otra vez al Consejo, quien comprobaba que lo impreso correspondiera al original y si se habían efectuado las enmiendas. Esto es lo que acredita el «Testimonio de las erratas». Lograda esta segunda autorización se añadían, en un primer pliego, el privilegio, tasa, testimonio, etc., que eran lo último que se componía y tiraba.

[5] Este documento es el privilegio real, que resguardaba contra ediciones furtivas o clandestinas durante diez años; pero como sólo afectaba al reino de Castilla, ya en el mismo año 1605 se publicaron dos ediciones del *Quijote* en Lisboa sin permiso de Cervantes ni del impresor Juan de la Cuesta. Por esta razón, la segunda de las impresiones madrileñas del *Quijote* (también por Juan de la Cuesta y en el mismo año 1605), lleva una licencia del rey, en portugués, para asegurar los derechos en Portugal.

Castilla, por tiempo y espacio de diez años, que corran y se cuenten desde el dicho día de la data desta nuestra cédula; so pena que la persona o personas que, sin tener vuestro poder, lo imprimiere o vendiere, o hiciere imprimir o vender, por el mesmo caso pierda la impresión que hiciere, con los moldes y aparejos della, y más incurra en pena de cincuenta mil maravedís, cada vez que lo contrario hiciere. La cual dicha pena sea la tercia parte para la persona que lo acusare, y la otra tercia parte para nuestra Cámara, y la otra tercia parte para el juez que lo sentenciare. Con tanto que todas las veces que hubiéredes de hacer imprimir el dicho libro, durante el tiempo de los dichos diez años, le traigáis al nuestro Consejo, juntamente con el original que en él fue visto, que va rubricado cada plana y firmado al fin dél de Juan Gallo de Andrada, nuestro escribano de Cámara de los que en él residen, para saber si la dicha impresión está conforme el original; o traigáis fe en pública forma de como por corretor nombrado por nuestro mandado, se vio y corrigió la dicha impresión por el original, y se imprimió conforme a él, y quedan impresas las erratas por él apuntadas, para cada un libro de los que así fueren impresos, para que se tase el precio que por cada volume hubiéredes de haber. Y mandamos al impresor que así imprimiere el dicho libro, no imprima el principio ni el primer pliego dél, ni entregue más de un solo libro con el original al autor, o persona a cuya costa lo imprimiere, ni otro alguno, para efeto de la dicha correción y tasa, hasta que antes y primero el dicho libro esté corregido y tasado por los del nuestro Consejo; y estando hecho, y no de otra manera, pueda imprimir el dicho principio y primer pliego, y sucesivamente ponga esta nuestra cédula y la aprobación, tasa y erratas, so pena de caer e incurrir en las penas contenidas en las leyes y premáticas destos nuestros reinos. Y mandamos a los del nuestro Consejo y a otras cualesquier justicias dellos, guarden y cumplan esta nuestra cédula y lo en ella contenido. Fecha en Valladolid, a veinte y seis días del mes de setiembre de mil y seiscientos y cuatro años.

YO EL REY.

Por mandado del Rey nuestro señor:
JUAN DE AMEZQUETA.

AL DUQUE DE BÉJAR[1]

marqués de Gibraleón, conde de Benalcázar y Bañares, vizconde de la Puebla de Alcocer, señor de las villas de Capilla, Curiel y Burguillos

En fe del buen acogimiento y honra que hace Vuestra Excelencia a toda suerte de libros, como príncipe tan inclinado a favorecer las buenas artes, mayormente las que por su nobleza no se abaten al servicio y granjerías[2] del vulgo, he determinado de sacar a luz al Ingenioso Hidalgo don Quijote de la Mancha, al abrigo del clarísimo nombre de Vuestra Excelencia, a quien, con el acatamiento que debo a tanta grandeza, suplico le reciba agradablemente en su protección, para que a su sombra, aunque desnudo de aquel precioso ornamento de elegancia y erudición de que suelen andar vestidas las obras que se componen en las casas de los hombres que saben, ose parecer seguramente en el juicio de algunos que, no continiéndose en los límites de su ignorancia, suelen condenar con más rigor y menos justicia los trabajos ajenos; que, poniendo los ojos la prudencia de Vuestra Excelencia en mi buen deseo, fío que no desdeñará la cortedad de tan humilde servicio[3].

Miguel de Cervantes Saavedra.

[1] Don Alfonso Diego López de Zúñiga y Sotomayor, séptimo duque de Béjar desde 1601, que murió en 1619. Pedro de Espinosa le dedicó la *Primera parte de las flores de poetas ilustres* y Luis de Góngora las *Soledades*. No parece que fuera muy aficionado a las letras este prócer que sin duda no se dio cuenta de que su nombre iba al frente de la mejor novela y de uno de los mejores poemas que se han escrito en España.

[2] *granjería*, ganancia que se obtiene traficando.

[3] Gran parte de esta dedicatoria está tomada, al pie de la letra, de la que escribió Fernando de Herrera al Marqués de Aya-

monte al publicar las *Obras de Garcilaso de la Vega con anotaciones* (1580), hasta tal punto que se trata de un auténtico plagio.
Es realmente sorprendente que Cervantes no recurriera a su propia imaginación en la primera página de uno de los libros más
originales que se han escrito. El caso, de todos modos, no es insólito, pues la dedicatoria que puso Johanot Martorell al frente del
libro de caballerías *Tirante el Blanco*, dirigida al príncipe don
Fernando de Portugal, está copiada, también al pie de la letra,
de la dedicatoria de *Los doce trabajos de Hércules* de Enrique de
Villena.

PRÓLOGO*

DESOCUPADO lector: sin juramento me podrás creer que
quisiera que este libro, como hijo del entendimiento,
fuera el más hermoso, el más gallardo y más discreto que
pudiera imaginarse. Pero no he podido yo contravenir al
orden de naturaleza; que en ella cada cosa engendra su
semejante. Y así, ¿qué podrá engendrar el estéril y mal
cultivado ingenio mío sino la historia de un hijo seco, avellanado, antojadizo y lleno de pensamientos varios y nunca imaginados de otro alguno, bien como quien se engendró en una cárcel, donde toda incomodidad tiene su
asiento y donde todo triste ruido hace su habitación[1]?
El sosiego, el lugar apacible, la amenidad de los campos,
la serenidad de los cielos, el murmurar de las fuentes, la

* La gran originalidad de este prólogo estriba en que gran
parte de él trata del prólogo mismo, o sea, de las dudas que asal-
tan a Cervantes al ponerse a escribir esta pieza preliminar de su
novela, que juzga imprescindible. Pero como no quiere caer en
las vulgaridades de otros prólogos, nos habla de sí mismo y de
la conversación, sin duda imaginaria, que mantuvo con un amigo
suyo sobre cómo lo enfocaría y redactaría. Todo ello le da pie para
atacar con frecuencia a Lope de Vega (como se indica en las
notas), escritor que entonces se hallaba en la cumbre de la gloria,
era popularísimo, admirado y brillante, constantemente publicaba
libros de los más diversos géneros y estrenaba con gran éxito
multitud de comedias; al paso que Cervantes llevaba una vida
desdichada y opaca, había fracasado ante el público en el teatro,
y hacía veinte años que no había aparecido ningún libro suyo.
Era costumbre que los autores de libros pidieran a escritores de
fama o a personas encumbradas poesías laudatorias para poner
al principio del libro. Cervantes satiriza cómicamente tal costumbre insertando, a continuación del prólogo, una serie de poesías
burlescas firmadas por fabulosos personajes de los mismos libros
de caballerías que se propone parodiar. Son poesías a veces difíciles porque entrañan una serie de alusiones y críticas que hoy
cuesta poner en claro.
[1] Cervantes imaginó el *Quijote*, según estas palabras, estando
en la cárcel. Se trata de uno de los encarcelamientos que sufrió, en
Sevilla (el de 1597, que duró tres meses, o el de 1602-1603, que
es problemático), o en Castro del Río (en 1592). No obstante, el
principio de la obra parece escrito hacia 1591 (véase la nota preliminar al capítulo VI de la primera parte) y la historia del Cautivo
se redactó en 1589 (véase I, 39, nota 4).

quietud del espíritu son grande parte para que las musas más estériles se muestren fecundas y ofrezcan partos al mundo que le colmen de maravilla y de contento. Acontece tener un padre un hijo feo y sin gracia alguna, y el amor que le tiene le pone una venda en los ojos para que no vea sus faltas, antes las juzga por discreciones y lindezas y las cuenta a sus amigos por agudezas y donaires. Pero yo, que, aunque parezco padre, soy padrastro de don Quijote, no quiero irme con la corriente del uso, ni suplicarte casi con las lágrimas en los ojos, como otros hacen, lector carísimo, que perdones o disimules las faltas que en este mi hijo vieres, y ni eres su pariente ni su amigo, y tienes tu alma en tu cuerpo y tu libre albedrío como el más pintado, y estás en tu casa, donde eres señor della, como el rey de sus alcabalas, y sabes lo que comúnmente se dice, que debajo de mi manto, al rey mato. Todo lo cual te esenta[2] y hace libre de todo respecto y obligación, y así, puedes decir de la historia todo aquello que te pareciere, sin temor que te calunien por el mal ni te premien por el bien que dijeres della.

Sólo quisiera dártela monda y desnuda, sin el ornato de prólogo, ni de la inumerabilidad y catálogo de los acostumbrados sonetos, epigramas y elogios que al principio de los libros suelen ponerse[3]. Porque te sé decir que, aunque me costó algún trabajo componerla, ninguno tuve por mayor que hacer esta prefación que vas leyendo. Muchas veces tomé la pluma para escribille, y muchas la dejé, por no saber lo que escribiría; y estando una suspenso, con el papel delante, la pluma en la oreja, el codo en el bufete y la mano en la mejilla, pensando lo que diría, entró a deshora[4] un amigo mío, gracioso y bien entendido, el cual, viéndome tan imaginativo, me preguntó la causa, y, no encubriéndosela yo, le dije que pensaba en el prólogo que había de hacer a la historia de don Quijote, y que me tenía de suerte que ni quería hacerle, ni

---

[2] *te esenta,* te hace exento, te exime.
[3] Era muy frecuente publicar, al frente de un libro, varias poesías de diferentes escritores en elogio del autor. Frente a la *Galatea* del propio Cervantes se publicaron tres sonetos en alabanza de nuestro escritor compuestos por Luis Gálvez de Montalvo, Luis de Vargas Manrique y López Maldonado.
[4] *a deshora,* súbitamente.

menos sacar a luz sin él[5] las hazañas de tan noble caballero.

—Porque ¿cómo queréis vos que no me tenga confuso el qué dirá el antiguo legislador que llaman vulgo cuando vea que, al cabo de tantos años como ha que duermo en el silencio del olvido, salgo ahora, con todos mis años a cuestas[6], con una leyenda seca como un esparto, ajena de invención, menguada de estilo, pobre de concetos y falta de toda erudición y doctrina, sin acotaciones en las márgenes y sin anotaciones en el fin del libro, como veo que están otros libros, aunque sean fabulosos y profanos, tan llenos de sentencias de Aristóteles, de Platón y de toda la caterva de filósofos, que admiran a los leyentes y tienen a sus autores por hombres leídos, eruditos y elocuentes? ¡Pues qué, cuando citan la Divina Escritura! No dirán sino que son unos santos Tomases y otros doctores de la Iglesia; guardando en esto un decoro tan ingenioso, que en un renglón han pintado un enamorado destraído y en otro hacen un sermoncico cristiano, que es un contento y un regalo oílle o leelle. De todo esto ha de carecer mi libro, porque ni tengo qué acotar en el margen, ni qué anotar en el fin, ni menos sé qué autores sigo en él, para ponerlos al principio, como hacen todos, por las letras del abecé, comenzando en Aristóteles y acabando en Xenofonte y en Zoilo o Zeuxis, aunque fue maldiciente el uno y pintor el otro. También ha de carecer mi libro de sonetos al principio, a lo menos de sonetos cuyos autores sean duques, marqueses, condes, obispos, damas o poetas celebérrimos[7]; aunque si yo los pidiese a dos o tres oficiales[8] amigos, yo sé que me los darían, y tales que no les igualasen los de aquellos que tienen más nombre en nuestra España. En fin, señor y amigo mío —proseguí—, yo determino que el señor don

[5] *sin él*, estas dos palabras no se encuentran en las ediciones primitivas ni en las modernas, pero parecen imprescindibles para la cabal comprensión de esta frase. Tal vez Cervantes la redactó de otro modo y el impresor se saltó algo.

[6] Cervantes tenía, en 1605, cincuenta y ocho años, y hasta entonces el único libro que había publicado era la *Galatea,* en 1585.

[7] Esto va contra Lope de Vega: al frente de su poema *La hermosura de Angélica* (1602) figuran doce poesías laudatorias de diversos autores, entre los cuales hay un príncipe, un marqués, dos condes y dos damas.

[8] *oficiales,* en el sentido de artesanos, para contrastar con los «duques, marqueses...», etc., citados antes.

Quijote se quede sepultado en sus archivos en la Mancha, hasta que el cielo depare quien le adorne de tantas cosas como le faltan; porque yo me hallo incapaz de remediarlas, por mi insuficiencia y pocas letras, y porque naturalmente soy poltrón y perezoso de andarme buscando autores que digan lo que yo me sé decir sin ellos. De aquí nace la suspensión y elevamiento, amigo, en que me hallastes; bastante causa para ponerme en ella la que de mí habéis oído.

Oyendo lo cual mi amigo, dándose una palmada en la frente y disparando en una carga de risa, me dijo:

—Por Dios, hermano, que agora me acabo de desengañar de un engaño en que he estado todo el mucho tiempo que ha que os conozco, en el cual siempre os he tenido por discreto y prudente en todas vuestras aciones. Pero agora veo que estáis tan lejos de serlo como lo está el cielo de la tierra. ¿Cómo que es posible que cosas de tan poco momento y tan fáciles de remediar puedan tener fuerzas de suspender y absortar un ingenio tan maduro como el vuestro, y tan hecho a romper y atropellar por otras dificultades mayores? A la fe, esto no nace de falta de habilidad, sino de sobra de pereza y penuria de discurso. ¿Queréis ver si es verdad lo que digo? Pues estadme atento y veréis cómo en un abrir y cerrar de ojos confundo todas vuestras dificultades, y remedio todas las faltas que decís que os suspenden y acobardan para dejar de sacar a la luz del mundo la historia de vuestro famoso don Quijote, luz y espejo de toda la caballería andante.

—Decid —le repliqué yo, oyendo lo que me decía—: ¿de qué modo pensáis llenar el vacío de mi temor y reducir a claridad el caos de mi confusión?

A lo cual él dijo:

—Lo primero en que reparáis de los sonetos, epigramas o elogios que os faltan para el principio, y que sean de personajes graves y de título, se puede remediar en que vos mesmo toméis algún trabajo en hacerlos, y después los podéis bautizar y poner el nombre que quisiéredes, ahijándolos al Preste Juan de las Indias o al Emperador de Trapisonda[9], de quien yo sé que hay noticia que fueron famosos poetas; y cuando no lo hayan sido y hubiere

---

[9] *Trapisonda.* Trebisonda, puerto turco en el Mar Negro; se menciona con frecuencia en libros de caballerías.

algunos pedantes y bachilleres que por detrás os muerdan
y murmuren desta verdad, no se os dé dos maravedís;
porque ya que os averigüen la mentira, no os han de cortar la mano con que lo escribistes. En lo de citar en las
márgenes los libros y autores de donde sacáredes las sentencias y dichos que pusiéredes en vuestra historia, no
hay más sino hacer, de manera que venga a pelo, algunas
sentencias o latines que vos sepáis de memoria, o, a lo
menos, que os cuesten poco trabajo el buscalle, como será
poner, tratando de libertad y cautiverio:

> *Non bene pro toto libertas venditur auro.*

Y luego, en el margen, citar a Horacio, o a quien lo dijo[10].
Si tratáredes del poder de la muerte, acudir luego con:

> *Pallida mors æquo pulsat pede pauperum tabernas,*
> *Regumque turres*[11].

Si de la amistad y amor que Dios manda que se tenga
al enemigo, entraros luego al punto por la Escritura Divina, que lo podéis hacer con tantico de curiosidad, y
decir las palabras, por lo menos, del mismo Dios: *Ego
autem dico vobis: diligite inimicos vestros*[12]. Si tratáredes de malos pensamientos, acudid con el Evangelio: *De
corde exeunt cogitationes malae*[13]. Si de la instabilidad de
los amigos, ahí está Catón, que os dará su dístico:

> *Donec eris felix, multos numerabis amicos,*
> *Tempora si fuerint nubila, solus eris*[14].

---

[10] Cervantes, que en todo este prólogo aparenta ser hombre de
poca cultura a fin de poner de manifiesto la pedantería de otros
(sobre todo la de Lope de Vega), no da importancia a saber quién
escribió este verso latino, que no fue Horacio sino el poeta del
siglo XII, Walter Anglicus, en el dístico con que cierra su fábula esópica *De cane et lupo*. Era un fabulario muy conocido. Se
puede traducir: «No existe bastante oro para pagar la libertad».

[11] Ahora sí que es Horacio: «La pálida muerte pisa igualmente
las chozas de los pobres que las torres de los reyes», *Odas*, libro I, 4.

[12] «Y yo os digo: Amad a vuestros enemigos», Evangelio de
San Mateo, V, 44.

[13] «Del corazón salen los malos pensamientos», San Mateo,
XV, 19.

[14] «Mientras seas feliz contarás con muchos amigos; pero si el
tiempo se nubla te quedarás solo.» Estos versos son de Ovidio
(*Tristia*, I, IX, 5-6), y tan conocidos y tantas veces citados que

Y con estos latinicos y otros tales os tendrán siquiera por gramático; que el serlo no es de poca honra y provecho el día de hoy. En lo que toca el poner anotaciones al fin del libro, seguramente lo podéis hacer desta manera: si nombráis algún gigante en vuestro libro, hacelde que sea el gigante Golías, y con sólo esto, que os costará casi nada, tenéis una grande anotación, pues podéis poner: *El gigante Golías, o Goliat, fue un filisteo a quien el pastor David mató de una gran pedrada, en el valle de Terebinto, según se cuenta en el libro de los Reyes,* en el capítulo que vos halláredes que se escribe. Tras esto, para mostraros hombre erudito en letras humanas y cosmógrafo, haced de modo como en vuestra historia se nombre el río Tajo, y veréisos luego con otra famosa anotación, poniendo: *El río Tajo fue así dicho por un rey de las Españas; tiene su nacimiento en tal lugar y muere en el mar Océano, besando los muros de la famosa ciudad de Lisboa, y es opinión que tiene las arenas de oro, etc.*[15]. Si tratáredes de ladrones, yo os diré la historia de Caco, que la sé de coro; si de mujeres rameras, ahí está el obispo de Mondoñedo, que os prestará a Lamia, Laida y Flora[16], cuya anotación os dará gran crédito; si de crueles, Ovidio os entregará a Medea; si de encantadores y hechiceras, Homero tiene a Calipso, y Virgilio a Circe; si de capitanes valerosos, el mesmo Julio César os prestará a sí mismo en sus *Comentarios,* y Plutarco os dará mil Alejandros[17]. Si tratáredes de amores, con dos onzas que

---

nadie podía ignorar quién era su verdadero autor. Cervantes dice, sin duda intencionadamente, que son de Catón porque a éste se atribuían sentencias (véase I, 20, nota 10), y sin duda figuraban en textos escolares —el «catón»—. No se olvide que todas estas notas de erudición son humorísticas (cfr. Olga Prjevalinsky, «Anales Cervantinos», IV, 1954, 315-317).

[15] Nueva pulla contra Lope de Vega, quien había escrito en la *Arcadia* (1598): «Tajo, río de Lusitania, nace en las sierras de Cuenca, y tuvo entre los antiguos fama de llevar, como Pactolo, arenas de oro... entra en el mar por la insigne Lisboa». La gracia está en que todo esto es elementalísimo y archisabido.

[16] Fray Antonio de Guevara (1480-1545), que fue obispo de Guadix y de Mondoñedo, quien en una de sus famosas *Epístolas familiares* trata de aquellas tres «enamoradas antiquísimas». Con evidente sorna Cervantes escoge a un obispo para documentar mujeres de esta condición.

[17] Ovidio trata de Medea en múltiples pasajes; Homero de Calipso en la *Odisea;* Virgilio de Circe en la *Eneida;* y Plutarco de Alcibíades y Alejandro en las *Vidas paralelas.* Todo ello es sabido de todo el mundo, lo que acrecienta la intención burlesca.

sepáis de la lengua toscana, toparéis con León Hebreo[18], que os hincha las medidas. Y si no queréis andaros por tierras estrañas, en vuestra casa tenéis a Fonseca[19], *Del amor de Dios*, donde se cifra todo lo que vos y el más ingenioso acertare a desear en tal materia. En resolución, no hay más sino que vos procuréis nombrar estos nombres, o tocar estas historias en la vuestra, que aquí he dicho, y dejadme a mí el cargo de poner las anotaciones y acotaciones; que yo os voto a tal de llenaros las márgenes y de gastar cuatro pliegos en el fin del libro. Vengamos ahora a la citación de los autores que los otros libros tienen, que en el vuestro os faltan. El remedio que esto tiene es muy fácil, porque no habéis de hacer otra cosa que buscar un libro que los acote todos, desde la A hasta la Z, como vos decís[20]. Pues ese mismo abecedario pondréis vos en vuestro libro; que, puesto que a la clara[21] se vea la mentira, por la poca necesidad que vos teníades de aprovecharos dellos, no importa nada; y quizá alguno habrá tan simple que crea que de todos os habéis aprovechado en la simple y sencilla historia vuestra; y cuando no sirva de otra cosa, por lo menos servirá aquel largo catálogo de autores a dar de improviso autoridad al libro. Y más, que no habrá quien se ponga a averiguar si los seguistes o no los seguistes, no yéndole nada en ello. Cuanto más que, si bien caigo en la cuenta, este vuestro libro no tiene necesidad de ninguna cosa de aquellas que vos decís que le falta, porque todo él es una invectiva contra los libros de caballerías, de quien nunca se acordó Aristóteles, ni dijo nada San Basilio, ni alcanzó Cicerón[22], ni caen debajo de la cuenta de sus fabulosos disparates las puntualidades de la verdad, ni las observaciones de la astrología; ni le son de importancia las medidas geométricas, ni la confutación de los argumen-

---

[18] León Hebreo, o Judá Abrabanel, que escribió en italiano unos *Dialoghi d'amore* (Roma, 1535), y de los que existían tres traducciones castellanas.

[19] El libro de fray Cristóbal de Fonseca, *Tratado del amor de Dios* (Salamanca, 1592).

[20] Nuevo ataque a Lope de Vega, quien en el *Peregrino en su patria* (1604) publica, al final, una lista por orden alfabético de autores citados, que son 145; lo mismo había hecho en el *Isidro* (1599), con 267 autores citados.

[21] *puesto que a la clara*, aunque claramente.

[22] Estos tres autores figuran en la lista del *Isidro* de Lope de Vega.

tos de quien se sirve la retórica; ni tiene para qué predicar a ninguno, mezclando lo humano con lo divino, que es un género de mezcla de quien no se ha de vestir ningún cristiano entendimiento. Sólo tiene que aprovecharse de la imitación en lo que fuere escribiendo; que cuanto ella fuere más perfecta, tanto mejor será lo que se escribiere. Y, pues, esta vuestra escritura no mira a más que a deshacer la autoridad y cabida que en el mundo y en el vulgo tienen los libros de caballerías, no hay para qué andéis mendigando sentencias de filósofos, consejos de la Divina Escritura, fábulas de poetas, oraciones de retóricos, milagros de santos, sino procurar que a la llana, con palabras significantes, honestas y bien colocadas, salga vuestra oración y período sonoro y festivo, pintando, en todo lo que alcanzáredes y fuere posible, vuestra intención; dando a entender vuestros conceptos sin intricarlos y escurecerlos. Procurad también que, leyendo vuestra historia, el melancólico se mueva a risa, el risueño la acreciente, el simple no se enfade, el discreto se admire de la invención, el grave no la desprecie, ni el prudente deje de alabarla. En efecto, llevad la mira puesta a derribar la máquina[23] mal fundada destos caballerescos libros, aborrecidos de tantos y alabados de muchos más; que si esto alcanzásedes, no habríades alcanzado poco.

Con silencio grande estuve escuchando lo que mi amigo me decía, y de tal manera se imprimieron en mí sus razones, que, sin ponerlas en disputa, las aprobé por buenas y de ellas mismas quise hacer este prólogo, en el cual verás, lector suave, la discreción de mi amigo, la buena ventura mía en hallar en tiempo tan necesitado tal consejero, y el alivio tuyo en hallar tan sincera y tan sin revueltas la historia del famoso don Quijote de la Mancha, de quien hay opinión, por todos los habitadores del distrito del campo de Montiel, que fue el más casto enamorado y el más valiente caballero que de muchos años a esta parte se vio en aquellos contornos. Yo no quiero encarecerte el servicio que te hago en darte a conocer tan noble y tan honrado caballero; pero quiero que me agradezcas el conocimiento que tendrás del famoso Sancho Panza, su escudero, en quien, a mi parecer, te doy cifra-

[23] *máquina*, artificio.

das todas las gracias escuderiles que en la caterva de los libros vanos de caballerías están esparcidas. Y con esto, Dios te dé salud, y a mí no olvide. *Vale*[24].

---

[24] *Vale*, adiós (palabra latina de despedida).

AL LIBRO DE
DON QUIJOTE DE LA MANCHA

Urganda la desconocida[1]

Si de llegarte a los bue-[2],
libro, fueres con letu-,
no te dirá el boquirru-
que no pones bien los de-.
Mas si el pan no se te cue-
por ir a manos de idio-,
verás de manos a bo-,
aun no dar una en el cla-,
si bien se comen las ma-
por mostrar que son curio-[3].

    Y pues la espiriencia ense-
que el que a buen árbol se arri-

---

[1] Urganda es una sabia encantadora que aparece en el libro de caballerías *Amadís de Gaula* y protege en múltiples ocasiones al protagonista: «tan sabida doncella... era Urganda, la desconocida, y que se llamaba así porque muchas veces se transformaba y desconoscía» (I, 11), o sea, tomaba un aspecto que no la hacía recognoscible.

[2] Estas décimas están escritas en versos llamados *de cabo roto*, en los que se suprime la última sílaba, juego poético inventado por el poeta Alonso Álvarez de Soria, propio para composiciones humorísticas, y que algunos preceptistas censuraron. Están redactadas, además, a base de refranes y de expresiones populares que a veces hacen difícil su comprensión.

[3] *Primera décima: ir con letura,* ir con cuidado; *boquirrubio,* inexperto; *no poner bien los dedos,* no saber uno lo que se hace; *no cocérsele a uno el pan,* estar impaciente, o ansioso, por hacer algo; *comerse las manos [tras una cosa],* desearla vivamente. El sentido de la estrofa parece ser el siguiente: «Libro [o sea, el *Quijote*], si con cuidado te acercas a los hombres buenos, los tontos no te dirán que no sabes lo que te haces; en cambio, si te impacientas para ir a parar a manos de los idiotas, verás inmediatamente que en modo alguno aciertan, aunque desean ardientemente aparentar que son personas inteligentes».

buena sombra le cobi-,
en Béjar tu buena estre-
un árbol real te ofre-[4]
que da príncipes por fru-,
en el cual floreció un duque es nuevo Alejandro Ma-[5]:
llega a su sombra: que a osa-
favorece la fortu-.

De un noble hidalgo manche-
contarás las aventu-,
a quien ociosas letu-,
trastornaron la cabe-[6]:
damas, armas, caballe-[7],
le provocaron de mo-,
que, cual Orlando furio-,
templado a lo enamora-,
alcanzó a fuerza de bra-[8]
a Dulcinea del Tobo-.

No indiscretos hierogli-
estampes en el escu-;
que cuando es todo figu-,
con ruines puntos se envi-[9].

[4] Este árbol, que está en Béjar, es el Duque de Béjar, a quien va dedicada esta primera parte del *Quijote*; si el *Quijote* se arrima a él, le cobijará buena sombra. El árbol es *real* porque los Zúñiga (apellido del duque de Béjar) descendían de los reyes de Navarra.

[5] Alejandro Magno es citado aquí porque se tenía como modelo de liberalidad.

[6] «a quien ociosas lecturas trastornaron la cabeza».

[7] El primer verso del *Orlando furioso* de Ariosto, que se cita luego, es *Le donne, i cavalier, l'arme, gli amori...*

[8] *a fuerza de brazos*, «a fuerza de mérito o de trabajos»; aunque ello no es cierto, porque don Quijote no *alcanzó* a Dulcinea.

[9] Urganda aconseja al libro *Don Quijote* que no estampe en el escudo indiscretos jeroglíficos, porque «cuando todo es figura, con ruines puntos se envida», con lo que por una parte se alude al juego de cartas llamado la *primera*, en el que las figuras son los naipes que menos valen, y *envidar con ruines puntos* parece que significa «apostar sin tener juego, para amedrentar al adversario». Pero *todo es figura* también quería decir «todo es fachada», o sea, ostentación aparente. Se cree comúnmente que aquí Cervantes ataca a Lope de Vega, que en la portada de la *Arcadia* hizo estampar el presunto escudo de Bernardo del Carpio, pretendiendo hacerse pasar por su descendiente. Parece más aceptable que la pulla vaya contra el libro *La pícara Justina*, de Francisco López de Úbeda, en la portada de cuya primera edición (Medina del Campo, 1605) figura un escudo arbitrario de don Rodrigo Calderón, que pretendía ser de ilustre ascendencia (cfr. M. Bataillon, *Urganda entre Don Quixote et la Pícara Justina, Studia Philológica*, homenaje a Dámaso Alonso, I, Madrid, 1960, 191-215).

Si en la dirección te humi-,
no dirá mofante algu-[10]:
«¡Qué don Álvaro de Lu-,
qué Aníbal el de Carta-,
qué rey Francisco en Espa-
se queja de la fortu-[11]!»

Pues al cielo no le plu-
que salieses tan ladi-
como el negro Juan Lati-[12],
hablar latines rehu-.
No me despuntes de agu-,
ni me alegues con filó-;
porque, torciendo la bo-,
dirá el que entiende la le-,
no un palmo de las ore-:
«¿Para qué conmigo flo-[13]?»

No te metas en dibu-,
ni en saber vidas aje-;
que en lo que no va ni vie-
pasar de largo es cordu-.
Que suelen en caperu-[14]
darles a los que grace-;
mas tú quémate las ce-
sólo en cobrar buena fa-;
que el que imprime necedá-
dalas a censo perpe-.

Advierte que es desati-,
siendo de vidrio el teja-,
tomar piedras en las ma-
para tirar al veci-.
Deja que el hombre de jui-

---

[10] «si en la dedicatoria *(dirección)* te humillas, no dirá burlador alguno».

[11] Versos tomados de cierta poesía que fray Domingo de Guzmán escribió contra fray Luis de León: «¡Qué don Álvaro de Luna, Qué Aníbal cartaginés, Qué Francisco, rey francés, Se queja de la Fortuna Porque la ha echado a sus pies!»

[12] Juan Latino, criado negro de la duquesa de Terranova, viuda del Gran Capitán, que era muy gracioso, buen músico y escribía poesías en latín. Urganda dice al *Quijote* que, puesto que no sabe latín, no presuma de erudito.

[13] «Porque el que entiende el engaño *(la leva)* dirá, torciendo la boca muy cerca de las orejas *(no [a] un palmo de las orejas)*: ¿Para qué conmigo trampas?», *flores,* en el sentido de «trampas».

[14] *dar en caperuza,* hacer daño a uno, frustrarle sus designios o dejarle cortado en la disputa.

en las obras que compo-
se vaya con pies de plo-;
que el que saca a luz pape-
para entretener donce-
escribe a tontas y a lo-.

Amadís de Gaula a don Quijote de la Mancha

Soneto

Tú, que imitaste la llorosa vida
que tuve ausente y desdeñado sobre
el gran ribazo de la Peña Pobre,
de alegre a penitencia[15] reducida,
    tú, a quien los ojos dieron la bebida
de abundante licor, aunque salobre,
y alzándote la plata, estaño y cobre,
te dio la tierra en tierra la comida,
    vive seguro de que eternamente,
en tanto, al menos, que en la cuarta esfera,
sus caballos aguije el rubio Apolo,
    tendrás claro renombre de valiente;
tu patria será en todas la primera;
tu sabio autor, al mundo único y solo.

Don Belianís de Grecia a don Quijote de la Mancha

Soneto

Rompí, corté, abollé, y dije y hice
más que en el orbe caballero andante;
fui diestro, fui valiente, fui arrogante;
mil agravios vengué, cien mil deshice.
    Hazañas di a la Fama que eternice;
fui comedido y regalado amante;
fue enano para mí todo gigante
y al duelo en cualquier punto satisfice.

[15] Para la penitencia de Amadís en la Peña Pobre véase el comentario preliminar a I, 25.

Tuve a mis pies postrada la Fortuna,
y trajo del copete mi cordura
a la calva Ocasión al estricote[16].
    Mas, aunque sobre el cuerno de la luna
siempre se vio encumbrada mi ventura,
tus proezas envidio, ¡oh gran Quijote!

LA SEÑORA ORIANA A DULCINEA DEL TOBOSO

Soneto

¡Oh, quién tuviera, hermosa Dulcinea,
por más comodidad y más reposo,
a Miraflores[17] puesto en el Toboso,
y trocara sus Londres con tu aldea!
    ¡Oh, quién de tus deseos y librea
alma y cuerpo adornara, y del famoso
caballero que hiciste venturoso
mirara alguna desigual pelea!
    ¡Oh, quién tan castamente se escapara
del señor Amadís como tú hiciste
del comedido hidalgo don Quijote!
    Que así envidiada fuera, y no envidiara,
y fuera alegre el tiempo que fue triste,
y gozara los gustos sin escote.

GANDALÍN, ESCUDERO DE AMADÍS DE GAULA, A SANCHO PANZA, ESCUDERO DE DON QUIJOTE

Soneto

Salve, varón famoso, a quien Fortuna,
cuando en el trato escuderil te puso,
tan blanda y cuerdamente lo dispuso,
que lo pasaste sin desgracia alguna.
    Ya la azada o la hoz poco repugna

---

[16] *al estricote*, andar sin sosiego de aquí para allá. Como es sabido, a la Ocasión, como a la Fortuna, se la pinta calva, pero con un mechón de cabellos al que se agarra el que es afortunado.
[17] *Miraflores*, castillo cercano a Londres en el que residía Oriana, la amada de Amadís de Gaula.

al andante ejercicio; ya está en uso
la llaneza escudera, con que acuso
al soberbio que intenta hollar la luna.

Envidio a tu jumento y a tu nombre,
y a tus alforjas igualmente envidio,
que mostraron tu cuerda providencia.

Salve otra vez, ¡oh Sancho!, tan buen hombre,
que a solo tú nuestro español Ovidio,
con buzcorona[18] te hace reverencia.

DEL DONOSO[19], POETA ENTREVERADO, A SANCHO PANZA
Y ROCINANTE

Soy Sancho Panza, escude-
del manchego don Quijo-;
puse pies en polvoro-,
por vivir a lo discre-[20];
que el tácito Villadie-
toda su razón de esta-
cifró en una retira-
según siente *Celesti-*[21],
libro, en mi opinión, divi-,
si encubriera más lo huma-.

A Rocinante

Soy Rocinante el famo-
bisnieto del gran Babie-;
por pecados de flaque-
fui a poder de un don Quijo-.
Parejas corrí a lo flo-[22];
mas por uña de caba-

---

[18] *buzcorona*, burla que se hacía dando a besar la mano y descargando un golpe sobre la cabeza y carrillo del que la besaba.
[19] M. Bataillon, en el trabajo citado en la anterior nota 9, apunta la posibilidad de que el Donoso sea un seudónimo del poeta Gabriel Lasso de la Vega, quien pudo realmente haber escrito estas décimas.
[20] No se comprende a qué episodio se refiere, pues Sancho nunca puso los pies en polvorosa.
[21] Referencia a un paso del acto XII de la *Tragicomedia de Calisto y Melibea*, o *La Celestina*, en el que se dice: «Apercíbete, a la primera voz que oyeres, tomar calzas de Villadiego».
[22] *a lo flojo*, flojamente, despacio.

no se me escapó ceba-
que esto saqué a Lazari-[23]
cuando, para hurtar el vi-
al ciego, le di la pa-.

ORLANDO FURIOSO A DON QUIJOTE DE LA MANCHA

Soneto

Si no eres par, tampoco le has tenido:
que par pudieras ser entre mil pares;
ni puede haberle donde tú te hallares,
invito vencedor, jamás vencido.

Orlando soy, Quijote, que, perdido
por Angélica, vi remotos mares,
ofreciendo a la Fama en sus altares
aquel valor que respetó el olvido.

No puedo ser tu igual; que este decoro
se debe a tus proezas y a tu fama,
puesto que, como yo, perdiste el seso.

Mas serlo has mío, si al soberbio moro
y cita fiero domas, que hoy nos llama,
iguales en amor, con mal suceso[24].

EL CABALLERO DEL FEBO A DON QUIJOTE DE LA MANCHA

Soneto

A vuestra espada, no igualó la mía,
Febo español, curioso cortesano,
ni a la alta gloria de valor mi mano,
que rayo fue do nace y muere el día.

Imperios desprecié; la monarquía
que me ofreció el Oriente rojo en vano
dejé, por ver el rostro soberano

---

[23] Referencia al conocido episodio del tratado primero del *Lazarillo de Tormes*: «cuando para hurtar el vino al ciego, le di la paja».
[24] «si vences al soberbio moro y al fiero escita que hoy nos reta, seremos iguales en amor, y en amor desventurado» (cfr. J. López Navío, «Anales Cervantinos», IV, 1954, 327-330).

de Claridiana[25], aurora hermosa mía.
    Améla por milagro único y raro,
y, ausente en su desgracia, el propio infierno
temió mi brazo, que domó su rabia.
    Mas vos, godo Quijote, ilustre y claro,
por Dulcinea sois al mundo eterno,
y ella, por vos, famosa, honesta y sabia.

De Solisdán[26] a don Quijote de la Mancha

Soneto

Maguer, señor Quijote, que sandeces
vos tengan el cerbelo derrumbado,
nunca seréis de alguno reprochado
por home de obras viles y soeces.
    Serán vuesas fazañas los joeces,
pues tuertos desfaciendo habéis andado,
siendo vegadas mil apaleado
por follones cautivos y raheces.
    Y si la vuesa linda Dulcinea
desaguisado contra vos comete,
ni a vuesas cuitas muestra buen talante,
    en tal desmán, vueso conorte sea
que Sancho Panza fue mal alcagüete,
necio él, dura ella, y vos no amante.

Diálogo entre Babieca y Rocinante

Soneto

B.   ¿Cómo estáis, Rocinante, tan delgado?
R.   Porque nunca se come, y se trabaja.
B.   Pues ¿qué es de la cebada y de la paja?

---

[25] Claridiana, princesa que desempeña un gran papel en el libro de caballerías *El caballero del Febo*.
[26] No se sabe quién pueda ser este Solisdán, que tal vez figurara en algún libro de caballerías perdido. Este soneto está escrito en lenguaje arcaizante, a imitación del de los libros de caballerías. Los principales arcaísmos son: *maguer*, aunque; *vos, os; cerbelo*, cerebro; *home; fazañas; joeces; desfaciendo; vegadas*, veces; *raheces*, viles; *conorte*, consuelo.

R.   No me deja mi amo ni un bocado.
B.   Andá[27], señor, que estáis muy mal criado,
      pues vuestra lengua de asno al amo ultraja.
R.   Asno se es de la cuna a la mortaja.
      ¿Queréislo ver? Miraldo[28] enamorado.
B.   ¿Es necedad amar? R. No es gran prudencia.
B.   Metafísico estáis. R. Es que no como.
B.   Quejaos del escudero. R. No es bastante.
          ¿Cómo me he de quejar en mi dolencia,
      si el amo y escudero o mayordomo
      son tan rocines como Rocinante?

[27] *andá*, andad.
[28] *miraldo*, miradlo.

PRIMERA PARTE DEL INGENIOSO HIDALGO DON QUIJOTE DE LA MANCHA

CAPÍTULO PRIMERO

QUE TRATA DE LA CONDICIÓN Y EJERCICIO DEL FAMOSO HIDALGO DON QUIJOTE DE LA MANCHA*

E N un lugar de la Mancha, de cuyo nombre no quiero acordarme[1], no ha mucho tiempo que vivía un hidalgo de los de lanza en astillero[2], adarga antigua, rocín

---

* En este primer capítulo Cervantes describe las costumbres, estado y aficiones del protagonista de la narración, sobre todo su entusiasmo por los libros de caballerías, que le lleva a la locura hasta el punto de querer imitar a sus héroes. Cervantes, siempre tan preciso y detallista en los puntos esenciales e incluso accidentales de su novela, tiene un especial empeño en rodear de cierta vaguedad e imprecisión algo que a primera vista podría parecer capital en el relato: el nombre de la aldea en que vivía el hidalgo y el verdadero apellido de éste. En el resto del *Quijote* siempre se hará mención clara e inequívoca de las ciudades, pueblos, lugares e incluso despoblados con denominación propia en los que transcurre la acción, y lo único que no se aclara es el nombre del lugar de nacimiento y residencia del protagonista, en el que se suceden varios episodios decisivos del relato, indicado con el impreciso «un lugar de la Mancha» (véase la nota número 1 de este capítulo). Los nombres y apellidos de los numerosos personajes que aparecen en esta novela, incluso de los más insignificantes o que figuran esporádicamente, están expresados de un modo indudable y estable. El apellido de don Quijote, en cambio, fluctuará desde el principio, y ya en su primera descripción Cervantes nos dirá que existe disparidad de opiniones sobre si se llamaba Quijada o Quesada, aunque se inclina por Quejana («pero esto importa poco a nuestro cuento», añade); más adelante, en este mismo capítulo, llegará a la conclusión de que se llamaba Quijada, y no Quesada; el labrador Pedro Alonso lo llamará «Señor Quijana» (I, 5), y en el último capítulo de la novela el propio protagonista dirá ser «Alonso Quijano» (II, 74). En la primera parte don Quijote no tiene nombre de pila; y por esto Avellaneda, en la segunda apócrifa (véase cap. 1), lo llama Martín Quijada. Esta vaguedad es intencionada, pues

flaco y galgo corredor. Una olla de algo más vaca que
carnero[3], salpicón[4] las más noches, duelos y quebrantos[5]
los sábados, lentejas los viernes, algún palomino de aña-

Cervantes, en los capítulos 1 a 8 (que constituyen la «primera
parte» del tomo publicado en 1605), finge que está relatando una
historia verdadera basada en otros autores («...los autores que
deste caso escriben...», «...autores hay que dicen...») y en los
«anales de la Mancha» (I, 2), fuentes ficticias que le permiten
satirizar ciertos recursos de los libros de caballerías y que, a
partir del capítulo 8, serán sustituidas por el presunto historiador Cide Hamete Benengeli. En cuanto al «lugar de la Mancha»,
en las últimas páginas de la novela Cervantes dirá que no lo ha
precisado «por dejar que todas las villas y lugares de la Mancha
contendiesen entre sí por ahijársele y tenérsele por suyo [a don
Quijote], como contendieron las siete ciudades de Grecia por
Homero» (II, 74), lo que constituye un nuevo rasgo de humor.
   [1] *En un lugar de la Mancha*, palabras que coinciden con un
octosílabo que constituye el quinto verso del romance con que se
abre una *Ensaladilla* anónima que se publicó en el *Romancero
general* a partir de su primera edición (1600). Véase el principio
de este romance: «Un lencero portugués   Recién venido a Castilla, Más valiente que Roldán Y más galán que Macías, *En un
lugar de la Mancha*, Que no le saldrá en su vida, Se enamoró
muy despacio   De una bella casadilla   Que vendiéndole ruán
Para faldas de camisa, Una tarde le contó Sus amorosas fa-
tigas...» Cervantes, como otros escritores de la época, empezaba
a veces sus capítulos con versos ajenos, y es posible que aquí
recordara éste de la insignificante *Ensaladilla* citada (cfr. R.
Marín, I, 73), que pudo conocer antes de su inclusión en el
Romancero de 1600. No obstante las seis primeras palabras del
Quijote son muy similares a aquellas con que empieza el *Celoso
estremeño* («No ha muchos años que de un lugar de Estremadura
salió un hidalgo...») y la historia del cautivo en el mismo *Quijote* (I, 39). Las palabras que siguen (*de cuyo nombre no quiero
acordarme*), en las que *querer* tiene, como en otros pasajes cervantinos, el valor de auxiliar (*no quiero acordarme* significa simplemente *no me acuerdo*; véase la próxima nota 12), constituyen
una fórmula de principio de cuento tradicional, como el apólogo
de don Juan Manuel, en el *Conde Lucanor*, que empieza: «En una
tierra de que non me acuerdo el nombre había un rey...» (cfr. M.
R. Lida, *Revista de Filología Hispánica*, I, 1939, 167-171). Todo ello
es el primer palmetazo cervantino a los libros de caballerías, que
solían iniciarse con pompa y solemnidad y situando la imaginaria
acción en tierras lejanas y extrañas y en imperios exóticos o fabulosos. El *Quijote* no empieza ni transcurre ni en Persia, ni en Constantinopla, ni en la Pequeña Bretaña, ni en Gaula, ni en el Imperio de Trapisonda, sino llana y sencillamente «en un lugar de la
Mancha».
   [2] *astillero*, o lancera, percha en la que se ponían las lanzas
en un sitio visible de la casa. Este detalle y el de la *adarga* (escudo) *antigua*, indican la hidalguía de don Quijote, que conservaba las armas de sus antepasados.
   [3] «Vaca y carnero, olla de caballero» (refrán citado por Covarrubias). La carne de vaca era más barata que la de carnero,
con lo que se da a entender que don Quijote era más bien pobre.
   [4] *salpicón*, carne picada con sal que se comía a veces como
fiambre, con aceite y pimienta. Era plato de gente pobre.
   [5] *duelos y quebrantos*, según algunos comentaristas, eran tor-
tillas de huevos con pedazos de tocino frito (torreznos) (cfr. R.
Marín, IX, 85-114, y Schevill, I, 431-486); según otros, la gro-

didura los domingos, consumían las tres partes de su hacienda. El resto della concluían sayo de velarte[6], calzas de velludo[7] para las fiestas, con sus pantuflos[8] de lo mesmo, y los días de entresemana se honraba con su vellorí[9] de lo más fino. Tenía en su casa una ama que pasaba de los cuarenta, y una sobrina que no llegaba a los veinte, y un mozo de campo y plaza, que así ensillaba el rocín como tomaba la podadera[10]. Frisaba la edad de nuestro hidalgo con los cincuenta años; era de complexión recia, seco de carnes, enjuto de rostro[11], gran madrugador y amigo de la caza. Quieren decir[12] que tenía el sobrenombre de Quijada, o Quesada, que en esto hay alguna diferencia en los autores que deste caso escriben; aunque por conjeturas verosímiles se deja entender que se llamaba

---

sura (cabeza, sesos, pies y manos), la asadura (corazón, livianos y menudo) y despojos de animales (cfr. J. López Navío, «Anales Cervantinos», VI, 1957, 169-191). Se trata de un plato que no rompía la abstinencia de los sábados.

[6] *velarte*, paño de abrigo, negro o azul.

[7] *velludo*, terciopelo.

[8] *pantuflos*, calzados que abrigan los pies, propios de gente anciana.

[9] *vellorí*, paño entrefino de color pardo ceniciento.

[10] Este mozo no vuelve a ser mencionado en el resto de la novela; tal vez porque Cervantes se olvidó de él.

[11] Esta descripción física de don Quijote no es arbitraria y corresponde de un modo evidentemente no casual con las características que en la obra del doctor Huarte de San Juan, *Examen ingenios* (publicada en 1575) se dan al hombre de temperamento «caliente y seco», que «tiene muy pocas carnes, duras y ásperas, hechas de nervios y murecillos [o sea, «músculos»], y las venas muy anchas... es moreno, tostado, verdinegro y cenizoso; la voz... abultada y un poco áspera». Tales hombres, sigue Huarte, son ricos en inteligencia y en imaginación, de carácter colérico y melancólico y son propensos a manías, notas todas ellas que efectivamente encontramos en don Quijote (tesis de Salillas y de Miguel de Unamuno; cfr. M. de Iriarte, *El Doctor Huarte de San Juan y su Examen de Ingenios*, Madrid, 1948, 311-332). Y si tenemos en cuenta que para Huarte el *ingenio* es algo así como la posesión de facultades intelectivas, que en un momento determinado afirma que difícilmente se encuentra «hombre de muy subido ingenio que no pique algo en manía, que es una destemplanza caliente y seca del cerebro», y que su obra se titula, precisamente, *Examen de ingenios*, nos acercaremos a la explicación del adjetivo que figura en el título de la novela; «El *ingenioso* hidalgo...» (cfr. H. Weinrich, *Das Ingenium Don Quijotes*, Münster, 1956; O. H. Green, «Hispanic Review», XXV, 1957, 175-193; y F. Maldonado de Guevara, «Anales Cervantinos», VI, 1957, 97-111). Por este camino tal vez llegaría a ser lícito interpretar este concepto, en términos actuales, con una expresión cercana a «el *desequilibrado* hidalgo...»; pero ello distaría mucho de ser exacto, ya que *ingenioso* significa también hombre de feliz entendimiento natural, sutil, inventivo.

[12] *quieren decir*, o sea, «dicen».

Quejana. Pero esto importa poco a nuestro cuento; basta que en la narración dél no se salga un punto de la verdad.

Es, pues, de saber, que este sobredicho hidalgo, los ratos que estaba ocioso —que eran los más del año—, se daba a leer libros de caballerías con tanta afición y gusto, que olvidó casi de todo punto el ejercicio de la caza, y aun la administración de su hacienda; y llegó a tanto su curiosidad y desatino en esto, que vendió muchas hanegas de tierra de sembradura para comprar libros de caballerías en que leer, y así, llevó a su casa todos cuantos pudo haber dellos; y de todos, ningunos le parecían tan bien como los que compuso el famoso Feliciano de Silva[13], porque la claridad de su prosa y aquellas entricadas razones suyas le parecían de perlas, y más cuando llegaba a leer aquellos requiebros y cartas de desafíos, donde en muchas partes hallaba escrito: *La razón de la sinrazón que a mi razón se hace, de tal manera mi razón enflaquece, que con razón me quejo de la vuestra fermosura.* Y también cuando leía: *...los altos cielos que de vuestra divinidad divinamente con las estrellas os fortifican, y os hacen merecedora del merecimiento que merece la vuestra grandeza.*

Con estas razones perdía el pobre caballero el juicio, y desvelábase por entenderlas y desentrañarles el sentido, que no se lo sacara ni las entendiera el mesmo Aristóteles, si resucitara para sólo ello. No estaba muy bien con las heridas que don Belianís daba y recebía[14] porque se imaginaba que, por grandes maestros[15] que le hubiesen curado, no dejaría de tener el rostro y todo el cuerpo lleno de cicatrices y señales. Pero, con todo, alababa en su autor acabar aquel libro con la promesa de aquella inacabable aventura, y muchas veces le vino deseo de to-

[13] Feliciano de Silva, escritor del siglo XVI que, además de una continuación de la *Celestina* (1534), escribió varios libros de caballerías, continuaciones del *Amadís de Gaula* (*Lisuarte de Grecia*, *Amadís de Grecia*, *Florisel de Niquea*, *Rogel de Grecia*, publicados entre 1514 y 1535). Se caracterizan por la altisonancia y puerilidades de su estilo, que aquí zahiere Cervantes.

[14] El libro de caballerías *Don Belianís de Grecia* (1547-1579), de Jerónimo Fernández. En sus dos primeros libros Clemencín contó que el héroe recibía ciento y una heridas graves. Al acabar la obra —que tiene cuatro libros— el autor pide a quien encuentre el original griego del sabio Fristón —que finge traducir— que lo continúe. Don Quijote, pues, estuvo tentado de proseguir esta disparatada obra.

[15] *maestros*, cirujanos.

mar la pluma y dalle fin al pie de la letra, como allí se promete; y sin duda alguna lo hiciera, y aun saliera con ello, si otros mayores y continuos pensamientos no se lo estorbaran. Tuvo muchas veces competencia con el cura de su lugar —que era hombre docto, graduado en Sigüenza[16]—, sobre cuál había sido mejor caballero: Palmerín de Ingalaterra o Amadís de Gaula; mas maese Nicolás, barbero del mesmo pueblo, decía que ninguno llegaba al Caballero del Febo, y que si alguno se le podía comparar era don Galaor, hermano de Amadís de Gaula[17], porque tenía muy acomodada condición para todo; que no era caballero melindroso, ni tan llorón como su hermano, y que en lo de la valentía no le iba en zaga.

En resolución, él se enfrascó tanto en su letura, que se le pasaban las noches leyendo de claro en claro, y los días de turbio en turbio; y así, del poco dormir y del mucho leer se le secó el celebro, de manera que vino a perder el juicio. Llenósele la fantasía de todo aquello que leía en los libros, así de encantamentos como de pendencias, batallas, desafíos, heridas, requiebros, amores, tormentas y disparates imposibles; y asentósele de tal modo en la imaginación que era verdad toda aquella máquina de aquellas sonadas soñadas invenciones que leía, que para él no había otra historia más cierta en el mundo. Decía él que el Cid Ruy Díaz había sido muy buen caballero, pero que no tenía que ver con el Caballero de la Ardiente Espada[18], que de sólo un revés había partido por medio dos fieros y descomunales gigantes. Mejor estaba con Bernardo del Carpio, porque en Roncesvalles había muerto a Roldán[19] el encantado, valiéndose de la

[16] Sigüenza tuvo, desde 1472, «universidad menor», y se ironizaba sobre la ciencia de sus graduados.

[17] Todos estos personajes (Palmerín, Amadís de Gaula y su hermano Galaor, el Caballero del Febo) son héroes fabulosos de libros de caballerías entonces muy en boga (de ellos se hallará referencia en las notas del capítulo 6 de esta primera parte).

[18] Opónese, intencionadamente, el histórico Cid Campeador al fabuloso Amadís de Grecia, llamado también el Caballero de la Ardiente Espada, sobre el que escribió mil fantasías Feliciano de Silva (véase la anterior nota 13). Una de las características de la locura de don Quijote es la de dar a seres creados por la imaginación de novelistas la misma categoría histórica que a héroes que existieron realmente.

[19] El héroe fabuloso español Bernardo del Carpio luchaba con el francés Roldán (el *Roland* de las gestas francesas) y lo mataba en Roncesvalles, según una peculiar leyenda española.

industria de Hércules, cuando ahogó a Anteo, el hijo de
la Tierra, entre los brazos. Decía mucho bien del gigante
Morgante[20] porque, con ser de aquella generación gigan-
tea, que todos son soberbios y descomedidos, él sólo era
afable y bien criado. Pero, sobre todos, estaba bien con
Reinaldos de Montalbán[21], y más cuando le veía salir de
su castillo y robar cuantos topaba, y cuando en allende[22]
robó aquel ídolo de Mahoma que era todo de oro, según
dice su historia. Diera él por dar una mano de coces al
traidor de Galalón[23], al ama que tenía y aun a su sobrina
de añadidura.

En efeto, rematado ya su juicio, vino a dar en el
más estraño pensamiento que jamás dio loco en el mundo, y fue que le pareció convenible y necesario, así para
el aumento de su honra como para el servicio de su república, hacerse caballero andante, y irse por todo el mundo con sus armas y caballo a buscar las aventuras y a
ejercitarse en todo aquello que él había leído que los caballeros andantes se ejercitaban, deshaciendo todo genero
de agravio, y poniéndose en ocasiones y peligros donde,
acabándolos, cobrase eterno nombre y fama. Imaginábase
el pobre ya coronado por el valor de su brazo, por lo menos, del imperio de Trapisonda[24]; y así, con estos tan
agradables pensamientos, llevado del estraño gusto que en
ellos sentía, se dio priesa a poner en efeto lo que deseaba.
Y lo primero que hizo fue limpiar unas armas que habían
sido de sus bisabuelos[25], que, tomadas de orín y llenas de

[20] Gigante protagonista del poema épico italiano *Il Morgante,*
de Luigi Pulci (1460-1470).
[21] Reinaldos de Montalbán, héroe épico francés, Renaut de Montauban, del que existe un cantar de gesta del siglo XII. Muy pronto se popularizó en España, donde, contra las tradiciones francesas, se le hizo tomar parte en la batalla de Roncesvalles. Aparece
con frecuencia en el romancero castellano.
[22] *en allende,* en ultramar.
[23] *Ganelón,* el traidor más caracterizado de la epopeya francesa
(*Guenelon*) y que entregó a los sarracenos a su hijastro Roldán y
a los doce pares que perecieron en Roncesvalles.
[24] Trapisonda es Trebisonda, puerto turco en el Mar Negro. Se
cita con frecuencia en los libros de caballerías.
[25] Según este dato las armas que vestirá don Quijote, a principios del siglo XVII, eran de finales del XV, o sea de tiempos de los
Reyes Católicos; de ahí la estupefacción o la risa de los que lo
vean vagar armado de este modo en tiempos de Felipe III; algo
similar a lo que nos ocurriría a nosotros si nos encontráramos con
un personaje vestido de mariscal de los tiempos de Napoleón. No
se olvide este detalle, que confirma que don Quijote era un arcaísmo viviente.

moho, luengos siglos había que estaban puestas y olvidadas en un rincón. Limpiólas y aderezólas lo mejor que pudo; pero vio que tenían una gran falta, y era que no tenían celada de encaje, sino morrión simple[26]; mas a esto suplió su industria, porque de cartones hizo un modo de media celada, que, encajada con el morrión, hacían una apariencia de celada entera. Es verdad que para probar si era fuerte y podía estar al riesgo de una cuchillada, sacó su espada y le dio dos golpes, y con el primero y en un punto deshizo lo que había hecho en una semana; y no dejó de parecerle mal la facilidad con que la había hecho pedazos, y, por asegurarse deste peligro, la tornó a hacer de nuevo, poniéndole unas barras de hierro por de dentro, de tal manera, que él quedó satisfecho de su fortaleza, y sin querer hacer nueva experiencia della, la diputó y tuvo por celada finísima de encaje.

Fue luego a ver su rocín, y aunque tenía más cuartos[27] que un real y más tachas que el caballo de Gonela, que *tantum pellis et ossa fuit*[28], le pareció que ni el Bucéfalo de Alejandro ni Babieca el del Cid con él se igualaban. Cuatro días se le pasaron en imaginar qué nombre le pondría; porque —según se decía él a sí mesmo— no era razón que caballo de caballero tan famoso, y tan bueno él por sí, estuviese sin nombre conocido; y ansí, procuraba acomodársele de manera, que declarase quién había sido antes que fuese de caballero andante, y lo que era entonces; pues estaba muy puesto en razón que, mudando su señor estado, mudase él también el nombre, y le cobrase famoso y de estruendo, como convenía a la nueva orden y al nuevo ejercicio que ya profesaba; y así, después de muchos nombres que formó, borró y quitó, añadió, deshizo y tornó a hacer en su memoria e imaginación, al fin le vino a llamar *Rocinante*, nombre, a su parecer, alto, sonoro y significativo de lo que había sido cuando fue rocín, antes de lo que ahora era, que era antes y primero de todos los rocines del mundo.

Puesto nombre, y tan a su gusto, a su caballo, quiso

---

[26] El *morrión simple* sólo cubría la parte superior de la cabeza.
[27] Juego de palabras con dos sentidos de *cuartos*: moneda de poco valor y ciertas aberturas que se hacen en los cascos de las caballerías.
[28] Caballo de Pietro Gonella, famoso bufón de la corte de los duques de Ferrara, tan escuálido que «todo era piel y huesos».

ponérsele a sí mismo, y en este pensamiento duró otros
ocho días, y al cabo se vino a llamar *don Quijote*[29]; de
donde, como queda dicho, tomaron ocasión los autores
desta tan verdadera historia que, sin duda, se debía de
llamar Quijada, y no Quesada, como otros quisieron
decir. Pero, acordándose que el valeroso Amadís no sólo
se había contentado con llamarse Amadís a secas, sino
que añadió el nombre de su reino y patria, por hacerla
famosa, y se llamó Amadís de Gaula, así quiso, como buen
caballero, añadir al suyo el nombre de la suya y llamarse
don Quijote de la Mancha, con que, a su parecer, declaraba muy al vivo su linaje y patria, y la honraba con tomar el sobrenombre della.

Limpias, pues, sus armas, hecho del morrión celada,
puesto nombre a su rocín y confirmándose a sí mismo, se
dio a entender que no le faltaba otra cosa sino buscar
una dama de quien enamorarse; porque el caballero andante sin amores era árbol sin hojas y sin fruto y cuerpo
sin alma. Decíase él a sí:

—Si yo, por malos de mis pecados, o por mi buena
suerte, me encuentro por ahí con algún gigante, como de
ordinario les acontece a los caballeros andantes, y le de-
rribo de un encuentro, o le parto por mitad del cuerpo,
o, finalmente, le venzo y le rindo, ¿no será bien tener a
quien enviarle presentado y que entre y se hinque de ro-

Todo esto lo toma Cervantes de un epigrama de Merlin Cocai
(Teófilo Folengo, muerto en 1544), en el que se lee: «Stare paran-
gono Gonellae nempe cavalli   Posset, qui tantum pellis et ossa
fuit» (véase V. Camera de Asarta, «Revista de Filología Española», XLVI, 1963, págs. 179-180).
[29] El protagonista empieza por anteponerse el *don* a su nombre,
partícula honorífica que en aquel tiempo sólo podían usar personas de determinada categoría (el propio autor no tenía derecho
a usarla y jamás se le ocurrió llamarse «don» Miguel de Cervantes).
El nombre Quijote es humorístico, pues mantiene la raíz del apellido del hidalgo (Quijada o Quijano) y lo desfigura con el sufijo
-ote, que en castellano siempre ha tenido un claro matiz ridículo.
Pero al propio tiempo «quijote» es el nombre de una pieza de la
armadura defensiva, que cubre el muslo (voz procedente del francés *cuissot* o del catalán *cuixot*, «muslera»). En el espíritu del hidalgo manchego debió de influir también el nombre del famoso
caballero artúrico Lanzarote del Lago (en francés *Lancelot*), cuya
historia estaba muy divulgada en España por libros y por romances (cfr. L. Spitzer, *Lingüística e historia literaria*, Madrid, 1955,
177-178) y el del hidalgo Camilote, que figura en el libro de caballerías *Primaleón y Polendos*, personaje que es un precedente literario del héroe cervantino (cfr. Dámaso Alonso, *Revista de Filología Española*, XX, 1933, 391-397, y XXI 1934, 283-284).

dillas ante mi dulce señora, y diga con voz humilde y rendido: «Yo, señora, soy el gigante Caraculiambro, señor
»de la ínsula Malindrania, a quien venció en singular
»batalla el jamás como se debe alabado caballero don
»Quijote de la Mancha, el cual me mandó que me pre
»sentase ante vuestra merced, para que la vuestra grande
»za disponga de mí a su talante»?

¡Oh, cómo se holgó nuestro buen caballero cuando
hubo hecho este discurso, y más cuando halló a quien dar
nombre de su dama! Y fue, a lo que se cree, que en un
lugar cerca del suyo había una moza labradora de muy
buen parecer, de quien él un tiempo anduvo enamorado,
aunque, según se entiende, ella jamás lo supo, ni le dio
cata[30] dello. Llamábase Aldonza Lorenzo[31], y a ésta le
pareció ser bien darle título de señora de sus pensamientos, y, buscándole nombre que no desdijese mucho
del suyo y que tirase y se encaminase al de princesa y
gran señora, vino a llamarla *Dulcinea*[32] *del Toboso*, porque era natural del Toboso; nombre, a su parecer, músico y peregrino y significativo, como todos los demás que
a él y a sus cosas había puesto.

CAPÍTULO II

QUE TRATA DE LA PRIMERA SALIDA QUE DE SU TIERRA HIZO EL INGENIOSO DON QUIJOTE*

Hechas, pues, estas prevenciones, no quiso aguardar
más tiempo a poner en efeto su pensamiento, apretándole a ello la falta que él pensaba que hacía en el

---

[30] *ni le dio cata dello*, o sea: «ni él [don Quijote] le dio a ella
cuenta de ello». Los editores modernos enmiendan: *ni se dio cata
dello*.

[31] Cervantes ha escogido un nombre que entonces parecía muy
vulgar.

[32] En la novela pastoril *Los diez libros de Fortuna de Amor*, de
Antonio de Lofraso, obra que Cervantes conocía (véase I, 6, nota 35),
figuran un pastor llamado Dulcineo y una pastora llamada Dulcina.

* En este capítulo se narra lo ocurrido a don Quijote el primer
día de sus aventuras, desde poco antes de amanecer hasta el anochecer. Como don Quijote va solo y hasta el final de la jornada
no ocurre nada, ésta se describe con rapidez y Cervantes se ve
precisado a recurrir al procedimiento de los monólogos para hacer
más efectivo el estado de ánimo del personaje. Más adelante, al

mundo su tardanza[1], según eran los agravios que pensaba
deshacer, tuertos que enderezar[2], sinrazones que emendar,
y abusos que mejorar, y deudas que satisfacer. Y así,
sin dar parte a persona alguna de su intención, y sin que
nadie le viese, una mañana, antes del día, que era uno
de los calurosos del mes de julio, se armó de todas sus
armas, subió sobre Rocinante, puesta su mal compuesta
celada, embrazó su adarga, tomó su lanza, y por la puerta falsa de un corral salió al campo, con grandísimo contento y alborozo de ver con cuánta facilidad había dado
principio a su buen deseo. Mas apenas se vio en el campo,
cuando le asaltó un pensamiento terrible, y tal, que por
poco le hiciera dejar la comenzada empresa; y fue que le

---

aparecer en el relato Sancho Panza, el monólogo será sustituido
con enorme ventaja por el diálogo entre amo y criado. Ahora,
cuando don Quijote sueña en su gloria futura, y en el historiador
que en tiempo venidero escribirá sus hazañas, su imaginación le
dicta las palabras con que narrará su primera salida: «Apenas había el rubicundo Apolo...» El lector moderno debe ir con mucho
cuidado cuando en el *Quijote* encuentre pasajes como esta descripción del amanecer, que a más de uno ha engañado y que no
ha faltado quien lo pusiera y admirara como «modelo de prosa».
Cervantes ha escrito estas campanudas frases con el deliberado
propósito de burlarse de los libros de caballerías y de parodiar su
altisonante estilo. La prueba está en el hecho de que en algunos
de estos libros encontramos descripciones muy similares, *pero escritas en serio*, como la del amanecer que nos ofrece el *Don Belianís de Grecia*: «Cuando a la asomada de Oriente el lúcido Apolo
su cara nos muestra, y los músicos pajaritos las muy frescas ar-
boledas cantando festejan, mostrando la muy gran diversidad y
dulzura y suavidad de sus tan arpadas lenguas...» (II, 43). El
lector del siglo XVII, que sabía que éste era a veces el estilo peculiar de algunos libros de caballería, captaba al instante la in-
tención paródica del monólogo de don Quijote, monólogo en el que el escritor también parece burlarse de sí mismo, pues en varios momentos de la *Galatea* había descrito, veinte
años antes, con toda seriedad, amaneceres poéticos como el que
ahora ridiculiza (cfr. G. Stagg, «Clavileño», 22, 1953, 4-10). Cuando
don Quijote llega a la venta (posada en camino o despoblado), se
imagina que es un castillo, cree que dos mozas de muy baja condición que había en ella eran dos hermosas y nobles doncellas y
que el ventero (el propietario de la posada) era el castellano (señor del castillo). Advertimos desde este momento un aspecto muy
importante de la locura de don Quijote, que consiste en convertir
las cosas sencillas, normales e incluso desagradables en cosas magníficas, bellas e ideales, amoldando la realidad al mundo soñado
y fantástico de los libros de caballerías que lo han enloquecido.

[1] «La mengua que producía al mundo su tardanza.»
[2] «injusticias que reparar». Esta expresión, procedente de la vieja caballería, es frecuentísima en el *Quijote*: el *tuerto* (o sea «torcido») es la injusticia que hay que *enderezar* (o sea «poner derecho»), y el *agravio* hay que *deshacerlo*. Hay quien confunde estas
dos expresiones y dice, o incluso escribe, «deshacer tuertos», o
«entuertos».

vino a la memoria que no era armado caballero, y que, conforme a ley de caballería, ni podía ni debía tomar armas con ningún caballero; y puesto que lo fuera, había de llevar armas blancas, como novel caballero, sin empresa en el escudo, hasta que por su esfuerzo la ganase. Estos pensamientos le hicieron titubear en su propósito; mas, pudiendo más su locura que otra razón alguna, propuso de hacerse armar caballero del primero que topase, a imitación de otros muchos que así lo hicieron, según él había leído en los libros que tal le tenían. En lo de las armas blancas, pensaba limpiarlas de manera, en teniendo lugar, que lo fuesen más que un armiño[3], y con esto se quietó y prosiguió su camino, sin llevar otro que aquel que su caballo quería, creyendo que en aquello consistía la fuerza de las aventuras.

Yendo, pues, caminando nuestro flamante aventurero, iba hablando consigo mesmo y diciendo:

—¿Quién duda sino que en los venideros tiempos, cuando salga a luz la verdadera historia de mis famosos hechos, que el sabio que los escribiere no ponga, cuando llegue a contar esta mi primera salida tan de mañana, desta manera?: «Apenas había el rubicundo »Apolo tendido por la faz de la ancha y espaciosa tierra »las doradas hebras de sus hermosos cabellos, y apenas los »pequeños y pintados pajarillos con sus arpadas lenguas »habían saludado con dulce y meliflua armonía la ve- »nida de la rosada aurora, que, dejando la blanda cama »del celoso marido, por las puertas y balcones del man- »chego horizonte a los mortales se mostraba, cuando el »famoso caballero don Quijote de la Mancha, dejando »las ociosas plumas[4], subió sobre su famoso caballo Ro- »cinante, y comenzó a caminar por el antiguo y cono- »cido campo de Montiel».

Y era la verdad que por él caminaba. Y añadió diciendo:

[3] Las *armas blancas* eran los escudos sin insignia ni empresa alguna que llevaban los caballeros noveles, y esto lo sabía perfectamente don Quijote, que había leído tantos libros de caballerías en los que se alude con frecuencia a este particular. El juego de palabras presente (que da a *blancas* el sentido de «limpias») es un rasgo de humor de Cervantes, pues su protagonista sabía bien que limpiando sus armas no haría que éstas fueran *blancas* en el sentido caballeresco.

[4] *ociosas plumas*, los colchones, que van rellenos de pluma.

—Dichosa edad, y siglo dichoso aquel adonde saldrán a luz las famosas hazañas mías, dignas de entallarse en bronces, esculpirse en mármoles y pintarse en tablas para memoria en lo futuro. ¡Oh tú, sabio encantador, quienquiera que seas, a quien ha de tocar el ser coronista[5] desta peregrina historia! Ruégote que no te olvides de mi buen Rocinante, compañero eterno mío en todos mis caminos y carreras.

Luego volvía diciendo, como si verdaderamente fuera enamorado:

—¡Oh princesa Dulcinea, señora deste cautivo corazón! Mucho agravio me habedes fecho en despedirme y reprocharme con el riguroso afincamiento de mandarme no parecer ante la vuestra fermosura. Plágaos, señora, de membraros deste vuestro sujeto corazón, que tantas cuitas por vuestro amor padece[6].

Con éstos iba ensartando otros disparates, todos al modo de los que sus libros le habían enseñado, imitando en cuanto podía su lenguaje. Con esto, caminaba tan despacio, y el sol entraba tan apriesa y con tanto ardor, que fuera bastante a derretirle los sesos, si algunos tuviera.

Casi todo aquel día caminó sin acontecerle cosa que de contar fuese, de lo cual se desesperaba, porque quisiera topar luego luego con quien hacer experiencia del valor de su fuerte brazo. Autores hay que dicen que la primera aventura que le avino fue la del Puerto Lápice; otros dicen que la de los molinos de viento; pero lo que yo he podido averiguar en este caso, y lo que he hallado escrito en los anales de la Mancha, es que él anduvo todo aquel día, y, al anochecer, su rocín y él se hallaron cansados y muertos de hambre; y que, mirando a todas partes por ver si descubriría algún castillo o alguna majada de pastores donde recogerse y adonde pudiese remediar su mucha hambre y necesidad, vio, no lejos del

---

[5] *coronista,* cronista.

[6] Aquí don Quijote emplea un lenguaje que ya era arcaico en su tiempo y que imita el de los libros de caballerías. Es un aspecto que a veces no puede captar el lector moderno, que podría figurarse que ciertas palabras o construcciones antiguas eran normales en tiempos de Cervantes. El lector del siglo XVII advertía aquí un rasgo de humor. En esta invocación los arcaísmos son: *cautivo,* desdichado, *habedes fecho, afincamiento,* apremio, *la vuestra fermosura* (en tiempos de Cervantes, como hoy, «vuestra hermosura»), *plégaos,* plázcaos, *de membraros,* recordar.

camino por donde iba, una venta, que fue como si viera
una estrella que, no a los portales, sino a los alcázares
de su redención le encaminaba. Diose priesa a caminar,
y llegó a ella a tiempo que anochecía.

Estaban acaso a la puerta dos mujeres mozas, destas
que llaman del partido[7], las cuales iban a Sevilla con
unos arrieros que en la venta aquella noche acertaron
a hacer jornada, y como a nuestro aventurero todo
cuanto pensaba, veía o imaginaba le parecía ser hecho
y pasar al modo de lo que había leído, luego que vio la
venta se le representó que era un castillo con sus cuatro
torres y chapiteles de luciente plata, sin faltarle su puente levadiza y honda cava, con todos aquellos adherentes
que semejantes castillos se pintan. Fuese llegando a la
venta que a él le parecía castillo, y a poco trecho della
detuvo las riendas a Rocinante, esperando que algún
enano se pusiese entre las almenas a dar señal con alguna trompeta de que llegaba caballero al castillo. Pero
como vio que se tardaban y que Rocinante se daba priesa por llegar a la caballeriza, se llegó a la puerta de la
venta, y vio a las dos destraídas mozas que allí estaban,
que a él le parecieron dos hermosas doncellas o dos graciosas damas que delante de la puerta del castillo se estaban solazando. En esto sucedió acaso que un porquero
que andaba recogiendo de unos rastrojos una manada
de puercos —que, sin perdón, así se llaman[8]— tocó un
cuerno, a cuya señal ellos se recogen, y al instante se le
representó a don Quijote lo que deseaba, que era que
algún enano hacía señal de su venida, y así, con estraño
contento llegó a la venta y a las damas. las cuales, como
vieron venir un hombre de aquella suerte armado, y con
lanza y adarga, llenas de miedo se iban a entrar en la
venta; pero don Quijote, coligiendo por su huida su
miedo, alzándose la visera de papelón y descubriendo su
seco y polvoroso rostro, con gentil talante y voz reposada les dijo:

—No fuyan las vuestras mercedes ni teman desaguisado alguno; ca a la orden de caballería que profeso non

---

[7] *mozas del partido*, mujeres deshonestas vagabundas.
[8] Antes de mencionar algo sucio o desagradable se solía decir
hablando con perdón, uso todavía vivo entre la gente de campo.
Cervantes se burla de esta «cortesía» y nombra a los puercos sin
pedir perdón.

toca ni atañe facerle a ninguno, cuanto más a tan altas doncellas como vuestras presencias demuestran[9].

Mirábanle las mozas, y andaban con los ojos buscándole el rostro, que la mala visera le encubría; mas como se oyeron llamar doncellas, cosa tan fuera de su profesión, no pudieron tener la risa, y fue de manera que don Quijote vino a correrse y a decirles:

—Bien parece la mesura en las fermosas, y es mucha sandez además la risa que de leve causa procede; pero non vos lo digo porque os acuitedes ni mostredes mal talante; que el mío non es de ál que de serviros[10].

El lenguaje, no entendido de las señoras, y el mal talle de nuestro caballero acrecentaba en ellas la risa y en él el enojo, y pasara muy adelante si a aquel punto no saliera el ventero, hombre que, por ser muy gordo, era muy pacífico, el cual, viendo aquella figura contrahecha[11], armada de armas tan desiguales como eran la brida, lanza, adarga y coselete, no estuvo en nada en acompañar a las doncellas en las muestras de su contento. Mas, en efeto, temiendo la máquina de tantos pertrechos, determinó de hablarle comedidamente, y así le dijo:

—Si vuestra merced, señor caballero, busca posada, amén[12] del lecho (porque en esta venta no hay ninguno), todo lo demás se hallará en ella en mucha abundancia.

Viendo don Quijote la humildad del alcaide de la fortaleza, que tal le pareció a él el ventero y la venta, respondió:

—Para mí, señor castellano, cualquiera cosa basta, porque

> mis arreos son las armas,
> mi descanso el pelear, etc.[13]

[9] Lenguaje arcaizante como el señalado en la anterior nota 6. Los arcaísmos son: *fuyan, las vuestras, ca,* porque, *non, facerle,* además del tono. Las mozas, como se dice luego, no entienden a don Quijote, pues en su tiempo ya no se hablaba así.

[10] Arcaísmos de este parlamento: *fermosas, non vos, acuitedes, mostredes, non, ál,* otra cosa.

[11] *contrahecha,* disfrazada.

[12] *amén,* aquí significa «excepto».

[13] Primeros versos de un famoso romance, publicado en el *Cancionero de Amberes* (mediados siglo XVI): «Mis arreos son las armas, Mi descanso es pelear, Mi cama las duras peñas, Mi dormir siempre velar...» El ventero, al contestar a don Quijote, inserta estos dos últimos versos, que no es raro que conociera porque este romance estaba muy divulgado.

Pensó el huésped que el haberle llamado castellano había sido por haberle parecido de los sanos de Castilla, aunque él era andaluz, y de los de la playa de Sanlúcar, no menos ladrón que Caco, ni menos maleante que estudiantado paje[14], y así le respondió:

—Según eso, las camas de vuestra merced serán duras peñas, y su dormir, siempre velar; y siendo así, bien se puede apear, con seguridad de hallar en esta choza ocasión y ocasiones para no dormir en todo un año, cuanto más en una noche.

Y diciendo esto, fue a tener el estribo a don Quijote, el cual se apeó con mucha dificultad y trabajo, como aquel que en todo aquel día no se había desayunado.

Dijo luego al huésped que le tuviese mucho cuidado de su caballo, porque era la mejor pieza que comía pan en el mundo. Miróle el ventero, y no le pareció tan bueno como don Quijote decía, ni aun la mitad; y acomodándole en la caballeriza, volvió a ver lo que su huésped mandaba, al cual estaban desarmando las doncellas, que ya se habían reconciliado con él; las cuales, aunque le habían quitado el peto y el espaldar, jamás supieron ni pudieron desencajarle la gola ni quitalle la contrahecha celada, que traía atada con unas cintas verdes, y era menester cortarlas, por no poderse quitar los ñudos; mas él no lo quiso consentir en ninguna manera, y así, se quedó toda aquella noche con la celada puesta, que era la más graciosa y estraña figura que se pudiera pensar; y al desarmarle, como él se imaginaba que aquellas traídas y llevadas que le desarmaban eran algunas principales señoras y damas de aquel castillo, les dijo con mucho donaire:

—Nunca fuera caballero
de damas tan bien servido
como fuera don Quijote
cuando de su aldea vino:
doncellas curaban dél;
princesas, del su rocino[15],

[14] *estudiantado paje*, que ha sido estudiante y ha fracasado en sus estudios.
[15] Don Quijote amolda a su persona y a su aldea los primeros versos de un conocidísimo romance que empieza: «Nunca fuera caballero De damas tan bien servido Como fuera Lanzarote Cuan-

o Rocinante, que éste es el nombre, señoras mías, de mi caballo, y don Quijote de la Mancha el mío; que, puesto que[16] no quisiera descubrirme fasta que las fazañas fechas en vuestro servicio y pro[17] me descubrieran, la fuerza de acomodar al propósito presente este romance viejo de Lanzarote ha sido causa que sepáis mi nombre antes de toda sazón; pero tiempo vendrá en que las vuestras señorías me manden y yo obedezca, y el valor de mi brazo descubra el deseo que tengo de serviros.

Las mozas, que no estaban hechas a oír semejantes retóricas, no respondían palabra; sólo le preguntaron si quería comer alguna cosa.

—Cualquiera yantaría[18] yo —respondió don Quijote—, porque, a lo que entiendo, me haría mucho al caso.

A dicha, acertó a ser viernes aquel día, y no había en toda la venta sino unas raciones de un pescado que en Castilla llaman abadejo, y en Andalucía bacallao, y en otras partes curadillo, y en otras truchuela. Preguntáronle si por ventura comería su merced truchuela, que no había otro pescado que dalle a comer.

—Como haya muchas truchuelas —respondió don Quijote—, podrán servir de una trucha, porque eso se me da que me den ocho reales en sencillos que en una pieza de a ocho. Cuanto más, que podría ser que fuesen estas truchuelas como la ternera, que es mejor que la vaca, y el cabrito que el cabrón. Pero, sea lo que fuere, venga luego; que el trabajo y peso de las armas no se puede llevar sin el gobierno de las tripas.

Pusiéronle la mesa a la puerta de la venta, por el fresco, y trújole el huésped una porción de mal remojado y peor cocido bacallao y un pan tan negro y mugriento como sus armas; pero era materia de grande risa verle comer, porque, como tenía puesta la celada y alzada la visera[19], no podía poner nada en la boca con sus manos si otro no se lo daba y ponía, y ansí, una de aque-

---

do de Bretaña vino, Que dueñas curaban [o sea «cuidaban»] dél, Doncellas del su rocino...» El héroe de este romance es Lanzarote del Lago, caballero de la Tabla Redonda del rey Artús.

[16] *puesto que,* aunque.

[17] *pro,* provecho. Don Quijote habla arcaizando.

[18] *yantaría,* comería.

[19] Aquí, seguramente, el verbo *tener* indica dos cosas: don Quijote *tenía* puesta la celada (llevaba puesta la pieza que cubre la cabeza) y *mantenía* (o sea, sujetaba con sus manos) la visera (la

llas señoras servía desde menester. Mas al darle de beber, no fue posible, ni lo fuera si el ventero no horadara una caña, y puesto el un cabo en la boca, por el otro le iba echando el vino; y todo esto lo recebía en paciencia, a trueco de no romper las cintas de la celada. Estando en esto, llegó acaso a la venta un castrador de puercos, y así como llegó, sonó su silbato de cañas cuatro o cinco veces, con lo cual acabó de confirmar don Quijote que estaba en algún famoso castillo, y que le servían con música, y que el abadejo eran truchas, el pan candeal y las rameras damas, y el ventero castellano del castillo, y con esto daba por bien empleada su determinación y salida. Mas lo que más le fatigaba era el no verse armado caballero, por parecerle que no se podría poner legítimamente en aventura alguna sin recebir la orden de caballería.

CAPÍTULO III

DONDE SE CUENTA LA GRACIOSA MANERA QUE TUVO DON QUIJOTE EN ARMARSE CABALLERO*

Y así, fatigado deste pensamiento, abrevió su venteril y limitada cena; la cual acabada, llamó al ventero y, encerrándose con él en la caballeriza, se hincó de rodillas ante él, diciéndole:

—No me levantaré jamás de donde estoy, valeroso caballero, fasta que la vuestra cortesía me otorgue un

---

parte superior movible del yelmo), y por lo tanto tenía las manos ocupadas y no se podía valer de ellas para comer (cfr. J. E. Gillet, *Revista de Filología Española*, XII, 1925, 63-64).
* Este capítulo es decisivo para la comprensión del *Quijote* y de las intenciones de Cervantes. Aquí el vil y socarrón ventero hace ver que arma caballero a don Quijote y las mozas le ciñen la espada y le calzan la espuela. Se trata, pues, de una ridícula farsa y de una diáfana parodia de las solemnes fiestas que tanto abundan en los libros de caballerías donde el héroe es armado con toda gravedad y con el más profundo fervor religioso. Pero lo importante es que el hidalgo de la Mancha sigue siendo hidalgo y en modo alguno adquiere la categoría de caballero tras esta ridícula ceremonia: habría que ser tan loco como don Quijote para creerlo. De ahora en adelante toda la novela transcurrirá acomodada a este equívoco inicial y consciente. Las personas sensatas que toparán con don Quijote comprenderán al punto que se trata de un loco que se figura caballero: sólo los rústicos, los ignorantes, los chiflados o los tontos se tomarán en serio la caballería del hidalgo

don que pedirle quiero, el cual redundará en alabanza
vuestra y en pro del género humano[1].

El ventero, que vio a su huésped a sus pies y oyó
semejantes razones, estaba confuso mirándole, sin saber
qué hacerse ni decirle, y porfiaba con él que se levantase,
y jamás quiso, hasta que le hubo de decir que él le otor-
gaba el don que le pedía.

—No esperaba yo menos de la gran magnificencia
vuestra, señor mío —respondió don Quijote—; y así, os
digo que el don que os he pedido y de vuestra liberalidad me ha sido otorgado, es que mañana en aquel día
me habéis de armar caballero, y esta noche en la capilla
deste vuestro castillo velaré las armas; y mañana, como
tengo dicho, se cumplirá lo que tanto deseo, para poder,
como se debe, ir por todas las cuatro partes del mundo
buscando las aventuras, en pro de los menesterosos, como

---

manchego. Y también Sancho Panza, pero Cervantes ya ha procurado que el presente episodio ocurra antes de aparecer el escudero
quien, sin duda alguna, habría advertido que era una farsa que no
podía hacer de su amo un caballero. En el siglo XVII, con las cate-
gorías sociales bien delimitadas, este equívoco tenía un sentido
que el lector percibía, máxime si tenemos en cuenta que en la
ley XII del título XXI de la Segunda de las *Partidas* del rey don
Alfonso el Sabio se legisla lo siguiente: «E non deve ser cavallero
el que una vegada oviesse recebido cavallería por escarnio. E esto
podría ser en tres maneras: la primera quando el que fiziesse cavallero non oviesse poderío de lo fazer; la segunda, quando el que la
recibiesse non fuesse ome para ello por alguna de las razones que
diximos [se ha dicho antes que no puede ser cavallero «el que es
loco» ni el hombre «muy pobre»]; la tercera, cuando alguno que
oviesse derecho de ser cavallero la recibiesse a sabiendas por escarnio... E por ende, fue establescido antiguamente por derecho que el
que quisiera escarnecer tan noble cosa como la cavallería, que fincas-
se escarnecido della, de modo que non la pudiesse haver». Don Quijote, pues, no podía ser caballero en primer lugar porque estaba
loco, lo que ya le excluía totalmente de la orden de caballería; era
además pobre, aunque no «muy pobre», y la sobrina dirá más
adelante con una ceguera y sandez que se figure «sobre
todo, que es caballero, no lo siendo, porque aunque lo puedan ser
los hidalgos, no lo son los pobres» (II, 6). Pero aunque hubiese re-
cobrado el juicio y se hubiese enriquecido, don Quijote tampoco
hubiera podido ser caballero porque, contra lo dispuesto, recibió en
el presente capítulo la caballería «por escarnio», de manos del
ventero, que no tenía «poderío de lo fazer» y que con sus burlas
no hizo más que escarnecer «tan noble cosa como la cavallería».
Toda la novela se basa, pues, en un error, producto de la locura
del protagonista, que, como buen monomaníaco, es hombre sensato,
prudente y entendido en todo menos en lo que afecta a su desviación mental, que sólo denuncia su locura al creerse caballero y al
acomodar cuanto le rodea al ficticio y literario mundo de los libros
de caballerías.

[1] Aparte del tono, un solo arcaísmo en este parlamento (*fasta*).
En el siguiente, a pesar de ser más largo, también uno (*fazañas*).

está a cargo de la caballería y de los caballeros andantes,
como yo soy, cuyo deseo a semejantes fazañas es inclinado.

El ventero, que, como está dicho, era un poco socarrón y ya tenía algunos barruntos de la falta de juicio de
su huésped, acabó de creerlo cuando acabó de oírle semejantes razones, y, por tener que reír aquella noche, determinó de seguirle el humor; y así, le dijo que andaba
muy acertado en lo que deseaba y pedía, y que tal pro-
supuesto² era propio y natural de los caballeros tan principales como él parecía y como su gallarda presencia
mostraba; y que él, ansimesmo, en los años de su mocedad, se había dado a aquel honroso ejercicio, andando
por diversas partes del mundo, buscando sus aventuras,
sin que hubiese dejado los Percheles de Málaga, Islas de
Riarán, Compás de Sevilla, Azoguejo de Segovia, la Oli-
vera de Valencia, Rondilla de Granada, playa de Sanlúcar, Potro de Córdoba y las Ventillas de Toledo³ y otras
diversas partes, donde había ejercitado la ligereza de sus
pies, sutileza de sus manos, haciendo muchos tuertos, re-
cuestando⁴ muchas viudas, deshaciendo algunas doncellas y engañando a algunos pupilos, y, finalmente, dándose a conocer por cuantas audiencias y tribunales hay
casi en toda España; y que, a lo último, se había venido
a recoger a aquel su castillo, donde vivía con su hacienda y con las ajenas, recogiendo en él a todos los caballeros andantes, de cualquiera calidad y condición que fuesen, sólo por la mucha afición que les tenía y porque
partiesen con él de sus haberes, en pago de su buen deseo.

Díjole también que en aquel su castillo no había capilla alguna donde poder velar las armas, porque estaba
derribada para hacerla de nuevo; pero que en caso de
necesidad él sabía que se podían velar dondequiera, y
que aquella noche las podría velar en un patio del castillo; que a la mañana, siendo Dios servido, se harían las

---

² *prosupuesto*, intención, propósito.
³ Barrios y parajes concurridos por gente maleante y vagabun-
da. Esta enumeración de Cervantes ha sido llamada «mapa picaresco
de España» (Clemencín). Véase el amplio comentario de R. Marín,
IX, 115-164.
⁴ *recuestando*, requiriendo. En los libros de caballerías *requestar*
o *recuestar* suele tener el sentido de «requerir de amores», «corte-
jar»; aquí el socarrón ventero lo emplea también en el de «apode-
rarse de lo ajeno», «robar».

debidas ceremonias, de manera que él quedase armado caballero, y tan caballero, que no pudiese ser más en el mundo.

Preguntóle si traía dineros; respondió don Quijote que no traía blanca[5], porque él nunca había leído en las historias de los caballeros andantes que ninguno los hubiese traído. A esto dijo el ventero que se engañaba; que, puesto caso que en las historias no se escribía, por haberles parecido a los autores dellas que no era menester escrebir una cosa tan clara y tan necesaria de traerse como eran dineros y camisas limpias, no por eso se había de creer que no los trujeron; y así, tuviese por cierto y averiguado que todos los caballeros andantes, de que tantos libros están llenos y atestados, llevaban bien herradas[6] las bolsas, por lo que pudiese sucederles; y que asimismo llevaban camisas y una arqueta pequeña llena de ungüentos para curar las heridas que recebían, porque no todas veces en los campos y desiertos donde se combatían y salían heridos había quien los curase, si ya no era que tenían algún sabio encantador por amigo, que luego los socorría, trayendo por el aire, en alguna nube, alguna doncella o enano con alguna redoma de agua de tal virtud, que, en gustando alguna gota della, luego al punto quedaban sanos de sus llagas y heridas, como si mal alguno hubiesen tenido. Mas que en tanto que esto no hubiese, tuvieron los pasados caballeros por cosa acertada que sus escuderos fuesen proveídos de dineros y de otras cosas necesarias, como eran hilas y ungüentos para curarse; y cuando sucedía que los tales caballeros no tenían escuderos —que eran pocas y raras veces—, ellos mesmos lo llevaban todo en unas alforjas muy sutiles, que casi no se parecían[7], a las ancas del caballo, como que era otra cosa de más importancia; porque, no siendo por ocasión semejante, esto de llevar alforjas no fue muy admitido entre los caballeros andantes; y por esto le daba por consejo, pues aún se lo podía mandar como a su ahijado, que tan presto lo había de ser, que no caminase de allí delante sin dineros y sin las prevenciones

---

[5] *blanca*, moneda de cobre de poco valor (cuatro de ellas hacían un ochavo en 1566).
[6] *bien herradas*, llenas.
[7] *casi no se parecían*, casi no se veían.

referidas, y que vería cuán bien se hallaba con ellas, cuando menos se pensase.

Prometióle don Quijote de hacer lo que se le aconsejaba, con toda puntualidad, y así, se dio luego orden como velase las armas en un corral grande que a un lado de la venta estaba; y recogiéndolas don Quijote todas, las puso sobre una pila que junto a un pozo estaba y, embrazando su adarga, asió de su lanza, y con gentil continente se comenzó a pasear delante de la pila; y cuando comenzó el paseo comenzaba a cerrar la noche.

Contó el ventero a todos cuantos estaban en la venta la locura de su huésped, la vela de las armas y la armazón de caballería que esperaba. Admiráronse de tan estraño género de locura y fuéronselo a mirar desde lejos, y vieron que, con sosegado ademán, unas veces se paseaba; otras, arrimado a su lanza, ponía los ojos en las armas, sin quitarlos por un buen espacio dellas. Acabó de cerrar la noche; pero con tanta claridad de la luna, que podía competir con el que se la prestaba; de manera, que cuanto el novel caballero hacía era bien visto de todos. Antojósele en esto a uno de los arrieros que estaban en la venta ir a dar agua a su recua, y fue menester quitar las armas de don Quijote, que estaban sobre la pila; el cual, viéndole llegar, en voz alta le dijo:

—¡Oh tú, quienquiera que seas, atrevido caballero, que llegas a tocar las armas del más valeroso andante que jamás se ciñó espada! Mira lo que haces y no las toques, si no quieres dejar la vida en pago de tu atrevimiento.

No se curó[8] el arriero destas razones —y fuera mejor que se curara, porque fuera curarse en salud—; antes, trabando de las correas, las arrojó gran trecho de sí. Lo cual, visto por don Quijote, alzó los ojos al cielo y, puesto el pensamiento —a lo que pareció— en su señora Dulcinea, dijo:

—Acorredme, señora mía, en esta primera afrenta que a este vuestro avasallado pecho se le ofrece; no me desfallezca en este primer trance vuestro favor y amparo.

---

[8] *No se curó,* «no se preocupó», sentido que tal vez ya sonaba a arcaico y que Cervantes usa humorísticamente, imitando a los libros de caballerías, para hacer un chiste con el sentido moderno de *curar* en el paréntesis inmediato.

Y diciendo estas y otras semejantes razones, soltando la adarga, alzó la lanza a dos manos y dio con ella tan gran golpe al arriero en la cabeza, que le derribó en el suelo tan maltrecho, que si segundara con otro, no tuviera necesidad de maestro[9] que le curara. Hecho esto, recogió sus armas y tornó a pasearse con el mismo reposo que primero. Desde allí a poco, sin saberse lo que había pasado —porque aún estaba aturdido el arriero—, llegó otro con la mesma intención de dar agua a sus mulos y, llegando a quitar las armas para desembarazar la pila, sin hablar don Quijote palabra y sin pedir favor a nadie, soltó otra vez la adarga y alzó otra vez la lanza, y, sin hacerla pedazos, hizo más de tres la cabeza del segundo arriero, porque se la abrió por cuatro. Al ruido acudió toda la gente de la venta, y entre ellos el ventero. Viendo esto don Quijote, embrazó su adarga y, puesta mano a su espada, dijo:

—¡Oh señora de la fermosura, esfuerzo y vigor del debilitado corazón mío! Ahora es tiempo que vuelvas los ojos de tu grandeza a este tu cautivo caballero, que tamaña aventura está atendiendo[10].

Con esto cobró, a su parecer, tanto ánimo, que si le acometieran todos los arrieros del mundo, no volviera el pie atrás. Los compañeros de los heridos, que tales los vieron, comenzaron desde lejos a llover piedras sobre don Quijote, el cual, lo mejor que podía, se reparaba con su adarga, y no se osaba apartar de la pila por no desamparar las armas. El ventero daba voces que le dejasen, porque ya les había dicho como era loco, y que por loco se libraría aunque los matase a todos. También don Quijote las daba mayores, llamándolos de alevosos y traidores, y que el señor del castillo era un follón[11] y mal nacido caballero, pues de tal manera consentía que se tratasen los andantes caballeros, y que si él hubiera recebido la orden de caballería, que él le diera a entender su alevosía: —Pero de vosotros, soez y baja canalla, no hago caso alguno; tirad, llegad, venid y ofendedme en

---

[9] *maestro*, cirujano.
[10] Invocación con varios arcaísmos: *cautivo*, desdichado; *atendiendo*, esperando.
[11] *follón*, cobarde presuntuoso.

cuando pudiéredes; que vosotros veréis el pago que lleváis de vuestra sandez y demasía.

Decía esto con tanto brío y denuedo, que infundió un terrible temor en los que le acometían; y así por esto como por las persuasiones del ventero, le dejaron de tirar, y él dejó retirar a los heridos y tornó a la vela de sus armas con la misma quietud y sosiego que primero.

. No le parecieron bien al ventero las burlas de su huésped, y determinó abreviar y darle la negra orden de caballería luego, antes que otra desgracia sucediese. Y así, llegándose a él, se desculpó de la insolencia que aquella gente baja con él había usado, sin que él supiese cosa alguna; pero que bien castigados quedaban de su atrevimiento. Díjole cómo ya le había dicho que en aquel castillo no había capilla, y para lo que restaba de hacer tampoco era necesaria; que todo el toque de quedar armado caballero consistía en la pescozada y en el espaldarazo[12], según él tenía noticia del ceremonial de la orden, y que aquello en mitad de un campo se podía hacer, y que ya había cumplido con lo que tocaba al velar de las armas, que con solas dos horas de vela se cumplía, cuanto más que él había estado más de cuatro. Todo se lo creyó don Quijote, y dijo que él estaba allí pronto para obedecerle, y que concluyese con la mayor brevedad que pudiese; porque si fuese otra vez acometido y se viese armado caballero, no pensaba dejar persona viva en el castillo, eceto aquellas que él le mandase, a quien por su respeto dejaría.

Advertido y medroso desto el castellano[13], trujo luego un libro donde asentaba la paja y cebada que daba a los arrieros, y con un cabo de vela que le traía un muchacho, y con las dos ya dichas doncellas, se vino adonde don Quijote estaba, al cual mandó hincar de rodillas; y, leyendo en su manual —como que decía alguna de-

---

[12] En la ceremonia de investir la orden de caballería el padrino daba un golpe en la nuca (*pescozada*) del recipiendario y luego le golpeaba con la espada en la espalda (*espaldarazo*). A continuación algunas de las damas presentes en la ceremonia (por lo general reinas o princesas), le calzaban las espuelas o le ceñían la espada, como más adelante harán con don Quijote las dos viles mujeres que hay en la venta.

[13] Cervantes, siguiendo la manía de su héroe, llama humorísticamente *castellano* al ventero. Más adelante llamará *damas* a las mozas. Hay que tener en cuenta estas notas de humor del escritor.

vota oración—, en mitad de la leyenda[14] alzó la mano
y diole sobre el cuello un buen golpe, y tras él, con su
mesma espada, un gentil espaldarazo, siempre murmurando entre dientes, como que rezaba. Hecho esto, mandó a una de aquellas damas que le ciñese la espada, la
cual lo hizo con mucha desenvoltura y discreción, porque no fue menester poca para no reventar de risa a
cada punto de las ceremonias; pero las proezas que ya
habían visto del novel caballero les tenía la risa a raya.
Al ceñirle la espada dijo la buena señora:

—Dios haga a vuestra merced muy venturoso caballero y le dé ventura en lides.

Don Quijote le preguntó cómo se llamaba, porque él
supiese de allí adelante a quién quedaba obligado por
la merced recebida, porque pensaba darle alguna parte
de la honra que alcanzase por el valor de su brazo. Ella
respondió con mucha humildad que se llamaba la Tolosa, y que era hija de un remendón natural de Toledo,
que vivía a las tendillas de Sancho Bienaya[15], y que dondequiera que ella estuviese le serviría y le tendría por
señor. Don Quijote le replicó que, por su amor, le hiciese merced que de allí adelante se pusiese *don*[16] y se llamase doña Tolosa. Ella se lo prometió, y la otra le calzó
la espuela, con la cual le pasó casi el mismo coloquio que
con la de la espada. Preguntóle su nombre, y dijo que se
llamaba la Molinera, y que era hija de un honrado mo-
linero de Antequera; a la cual también rogó don Quijote que se pusiese *don,* y se llamase doña Molinera, ofreciéndole nuevos servicios y mercedes.

Hechas, pues, de galope y aprisa las hasta allí nunca
vistas ceremonias, no vio la hora don Quijote de verse a
caballo y salir buscando las aventuras, y, ensillando luego a Rocinante, subió en él, y abrazando a su huésped,
le dijo cosas tan estrañas, agradeciéndole la merced de
haberle armado caballero, que no es posible acertar a referirlas. El ventero, por verle ya fuera de la venta, con
no menos retóricas, aunque con más breves palabras, res-

---

[14] *leyenda,* lectura.
[15] *a las,* cerca de las. Las Tendillas de Sancho Bienaya o Mina-
ya, en Toledo, en la plaza de este nombre.
[16] El *don* era tratamiento al que sólo tenían derecho determinadas personas. Recuérdese que el propio don Quijote lo emplea abusivamente.

pondió a las suyas y, sin pedirle la costa de la posada, le
dejó ir a la buen hora.

CAPÍTULO IV

De lo que le sucedió a nuestro caballero cuando salió de la venta*

L A del alba sería¹ cuando don Quijote salió de la venta tan contento, tan gallardo, tan alborozado por verse ya armado caballero, que el gozo le reventaba por
las cinchas del caballo. Mas viniéndole a la memoria los

* En este capítulo se narran dos aventuras, ambas trazadas sobre el patrón de las que son frecuentes en los libros de caballerías. Una de las finalidades de la caballería real e histórica, tal
como aparece constituida en el siglo XII, es la protección de los
débiles. La misión del caballero medieval era «la defensa y protección de la Iglesia, de las viudas, de los huérfanos y de todos los
servidores de Dios», y Ramón Llull, en su *Libre del orde de cu-
valleria* (1276) dirá que ésta nació cuando en el mundo «perecieron la caridad, la lealtad, la justicia y la verdad», que el caballero
debe imponer. Apenas don Quijote ha salido de la venta, creído
de que es caballero, se le ofrece ante su vista la injusticia, el
abuso de poder y la desgracia del desvalido, al presenciar a Juan
Haldudo, el rico, azotando a su mozo Andrés. Don Quijote interviene como lo hubiera hecho un caballero de veras, obtiene un
éxito momentáneo y fingido porque, también como un caballero de
otros tiempos, cree en la palabra de honor del opresor, el cual,
apenas ha desaparecido nuestro héroe, vuelve a ejercer su injusticia. Don Quijote ha fracasado por vez primera, aunque lo ignora
ahora y tardará bastante en enterarse del daño que produjo a
Andrés su generosa intervención (véase I, 31). La segunda aventura, la de los mercaderes toledanos, a los que don Quijote quiere
hacer confesar que Dulcinea del Toboso es la doncella más hermosa del mundo, aun sin que ellos la hayan visto nunca, es en principio un trance propio de libros de caballerías. En el del *Caballero
de la Cruz*, que Cervantes conocía y abominaba, el protagonista
se encuentra en un puente con el caballero llamado el Fuerte Bor-
goñón, que le dice: «Caballero, tornaos por donde venistes, si no
otorgáis que la más hermosa dama del mundo es la que yo sirvo»;
a lo que el Caballero de la Cruz contesta: «No lo puedo yo otorgar
eso, porque no la conozco» (lib. I, cap. 115, citado por Clemencín).
La osadía de don Quijote queda castigada con la paliza que recibe,
que demuestra que las actitudes caballerescas no responden a una
realidad ni al espíritu de los tiempos modernos.
¹ El epígrafe de este capítulo, como el de otros (por ejemplo,
I, 6), se insertó con posterioridad a la redacción de estas páginas,
pero con tan poca fortuna que estas palabras son incomprensibles
sin la lectura inmediatamente anterior de las finales del capítulo 3;
o sea: «...le dejó ir a la buen hora. La [hora] del alba sería...»
La gran popularidad del *Quijote* ha hecho que muchos escritores
repitan «la del alba sería» como si se tratara de una expresión
elíptica.

consejos de su huésped cerca[2] de las prevenciones tan necesarias que había de llevar consigo, especial[3] la de los dineros y camisas, determinó volver a su casa y acomodarse de todo, y de un escudero, haciendo cuenta de recebir a un labrador vecino suyo, que era pobre y con hijos, pero muy a propósito para el oficio escuderil de la caballería[4]. Con este pensamiento guió a Rocinante hacia su aldea, el cual, casi conociendo la querencia, con tanta gana comenzó a caminar, que parecía que no ponía los pies en el suelo.

No había andado mucho, cuando le pareció que a su diestra mano, de la espesura de un bosque que allí estaba, salían unas voces delicadas, como de persona que se quejaba, y apenas las hubo oído, cuando dijo:

—Gracias doy al cielo por la merced que me hace, pues tan presto me pone ocasiones delante donde yo pueda cumplir con lo que debo a mi profesión, y donde pueda coger el fruto de mis buenos deseos. Estas voces, sin duda, son de algún menesteroso o menesterosa, que ha menester mi favor y ayuda.

Y, volviendo las riendas, encaminó a Rocinante hacia donde le pareció que las voces salían. Y a pocos pasos que entró por el bosque, vio atada una yegua a una encina, y atado en otra a un muchacho, desnudo de medio cuerpo arriba, hasta de edad de quince años, que era el que las voces daba, y no sin causa, porque le estaba dando con una pretina muchos azotes un labrador de buen talle, y cada azote le acompañaba con una reprehensión y consejo. Porque decía:

—La lengua queda y los ojos listos.

Y el muchacho respondía:

—No lo haré otra vez, señor mío; por la pasión de Dios que no lo haré otra vez, y yo prometo de tener de aquí adelante más cuidado con el hato.

Y viendo don Quijote lo que pasaba, con voz airada dijo:

—Descortés caballero, mal parece tomaros con[5] quien

---

[2] *cerca*, acerca.
[3] *especial* es aquí adverbio, «especialmente».
[4] Primera alusión a Sancho Panza, que no aparecerá hasta el capítulo 7.
[5] *tomaros con*, discutir o pelear con.

defender no se puede; subid sobre vuestro caballo y tomad vuestra lanza —que también tenía una lanza arrimada a la encina adonde estaba arrendada[6] la yegua—, que yo os haré conocer ser de cobardes lo que estáis haciendo.

El labrador, que vio sobre sí aquella figura llena de armas blandiendo la lanza sobre su rostro, túvose por muerto, y con buenas palabras respondió:

—Señor caballero, este muchacho que estoy castigando es un mi criado, que me sirve de guardar una manada de ovejas que tengo en estos contornos, el cual es tan descuidado, que cada día me falta una; y porque castigo su descuido, o bellaquería, dice que lo hago de miserable, por no pagalle la soldada que le debo, y en Dios y en mi ánima que miente.

—¿«Miente»[7] delante de mí, ruin villano? —dijo don Quijote—. Por el sol que nos alumbra que estoy por pasaros de parte a parte con esta lanza. Pagadle luego sin más réplica; si no, por el Dios que nos rige que os concluya y aniquile en este punto. Desatadlo luego.

El labrador bajó la cabeza y, sin responder palabra, desató a su criado, al cual preguntó don Quijote que cuánto le debía su amo. Él dijo que nueve meses, a siete reales cada mes. Hizo la cuenta don Quijote y halló que montaban setenta y tres reales[8], y díjole al labrador que al momento los desembolsase, si no quería morir por ello. Respondió el medroso villano que para el paso en que estaba y juramento que había hecho —y aún no había jurado nada—, que no eran tantos; porque se le habían de descontar y recebir en cuenta tres pares de zapatos que le había dado, y un real de dos sangrías que le habían hecho estando enfermo.

—Bien está todo eso —replicó don Quijote—; pero

---

[6] *arrendada,* atada por las riendas; en la primera edición *arrimada.*

[7] Desmentir a otro, en presencia de una persona de categoría superior, constituía una ofensa hecha a esta persona. Don Quijote no se indigna porque el labrador dude de lo que dice el mozo sino porque, en su presencia, aquél se atreve a desmentir a éste.

[8] Mantengo el error aritmético de la primera edición (en las demás se corrige en *sesenta y tres*) porque no parece tratarse de una errata de impresión, sino de una equivocación que intencionadamente Cervantes hace cometer a don Quijote, tan sabio en armas y en letras, equivocación que, naturalmente, favorece al menesteroso.

quédense los zapatos y las sangrías por los azotes que sin culpa le habéis dado; que si él rompió el cuero de los zapatos que vos pagastes, vos le habéis rompido el de su cuerpo; y si le sacó el barbero sangre estando enfermo, vos en sanidad se la habéis sacado: ansí que, por esta parte, no os debe nada.

—El daño está, señor caballero, en que no tengo aquí dineros: véngase Andrés conmigo a mi casa, que yo se los pagaré un real sobre otro.

—¿Irme yo con él —dijo el muchacho— más? ¡Mal año! No, señor, ni por pienso; porque en viéndose solo, me desuelle como a un San Bartolomé.

—No hará tal —replicó don Quijote—: basta que yo se lo mande para que me tenga respeto; y con que él me lo jure por la ley de caballería que ha recebido, le dejaré ir libre y aseguraré la paga.

—Mire vuestra merced, señor, lo que dice —dijo el muchacho—; que este mi amo no es caballero ni ha recebido orden de caballería alguna; que es Juan Haldudo el rico, el vecino del Quintanar.

—Importa eso poco —respondió don Quijote—; que Haldudos puede haber caballeros; cuanto más, que cada uno es hijo de sus obras.

—Así es verdad —dijo Andrés—; pero este mi amo, ¿de qué obras es hijo, pues me niega mi soldada y mi sudor y trabajo?

—No niego, hermano Andrés —respondió el labrador—; y hacedme placer de veniros conmigo; que yo juro por todas las órdenes que de caballerías hay en el mundo de pagaros, como tengo dicho, un real sobre otro, y aun sahumados[9].

—Del sahumerio os hago gracia —dijo don Quijote—; dádselos en reales, que con eso me contento; y mirad que lo cumpláis como lo habéis jurado; si no, por el mismo juramento os juro de volver a buscaros y a castigaros, y que os tengo de hallar, aunque os escondáis más que una lagartija. Y si queréis saber quién os manda esto, para quedar con más veras obligado a cumplirlo, sabed que yo soy el valeroso don Quijote de la Mancha, el desfacedor de agravios y sinrazones, y a Dios quedad,

---

[9] *sahumados*, mejorados (literalmente «perfumados»).

y no se os parta de las mientes[10] lo prometido y jurado,
so pena de la pena pronunciada.

Y en diciendo esto, picó a su Rocinante, y en breve
espacio se apartó dellos. Siguióle el labrador con los
ojos, y cuando vio que había traspuesto del bosque y que
ya no parecía, volvióse a su criado Andrés y díjole:

—Venid acá, hijo mío; que os quiero pagar lo que
os debo, como aquel deshacedor de agravios me dejó
mandado.

—Eso juro yo —dijo Andrés—; y ¡cómo que andará
vuestra merced acertado en cumplir el mandamiento de
aquel buen caballero, que mil años viva; que, según es
de valeroso y de buen juez, vive Roque, que si no me
paga, que vuelva y ejecute lo que dijo!

—También lo juro yo —dijo el labrador—; pero, por
lo mucho que os quiero, quiero acrecentar la deuda
por acrecentar la paga.

Y asiéndole del brazo le tornó a atar a la encina,
donde le dio tantos azotes, que le dejó por muerto.

—Llamad, señor Andrés, ahora —decía el labrador—
al desfacedor de agravios; veréis cómo no desface aquéste. Aunque creo que no está acabado de hacer, porque
me viene gana de desollaros vivo, como vos temíades.

Pero, al fin, le desató y le dio licencia que fuese a
buscar su juez, para que ejecutase la pronunciada sentencia. Andrés se partió algo mohíno, jurando de ir a
buscar al valeroso don Quijote de la Mancha y contalle
punto por punto lo que había pasado, y que se lo había
de pagar con las setenas[11]. Pero con todo esto, él se partió llorando y su amo se quedó riendo.

Y desta manera deshizo el agravio el valeroso don
Quijote; el cual, contentísimo de lo sucedido, pareciéndole que había dado felicísimo y alto principio a sus caballerías, con gran satisfacción de sí mismo iba caminando hacia su aldea, diciendo a media voz:

—Bien te puedes llamar dichosa sobre cuantas hoy
viven en la tierra, ¡oh sobre las bellas bella Dulcinea del
Toboso!, pues te cupo en suerte tener sujeto y rendido

---

[10] «no se os vaya de la memoria».
[11] *pagar con las setenas*, «sufrir un castigo superior a la pena
cometida» (las *setenas* eran antiguamente una multa que obligaba
a pagar septuplicado el valor del daño causado).

a toda tu voluntad e talante a un tan valiente y tan nombrado caballero, como lo es y será don Quijote de la Mancha, el cual, como todo el mundo sabe, ayer rescibió la orden de caballería, y hoy ha desfecho el mayor tuerto y agravio que formó la sinrazón y cometió la crueldad: hoy quitó el látigo de la mano a aquel despiadado enemigo que tan sin ocasión vapulaba a aquel delicado infante[12].

En esto, llegó a un camino que en cuatro se dividía, y luego se le vino a la imaginación las encrucejadas donde los caballeros andantes se ponían a pensar cuál camino de aquéllos tomarían, y, por imitarlos, estuvo un rato quedo; y al cabo de haberlo muy bien pensado, soltó la rienda a Rocinante, dejando a la voluntad del rocín la suya, el cual siguió su primer intento, que fue el irse camino de su caballeriza.

Y habiendo andado como dos millas, descubrió don Quijote un grande tropel de gente, que, como después se supo, eran unos mercaderes toledanos que iban a comprar seda a Murcia. Eran seis, y venían con sus quitasoles, con otros cuatro criados a caballo y tres mozos de mulas a pie. Apenas los divisó don Quijote, cuando se imaginó ser cosa de nueva aventura; y, por imitar en todo cuanto a él le parecía posible los pasos que había leído en sus libros, le pareció venir allí de molde uno que pensaba hacer. Y así, con gentil continente y denuedo, se afirmó bien en los estribos, apretó la lanza, llegó la adarga al pecho y, puesto en la mitad del camino, estuvo esperando que aquellos caballeros andantes llegasen, que ya él por tales los tenía y juzgaba; y cuando llegaron a trecho que se pudieron ver y oír, levantó don Quijote la voz, y con ademán arrogante dijo:

—Todo el mundo se tenga, si todo el mundo no confiesa que no hay en el mundo todo doncella más hermosa que la emperatriz de la Mancha, la sin par Dulcinea del Toboso.

Paráronse los mercaderes al son destas razones y a ver la estraña figura del que las decía; y por la figura y por las razones luego echaron de ver la locura de su dueño; mas quisieron ver despacio en qué paraba aquella

---

[12] Hay algunos arcaísmos en estas frases: *e* copulativa, *rescibió*, *desfecho*, *infante*, niño.

confesión que se les pedía, y uno dellos, que era un poco burlón y muy mucho discreto, le dijo:

—Señor caballero, nosotros no conocemos quién sea esa buena señora que decís; mostrádnosla: que si ella fuere de tanta hermosura como significáis, de buena gana y sin apremio alguno confesaremos la verdad que por parte vuestra nos es pedida.

—Si os la mostrara —replicó don Quijote—, ¿qué hiciérades vosotros en confesar una verdad tan notoria? La importancia está en que sin verla lo habéis de creer, confesar, afirmar, jurar y defender; donde no, conmigo sois en batalla, gente descomunal[13] y soberbia. Que, ahora vengáis uno a uno, como pide la orden de caballería, ora todos juntos, como es costumbre y mala usanza de los de vuestra ralea, aquí os aguardo y espero, confiado en la razón que de mi parte tengo.

—Señor caballero —replicó el mercader—, suplico a vuestra merced, en nombre de todos estos príncipes que aquí estamos, que, porque no encarguemos nuestras conciencias confesando una cosa por nosotros jamás vista ni oída, y más siendo tan en perjuicio de las emperatrices y reinas del Alcarria y Estremadura, que vuestra merced sea servido de mostrarnos algún retrato de esa señora, aunque sea tamaño como un grano de trigo; que por el hilo se sacará el ovillo, y quedaremos con esto satisfechos y seguros, y vuestra merced quedará contento y pagado; y aun creo que estamos ya tan de su parte que, aunque su retrato nos muestre que es tuerta de un ojo y que del otro le mana bermellón y piedra azufre, con todo eso, por complacer a vuestra merced, diremos en su favor todo lo que quisiere.

—No le mana, canalla infame —respondió don Quijote, encendido en cólera—; no le mana, digo, eso que decís; sino ámbar y algalia entre algodones; y no es tuerta ni corcovada, sino más derecha que un huso de Guadarrama[14]. Pero ¡vosotros pagaréis la grande blasfemia que habéis dicho contra tamaña beldad como es la de mi señora!

Y en diciendo esto, arremetió con la lanza baja con-

---

[13] *descomunal,* no común.
[14] De las hayas de la sierra de Guadarrama se fabricaban los husos que se vendían en Madrid.

tra el que lo había dicho, con tanta furia y enojo, que si
la buena suerte no hiciera que en la mitad del camino
tropezara y cayera Rocinante, lo pasara mal el atrevido
mercader. Cayó Rocinante, y fue rodando su amo una
buena pieza por el campo; y queriéndose levantar, jamás
pudo: tal embarazo le causaban la lanza, adarga, espuelas y celada, con el peso de las antiguas armas. Y entretanto que pugnaba por levantarse y no podía, estaba
diciendo:

—Non fuyáis, gente cobarde; gente cautiva, atended[15]; que no por culpa mía, sino de mi caballo, estoy
aquí tendido.

Un mozo de mulas de los que allí venían, que no debía de ser muy bien intencionado, oyendo decir al pobre
caído tantas arrogancias, no lo pudo sufrir sin darle la
respuesta en las costillas. Y llegándose a él, tomó la lanza y, después de haberla hecho pedazos, con uno dellos
comenzó a dar a nuestro don Quijote tantos palos, que,
a despecho y pesar de sus armas, le molió como cibera.
Dábanle voces sus amos que no le diese tanto y que le
dejase; pero estaba ya el mozo picado y no quiso dejar
el juego hasta envidar todo el resto de su cólera[16], y acudiendo por los demás trozos de la lanza, los acabó de
deshacer sobre el miserable caído, que, con toda aquella
tempestad de palos que sobre él vía[17], no cerraba la
boca, amenazando al cielo y a la tierra, y a los malandrines, que tal le parecían.

Cansóse el mozo, y los mercaderes siguieron su camino, llevando que contar en todo él del pobre apaleado. El cual, después que se vio solo, tornó a probar si podía levantarse; pero si no lo pudo hacer cuando sano y
bueno, ¿cómo lo haría molido y casi deshecho? Y aún se
tenía por dichoso, pareciéndole que aquélla era propia
desgracia de caballeros andantes, y toda la atribuía a la
falta de su caballo, y no era posible levantarse, según tenía brumado todo el cuerpo.

---

[15] Arcaísmos: *non fuyáis, cautiva,* miserable, *atended,* esperad.
[16] *envidar el resto,* jugárselo todo (término del juego de naipes);
aquí se da también a *el resto* el sentido «de lo restante», o sea: «va-
ciar toda su indignación».
[17] *vía,* veía.

CAPÍTULO V

Donde se prosigue la narración de la desgracia de nuestro caballero[*]

Viendo, pues, que, en efecto, no podía menearse, acordó de acogerse a su ordinario remedio, que era pensar en algún paso de sus libros, y trújole su locura a la memoria aquel de Valdovinos y del marqués de Mantua, cuando Carloto le dejó herido en la montiña, historia sabida de los niños, no ignorada de los mozos, cele-

[*] En el presente capítulo la locura de don Quijote adquiere una característica nueva y que será pasajera: el protagonista de la novela se imagina ser otra persona. Recordando los romances del marqués de Mantua se figura que él no es don Quijote sino Valdovinos, personaje que se halló en un trance parecido; y poco después que es el moro Abindarráez, y que su vecino Pedro Alonso es don Rodrigo de Narváez, héroes novelescos. Don Quijote sufre, pues, dos desdoblamientos de su personalidad, sesgo nuevo de su locura que sólo se volverá a dar al principio del capítulo VII, cuando se imaginará ser Reinaldos de Montalbán. Esta técnica de los desdoblamientos (de la que abusará Avellaneda), se debe sin duda a que Cervantes escribía influido por la lectura o el recuerdo de cierto *Entremés de los romances*, compuesto por un anónimo de un grupo hostil a Lope de Vega, probablemente entre los años 1588 y 1591, en el que un infeliz labrador llamado Bartolo enloquece de tanto leer el Romancero y se empeña en imitar la actitud, el lenguaje y las hazañas de sus héroes. Se hace soldado y, acompañado de su escudero Bandurrio, sale en busca de aventuras. Quiere defender a una pastora, a la que pretende un zagal, pero éste se apodera de la lanza de Bartolo, le da una gran paliza y le deja tendido en el suelo. Bartolo se acuerda entonces del romance del marqués de Mantua y recita precisamente los mismos versos que Cervantes pone en boca de don Quijote después de la aventura de los mercaderes toledanos («¿Dónde estás, señora mía...?»). Y cuando la familia de Bartolo llega para auxiliar al pobre loco, éste se imagina que quien acude es el marqués de Mantua y le saluda: «¡Oh noble Marqués de Mantua, Mi tío y señor carnal!», o sea, igual que don Quijote. El parecido entre el *Entremés de los romances* y el presente capítulo del *Quijote* es tan evidente que no hay duda de que existe relación. Los cervantistas del siglo pasado, y aun algunos del presente, creyeron que este entremés constituía la primera imitación del *Quijote*; en la actualidad, en cambio, la crítica más solvente cree que el fenómeno es inverso y que aquí Cervantes se inspiró en el entremés (cfr. R. Menéndez Pidal, *De Cervantes y Lope de Vega*, «Colección Austral», Buenos Aires, 1940, reproduciendo un discurso de 1920; y J. Millé y Giménez, *Sobre la génesis del Quijote*, Barcelona, 1930). Esto en nada merma el mérito ni la invención de Cervantes, que supo elevar aquella endeble muestra de literatura bufa a un superior plano artístico (también la gran obra de François Rabelais se inspiró en un libro anónimo, ayuno de todo valor literario, llamado *Grandes et inestimables croniques du grant et enorme géant Gargantua*).

brada y aun creída de los viejos, y, con todo esto, no más verdadera que los milagros de Mahoma[1]. Ésta, pues, le pareció a él que le venía de molde para el paso en que se hallaba; y así, con muestras de grande sentimiento, se comenzó a volcar[2] por la tierra, y a decir con debilitado aliento lo mesmo que dicen decía el herido caballero del bosque:

—¿Dónde estás, señora mía,
que no te duele mi mal?
O no lo sabes, señora,
o eres falsa y desleal.

Y desta manera fue prosiguiendo el romance, hasta aquellos versos que dicen:

—¡Oh noble marqués de Mantua,
mi tío y señor carnal![3]

Y quiso la suerte que, cuando llegó a este verso, acertó a pasar por allí un labrador de su mesmo lugar y vecino suyo, que venía de llevar una carga de trigo al molino; el cual, viendo aquel hombre allí tendido, se llegó a él y le preguntó que quién era y qué mal sentía, que tan tristemente se quejaba. Don Quijote creyó, sin duda, que aquél era el marqués de Mantua, su tío, y así, no le respondió otra cosa si no fue proseguir en su romance, donde le daba cuenta de su desgracia y de los amores del hijo del Emperante[4] con su esposa, todo de la mesma manera que el romance lo canta.

El labrador estaba admirado oyendo aquellos disparates; y quitándole la visera, que ya estaba hecha pedazos, de los palos, le limpió el rostro, que le tenía cubierto

---

[1] Los popularísimos romances de Valdovinos y del marqués de Mantua derivan de una peculiar interpretación española de la leyenda francesa de Ogier li Danois, o de Dinamarca. Valdovinos, o Baldovinos, es el personaje épico francés Baudouin, y el marqués de Mantua es el propio Ogier, llamado en nuestros romances Danés Urgel o Urgero. A base de los romances Lope de Vega escribió contemporáneamente al *Quijote* (en 1604) la comedia titulada *El Marqués de Mantua*, llamada también *Baldovinos y Carloto*. La forma *montiña*, por «montaña», es frecuente en romances viejos.
[2] *volcar*, revolcar.
[3] El texto del romance dice, naturalmente: «mi señor tío carnal».
[4] *Emperante*, emperador (forma que es frecuente en cantares de gesta y romances). Aquí se trata de Carlomagno.

de polvo, y apenas le hubo limpiado, cuando le conoció[5] y le dijo:

—Señor Quijana —que así se debía de llamar cuando él tenía juicio y no había pasado de hidalgo sosegado a caballero andante—, ¿quién ha puesto a vuestra merced desta suerte?

Pero él seguía con su romance a cuanto le preguntaba. Viendo esto el buen hombre, lo mejor que pudo le quitó el peto y espaldar, para ver si tenía alguna herida; pero no vio sangre ni señal alguna. Procuró levantarle del suelo, y no con poco trabajo le subió sobre su jumento, por parecer caballería más sosegada. Recogió las armas, hasta las astillas de la lanza, y lió las sobre Rocinante, al cual tomó de la rienda, y del cabestro al asno, y se encaminó hacia su pueblo, bien pensativo de oír los disparates que don Quijote decía; y no menos iba don Quijote, que, de puro molido y quebrantado, no se podía tener sobre el borrico, y de cuando en cuando daba unos suspiros que los ponía en el cielo; de modo que de nuevo obligó a que el labrador le preguntase le dijese[6] qué mal sentía; y no parece sino que el diablo le traía a la memoria los cuentos acomodados a sus sucesos; porque en aquel punto, olvidándose de Valdovinos, se acordó del moro Abindarráez, cuando el alcaide de Antequera, Rodrigo de Narváez, le prendió y llevó cautivo a su alcaidía[7]. De suerte que, cuando el labrador le volvió a preguntar que cómo estaba y qué sentía, le respondió las mesmas palabras y razones que el cautivo abencerraje respondía a Rodrigo de Narváez, del mesmo modo que él había leído la historia en *La Diana*, de Jorge de Montemayor, donde se escribe; aprovechándose

---

[5] El proceder del labrador es natural y lógico, pero como la situación es muy similar, obra del mismo modo que el marqués de Mantua cuando encontró a Valdovinos, según el romance: «Con un paño que traía La cara le fue a limpiare; Desque lo hubo limpiado, Luego conocido lo hae...» Como es natural, la ilusión de don Quijote se confirma.

[6] *le preguntase le dijese*, «le suplicase que le dijese».

[7] Don Quijote pasa del Romancero a una novelita morisca, entonces muy en boga, la *Historia del Abencerraje y de la hermosa Jarifa*, que se imprimió en 1565 en la miscelánea de Antonio de Villegas titulada *Inventario*, y que Jorge de Montemayor incluyó en el libro IV de su *Diana* (donde don Quijote confiesa haberla leído). En esta novelita Rodrigo de Narváez, alcaide de Antequera y de Álora, hace prisionero al caballero moro Abindarráez, pero lo deja en libertad para que se case con la hermosa Jarifa.

della tan a propósito, que el labrador se iba dando al diablo de oír tanta máquina de necedades; por donde conoció que su vecino estaba loco, y dábale priesa a llegar al pueblo, por escusar el enfado que don Quijote le causaba con su larga arenga. Al cabo de lo cual dijo:

—Sepa vuestra merced, señor don Rodrigo de Narváez, que esta hermosa Jarifa que he dicho es ahora la linda Dulcinea del Toboso, por quien yo he hecho, hago y haré los más famosos hechos de caballerías que se han visto, vean y verán en el mundo.

A esto respondió el labrador:

—Mire vuestra merced, señor, pecador de mí, que yo no soy don Rodrigo de Narváez, ni el marqués de Mantua, sino Pedro Alonso, su vecino; ni vuestra merced es Valdovinos, ni Abindarráez, sino el honrado hidalgo del señor Quijana.

—Yo sé quién soy —respondió don Quijote—, y sé que puedo ser no sólo los que he dicho, sino todos los doce Pares de Francia, y aun todos los nueve de la Fama[8], pues a todas las hazañas que ellos todos juntos y cada uno por sí hicieron, se aventajarán las mías.

En estas pláticas y en otras semejantes llegaron al lugar, a la hora que anochecía; pero el labrador aguardó a que fuese algo más noche, porque no viesen al molido hidalgo tan mal caballero[9]. Llegada, pues, la hora que le pareció, entró en el pueblo, y en la casa de don Quijote, la cual halló toda alborotada; y estaban en ella el cura y el barbero del lugar, que eran grandes amigos de don Quijote, que estaba diciéndoles su ama a voces:

—¿Qué le parece a vuestra merced, señor licenciado Pero Pérez —que así se llamaba el cura—, de la desgracia de mi señor? Tres días ha que no parecen él, ni el

[8] Los doce pares de Francia, caballeros iguales (*pares*) entre sí y los mejores de Carlomagno, aparecen ya en la *Chanson de Roland* conservada (fines del siglo XI), pero ya se conocían antes en España, pues los cita la Nota Emilianense (hacia 1070). No existe unanimidad sobre quiénes fueron estos doce caballeros: en el *Poema de Fernán González* castellano se enumeran los siguientes: Roldán, Oliveros, el arzobispo Turpín, Ogier de Dinamarca, Baldovinos, Reinaldos de Montalbán, Terrín, Gualdabuey, Arnald, Angelero, Estolt y Salomón. Los nueve caballeros de la Fama es un concepto ya muy posterior, y se daba este nombre a tres judíos (Josué, David y Judas Macabeo), a tres grecolatinos (Héctor, Alejandro y Julio César) y a tres de tiempos recientes (Artús, Carlomagno y Godofredo de Buillon).

[9] *mal caballero*, mal montado (porque iba en un asno).

rocín, ni la adarga, ni la lanza, ni las armas. ¡Desventurada de mí!, que me doy a entender, y así es ello la verdad como nací para morir, que estos malditos libros de caballerías que él tiene y suele leer tan de ordinario le han vuelto el juicio; que ahora me acuerdo haberle oído decir muchas veces, hablando entre sí, que quería hacerse caballero andante, e irse a buscar las aventuras por esos mundos. Encomendados sean a Satanás y a Barrabás tales libros, que así han echado a perder el más delicado entendimiento que había en toda la Mancha.

La sobrina decía lo mesmo, y aun decía más:

—Sepa, señor maese Nicolás —que éste era el nombre del barbero—, que muchas veces le aconteció a mi señor tío estarse leyendo en estos desalmados libros de desventuras dos días con sus noches, al cabo de los cuales arrojaba el libro de las manos, y ponía mano a la espada, y andaba a cuchilladas con las paredes, y cuando estaba muy cansado decía que había muerto a cuatro gigantes como cuatro torres, y el sudor que sudaba del cansancio decía que era sangre de las feridas[10] que había recebido en la batalla, y bebíase luego un gran jarro de agua fría, y quedaba sano y sosegado, diciendo que aquella agua era una preciosísima bebida que le había traído el sabio Esquife[11], un grande encantador y amigo suyo. Mas yo me tengo la culpa de todo, que no avisé a vuestras mercedes de los disparates de mi señor tío, para que lo remediaran antes de llegar a lo que ha llegado, y quemaran todos estos descomulgados libros, que tiene muchos, que bien merecen ser abrasados, como si fuesen de herejes.

—Esto digo yo también —dijo el cura—, y a fee que no se pase el día de mañana sin que dellos no se haga acto público, y sean condenados al fuego, porque no den ocasión a quien los leyere de hacer lo que mi buen amigo debe de haber hecho.

Todo esto estaban oyendo el labrador y don Quijote,

---

[10] La sobrina, reproduciendo palabras de don Quijote, usa el arcaísmo *feridas*.
[11] Se trata del sabio *Alquife*, marido de Urganda la Desconocida, que aparece en varios libros de caballerías del ciclo de los amadises. La sobrina, que sólo sabe de él por haber oído a don Quijote, le llama *Esquife* por ignorancia.

con que acabó de entender el labrador la enfermedad de
su vecino, y así, comenzó a decir a voces:

—Abran vuestras mercedes al señor Valdovinos y al
señor marqués de Mantua, que viene mal ferido, y al señor moro Abindarráez, que trae cautivo el valeroso Rodrigo de Narváez, alcaide de Antequera.

A estas voces salieron todos, y como conocieron los
unos a su amigo, las otras a su amo y tío, que aún no
se había apeado del jumento, porque no podía, corrieron a abrazarle. Él dijo:

—Ténganse todos, que vengo malferido por la culpa
de mi caballo. Llévenme a mi lecho y llámese, si fuere
posible, a la sabia Urganda, que cure y cate de mis feridas.

—¡Mirá, en hora maza[12] —dijo a este punto el
ama—, si me decía a mí bien mi corazón del pie que
cojeaba mi señor! Suba vuestra merced en buen hora,
que, sin que venga esa hurgada[13], le sabremos aquí curar. ¡Malditos, digo, sean otra vez y otras ciento estos
libros de caballerías, que tal han parado a vuestra
merced!

Lleváronle luego a la cama, y, catándole las feridas,
no le hallaron ninguna; y él dijo que todo era molimiento, por haber dado una gran caída con Rocinante, su
caballo, combatiéndose con diez jayanes, los más desaforados y atrevidos que se pudieran fallar en gran parte
de la tierra.

—¡Ta, ta! —dijo el cura—. ¿Jayanes hay en la
danza? Para mi santiguada[14] que yo los queme mañana
antes que llegue la noche.

Hiciéronle a don Quijote mil preguntas, y a ninguna
quiso responder otra cosa sino que le diesen de comer y
le dejasen dormir, que era lo que más le importaba. Hízose así, y el cura se informó muy a la larga del labrador
del modo que había hallado a don Quijote. Él se lo
contó todo, con los disparates que al hallarle y al traerle
había dicho, que fue poner más deseo en el licenciado

---

[12] «Mirad, en hora mala», en forma eufemística y popular. Adviértase la forma *mirá* (plural), que no debe confundirse con *mira*
(singular).

[13] Como la sobrina, el ama tampoco sabe nada de libros de caballerías y a Urganda la Desconocida la llama *hurgada*.

[14] *Para mí santiguada,* por mi frente santiguada, o sea, «por mi
fe», «a fe mía».

de hacer lo que otro día[15] hizo, que fue llamar a su
amigo el barbero maese Nicolás, con el cual se vino a
casa de don Quijote,

CAPÍTULO VI

DEL DONOSO Y GRANDE ESCRUTINIO QUE EL CURA Y EL
BARBERO HICIERON EN LA LIBRERÍA DE NUESTRO INGENIOSO
HIDALGO*

el cual aún todavía dormía. Pidió[1] las llaves, a la sobrina,
del aposento donde estaban los libros autores del daño, y
ella se las dio de muy buena gana. Entraron dentro

---

[15] *otro día*, el día siguiente.

* Este capítulo es todo él de crítica literaria. En parte responde
al propósito de Cervantes de combatir los malos libros de caballerías; pero en la biblioteca de don Quijote aparecen obras de otro
género que son objeto de los juicios del cura y del barbero y con
frecuencia sentenciados a ser quemados en el corral por el ama.
Lo importante es destacar las obras que son salvadas de esta condena, que se reducen a las siguientes: los libros de caballerías
Amadís de Gaula, Palmerín de Ingalaterra y Tirante el Blanco; las
novelas pastoriles *La Diana*, de Jorge de Montemayor, *Diana enamorada*, de Gaspar Gil Polo, *Los diez libros de fortuna de amor*,
de Antonio de Lofraso (aunque en este caso el elogio es burlesco
y se la salva precisamente por ser disparatado) y *El pastor de
Fílida*, de Luis Gálvez de Montalvo; el *Cancionero*, de Gabriel
López Maldonado y el *Tesoro de varias poesías*, de Pedro de Padilla; los poemas épicos *La Araucana*, de Alonso de Ercilla, *La
Austríada*, de Juan Rufo y *El Monserrate*, de Cristóbal de Virués;
y *Las lágrimas de Angélica*, de Luis Barahona de Soto. Quedan en
suspenso, y en poder del barbero, el libro de caballerías *Don Belianís de Grecia* y la novela pastoril del propio Cervantes *La Galatea*. Al principio del capítulo siguiente se queman varios libros
sin haber sido examinados, entre ellos *La Carolea*, de Jerónimo
Sempere, *El León de España*, de Pedro de la Vecilla Castellanos y
Los hechos del Emperador, de Luis de Ávila (véase la nota), los
cuales sin duda se hubieran salvado si el cura los hubiese visto.
Este episodio nos revela, pues, los gustos literarios, y a veces las
amistades o enemistades personales, de Miguel de Cervantes; y
en su tiempo ofrecía un gran interés porque muchos de los autores examinados y criticados vivían y disfrutaban de cierto prestigio. De Cervantes se habla, al tratar de *La Galatea*, como de un
escritor ajeno a la obra, pero gran amigo del cura. En el presente
escrutinio no se cita ningún libro publicado por vez primera después de 1591, lo que hace suponer que esta sección del *Quijote* se
empezó en este año o en los dos siguientes (cfr. G. Stagg, «Clavileño», 36, 1955, 1-11).

[1] El epígrafe del presente capítulo, como el del 4, se insertó
cuando ya estaban redactadas estas páginas, pero esta vez con tan
poca fortuna que se cortó una frase de tal modo que dio lugar a
un equívoco. El verdadero sentido de estas palabras se advierte si
se prescinde del epígrafe: «...que fue poner más deseo en el licen-

todos, y la ama con ellos, y hallaron más de cien cuerpos[2] de libros grandes, muy bien encuadernados, y otros
pequeños; y así como el ama los vio, volvióse a salir
del aposento con gran priesa, y tornó luego con una
escudilla de agua bendita y un hisopo, y dijo:

—Tome vuestra merced, señor licenciado; rocíe este
aposento, no esté aquí algún encantador de los muchos
que tienen estos libros, y nos encanten, en pena de las
que[3] les queremos dar echándolos del mundo.

Causó risa al licenciado la simplicidad del ama, y
mandó al barbero que le fuese dando de aquellos libros
uno a uno, para ver de qué trataban, pues podía ser
hallar algunos que no mereciesen castigo de fuego.

—No —dijo la sobrina—; no hay para qué perdonar
a ninguno, porque todos han sido los dañadores; mejor
será arrojarlos por las ventanas al patio, y hacer un rimero dellos, y pegarles fuego; y si no, llevarlos al corral,
y allí se hará la hoguera, y no ofenderá el humo.

Lo mismo dijo el ama: tal era la gana que las dos
tenían de la muerte de aquellos inocentes; mas el cura
no vino en ello sin primero leer siquiera los títulos. Y el
primero que maese Nicolás le dio en las manos fue *Los
cuatro de Amadís de Gaula,* y dijo el cura:

—Parece cosa de misterio ésta; porque, según he oído
decir, este libro fue el primero de caballerías que se imprimió en España, y todos los demás han tomado principio y origen déste[4]; y así, me parece que, como a dog-
matizador de una secta tan mala, le debemos, sin escusa
alguna, condenar al fuego.

---

ciado [o sea, el cura] de hacer lo que otro día hizo, que fue llamar
a su amigo el barbero maese Nicolás, con el cual se vino [el cura]
a casa de don Quijote, el cual aún todavía dormía. Pidió [el
cura] las llaves...».

[2] *cuerpos,* volúmenes.

[3] *de las* [penas] *que.*

[4] Del *Amadís de Gaula* primitivo se conservan unos fragmentos
del siglo XV. en castellano, que reproducen el texto que debería
circular en el XIV y que citan varios autores (cfr. A. Rodríguez-
Moñino, A. Millares Carlo y R. Lapesa en *Boletín de la Real Academia Española,* XXVI, 1956, 199-225). Cervantes conoció una refun-
dición posterior, con tendencia a resumir el texto primitivo, que
se imprimió ya tal vez en 1496, pero cuya más antigua edición hoy
conocida es la de Zaragoza de 1508 (*Los cuatro libros del virtuoso
caballero Amadís de Gaula*) El refundidor fue Garci Rodríguez de
Montalvo (llamado por error Ordóñez en algunas ediciones posteriores). Edición moderna más solvente por E. B. Place, Madrid,
1959-69, cuatro tomos. No es cierto, contra lo que afirma Cervantes,

—No, señor —dijo el barbero—; que también he oído decir que es el mejor de todos los libros que de este género se han compuesto; y así, como a único en su arte, se debe perdonar.

—Así es verdad —dijo el cura—, y por esa razón se le otorga la vida por ahora. Veamos esotro que está junto a él.

—Es —dijo el barbero— las *Sergas de Esplandián*, hijo legítimo de Amadís de Gaula[5].

—Pues en verdad —dijo el cura— que no le ha de valer al hijo la bondad del padre. Tomad, señora ama; abrid esa ventana y echadle al corral, y dé principio al montón de la hoguera que se ha de hacer.

Hízolo así el ama con mucho contento, y el bueno de Esplandián fue volando al corral, esperando con toda paciencia el fuego que le amenazaba.

—Adelante —dijo el cura.

—Este que viene —dijo el barbero— es *Amadís de Grecia*[6]; y aun todos los deste lado, a lo que creo, son del mesmo linaje de Amadís.

---

que el *Amadís* fuera el primer libro de caballerías impreso en España, pues el texto catalán del *Tirante el Blanco* se editó en 1490 (Valencia); ni que de él tomaran principio y origen todos los otros, pues ello supone olvidar el *Caballero Cifar* (que Cervantes desconocía) y el citado *Tirante* (que Cervantes conocía a través de la traducción castellana de 1511). Lo cierto es que el *Amadís de Gaula*, que consta de cuatro libros, o partes, fue objeto de varias continuaciones, algunas de las cuales veremos pronto. El juicio de Cervantes sobre la calidad literaria del *Amadís de Gaula* es acertado.

[5] Garci Rodríguez de Montalvo, refundidor del *Amadís de Gaula*, escribió su continuación, o quinto libro, titulado *Las sergas del muy virtuoso caballero Esplandián, hijo de Amadís de Gaula*, cuya más antigua edición conocida es la de Sevilla de 1510. En cuanto a la palabra *serga* parece que es lo mismo que «sarga», en el sentido de «tapiz con la historia de un personaje» (cfr. «cuatro sargas de labor Con la historia de David», Lope de Vega, y en el propio *Quijote*, II, 71, nota 15), y haría alusión a las series de tapices en que se representaban aventuras de caballeros (como el de la Seo de Zaragoza con el desembarco de Bruto en Bretaña, inspirado en narraciones caballerescas). Esta explicación de la palabra *sergas* (cfr. J. Corominas, *Diccionario crit. etim. de la lengua castellana*, II, pág. 1049) parece más verosímil que la de los que sostienen que se trata de una corrupción de un hipotético *Las ergas*, procedente del griego *erga*, «hechos».

[6] El *Amadís de Grecia* constituye el noveno libro, o parte, del *Amadís de Gaula*; fue escrito por Feliciano de Silva, de cuyo estilo se ha burlado ya Cervantes (cfr. I, 1, nota 13), y apareció en Burgos en 1535. Amadís de Grecia es el bisnieto de Amadís de Gaula, y en el libro figuran, efectivamente, como dice después el cura, la reina Pintiquinestra (-niestra en el *Quijote*) y el pastor Darinel.

—Pues vayan todos al corral —dijo el cura—; que a trueco de quemar a la reina Pintiquiniestra, y al pastor Darinel, y a sus églogas, y a las endiabladas y revueltas razones de su autor, quemaré con ellos al padre que me engendró, si anduviera en figura de caballero andante.

—De ese parecer soy yo —dijo el barbero.

—Y aun yo —añadió la sobrina.

—Pues así es —dijo el ama—, vengan, y al corral con ellos.

Diéronselos, que eran muchos, y ella ahorró la escalera y dio con ellos por la ventana abajo.

—¿Quién es ese tonel? —dijo el cura.

—Éste es —respondió el barbero— *Don Olivante de Laura*[7].

—El autor de este libro —dijo el cura— fue el mesmo que compuso a *Jardín de flores*; y en verdad que no sepa determinar cuál de los dos libros es más verdadero, o, por decir mejor, menos mentiroso; sólo sé decir que éste irá al corral, por disparatado y arrogante.

—Este que se sigue es *Florismarte de Hircania*[8] —dijo el barbero.

—¿Ahí está el señor Florismarte? —replicó el cura—. Pues a fe que ha de parar presto en el corral, a pesar de su estraño nacimiento[9] y sonadas aventuras; que no da lugar a otra cosa la dureza y sequedad de su estilo. Al corral con él, y con esotro, señora ama.

—Que me place, señor mío —respondía ella; y con mucha alegría ejecutaba lo que le era mandado.

---

[7] De la *Historia del invencible caballero don Olivante de Laura, príncipe de Macedonia* no se tiene noticia más que de una edición (Barcelona, 1564), que, por su formato o tamaño no justifica que el cura le llame «tonel»; tal vez Cervantes se refiera a otra impresión, hoy desconocida, o confunde el libro con un *Palmerín de Oliva*, de Venecia, 1534, realmente muy grueso. El autor del *Olivante de Laura* es Antonio de Torquemada, autor nada despreciable, que publicó unos *Coloquios satíricos* y el divertido y mentiroso *Jardín de flores curiosas*, del que habla el cura.

[8] La *Primera parte de la grande historia del muy animoso y esforzado príncipe Felixmarte de Hircania y de su estraño nascimiento*, de Melchor Ortega, vecino de Úbeda, se publicó en Valladolid en 1556. El protagonista recibe los nombres de Felixmarte y de Florismarte, como escribe Cervantes. Tanto el *Olivante* como el *Felixmarte* son libros de caballerías de los llamados «sueltos», es decir, que no pertenecen a ciclos como el de los amadises o palmerines.

[9] Felixmarte nació en una montaña, asistida su madre por una mujer salvaje.

—Éste es *El Caballero Platir*[10] —dijo el barbero.

—Antiguo libro es ése —dijo el cura—, y no hallo en él cosa que merezca venia. Acompañe a los demás sin réplica.

Y así fue hecho. Abrióse otro libro y vieron que tenía por título *El Caballero de la Cruz*[11].

—Por nombre tan santo que este libro tiene se podía perdonar su ignorancia; mas también se suele decir: «tras la cruz está el diablo». Vaya al fuego.

Tomando el barbero otro libro, dijo:

—Éste es *Espejo de caballerías*[12].

—Ya conozco a su merced —dijo el cura—. Ahí anda el señor Reinaldos de Montalbán con sus amigos y compañeros, más ladrones que Caco, y los doce Pares, con el verdadero historiador Turpín[13], y en verdad que estoy por condenarlos no más que a destierro perpetuo, siquiera porque tienen parte de la invención del famoso Mateo Boyardo[14], de donde también tejió su tela el cristiano poeta Ludovico Ariosto[15]; al cual, si aquí le hallo, y que habla en otra lengua que la suya[16], no le guardaré res-

[10] La *Crónica del muy valiente y esforzado caballero Platir, hijo del emperador Primaleón* (Valladolid, 1533), es el libro cuarto de la serie de los palmerines.

[11] *Crónica de Lepolemo, llamado el Caballero de la Cruz, hijo del emperador de Alemania* (Valencia, 1521); la segunda parte se publicó en Toledo, en 1563, y se titula *Leandro el Bel* y es traducción del italiano *Leandro il Bello* (cfr. H. Thomas, *Las novelas de caballerías españolas y portuguesas*, Madrid, 1952, 229-234).

[12] Se trata de una especie de adaptación del *Orlando innamorato*, de Boiardo, publicada con el título de *Espejo de Caballerías* (la bibliografía de esta obra es muy complicada; cfr. R. Marín, I, 1?6; Schevill, I, 439).

[13] El histórico arzobispo Turpín (Tylpinus) de Reims murió entre los años 789 y 791, lo que hace fabuloso que pereciera en la batalla de Roncesvalles (778), como sostienen las tradiciones francesas reunidas en la *Chanson de Roland*. Por razones inexplicables a mediados del siglo XII se atribuyó al arzobispo Turpín cierta mentirosísima crónica, *Historia Karoli Magni et Rotholandi*, incluida en el *Liber Sancti Iacobi* de Compostela. Al llamarle «verdadero historiador», Cervantes ironiza.

[14] Mateo Boiardo, autor del poema épico *Orlando innamorato*.

[15] Ludovico Ariosto, autor del poema épico *Orlando furioso*. Cervantes, al llamarlo *cristiano*, es posible que tenga presente cierto prefacio al *Orlando* (Venecia, 1556), en el que se elogia a Ariosto porque, en vez de tratar de los dioses mitológicos, habla de un solo Dios, y en oposición a las autores paganos, destaca que es un «gran poeta cristiano» (cfr. Schevill, I, 452).

[16] Alusión despectiva a las traducciones españolas del *Orlando furioso*, como la de Jerónimo de Urrea (Amberes, 1549), Hernando de Alcocer (Toledo, 1550) y Diego Vázquez de Contreras (Madrid, 1585).

peto alguno; pero si habla en su idioma, le pondré sobre mi cabeza[17].

—Pues yo le tengo en italiano —dijo el barbero—; mas no le entiendo.

—Ni aun fuera bien que vos le entendiérades —respondió el cura—, y aquí le perdonáramos al señor capitán[18] que no le hubiera traído a España y hecho castellano; que le quitó mucho de su natural valor, y lo mesmo harán todos aquellos que los libros de verso quisieren volver en otra lengua: que, por mucho cuidado que pongan y habilidad que muestren, jamás llegarán al punto que ellos tienen en su primer nacimiento. Digo, en efeto, que este libro, y todos los que se hallaren que tratan destas cosas de Francia, se echen y depositen en un pozo seco, hasta que con más acuerdo se vea lo que se ha de hacer dellos, ecetuando a un *Bernardo del Carpio*[19] que anda por ahí, y a otro llamado *Roncesvalles*[20]; que éstos, en llegando a mis manos, han de estar en las del ama, y dellas en las del fuego, sin remisión alguna.

Todo lo confirmó el barbero, y lo tuvo por bien y por cosa muy acertada, por entender que era el cura tan buen cristiano y tan amigo de la verdad, que no diría otra cosa por todas las del mundo. Y abriendo otro libro, vio que era *Palmerín de Oliva*[21], y junto a él estaba otro que se llamaba *Palmerín de Ingalaterra*[22]; lo cual visto por el licenciado, dijo:

[17] *poner sobre la cabeza* es una ceremonia que se hacía cuando se recibía un documento real o pontificio muy esperado (una cédula, una bula), y la expresión pasó a significar el respeto que se tenía a una cosa.

[18] Se refiere al capitán Jerónimo de Urrea (véase la nota 16).

[19] El poema en octavas reales de Agustín Alonso *Historia de las hazañas y hechos del invencible caballero Bernardo del Carpio*, Toledo, 1585.

[20] El poema, también en octavas reales, de Francisco Garrido de Villena, *El verdadero suceso de la famosa batalla de Roncesvalles con la muerte de los doce pares de Francia*, Valencia, 1555.

[21] El primero de los libros del ciclo de los palmerines: *El libro del famoso y muy esforzado caballero Palmerín de Oliva* (por error en la portada: *Oliva*), Salamanca, 1511. Según se deduce de ciertos versos latinos que aparecen en las primeras ediciones el autor del *Palmerín de Oliva* fue una dama, que tal vez lo compuso en colaboración con su hijo; en cambio en el *Primaleón* (segundo libro del ciclo) se afirma que tanto éste como el *Palmerín de Oliva* se deben a la pluma de Francisco Vázquez.

[22] El sexto de los libros del ciclo de los palmerines: *Libro del muy esforzado caballero Palmerín de Ingalaterra, hijo del rey don Duardos*, Toledo, 1547 (edición moderna de A. Bonilla y San Mar-

—Esa oliva se haga luego rajas y se queme, que aun no queden della las cenizas, y esa palma de Ingalaterra se guarde y se conserve como a cosa única y se haga para ello otra caja como la que halló Alejandro en los despojos de Darío[23], que la diputó para guardar en ella las obras del poeta Homero. Este libro, señor compadre, tiene autoridad por dos cosas: la una, porque él por sí es muy bueno, y la otra, porque es fama que le compuso un discreto rey de Portugal. Todas las aventuras del castillo de Miraguarda son bonísimas y de grande artificio; las razones, cortesanas y claras, que guardan y miran el decoro del que habla con mucha propriedad y entendimiento. Digo, pues, salvo vuestro buen parecer, señor maese Nicolás, que éste y *Amadís de Gaula* queden libres del fuego, y todos los demás, sin hacer más cala y cata[24], perezcan.

—No, señor compadre —replicó el barbero—; que este que aquí tengo es el afamado *Don Belianís*[25].

—Pues ése —replicó el cura—, con la segunda, tercera y cuarta parte, tienen necesidad de un poco de ruibarbo para purgar la demasiada cólera suya, y es menester quitarles todo aquello del castillo de la Fama y otras impertinencias de más importancia, para lo cual se les da término ultramarino[26], y como se enmendaren, así se usará con ellos de misericordia o de justicia; y en tanto, tenedlos vos, compadre, en vuestra casa; mas no los dejéis leer a ninguno.

—Que me place —respondió el barbero.

Y sin querer cansarse más en leer libros de caballe-

---

tín, *Libros de caballerías*, II, Madrid, 1908). El original fue escrito en portugués por Francisco de Moraes (hacia 1544), lengua en la que se conservan algunas ediciones (a partir de la de Évora, 1567); y el texto castellano fue traducido por Luis Hurtado.

[23] Se pronunciaba *Dário*, no Darío.

[24] *sin hacer más cala y cata*, sin hacer más averiguaciones.

[25] Libro de caballerías «suelto», es decir, independiente de los ciclos de amadises y palmerines: *Libro primero del valeroso e invencible príncipe don Belianís de Grecia... sacado de la lengua griega, en la cual la escribió el sabio Fristón*, Burgos, 1547 (la tercera y cuarta últimas partes aparecieron en 1579). Lo escribió el licenciado Jerónimo Fernández. Cervantes se burla mucho de este libro (cfr. I, 1, nota 14; todo lo referente al sabio Fristón a principios del próximo capítulo; el soneto de Belianís en los preliminares de esta parte, etc.).

[26] *término ultramarino*, el plazo más largo que el corriente que se concede en las declaraciones forenses a los que residen muy lejos, ó en ultramar.

rías, mandó al ama que tomase todos los grandes y diese con ellos en el corral. No se dijo a tonta ni a sorda, sino a quien tenía más gana de quemallos que de echar una tela[27], por grande y delgada que fuera; y asiendo casi ocho de una vez, los arrojó por la ventana. Por tomar muchos juntos, se le cayó uno a los pies del barbero, que le tomó gana de ver de quién era, y vio que decía: *Historia del famoso caballero Tirante el Blanco*[28].

—¡Válame Dios! —dijo el cura, dando una gran voz—. ¡Que aquí esté Tirante el Blanco! Dádmele acá, compadre; que hago cuenta que he hallado en él un tesoro de contento y una mina de pasatiempos. Aquí está don Quirieleisón de Montalbán, valeroso caballero, y su hermano Tomás de Montalbán, y el caballero Fonseca, con la batalla que el valiente de Tirante hizo con el alano, y las agudezas de la doncella Placerdemivida, con los amores y embustes de la viuda Reposada, y la señora Emperatriz, enamorada de Hipólito, su escudero. Dígoos verdad, señor compadre, que, por su estilo, es éste el mejor libro del mundo: aquí comen los caballeros, y duermen y mueren en sus camas, y hacen testamento antes de su muerte, con estas cosas de que todos los demás libros deste género carecen[29]. Con todo eso, os digo que merecía el que le compuso, pues no hizo tantas necedades de industria, que le echaran a galeras por todos los días de su vida[30]. Llevadle a casa y leedle, y veréis que es verdad cuanto dél os he dicho.

[27] *echar una tela*, tejer una tela.
[28] El *Tirant lo Blanch* se publicó por vez primera en su texto original catalán en Valencia, 1490, con el nombre de su autor principal, el caballero valenciano Johanot Martorell, y el del continuador Martí Johan de Galba (ediciones modernas de M. de Riquer, Barcelona, 1947 y 1969). Pero Cervantes lo conocía a través de la traducción castellana anónima que se publicó en Valladolid en 1511 (edición moderna de M. de Riquer, cinco tomos, «Clásicos Castellanos», Madrid, 1974), en la cual no figuran para nada los nombres de Martorell y Galba, debido a lo cual nuestro escritor no sabía quién fue su autor.
[29] Hasta aquí la crítica que hace Cervantes del *Tirante* es acertada y se entiende claramente: los personajes y episodios que cita son característicos de la novela catalana (excepto la alusión al insignificante caballero Fonseca, citado una sola vez y muy marginalmente). Cervantes se ha dado cuenta del tono realista del *Tirante* y de su humorismo, notas tan diversas de las propias de los libros de caballerías castellanos.
[30] Esta frase *(Con todo... de su vida)* no tan sólo parece estar en franca contradicción con lo afirmado anteriormente, sino con el consejo, que viene luego, del cura al barbero de que se lleve a casa el *Tirante* y lo lea. Desde Clemencín se llama a éste «el

—Así será —respondió el barbero—; pero ¿qué haremos destos pequeños libros que quedan?

---

pasaje más oscuro del *Quijote*» (cfr. R. Marín, IX, 179-187). En cuanto a *de industria* la única interpretación posible es la que da Covarrubias: «Hacer una cosa *de industria*, hacerla a sabiendas y adrede, para que de allí suceda cosa que para otro sea a caso y para él de propósito; puede ser en buena y en mala parte» (s. v. *industria*). *Echar a galeras* significa condenar a alguien a remar en galeras como forzado (cfr. *Quijote*, I, 22, sobre los galeotes) y también «imprimir un libro», como se desprende de un pasaje del *Quijote* de Avellaneda donde se hace un juego de palabras con ambos significados: «me echaran, a probárseme tal delito, tan a galeras como a las Trescientas de Juan de Mena» (cap. 25; cfr. M. de Riquer, «Revista de Filología Española», XXVII 1943, 82-86). Obsérvese que, aplicado a las *Trescientas* de Mena, «echar a galeras» sólo puede significar «imprimir», y que el sentido de «condenar al remo» pasa a convertirse en el segundo elemento del chiste. El mismo chiste, que debería ser corriente entre impresores, existe en el presente pasaje del *Quijote* a pesar de las dificultades que a ello han puesto M. de Montoliu, *El juicio de Cervantes sobre el Tirant lo Blanch*, «Boletín de la Real Academia Española», XXIX, 1949, 263-277, y G. E. Sansone, *Ancora del giudizio di Cervantes sul Tirant lo Blanch*, «Studi Mediolatini e volgari», 1960, 235-253. Por otra parte, la tan decantada inmoralidad del *Tirante* no era para alarmar a Cervantes (que había leído libros mucho más livianos) hasta el punto que haya que interpretar: «y pues no hizo tantas necedades de industria, *sino de lascivia abierta a todo ruedo*, merecería su autor que le echaran a galeras», como sostiene F. Maldonado de Guevara («Anales Cervantinos», I, 1951, 133-137). Creo, ahora, que es posible que en esta frase Cervantes no aluda al *autor* del *Tirante*, cuyo nombre desconocía, porque no figura en la traducción castellana (véase la anterior nota 28). Cervantes nos habla de «el que le compuso», y una de las acepciones de *componer* que registra Covarrubias es «Componer, entre los impresores, es ir juntando las letras o caracteres, que las van sacando de sus apartados»; y luego registra que así mismo significa «hacer versos» y observa que «también decimos: Fulano ha compuesto un libro, aunque sea en prosa» (s. v. *componer*). Así, pues, para Covarrubias, el sentido más corriente de «componer» es el que se aplica a la confección de libros impresos. Cuando don Quijote entra en la imprenta barcelonesa dice Cervantes que «vio tirar en una parte, corregir en otra, *componer* en ésta, enmendar en aquélla, y, finalmente, toda aquella máquina que en las emprentas grandes se muestra» (II, 62). Por lo tanto, la frase que comentamos es posible que no esté aplicada a Martorell, sino a Diego de Gumiel, el que imprimió el *Tirante* castellano en Valladolid (y que en 1497 también lo había impreso en catalán, en Barcelona); lo que nos llevaría a una interpretación aproximada a la siguiente: «El *Tirante* es un libro divertido y distinto de los otros libros de caballerías, pero a pesar de ello Diego de Gumiel, ya que no *compuso* (o sea, imprimió) tantas necedades (o sea, episodios divertidos) a sabiendas, merecía que se pasara todos los días de su vida imprimiendo». Téngase en cuenta que en tiempos de Cervantes era ya rara la edición del *Tirante* de 1511 (de la que hoy sólo quedan dos ejemplares: uno en la Biblioteca de Cataluña de Barcelona y otro en el Museo Massó de Vigo). Nuestro autor, indignado porque se imprimen constantemente libros de caballerías malos, con los que los impresores hacen gran negocio, pide que se reimprima el *Tirante*, tan afín, en algunos aspectos, al

—Éstos —dijo el cura— no deben de ser de caballerías, sino de poesía.

Y abriendo uno, vio que era *La Diana*[31], de Jorge de Montemayor, y dijo, creyendo que todos los demás eran del mesmo género:

—Éstos no merecen ser quemados, como los demás, porque no hacen ni harán el daño que los de caballerías han hecho; que son libros de entendimiento[32], sin perjuicio de tercero.

—¡Ay señor! —dijo la sobrina—. Bien los puede vuestra merced mandar quemar, como a los demás; porque no sería mucho que, habiendo sanado mi señor tío de la enfermedad caballeresca, leyendo éstos se le antojase de hacerse pastor y andarse por los bosques y prados cantando y tañendo, y, lo que sería peor, hacerse poeta que, según dicen, es enfermedad incurable y pegadiza.

—Verdad dice esta doncella —dijo el cura—, y será bien quitarle a nuestro amigo este tropiezo y ocasión delante. Y, pues comenzamos por *La Diana,* de Montemayor, soy de parecer que no se queme, sino que se le quite todo aquello que trata de la sabia Felicia y de la agua encantada, y casi todos los versos mayores, y quédesele en hora buena la prosa, y la honra de ser primero en semejantes libros.

—Este que se sigue —dijo el barbero— es *La Diana* llamada *segunda del Salmantino*[33], y éste, otro que tiene el mesmo nombre, cuyo autor es Gil Polo[34].

—Pues la del Salmantino —respondió el cura—, acompañe y acreciente el número de los condenados al corral, y la de Gil Polo se guarde como si fuera del mes-

espíritu del *Quijote,* libre de inverosimilitudes y fantasías y lleno de episodios divertidos y humorísticos (*necedades* para los que sólo admiran lo inverosímil y fabuloso).

[31] *Los siete libros de la Diana,* novela pastoril escrita en castellano por el portugués Jorge de Montemayor; su edición más antigua de las conocidas se imprimió en Valencia y no lleva fecha (se supone que es de 1558 ó 1559).

[32] Así en las ediciones primitivas del *Quijote.* Generalmente se enmienda en *entretenimiento.*

[33] Es curioso que las dos continuaciones de la *Diana* de Montemayor aparecieran en Valencia en 1564. Esta *Segunda parte de la Diana de Jorge de Montemayor* la escribió Alonso Pérez, médico salmantino.

[24] La *Diana enamorada* del valenciano Gaspar Gil Polo, verdadera obra maestra de la literatura pastoril española.

mo Apolo; y pase adelante, señor compadre, y démonos prisa; que se va haciendo tarde.

—Este libro es —dijo el barbero abriendo otro— *Los diez libros de Fortuna de Amor,* compuestos por Antonio de Lofraso, poeta sardo.

—Por las órdenes que recebí —dijo el cura—, que desde que Apolo fue Apolo, y las musas musas, y los poetas poetas, tan gracioso ni tan disparatado libro como ése no se ha compuesto, y que, por su camino, es el mejor y el más único de cuantos deste género han salido a la luz del mundo, y el que no le ha leído puede hacer cuenta que no ha leído jamás cosa de gusto[35]. Dádmele acá, compadre; que precio más haberle hallado que si me dieran una sotana de raja de Florencia[36].

Púsole aparte con grandísimo gusto, y el barbero prosiguió diciendo:

—Estos que se siguen son *El Pastor de Iberia*[37], *Ninfas de Henares*[38] y *Desengaños de celos*[39].

—Pues no hay más que hacer —dijo el cura—, sino entregarlos al brazo seglar del ama: y no se me pregunte el porqué, que sería nunca acabar.

—Este que viene es *El Pastor de Fílida*[40]

—No es ése pastor —dijo el cura—, sino muy discreto cortesano; guárdese como joya preciosa.

—Este grande que aquí viene se intitula —dijo el barbero— *Tesoro de varias poesías*[41].

—Como ellas no fueran tantas —dijo el cura—, fueran más estimadas; menester es que este libro se escarde

[35] Aquí el elogio que hace el cura de este libro es forzosamente irónico, pues Cervantes se burló en el *Viaje del Parnaso* de Antonio de Lofraso y de su novela pastoril *Los diez libros de Fortuna de Amor* (Barcelona. 1573). Lofraso era sardo de Alguer (en italiano Alghero), o sea, que tenía como lengua materna el catalán (lengua que emplea en los acrósticos que van al final del libro), y residía en Barcelona. Es posible que el nombre de Dulcinea lo creara Cervantes sugestionado por el de unos pastores que aparecen en la novela de Lofraso (véase I, 1, nota 32).

[36] La *raja de Florencia* era un paño rico y costoso que sólo vestía gente principal.

[37] Novela pastoril *El Pastor de Iberia* (Sevilla, 1591), escrita por Bernardo de la Vega.

[38] Novela pastoril *Primera parte de las ninfas y pastores de Henares* (Alcalá, 1587), escrita por Bernardo González de Bobadilla, estudiante de Salamanca.

[39] *Desengaño de celos* (Madrid, 1586), novela de Bartolomé López de Enciso: Cervantes, que no debía recordar bien su título, la llama *Desengaños...*

[40] *El Pastor de Fílida* (Madrid, 1582) de Luis Gálvez de Montalvo.

[41] *Tesoro de varias poesías* (Madrid, 1580) de Pedro de Padilla.

y limpie de algunas bajezas que entre sus grandezas tiene. Guárdese, porque su autor es amigo mío, y por respeto de otras más heroicas y levantadas obras que ha escrito.

—Éste es —siguió el barbero— *El Cancionero,* de López Maldonado[42].

—También el autor de ese libro —replicó el cura— es grande amigo mío, y sus versos en su boca admiran a quien los oye; y tal es la suavidad de la voz con que los canta, que encanta. Algo largo es en las églogas; pero nunca lo bueno fue mucho: guárdese con los escogidos. Pero ¿qué libro es ese que está junto a él?

—*La Galatea*[43], de Miguel de Cervantes —dijo el barbero.

—Muchos años ha que es grande amigo mío ese Cervantes, y sé que es más versado en desdichas que en versos. Su libro tiene algo de buena invención; propone algo, y no concluye nada: es menester esperar la segunda parte que promete; quizá con la emienda alcanzará del todo la misericordia que ahora se le niega; y entre tanto que esto se ve, tenedle recluso en vuestra posada, señor compadre.

—Que me place —respondió el barbero—. Y aquí vienen tres, todos juntos: *La Araucana*[44], de don Alonso de Ercilla; *La Austríada*[45], de Juan Rufo, jurado de Córdoba, y *El Monserrato*[46], de Cristóbal de Virués, poeta valenciano.

—Todos esos tres libros —dijo el cura— son los mejores que, en verso heroico, en lengua castellana están escritos, y pueden competir con los más famosos de Italia: guárdense como las más ricas prendas de poesía que tiene España.

---

[42] En el *Cancionero de López Maldonado* (Madrid, 1586) figuran un soneto y unas quintillas de Cervantes en elogio del autor.
[43] *La Galatea,* primera obra impresa de Cervantes (Alcalá, 1585) cuya segunda parte no se llegó a publicar nunca, a pesar de que su autor la anunció varias veces (hasta en la dedicatoria del *Persiles*).
[44] *La Araucana* (Madrid, 1569) de Alonso de Ercilla, el más famoso de los poemas épicos renacentistas escritos en castellano.
[45] *La Austríada* (Madrid, 1584), poema épico de Juan Rufo sobre las hazañas de don Juan de Austria.
[46] *El Monserrate* (Madrid, 1587), poema épico de Cristóbal de Virués sobre la leyenda de fray Garín. O por error de Cervantes, o del impresor, en la primera edición del *Quijote* se le llama *Monserrato*.

Cansóse el cura de ver más libros, y así, a carga cerrada, quiso que todos los demás se quemasen; pero ya
tenía abierto uno el barbero, que se llamaba *Las lágrimas de Angélica*[47].

—Lloráralas yo —dijo el cura en oyendo el nombre— si tal libro hubiera mandado quemar; porque su
autor fue uno de los famosos poetas del mundo, no sólo
de España, y fue felicísimo en la traducción de algunas
fábulas de Ovidio.

CAPÍTULO VII

De la segunda salida de nuestro buen caballero don Quijote de la Mancha[*]

Estando en esto, comenzó a dar voces don Quijote,
diciendo:

—Aquí, aquí, valerosos caballeros; aquí es menester

---

[47] *Primera parte de la Angélica* (Granada, 1586) de Luis Barahona de Soto.

[*] Se ha supuesto que, tras el escrutinio y la quema de los libros del hidalgo, daba fin una primera versión del *Quijote*, con-
cebida como relato breve al estilo de las *Novelas ejemplares*, lo
que en cierto modo corroboraría el hecho de que los epígrafes de
los capítulos vistos hasta ahora hayan sido escritos y situados
después de la redacción del texto. Los seis primeros capítulos del
Quijote constituyen, en efecto, la narración de la primera «salida»
del protagonista y ofrecen una evidente unidad: se trataría de
una breve narración, similar al *Entremés de los romances*, en la
cual un hidalgo enloquece leyendo libros de caballerías, es burlescamente armado caballero, defiende a Andrés de las iras de
Juan Haldudo y finalmente es apaleado por los mercaderes, recogido por Pedro Alonso y vuelto a su aldea. La condena e inci-
neración de los libros de caballerías, causantes del daño, cerraría
la novelita. Todo esto, no obstante, no pasa de ser una hipótesis,
y afortunadamente Cervantes siguió adelante con el presente capítulo, que empieza con un rápido final del escrutinio y hace aparecer la figura de Sancho Panza, con lo que se crea la inmortal
pareja y con ella el constante y sabroso diálogo, uno de los mayores aciertos del escritor. Es posible que Cervantes escogiera el
nombre de Sancho para el escudero de don Quijote en atención
a un modismo que Covarrubias recoge del siguiente modo: «*Allá
va Sancho con su rocino*: dicen que éste era un hombre gracioso
que tenía una haca, y dondequiera que entraba la metía consigo;
usamos deste proverbio cuando dos amigos andan siempre juntos» (s. v. *Sanchos*). Este proverbio debe de ser muy antiguo, pues
el marqués de Santillana, en los *Refranes que dicen las viejas
tras el fuego*, incluye el siguiente: «Fallado ha Sancho en su rocín» (cfr. Amador de los Ríos, *Obras de don Íñigo López de Mendoza, marqués de Santillana*, Madrid, 1852, pág. 513).

mostrar la fuerza de vuestros valerosos brazos; que los
cortesanos llevan lo mejor del torneo.

Por acudir a este ruido y estruendo, no se pasó adelante con el escrutinio de los demás libros que quedaban; y así, se cree que fueron al fuego, sin ser vistos ni
oídos, *La Carolea*[1] y *León de España*[2], con *Los Hechos
del Emperador*, compuestos por don Luis de Ávila[3], que,
sin duda, debían de estar entre los que quedaban, y quizá, si el cura los viera, no pasaran por tan rigurosa sentencia.

Cuando llegaron a don Quijote, ya él estaba levantado de la cama, y proseguía en sus voces y en sus desatinos, dando cuchilladas y reveses a todas partes,
estando tan despierto como si nunca hubiera dormido.
Abrazáronse con él y por fuerza le volvieron al lecho; y
después que hubo sosegado un poco, volviéndose a hablar con el cura, le dijo:

—Por cierto, señor arzobispo Turpín, que es gran
mengua de los que nos llamamos doce Pares dejar tan
sin más ni más llevar la vitoria deste torneo a los caballeros cortesanos, habiendo nosotros los aventureros ganado el prez[4] en los tres días antecedentes.

—Calle vuestra merced, señor compadre —dijo el
cura—; que Dios será servido que la suerte se mude y
que lo que hoy se pierde se gane mañana, y atienda vuestra merced a su salud por agora; que me parece que
debe de estar demasiadamente cansado, si ya no es
que está malferido.

—Ferido no —dijo don Quijote—; pero molido y
quebrantado, no hay duda en ello; porque aquel bastar-

---

[1] Seguramente se refiere al poema épico la *Primera parte de la
Carolea, trata de las victorias del emperador Carlos V, rey de
España* (Valencia, 1560), aunque también existía otra obra del
mismo título: *Primera parte de la Carolea, Inchiridion, que trata
de la vida y hechos del invictísimo emperador Don Carlos Quinto...* (Lisboa, 1585).

[2] Poema épico titulado *Primera parte de El León de España*
(Salamanca, 1586), por Pedro de la Vecilla Castellanos. Trata de
la historia de la ciudad de León

[3] No hay duda de que se menciona la obra histórica en prosa
titulada *Comentario del ilustre señor don Luis de Ávila y Zúñiga...
de la guerra de Alemaña hecha de Carlos V* (Venecia, 1548). Pero
como sea que Cervantes sólo trata de libros de «entretenimiento»
y ahora está mencionando obras en verso, es posible que aquí
sufriera un error y quisiera referirse al *Carlo famoso* (Valencia,
1566) de Luis Zapata.

[4] *prez*, premio.

do de don Roldán me ha molido a palos con el tronco
de una encina, y todo de envidia, porque ve que yo solo
soy el opuesto de sus valentías. Mas no me llamaría yo
Reinaldos de Montalbán[5] si, en levantándome deste lecho, no me lo pagare, a pesar de todos sus encantamentos; y, por agora, tráiganme de yantar, que sé que es lo
que más me hará al caso, y quédese lo del vengarme a
mi cargo.

Hiciéronlo ansí: diéronle de comer, y quedóse otra
vez dormido, y ellos, admirados de su locura.

Aquella noche quemó y abrasó el ama cuantos libros
había en el corral, y en toda la casa, y tales debieron de
arder que merecían guardarse en perpetuos archivos;
mas no lo permitió su suerte y la pereza del escrutiñador,
y así, se cumplió el refrán en ellos de que pagan a las
veces justos por pecadores.

Uno de los remedios que el cura y el barbero dieron,
por entonces, para el mal de su amigo, fue que le mura-
sen y tapiasen el aposento de los libros, porque cuando
se levantase no los hallase —quizá quitando la causa,
cesaría el efeto—, y que dijesen que un encantador se
los había llevado, y el aposento y todo; y así fue hecho
con mucha presteza. De allí a dos días se levantó don
Quijote, y lo primero que hizo fue ir a ver sus libros; y
como no hallaba el aposento donde le había dejado, andaba de una en otra parte buscándole. Llegaba adonde
solía tener la puerta, y tentábala con las manos, y volvía y revolvía los ojos por todo, sin decir palabra; pero
al cabo de una buena pieza[6], preguntó a su ama que
hacia qué parte estaba el aposento de sus libros. El ama,
que ya estaba bien advertida de lo que había de responder, le dijo:

—¿Qué aposento, o qué nada, busca vuestra merced? Ya no hay aposento ni libros en esta casa, porque
todo se lo llevó el mesmo diablo.

—No era diablo —replicó la sobrina—, sino un encantador que vino sobre una nube una noche, después

---

[5] Aquí don Quijote se cree ser Reinaldos de Montalbán, héroe
de leyendas carolingias *(Renaut de Montauban)* muy popular en
el romancero castellano. Es éste el último caso de desdoblamien-
to de la personalidad de don Quijote, fenómeno del que tratamos en el comentario preliminar del capítulo 5.

[6] *una buena pieza*, un buen rato.

del día que vuestra merced de aquí se partió, y apeándose de una sierpe en que venía caballero, entró en el aposento, y no sé lo que se hizo dentro, que a cabo de poca pieza salió volando por el tejado, y dejó la casa llena de humo; y cuando acordamos a mirar lo que dejaba hecho, no vimos libro ni aposento alguno; sólo se nos acuerda muy bien a mí y al ama que, al tiempo del partirse aquel mal viejo, dijo en altas voces que por enemistad secreta que tenía al dueño de aquellos libros y aposento, dejaba hecho el daño en aquella casa que después se vería. Dijo también que se llamaba el sabio Muñatón.

—Frestón[7] diría —dijo don Quijote.

—No sé —respondió el ama— si se llamaba Frestón o Fritón; sólo sé que acabó en *tón* su nombre.

—Así es —dijo don Quijote—; que ése es un sabio encantador, grande enemigo mío, que me tiene ojeriza, porque sabe por sus artes y letras que tengo de venir, andando los tiempos, a pelear en singular batalla con un caballero a quien él favorece, y le tengo de vencer, sin que él lo pueda estorbar, y por esto procura hacerme todos los sinsabores que puede; y mándole[8] yo que mal podrá él contradecir ni evitar lo que por el cielo está ordenado.

—¿Quién duda de eso? —dijo la sobrina—. Pero ¿quién le mete a vuestra merced, señor tío, en esas pendencias? ¿No será mejor estarse pacífico en su casa y no irse por el mundo a buscar pan de trastrigo[9], sin considerar que muchos van por lana y vuelven tresquilados?

—¡Oh sobrina mía —respondió don Quijote—, y cuán mal que estás en la cuenta! Primero que a mí me tresquilen tendré peladas y quitadas las barbas a cuantos imaginaren tocarme en la punta de un solo cabello.

No quisieron las dos replicarle más, porque vieron que se le encendía la cólera.

Es, pues, el caso que él estuvo quince días en casa

---

[7] Ya vimos (I, 6, nota 25) que el *Belianís de Grecia* se presentaba como una traducción de un libro griego escrito por el «sabio Fristón» (no Frestón), patraña muy frecuente en los libros de caballerías que Cervantes parodiará con la ficción de Cide Hamete Benengeli (véase el comentario preliminar del cap. 9).

[8] *mándole*, le aseguro.

[9] *buscar pan de trastrigo*, o sea, «buscar pan mejor que el hecho de trigo», lo que significa emprender cosas imposibles.

muy sosegado, sin dar muestras de querer segundar sus
primeros devaneos, en los cuales días pasó graciosísimos.
cuentos[10] con sus dos compadres el cura y el barbero,
sobre que él decía que la cosa de que más necesidad
tenía el mundo era de caballeros andantes y de que en
él se resucitase la caballería andantesca. El cura algunas
veces le contradecía, y otras concedía, porque si no
guardaba este artificio no había poder averiguarse[11]
con él.

En este tiempo solicitó don Quijote a un labrador
vecino suyo, hombre de bien —si es que este título se
puede dar al que es pobre—, pero de muy poca sal en
la mollera. En resolución, tanto le dijo, tanto le persuadió y prometió, que el pobre villano se determinó de
salirse con él y servirle de escudero. Decíale, entre otras
cosas, don Quijote que se dispusiese a ir con él de buena
gana, porque tal vez[12] le podía suceder aventura que ganase, en quítame allá esas pajas, alguna ínsula[13] y le
dejase a él por gobernador della. Con estas promesas y
otras tales, Sancho Panza, que así se llamaba el labrador, dejó su mujer y hijos y asentó por escudero de su
vecino.

Dio luego don Quijote orden en buscar dineros, y,
vendiendo una cosa, y empeñando otra, y malbaratán-
dolas todas, llegó[14] una razonable cantidad. Acomodóse
asimesmo de una rodela, que pidió prestada a un su
amigo, y, pertrechando su rota celada lo mejor que pudo,
avisó a su escudero Sancho del día y la hora que pensaba ponerse en camino para que él se acomodase de
lo que viese que más le era menester. Sobre todo le
encargó que llevase alforjas; e dijo que sí llevaría, y que
ansimesmo pensaba llevar un asno que tenía muy bueno,
porque él no estaba duecho[15] a andar mucho a pie. En

---

[10] *pasó graciosísimos cuentos,* sostuvo graciosísimos coloquios.
[11] *averiguarse,* concertarse, ponerse de acuerdo.
[12] *tal vez,* alguna vez.
[13] *ínsula* es un latinismo, por «isla», pero aquella forma aparece con gran frecuencia en los libros de caballerías (ínsula Sa-
gitaria, ínsula Triste, ínsula Fuerte, etc.). Sancho no sabrá nunca
qué es exactamente una «ínsula», y por esto, en la segunda parte, le harán creer que cierta aldea aragonesa, situada tierra adentro, es una «ínsula», engaño en que el escudero sin duda no habría
caído si don Quijote hubiese usado el término corriente de «isla».
[14] *llegó,* reunió.
[15] *duecho,* ducho.

lo del asno reparó un poco don Quijote, imaginando si
se le acordaba si algún caballero andante había traído
escudero caballero asnalmente; pero nunca le vino alguno a la memoria; mas con todo esto determinó que le
llevase, con presupuesto[16] de acomodarle de más honrada caballería en habiendo ocasión para ello, quitándole
el caballo al primer descortés caballero que topase. Pro-
veyóse de camisas y de las demás cosas que él pudo,
conforme al consejo que el ventero le había dado; todo
lo cual hecho y cumplido, sin despedirse Panza de sus
hijos y mujer, ni don Quijote de su ama y sobrina, una
noche se salieron del lugar sin que persona los viese;
en la cual caminaron tanto, que al amanecer se tuvieron
por seguros de que no los hallarían aunque los buscasen.

Iba Sancho Panza sobre su jumento como un patriar-
ca, con sus alforjas y su bota, y con mucho deseo de verse ya gobernador de la ínsula que su amo le había prometido. Acertó don Quijote a tomar la misma derrota y
camino que el que él había tomado en su primer viaje,
que fue por el campo de Montiel, por el cual caminaba
con menos pesadumbre que la vez pasada, porque, por
ser la hora de la mañana y herirles a soslayo, los rayos
del sol no les fatigaban. Dijo en esto Sancho Panza a
su amo:

—Mire vuestra merced, señor caballero andante, que
no se le olvide lo que de la ínsula me tiene prometido;
que yo la sabré gobernar, por grande que sea.

A lo cual le respondió don Quijote:

—Has de saber, amigo Sancho Panza, que fue costumbre muy usada de los caballeros andantes antiguos
hacer gobernadores a sus escuderos de las ínsulas o reinos que ganaban, y yo tengo determinado de que por
mí no falte tan agradecida usanza; antes pienso aventajarme en ella: porque ellos algunas veces, y quizá las
más, esperaban a que sus escuderos fuesen viejos, y ya
después de hartos de servir y de llevar malos días y
peores noches, les daban algún título de conde, o, por lo
mucho, de marqués, de algún valle o provincia de poco
más a menos; pero si tú vives y yo vivo, bien podría ser
que antes de seis días ganase yo tal reino, que tuviese

---

[16] *presupuesto*, propósito.

otros a él adherentes, que viniesen de molde para coronarte por rey de uno dellos. Y no lo tengas a mucho; que cosas y casos acontecen a los tales caballeros por modos tan nunca vistos y pensados, que con facilidad te podría dar aún más de lo que te prometo.

—De esa manera —respondió Sancho Panza—, si yo fuese rey por algún milagro de los que vuestra merced dice, por lo menos, Juana Gutiérrez[17], mi oíslo[18], vendría a ser reina, y mis hijos infantes.

—Pues ¿quién lo duda? —respondió don Quijote.

—Yo lo dudo —replicó Sancho Panza—; porque tengo para mí que, aunque lloviese Dios reinos sobre la tierra, ninguno asentaría bien sobre la cabeza de Mari Gutiérrez. Sepa, señor, que no vale dos maravedís para reina; condesa le caerá mejor, y aun Dios y ayuda[19].

—Encomiéndalo tú a Dios, Sancho —respondió don Quijote—, que Él dará lo que más le convenga; pero no apoques tu ánimo tanto, que te vengas a contentar con menos que con ser adelantado[20].

—No haré, señor mío —respondió Sancho—, y más teniendo tan principal amo en vuestra merced, que me sabrá dar todo aquello que me esté bien y yo pueda llevar.

[17] Cervantes da varios nombres a la mujer de Sancho. Aquí Juana Gutiérrez; en la frase siguiente Mari Gutiérrez, en capítulo 52 de esta primera parte Juana Panza, «porque se usa en la Mancha tomar las mujeres el apellido de los maridos»; y en el capítulo 5 de la segunda Teresa Cascajo o Teresa Panza. Avellaneda, en la segunda parte del *Quijote* apócrifo, le dio el nombre de Mari Gutiérrez, que es el segundo que aparece en este capítulo, y Cervantes se lo reprochó en el capítulo 59 de su auténtica segunda parte, donde Sancho dice indignado: «llama a Teresa Panza, mi mujer, Mari Gutiérrez». Así, pues, lo que finalmente decidió Cervantes es que se llamara Teresa Panza.

[18] *oíslo*, esposa.

[19] *y aun Dios y ayuda*, y aun esto es muy difícil.

[20] *adelantado*, gobernador militar y político de una provincia fronteriza.

CAPÍTULO VIII

Del buen suceso que el valeroso don Quijote tuvo en la espantable y jamás imaginada aventura de los molinos de viento, con otros sucesos dignos de felice recordación*

En esto, descubrieron treinta o cuarenta molinos de viento que hay en aquel campo, y así como don Quijote los vio, dijo a su escudero:

—La ventura va guiando nuestras cosas mejor de lo que acertáramos a desear; porque ves allí, amigo Sancho Panza, donde se descubren treinta o pocos más, desaforados gigantes, con quien pienso hacer batalla y quitarles a todos las vidas, con cuyos despojos comenzaremos a enriquecer; que ésta es buena guerra, y es gran servicio de Dios quitar tan mala simiente de sobre la faz de la tierra.

—¿Qué gigantes? —dijo Sancho Panza.

—Aquellos que allí ves —respondió su amo— de los brazos largos, que los suelen tener algunos de casi dos leguas.

—Mire vuestra merced —respondió Sancho— que aquellos que allí se parecen no son gigantes, sino molinos de viento, y lo que en ellos parecen brazos son las aspas, que, volteadas del viento, hacen andar la piedra del molino.

—Bien parece —respondió don Quijote— que no

---

* En este capítulo se narra la aventura de los molinos de viento y el principio de la del vizcaíno, que queda interrumpida. Aquélla es sin duda el episodio más conocido del *Quijote* y constituye una acertada parodia de uno de los motivos más frecuentes y fantásticos de los libros de caballerías: la lucha del caballero con temibles gigantes, muchas veces llamados «jayanes» (del francés antiguo *jayant,* moderno *géant*). El gigante es un elemento casi imprescindible del libro de caballerías desde sus inicios medievales (como Morholt, vencido por Tristán); y en las degeneraciones de este tipo de literatura en el siglo XVI esta monstruosa especie prolifera enormemente. Incluso los mismos nombres de los gigantes que aparecen en los libros de caballerías quieren ser tremebundos pero caen en el ridículo, y a veces son sencillamente grotescos (como Bruciferno, Brutillón, Grindalafo, Galpatrafo, Luciferno de la Boca Negra, Pasaronte el Malo, Mordacho de las Desemejadas Orejas, Nabón el Negro, etc.).

estás cursado en esto de las aventuras: ellos son gigantes; y si tienes miedo, quítate de ahí, y ponte en oración en el espacio que yo voy a entrar con ellos en fiera y desigual batalla.

Y diciendo esto, dio de espuelas a su caballo Rocinante, sin atender a las voces que su escudero Sancho le daba, advirtiéndole que, sin duda alguna, eran molinos de viento, y no gigantes, aquellos que iba a acometer. Pero él iba tan puesto en que eran gigantes, que ni oía las voces de su escudero Sancho, ni echaba de ver, aunque estaba ya bien cerca, lo que eran; antes iba diciendo en voces altas:

—Non fuyades, cobardes y viles criaturas, que un solo caballero es el que os acomete[1].

Levantóse en esto un poco de viento, y las grandes aspas comenzaron a moverse, lo cual visto por don Quijote, dijo:

—Pues aunque mováis más brazos que los del gigante Briareo[2], me lo habéis de pagar.

Y en diciendo esto, y encomendándose de todo corazón a su señora Dulcinea, pidiéndole que en tal trance le socorriese, bien cubierto de su rodela, con la lanza en el ristre, arremetió a todo el galope de Rocinante y embistió con el primero molino que estaba delante; y dándole una lanzada en el aspa, la volvió el viento con tanta furia, que hizo la lanza pedazos, llevándose tras sí al caballo y al caballero, que fue rodando muy maltrecho por el campo. Acudió Sancho Panza a socorrerle, a todo el correr de su asno, y cuando llegó halló que no se podía menear: tal fue el golpe que dio con él Rocinante.

—¡Válame Dios! —dijo Sancho—. ¿No le dije yo a vuestra merced que mirase bien lo que hacía, que no eran sino molinos de viento, y no lo podía ignorar sino quien llevase otros tales en la cabeza?

—Calla, amigo Sancho —respondió don Quijote—; que las cosas de la guerra, más que otras, están sujetas a continua mudanza; cuanto más, que yo pienso, y es así verdad, que aquel sabio Frestón que me robó el apo-

[1] Don Quijote recurre al lenguaje arcaizante de los libros de caballerías: *fuyades*, huyáis.

[2] *Briareo*, gigante de la mitología griega y latina, que tenía cien brazos y cincuenta cabezas.

sento y los libros ha vuelto estos gigantes en molinos por quitarme la gloria de su vencimiento: tal es la enemistad que me tiene; mas al cabo al cabo, han de poder poco sus malas artes contra la bondad de mi espada.

—Dios lo haga como puede —respondió Sancho Panza.

Y, ayudándole a levantar, tornó a subir sobre Rocinante, que medio despaldado[3] estaba. Y, hablando en[4] la pasada aventura, siguieron el camino del Puerto Lápice, porque allí decía don Quijote que no era posible dejar de hallarse muchas y diversas aventuras, por ser lugar muy pasajero[5]; sino que iba muy pesaroso por haberle faltado la lanza; y, diciéndoselo a su escudero, le dijo:

—Yo me acuerdo haber leído que un caballero español llamado Diego Pérez de Vargas, habiéndosele en una batalla rota la espada, desgajó de una encina un pesado ramo o tronco, y con él hizo tales cosas aquel día y machacó[6] tantos moros, que le quedó por sobrenombre Machuca, y así él como sus decendientes se llamaron desde aquel día en adelante Vargas y Machuca[7]. Hete dicho esto, porque de la primera encina o roble que se me depare pienso desgajar otro tronco tal y tan bueno como aquel que me imagino, y pienso hacer con él tales hazañas, que tú te tengas por bien afortunado de haber merecido venir a vellas y a ser testigo de cosas que apenas podrán ser creídas.

—A la mano de Dios —dijo Sancho—; yo lo creo todo así como vuestra merced lo dice; pero enderécese un poco, que parece que va de medio lado, y debe de ser del molimiento de la caída.

—Así es la verdad —respondió don Quijote—; y si no me quejo del dolor es porque no es dado a los caballeros andantes quejarse de herida alguna, aunque se le salgan las tripas por ella.

---

[3] *despaldado*, con la espalda dañada.
[4] *hablando en*, hablando de.
[5] *pasajero*, por el que pasa mucha gente, o sea, «transitado».
[6] Propiamente habría que decir *machucó*, a fin de explicar el sobrenombre Machuca.
[7] La hazaña se sitúa en el cerco de Jerez, reinando Fernando III el Santo, y sobre ella existen varias relaciones (como la del *Valerio de las historias* de Diego Rodríguez de Almela) y romances que la popularizaron.

—Si eso es así, no tengo yo que replicar —respondió Sancho—; pero sabe Dios si yo me holgara que vuestra merced se quejara cuando alguna cosa le doliera. De mí sé decir que me he de quejar del más pequeño dolor que tenga, si ya no se entiende también con los escuderos de los caballeros andantes eso del no quejarse.

No se dejó de reír don Quijote de la simplicidad de su escudero; y así, le declaró que podía muy bien quejarse como y cuando quisiese, sin gana o con ella; que hasta entonces no había leído cosa en contrario en la orden de caballería. Díjole Sancho que mirase que era hora de comer. Respondióle su amo que por entonces no le hacía menester; que comiese él cuando se le antojase. Con esta licencia se acomodó Sancho lo mejor que pudo sobre su jumento, y, sacando de las alforjas lo que en ellas había puesto, iba caminando y comiendo detrás de su amo muy de su espacio, y de cuando en cuando empinaba la bota, con tanto gusto que le pudiera envidiar el más regalado bodegonero de Málaga. Y en tanto que él iba de aquella manera menudeando tragos, no se le acordaba de ninguna promesa que su amo le hubiese hecho, ni tenía por ningún trabajo, sino por mucho descanso, andar buscando las aventuras, por peligrosas que fuesen.

En resolución, aquella noche la pasaron entre unos árboles, y del uno dellos desgajó don Quijote un ramo seco que casi le podía servir de lanza, y puso en él el hierro que quitó de la que se le había quebrado. Toda aquella noche no durmió don Quijote, pensando en su señora Dulcinea, por acomodarse a lo que había leído en sus libros, cuando los caballeros pasaban sin dormir muchas noches en las florestas y despoblados, entretenidos con las memorias de sus señoras. No la pasó ansí Sancho Panza; que, como tenía el estómago lleno, y no de agua de chicoria, de un sueño se la llevó toda, y no fueran parte para despertarle, si su amo no lo llamara, los rayos del sol, que le daban en el rostro, ni el canto de las aves, que, muchas y muy regocijadamente, la venida del nuevo día saludaban. Al levantarse dio un tiento a la bota, y hallóla algo más flaca que la noche antes; y afligiósele el corazón, por parecerle que no llevaban camino de remediar tan presto su falta. No quiso desayunarse don

Quijote, porque, como está dicho, dio en sustentarse de sabrosas memorias. Tornaron a su comenzado camino del Puerto Lápice, y a obra[8] de las tres del día le descubrieron.

—Aquí —dijo en viéndole don Quijote— podemos, hermano Sancho Panza, meter las manos hasta los codos en esto que llaman aventuras. Mas advierte que, aunque me veas en los mayores peligros del mundo, no has de poner mano a tu espada para defenderme, si ya no vieres que los que me ofenden es canalla y gente baja, que en tal caso bien puedes ayudarme; pero si fueren caballeros, en ninguna manera te es lícito ni concedido por las leyes de caballería que me ayudes, hasta que seas armado caballero.

—Por cierto, señor —respondió Sancho—, que vuestra merced sea muy bien obedicido en esto; y más, que yo de mío me soy pacífico y enemigo de meterme en ruidos ni pendencias. Bien es verdad que en lo que tocare a defender mi persona no tendré mucha cuenta con esas leyes, pues las divinas y humanas permiten que cada uno se defienda de quien quisiere agraviarle.

—No digo yo menos —respondió don Quijote—; pero en esto de ayudarme contra caballeros has de tener a raya tus naturales ímpetus.

—Digo que así lo haré —respondió Sancho—, y que guardaré ese preceto tan bien como el día del domingo.

Estando en estas razones, asomaron por el camino dos frailes de la orden de San Benito, caballeros sobre dos dromedarios: que no eran más pequeñas dos mulas en que venían. Traían sus antojos de camino[9] y sus quitasoles. Detrás dellos venía un coche, con cuatro o cinco de a caballo que le acompañaban y dos mozos de mulas a pie. Venía en el coche, como después se supo, una señora vizcaína, que iba a Sevilla, donde estaba su marido, que pasaba a las Indias con un muy honroso cargo. No venían los frailes con ella, aunque iban el mesmo camino; mas apenas los divisó don Quijote, cuando dijo a su escudero:

—O yo me engaño, o ésta ha de ser la más famosa

---

[8] *a obra de*, poco más o menos a.
[9] *antojos de camino*, anteojos o antifaces con cristales que se utilizaban para resguardarse del polvo y de los rayos de sol.

aventura que se haya visto; porque aquellos bultos negros que allí parecen deben de ser, y son, sin duda, algunos encantadores que llevan hurtada alguna princesa en
aquel coche, y es menester deshacer este tuerto a todo
mi poderío.

—Peor será esto que los molinos de viento —dijo
Sancho—. Mire, señor, que aquéllos son frailes de San
Benito, y el coche debe de ser de alguna gente pasajera.
Mire que digo que mire bien lo que hace, no sea el dia-
blo que le engañe.

—Ya te he dicho, Sancho —respondió don Quijote—,
que sabes poco de achaque de aventuras; lo que yo digo
es verdad, y ahora lo verás.

Y diciendo esto, se adelantó y se puso en la mitad del
camino por donde los frailes venían, y en llegando tan
cerca que a él le pareció que le podrían oír lo que dijese, en alta voz dijo:

—Gente endiablada y descomunal[10], dejad luego al
punto las altas princesas que en ese coche lleváis forzadas; si no, aparejaos a recebir presta muerte, por justo
castigo de vuestras malas obras[11].

Detuvieron los frailes las riendas, y quedaron admirados, así de la figura de don Quijote como de sus razones, a las cuales respondieron:

—Señor caballero, nosotros no somos endiablados ni
descomunales, sino dos religiosos de San Benito que vamos nuestro camino, y no sabemos si en este coche vienen, o no, ningunas forzadas princesas.

—Para conmigo no hay palabras blandas; que ya yo
os conozco, fementida canalla —dijo don Quijote.

Y sin esperar más respuesta, picó a Rocinante y, la
lanza baja, arremetió contra el primero fraile, con tanta
furia y denuedo, que si el fraile no se dejara caer de la
mula, él le hiciera venir al suelo mal de su grado, y aun
mal ferido, si no cayera muerto. El segundo religioso,

---

[10] *descomunal*, fuera de lo común.
[11] En el libro de caballerías titulado *El caballero de la Cruz*
(condenado por el cura en el escrutinio) el infante Floramor topa
con un grupo en el que el gigante Argomeo el Cruel y otros cuatro jayanes llevan raptadas a la emperatriz de Constantinopla y
a la princesa Cupidea, y los interpela valientemente con las siguientes palabras: «¡Malditos traidores! Dejad a las doncellas que
robadas lleváis, si no todos moriréis a mis manos». Es evidente
que Cervantes está parodiando este trance u otros semejantes.

que vio del modo que trataban a su compañero, puso
piernas al castillo[12] de su buena mula, y comenzó a correr por aquella campaña, más ligero que el mesmo
viento.

Sancho Panza, que vio en el suelo al fraile, apeándose ligeramente de su asno, arremetió a él y le comenzó
a quitar los hábitos. Llegaron en esto dos mozos de los
frailes y preguntáronle que por qué le desnudaba. Res-
pondióles Sancho que aquello le tocaba a él ligítima-
mente, como despojos de la batalla que su señor don
Quijote había ganado. Los mozos, que no sabían de burlas, ni entendían aquello de despojos ni batallas, viendo
que ya don Quijote estaba desviado de allí, hablando
con las que en el coche venían, arremetieron con Sancho
y dieron con él en el suelo, y, sin dejarle pelo en las barbas, le molieron a coces y le dejaron tendido en el suelo,
sin aliento ni sentido. Y, sin detenerse un punto, tornó
a subir el fraile, todo temeroso y acobardado y sin color
en el rostro; y cuando se vio a caballo, picó tras su compañero, que un buen espacio de allí le estaba aguardando, y esperando en qué paraba aquel sobresalto, y, sin
querer aguardar el fin de todo aquel comenzado suceso,
siguieron su camino, haciéndose más cruces que si llevaran al diablo a las espaldas.

Don Quijote estaba, como se ha dicho, hablando con
la señora del coche, diciéndole:

—La vuestra fermosura, señora mía, puede facer de
su persona lo que más le viniere en talante[13], porque ya
la soberbia de vuestros robadores yace por el suelo, derribada por este mi fuerte brazo; y porque no penéis por
saber el nombre de vuestro libertador, sabed que yo me
llamo don Quijote de la Mancha, caballero andante y
aventurero, y cautivo de la sin par y hermosa doña Dulcinea del Toboso, y en pago del beneficio que de mí
habéis recebido, no quiero otra cosa sino que volváis al[14]
Toboso, y que de mi parte os presentéis ante esta señora
y le digáis lo que por vuestra libertad he fecho[15].

---

[12] *castillo*, ponderación irónica por el gran tamaño de la mula,
como cuando se dice: «alto como una torre».
[13] En estas primeras palabras don Quijote emplea lenguaje arcaizante: *la vuestra, fermosura, facer.*
[14] *volváis al*, deis la vuelta hacia el.
[15] *fecho*, hecho (arcaísmo).

Todo esto que don Quijote decía escuchaba un escudero de los que el coche acompañaban, que era vizcaíno[16]; el cual, viendo que no quería dejar pasar el coche adelante, sino que decía que luego había de dar la vuelta al Toboso, se fue para don Quijote y, asiéndole de la lanza, le dijo, en mala lengua castellana y peor vizcaína, desta manera:

—Anda, caballero que mal andes; por el Dios que crióme, que, si no dejas coche, así te matas como estás ahí vizcaíno[17].

Entendióle muy bien don Quijote, y con mucho sosiego le respondió:

—Si fueras caballero, como no lo eres, ya yo hubiera castigado tu sandez y atrevimiento, cautiva[18] criatura.

A lo cual replicó el vizcaíno:

—¿Yo no caballero? Juro a Dios tan mientes como cristiano. Si lanza arrojas y espada sacas, ¡el agua cuán presto verás que al gato llevas! Vizcaíno por tierra, hidalgo por mar, hidalgo por el diablo, y mientes que mira si otra dices cosa[19].

—Ahora lo veredes, dijo Agrajes[20] —respondió don Quijote.

Y arrojando la lanza en el suelo, sacó su espada y embrazó su rodela, y arremetió al vizcaíno, con determinación de quitarle la vida. El vizcaíno, que así le vio venir, aunque quisiera apearse de la mula, que, por ser de las malas de alquiler, no había que fiar en ella, no pudo hacer otra cosa sino sacar su espada; pero avínole

---

[16] *vizcaíno*, vasco.

[17] Cervantes intenta reproducir la sintaxis de los vascos poco cultos cuando hablan en castellano, aspecto muchas veces tratado cómicamente en la literatura de su época y que él mismo intensificó en su entremés, *El vizcaíno fingido* y en el escudero de *La casa de los celos* (véase F. Yndurain, «Anales Cervantinos», I. 1951, 337-343). Esta frase significa lo siguiente: «Vete, caballero, en hora mala, que, por el Dios que me crió, si no dejas el coche es tan cierto que este vizcaíno te matará como que tú estás aquí».

[18] *cautiva*, desdichada (arcaísmo).

[19] Estas frases significan: «¡Yo no caballero! Juro a Dios, como cristiano, que mientes. Si arrojas la lanza y sacas la espada, veremos quién logrará lo que pretende. El vizcaíno es hidalgo por tierra y por mar, y mira que mientes si dices otra cosa». Cervantes no está muy acertado en estas frases, pues del lenguaje de los vascos sólo da cierto desorden sintáctico que no se aviene con su peculiar modo de hablar castellano.

[20] Palabras de amenaza que se atribuían a Agrajes, caballero que figura en varios libros del ciclo de los amadises.

bien que se halló junto al coche, de donde pudo tomar una almohada que le sirvió de escudo, y luego se fueron el uno para el otro, como si fueran dos mortales enemigos. La demás gente quisiera ponerlos en paz; mas no pudo, porque decía el vizcaíno en sus mal trabadas razones que si no le dejaban acabar su batalla, que él mismo había de matar a su ama y a toda la gente que se lo estorbase. La señora del coche, admirada y temerosa de lo que veía, hizo al cochero que se desviase de allí algún poco, y desde lejos se puso a mirar la rigurosa contienda, en el discurso de la cual dio el vizcaíno una gran cuchillada a don Quijote encima de un hombro, por encima de la rodela, que, a dársela sin defensa, le abriera hasta la cintura. Don Quijote, que sintió la pesadumbre de aquel desaforado golpe, dio una gran voz, diciendo:

—¡Oh señora de mi alma, Dulcinea, flor de la fermosura, socorred a este vuestro caballero, que, por satisfacer a la vuestra mucha bondad, en este riguroso trance se halla[21]!

El decir esto, y el apretar la espada, y el cubrirse bien de su rodela, y el arremeter al vizcaíno, todo fue en un tiempo, llevando determinación de aventurarlo todo a la de un golpe solo[22].

El vizcaíno, que así le vio venir contra él, bien entendió por su denuedo su coraje, y determinó de hacer lo mesmo que don Quijote. Y así, le aguardó bien cubierto de su almohada, sin poder rodear la mula a una ni a otra parte; que ya, de puro cansada y no hecha a semejantes niñerías, no podía dar un paso.

Venía, pues, como se ha dicho, don Quijote contra el cauto vizcaíno, con la espada en alto, con determinación de abrirle por medio, y el vizcaíno le aguardaba ansimesmo levantada la espada y aforrado[23] con su almohada, y todos los circunstantes estaban temerosos y colgados[24] de lo que había de suceder de aquellos tamaños golpes con que se amenazaban; y la señora del coche y las demás criadas suyas estaban haciendo mil votos y ofrecimientos a todas las imágenes y casas de devoción

[21] Lenguaje ligeramente arcaizante: *fermosura, la vuestra.*
[22] *aventurarlo todo a la* [ventura o azar] *de un golpe solo.*
[23] *aforrado*, abrigado, resguardado.
[24] *colgados*, pendientes.

de España, porque Dios librase a su escudero y a ellas de aquel tan grande peligro en que se hallaban.

Pero está el daño de todo esto que en este punto y término deja pendiente el autor desta historia esta batalla, disculpándose que no halló más escrito, destas hazañas de don Quijote, de las que deja referidas. Bien es verdad que el segundo autor[25] desta obra no quiso creer que tan curiosa historia estuviese entregada a las leyes del olvido, ni que hubiesen sido tan poco curiosos los ingenios de la Mancha, que no tuviesen en sus archivos o en sus escritorios algunos papeles que deste famoso caballero tratasen; y así, con esta imaginación, no se desesperó de hallar el fin desta apacible historia, el cual, siéndole el cielo favorable, le halló del modo que se contará en la segunda parte.

[25] El *segundo autor* es el propio Cervantes, ya que el primero, como se verá en el próximo capítulo, se finge que es Cide Hamete Benengeli.

SEGUNDA PARTE DEL INGENIOSO HIDALGO DON QUIJOTE DE LA MANCHA

CAPÍTULO IX

Donde se concluye y da fin a la estupenda batalla que el gallardo vizcaíno y el valiente manchego tuvieron[*]

Dejamos en la primera parte desta historia[1] al valeroso vizcaíno y al famoso don Quijote con las espadas altas y desnudas, en guisa de descargar dos furi-

---

[*] Hasta ahora Cervantes ha fingido ser una especie de erudito que recopilaba datos de otros autores y de los archivos de la Mancha para ordenar la historia de don Quijote. En este momento, al empezar el presente capítulo, Cervantes se nos introduce él mismo en las páginas de la novela apesadumbrado por no saber más de don Quijote, pero no tarda en narrarnos el hallazgo, en Toledo, de una obra en árabe llamada «Historia de don Quijote de la Mancha, escrita por Cide Hamete Benengeli, historiador arábigo»; y a partir de este momento y hasta la última página de su postrera parte el *Quijote* se ofrecerá a sus lectores como la traducción de este fingido texto arábigo, al que de cuando en cuando Cervantes hará ver que se permite intercalar algún comentario y algunas veces se dará a sí mismo el nombre de «traductor». Se trata con ello de parodiar un aspecto del estilo de los libros de caballerías, en los que es muy frecuente que los autores finjan que los traducen de otra lengua o que han hallado el original en condiciones misteriosas. Así el *Don Florisel de Niquea* finge ser obra del griego Galerín y del latino Talistes Campaneo; el *Caballero de la Cruz* dice estar traducido de una crónica del árabe Xartón: el *Don Cirongilio de Tracia* se presenta como traducido de un original que «escribió Novarco y Promusis en latín»; del tantas veces citado *Don Belianís de Grecia* se dice, en la portada, que fue «sacado de la lengua griega, en la cual lo escribió el sabio Fristón»; el texto de *Las sergas de Esplandián*, continuación del *Amadís de Gaula*, «por gran dicha paresció en una tumba de piedra, que debajo de la tierra, en una ermita, cerca de Constantinopla, fue hallada, y traído por un húngaro mercadero a estas partes de España, en letra y pergamino tan antiguo que con mucho trabajo se pudo leer por aquellos que la lengua sabían»; incluso una novela de otro carácter, como las *Guerras*

bundos fendientes[2], tales, que si en lleno se acertaban, por lo menos se dividirían y fenderían de arriba abajo y abrirían como una granada; y que en aquel punto tan dudoso paró y quedó destroncada tan sabrosa historia, sin que nos diese noticia su autor dónde se podría hallar lo que della faltaba.

Causóme esto mucha pesadumbre, porque el gusto de haber leído tan poco se volvía en disgusto, de pensar el mal camino que se ofrecía para hallar lo mucho que, a mi parecer, faltaba de tan sabroso cuento. Parecióme cosa imposible y fuera de toda buena costumbre que a tan buen caballero le hubiese faltado algún sabio que tomara a cargo el escrebir sus nunca vistas hazañas, cosa que no faltó a ninguno de los caballeros andantes,

> de los que dicen las gentes
> que van a sus aventuras[3],

porque cada uno dellos tenía uno o dos sabios, como de molde, que no solamente escribían sus hechos, sino que pintaban sus más mínimos pensamientos y niñerías, por más escondidas que fuesen; y no había de ser tan desdichado tan buen caballero, que le faltase a él lo que sobró a Platir[4] y a otros semejantes. Y así, no podía inclinarme a creer que tan gallarda historia hubiese quedado manca y estropeada, y echaba la culpa a la malignidad del

---

civiles de Granada de Ginés Pérez de Hita se publicó en 1595 con la explicación en la portada: «agora nuevamente sacada de un libro arábigo, cuyo autor de vista fue un moro llamado Abén Hamín, natural de Granada». Cervantes, con su Cide Hamete Benengeli, no tan sólo desacreditó definitivamente estas ingenuas ficciones, sino que dio al *Quijote* una estructura externa que es una auténtica parodia de los libros de caballería.
[1] Las primitivas ediciones de la primera parte del *Quijote* la subdividen a su vez en cuatro partes, que aquí conservamos.
[2] *fendientes,* o hendientes, golpes de espada que se dan de alto a bajo.
[3] Estos versos parecen proceder de una muy libre traducción de los *Trionfi* de Petrarca hecha por Álvar Gómez de Ciudad Real: «Mira... Lanzarote y don Tristán, Y el rey Artur y Galván, Y otros mil que están presentes, *De los que decían las gentes ...Que a sus aventuras van».* En el texto correspondiente de Petrarca (*Triumphus Cupidinis*, III, versos 79-84) no hay nada que se parezca a estos versos, y Álvar Gómez pudo tomarlos de algún romance, que también debió de conocer Cervantes, quien los repite en el capítulo 49 de esta primera parte y en el 16 de la segunda.
[4] El fingido recopilador de la *Crónica del muy valiente y esforzado caballero Platir* se llama Galtenor.

tiempo, devorador y consumidor de todas las cosas, el cual, o la tenía oculta o consumida.

Por otra parte, me parecía que, pues entre sus libros se habían hallado tan modernos como *Desengaño de celos* y *Ninfas y pastores de Henares*[5], que también su historia debía de ser moderna, y que, ya que no estuviese escrita, estaría en la memoria de la gente de su aldea y de las a ella circunvecinas. Esta imaginación me traía confuso y deseoso de saber real y verdaderamente toda la vida y milagros de nuestro famoso español don Quijote de la Mancha, luz y espejo de la caballería manchega, y el primero que en nuestra edad y en estos tan calamitosos tiempos se puso al trabajo y ejercicio de las andantes armas, y al desfacer agravios, socorrer viudas, amparar doncellas, de aquellas que andaban con sus azotes y palafrenes, y con toda su virginidad a cuestas, de monte en monte y de valle en valle; que si no era que algún follón, o algún villano de hacha y capellina[6], ¿o algún descomunal gigante las forzaba, doncella hubo en los pasados tiempos que, al cabo de ochenta años, que en todos ellos no durmió un día debajo de tejado, y se fue tan entera a la sepultura como la madre que la había parido. Digo, pues, que por estos y otros muchos respetos es digno nuestro gallardo Quijote de continuas y memorables alabanzas, y aun a mí no se me deben negar, por el trabajo y diligencia que puse en buscar el fin desta agradable historia; aunque bien sé que si el cielo, el caso y la fortuna no me ayudan, el mundo quedará falto y sin el pasatiempo y gusto que bien casi dos horas[7] podrá tener el que con atención la leyere. Pasó, pues, el hallarla en esta manera:

Estando yo un día en el Alcaná[8] de Toledo, llegó un muchacho a vender unos cartapacios y papeles viejos a un sedero; y como yo soy aficionado a leer, aunque sean

[5] El primero se publicó en 1586 y el segundo en 1587 (véase I, 6, notas 38 y 39).
[6] La *capellina* era arma defensiva de la cabeza usada por la gente rústica; ser *de hacha y capellina* indica ser de bajo pueblo.
[7] *casi dos horas* parece un contrasentido, pues se necesitan muchas más para leer el *Quijote*. Es posible que se trate de una nota humilde de Cervantes quien reconocería que, en la lectura de su novela, el lector sólo recibe «pasatiempo y gusto» durante dos horas distribuidas en toda la narración.
[8] *el Alcaná*, calle de Toledo con muchas tiendas de mercaderes.

los papeles rotos de las calles, llevado desta mi natural inclinación, tomé un cartapacio de los que el muchacho vendía, y vile con carácteres que conocí ser arábigos. Y puesto que aunque los conocía no los sabía leer, anduve mirando si parecía por allí algún morisco aljamiado[9] que los leyese, y no fue muy dificultuoso hallar intérprete semejante, pues aunque le buscara de otra mejor y más antigua lengua, le hallara[10]. En fin, la suerte me deparó uno, que, diciéndole mi deseo y poniéndole el libro en las manos, le abrió por medio, y leyendo un poco en él, se comenzó a reír.

Preguntéle yo que de qué se reía, y respondióme que de una cosa que tenía aquel libro escrita en el margen por anotación. Díjele que me la dijese, y él, sin dejar la risa, dijo:

—Está, como he dicho, aquí en el margen escrito esto: «Esta Dulcinea del Toboso, tantas veces en esta historia referida, dicen que tuvo la mejor mano para salar puercos que otra mujer de toda la Mancha».

Cuando yo oí decir «Dulcinea del Toboso», quedé atónito y suspenso, porque luego se me representó que aquellos cartapacios contenían la historia de don Quijote. Con esta imaginación, le di priesa que leyese el principio, y, haciéndolo ansí, volviendo de improviso el arábigo en castellano, dijo que decía: *Historia de don Quijote de la Mancha, escrita por Cide Hamete Benengeli*[11], *historiador arábigo*. Mucha discreción fue menester para disimular el contento que recebí cuando llegó a mis oídos el título del libro; y, salteándosele al sedero, compré al muchacho todos los papeles y cartapacios por medio real; que si él tuviera discreción y supiera lo que yo los deseaba, bien se pudiera prometer y llevar más de seis reales de la compra. Apartéme luego con el morisco por el claustro de la iglesia mayor, y roguéle me volviese aquellos cartapacios, todos los que trataban de don Quijote, en lengua castellana, sin quitarles ni añadirles nada, ofreciéndole la

---

[9] *aljamiado,* que sabe castellano.
[10] Es decir: también le hubiera sido fácil encontrar a algún judío en el Alcaná.
[11] Nombre inventado, pero en auténtico árabe e irónico: *cide,* señor, *Hamete,* el nombre árabe Hamid, y *Benengeli,* aberenjenado. Para otras interpretaciones véase Helena Percas de Ponseti, *Cervantes y su concepto del arte,* Madrid, 1975, págs. 115-123.

paga que él quisiese. Contentóse con dos arrobas de pasas[12] y dos fanegas de trigo, y prometió de traducirlos bien y fielmente y con mucha brevedad. Pero yo, por facilitar más el negocio y por no dejar de la mano tan buen hallazgo, le truje a mi casa, donde en poco más de mes y medio la tradujo toda, del mesmo modo que aquí se refiere.

Estaba en el primero cartapacio pintada muy al natural la batalla de don Quijote con el vizcaíno, puestos en la mesma postura que la historia cuenta, levantadas las espadas, el uno cubierto de su rodela, el otro de la almohada, y la mula del vizcaíno tan al vivo, que estaba mostrando ser de alquiler a tiro de ballesta. Tenía a los pies escrito el vizcaíno un título que decía: *Don Sancho de Azpetia*[13], que, sin duda, debía de ser su nombre, y a los pies de Rocinante estaba otro que decía: *Don Quijote.* Estaba Rocinante maravillosamente pintado, tan largo y tendido, tan atenuado y flaco, con tanto espinazo, tan hético confirmado[14], que mostraba bien al descubierto con cuánta advertencia y propriedad se le había puesto el nombre de Rocinante. Junto a él estaba Sancho Panza, que tenía del cabestro a su asno, a los pies del cual estaba otro rétulo que decía: *Sancho Zancas,* y debía de ser que tenía, a lo que mostraba la pintura, la barriga grande, el talle corto y las zancas largas, y por esto se le debió de poner nombre de Panza y de Zancas, que con estos dos sobrenombres le llama algunas veces la historia. Otras algunas menudencias había que advertir, pero todas son de poca importancia y que no hacen al caso a la verdadera relación de la historia, que ninguna es mala como sea verdadera.

Si a ésta se le puede poner alguna objeción cerca de su verdad, no podrá ser otra sino haber sido su autor arábigo, siendo muy propio de los de aquella nación ser mentirosos; aunque, por ser tan nuestros enemigos, antes se puede entender haber quedado falto en ella que demasiado. Y ansí me parece a mí, pues cuando pudiera

---

[12] Los moriscos apreciaban mucho las pasas, como confirma el refrán: «Mal haya quien hace pasas, dijo el morisco después de probar el vino».
[13] *Azpetia* en las ediciones antiguas; se trata de Azpeitia, en Guipúzcoa.
[14] *hético confirmado,* tísico declarado.

y debiera estender la pluma en las alabanzas de tan buen caballero, parece que de industria[15] las pasa en silencio; cosa mal hecha y peor pensada, habiendo y debiendo ser los historiadores puntuales, verdaderos y no nada apasionados, y que ni el interés ni el miedo, el rencor ni la afición, no les hagan torcer del camino de la verdad, cuya madre es la historia, émula del tiempo, depósito de las acciones, testigo de lo pasado, ejemplo y aviso de lo presente, advertencia de lo por venir. En ésta sé que se hallará todo lo que se acertare a desear en la más apacible; y si algo bueno en ella faltare, para mí tengo que fue por culpa del galgo[16] de su autor, antes que por falta del sujeto. En fin, su segunda parte, siguiendo la tradución, comenzaba desta manera:

Puestas y levantadas en alto las cortadoras espadas de los dos valerosos y enojados combatientes, no parecía sino que estaban amenazando al cielo, a la tierra y al abismo: tal era el denuedo y continente que tenían. Y el primero que fue a descargar el golpe fue el colérico vizcaíno; el cual fue dado con tanta fuerza y tanta furia que, a no volvérsele la espada en el camino, aquel solo golpe fuera bastante para dar fin a su rigurosa contienda y a todas las aventuras de nuestro caballero; mas la buena suerte, que para mayores cosas le tenía guardado, torció la espada de su contrario, de modo que, aunque le acertó en el hombro izquierdo, no le hizo otro daño que desarmarle todo aquel lado, llevándole, de camino, gran parte de la celada, con la mitad de la oreja; que todo ello con espantosa ruina vino al suelo, dejándole muy maltrecho.

¡Válame Dios, y quién será aquel que buenamente pueda contar ahora la rabia que entró en el corazón de nuestro manchego, viéndose parar de aquella manera! No se diga más sino que fue de manera, que se alzó de nuevo en los estribos, y apretando más la espada en las dos manos, con tal furia descargó sobre el vizcaíno, acertándole de lleno sobre la almohada y sobre la cabeza, que, sin ser parte tan buena defensa, como si cayera sobre él una montaña, comenzó a echar sangre por las narices y por la boca,

---

[15] *de industria,* a sabiendas, adrede.
[16] *galgo,* como *perro,* mote denigrante dado a los moros. Es curioso que Cervantes, en su comedia *Los baños de Argel,* haga que Halima llame a los cristianos *galgos.*

y por los oídos, y a dar muestras de caer de la mula
abajo, de donde cayera, sin duda, si no se abrazara con
el cuello; pero, con todo eso, sacó los pies de los estribos
y luego soltó los brazos, y la mula, espantada del terrible
golpe, dio a correr por el campo, y a pocos corcovos dio
con su dueño en tierra.

Estábaselo con mucho sosiego mirando don Quijote,
y como lo vio caer, saltó de su caballo y con mucha ligereza se llegó a él, y poniéndole la punta de la espada en
los ojos, le dijo que se rindiese; si no, que le cortaría la
cabeza. Estaba el vizcaíno tan turbado, que no podía responder palabra; y él lo pasara mal, según estaba ciego
don Quijote, si las señoras del coche, que hasta entonces
con gran desmayo habían mirado la pendencia, no fueran
adonde estaba y le pidieran con mucho encarecimiento
les hiciese tan gran merced y favor de perdonar la vida
a aquel su escudero. A lo cual don Quijote respondió con
mucho entono y gravedad:

—Por cierto, fermosas señoras, yo soy muy contento
de hacer lo que me pedís; mas ha de ser con una condición y concierto, y es que este caballero me ha de prometer de ir al lugar del Toboso y presentarse de mi parte
ante la sin par doña Dulcinea, para que ella haga dél lo
que más fuere de su voluntad.

Las temerosas y desconsoladas señoras, sin entrar en
cuenta de lo que don Quijote pedía, y sin preguntar quién
Dulcinea fuese, le prometieron que el escudero haría todo
aquello que de su parte le fuese mandado.

—Pues en fe de esa palabra, yo no le haré más daño,
puesto que me lo tenía bien merecido[17].

---

[17] «aunque ante mí lo había bien merecido».

CAPÍTULO X

DE LO QUE MÁS LE AVINO A DON QUIJOTE CON EL VIZCAÍNO Y DEL PELIGRO EN QUE SE VIO CON UNA TURBA DE YANGÜESES*

YA en este tiempo se había levantado Sancho Panza, algo maltratado[1] de los mozos de los frailes, y había estado atento a la batalla de su señor don Quijote, y rogaba a Dios, en su corazón, fuese servido de darle vitoria y que en ella ganase alguna ínsula de donde le hiciese gobernador, como se lo había prometido. Viendo, pues, ya acabada la pendencia, y que su amo volvía a subir sobre Rocinante, llegó a tenerle el estribo, y antes que subiese se hincó de rodillas delante dél, y asiéndole de la mano, se la besó y le dijo:

—Sea vuestra merced servido, señor don Quijote mío, de darme el gobierno de la ínsula que en esta rigurosa pendencia se ha ganado; que, por grande que sea, yo me siento con fuerzas de saberla gobernar tal y tan bien como otro que haya gobernado ínsulas en el mundo.

A lo cual respondió don Quijote:

—Advertid, hermano Sancho, que esta aventura y las a ésta semejantes no son aventuras de ínsulas, sino de encrucijadas, en las cuales no se gana otra cosa que sacar rota la cabeza o una oreja menos. Tened paciencia, que aventuras se ofrecerán donde no solamente os pueda hacer gobernador, sino más adelante[2].

---

* El epígrafe de este capítulo ha sido considerado disparatado porque realmente la aventura del vizcaíno ya se ha acabado y la de los yangüeses o gallegos no ocurrirá hasta el capítulo 15. En la edición del *Quijote* de Tonson (Londres, 1738) se sustituyó por otro inventado (*Del discurso que tuvo don Quijote con su buen escudero Sancho Panza*), y la Real Academia Española, en su edición de 1780, inventó el siguiente: *De los graciosos razonamientos que pasaron entre don Quijote y Sancho Panza su escudero*, muy adecuado al contexto y que luego han reproducido la mayoría de las ediciones posteriores. Este «descuido» de Cervantes es muy revelador, pues, como veremos en el comentario preliminar al capítulo siguiente, es muy posible que, en una primera redacción del *Quijote*, tras la aventura del vizcaíno viniera la de los yangüeses o gallegos, o sea que a continuación de este capítulo 10 siguiera inmediatamente el 15.

[1] *algo maltratado*, atenuación irónica, pues Sancho fue «muy maltratado».

[2] *sino más adelante*, sino más todavía.

Agradecióselo mucho Sancho, y, besándole otra vez la mano y la falda de la loriga[3], le ayudó a subir sobre Rocinante; y él subió sobre su asno y comenzó a seguir a su señor, que, a paso tirado, sin despedirse ni hablar más con las del coche, se entró por un bosque que allí junto estaba. Seguíale Sancho a todo el trote de su jumento, pero caminaba tanto Rocinante, que, viéndose quedar atrás, le fue forzoso dar voces a su amo que se aguardase. Hízolo así don Quijote, teniendo las riendas a Rocinante hasta que llegase su cansado escudero, el cual, en llegando, le dijo:

—Paréceme, señor, que sería acertado irnos a retraer a alguna iglesia; que, según quedó maltrecho aquel con quien os combatistes, no será mucho que den noticia del caso a la Santa Hermandad[4] y nos prendan; y a fe que si lo hacen, que primero que salgamos de la cárcel que nos ha de sudar el hopo[5].

—Calla —dijo don Quijote—. Y ¿dónde has visto tú, o leído jamás, que caballero andante haya sido puesto ante la justicia, por más homicidios que hubiese cometido?

—Yo no sé nada de omecillos[6] —respondió Sancho—, ni en mi vida le caté[7] a ninguno; sólo sé que la Santa Hermandad tiene que ver con los que pelean en el campo, y en esotro no me entremeto.

—Pues no tengas pena, amigo —respondió don Quijote—; que yo te sacaré de las manos de los caldeos[8], cuanto más de las de la Hermandad. Pero dime por tu vida: ¿has visto más valeroso caballero que yo en todo lo descubierto de la tierra? ¿Has leído en historias otro que tenga ni haya tenido más brío en acometer, más

[3] *falda de la loriga*, las mallas que penden de la cota de mallas.
[4] *la Santa Hermandad* de Castilla, tribunal constituido para castigar los delitos cometidos en el campo y que disponía de milicias armadas formadas por grupos o cuadrillas (de donde a sus agentes se les llamaba cuadrilleros) que perseguían a los malhechores.
[5] *sudar el hopo*, «sudar hasta los pelos», ya que *hopo* significa «copete»; quiere decir pasar grandes apuros o tribulaciones.
[6] *omecillo*, odio, rencor; Sancho no ha entendido la palabra *homicidio*.
[7] *caté*, guarde. Sancho quiere decir: «nunca tuve odio (*omecillo*) a nadie».
[8] Modismo que tal vez procede del versículo bíblico: «Huid del recinto de Babel, de la tierra de los caldeos salid» (Jeremías, L, 8). Don Quijote quiere decir: «yo te sacaré de apuros».

aliento en el perseverar, más destreza en el herir, ni más maña en el derribar?

—La verdad sea —respondió Sancho— que yo no he leído ninguna historia jamás, porque ni sé leer ni escrebir; mas lo que osaré apostar es que más atrevido amo que vuestra merced yo no le he servido en todos los días de mi vida, y quiera Dios que estos atrevimientos no se paguen donde tengo dicho. Lo que le ruego a vuestra merced es que se cure; que le va mucha sangre de esa oreja; que aquí traigo hilas y un poco de ungüento blanco[9] en las alforjas.

—Todo eso fuera bien escusado —respondió don Quijote— si a mí se me acordara de hacer una redoma del bálsamo de Fierabrás[10], que con sola una gota se ahorraran tiempo y medicinas.

—¿Qué redoma y qué balsamo es ése? —djio Sancho Panza.

—Es un bálsamo —respondió don Quijote— de quien tengo la receta en la memoria, con el cual no hay que tener temor a la muerte, ni hay pensar morir de ferida alguna. Y ansí, cuando yo le haga y te le dé, no tienes más que hacer sino que, cuando vieres que en alguna batalla me han partido por medio del cuerpo (como muchas veces suele acontecer), bonitamente la parte del cuerpo que hubiere caído en el suelo, y con mucha sotiliza[11], antes que la sangre se yele, la pondrás sobre la otra mitad que quedare en la silla, advirtiendo de encajallo igualmente y al justo[12]. Luego me darás a beber solos dos tragos del bálsamo que he dicho, y verásme quedar más sano que una manzana.

—Si eso hay —dijo Panza—, yo renuncio desde aquí el gobierno de la prometida ínsula, y no quiero otra cosa, en pago de mis muchos y buenos servicios, sino que vuestra merced me dé la receta de ese estremado licor; que para mí tengo que valdrá la onza adondequiera más de a dos reales, y no he menester yo más para pasar esta vida

---

[9] *ungüento blanco,* medicamento que se hacía con cera, albayalde y aceite rosado.
[10] Para el *bálsamo de Fierabrás* véase el comentario preliminar al capítulo 17 de esta primera parte.
[11] *sotiliza,* sutileza
[12] *encajallo igualmente y al justo,* encajarlo todo por igual y con justeza.

honrada y descansadamente. Pero es de saber agora si tiene mucha costa el hacelle.

—Con menos de tres reales se pueden hacer tres azumbres[13] —respondió don Quijote.

—¡Pecador de mí! —replicó Sancho—. ¿Pues a qué aguarda vuestra merced a hacelle y a enseñármele?

—Calla, amigo —respondió don Quijote—; que mayores secretos pienso enseñarte y mayores mercedes hacerte; y, por agora, curémonos, que la oreja me duele más de lo que yo quisiera.

Sacó Sancho de las alforjas hilas y ungüento. Mas cuando don Quijote llegó a ver rota su celada, pensó perder el juicio, y puesta la mano en la espada y alzando los ojos al cielo, dijo:

—Yo hago juramento al Criador de todas las cosas y a los santos cuatro Evangelios, donde más largamente están escritos[14], de hacer la vida que hizo el grande marqués de Mantua cuando juró vengar la muerte de su sobrino Valdovinos, que fue de no comer pan a manteles, ni con su mujer folgar, y otras cosas[15] que, aunque dellas no me acuerdo, las doy aquí por expresadas, hasta tomar entera venganza del que tal desaguisado me fizo.

Oyendo esto Sancho, le dijo:

—Advierta vuestra merced, señor don Quijote, que si el caballero cumplió lo que se le dejó ordenado de irse a presentar ante mi señora Dulcinea del Toboso, ya habrá cumplido con lo que debía, y no merece otra pena si no comete nuevo delito.

—Has hablado y apuntado muy bien —respondió don Quijote—: y así, anulo el juramento en cuanto lo que toca a tomar dél nueva venganza; pero hágole y confírmole de nuevo de hacer la vida que he dicho, hasta tanto que quite por fuerza otra celada tal y tan buena como ésta a algún caballero. Y no pienses, Sancho, que así a humo de pajas hago esto, que bien tengo a quien imitar en ello; que esto mesmo pasó, al pie de la letra, sobre el yelmo de Mambrino, que tan caro le costó a Sacripante[16].

---

[13] *tres azumbres,* algo más de seis litros.
[14] Cuando no se tenían a mano los Evangelios y se tenía que jurar por ellos se empleaba esta fórmula.
[15] Frases tomadas de un romance del marqués de Mantua.
[16] Para el yelmo de Mambrino véase el comentario preliminar al capítulo 21 de esta primera parte.

—Que dé al diablo vuestra merced tales juramentos, señor mío —replicó Sancho—; que son muy en daño de la salud y muy en perjuicio de la conciencia. Si no, dígame ahora: si acaso en muchos días no topamos hombre armado con celada, ¿qué hemos de hacer? ¿Hase de cumplir el juramento, a despecho de tantos inconvenientes e incomodidades, como será el dormir vestido, y el no dormir en poblado, y otras mil penitencias que contenía el juramento de aquel loco viejo del marqués de Mantua, que vuestra merced quiere revalidar ahora? Mire vuestra merced bien, que por todos estos caminos no andan hombres armados, sino arrieros y carreteros, que no sólo no traen celadas, pero quizá no las han oído nombrar en todos los días de su vida.

—Engáñaste en eso —dijo don Quijote—; porque no habremos estado dos horas por estas encrucijadas, cuando veamos más armados que los que vinieron sobre Albraca, a la conquista de Angélica la Bella[17].

—Alto, pues; sea ansí —dijo Sancho—, y a Dios prazga[18] que nos suceda bien, y que se llegue ya el tiempo de ganar esta ínsula que tan cara me cuesta, y muérame yo luego[19].

—Ya te he dicho, Sancho, que no te dé eso cuidado alguno; que cuando faltare ínsula, ahí está el reino de Dinamarca o el de Soliadisa[20], que te vendrán como anillo al dedo, y más que, por ser en tierra firme, te debes más alegrar. Pero dejemos esto para su tiempo, y mira si traes algo en esas alforjas que comamos, porque vamos luego en busca de algún castillo donde alojemos esta noche y hagamos el bálsamo que te he dicho; porque yo te voto a Dios que me va doliendo mucho la oreja.

[17] Referencia a un episodio del *Orlando innamorato* de Mateo Boiardo, en el que el ejército de Agricane, compuesto de veintidós centenares de millares de caballeros, acude al cerco de Albraca, castillo del rey Galafrone del Catay, donde estaba prisionera Angélica.

[18] *prazga,* plazca.

[19] Sancho recuerda el estribillo de una conocida canción tradicional, muchas veces glosada: «Véante mis ojos, Y muérame yo luego» (Santa Teresa la glosó a lo divino).

[20] *Soliadisa,* así en la primera edición. A partir de la segunda se lee *Sobradisa,* y efectivamente en el *Amadís de Gaula* se mencionan varias veces los reinos de Dinamarca y Sobradisa. Pero en el libro de *Clamades y Clarmonda* figura la infanta Soliadisa (cfr. Bonilla y San Martín, *Libros de caballerías,* II, pág. 425), lo que hace posible que Cervantes aludiera al reino de donde era natural esta infanta.

—Aquí trayo una cebolla, y un poco de queso, y no sé cuántos mendrugos de pan —dijo Sancho—; pero no son manjares que pertenecen a tan valiente caballero como vuestra merced.

—¡Qué mal lo entiendes! —respondió don Quijote—; hágote saber, Sancho, que es honra de los caballeros andantes no comer en un mes, y, ya que coman, sea de aquello que hallaren más a mano; y esto se te hiciera cierto si hubieras leído tantas historias como yo; que aunque han sido muchas, en todas ellas no he hallado hecha relación de que los caballeros andantes comiesen, si no era acaso y en algunos suntuosos banquetes que les hacían, y los demás días se los pasaban en flores[21]. Y aunque se deja entender que no podían pasar sin comer y sin hacer todos los otros menesteres naturales, porque, en efeto, eran hombres como nosotros, hase de entender también que andando lo más del tiempo de su vida por las florestas y despoblados, y sin cocinero, que su más ordinaria comida sería de viandas rústicas, tales como las que tú ahora me ofreces. Así que, Sancho amigo, no te congoje lo que a mí me da gusto. Ni querrás tú hacer mundo nuevo, ni sacar la caballería andante de sus quicios.

—Perdóneme vuestra merced —dijo Sancho—; que como yo no sé leer ni escrebir, como otra vez he dicho, no sé ni he caído en las reglas de la profesión caballeresca; y de aquí adelante yo proveeré las alforjas de todo género de fruta seca para vuestra merced, que es caballero, y para mí las proveeré, pues no lo soy, de otras cosas volátiles y de más sustancia.

—No digo yo, Sancho —replicó don Quijote—, que sea forzoso a los caballeros andantes no comer otra cosa sino esas frutas que dices, sino que su más ordinario sustento debía de ser dellas, y de algunas yerbas que hallaban por los campos, que ellos conocían y yo también conozco.

—Virtud es —respondió Sancho— conocer esas yerbas; que, según yo me voy imaginando, algún día será menester usar de ese conocimiento.

Y sacando, en esto, lo que dijo que traía, comieron los dos en buena paz y compaña. Pero, deseosos de buscar

---

[21] *en flores,* en cosas de poca sustancia.

donde alojar aquella noche, acabaron con mucha brevedad su pobre y seca comida. Subieron luego a caballo, y
diéronse priesa por llegar a poblado antes que anocheci-
se; pero faltóles el sol, y la esperanza de alcanzar lo que
deseaban, junto a unas chozas de unos cabreros, y así, determinaron de pasarla allí; que cuanto fue de pesadumbre para Sancho no llegar a poblado, fue de contento
para su amo dormirla al cielo descubierto, por parecerle
que cada vez que esto le sucedía era hacer un acto po-
sesivo²² que facilitaba la prueba de su caballería.

CAPÍTULO XI

DE LO QUE LE SUCEDIÓ A DON QUIJOTE
CON UNOS CABREROS*

F UE recogido de los cabreros con buen ánimo, y habiendo Sancho, lo mejor que pudo, acomodado a
Rocinante y a su jumento, se fue tras el olor que despedían de sí ciertos tasajos de cabra que hirviendo al fuego
en un caldero estaban; y aunque él quisiera en aquel
mesmo punto ver si estaban en sazón de trasladarlos del
caldero al estómago, lo dejó de hacer, porque los cabreros los quitaron del fuego, y, tendiendo por el suelo unas
pieles de ovejas, aderezaron con mucha priesa su rústica

²² *acto posesivo, o positivo,* hecho que califica la virtud, limpieza o nobleza de alguna persona o familia.
* La estancia de don Quijote y Sancho con los cabreros, que
ocupa los capítulos 11 a 14, ofrece un acusado paréntesis en la
narración y presenta un escenario y un ambiente distintos a
lo que hasta ahora ha ocurrido y a lo que ocurrirá luego (aventura de los yangüeses, sucesos de la venta, aventuras de los re-
banos, de los batanes y de los galeotes), que son episodios que
acaecen en caminos más o menos frecuentados y en tierra llana.
Los cabreros, en cambio, viven en las asperezas de la sierra. Es
posible que Cervantes hubiese colocado el texto de los capítulos 11 a 14 donde está ahora el 25, o sea, cuando don Quijote y
Sancho están en Sierra Morena. Obsérvese que, si prescindimos
ahora de los capítulos 11 a 14, el epígrafe equivocado del 10 (véase el comentario preliminar) adquiere lógica, pues quedaría antes
del capítulo 15, que narra la aventura de los yangüeses (para
todo este problema véase G. Stagg, *Revision in don Quixote
Part I,* «Hispanic Studies in Honour of I. González Llubera»,
Oxford, 1959). A última hora Cervantes hubiera trasladado el
texto de lo que narran los capítulos 11 a 14 al lugar que ahora
ocupan, sin duda para distanciar la historia de Marcela de la
de Cardenio.

mesa y convidaron a los dos, con muestras de muy buena voluntad, con lo que tenían. Sentáronse a la redonda de las pieles seis dellos, que eran los que en la majada había, habiendo primero con groseras[1] ceremonias rogado a don Quijote que se sentase sobre un dornajo[2] que vuelto del revés le pusieron. Sentóse don Quijote, y quedábase Sancho en pie para servirle la copa, que era hecha de cuerno. Viéndole en pie su amo, le dijo:

—Porque veas, Sancho, el bien que en sí encierra la andante caballería, y cuán a pique están los que en cualquiera ministerio della se ejercitan de venir brevemente a ser honrados y estimados del mundo, quiero que aquí a mi lado y en compañía desta buena gente te sientes, y que seas una mesma cosa conmigo, que soy tu amo y natural señor; que comas en mi plato y bebas por donde yo bebiere; porque de la caballería andante se puede decir lo mesmo que del amor se dice: que todas las cosas iguala.

—¡Gran merced! —dijo Sancho—; pero sé decir a vuestra merced que como yo tuviese bien de comer, tan bien y mejor me lo comería en pie y a mis solas como sentado a par de un emperador. Y aun, si va a decir verdad, mucho mejor me sabe lo que como en mi rincón sin melindres ni respetos, aunque sea pan y cebolla, que los gallipavos de otras mesas donde me sea forzoso mascar despacio, beber poco, limpiarme a menudo, no estornudar ni toser si me viene gana, ni hacer otras cosas que la soledad y la libertad traen consigo. Ansí que, señor mío, estas honras que vuestra merced quiere darme por ser ministro y adherente de la caballería andante, como lo soy siendo escudero de vuestra merced, conviértalas en otras cosas que me sean de más comodo[3] y provecho; que éstas, aunque las doy por bien recebidas, las renuncio para desde aquí al fin del mundo.

—Con todo eso, te has de sentar; porque a quien se humilla, Dios le ensalza.

Y asiéndole por el brazo, le forzó a que junto dél se sentase.

---

[1] *groseras,* rústicas, campesinas.
[2] *dornajo,* artesa pequeña y redonda en la que se da de comer a los lechones.
[3] *comodo,* comodidad.

No entendían los cabreros aquella jerigonza de escuderos y de caballeros andantes, y no hacían otra cosa que comer y callar, y mirar a sus huéspedes, que, con mucho donaire y gana, embaulaban tasajo como el puño. Acabado el servicio de carne, tendieron sobre las zaleas[4] gran cantidad de bellotas avellanadas, y juntamente pusieron un medio queso, más duro que si fuera hecho de argamasa. No estaba, en esto, ocioso el cuerno, porque andaba a la redonda tan a menudo —ya lleno, ya vacío como arcaduz de noria—, que con facilidad vació un zaque[5] de dos que estaban de manifiesto. Después que don Quijote hubo bien satisfecho su estómago, tomó un puño de bellotas en la mano, y, mirándolas atentamente, soltó la voz a semejantes razones[6]:

—Dichosa edad y siglos dichosos aquellos a quien los antiguos pusieron nombre de dorados, y no porque en ellos el oro, que en esta nuestra edad de hierro tanto se estima, se alcanzase en aquella venturosa sin fatiga alguna, sino porque entonces los que en ella vivían ignoraban estas dos palabras de *tuyo* y *mío*. Eran en aquella santa edad todas las cosas comunes; a nadie le era necesario para alcanzar su ordinario sustento tomar otro trabajo que alzar la mano y alcanzarle de las robustas encinas, que liberalmente les estaban convidando con su dulce y sazonado fruto. Las claras fuentes y corrientes ríos, en magnífica abundancia, sabrosas y transparentes aguas les ofrecían. En las quiebras de las peñas y en lo hueco de los árboles formaban su república las solícitas y discretas abejas, ofreciendo a cualquiera mano, sin interés alguno, la fértil cosecha de su dulcísimo trabajo. Los valientes[7] alcornoques despedían de sí, sin otro artificio que el de su cortesía, sus anchas y livianas cortezas, con que se comenzaron a cubrir las casas, sobre rústicas estacas sustentadas,

[4] *zaleas*, cueros de oveja o carnero, curtidos, que sirven de abrigo.
[5] *zaque*, odre pequeño.
[6] Aquí Cervantes reúne con acierto, y varias veces con ironía, una serie de tópicos de autores clásicos y renacentistas sobre la Edad de Oro, ideal época en la que la virtud y la bondad imperaban en el mundo. Varios de los conceptos desarrollados por don Quijote reaparecen en la comedia de Cervantes *El trato de Argel*, donde el cautivo Aurelio pronuncia un soliloquio que empieza: «¡Oh santa edad, por nuestro mal pasada, A quien nuestros antiguos le pusieron El dulce nombre de la edad dorada!...».
[7] *valientes*, grandes.

no más que para defensa de las inclemencias del cielo. Todo era paz entonces, todo amistad, todo concordia; aún no se había atrevido la pesada reja del corvo arado a abrir ni visitar las entrañas piadosas de nuestra primera madre, que ella, sin ser forzada, ofrecía, por todas las partes de su fértil y espacioso seno, lo que pudiese hartar, sustentar y deleitar a los hijos que entonces la poseían. Entonces sí que andaban las simples y hermosas zagalejas de valle en valle y de otero en otero en trenza y en cabello, sin más vestidos de aquellos que eran menester para cubrir honestamente lo que la honestidad quiere y ha querido siempre que se cubra, y no eran sus adornos de los que ahora se usan, a quien la púrpura de Tiro y la por tantos modos martirizada seda encarecen, sino de algunas hojas verdes de lampazos y yedra entretejidas, con lo que quizá iban tan pomposas y compuestas como van agora nuestras cortesanas con las raras y peregrinas invenciones que la curiosidad ociosa les ha mostrado. Entonces se decoraban[8] los concetos amorosos del alma simple y sencillamente del mesmo modo y manera que ella los concebía, sin buscar artificioso rodeo de palabras para encarecerlos. No había la fraude, el engaño ni la malicia mezcládose con la verdad y llaneza. La justicia se estaba en sus proprios términos, sin que la osasen turbar ni ofender los del favor y los del interese, que tanto ahora la menoscaban, turban y persiguen. La ley del encaje[9] aún no se había sentado en el entendimiento del juez, porque entonces no había que juzgar, ni quien fuese juzgado. Las doncellas y la honestidad andaban, como tengo dicho, por dondequiera, sola y señora[10], sin temor que la ajena desenvoltura y lascivo intento le menoscabasen, y su perdición nacía de su gusto y propria voluntad. Y agora, en estos nuestros detestables siglos, no está segura ninguna, aunque la oculte y cierre otro nuevo laberinto, como el de Creta; porque allí, por los resquicios o por el aire, con el celo de la maldita solicitud se les entra la amorosa pestilencia y

---

[8] *decoraban*, recitaban de memoria.
[9] *ley del encaje*, resolución arbitraria tomada por un juez.
[10] *sola y señora* se puede defender suponiendo que las doncellas y la honestidad se consideran como un todo abstracto, que concuerda con el *«le menoscabasen»* que aparece luego. Algunos editores modernos enmiendan aquí *solas y señeras* (expresión muy frecuente en Cervantes) y más adelante *les menoscabasen.*

les hace dar con todo su recogimiento al traste. Para cuya seguridad, andando más los tiempos y creciendo más la malicia, se instituyó la orden de los caballeros andantes, para defender las doncellas, amparar las viudas y socorrer a los huérfanos y a los menesterosos. Desta orden soy yo, hermanos cabreros, a quien agradezco el gasaje[11] y buen acogimiento que hacéis a mí y a mi escudero. Que, aunque por ley natural están todos los que viven obligados a favorecer a los caballeros andantes, todavía, por saber que sin saber vosotros esta obligación me acogistes y regalastes, es razón que, con la voluntad a mí posible, os agradezca la vuestra.

Toda esta larga arenga —que se pudiera muy bien escusar— dijo nuestro caballero, porque las bellotas que le dieron le trujeron a la memoria la edad dorada, y antojósele hacer aquel inútil razonamiento a los cabreros, que, sin respondelle palabra, embobados y suspensos, le estuvieron escuchando. Sancho asimesmo callaba y comía bellotas, y visitaba muy a menudo el segundo zaque que, porque se enfriase el vino, le tenían colgado de un alcornoque.

Más tardó en hablar don Quijote que en acabarse la cena; al fin de la cual uno de los cabreros dijo:

—Para que con más veras pueda vuestra merced decir, señor caballero andante, que le agasajamos con prompta y buena voluntad, queremos darle solaz y contento con hacer que cante un compañero nuestro que no tardará mucho en estar aquí; el cual es un zagal muy entendido y muy enamorado, y que, sobre todo, sabe leer y escrebir y es músico de un rabel[12], que no hay más que desear.

Apenas había el cabrero acabado de decir esto cuando llegó a sus oídos el son del rabel, y de allí a poco llegó el que le tañía, que era un mozo de hasta veinte y dos años, de muy buena gracia. Preguntáronle sus compañeros si había cenado, y respondiendo que sí, el que había hecho los ofrecimientos le dijo:

—De esa manera, Antonio, bien podrás hacernos placer de cantar un poco, porque vea este señor huésped qué

---

[11] *gasaje,* agasajo.
[12] *rabel,* instrumento pastoril de tres cuerdas que se toca con arco.

tenemos; que también por los montes y selvas hay quien sepa de música. Hémosle dicho tus buenas habilidades y deseamos que las muestres y nos saques verdaderos; y así, te ruego por tu vida que te sientes y cantes el romance de tus amores que te compuso el beneficiado tu tío, que en el pueblo ha parecido muy bien.

—Que me place —respondió el mozo.

Y sin hacerse más de rogar, se sentó en el tronco de una desmochada encina, y, templando su rabel, de allí a poco, con muy buena gracia, comenzó a cantar, diciendo desta manera:

ANTONIO

—Yo sé, Olalla[13], que me adoras,
puesto que no me lo has dicho[14]
ni aun con los ojos siquiera,
mudas lenguas de amoríos.

Porque sé que eres sabida,
en que me quieres me afirmo;
que nunca fue desdichado
amor que fue conocido.

Bien es verdad que tal vez[15],
Olalla, me has dado indicio
que tienes de bronce el alma
y el blanco pecho de risco.

Más allá, entre tus reproches
y honestísimos desvíos,
tal vez la esperanza muestra
la orilla de su vestido.

Abalánzase al señuelo
mi fe, que nunca ha podido,
ni menguar por no llamado,
ni crecer por escogido.

Si el amor es cortesía,
de la que tienes colijó
que el fin de mis esperanzas
ha de ser cual imagino.

[13] *Olalla*, forma rústica del nombre Eulalia.
[14] «aunque no me lo has dicho».
[15] *tal vez*, alguna vez.

Y si son servicios parte
de hacer un pecho benigno,
algunos de los que he hecho
fortalecen mi partido.

Porque si has mirado en ello,
más de una vez habrás visto
que me he vestido en los lunes
lo que me honraba el domingo.

Como el amor y la gala
andan un mesmo camino,
en todo tiempo a tus ojos
quise mostrarme polido.

Dejo el bailar por tu causa,
ni las músicas te pinto
que has escuchado a deshoras
y al canto del gallo primo[16].

No cuento las alabanzas
que de tu belleza he dicho;
que, aunque verdaderas, hacen
ser yo de algunas malquisto.

Teresa del Berrocal,
yo alabándote, me dijo:
«Tal piensa que adora a un ángel,
y viene a adorar a un jimio[17].

Merced a los muchos dijes
y a los cabellos postizos,
y a hipócritas hermosuras,
que engañan al Amor mismo.»

Desmentíla, y enojóse;
volvió por ella[18] su primo:
desafióme, y ya sabes
lo que yo hice y él hizo.

No te quiero yo a montón,
ni te pretendo y te sirvo
por lo de barraganía;
que más bueno es mi designio.

Coyundas tiene la Iglesia
que son lazadas de sirgo[19];

---

[16] *al canto del gallo primo*, a medianoche.
[17] *jimio*, simio, mono.
[18] *volvió por ella*, salió en su defensa.
[19] *sirgo*, seda torcida.

pon tú el cuello en la garnella[20];
verás como pongo el mío.
    Donde no, desde aquí juro
por el santo más bendito
de no salir destas sierras
sino para capuchino.

Con esto dio el cabrero fin a su canto; y aunque don
Quijote le rogó que algo más cantase, no lo consintió
Sancho Panza, porque estaba más para dormir que para
oír canciones. Y ansí, dijo a su amo:

—Bien puede vuestra merced acomodarse desde luego
adonde ha de posar esta noche; que el trabajo que estos
buenos hombres tienen todo el día no permite que pasen
las noches cantando.

—Ya te entiendo, Sancho —le respondió don Quijote—; que bien se me trasluce que las visitas del zaque
piden más recompensa de sueño que de música.

—A todos nos sabe bien, bendito sea Dios —respondió
Sancho.

—No lo niego —replicó don Quijote—; pero acomó-
date tú donde quisieres, que los de mi profesión mejor
parecen velando que durmiendo. Pero, con todo esto,
sería bien, Sancho, que me vuelvas a curar esta oreja, que
me va doliendo más de lo que es menester.

Hizo Sancho lo que se le mandaba, y, viendo uno de
los cabreros la herida, le dijo que no tuviese pena, que él
pondría remedio con que fácilmente se sanase. Y tomando algunas hojas de romero, de mucho que por allí había, las mascó y las mezcló con un poco de sal, y apli-
cándoselas a la oreja, se la vendó muy bien, asegurándole
que no había menester otra medicina, y así fue la verdad.

---

[20] *gamella*, arco que se forma en cada extremo del yugo.

CAPÍTULO XII

DE LO QUE CONTÓ UN CABRERO A LOS QUE ESTABAN CON DON QUIJOTE*

Estando en esto, llegó otro mozo de los que les traían del aldea el bastimento[1], y dijo:

—¿Sabéis lo que pasa en el lugar, compañeros?

—¿Cómo lo podemos saber? —respondió uno dellos.

—Pues sabed —prosiguió el mozo— que murió esta mañana aquel famoso pastor estudiante llamado Grisóstomo[2], y se murmura que ha muerto de amores de aquella endiablada moza de Marcela, la hija de Guillermo el rico, aquella que se anda en hábito de pastora por esos andurriales.

—¿Por Marcela dirás? —dijo uno.

—Por ésa digo —respondió el cabrero—. Y es lo bueno que mandó en su testamento que le enterrasen en el campo, como si fuera moro, y que sea al pie de la peña donde está la fuente del alcornoque, porque, según es fama, y él dicen que lo dijo, aquel lugar es adonde él la vio la vez primera. Y también mandó otras cosas, tales, que los abades del pueblo dicen que no se han de cumplir ni es bien que se cumplan, porque parecen de gentiles. A todo lo cual responde aquel gran su amigo Ambrosio, el estudiante, que también se vistió de pastor con él, que se ha de cumplir todo, sin faltar nada, como

* La historia de Grisóstomo y Marcela que aquí se narra y que termina en el capítulo 14 es de estilo similar al de la novela pastoril que Cervantes había cultivado en su primera obra, la *Galatea*, aunque aquí da una mayor sensación de naturalidad. En estos capítulos del *Quijote* hay una doble visión de la vida rústica: la de los cabreros y la de los pastores. Los primeros están tomados de la realidad, como Pedro, que en su hablar gracioso y campesino comete errores idiomáticos y emplea vulgarismos que don Quijote se apresura a corregirle. Los pastores, en cambio, son seres más literarios que auténticos, como Grisóstomo, «famoso pastor estudiante», que había frecuentado las aulas de Salamanca y era poeta. Esta doble visión, si bien se puede justificar admitiendo que los cabreros no pasan de ser unos palurdos y los pastores son unos labradores acomodados, no por esto deja de tener algo de arbitrario, aunque cae plenamente dentro del gusto de la época.

[1] *bastimento*, provisiones, comestibles.
[2] *Grisóstomo*, forma rústica de Crisóstomo.

lo dejó mandado Grisóstomo, y sobre esto anda el pueblo
alborotado; mas, a lo que se dice, en fin se hará lo que
Ambrosio y todos los pastores sus amigos quieren; y mañana le vienen a enterrar con gran pompa adonde tengo
dicho. Y tengo para mí que ha de ser cosa muy de ver;
a lo menos, yo no dejaré de ir a verla, si supiese no volver[3] mañana al lugar.

—Todos haremos lo mesmo —respondieron los cabreros—; y echaremos suertes a quién ha de quedar a guardar las cabras de todos.

—Bien dices, Pedro —dijo uno—; que no será menester usar de esa diligencia, que yo me quedaré por todos. Y no lo atribuyas a virtud y a poca curiosidad mía,
sino a que no me deja andar el garrancho[4] que el otro
día me pasó este pie.

—Con todo eso, te lo agradecemos —respondió Pedro.

Y don Quijote rogó a Pedro le dijese qué muerto era
aquél y qué pastora aquélla; a lo cual Pedro respondió
que lo que sabía era que el muerto era un hijodalgo rico,
vecino de un lugar que estaba en aquellas sierras, el cual
había sido estudiante muchos años en Salamanca, al cabo
de los cuales había vuelto a su lugar, con opinión de muy
sabio y muy leído.

—Principalmente, decían que sabía la ciencia de las
estrellas y de lo que pasan, allá en el cielo, el sol y la
luna, porque puntualmente nos decía el cris del sol y de
la luna.

—*Eclipse* se llama, amigo, que no *cris,* el escurecerse
esos dos luminares mayores —dijo don Quijote.

Mas Pedro, no reparando en niñerías, prosiguió su
cuento, diciendo:

—Asimesmo adevinaba cuándo había de ser el año
abundante o éstil.

—*Estéril* queréis decir, amigo —dijo don Quijote.

—*Estéril* o *éstil* —respondió Pedro—, todo se sale allá.
Y digo que con esto que decía se hicieron su padre y sus
amigos, que le daban crédito, muy ricos, porque hacían
lo que él les aconsejaba, diciéndoles: «Sembrad este año

---

[3] «aunque me viese obligado a no volver».
[4] *garrancho,* parte aguda y saliente del tronco o rama de una
planta.

cebada, no trigo; en éste podéis sembrar garbanzos y no cebada; el que viene será de guilla[5] de aceite; los tres siguientes no se cogerá gota».

—Esa ciencia se llama astrología —dijo don Quijote.

—No sé yo cómo se llama —replicó Pedro—; mas sé que todo esto sabía; y aún más. Finalmente, no pasaron muchos meses, después que vino de Salamanca, cuando un día remaneció vestido de pastor, con su cayado y pellico[6], habiéndose quitado los hábitos largos que como escolar traía; y juntamente se vistió con él de pastor otro su grande amigo, llamado Ambrosio, que había sido su compañero en los estudios. Olvidábaseme de decir como Grisóstomo, el difunto, fue grande hombre de componer coplas; tanto, que él hacía los villancicos para la noche del Nacimiento del Señor, y los autos para el día de Dios[7], que los representaban los mozos de nuestro pueblo, y todos decían que era por el cabo[8]. Cuando los del lugar vieron tan de improviso vestidos de pastores a los dos escolares, quedaron admirados, y no podían adivinar la causa que les había movido a hacer aquella tan estraña mudanza. Ya en este tiempo era muerto el padre de nuestro Grisóstomo, y él quedó heredado en mucha cantidad de hacienda, ansí en muebles como en raíces, y en no pequeña cantidad de ganado, mayor y menor, y en gran cantidad de dineros; de todo lo cual quedó el mozo señor desoluto[9], y en verdad que todo lo merecía, que era muy buen compañero y caritativo y amigo de los buenos, y tenía una cara como una bendición. Después se vino a entender que el haberse mudado de traje no había sido por otra cosa que por andarse por estos despoblados en pos de aquella pastora Marcela que nuestro zagal nombró denantes, de la cual se había enamorado el pobre difunto de Grisóstomo. Y quiéroos decir agora, porque es bien que lo sepáis, quién es esta rapaza; quizá, y aun sin quizá, no habréis oído semejante cosa en todos los días de vuestra vida, aunque viváis más años que sarna.

[5] *guilla*, cosecha copiosa.
[6] *pellico*, zamarra de pastor.
[7] *día de Dios*, Corpus Christi. Se refiere a los autos sacramentales que se representaban el día de Corpus.
[8] *por el cabo*, perfectos.
[9] *desoluto*, absoluto (vulgarismo).

—Decid *Sarra*[10] —replicó don Quijote, no pudiendo sufrir el trocar de los vocablos del cabrero.

—Harto vive la sarna —respondió Pedro—; y si es, señor, que me habéis de andar zahiriendo a cada paso los vocablos, no acabaremos en un año.

—Perdonad, amigo —dijo don Quijote—; que por haber tanta diferencia de *sarna* a *Sarra* os lo dije; pero vos respondistes muy bien, porque vive más *sarna* que *Sarra*; y proseguid vuestra historia, que no os replicaré más en nada.

—Digo, pues, señor mío de mi alma —dijo el cabrero—, que en nuestra aldea hubo un labrador aún más rico que el padre de Grisóstomo, el cual se llamaba Guillermo, y al cual dio Dios, amén de las muchas y grandes riquezas, una hija, de cuyo parto murió su madre, que fue la más honrada mujer que hubo en todos estos contornos. No parece sino que ahora la veo, con aquella cara que del un cabo tenía el sol y del otro la luna; y, sobre todo, hacendosa y amiga de los pobres, por lo que creo que debe de estar su ánima a la hora de ahora gozando de Dios en el otro mundo. De pesar de la muerte de tan buena mujer murió su marido Guillermo, dejando a su hija Marcela, muchacha y rica, en poder de un tío suyo sacerdote y beneficiado en nuestro lugar. Creció la niña con tanta belleza, que nos hacía acordar de la de su madre, que la tuvo muy grande; y, con todo esto, se juzgaba que le había de pasar la de la hija. Y así fue, que cuando llegó a edad de catorce a quince años, nadie la miraba que no bendecía a Dios, que tan hermosa la había criado, y los más quedaban enamorados y perdidos por ella. Guardábala su tío con mucho recato y con mucho encerramiento; pero, con todo esto, la fama de su mucha hermosura se estendió de manera que así por ella como por sus muchas riquezas, no solamente de los de nuestro pueblo, sino de los de muchas leguas a la redonda, y de los mejores dellos, era rogado, solicitado e importunado su tío se la diese por mujer. Mas él, que a las derechas es buen cristiano, aunque quisiera casarla luego, así como la vía de edad, no quiso hacerlo sin su consentimiento, sin tener ojo a la ganancia y granjería que le

[10] *Sarra*, forma anticuada del nombre de Sara, la mujer de Abraham. Era corriente la expresión «Más vieja que Sarra».

ofrecía el tener la hacienda de la moza dilatando su casamiento. Y a fe que se dijo esto en más de un corrillo
en el pueblo, en alabanza del buen sacerdote. Que quiero
que sepa, señor andante, que en estos lugares cortos, de
todo se trata y de todo se murmura; y tened para vos,
como yo tengo para mí, que debía de ser demasiadamente bueno el clérigo que obliga a sus feligreses a que digan
bien dél, especialmente en las aldeas.

—Así es la verdad —dijo don Quijote—, y proseguid
adelante; que el cuento es muy bueno, y vos, buen Pedro, le contáis con muy buena gracia.

—La del Señor no me falte, que es la que hace al
caso. Y en lo demás sabréis que, aunque el tío proponía
a la sobrina y le decía las calidades de cada uno, en particular, de los muchos que por mujer la pedían, rogán-
dole que se casase y escogiese a su gusto, jamás ella
respondió otra cosa sino que por entonces no quería casarse, y que, por ser tan muchacha, no se sentía hábil para
poder llevar la carga del matrimonio. Con estas que daba,
al parecer, justas escusas, dejaba el tío de importunarla
y esperaba a que entrase algo más en edad y ella supiese
escoger compañía a su gusto. Porque decía él, y decía
muy bien, que no habían de dar los padres a sus hijos
estado contra su voluntad. Pero hételo aquí, cuando nò
me cato[11], que remanece un día la melindrosa Marcela
hecha pastora; y, sin ser parte su tío ni todos los del
pueblo, que se lo desaconsejaban, dio en irse al campo
con las demás zagalas del lugar y dio en guardar su
mesmo ganado. Y así como ella salió en público y su hermosura se vio al descubierto, no os sabré buenamente decir cuántos ricos mancebos, hidalgos y labradores han tomado el traje de Grisóstomo y la andan requebrando por
esos campos. Uno de los cuales, como ya está dicho, fue
nuestro difunto, del cual decían que la dejaba de querer,
y la adoraba. Y no se piense que porque Marcela se puso
en aquella libertad y vida tan suelta y de tan poco o de
ningún recogimiento, que por eso ha dado indicio, ni por
semejas, que venga en menoscabo de su honestidad y
recato; antes es tanta y tal la vigilancia con que mira por
su honra, que de cuantos la sirven y solicitan ninguno se

---

[11] *cuando no me cato,* cuando menos me lo imaginaba.

ha alabado, ni con verdad se podrá alabar, que le haya dado alguna pequeña esperanza de alcanzar su deseo. Que, puesto que no huye ni se esquiva de la compañía y conversación de los pastores, y los trata cortés y amigablemente, en llegando a descubrirle su intención cualquiera dellos, aunque sea tan justa y santa como la del matrimonio, los arroja de sí como con un trabuco. Y con esta manera de condición hace más daño en esta tierra que si por ella entrara la pestilencia; porque su afabilidad y hermosura atrae los corazones de los que la tratan a servirla y a amarla; pero su desdén y desengaño los conduce a términos de desesperarse, y así, no saben qué decirle, sino llamarla a voces cruel y desagradecida, con otros títulos a éste semejantes, que bien la calidad de su condición manifiestan. Y si aquí estuviésedes, señor, algún día, veríades resonar estas sierras y estos valles con los lamentos de los desengañados que la siguen.¿No está muy lejos de aquí un sitio donde hay casi dos docenas de altas hayas, y no hay ninguna que en su lisa corteza no tenga grabado y escrito el nombre de Marcela, y encima de alguna, una corona grabada en el mesmo árbol, como si más claramente dijera su amante que Marcela la lleva y la merece de toda la hermosura humana. Aquí sospira un pastor, allí se queja otro; acullá se oyen amorosas canciones, acá desesperadas endechas. Cuál hay que pasa todas las horas de la noche sentado al pie de alguna encina o peñasco, y allí, sin plegar los llorosos ojos, embebecido y transportado en sus pensamientos, le halló el sol a la mañana, y cuál hay que, sin dar vado[12] ni tregua a sus suspiros, en mitad del ardor de la más enfadosa siesta del verano, tendido sobre la ardiente arena, envía sus quejas al piadoso cielo. Y déste y de aquél, y de aquéllos y de éstos, libre y desenfadadamente triunfa la hermosa Marcela, y todos los que la conocemos estamos esperando en qué ha de parar su altivez y quién ha de ser el dichoso que ha de venir a domeñar condición tan terrible y gozar de hermosura tan estremada. Por ser todo lo que he contado tan averiguada verdad, me doy a entender que también lo es la que nuestro zagal dijo que se decía de la causa de la muerte de Grisóstomo. Y así os aconsejo, señor,

---

[12] *vado*, salida, alivio.

que no dejéis de hallaros mañana a su entierro, que será
muy de ver, porque Grisóstomo tiene muchos amigos, y
no está de este lugar a aquel donde manda enterrarse media legua.

—En cuidado me lo tengo —dijo don Quijote—, y
agradézcoos el gusto que me habéis dado con la narración
de tan sabroso cuento.

—¡Oh! —replicó el cabrero—. Aún no sé yo la mitad
de los casos sucedidos a los amantes de Marcela; mas podría ser que mañana topásemos en el camino algún pastor
que nos los dijese. Y por ahora, bien será que os vais a
dormir debajo de techado, porque el sereno os podría
dañar la herida, puesto que es tal la medicina[13] que se
os ha puesto, que no hay que temer de contrario acidente.

Sancho Panza, que ya daba al diablo el tanto hablar
del cabrero, solicitó, por su parte, que su amo se entrase
a dormir en la choza de Pedro. Hízolo así, y todo lo más
de la noche se le pasó en memorias de su señora Dulcinea, a imitación de los amantes de Marcela. Sancho Panza se acomodó entre Rocinante y su jumento, y durmió,
no como enamorado desfavorecido, sino como hombre
molido a coces[14].

CAPÍTULO XIII

Donde se da fin al cuento de la pastora Marcela, con otros sucesos

Mas apenas comenzó a descubrirse el día por los balcones del oriente, cuando los cinco de los seis cabreros se levantaron y fueron a despertar a don Quijote,
y a decille si estaba todavía con propósito de ir a ver el
famoso entierro de Grisóstomo, y que ellos le harían compañía. Don Quijote, que otra cosa no deseaba, se levantó
y mandó a Sancho que ensillase y enalbardase al momento, lo cual él hizo con mucha diligencia, y con la

---

[13] «aunque es tal la medicina».
[14] Adviértase que Sancho hace muchas horas que no se queja
de haber sido molido a coces. Esta indicación corrobora la teoría de
G. Stagg (véase el comentario preliminar a I, 11) que supone
que el episodio de Marcela se situaba originalmente donde está
ahora el capítulo 25. Sancho, pues, duerme aquí después de haber
recibido la paliza de los yangüeses (actual capítulo 15).

mesma se pusieron luego todos en camino. Y no hubieron andado un cuarto de legua, cuando, al cruzar de una senda, vieron venir hacia ellos hasta seis pastores, vestidos con pellicos negros y coronadas las cabezas con guirnaldas de ciprés y de amarga adelfa. Traía cada uno un grueso bastón de acebo en la mano. Venían con ellos, asimesmo, dos gentiles hombres de a caballo, muy bien aderezados de camino, con otros tres mozos de a pie que los acompañaban. En llegándose a juntar se saludaron cortésmente, y, preguntándose los unos a los otros dónde iban, supieron que todos se encaminaban al lugar del entierro, y así, comenzaron a caminar todos juntos.

Uno de los de a caballo, hablando con su compañero le dijo:

—Paréceme, señor Vivaldo, que habemos de dar por bien empleada la tardanza que hiciéramos, en ver este famoso entierro, que no podrá dejar de ser famoso, según estos pastores nos han contado estrañezas, ansí del muerto pastor como de la pastora homicida.

—Así me lo parece a mí —respondió Vivaldo—; y no digo yo hacer tardanza de un día, pero de cuatro la hiciera, a trueco de verle.

Preguntóles don Quijote qué era lo que habían oído de Marcela y de Grisóstomo. El caminante dijo que aquella madrugada habían encontrado con aquellos pastores, y que, por haberles visto en aquel tan triste traje, les habían preguntado la ocasión por que iban de aquella manera; que uno dellos se lo contó, contando la estrañeza y hermosura de una pastora llamada Marcela, y los amores de muchos que la recuestaban[1], con la muerte de aquel Grisóstomo a cuyo entierro iban. Finalmente, él contó todo lo que Pedro a don Quijote había contado.

Cesó esta plática, y comenzóse otra, preguntando el que se llamaba Vivaldo a don Quijote qué era la ocasión que le movía a andar armado de aquella manera por tierra tan pacífica. A lo cual respondió don Quijote:

—La profesión de mi ejercicio no consiente ni permite que yo ande de otra manera. El buen paso[2], el regalo y el reposo, allá se inventó para los blandos cortesanos; mas el trabajo, la inquietud y las armas sólo se inventa-

[1] *recuestaban*, requerían.
[2] *buen paso*, o sea, «buen pasar», vida cómoda y regalada.

ron e hicieron para aquellos que el mundo llama caballeros andantes, de los cuales yo, aunque indigno, soy el menor de todos.

Apenas le oyeron esto, cuando todos le tuvieron por
loco; y por averiguarlo más y ver qué género de locura
era el suyo, le tornó a preguntar Vivaldo que qué quería
decir caballeros andantes.

—¿No han vuestras mercedes leído —respondió don
Quijote— los anales e historias de Ingalaterra, donde se
tratan las famosas fazañas del rey Arturo, que continua-
mente en nuestro romance castellano llamamos el rey Artús[3], de quien es tradición antigua y común en todo aquel
reino de la Gran Bretaña que este rey no murió, sino que,
por arte de encantamento, se convirtió en cuervo, y
que, andando los tiempos, ha de volver a reinar y a cobrar su reino y cetro; a cuya causa no se probará que
desde aquel tiempo a éste haya ningún inglés muerto
cuervo alguno[4]? Pues en tiempo deste buen rey fue instituida aquella famosa orden de caballería de los caballeros de la Tabla Redonda, y pasaron, sin faltar un punto, los amores que allí se cuentan de don Lanzarote del
Lago con la reina Ginebra, siendo medianera dellos y sabidora aquella tan honrada dueña Quintañona[5], de donde
nació aquel tan sabido romance, y tan decantado en
nuestra España, de

[3] *Artús* es la forma directamente tomada del nominativo, o caso
sujeto, de este nombre en francés antiguo.

[4] La famosa leyenda de que el rey Artús de Bretaña no murió
sino que fue arrebatado en su última batalla y llevado a una isla
maravillosa para curar de las heridas, y que algún día volverá
a reinar entre los bretones, es una fábula que ya consta en textos del siglo XII y que persistió en las obras literarias de la llamada Materia de Bretaña. Hasta tal punto siguió esta creencia
viva que Julián del Castillo, en su *Historia de los reyes godos*
(Madrid, 1624) dice que Felipe II, al convertirse en rey de Inglaterra por su matrimonio con María de Tudor, juró que renun-
ciaría al trono inglés si el rey Artús reapareciera. Aunque esta
anécdota es de dudosa autenticidad, y a ser cierta se trataría de
una broma del rey Felipe, revela la persistencia de la leyenda.
Para todo esto véase el capítulo de R. S. Loomis, *The legend of
Arthur's survival* en el libro *Arthurian literature in the Middle
Ages*, Oxford, 1959, 64-71 y la nota de Schevill al *Persiles y Sigismunda*, I, 341-343.

[5] Los amores de Lanzarote (*Lancelot*) con la reina Ginebra
(*Guenièvre*), esposa del rey Artús, se narran por vez primera en
la novela en verso *Li chevaliers de la charrete* de Chrétien de
Troyes (segunda mitad del siglo XII). La dueña Quintañona es
un personaje introducido en la leyenda por las adaptaciones castellanas.

Nunca fuera caballero
de damas tan bien servido
como fuera Lanzarote
cuando de Bretaña vino,

con aquel progreso tan dulce y tan suave de sus amorosos y fuertes fechos. Pues desde entonces, de mano en mano, fue aquella orden de caballería estendiéndose y dilatándose por muchas y diversas partes del mundo, y en ella fueron famosos y conocidos por sus fechos el valiente Amadís de Gaula, con todos sus hijos y nietos, hasta la quinta generación, y el valeroso Felixmarte de Hircania, y el nunca como se debe alabado Tirante el Blanco, y casi que en nuestros días vimos y comunicamos y oímos al invencible y valeroso caballero don Belianís de Grecia. Esto, pues, señores, es ser caballero andante, y la que he dicho es la orden de su caballería; en la cual, como otra vez he dicho, yo, aunque pecador, he hecho profesión, y lo mesmo que profesaron los caballeros referidos profeso yo. Y así, me voy por estas soledades y despoblados buscando las aventuras, con ánimo deliberado de ofrecer mi brazo y mi persona a la más peligrosa que la suerte me deparare, en ayuda de los flacos y menesterosos.

Por estas razones que dijo acabaron de enterarse los caminantes que era don Quijote falto de juicio, y del género de locura que lo señoreaba, de lo cual recibieron la mesma admiración que recibían todos aquellos que de nuevo venían en conocimiento della. Y Vivaldo, que era persona muy discreta y de alegre condición, por pasar sin pesadumbre el poco camino que decían que les faltaba, al llegar a la sierra del entierro[6], quiso darle ocasión a que pasase más adelante con sus disparates. Y así, le dijo:

—Paréceme, señor caballero andante, que vuestra merced ha profesado una de las más estrechas profesiones que hay en la tierra, y tengo para mí que aun la de los frailes cartujos no es tan estrecha.

—Tan estrecha bien podía ser —respondió nuestro don Quijote—; pero tan necesaria en el mundo no estoy

[6] «...que, al llegar a la sierra del entierro, decían que les faltaba...»

en dos dedos de ponello en duda. Porque, si va a decir verdad, no hace menos el soldado que pone en ejecución lo que su capitán le manda que el mesmo capitán que se lo ordena. Quiero decir, que los religiosos, con toda paz y sosiego, piden al cielo el bien de la tierra; pero los soldados y caballeros ponemos en ejecución lo que ellos piden, defendiéndola con el valor de nuestros brazos y filos de nuestras espadas, no debajo de cubierta, sino al cielo abierto, puestos por blanco de los insufribles rayos del sol en el verano y de los erizados yelos del invierno. Así, que somos ministros de Dios en la tierra, y brazos por quien se ejecuta en ella su justicia. Y como las cosas de la guerra y las a ellas tocantes y concernientes no se pueden poner en ejecución sino sudando, afanando y trabajando, síguese que aquellos que la profesan tienen, sin duda, mayor trabajo que aquellos que en sosegada paz y reposo están rogando a Dios favorezca a los que poco pueden. No quiero yo decir, ni me pasa por pensamiento, que es tan buen estado el de el caballero andante como el del encerrado religioso; sólo quiero inferir, por lo que yo padezco, que, sin duda, es más trabajoso y más aporreado, y más hambriento, y sediento, miserable, roto y piojoso; porque no hay duda sino que los caballeros andantes pasados pasaron mucha malaventura en el discurso de su vida. Y si algunos subieron a ser emperadores por el valor de su brazo, a fe que les costó buen porqué[7] de su sangre y de su sudor, y que si a los que a tal grado subieron les faltaran encantadores y sabios que los ayudaran, que ellos quedaran bien defraudados de sus deseos y bien engañados de sus esperanzas.

—De ese parecer estoy yo —replicó el caminante—; pero una cosa, entre otras muchas, me parece muy mal de los caballeros andantes, y es que, cuando se ven en ocasión de acometer una grande y peligrosa aventura, en que se vee manifiesto peligro de perder la vida, nunca en aquel instante de acometella se acuerdan de encomendarse a Dios, como cada cristiano está obligado a hacer en peligros semejantes; antes se encomiendan a sus damas, con tanta gana y devoción como si ellas fueran su Dios: cosa que me parece que huele algo a gentilidad.

[7] *buen porqué*, buena cantidad.

—Señor —respondió don Quijote—, eso no puede ser menos en ninguna manera, y caería en mal caso el caballero andante que otra cosa hiciese; que ya está en uso y costumbre en la caballería andantesca que el caballero andante que al acometer algún gran fecho de armas tuviese su señora delante vuelva a ella los ojos blanda y amorosamente, como que le pide con ellos le favorezca y ampare en el dudoso trance que acomete; y aun si nadie le oye, está obligado a decir algunas palabras entre dientes, en que de todo corazón se le encomiende; y desto tenemos innumerables ejemplos en las historias. Y no se ha de entender por esto que han de dejar de encomendarse a Dios; que tiempo y lugar les queda para hacerlo en el discurso de la obra.

—Con todo eso —replicó el caminante—, me queda un escrúpulo, y es que muchas veces he leído que se traban palabras entre dos andantes caballeros; y, de una en otra, se les viene a encender la cólera, y a volver los caballos, y tomar una buena pieza del campo, y luego, sin más ni más, a todo el correr dellos, se vuelven a encontrar; y en mitad de la corrida se encomienda.. a sus damas; y lo que suele suceder del encuentro es que el uno cae por las ancas del caballo, pasado con la lanza del contrario de parte a parte, y al otro le viene[8] también, que, a no tenerse a las crines del suyo, no pudiera dejar de venir al suelo. Y no sé yo cómo el muerto tuvo lugar para encomendarse a Dios en el discurso de esta tan acelerada obra. Mejor fuera que las palabras que en la carrera gastó encomendándose a su dama las gastara en lo que debía y ·estaba obligado como cristiano. Cuanto más, que yo tengo para mí que no todos los caballeros andantes tienen damas a quien encomendarse, porque no todos son enamorados.

—Eso no puede ser —respondió don Quijote—: digo que no puede ser que haya caballero andante sin dama, porque tan proprio y tan natural les es a los tales ser enamorados como al cielo tener estrellas, y a buen seguro que no se haya visto historia donde se halle caballero andante sin amores; y por el mesmo caso que estuviese sin ellos, no sería tenido por legítimo caballero, sino por

---

[8] *le viene*, o sea, «le aviene», que significa «le ocurre», «le acontece».

bastardo, y que entró en la fortaleza de la caballería dicha, no por la puerta, sino por las bardas, como salteador y ladrón.

—Con todo eso —dijo el caminante—, me parece, si mal no me acuerdo, haber leído que don Galaor, hermano del valeroso Amadís de Gaula, nunca tuvo dama señalada a quien pudiese encomendarse; y, con todo esto, no fue tenido en menos, y fue un muy valiente y famoso caballero.

A lo cual respondió nuestro don Quijote:

—Señor, una golondrina sola no hace verano. Cuanto más, que yo sé que de secreto estaba ese caballero muy bien enamorado, fuera que aquello de querer a todas bien cuantas bien le parecían, era condición natural, a quien no podía ir a la mano⁹. Pero, en resolución, averiguado está muy bien que él tenía una sola a quien él había hecho señora de su voluntad, a la cual se encomendaba muy a menudo y muy secretamente, porque se preció de secreto caballero.

—Luego si es de esencia que todo caballero andante haya de ser enamorado —dijo el caminante—, bien se puede creer que vuestra merced lo es, pues es de la profesión. Y si es que vuestra merced no se precia de ser tan secreto como don Galaor, con las veras que puedo le suplico, en nombre de toda esta compañía y en el mío, nos diga el nombre, patria, calidad y hermosura de su dama; que ella se tendría por dichosa de que todo el mundo sepa que es querida y servida de un tal caballero como vuestra merced parece.

Aquí dio un gran suspiro don Quijote, y dijo:

—Yo no podré afirmar si la dulce mi enemiga gusta, o no, de que el mundo sepa que yo la sirvo; sólo sé decir, respondiendo a lo que con tanto comedimiento se me pide, que su nombre es Dulcinea; su patria, el Toboso, un lugar de la Mancha; su calidad, por lo menos, ha de ser de princesa, pues es reina y señora mía; su hermosura, sobrehumana, pues en ella se vienen a hacer verdaderos todos los imposibles y quiméricos atributos de belleza que los poetas dan a sus damas: que sus cabellos son oro, su frente campos elíseos, sus cejas arcos del cielo,

---

⁹ *ir a la mano,* contener, reprimir.

sus ojos soles, sus mejillas rosas, sus labios corales, perlas sus dientes, alabastro su cuello, mármol su pecho, marfil sus manos, su blancura nieve, y las partes que a la vista humana encubrió la honestidad son tales, según yo pienso y entiendo, que sólo la discreta consideración puede encarecerlas, y no compararlas[10].

—El linaje, prosapia y alcurnia querríamos saber —replicó Vivaldo.

A lo cual respondió don Quijote:

—No es de los antiguos Curcios, Gayos y Cipiones romanos, ni de los modernos Colonas y Ursinos, ni de los Moncadas y Requesenes de Cataluña, ni menos de los Rebellas y Villanovas de Valencia, Palafoxes, Nuzas, Rocabertis[11], Corellas, Lunas, Alagones, Urreas, Foces y Gurreas de Aragón, Cerdas, Manriques, Mendozas y Guzmanes de Castilla, Alencastros, Pallas y Meneses de Portogal; pero es de los del Toboso de la Mancha, linaje, aunque moderno, tal, que puede dar generoso principio a las más ilustres familias de los venideros siglos. Y no se me replique en esto, si no fuere con las condiciones que puso Cervino al pie del trofeo de las armas de Orlando, que decía:

Nadie las mueva
que estar no pueda con Roldán a prueba[12].

—Aunque el mío es de los Cachopines de Laredo —respondió el caminante—, no le osaré yo poner con el del Toboso de la Mancha, puesto que, para decir ver-

---

[10] Desde *y las partes* hasta *compararlas* fue censurado por la Inquisición portuguesa en 1624.

[11] *Rocabertis*; la verdadera pronunciación de este linaje catalán es *Rocaberti*, que modernamente se corrompió en Rocabérti, y es posible que Cervantes creyera que esta última forma era la auténtica, pues si hubiese creído que lo era aquélla tal vez habría escrito «Rocabertines».

[12] Traducción de unos versos del canto XXIV del *Orlando furioso* de Ludovico Ariosto.

[13] *Cachopines de Laredo,* linaje montañés. En tiempo de Cervantes todavía no podía sugerir el matiz ridículo que dio lugar a las «cachupinadas» (palabra seguramente de origen muy distinto; cfr. Corominas, *Dic. crít. etim. de la lengua castellana,* I, página 568); y Vivaldo no es un personaje grotesco y aquí no parece que quiera hacer un chiste. Tal vez Cervantes recuerda a Adam de Vivaldo, de origen genovés, banquero en Sevilla y a quien, como poeta, celebra en el *Canto de Calíope* de *La Galatea* (véase la nota de J B. Avalle-Arce, *La Galatea,* II, «Clásicos Castellanos», Madrid, 1961, pág. 209).

dad, semejante apellido hasta ahora no ha llegado a mis oídos.

—¡Como eso no habrá llegado[14]! —replicó don Quijote.

Con gran atención iban escuchando todos los demás la plática de los dos, y aun hasta los mesmos cabreros y pastores conocieron la demasiada falta de juicio de nuestro don Quijote. Sólo Sancho Panza pensaba que cuanto su amo decía era verdad, sabiendo él quién era y habiéndole conocido desde su nacimiento; y en lo que dudaba algo era en creer aquello de la linda Dulcinea del Toboso, porque nunca tal nombre ni tal princesa había llegado jamás a su noticia, aunque vivía tan cerca del Toboso.

En estas pláticas iban, cuando vieron que, por la quiebra que dos altas montañas hacían, bajaban hasta veinte pastores, todos con pellicos de negra lana vestidos y coronados con guirnaldas, que, a lo que después pareció, eran cuál de tejo y cuál de ciprés. Entre seis dellos traían unas andas, cubiertas de mucha diversidad de flores y de ramos.

Lo cual visto por uno de los cabreros, dijo:

—Aquellos que allí vienen son los que traen el cuerpo de Grisóstomo, y el pie de aquella montaña es el lugar donde él mandó que le enterrasen.

Por esto se dieron priesa a llegar, y fue a tiempo que ya los que venían habían puesto las andas en el suelo, y cuatro dellos con agudos picos estaban cavando la sepultura a un lado de una dura peña.

Recibiéronse los unos y los otros cortésmente, y luego don Quijote y los que con él venían se pusieron a mirar las andas, y en ellas vieron cubierto de flores un cuerpo muerto, vestido como pastor, de edad, al parecer, de treinta años; y, aunque muerto, mostraba que vivo había sido de rostro hermoso y de disposición gallarda. Alrededor dél tenía en las mesmas andas algunos libros y muchos papeles, abiertos y cerrados. Y así los que esto miraban, como los que abrían la sepultura, y todos los demás que allí había, guardaban un maravilloso silencio,

---

[14] Forma vulgar de negativa, que se acompaña de un gesto deshonesto y que aquí viene a equivaler a: «¿Pero es posible que cosa tan sabida no haya llegado a vuestros oídos?»

hasta que uno de los que al muerto trujeron dijo a otro:

—Mirá[15] bien, Ambrosio, si es éste el lugar que Grisóstomo dijo, ya que queréis que tan puntualmente se cumpla lo que dejó mandado en su testamento.

—Éste es —respondió Ambrosio—; que muchas veces en él me contó mi desdichado amigo la historia de su desventura. Allí me dijo él que vio la vez primera a aquella enemiga mortal del linaje humano, y allí fue también donde la primera vez le declaró su pensamiento, tan honesto como enamorado, y allí fue, la última vez, donde Marcela le acabó de desengañar y desdeñar, de suerte que puso fin a la tragedia de su miserable vida. Y aquí, en memoria de tantas desdichas, quiso él que le depositasen en las entrañas del eterno olvido.

Y volviéndose a don Quijote y a los caminantes, prosiguió diciendo:

—Ese cuerpo, señores, que con piadosos ojos estáis mirando, fue depositario de un alma en quien el cielo puso infinita parte de sus riquezas. Ése es el cuerpo de Grisóstomo, que fue único en el ingenio, solo en la cortesía, estremo en la gentileza, fénix en la amistad, magnífico sin tasa, grave sin presunción, alegre sin bajeza, y, finalmente, primero en todo lo que es ser bueno, y sin segundo en todo lo que fue ser desdichado. Quiso bien, fue aborrecido; adoró, fue desdeñado; rogó a una fiera, importunó a un mármol, corrió tras el viento, dio voces a la soledad, sirvió a la ingratitud, de quien alcanzó por premio ser despojos de la muerte en la mitad de la carrera de su vida, a la cual dio fin una pastora a quien él procuraba eternizar para que viviera en la memoria de las gentes, cual lo pudieran mostrar bien esos papeles que estáis mirando, si él no me hubiera mandado que los entregara al fuego en habiendo entregado su cuerpo a la tierra.

—De mayor rigor y crueldad usaréis vos con ellos —dijo Vivaldo— que su mesmo dueño, pues no es justo ni acertado que se cumpla la voluntad de quien lo que ordena va fuera de todo razonable discurso. Y no le tuviera bueno Augusto César si consintiera que se pusiera en ejecución lo que el divino Mantuano dejó en su tes-

---

[15] *Mirá*, mirad.

tamento mandado[16]. Ansí que, señor Ambrosio, ya que
deis el cuerpo de vuestro amigo a la tierra, no queráis
dar sus escritos al olvido; que si él ordenó como agraviado, no es bien que vos cumpláis como indiscreto. Antes haced, dando la vida a estos papeles, que la tenga
siempre la crueldad de Marcela, para que sirva de ejemplo, en los tiempos que están por venir, a los vivientes,
para que se aparten y huyan de caer en semejantes des-
peñaderos; que ya sé yo, y los que aquí venimos, la historia deste vuestro enamorado y desesperado amigo, y
sabemos la amistad vuestra, y la ocasión de su muerte,
y lo que dejó mandado al acabar de la vida; de la cual
lamentable historia se puede sacar cuánto haya sido la
crueldad de Marcela, el amor de Grisóstomo, la fe de
la amistad vuestra, con el paradero que tienen los que a
rienda suelta corren por la senda que el desvariado amor
delante de los ojos les pone. Anoche supimos la muerte
de Grisóstomo, y que en este lugar había de ser enterrado, y así, de curiosidad y de lástima, dejamos nuestro
derecho viaje, y acordamos de venir a ver con los ojos
lo que tanto nos había lastimado en oíllo. Y en pago
desta lástima, y del deseo que en nosotros nació de reme-
diarla si pudiéramos, te rogamos, ¡oh discreto Ambrosio!,
a lo menos, yo te lo suplico de mi parte, que, dejando
de abrasar estos papeles, me dejes llevar algunos dellos.

Y sin aguardar que el pastor respondiese, alargó la
mano y tomó algunos de los que más cerca estaban; viendo lo cual Ambrosio, dijo:

—Por cortesía consentiré por os quedéis, señor, con
los que ya habéis tomado; pero pensar que dejaré de
abrasar los que quedan es pensamiento vano.

Vivaldo, que deseaba ver lo que los papeles decían,
abrió luego el uno dellos y vio que tenía por título: *Canción desesperada*. Oyólo Ambrosio, y dijo:

—Ése es el último papel que escribió el desdichado;
y porque veáis, señor, en el término que le tenían sus
desventuras, leelde de modo que seáis oído; que bien os
dará lugar a ello el que se tardare en abrir la sepultura.

---

[16] Alusión a la creencia de que Virgilio *(el divino Mantuano)*
dispuso en su testamento que la *Eneida* fuera quemada, porque
no había acabado de revisarla y limarla, disposición que Augusto
ordenó que no se cumpliera.

—Eso haré yo de muy buena gana —dijo Vivaldo.

Y como todos los circunstantes tenían el mesmo deseo, se le pusieron a la redonda, y él, leyendo en voz clara, vio que así decía:

CAPÍTULO XIV

DONDE SE PONEN LOS VERSOS DESESPERADOS DEL DIFUNTO PASTOR, CON OTROS NO ESPERADOS SUCESOS*

Canción de Grisóstomo

Ya que quieres, cruel, que se publique
  de lengua en lengua y de una en otra gente
del áspero rigor tuyo la fuerza,
haré que el mesmo infierno comunique
al triste pecho mío un son doliente,
con que el uso común de mi voz tuerza.
Y al par de mi deseo, que se esfuerza
a decir mi dolor y tus hazañas,
de la espantable voz irá el acento,
y en él mezcladas[1] por mayor tormento,
pedazos de las míseras entrañas.
Escucha, pues, y presta atento oído,
no al concertado son, sino al rüido
que de lo hondo de mi amargo pecho,
llevado de un forzoso desvarío,
por gusto mío[2]   sale y tu despecho.

* Acaba la historia de Marcela y Grisóstomo; pero antes se lee la canción escrita por éste. Esta poesía se encuentra copiada también en un manuscrito de la Biblioteca Colombina de Sevilla, con intencionadas variantes que parecen deberse al autor (variantes que pueden verse en la edición del *Quijote* comentada por Cortejón, I, 281-288), y con el título de *Canción desesperada*. Como sea que algunos conceptos expresados en esta canción no parecen adecuados a la historia de Marcela y de Grisóstomo, se ha creído que nuestro escritor la había compuesto anteriormente a la redacción del *Quijote*.

[1] Sería más propio leer *mezclados* (como enmiendan algunos editores), pero Cervantes se refiere a *entrañas*, no a *pedazos*, aunque falle la recta concordancia.

[2] Hay rima interna en el último verso de cada estrofa, que consuena con el penúltimo. Este recurso poético —tan frecuente

El rugir del león, del lobo fiero
el temeroso aullido, el silbo horrendo
de escamosa serpiente, el espantable
baladro[3] de algún monstruo, el agorero
graznar de la corneja, y el estruendo
del viento contrastado en mar instable;
del ya vencido toro el implacable
bramido, y de la viuda tortolilla
el sentible arrullar; el triste canto
del envidiado búho[4], con el llanto
de toda la infernal negra cuadrilla,
salgan con la doliente ánima fuera[5],
mezclados en un son, de tal manera,
que se confundan los sentidos todos,
pues la pena cruel que en mí se halla
para contalla   pide nuevos modos.

De tanta confusión no las arenas
del padre Tajo oirán los tristes ecos,
ni del famoso Betis las olivas:
que allí se esparcirán mis duras penas
en altos riscos y en profundos huecos,
con muerta lengua y con palabras vivas,
o ya en escuros valles, o en esquivas
playas, desnudas de contrato humano,
o adonde el sol jamás mostró su lumbre,
o entre la venenosa muchedumbre
de fieras que alimenta el libio llano[6];
que, puesto que en los páramos desiertos
los ecos roncos de mi mal, inciertos,
suenen con tu rigor tan sin segundo,
por privilegio de mis cortos hados,
serán llevados   por el ancho mundo.

---

entre los trovadores y los poetas italianos— fue también utilizado
por Garcilaso.
    [3] *baladro*, grito, alarido o voz espantosa.
    [4] Alusión a la creencia popular de que las otras aves envidian
la belleza de los ojos del búho.
    [5] Verso 606 de la segunda égloga de Garcilaso de la Vega, que
Cervantes intercaló en otras poesías suyas insertas en la *Galatea*
y en el *Persiles*.
    [6] La llanura de Libia, en el norte de África.

Mata un desdén, atierra la paciencia,
o verdadera o falsa, una sospecha;
matan los celos con rigor más fuerte;
desconcierta la vida larga ausencia;
contra un temor de olvido no aprovecha
firme esperanza de dichosa suerte.
En todo hay cierta, inevitable muerte;
mas yo, ¡ milagro nunca visto !, vivo
celoso, ausente, desdeñado y cierto
de las sospechas que me tienen muerto,
y en el olvido en quien mi fuego avivo,
y, entre tantos tormentos, nunca alcanza
mi vista a ver en sombra a la esperanza,
ni yo, desesperado, la procuro;
antes, por estremarme en mi querella,
estar sin ella   eternamente juro.

¿ Puédese, por ventura, en un instante
esperar y temer, o es bien hacello,
siendo las causas del temor más ciertas ?
¿ Tengo, si el duro celo[7] está delante,
de cerrar estos ojos, si he de vello
por mil heridas en el alma abiertas ?
¿ Quién no abrirá de par en par las puertas
a la desconfianza, cuando mira
descubierto el desdén, y las sospechas,
¡ oh amarga conversión !, verdades hechas,
y la limpia verdad vuelta en mentira ?
¡ Oh, en el reino de amor fieros tiranos
celos, ponedme un hierro en estas manos !
Dame, desdén, una torcida soga.
Mas, ¡ ay de mí !, que, con cruel vitoria,
vuestra memoria   el sufrimiento ahoga.

Yo muero, en fin; y porque nunca espere
buen suceso en la muerte ni en la vida,
pertinaz estaré en mi fantasía.
Diré que va acertado el que bien quiere,
y que es más libre el alma más rendida
a la de amor antigua tiranía.

---

[7] celo, celos.

Diré que la enemiga siempre mía
hermosa el alma como el cuerpo tiene,
y que su olvido de mi culpa nace,
y que en fe de los males que nos hace,
amor su imperio en justa paz mantiene.
Y con esta opinión y un duro lazo,
acelerando el miserable plazo
a que me han conducido sus desdenes,
ofreceré a los vientos cuerpo y alma,
sin lauro o palma   de futuros bienes.

Tú, que con tantas sinrazones muestras
la razón que me fuerza a que la haga
a la cansada vida que aborrezco,
pues ya ves que te da notorias muestras
esta del corazón profunda llaga,
de como alegre a tu rigor me ofrezco,
si, por dicha, conoces que merezco
que el cielo claro de tus bellos ojos
en mi muerte se turbe, no lo hagas;
que no quiero que en nada satisfagas,
al darte de mi alma los despojos.
Antes, con risa en la ocasión funesta
descubre que el fin mío fue tu fiesta;
mas gran simpleza es avisarte desto,
pues sé que está tu gloria conocida
en que mi vida   llegue al fin tan presto.

Venga, que es tiempo ya, del hondo abismo
Tántalo con su sed; Sísifo venga
con el peso terrible de su canto;
Ticio traya su buitre, y ansimismo
con su rueda Egïón no se detenga,
ni las hermanas que trabajan tanto[8],
y todos juntos su mortal[9] quebranto
trasladen en mi pecho, y en voz baja
—si ya a un desesperado son debidas—

[8] Diversos personajes fabulosos que sufren penas en el infierno mitológico. Las *hermanas que trabajan tanto* son las hijas de Dánao (las danaides), condenadas a llenar de agua una vasija sin fondo.
[9] En el manuscrito de Sevilla *inmortal*, que parece más lógico; pero *mortal* significa también «mortífero», «capaz de dar muerte».

canten obsequias[10] tristes, doloridas,
al cuerpo, a quien se niegue aun la mortaja.
Y el portero infernal de los tres rostros,
con otras mil quimeras y mil monstros,
lleven el doloroso contrapunto;
que otra pompa mejor no me parece
que la merece   un amador difunto.

Canción desesperada, no te quejes
cuando mi triste compañía dejes;
antes, pues, que la causa do naciste
con mi desdicha augmenta su ventura,
aun en la sepultura   no estés triste.

Bien les pareció, a los que escuchado habían, la canción de Grisóstomo, puesto que el que la leyó dijo que
no le parecía que conformaba con la relación que él había oído del recato y bondad de Marcela, porque en ella
se quejaba Grisóstomo de celos, sospechas y de ausencia,
todo en perjuicio del buen crédito y buena fama de
Marcela[11]. A lo cual respondió Ambrosio, como aquel
que sabía bien los más escondidos pensamientos de su
amigo:

—Para que, señor, os satisfagáis desa duda, es bien
que sepáis que cuando este desdichado escribió esta canción estaba ausente de Marcela, de quien él se había
ausentado por su voluntad, por ver si usaba con él la ausencia de sus ordinarios fueros; y como al enamorado
ausente no hay cosa que no le fatigue ni temor que no
le dé alcance, así le fatigaban a Grisóstomo los celos imaginados y las sospechas temidas como si fueran verdaderas. Y con esto queda en su punto la verdad que la fama
pregona de la bondad de Marcela; la cual[12], fuera de
ser cruel, y un poco arrogante, y un mucho desdeñosa,
la mesma envidia ni debe ni puede ponerle falta alguna.

—Así es la verdad —respondió Vivaldo.

Y queriendo leer otro papel de los que había reservado del fuego, lo estorbó una maravillosa visión —que

---

[10] *obsequias,* exequias.
[11] Justifica así Cervantes la inclusión de la *Canción de Grisóstomo* (véase el comentario preliminar a este capítulo).
[12] *la cual,* a la cual.

tal parecía ella— que improvisamente se les ofreció a los ojos; y fue que, por cima de la peña donde se cavaba la sepultura, pareció la pastora Marcela, tan hermosa, que pasaba a su fama su hermosura. Los que hasta entonces no la habían visto la miraban con admiración y silencio; y los que ya estaban acostumbrados a verla no quedaron menos suspensos que los que nunca la habían visto. Mas apenas la hubo visto Ambrosio, cuando con muestras de ánimo indignado le dijo:

—¿Vienes a ver, por ventura, ¡oh fiero basilisco destas montañas!, si con tu presencia vierten sangre las heridas deste miserable a quien tu crueldad quitó la vida[13]? ¿O vienes a ufanarte en las crueles hazañas de tu condición, o a ver desde esa altura, como otro despiadado Nero, el incendio de su abrasada Roma, o a pisar arrogante este desdichado cadáver, como la ingrata hija al de su padre Tarquino[14]? Dinos presto a lo que vienes, o qué es aquello de que más gustas; que por saber yo que los pensamientos de Grisóstomo jamás dejaron de obedecerte en vida, haré que, aun él muerto, te obedezcan los de todos aquellos que se llamaron sus amigos.

—No vengo, ¡oh Ambrosio!, a ninguna cosa de las que has dicho —respondió Marcela—, sino a volver por mí misma, y a dar a entender cuán fuera de razón van todos aquellos que de sus penas y de la muerte de Grisóstomo me culpan; y así, ruego a todos los que aquí estáis atentos, que no será menester mucho tiempo ni gastar muchas palabras para persuadir una verdad a los discretos. Hízome el cielo, según vosotros decís, hermosa, y de tal manera, que, sin ser poderosos a otra cosa, a que me améis os mueve mi hermosura, y por el amor que me mostráis, decís, y aun queréis, que esté yo obligada a amaros. Yo conozco, con el natural entendimiento que Dios me ha dado, que todo lo hermoso es amable; mas no alcanzo que, por razón de ser amado, esté obligado lo que es amado por hermoso a amar a

---

[13] Creencia germánica según la cual las heridas del asesinado sangran cuando ante el cadáver se encuentra el asesino. El motivo aparece en escritores de todos los tiempos (Chrétien de Troyes en *Li chevaliers au lion*; Shakespeare en *Julius Caesar*; Calderón en *La vida es sueño*, jornada III, etc.).

[14] Se trata de Tulia, esposa de Tarquino el Soberbio, no su hija.

quien le ama. Y más, que podría acontecer que el amador de lo hermoso fuese feo, y siendo lo feo digno de ser aborrecido, cae muy mal el decir: «Quiérote por hermosa; hasme de amar aunque sea feo». Pero, puesto caso que corran igualmente las hermosuras, no por eso han de correr iguales los deseos, que no todas hermosuras enamoran; que algunas alegran la vista y no rinden la voluntad; que si todas las bellezas enamorasen y rindiesen, sería un andar las voluntades confusas y descaminadas, sin saber en cuál habían de parar; porque, siendo infinitos los sujetos hermosos, infinitos habían de ser los deseos. Y, según yo he oído decir, el verdadero amor no se divide, y ha de ser voluntario, y no forzoso. Siendo esto así, como yo creo que lo es, ¿por qué queréis que rinda mi voluntad por fuerza, obligada no más de que decís que me queréis bien? Si no, decidme: si como el cielo me hizo hermosa me hiciera fea, ¿fuera justo que me quejara de vosotros porque no me amábades? Cuanto más, que habéis de considerar que yo no escogí la hermosura que tengo, que, tal cual es, el cielo me la dio de gracia, sin yo pedilla ni escogella. Y, así como la víbora no merece ser culpada por la ponzoña que tiene, puesto que con ella mata[15], por habérsela dado naturaleza, tampoco yo merezco ser reprehendida por ser hermosa; que la hermosura en la mujer honesta es como el fuego apartado o como la espada aguda, que ni él quema ni ella corta a quien a ellos no se acerca. La honra y las virtudes son adornos del alma, sin las cuales el cuerpo, aunque lo sea, no debe de parecer hermoso. Pues si la honestidad es una de las virtudes que al cuerpo y al alma más adornan y hermosean, ¿por qué la ha de perder la que es amada por hermosa, por corresponder a la intención de aquel que, por sólo su gusto, con todas sus fuerzas e industrias procura que la pierda? Yo nací libre, y para poder vivir libre escogí la soledad de los campos. Los árboles destas montañas son mi compañía, las claras aguas destos arroyos mis espejos; con los árboles y con las aguas comunico mis pensamientos y hermosura. Fuego soy apartado y espada puesta lejos. A los que he enamorado con la vista he desengañado con las pala-

---

[15] *puesto que con ella mata,* aunque con ella mata.

bras. Y si los deseos se sustentan con esperanzas, no habiendo yo dado alguna a Grisóstomo ni a otro alguno, en fin, de ninguno dellos, bien se puede decir que antes le mató su porfía que mi crueldad. Y si se me hace cargo que eran honestos sus pensamientos, y que por esto estaba obligada a corresponder a ellos, digo que cuando en ese mismo lugar donde ahora se cava su sepultura me descubrió la bondad de su intención, le dije yo que la mía era vivir en perpetua soledad, y de que sola la tierra gozase el fruto de mi recogimiento y los despojos de mi hermosura; y si él, con todo este desengaño, quiso porfiar contra la esperanza y navegar contra el viento, ¿qué mucho que se anegase en la mitad del golfo de su desatino? Si yo le entretuviera, fuera falsa; si le contentara, hiciera contra mi mejor intención y prosupuesto[16]. Porfió desengañado, desesperó sin ser aborrecido: ¡mirad ahora si será razón que de su pena se me dé a mí la culpa! Quéjese el engañado, desespérese aquel a quien le faltaron las prometidas esperanzas, confíese el que yo llamare, ufánese el que yo admitiere; pero no me llame cruel ni homicida aquel a quien yo no prometo, engaño, llamo ni admito. El cielo aún hasta ahora no ha querido que yo ame por destino y el pensar que tengo de amar por elección es escusado. Este general desengaño sirva a cada uno de los que me solicitan de su particular provecho; y entiéndase de aquí adelante que si alguno por mí muriere, no muere de celoso ni desdichado, porque quien a nadie quiere, a ninguno debe dar celos; que los desengaños no se han de tomar en cuenta de desdenes. El que me llama fiera y basilisco, déjeme como cosa perjudicial y mala; el que me llama ingrata, no me sirva; el que desconocida[17], no me conozca; quien cruel, no me siga; que esta fiera, este basilisco, esta ingrata, esta cruel y esta desconocida, ni los buscará, servirá, conocerá ni seguirá en ninguna manera. Que si a Grisóstomo mató su impaciencia y arrojado deseo, ¿por qué se ha de culpar mi honesto proceder y recato? Si yo conservo mi limpieza con la compañía de los árboles, ¿por qué ha de querer que la pierda el que quiere que

---

[16] *hiciera contra mi mejor intención y prosupuesto,* obraría contra mi mejor intención y propósito.
[17] *desconocida,* desagradecida, ingrata.

la tenga con los hombres? Yo, como sabéis, tengo riquezas propias y no codicio las ajenas; tengo libre condición
y no gusto de sujetarme; ni quiero ni aborrezco a nadie.
No engaño a éste, ni solicito aquél; ni burlo con uno,
ni me entretengo con el otro. La conversación honesta
de las zagalas destas aldeas y el cuidado de mis cabras
me entretiene. Tienen mis deseos por término estas montañas, y si de aquí salen, es a contemplar la hermosura
del cielo, pasos con que camina el alma a su morada
primera.

Y en diciendo esto, sin querer oír respuesta alguna,
volvió las espaldas y se entró por lo más cerrado de un
monte que allí cerca estaba, dejando admirados, tanto
de su discreción como de su hermosura, a todos los que
allí estaban. Y algunos dieron muestras —de aquellos
que de la poderosa flecha de los rayos de sus bellos ojos
estaban heridos— de quererla seguir, sin aprovecharse
del manifiesto desengaño que habían oído. Lo cual visto
por don Quijote, pareciéndole que allí venía bien usar
de su caballería, socorriendo a las doncellas menesterosas,
puesta la mano en el puño de su espada, en altas e inteligibles voces, dijo:

—Ninguna persona, de cualquier estado y condición
que sea, se atreva a seguir a la hermosa Marcela, so pena
de caer en la furiosa indignación mía. Ella ha mostrado
con claras y suficientes razones la poca o ninguna culpa
que ha tenido en la muerte de Grisóstomo, y cuán ajena
vive de condescender con los deseos de ninguno de sus
amantes, a cuya causa es justo que, en lugar de ser seguida y perseguida, sea honrada y estimada de todos los
buenos del mundo, pues muestra que en él ella es sola la
que con tan honesta intención vive.

O ya que fuese por las amenazas de don Quijote, o
porque Ambrosio les dijo que concluyesen con lo que a
su buen amigo debían, ninguno de los pastores se movió
ni apartó de allí hasta que, acabada la sepultura y abrasados los papeles de Grisóstomo, pusieron su cuerpo en
ella, no sin muchas lágrimas de los circunstantes. Cerraron la sepultura con una gruesa peña, en tanto que se
acababa una losa que, según Ambrosio dijo, pensaba
mandar hacer, con un epitafio que había de decir desta
manera:

Yace aquí de un amador
el mísero cuerpo helado,
que fue pastor de ganado,
perdido[18] por desamor.
Murió a manos del rigor
de una esquiva hermosa ingrata,
con quien su imperio dilata
la tiranía de amor.

Luego esparcieron por cima de la sepultura muchas flores y ramos, y, dando todos el pésame a su amigo Ambrosio, se despidieron dél[19]. Lo mesmo hicieron Vivaldo y su compañero, y don Quijote se despidió de sus huéspedes y de los caminantes, los cuales le rogaron se viniese con ellos a Sevilla, por ser lugar tan acomodado a hallar aventuras, que en cada calle y tras cada esquina se ofrecen más que en otro alguno. Don Quijote les agradeció el aviso y el ánimo que mostraban de hacerle merced, y dijo que por entonces no quería ni debía ir a Sevilla, hasta que hubiese despojado todas aquellas sierras de ladrones malandrines, de quien era fama que todas estaban llenas. Viendo su buena determinación, no quisieron los caminantes importunarle más, sino, tornándose a despedir de nuevo, le dejaron y prosiguieron su camino, en el cual no les faltó de qué tratar, así de la historia de Marcela y Grisóstomo como de las locuras de don Quijote. El cual determinó de ir a buscar a la pastora Marcela y ofrecerle todo lo que él podía en su servicio. Mas no le avino como él pensaba, según se cuenta en el discurso desta verdadera historia, dando aquí fin la segunda parte.

[18] *ganado-perdido,* juego de palabras.
[19] Américo Castro (*Hacia Cervantes,* Madrid, 1957, pág. 236) supone que Grisóstomo se suicidó. Véase la matizada interpretación de J. B. Avalle-Arce en *Deslindes cervantinos,* Madrid, 1961, págs. 97-119.

TERCERA PARTE DEL INGENIOSO HIDALGO DON QUIJOTE DE LA MANCHA

CAPÍTULO XV

DONDE SE CUENTA LA DESGRACIADA AVENTURA QUE SE TOPÓ DON QUIJOTE EN TOPAR CON UNOS DESALMADOS YANGÜESES*

CUENTA el sabio Cide Hamete Benengeli que, así como don Quijote se despidió de sus huéspedes y de todos los que se hallaron al entierro del pastor Grisóstomo, él y su escudero se entraron por el mesmo bosque donde vieron que se había entrado la pastora Marcela; y, habiendo andado más de dos horas por él, buscándola por todas partes sin poder hallarla, vinieron a parar a un prado lleno de fresca yerba, junto del cual corría un arroyo apacible y fresco; tanto, que convidó y forzó a pasar allí las horas de la siesta, que rigurosamente comenzaba ya a entrar.

Apeáronse don Quijote y Sancho y, dejando al ju-

* El episodio que se narra en este capítulo es distinto de las demás aventuras del *Quijote*, pues aquí el protagonista no se imagina hallarse en un trance caballeresco ni desfigura la realidad con sus fantasías. Amo y criado son maltratados por culpa de Rocinante, desdicha que podría sobrevenir a cualquier personaje novelesco. En el texto de la primera edición del *Quijote* los arrieros de este episodio son llamados siempre *gallegos*, excepto en los epígrafes del capítulo 10 y del presente, donde reciben el nombre de *yangüeses*, o sea, naturales de Yanguas (hay dos lugares así llamados, en las actuales provincias de Soria y Segovia). A partir de la segunda edición del *Quijote* los arrieros dejan de ser *gallegos* para ser siempre *yangüeses*, sin que se pueda afirmar categóricamente que este cambio se deba a Cervantes, el cual, de todos modos, aceptó la nueva denominación, pues Sancho, en la segunda parte, menciona «la aventura de los yangüeses» (II, 3).

mento y a Rocinante a sus anchuras pacer de la mucha yerba que allí había, dieron saco a las alforjas, y, sin cerimonia alguna, en buena paz y compañía, amo y mozo comieron lo que en ellas hallaron.

No se había curado Sancho de echar sueltas[1] a Rocinante, seguro de que le conocía por tan manso y tan poco rijoso, que todas las yeguas de la dehesa de Córdoba no le hicieran tomar mal siniestro. Ordenó, pues, la suerte, y el diablo, que no todas veces duerme, que andaban por aquel valle paciendo una manada de hacas galicianas[2] de unos arrieros gallegos, de los cuales es costumbre sestear con su recua en lugares y sitios de yerba y agua; y aquel donde acertó a hallarse don Quijote era muy a propósito de los gallegos.

Sucedió, pues, que a Rocinante le vino en deseo de refocilarse con las señoras facas, y saliendo, así como las olió, de su natural paso y costumbre, sin pedir licencia a su dueño, tomó un trotico algo picadillo y se fue a comunicar su necesidad con ellas. Mas ellas, que, a lo que pareció, debían de tener más gana de pacer que de ál[3], recibiéronle con las herraduras y con los dientes, de tal manera, que a poco espacio se le rompieron las cinchas, y quedó sin silla, en pelota. Pero lo que él debió más de sentir fue que, viendo los arrieros la fuerza que a sus yeguas se les hacía, acudieron con estacas, y tantos palos le dieron, que le derribaron malparado en el suelo.

Ya en esto, don Quijote y Sancho, que la paliza de Rocinante habían visto, llegaban ijadeando; y dijo don Quijote a Sancho:

—A lo que yo veo, amigo Sancho, éstos no son caballeros, sino gente soez y de baja ralea. Dígolo, porque bien me puedes ayudar a tomar la debida venganza del agravio que delante de nuestros ojos se le ha hecho a Rocinante.

—¿Qué diablos de venganza hemos de tomar —respondió Sancho—, si éstos son más de veinte, y nosotros no más de dos, y aun quizá nosotros sino uno y medio?

---

[1] *sueltas,* trabas con que se atan las extremidades de las caballerías.

[2] *hacas galicianas,* jacas gallegas; lo que apoya que los arrieros sean gallegos.

[3] *que de ál,* que de otra cosa.

—Yo valgo por ciento —replicó don Quijote.

Y sin hacer más discursos, echó mano a su espada y arremetió a los gallegos, y lo mesmo hizo Sancho Panza, incitado y movido del ejemplo de su amo. Y, a las primeras, dio don Quijote una cuchillada a uno, que le abrió un sayo de cuero de que venía vestido, con gran parte de la espalda.

Los gallegos, que se vieron maltratar de aquellos dos hombres solos, siendo ellos tantos, acudieron a sus estacas, y, cogiendo a los dos en medio, comenzaron a menudear sobre ellos con grande ahínco y vehemencia. Verdad es que al segundo toque dieron con Sancho en el suelo, y lo mesmo le avino a don Quijote, sin que le valiese su destreza y buen ánimo; y quiso su ventura que viniese a caer a los pies de Rocinante, que aún no se había levantado; donde se echa de ver la furia con que machacan estacas puestas en manos rústicas y enojadas.

Viendo, pues, los gallegos el mal recado que habían hecho, con la mayor presteza que pudieron cargaron su recua y siguieron su camino, dejando a los dos aventureros de mala traza y de peor talante.

El primero que se resintió[4] fue Sancho Panza; y hallándose junto a su señor, con voz enferma y lastimada, dijo:

—¡Señor don Quijote! ¡Ah, señor don Quijote!

—¿Qué quieres, Sancho hermano? —respondió don Quijote con el mesmo tono afeminado y doliente que Sancho.

—Querría, si fuese posible —respondió Sancho Panza—, que vuestra merced me diese dos tragos de aquella bebida del feo Blas[5], si es que la tiene vuestra merced ahí a mano. Quizá será de provecho para los quebrantamientos de huesos como lo es para las feridas.

—Pues, a tenerla yo aquí, desgraciado yo, ¿qué nos faltaba? —respondió don Quijote—. Mas yo te juro, Sancho Panza, a fe de caballero andante, que antes que pasen dos días, si la fortuna no ordena otra cosa, la ten-

---

[4] *resentirse,* dar muestras de dolor, quejarse.
[5] Sancho alude al bálsamo de Fierabrás, al que don Quijote se ha referido en el capítulo 10 (véase nota 10), y sobre el cual véase el comentario preliminar del próximo capítulo 17.

go de tener en mi poder, o mal me han de andar las
manos[6].

—Pues ¿en cuántos le parece a vuestra merced que
podremos mover los pies? —replicó Sancho Panza.

—De mí sé decir —dijo el molido caballero don Quijote— que no sabré poner término a esos días. Mas yo
me tengo la culpa de todo; que no había de poner mano
a la espada contra hombres que no fuesen armados caballeros como yo; y así, creo que, en pena de haber pasado las leyes de la caballería, ha permitido el dios de
las batallas que se me diese este castigo. Por lo cual, Sancho Panza, conviene que estés advertido en esto que
ahora te diré, porque importa mucho a la salud de entrambos; y es que, cuando veas que semejante canalla
nos hace algún agravio, no aguardes a que yo ponga
mano al espada para ellos, porque no lo haré en ninguna manera, sino pon tú mano a tu espada y castíga-
los muy a tu sabor; que si en su ayuda y defensa acu-
dieren caballeros, yo te sabré defender y ofendellos con
todo mi poder, que ya habrás visto por mil señales y
experiencias hasta adónde se estiende el valor de este mi
fuerte brazo.

Tal quedó de arrogante el pobre señor con el vencimiento del valiente vizcaíno. Mas no le pareció tan bien
a Sancho Panza el aviso de su amo, que dejase de responder, diciendo:

—Señor, yo soy hombre pacífico, manso, sosegado, y
sé disimular cualquiera injuria, porque tengo mujer
y hijos que sustentar y criar. Así, que séale a vuestra
merced también aviso, pues no puede ser mandato, que
en ninguna manera pondré mano a la espada, ni contra
villano ni contra caballero; y que, desde aquí para delante de Dios[7], perdono cuantos agravios me han hecho y
han de hacer, ora me los haya hecho, o haga, o haya de
hacer, persona alta o baja, rico o pobre, hidalgo o pe-
chero sin eceptar estado ni condición alguna.

Lo cual, oído por su amo, le respondió:

—Quisiera tener aliento para poder hablar un poco

---

[6] *o mal me han de andar las manos*, o muy torpe tendría que
ser si no lo consiguiera.
[7] «desde este momento y hasta el momento en que me encuentre ante Dios», o sea, el de mi muerte.

descansado, y que el dolor que tengo en esta costilla se aplacara tanto cuanto[8], para darte a entender, Panza, en el error en que estás. Ven acá, pecador: si el viento de la fortuna, hasta ahora tan contrario, en nuestro favor se vuelve, llevándonos las velas del deseo para que seguramente y sin contraste alguno tomemos puerto en alguna de las ínsulas que te tengo prometida, ¿qué sería de ti, si, ganándola yo, te hiciese señor della? Pues ¿lo vendrás a imposibilitar por no ser caballero, ni quererlo ser, ni tener valor ni intención de vengar tus injurias y defender tu señorío? Porque has de saber que en los reinos y provincias nuevamente conquistadas nunca están tan quietos los ánimos de sus naturales, ni tan de parte del nuevo señor, que no se tengan temor de que han de hacer alguna novedad para alterar de nuevo las cosas, y volver, como dicen, a probar ventura; y así, es menester que el nuevo posesor tenga entendimiento para saberse gobernar y valor para ofender y defenderse en cualquiera acontecimiento.

—En este que ahora nos ha acontecido —respondió Sancho—, quisiera yo tener ese entendimiento y ese valor que vuestra merced dice; mas yo le juro, a fe de pobre hombre, que más estoy para bizmas[9] que para pláticas. Mire vuestra merced si se puede levantar, y ayudaremos a Rocinante, aunque no lo merece, porque él fue la causa principal de todo este molimiento. Jamás tal creí de Rocinante; que le tenía por persona casta y tan pacífica como yo. En fin, bien dicen que es menester mucho tiempo para venir a conocer las personas, y que no hay cosa segura en esta vida. ¿Quién dijera que tras de aquellas tan grandes cuchilladas como vuestra merced dio a aquel desdichado caballero andante, había de venir por la posta y en seguimiento suyo esta tan grande tempestad de palos que ha descargado sobre nuestras espaldas?

—Aun las tuyas, Sancho —replicó don Quijote—, deben de estar hechas a semejantes nublados; pero las mías, criadas entre sinabafas y holandas[10], claro está que

---

[8] *tanto cuanto*, un poco.
[9] *bizmas*, emplastos.
[10] *sinabafas y holandas*, telas muy delgadas propias de gente rica.

sentirán más el dolor desta desgracia. Y si no fuese porque imagino..., ¿qué digo imagino?, sé muy cierto, que todas estas incomodidades son muy anejas al ejercicio de las armas, aquí me dejaría morir de puro enojo.

A esto replicó el escudero:

—Señor, ya que estas desgracias son de la cosecha de la caballería, dígame vuestra merced si suceden muy a menudo, o si tienen sus tiempos limitados en que acaecen; porque me parece a mí que a dos cosechas quedaremos inútiles para la tercera, si Dios, por su infinita misericordia, no nos socorre.

—Sábete, amigo Sancho —respondió don Quijote—, que la vida de los caballeros andantes está sujeta a mil peligros y desventuras, y ni más ni menos está en potencia propincua de[11] ser los caballeros andantes reyes y emperadores, como lo ha mostrado la experiencia en muchos y diversos caballeros, de cuyas historias yo tengo entera noticia. Y pudiérate contar agora, si el dolor me diera lugar, de algunos que sólo por el valor de su brazo han subido a los altos grados que he contado, y estos mesmos se vieron antes y después en diversas calamidades y miserias. Porque el valeroso Amadís de Gaula se vio en poder de su mortal enemigo Arcalaus, el encantador, de quien se tiene por averiguado que le dio, teniéndole preso, más de docientos azotes con las riendas de su caballo, atado a una coluna de un patio. Y aun hay un autor secreto, y de no poco crédito, que dice que, habiendo cogido al Caballero del Febo con una cierta trampa que se le hundió debajo de los pies, en un cierto castillo, y al caer, se halló en una honda sima debajo de tierra, atado de pies y manos, y allí le echaron unas destas que llaman melecinas[12], de agua de nieve y arena, de lo que llegó muy al cabo; y si no fuera socorrido en aquella gran cuita de un sabio grande amigo suyo, lo pasara muy mal el pobre caballero. Ansí, que bien puedo yo pasar entre tanta buena gente; que mayores afrentas son las que éstos pasaron que no las que ahora nosotros pasamos. Porque quiero hacerte sabidor, Sancho, que no afrentan las heridas que se dan con los instrumentos que acaso se hallan en las manos; y esto está

[11] *está en potencia propincua de,* está a punto de.
[12] *melecinas,* lavativas.

en la ley del duelo, escrito por palabras expresas: que si el zapatero da a otro con la horma que tiene en la mano, puesto que verdaderamente es de palo, no por eso se dirá que queda apaleado aquel a quien dio con ella. Digo esto porque no pienses que, puesto que quedamos desta pendencia molidos, quedamos afrentados, porque las armas que aquellos hombres traían, con que nos machacaron, no eran otras que sus estacas, y ninguno dellos, a lo que se me acuerda, tenía estoque, espada ni puñal.

—No me dieron a mí lugar —respondió Sancho— a que mirase en tanto; porque apenas puse mano a mi tizona[13], cuando me santiguaron los hombros con sus pinos, de manera que me quitaron la vista de los ojos y la fuerza de los pies, dando conmigo adonde ahora yago, y adonde no me da pena alguna el pensar si fue afrenta o no lo de los estacazos, como me la da el dolor de los golpes, que me han de quedar tan impresos en la memoria como en las espaldas.

—Con todo eso, te hago saber, hermano Panza —replicó don Quijote—, que no hay memoria a quien el tiempo no acabe, ni dolor que muerte no le consuma.

—Pues ¿qué mayor desdicha puede ser —replicó Panza— de aquella que aguarda al tiempo que la consuma y a la muerte que la acabe? Si esta nuestra desgracia fuera de aquellas que con un par de bizmas se curan, aun no tan malo; pero voy viendo que no han de bastar todos los emplastos de un hospital para ponerlas en buen término siquiera.

—Déjate deso y saca fuerzas de flaqueza, Sancho —respondió don Quijote—, que así haré yo, y veamos cómo está Rocinante, que, a lo que me parece, no le ha cabido al pobre la menor parte desta desgracia.

—No hay de qué maravillarse deso —respondió Sancho—, siendo él tan buen caballero andante; de lo que yo me maravillo es de que mi jumento haya quedado libre y sin costas donde nosotros salimos sin costillas.

—Siempre deja la ventura una puerta abierta en las desdichas, para dar remedio a ellas —dijo don Quijote—. Dígolo, porque esa bestezuela podrá suplir ahora

---

[13] *tizona*, espada.

la falta de Rocinante, llevándome a mí desde aquí a algún castillo donde sea curado de mis feridas. Y más, que no tendré a deshonra la tal caballería, porque me acuerdo haber leído que aquel buen viejo Sileno, ayo y pedagogo del alegre dios de la risa[14], cuando entró en la ciudad de las cien puertas[15] iba, muy a su placer, caballero sobre un muy hermoso asno.

—Verdad será que él debía de ir caballero, como vuestra merced dice —respondió Sancho—; pero hay grande diferencia del ir caballero al ir atravesado como costal de basura.

A lo cual respondió don Quijote:

—Las feridas que se reciben en las batallas, antes dan honra que la quitan; así que, Panza amigo, no me repliques más, sino, como ya te he dicho, levántate lo mejor que pudieres y ponme de la manera que más te agradare encima de tu jumento, y vamos de aquí antes que la noche venga y nos saltee en este despoblado.

—Pues yo he oído decir a vuestra merced —dijo Panza— que es muy de caballeros andantes el dormir en los páramos y desiertos lo más del año, y que lo tienen a mucha ventura.

—Eso es —dijo don Quijote— cuando no pueden más o cuando están enamorados; y es tan verdad esto, que ha habido caballero que se ha estado sobre una peña, al sol, y a la sombra, y a las inclemencias del cielo, dos años, sin que lo supiese su señora. Y uno déstos fue Amadís, cuando, llamándose Beltenebros[16], se alojó en la Peña Pobre, ni sé si ocho años o ocho meses, que no estoy muy bien en la cuenta: basta que él estuvo allí haciendo penitencia, por no sé qué sinsabor que le hizo la señora Oriana. Pero dejemos ya esto, Sancho, y acaba, antes que suceda otra desgracia al jumento, como a Rocinante.

—Aun ahí sería el diablo[17] —dijo Sancho.

Y despidiendo treinta ayes, y sesenta sospiros, y cien-

---

[14] *dios de la risa*, Baco.
[15] Aquí Cervantes confunde a Tebas de Beocia, patria de Baco, con Tebas de Egipto, a la que Homero llama «la de las cien puertas». El error tal vez procede de las *Trescientas* de Juan de Mena.
[16] Para Beltenebros véase el comentario preliminar al capítulo 25 de esta primera parte.
[17] *Aun ahí sería el diablo*, eso sería un daño más.

to y veinte pésetes y reniegos de quien allí le había traído, se levantó, quedándose agobiado en la mitad del
camino, como arco turquesco[18], sin poder acabar de en-
derezarse; y con todo este trabajo aparejó su asno, que
también había andado algo destraído con la demasiada
libertad de aquel día. Levantó luego a Rocinante, el
cual, si tuviera lengua con que quejarse, a buen seguro
que Sancho ni su amo no le fueran en zaga.

En resolución, Sancho acomodó a don Quijote sobre
el asno y puso de reata[19] a Rocinante, y llevando al asno
de cabestro, se encaminó, poco más a menos, hacia donde
le pareció que podía estar el camino real. Y la suerte,
que sus cosas de bien en mejor iba guiando, aún no hubo
andado una pequeña legua, cuando le deparó el camino,
en el cual descubrió una venta que, a pesar suyo y gusto
de don Quijote, había de ser castillo. Porfiaba Sancho
que era venta, y su amo que no, sino castillo; y tanto
duró la porfía, que tuvieron lugar, sin acabarla, de llegar
a ella, en la cual Sancho se entró, sin más averiguación,
con toda su recua.

CAPÍTULO XVI

DE LO QUE LE SUCEDIÓ AL INGENIOSO HIDALGO
EN LA VENTA QUE ÉL IMAGINABA SER CASTILLO

EL ventero, que vio a don Quijote atravesado en el
asno, preguntó a Sancho qué mal traía. Sancho le
respondió que no era nada, sino que había dado una
caída de una peña abajo, y que venía algo brumadas las
costillas. Tenía el ventero por mujer a una, no de la
condición que suelen tener las de semejante trato, porque naturalmente era caritativa y se dolía de las calamidades de sus prójimos; y así, acudió luego a curar
a don Quijote y hizo que una hija suya, doncella, muchacha y de muy buen parecer, la ayudase a curar a su

---

[18] Los *arcos turquescos*, o sea turcos, eran de gran longitud
y para dispararlos se apoyaba uno de sus extremos en el suelo y
quedaban muy encurvados.
[19] *de reata*, caballerías atadas en hilera, una detrás de otra.

huésped. Servía en la venta, asimesmo, una moza asturiana, ancha de cara, llana de cogote, de nariz roma[1],
del un ojo tuerta y del otro no muy sana. Verdad es que
la gallardía del cuerpo suplía las demás faltas: no tenía
siete palmos de los pies a la cabeza, y las espaldas, que
algún tanto le cargaban, la hacían mirar al suelo más
de lo que ella quisiera. Esta gentil moza, pues, ayudó a
la doncella, y las dos hicieron una muy mala cama a don
Quijote, en un camaranchón que, en otros tiempos, daba
manifiestos indicios que había servido de pajar muchos
años[2]. En la cual[3] también alojaba un arriero, que tenía
su cama hecha un poco más allá de la de nuestro don
Quijote. Y aunque era de las enjalmas[4] y mantas de sus
machos, hacía mucha ventaja a la de don Quijote, que
sólo contenía cuatro mal lisas tablas, sobre dos no muy
iguales bancos, y un colchón que en lo sutil parecía
colcha, lleno de bodoques[5], que, a no mostrar que eran
de lana por algunas roturas, al tiento, en la dureza,
semejaban de guijarro, y dos sábanas hechas de cuero
de adarga, y una frazada[6], cuyos hilos, si se quisieran
contar, no se perdiera uno solo de la cuenta.

En esta maldita cama se acostó don Quijote, y luego
la ventera y su hija le emplastaron de arriba abajo, alum-
brándoles Maritornes, que así se llamaba la asturiana; y
como al bizmalle[7] viese la ventera tan acardenalado a
partes a don Quijote, dijo que aquello más parecían
golpes que caída.

—No fueron golpes —dijo Sancho—; sino que la
peña tenía muchos picos y tropezones. —Y que cada
uno había hecho su cardenal. Y también le dijo—: Haga
vuestra merced, señora, de manera que queden algunas
estopas, que no faltará quien las haya menester; que
también me duelen a mí un poco los lomos.

—Desa manera —respondió la ventera—, también
debistes vos de caer.

—No caí —dijo Sancho Panza—; sino que del sobre-

---

[1] *nariz roma*, nariz achatada.
[2] «en un desván que daba manifiestos indicios que durante muchos años había servido de pajar».
[3] *la cual* se refiere a la *venta*.
[4] *enjalmas*, albardas ligeras de bestia de carga.
[5] *bodoques*, bultos pequeños de lana.
[6] *frazada*, manta peluda que se echa en la cama.
[7] *bizmalle*, o sea, «bizmarle», aplicarle el emplasto.

salto que tomé de ver caer a mi amo, de tal manera me duele a mí el cuerpo, que me parece que me han dado mil palos.

—Bien podrá ser eso —dijo la doncella—; que a mí me ha acontecido muchas veces soñar que caía de una torre abajo, y que nunca acababa de llegar al suelo, y cuando despertaba del sueño, hallarme tan molida y quebrantada como si verdaderamente hubiera caído.

—Ahí está el toque, señora —respondió Sancho Panza—: que yo, sin soñar nada, sino estando más despierto que ahora estoy, me hallo con pocos menos cardenales que mi señor don Quijote.

—¿Cómo se llama este caballero? —preguntó la asturiana Maritornes.

—Don Quijote de la Mancha —respondió Sancho Panza—; y es caballero aventurero, y de los mejores y más fuertes que de luengos tiempos acá se han visto en el mundo.

—¿Qué es caballero aventurero? —replicó la moza.

—¿Tan nueva sois en el mundo que no lo sabéis vos? —respondió Sancho Panza—. Pues sabed, hermana mía, que caballero aventurero es una cosa que en dos palabras se ve apaleado y emperador. Hoy está la más desdichada criatura del mundo y la más menesterosa, y mañana tendría dos o tres coronas de reinos que dar a su escudero.

—Pues ¿cómo vos, siéndolo deste tan buen señor —dijo la ventera—, no tenéis, a lo que parece, siquiera algún condado?

—Aún es temprano —respondió Sancho—, porque no ha sino un mes[8] que andamos buscando las aventuras, y hasta ahora no hemos topado con ninguna que lo sea[9]. Y tal vez hay que se busca una cosa y se halla otra. Verdad es que, si mi señor don Quijote sana desta herida o caída y yo no quedo contrecho della, no trocaría mis esperanzas con el mejor título de España.

Todas estas pláticas estaba escuchando, muy atento,

---

[8] Sólo hace tres días que don Quijote y Sancho salieron de su aldea, o uno solo si consideramos interpolada la historia de Marcela y Grisóstomo. Sancho miente a sabiendas.

[9] *aventura* está tomado aquí en el sentido de «suceso venturoso».

don Quijote, y sentándose en el lecho como pudo, tomando de la mano a la ventera, le dijo:

—Creedme, fermosa señora, que os podéis llamar venturosa por haber alojado en este vuestro castillo a mi persona, que es tal, que si yo no la alabo es por lo que suele decirse que la alabanza propria envilece; pero mi escudero os dirá quién soy. Sólo os digo que tendré eternamente escrito en mi memoria el servicio que me habedes fecho, para agradecéroslo mientras la vida me durare; y pluguiera a los altos cielos que el amor no me tuviera tan rendido y tan sujeto a sus leyes, y los ojos de aquella hermosa ingrata que digo entre mis dientes; que los desta fermosa doncella fueran señores de mi libertad.

Confusas estaban la ventera y su hija y la buena de Maritornes oyendo las razones del andante caballero, que así las entendían como si hablara en griego, aunque bien alcanzaron que todas se encaminaban a ofrecimiento y requiebros; y, como no usadas[10] a semejante lenguaje, mirábanle y admirábanse y parecíales otro hombre de los que se usaban; y, agradeciéndole con venteriles razones sus ofrecimientos, le dejaron, y la asturiana Maritornes curó a Sancho, que no menos lo había menester que su amo.

Había[11] el arriero concertado con ella que aquella noche se refocilarían juntos, y ella le había dado su palabra de que, en estando sosegados los huéspedes y durmiendo sus amos, le iría a buscar y satisfacerle el gusto en cuanto le mandase. Y cuéntase desta buena moza que jamás dio semejantes palabras que no las cumpliese, aunque las diese en un monte y sin testigo alguno, porque presumía muy de hidalga, y no tenía por afrenta estar en aquel ejercicio de servir en la venta, porque decía ella que desgracias y malos sucesos la habían traído a aquel estado.

El duro, estrecho, apocado y fementido lecho de don Quijote estaba primero[12] en mitad de aquel estrellado[13] establo, y luego, junto a él, hizo el suyo Sancho, que

---

[10] *no usadas*, no acostumbradas.
[11] Aquí empieza un largo fragmento que fue censurado por la Inquisición portuguesa en 1624 (véase, más adelante, la nota 25).
[12] El *primero* que se encontraba al entrar.
[13] *estrellado*, porque el techo estaba lleno de agujeros y grietas.

sólo contenía una estera de enea y una manta, que antes mostraba ser de anjeo tundido[14] que de lana. Sucedía a estos dos lechos el del arriero, fabricado, como se ha dicho, de las enjalmas y de todo el adorno de los dos mejores mulos que traía, aunque eran doce, lucios, gordos y famosos, porque era uno de los ricos arrieros de Arévalo, según lo dice el autor desta historia que deste arriero hace particular mención, porque le conocía muy bien, y aun quieren decir que era algo pariente suyo[15]. Fuera de que Cide Hamete Benengeli fue historiador muy curioso y muy puntual en todas las cosas, y échase bien de ver, pues las que quedan referidas, con ser tan mínimas y tan rateras[16], no las quiso pasar en silencio; de donde podrán tomar ejemplo los historiadores graves, que nos cuentan las acciones tan corta y sucintamente, que apenas nos llegan a los labios, dejándose en el tintero, ya por descuido, por malicia o ignorancia, lo más sustancial de la obra. ¡Bien haya mil veces el autor de *Tablante de Ricamonte*[17], y aquel del otro libro donde se cuenta los hechos del conde Tomillas[18], y con qué puntualidad lo describen todo!

Digo, pues, que después de haber visitado el arriero a su recua y dádole el segundo pienso, se tendió en sus enjalmas y se dio a esperar a su puntualísima Maritornes. Ya estaba Sancho bizmado y acostado, y, aunque procuraba dormir, no lo consentía el dolor de sus costillas; y don Quijote, con el dolor de las suyas, tenía los ojos abiertos como liebre. Toda la venta estaba en silencio, y en toda ella no había otra luz que la que daba una lámpara, que colgada en medio del portal ardía.

Esta maravillosa quietud, y los pensamientos que

---

[14] *anjeo tundido,* lienzo basto pelado.
[15] El *autor* es Cide Hamete Benengeli; y hace alusión a que los arrieros eran motejados de moriscos.
[16] *rateras,* ruines.
[17] El libro de caballerías titulado *La corónica de los nobles caballeros Tablante de Ricamonte y Jofre* (Toledo, 1513), traducción de una prosificación francesa de la novela provenzal en verso, de fines del siglo XII, titulada *Jaufré,* dedicada a un rey de Aragón que es seguramente Alfonso II, y que narra las hazañas de Jaufré y sus luchas contra el gigante Taulat de Rogimont.
[18] El conde Tomillas es un personaje de la novela *Historia de Enrique fi de Oliva* (Sevilla, 1498), derivada del cantar de gesta francés *Doon de la Roche,* de finales del siglo XII. Lo de la «puntualidad» de las descripciones de estos dos libros lo dice Cervantes irónicamente.

siempre nuestro caballero traía de los sucesos que a cada
paso se cuentan en los libros autores de su desgracia, le
trujo a la imaginación una de las estrañas locuras que
buenamente imaginarse pueden; y fue que él se imaginó
haber llegado a un famoso castillo —que, como se ha
dicho, castillos eran a su parecer todas las ventas donde
alojaba—, y que la hija del ventero lo era del señor del
castillo, la cual, vencida de su gentileza, se había enamorado dél y prometido que aquella noche, a furto de sus padres, vendría a yacer con él una buena pieza; y, teniendo toda esta quimera, que él se había fabricado, por
firme y valedera, se comenzó a acuitar y a pensar en el
peligroso trance en que su honestidad se había de ver, y
propuso en su corazón de no cometer alevosía a su señora Dulcinea del Toboso, aunque la mesma reina Ginebra
con su dama Quintañona[19] se le pusiesen delante.

Pensando, pues, en estos disparates, se llegó el tiempo
y la hora —que para él fue menguada— de la venida de
la asturiana, la cual, en camisa y descalza, cogidos los
cabellos en una albanega de fustán[20], con tácitos y aten-
tados pasos, entró en el aposento donde los tres alojaban,
en busca del arriero. Pero, apenas llegó a la puerta,
cuando don Quijote la sintió, y, sentándose en la cama, a
pesar de sus bizmas y con dolor de sus costillas, tendió
los brazos para recebir a su fermosa doncella. La asturiana, que, toda recogida y callando, iba con las manos
delante, buscando a su querido, topó con los brazos de
don Quijote, el cual la asió fuertemente de una muñeca,
y tirándola hacia sí, sin que ella osase hablar palabra, la
hizo sentar sobre la cama. Tentóle luego la camisa, y,
aunque ella era de arpillera, a él le pareció ser de finísimo y delgado cendal. Traía en las muñecas unas cuentas de vidrio; pero a él le dieron vislumbres de preciosas
perlas orientales. Los cabellos, que en alguna manera
tiraban a crines, él los marcó por hebras de lucidísimo
oro de Arabia, cuyo resplandor al del mesmo sol escure-
cía. Y el aliento, que, sin duda alguna, olía a ensalada
fiambre y trasnochada, a él le pareció que arrojaba de
su boca un olor suave y aromático; y, finalmente, él la

[19] Véase I, 13, nota 5.
[20] *albanega de fustán,* redecilla de tela de algodón para sujetar el pelo.

pintó en su imaginación de la misma traza y modo que
lo había leído en sus libros de la otra princesa que vino
a ver el mal ferido caballero, vencida de sus amores, con
todos los adornos que aquí van puestos[21]. Y era tanta la
ceguedad del pobre hidalgo, que el tacto, ni el aliento,
ni otras cosas que traía en sí la buena doncella, no le
desengañaban, las cuales pudieran hacer vomitar a otro
que no fuera arriero; antes le parecía que tenía entre
sus brazos a la diosa de la hermosura. Y, teniéndola bien
asida, con voz amorosa y baja le comenzó a decir:

—Quisiera hallarme en términos, fermosa y alta señora, de poder pagar tamaña merced como la que con
la vista de vuestra gran fermosura me habedes fecho;
pero ha querido la fortuna, que no se cansa de perseguir
a los buenos, ponerme en este lecho, donde yago tan molido y quebrantado, que, aunque de mi voluntad quisiera
satisfacer a la vuestra, fuera imposible. Y más, que se
añade a esta imposibilidad otra mayor, que es la prometida fe que tengo dada a la sin par Dulcinea del Toboso, única señora de mis más escondidos pensamientos;
que si esto no hubiera de por medio, no fuera yo tan
sandio caballero que dejara pasar en blanco la venturosa
ocasión en que vuestra gran bondad me ha puesto.

Maritornes estaba congojadísima y trasudando, de
verse tan asida de don Quijote, y, sin entender ni estar
atenta a las razones que le decía, procuraba, sin hablar
palabra, desasirse. El bueno del arriero, a quien tenían
despierto sus malos deseos, desde el punto que entró su
coima[22] por la puerta, la sintió, estuvo atentamente escuchando todo lo que don Quijote decía, y, celoso de que
la asturiana le hubiese faltado la palabra por otro, se fue
llegando más al lecho de don Quijote, y estúvose quedo
hasta ver en qué paraban aquellas razones, que él no podía entender. Pero como vio que la moza forcejeaba por
desasirse y don Quijote trabajaba por tenella, pareciéndole mal la burla, enarboló el brazo en alto y descargó
tan terrible puñada sobre las estrechas quijadas del enamorado caballero, que le bañó toda la boca en sangre;

[21] Situación muy frecuente en los libros de caballerías (por
ejemplo en el primer capítulo del *Amadís de Gaula,* donde se describe la entrevista nocturna entre la infanta Elisena y el rey
Perión).
[22] *coima,* amiga.

y, no contento con esto, se le subió encima de las costillas, y con los pies más que de trote, se las paseó todas de cabo a cabo.

El lecho, que era un poco endeble y de no firmes fundamentos, no pudiendo sufrir la añadidura del arriero, dio consigo en el suelo, a cuyo gran ruido despertó el ventero; y luego imaginó que debían de ser pendencias de Maritornes, porque, habiéndola llamado a voces, no respondía. Con esta sospecha se levantó, y, encendiendo un candil, se fue hacia donde había sentido la pelaza[23]. La moza, viendo que su amo venía, y que era de condición terrible, toda medrosica y alborotada, se acogió a la cama de Sancho Panza, que aún dormía, y allí se acorrucó y se hizo un ovillo. El ventero entró diciendo:

—¿Adónde estás, puta? A buen seguro que son tus cosas éstas.

En esto, despertó Sancho, y, sintiendo aquel bulto casi encima de sí, pensó que tenía la pesadilla, y comenzó a dar puñadas a una y otra parte, y, entre otras alcanzó con no sé cuántas a Maritornes, la cual, sentida del dolor, echando a rodar la honestidad, dio el retorno a Sancho con tantas, que, a su despecho, le quitó el sueño; el cual, viéndose tratar de aquella manera, y sin saber de quién, alzándose como pudo, se abrazó con Maritornes, y comenzaron entre los dos la más reñida y graciosa escaramuza del mundo.

Viendo, pues, el arriero, a la lumbre del candil del ventero, cuál andaba su dama, dejando a don Quijote, acudió a dalle el socorro necesario. Lo mismo hizo el ventero, pero con intención diferente, porque fue a castigar a la moza, creyendo, sin duda, que ella sola era la ocasión de toda aquella armonía. Y así como suele decirse: el gato al rato, el rato a la cuerda, la cuerda al palo[24], daba el arriero a Sancho, Sancho a la moza, la moza a él, el ventero a la moza, y todos menudeaban con tanta priesa, que no se daban punto de reposo[25]; y fue lo bueno que al ventero se le apagó el candil, y, como quedaron ascuras, dábanse tan sin compasión todos a

---

[23] *pelaza,* refriega.
[24] Alusión a un cuento infantil que pertenece al folklore universal (cfr. R. Marín, I, 436 para sus versiones españolas).
[25] Aquí acaba la larga censura de la Inquisición portuguesa (véase la anterior nota 11).

bulto, que a doquiera que ponían la mano no dejaban cosa sana.

Alojaba acaso aquella noche en la venta un cuadrillero de los que llaman de la Santa Hermandad vieja de Toledo, el cual, oyendo ansimesmo el estraño estruendo de la pelea, asió de su media vara[26] y de la caja de lata[27] de sus títulos, y entró ascuras en el aposento, diciendo:

—¡Ténganse a la justicia! ¡Ténganse a la Santa Hermandad!

Y el primero con quien topó fue con el apuñeado de don Quijote, que estaba en su derribado lecho, tendido boca arriba, sin sentido alguno, y, echándole a tiento mano a las barbas, no cesaba de decir:

—¡Favor a la justicia!

Pero viendo que el que tenía asido no se bullía ni meneaba, se dio a entender que estaba muerto, y que los que allí dentro estaban eran sus matadores, y con esta sospecha reforzó la voz, diciendo:

—¡Ciérrese la puerta de la venta! ¡Miren no se vaya nadie, que han muerto aquí a un hombre!

Esta voz sobresaltó a todos, y cada cual dejó la pendencia en el grado que le tomó la voz. Retiróse el ventero a su aposento, el arriero a sus enjalmas, la moza a su rancho[28]; solos los desventurados don Quijote y Sancho no se pudieron mover de donde estaban. Soltó en esto el cuadrillero la barba de don Quijote, y salió a buscar luz para buscar y prender los delincuentes; mas no la halló, porque el ventero, de industria[29], había muerto la lámpara cuando se retiró a su estancia, y fuele forzoso acudir a la chimenea, donde, con mucho trabajo y tiempo, encendió el cuadrillero otro candil.

[26] *media vara*, insignia de su autoridad que llevaban los cuadrilleros de la Santa Hermandad.
[27] En *cajas de lata* se llevaban los documentos personales cuando se viajaba.
[28] *rancho*, alcoba rústica.
[29] *de industria*, adrede, deliberadamente.

CAPÍTULO XVII

DONDE SE PROSIGUEN LOS INNUMERABLES TRABAJOS QUE
EL BRAVO DON QUIJOTE Y SU BUEN ESCUDERO SANCHO
PANZA PASARON EN LA VENTA QUE, POR SU MAL, PENSÓ
QUE ERA CASTILLO*

HABÍA ya vuelto en este tiempo de su parasismo[1] don
Quijote, y, con el mesmo tono de voz con que el
día antes había llamado a su escudero, cuando estaba
tendido en el val de las estacas[2], le comenzó a llamar,
diciendo:

—Sancho amigo, ¿duermes? ¿Duermes, amigo Sancho?

—¿Qué tengo de dormir, pesia a mí[3] —respondió
Sancho, lleno de pesadumbre y de despecho—, que no
parece sino que todos los diablos han andado conmigo
esta noche?

—Puédeslo creer ansí, sin duda —respondió don
Quijote—; porque, o yo sé poco, o este castillo es en-

---

* Siguen los sucesos de la venta, y a fin de sanar de tantas palizas y porrazos a don Quijote se le ocurre confeccionar el «bálsamo de Fierabrás», que con su poder extraordinario les curará heridas y chichones. Se trata de una burlesca y paródica respuesta a un motivo frecuente en los libros de caballerías. El cantar de gesta francés *Fierabrás* (que se fecha hacia 1170) cuenta que el rey sarraceno Balán y su hijo el gigante Fierabrás conquistaron Roma, la saquearon y robaron las sagradas reliquias allí veneradas, entre ellas dos barriles con restos del bálsamo con que fue embalsamado Jesucristo, que tenía el poder de curar las heridas a quien lo bebía. Siguen innumerables batallas con los francos, en las que Oliveros realiza grandes hazañas, hasta que finalmente Fierabrás se hace cristiano y Carlomagno devuelve el milagroso bálsamo a Roma. Se trata de una ingenua leyenda piadosa, redactada con fe ardiente y espíritu cristiano, y que por España se divulgó principalmente gracias a la traducción de una prosificación francesa del viejo cantar. Esta traducción lleva el título de *Historia del emperador Carlomagno y de los doce pares de Francia e de la cruda batalla que hubo Oliveros con Fierabrás, hijo del grande almirante Balán*, se publicó por vez primera en Sevilla, en 1525, y se reimprimió numerosas veces, incluso en los siglos XVII, XVIII y XIX. Los contemporáneos de Cervantes, pues, podían advertir en el presente capítulo la burla de un tema que conocían perfectamente.

[1] *narasismo*, paroxismo (vulgarismo).

[2] Expresión tomada de un romance muy divulgado: «Por el val [valle] de las estacas El buen Cid pasado había...».

[3] *pesia a mí*, «pese a mí», o sea: «desdichado de mí».

cantado. Porque has de saber... Mas esto que ahora quiero decirte hasme de jurar que lo tendrás secreto hasta después de mi muerte.

—Sí juro —respondió Sancho.

—Dígolo —replicó don Quijote—, porque soy enemigo de que se quite la honra a nadie.

—Digo que sí juro —tornó a decir Sancho— que lo callaré hasta después de los días de vuestra merced, y plega a Dios que lo pueda descubrir mañana.

—¿Tan malas obras te hago, Sancho —respondió don Quijote—, que me querrías ver muerto con tanta brevedad?

—No es por eso —respondió Sancho—, sino porque soy enemigo de guardar mucho las cosas, y no querría que se me pudriesen de guardadas.

—Sea por lo que fuere —dijo don Quijote—; que más fío de tu amor y de tu cortesía; y así, has de saber que esta noche me ha sucedido una de las más estrañas aventuras que yo sabré encarecer; y, por contártela en breve, sabrás que poco ha que a mí vino la hija del señor deste castillo, que es la más apuesta y fermosa doncella que en gran parte de la tierra se puede hallar. ¿Qué te podría decir del adorno de su persona? ¿Qué de su gallardo entendimiento? ¿Qué de otras cosas ocultas, que, por guardar la fe que debo a mi señora Dulcinea del Toboso, dejaré pasar intactas y en silencio? Sólo te quiero decir que, envidioso el cielo de tanto bien como la ventura me había puesto en las manos, o quizá, y esto es lo más cierto, que, como tengo dicho, es encantado este castillo, al tiempo que yo estaba con ella en dulcísimos y amorosísimos coloquios, sin que yo la viese ni supiese de dónde venía, vino una mano pegada a algún brazo de algún descomunal gigante y asentóme una puñada en las quijadas, tal, que las tengo todas bañadas en sangre; y después me molió de tal suerte que estoy peor que ayer cuando los gallegos, que, por demasías de Rocinante, nos hicieron el agravio que sabes. Por donde conjeturo que el tesoro de la fermosura desta doncella le debe de guardar algún encantado moro, y no debe de ser para mí.

—Ni para mí tampoco —respondió Sancho—; porque más de cuatrocientos moros me han aporreado a mí, de manera que el molimiento de las estacas fue tortas y pan pintado. Pero dígame, señor, ¿cómo llama a ésta buena y rara aventura, habiendo quedado della cual quedamos? Aun vuestra merced menos mal, pues tuvo en sus manos aquella incomparable fermosura que ha dicho; pero yo, ¿qué tuve sino los mayores porrazos que pienso recebir en toda mi vida? ¡Desdichado de mí y de la madre que me parió, que ni soy caballero andante, ni lo pienso ser jamás, y de todas las malandanzas me cabe la mayor parte!

—Luego ¿también estás tú aporreado? —respondió don Quijote.

—¿No le he dicho que sí, pesia a mi linaje? —dijo Sancho.

—No tengas pena, amigo —dijo don Quijote—, que yo haré agora el bálsamo precioso con que sanaremos en un abrir y cerrar de ojos.

Acabó en esto de encender el candil el cuadrillero, y entró a ver el que pensaba que era muerto; y así como le vio entrar Sancho, viéndole venir en camisa y con su paño de cabeza y candil en la mano y con una muy mala cara, preguntó a su amo:

—Señor, ¿si será éste, a dicha, el moro encantado, que nos vuelve a castigar, si se dejó algo en el tintero?

—No puede ser el moro —respondió don Quijote—, porque los encantados no se dejan ver de nadie.

—Si no se dejan ver, déjanse sentir —dijo Sancho—; si no, díganlo mis espaldas.

—También lo podrían decir las mías —respondió don Quijote—; pero no es bastante indicio ése para creer que este que se vee sea el encantado moro.

Llegó el cuadrillero, y como los halló hablando en tan sosegada conversación, quedó suspenso. Bien es verdad que aún don Quijote se estaba boca arriba, sin poderse menear, de puro molido y emplastado. Llegóse a él el cuadrillero y díjole:

—Pues ¿cómo va, buen hombre[4]?

—Hablara yo más bien criado —respondió don Qui-

---

[4] *buen hombre* tenía a veces el matiz de tratamiento despectivo y se solía emplear al dirigirse a un inferior; por esto se ofende don Quijote.

jote—, si fuera que vos⁵. ¿Úsase en esta tierra hablar desa suerte a los caballeros andantes, majadero?

El cuadrillero, que se vio tratar tan mal de un hombre de tan mal parecer, no lo pudo sufrir, y, alzando el candil con todo su aceite, dio a don Quijote con él en la cabeza, de suerte que lo dejó muy bien descalabrado; y como todo quedó ascuras, salióse luego; y Sancho Panza dijo:

—Sin duda, señor, que éste es el moro encantado, y debe de guardar el tesoro para otros, y para nosotros sólo guarda las puñadas y los candilazos.

—Así es —respondió don Quijote—, y no hay que hacer caso destas cosas de encantamentos, ni hay para qué tomar cólera ni enojo con ellas; que, como son invisibles y fantásticas, no hallaremos de quién vengarnos, aunque más lo procuremos. Levántate, Sancho, si puedes, y llama al alcaide desta fortaleza, y procura que se me dé un poco de aceite, vino, sal y romero para hacer el salutífero bálsamo; que en verdad que creo que lo he bien menester ahora, porque se me va mucha sangre de la herida que esta fantasma me ha dado.

Levantóse Sancho con harto dolor de sus huesos, y fue ascuras donde estaba el ventero; y encontrándose con el cuadrillero, que estaba escuchando en qué paraba su enemigo, le dijo:

—Señor, quien quiera que seáis, hacednos merced y beneficio de darnos un poco de romero, aceite, sal y vino, que es menester para curar uno de los mejores caballeros andantes que hay en la tierra, el cual yace en aquella cama, malferido por las manos del encantado moro que está en esta venta.

Cuando el cuadrillero tal oyó, túvole por hombre falto de seso; y porque ya comenzaba a amanecer, abrió la puerta de la venta, y, llamando al ventero, le dijo lo que aquel buen hombre quería. El ventero le proveyó de cuanto quiso, y Sancho se lo llevó a don Quijote, que estaba con las manos en la cabeza, quejándose del dolor del candilazo, que no le había hecho más mal que levantarle dos chichones algo crecidos, y lo que él pensa-

---

⁵ «Si yo fuera lo que sois vos, hablaría con más buena crianza.»

ba que era sangre no era sino sudor que sudaba con la
congoja de la pasada tormenta.

En resolución, él tomó sus simples, de los cuales hizo
un compuesto, mezclándolos todos y cociéndolos un buen
espacio, hasta que le pareció que estaban en su punto.
Pidió luego alguna redoma para echallo, y como no la
hubo en la venta, se resolvió de ponello en una alcuza
o aceitera de hoja de lata, de quien el ventero le hizo
grata donación. Y luego dijo sobre la alcuza más de
ochenta paternostres y otras tantas avemarías, salves y
credos, y a cada palabra acompañaba una cruz, a modo
de bendición[6]; a todo lo cual se hallaron presentes Sancho, el ventero y cuadrillero; que ya el arriero sosegadamente andaba entendiendo en el beneficio de sus machos.

Hecho esto, quiso él mesmo hacer luego la esperiencia de la virtud de aquel precioso bálsamo que él se imaginaba, y así, se bebió, de lo que no pudo caber en la
alcuza y quedaba en la olla donde se había cocido, casi
media azumbre; y apenas lo acabó de beber, cuando
comenzó a vomitar, de manera que no le quedó cosa en
el estómago; y con las ansias y agitación del vómito le
dio un sudor copiosísimo, por lo cual mandó que le arro-
pasen y le dejasen solo. Hiciéronlo ansí, y quedóse dormido más de tres horas, al cabo de las cuales despertó y
se sintió aliviadísimo del cuerpo, y en tal manera mejor
de su quebrantamiento, que se tuvo por sano; y verdaderamente creyó que había acertado con el bálsamo de
Fierabrás, y que con aquel remedio podía acometer desde allí adelante, sin temor alguno, cualesquiera ruinas[7],
batallas y pendencias, por peligrosas que fuesen.

Sancho Panza, que también tuvo a milagro la mejoría de su amo, le rogó que le diese a él lo que quedaba
en la olla, que no era poca cantidad. Concedióselo don
Quijote, y él, tomándola a dos manos, con buena fe y
mejor talante, se la echó a pechos, y envasó bien poco
menos que su amo. Es, pues, el caso que el estómago del
pobre Sancho no debía de ser tan delicado como el de su
amo, y así, primero que vomitase, le dieron tantas an-

---

[6] Desde *Y luego dijo sobre* hasta *a modo de bendición* fue
censurado por la Inquisición portuguesa en 1624.
  [7] *ruinas*, estragos.

sias y bascas, con tantos trasudores y desmayos, que él
pensó bien y verdaderamente que era llegada su última
hora; y viéndose tan afligido y congojado, maldecía el
bálsamo y al ladrón que se lo había dado. Viéndole así
don Quijote, le dijo:

—Yo creo, Sancho, que todo este mal te viene de no
ser armado caballero, porque tengo para mí que este licor no debe de aprovechar a los que no lo son.

—Si eso sabía vuestra merced —replicó Sancho—,
¡mal haya yo y toda mi parentela!, ¿para qué consintió
que lo gustase?

En esto hizo su operación el brebaje, y comenzó el
pobre escudero a desaguarse por entrambas canales, con
tanta priesa, que la estera de enea, sobre quien se había
vuelto a echar, ni la manta de anjeo con que se cubría,
fueron más de provecho. Sudaba y trasudaba con tales
parasismos y accidentes, que no solamente él, sino todos
pensaron que se le acababa la vida. Duróle esta borrasca
y mala andanza casi dos horas, al cabo de las cuales no
quedó como su amo, sino tan molido y quebrantado, que
no se podía tener.

Pero don Quijote, que, como se ha dicho, se sintió
aliviado y sano, quiso partirse luego a buscar aventuras,
pareciéndole que todo el tiempo que allí se tardaba era
quitársele al mundo y a los en él menesterosos de su favor y amparo, y más, con la seguridad y confianza que
llevaba en su bálsamo. Y así, forzado deste deseo, él mismo ensilló a Rocinante y enalbardó al jumento de su escudero, a quien también ayudó a vestir y a subir en el
asno. Púsose luego a caballo, y, llegándose a un rincón
de la venta, asió de un lanzón[8] que allí estaba, para que
le sirviese de lanza.

Estábanle mirando todos cuantos había en la venta,
que pasaban de más de veinte personas; mirábale también la hija del ventero, y él también no quitaba los ojos
della, y de cuando en cuando arrojaba un sospiro que
parecía que le arrancaba de lo profundo de sus entrañas,
y todos pensaban que debía de ser el dolor que sentía
en las costillas; a lo menos, pensábanlo aquellos que la
noche antes le habían visto bizmar.

---

[8] *lanzón*, arma corta y delgada, menos resistente que una lanza.

Ya que estuvieron los dos a caballo, puesto a la puerta de la venta, llamó al ventero, y con voz muy reposada y grave, le dijo:

—Muchas y muy grandes son las mercedes, señor alcaide, que en este vuestro castillo he recebido, y quedo obligadísimo a agradecéroslas todos los días de mi vida. Si os las puedo pagar en haceros vengado de algún soberbio que os haya fecho algún agravio, sabed que mi oficio no es otro sino valer a los que poco pueden y vengar a los que reciben tuertos, y castigar alevosías. Recorred vuestra memoria, y si halláis alguna cosa deste jaez que encomendarme, no hay sino decilla; que yo os prometo, por la orden de caballero que recebí, de faceros satisfecho y pagado a toda vuestra voluntad.

El ventero le respondió con el mesmo sosiego:

—Señor caballero, yo no tengo necesidad de que vuestra merced me vengue ningún agravio, porque yo sé tomar la venganza que me parece cuando se me hacen. Sólo he menester que vuestra merced me pague el gasto que esta noche ha hecho en la venta, así de la paja y cebada de sus dos bestias, como de la cena y camas.

—Luego, ¿venta es ésta? —replicó don Quijote.

—Y muy honrada —respondió el ventero.

—Engañado he vivido hasta aquí —respondió don Quijote—; que en verdad que pensé que era castillo, y no malo; pero, pues es ansí que no es castillo, sino venta, lo que se podrá hacer por agora es que perdonéis por la paga; que yo no puedo contravenir a la orden de los caballeros andantes, de los cuales sé cierto, sin que hasta ahora haya leído cosa en contrario, que jamás pagaron posada ni otra cosa en venta donde estuviesen, porque se les debe de fuero y de derecho cualquier buen acogimiento que se les hiciere, en pago del insufrible trabajo que padecen buscando las aventuras de noche y de día, en invierno y en verano, a pie y a caballo, con sed y con hambre, con calor y con frío, sujetos a todas las inclemencias del cielo y a todos los incomodos[9] de la tierra.

—Poco tengo yo que ver en eso —respondió el ventero—; págueseme lo que se me debe, y dejémonos de

---

[9] *incomodos,* incomodidades.

cuentos ni de caballerías; que yo no tengo cuenta con otra cosa que con cobrar mi hacienda.

—Vos sois un sandio y mal hostalero —respondió don Quijote.

Y poniendo piernas al Rocinante, y terciando su lanzón, se salió de la venta, sin que nadie le detuviese, y él, sin mirar si le seguía su escudero, se alongó un buen trecho.

El ventero, que le vio ir y que no le pagaba, acudió a cobrar de Sancho Panza, el cual dijo que, pues su señor no había querido pagar, que tampoco él pagaría; porque, siendo él escudero de caballero andante, como era, la mesma regla y razón corría por él como por su amo en no pagar cosa alguna en los mesones y ventas. Amohinóse[10] mucho desto el ventero, y amenazóle que si no le pagaba, que lo cobraría de modo que le pesase. A lo cual Sancho respondió que, por la ley de caballería que su amo había recebido, no pagaría un solo cornado[11], aunque le costase la vida; porque no había de perder por él la buena y antigua usanza de los caballeros andantes, ni se habían de quejar dél los escuderos de los tales que estaban por venir al mundo, reprochándole el quebrantamiento de tan justo fuero.

Quiso la mala suerte del desdichado Sancho que entre la gente que estaba en la venta se hallasen cuatro perailes[12] de Segovia, tres agujeros del Potro de Córdoba y dos vecinos de la Heria[13] de Sevilla, gente alegre, bien intencionada, maleante y juguetona, los cuales, casi como instigados y movidos de un mesmo espíritu, se llegaron a Sancho, y, apeándole del asno, uno dellos entró por la manta de la cama del huésped, y, echándole en ella, alzaron los ojos y vieron que el techo era algo más bajo de lo que habían menester para su obra, y determinaron salirse al corral, que tenía por límite el cielo. Y allí, puesto Sancho en mitad de la manta, comenzaron a le-

---

[10] *amohinóse,* se disgustó.
[11] *cornado,* moneda de vellón de poco valor (seis cornados equivalían a un maravedí).
[12] *perailes,* cardadores de paño.
[13] *La Heria* o Feria, barrio de Sevilla, llamado así porque en él se celebraba todos los jueves una feria que fue instituida cuando la reconquista de la ciudad por San Fernando.

vantarle en alto, y a holgarse con él, como con perro por carnestolendas[14].

Las voces que el mísero manteado daba fueron tantas, que llegaron a los oídos de su amo; el cual, determinándose a escuchar atentamente, creyó que alguna nueva aventura le venía, hasta que claramente conoció que el que gritaba era su escudero; y, volviendo las riendas, con un penado[15] galope llegó a la venta, y, hallándola cerrada, la rodeó por ver si hallaba por donde entrar; pero no hubo llegado a las paredes del corral, que no eran muy altas, cuando vio el mal juego que se le hacía a su escudero. Vióle bajar y subir por el aire, con tanta gracia y presteza, que, si la cólera le dejara, tengo para mí que se riera. Probó a subir desde el caballo a las bardas; pero estaba tan molido y quebrantado, que aun apearse no pudo; y así, desde encima del caballo, comenzó a decir tantos denuestos y baldones a los que a Sancho manteaban, que no es posible acertar a escribillos; mas no por esto cesaban ellos de su risa y de su obra, ni el volador Sancho dejaba sus quejas, mezcladas ya con amenazas, ya con ruegos; mas todo aprovechaba poco, ni aprovechó, hasta que de puro cansados le dejaron. Trujéronle allí su asno, y, subiéndole encima, le arroparon con su gabán. Y la compasiva de Maritornes, viéndole tan fatigado, le pareció ser bien socorrelle con un jarro de agua, y así, se le trujo del pozo, por ser más frío. Tomóle Sancho, y llevándole a la boca, se paró a las voces que su amo le daba, diciendo:

—¡Hijo Sancho, no bebas agua! ¡Hijo, no la bebas, que te matará! ¿Ves? Aquí tengo el santísimo[16] bálsamo —y enseñábale la alcuza del brebaje—, que con dos gotas que dél bebas sanarás sin duda.

A estas voces volvió Sancho los ojos, como de través, y dijo con otras mayores:

—Por dicha, ¿hásele olvidado a vuestra merced como yo no soy caballero, o quiere que acabe de vomitar las entrañas que me quedaron de anoche? Guárdese su licor con todos los diablos, y déjeme a mí.

[14] En carnaval *(carnestolendas)* se solía mantear perros, por diversión, de lo que nació este modismo.

[15] *penado,* penoso.

[16] La palabra *santísimo* fue censurada por la Inquisición portuguesa en 1624.

Y el acabar de decir esto y el comenzar a beber, todo fue uno; mas, como al primer trago vio que era agua, no quiso pasar adelante, y rogó a Maritornes que se le trujese de vino, y así lo hizo ella de muy buena voluntad, y lo pagó de su mesmo dinero; porque, en efecto, se dice della que, aunque estaba en aquel trato, tenía unas sombras y lejos[17] de cristiana.

Así como bebió Sancho, dio de los carcaños a su asno, y, abriéndole la puerta de la venta de par en par, se salió della, muy contento de no haber pagado nada y de haber salido con su intención, aunque había sido a costa de sus acostumbrados fiadores, que eran sus espaldas. Verdad es que el ventero se quedó con sus alforjas en pago de lo que se le debía; mas Sancho no las echó menos, según salió turbado. Quiso el ventero atrancar bien la puerta así como le vio fuera; mas no lo consintieron los manteadores, que era gente que, aunque don Quijote fuera verdaderamente de los caballeros andantes de la Tabla Redonda, no le estimaran en dos ardites.

CAPÍTULO XVIII

Donde se cuentan las razones que pasó Sancho Panza con su señor don Quijote, con otras aventuras dignas de ser contadas*

Llegó Sancho a su amo marchito y desmayado, tanto, que no podía arrear a su jumento. Cuando así le vio don Quijote, le dijo:

—Ahora acabo de creer, Sancho bueno, que aquel

---

[17] *lejos*, sustantivo plural, las figuras o paisajes que sirven de fondo al tema principal en una pintura.

* En este capítulo se narra la aventura de los rebaños, que la imaginación de don Quijote convierte en ejércitos, desviación mental semejante a la de los molinos de viento tomados por gigantes. Lo más interesante del episodio es la desbordante y brillantísima descripción que hace don Quijote de los combatientes que imagina que figuran en uno y otro ejército, enumeración llena de nombres pintorescos, cómicos y altisonantes y de referencias a pueblos reales y fabulosos de la antigüedad. Aquí la ironía de Cervantes apunta a descripciones muy similares que aparecen en libros de caballerías, como el *Palmerín de Ingalaterra* o el *Caballero del Febo*, escritas con toda seriedad. Pero además de esta

castillo o venta, de que es encantado, sin duda; porque
aquellos que tan atrozmente tomaron pasatiempo contigo,
¿qué podían ser sino fantasmas y gente del otro mundo?
Y confirmo esto, por haber visto que, cuando estaba por
las bardas del corral mirando los actos de tu triste tragedia, no me fue posible subir por ellas, ni menos pude
apearme de Rocinante, porque me debían de tener encantado; que te juro, por la fe de quien soy, que si pudiera subir o apearme, que yo te hiciera vengado, de
manera que aquellos follones y malandrines se acorda-
ran de la burla para siempre, aunque en ello supiera[1]
contravenir a las leyes de la caballería, que, como ya muchas veces te he dicho, no consienten que caballero ponga mano contra quien no lo sea, si no fuere en defensa
de su propria vida y persona, en caso de urgente y gran
necesidad.

—También me vengara yo si pudiera, fuera o no
fuera armado caballero, pero no pude; aunque tengo
para mí que aquellos que se holgaron conmigo no eran
fantasmas ni hombres encantados, como vuestra merced
dice, sino hombres de carne y de hueso como nosotros;
y todos, según los oí nombrar cuando me volteaban, tenían sus nombres: que el uno se llamaba Pedro Martí-
nez, y el otro Tenorio Hernández, y el ventero oí que se
llamaba Juan Palomeque el Zurdo. Así, que, señor, el no
poder saltar las bardas del corral, ni apearse del caballo,
en ál[2] estuvo que en encantamentos. Y lo que yo saco en

_____

intención, constante en el *Quijote,* hay en la enumeración del
protagonista un ataque a Lope de Vega, quien en el libro tercero
de la *Arcadia* (publicada en 1598) había descrito unos retratos de
héroes y capitanes ilustres en términos que Cervantes aquí
caricaturiza. Compárese el paramiento de don Quijote con los siguientes fragmentos de la descripción de Lope: «Aquel que ves
allí enfrente, es el gran Licurgo, legislador de los lacedemonios...
Aquel del yelmo de oro, con la sierpe por divisa y la lanza de
invencible peso, casi igualada a la antena de una nave, es el
britano Arturo. Aquel de agradable rostro, con el bastón de fresno
y la mano en el pomo de la espada, es el victorioso francés Carlomagno... Aquel robusto que, con aquel bastón de roble y las
piernas de manchados tigres, con cuya cabeza hasta la frente
tiene cubierta la suya, tanto parece a Hércules, es el portugués
Viriato... Este de espantoso rostro, barba erizada y negra, vestido bárbaro y fiereza nunca vista, es el rey de los escitas, tirano
de Samarcanda y Tamorlán famoso... Este ligero que sobre aquel
caballo juega la espada, y en cuyo pavés resplandecen diecinueve
castillos en campo rojo, es el leonés Bernardo del Carpio...»
[1] *supiera,* tuviera que.
[2] *en ál,* en otra cosa.

limpio de todo esto es que estas aventuras que andamos buscando, al cabo al cabo nos han de traer a tantas desventuras, que no sepamos cuál es nuestro pie derecho. Y lo que sería mejor y más acertado, según mi poco entendimiento, fuera el volvernos a nuestro lugar, ahora que es tiempo de la siega y de entender en la hacienda, dejándonos de andar de Ceca en Meca y de zoca en colodra[3], como dicen.

—¡Qué poco sabes, Sancho —respondió don Quijote—, de achaque de caballería! Calla y ten paciencia; que día vendrá donde veas por vista de ojos cuán honrosa cosa es andar en este ejercicio. Si no, dime: ¿qué mayor contento puede haber en el mundo, o qué gusto puede igualarse al de vencer una batalla y al de triunfar de su enemigo? Ninguno, sin duda alguna.

—Así debe de ser —respondió Sancho—, puesto que yo no lo sé; sólo sé que, después que[4] somos caballeros andantes, o vuestra merced lo es (que yo no hay para qué me cuente en tan honroso número), jamás hemos vencido batalla alguna, si no fue la del vizcaíno, y aun de aquélla salió vuestra merced con media oreja y media celada menos; que después acá, todo ha sido palos y más palos, puñadas y más puñadas, llevando yo de ventaja el manteamiento, y haberme sucedido por personas encantadas, de quien no puedo vengarme, para saber hasta dónde llega el gusto del vencimiento del enemigo, como vuestra merced dice.

—Ésa es la pena que yo tengo y la que tú debes tener, Sancho —respondió don Quijote—; pero de aquí adelante yo procuraré haber a las manos alguna espada hecha por tal maestría, que al que la trujere consigo no le puedan hacer ningún género de encantamentos; y aun podría ser que me deparase la ventura aquella de Amadís[5], cuando se llamaba *el Caballero de la Ardiente Espada,* que fue una de las mejores espadas que tuvo caballero en el mundo, porque, fuera que tenía la virtud dicha, cortaba como una navaja, y no había armadura, por fuerte y encantada que fuese, que se le parase delante.

[3] *de zoca en colodra,* propiamente «de plaza en taberna».
[4] *después que,* desde que.
[5] Aquí se trata de Amadís de Grecia, no de su abuelo Amadís de Gaula.

—Yo soy tan venturoso —dijo Sancho—, que cuando eso fuese y vuestra merced viniese a hallar espada semejante, sólo vendría a servir y aprovechar a los armados caballeros, como el bálsamo; y los escuderos, que se los papen duelos[6].

—No temas eso, Sancho —dijo don Quijote—; que mejor lo hará el cielo contigo.

En estos coloquios iban don Quijote y su escudero, cuando vio don Quijote que por el camino que iban venía hacia ellos una grande y espesa polvareda; y, en viéndola, se volvió a Sancho y le dijo:

—Éste es el día, ¡oh Sancho!, en el cual se ha de ver el bien que me tiene guardado mi suerte; éste es el día, digo, en que se ha de mostrar, tanto como en otro alguno, el valor de mi brazo, y en el que tengo de hacer obras que queden escritas en el libro de la Fama por todos los venideros siglos. ¿Ves aquella polvareda que allí se levanta, Sancho? Pues toda es cuajada de un copiosísimo ejército que de diversas e innumerables gentes por allí viene marchando.

—A esa cuenta, dos deben de ser —dijo Sancho—; porque desta parte contraria se levanta asimesmo otra semejante polvareda.

Volvió a mirarlo don Quijote, y vio que así era la verdad; y alegrándose sobremanera, pensó sin duda alguna que eran dos ejércitos, que venían a embestirse y a encontrarse en mitad de aquella espaciosa llanura. Porque tenía a todas horas y momentos llena la fantasía de aquellas batallas, encantamentos, sucesos, desatinos, amores, desafíos, que en los libros de caballerías se cuentan, y todo cuanto hablaba, pensaba o hacía era encaminado a cosas semejantes. Y la polvareda que había visto la levantaban dos grandes manadas de ovejas y carneros que, por aquel mesmo camino, de dos diferentes partes venían, las cuales, con el polvo, no se echaron de ver hasta que llegaron cerca. Y con tanto ahínco afirmaba don Quijote que eran ejércitos, que Sancho lo vino a creer y a decirle:

—Señor, pues, ¿qué hemos de hacer nosotros?

—¿Qué? —dijo don Quijote—. Favorecer y ayudar

[6] *se los papen duelos*, «se los coman las penas», o sea: «que se fastidien».

a los menesterosos y desvalidos. Y has de saber, Sancho, que este que viene por nuestra frente le conduce y guía el grande emperador Alifanfarón, señor de la grande isla Trapobana[7]; este otro que a mis espaldas marcha, es el de su enemigo, el rey de los garamantas[8], Pentapolín del Arremangado Brazo, porque siempre entra en las batallas con el brazo derecho desnudo.

—Pues ¿por qué se quieren tan mal estos dos señores? —preguntó Sancho.

—Quiérense mal —respondió don Quijote— porque este Alifanfarón es un foribundo pagano, y está enamorado de la hija de Pentapolín, que es una muy fermosa y además agraciada señora, y es cristiana, y su padre no se la quiere entregar al rey pagano si no deja primero la ley de su falso profeta Mahoma y se vuelve a la suya.

—¡Para mis barbas —dijo Sancho—, si no hace muy bien Pentapolín, y que le tengo de ayudar en cuanto pudiere!

—En eso harás lo que debes, Sancho —dijo don Quijote—; porque para entrar en batallas semejantes no se requiere ser armado caballero.

—Bien se me alcanza eso —respondió Sancho—; pero ¿dónde pondremos a este asno que estemos ciertos de hallarle después de pasada la refriega? Porque el entrar en ella en semejante caballería no creo que está en uso hasta agora.

—Así es verdad —dijo don Quijote—. Lo que puedes hacer dél es dejarle a sus aventuras, ora se pierda o no, porque serán tantos los caballos que tendremos después que salgamos vencedores, que aun corre peligro Rocinante no le trueque por otro. Pero estáme atento y mira, que te quiero dar cuenta de los caballeros más principales que en estos ejércitos vienen. Y para que mejor los veas y notes, retirémonos a aquel altillo que allí se hace, de donde se deben de descubrir los dos ejércitos.

Hiciéronlo ansí, y pusiéronse sobre una loma, desde la cual se vieran bien las dos manadas que a don Quijote se le hicieron ejército, si las nubes del polvo que levan-

[7] *Trapobana*, antiguo nombre de Ceilán.
[8] *garamantas*, pueblo bárbaro y feroz que en la antigüedad ocupaba la Libia.

taban no les turbara y cegara la vista; pero con todo
esto, viendo en su imaginación lo que no veía ni había,
con voz levantada comenzó a decir:

—Aquel caballero que allí ves de las armas jaldes[9],
que trae en el escudo un león coronado, rendido a los
pies de una doncella, es el valeroso Laurcalco, señor de la
Puente de Plata; el otro de las armas de las flores de
oro, que trae en el escudo tres coronas de plata en campo azul, es el temido Micocolembo, gran duque de Qui-
rocia; el otro de los miembros giganteos, que está a su
derecha mano, es el nunca medroso Brandabarbarán de
Boliche, señor de las tres Arabias, que viene armado de
aquel cuero de serpiente, y tiene por escudo una puerta,
que, según es fama, es una de las del templo que derribó
Sansón, cuando con su muerte se vengó de sus enemigos.
Pero vuelve los ojos a estotra parte, y verás delante y en
la frente destotro ejército al siempre vencedor y jamás
vencido Timonel de Carcajona, príncipe de la Nueva
Vizcaya, que viene armado con las armas partidas a
cuarteles, azules, verdes, blancas y amarillas, y trae en
el escudo un gato de oro en campo leonado[10], con una
letra que dice: *Miau,* que es el principio del nombre de
su dama, que, según se dice, es la sin par Miulina, hija
del duque Alfeñiquén del Algarbe; el otro, que carga
y oprime los lomos de aquella poderosa alfana[11], que
trae las armas como nieve blancas y el escudo blanco y
sin empresa alguna, es un caballero novel, de nación
francés, llamado Pierres Papín, señor de las baronías de
Utrique; el otro, que bate las ijadas con los herrados carcaños a aquella pintada y ligera cebra y trae las armas
de los veros[12] azules, es el poderoso duque de Nerbia,
Espartafilardo del Bosque, que trae por empresa en el
escudo una esparraguera, con una letra en castellano que
dice así: *Rastrea mi suerte.*

Y desta manera fue nombrando muchos caballeros
del uno y del otro escuadrón, que él se imaginaba, y a
todos les dio sus armas, colores, empresas y motes, de

---

[9] *jaldes,* amarillas.
[10] *leonado,* esmalte heráldico de tono rubio, oscuro, como la melena del león.
[11] *alfana,* caballo corpulento, fuerte y brioso.
[12] *veros,* en heráldica, vasos o campanillas de plata que encajan con otros de azul con las bocas opuestas.

improviso, llevado de la imaginación de su nunca vista locura, y, sin parar, prosiguió diciendo:

—A este escuadrón frontero forman y hacen gentes de diversas naciones: aquí están los que bebían las dulces aguas del famoso Xanto[13]; los montuosos[14] que pisan los masílicos[15] campos; los que criban el finísimo y menudo oro en la felice Arabia; los que gozan las famosas y frescas riberas del claro Termodonte[16]; los que sangran por muchas y diversas vías al dorado Pactolo[17]; los númidas, dudosos en sus promesas; los persas, arcos y flechas famosos[18]; los partos, los medos, que pelean huyendo; los árabes, de mudables casas; los citas[19], tan crueles como blancos; los etiopes, de horadados labios, y otras infinitas naciones, cuyos rostros conozco y veo, aunque de los nombres no me acuerdo. En estotro escuadrón vienen los que beben las corrientes cristalinas del olivífero Betis; los que tersan y pulen sus rostros con el licor del siempre rico y dorado Tajo; los que gozan las provechosas aguas del divino Genil; los que pisan los tartesios campos, de pastos abundantes; los que se alegran en los elíseos jerezanos prados; los manchegos, ricos y coronados de rubias espigas; los de hierro vestidos, reliquias antiguas de la sangre goda; los que en Pisuerga se bañan, famoso por la mansedumbre de su corriente; los que su ganado apacientan en las estendidas dehesas del tortuoso Guadiana, celebrado por su escondido curso; los que tiemblan con el frío del silvoso[20] Pirineo y con los blancos copos del levantado Apenino; finalmente, cuantos toda la Europa en sí contiene y encierra.

¡Válame Dios, y cuántas provincias dijo, cuántas naciones nombró, dándole a cada una, con maravillosa presteza, los atributos que le pertenecían, todo absorto y empapado en lo que había leído en sus libros mentirosos!

Estaba Sancho Panza colgado de sus palabras, sin

---

[13] *Xanto*, Janto, río de Troya, llamado también Escamandro.
[14] *montuosos*, montañeses.
[15] *masílicos*, de los masilos, pueblo africano.
[16] *Termodonte*, río de Capadocia.
[17] *Pactolo*, río de Lidia que según la mitología arrastraba pepitas de oro porque el rey Midas se bañó en él.
[18] *arcos y flechas*, arqueros y flecheros (como hoy se dice «espada» de un torero o «raqueta» de un tenista).
[19] *citas*, escitas.
[20] *silvoso*, cubierto de selvas.

hablar ninguna, y de cuando en cuando volvía la cabeza a ver si veía los caballeros y gigantes que su amo nombraba; y como no descubría a ninguno, le dijo:

—Señor, encomiendo al diablo hombre, ni gigante, ni caballero de cuantos vuestra merced dice parece por todo esto; a lo menos, yo no los veo; quizá todo debe ser encantamento, como las fantasmas de anoche.

—¿Cómo dices eso? —respondió don Quijote—: ¿No oyes el relinchar de los caballos, el tocar de los clarines, el ruido de los atambores?

—No oigo otra cosa —respondió Sancho— sino muchos balidos de ovejas y carneros.

Y así era la verdad, porque ya llegaban cerca los dos rebaños.

—El miedo que tienes —dijo don Quijote— te hace, Sancho, que ni veas ni oyas a derechas; porque uno de los efectos del miedo es turbar los sentidos y hacer que las cosas no parezcan lo que son; y si es que tanto temes, retírate a una parte y déjame solo; que solo basto a dar la victoria a la parte a quien yo diere mi ayuda.

Y diciendo esto, puso las espuelas a Rocinante y, puesta la lanza en el ristre, bajó de la costezuela como un rayo. Diole voces Sancho, diciéndole:

—¡Vuélvase vuestra merced, señor don Quijote, que voto a Dios que son carneros y ovejas las que va a embestir! ¡Vuélvase, desdichado del padre que me engendró! ¿Qué locura es ésta? Mire que no hay gigante ni caballero alguno, ni gatos, ni armas, ni escudos partidos ni enteros, ni veros azules ni endiablados. ¿Qué es lo que hace? ¡Pecador soy yo a Dios[21]!

Ni por ésas volvió don Quijote; antes, en altas voces, iba diciendo:

—¡Ea, caballeros, los que seguís y militáis debajo de las banderas del valeroso emperador Pentapolín del Arremangado Brazo, seguidme todos; veréis cuán fácilmente le doy venganza de su enemigo Alifanfarón de la Trapobana!

Esto diciendo, se entró por medio del escuadrón de las ovejas, y comenzó de alanceallas con tanto coraje y denuedo como si de veras alanceara a sus mortales ene-

---

[21] ¡Pecador de mí!

migos. Los pastores y ganaderos que con la manada venían dábanle voces que no hiciese aquello; pero, viendo
que no aprovechaban, desciñéronse las hondas y comenzaron a saludalle los oídos con piedras como el puño.
Don Quijote no se curaba de las piedras; antes, discurriendo a todas partes, decía:

—¿Adónde estás, soberbio Alifanfarón? Vente a mí;
que un caballero solo soy, que desea de solo a solo, probar tus fuerzas y quitarte la vida, en pena de la que das
al valeroso Pentapolín Garamanta.

Llegó en esto una peladilla[22] de arroyo, y, dándole
en un lado, le sepultó dos costillas en el cuerpo. Viéndose tan maltrecho, creyó, sin duda, que estaba muerto o
malferido y, acordándose de su licor, sacó su alcuza y
púsosela a la boca, y comenzó a echar licor en el estómago; mas, antes que acabase de envasar lo que a él le
parecía que era bastante, llegó otra almendra y diole en
la mano, y en el alcuza, tan de lleno que se la hizo pedazos, llevándole de camino tres o cuatro dientes y muelas
de la boca, y machucándole malamente dos dedos de la
mano.

Tal fue el golpe primero, y tal el segundo, que le fue
forzoso al pobre caballero dar consigo del caballo abajo.
Llegáronse a él los pastores, y creyeron que le habían
muerto; y así, con mucha priesa, recogieron su ganado,
y cargaron de las reses muertas, que pasaban de siete, y
sin averiguar otra cosa, se fueron.

Estábase todo este tiempo Sancho sobre la cuesta,
mirando las locuras que su amo hacía, y arrancábase las
barbas, maldiciendo la hora y el punto en que la fortuna
se le había dado a conocer. Viéndole, pues, caído en el
suelo, que ya los pastores se habían ido, bajó de la
cuesta y llegóse a él, y hallóle de muy mal arte, aunque
no había perdido el sentido, y díjole:

—¿No le decía yo, señor don Quijote, que se volviese, que los que iba a acometer no eran ejércitos, sino manadas de carneros?

—Como eso[23] puede desparecer y contrahacer[24] aquel
ladrón del sabio mi enemigo. Sábete, Sancho, que es

---

[22] *peladilla,* guijarro (humorísticamente), como luego *almendra.*
[23] *Como eso,* cosas como ésas.
[24] *contrahacer,* desfigurar.

muy fácil cosa a los tales hacernos parecer lo que quieren, y este maligno que me persigue, envidioso de la gloria que vio que yo había de alcanzar desta batalla, ha vuelto los escuadrones de enemigos en manadas de ovejas. Si no, haz una cosa, Sancho, por mi vida, porque te desengañes y veas ser verdad lo que te digo: sube en tu asno y síguelos bonitamente, y verás cómo, en alejándose de aquí poco, se vuelven en su ser primero, y, dejando de ser carneros, son hombres hechos y derechos, como yo te los pinté primero... Pero no vayas agora, que he menester tu favor y ayuda; llégate a mí y mira cuántas muelas y dientes me faltan, que me parece que no me ha quedado ninguno en la boca.

Llegóse Sancho tan cerca, que casi le metía los ojos en la boca, y fue a tiempo que ya había obrado el bálsamo en el estómago de don Quijote; y al tiempo que Sancho llegó a mirarle la boca, arrojó de sí, más recio que una escopeta, cuanto dentro tenía, y dio con todo ello en las barbas del compasivo escudero.

—¡Santa María! —dijo Sancho—. Y ¿qué es esto que me ha sucedido? Sin duda, este pecador está herido de muerte, pues vomita sangre por la boca.

Pero reparando un poco más en ello, echó de ver en la color, sabor y olor, que no era sangre, sino el bálsamo de la alcuza que él le había visto beber; y fue tanto el asco que tomó, que, revolviéndosele el estómago, vomitó las tripas sobre su mismo señor, y quedaron entrambos como de perlas. Acudió Sancho a su asno para sacar de las alforjas con qué limpiarse y con qué curar a su amo, y como no las halló[25], estuvo a punto de perder el juicio. Maldíjose de nuevo, y propuso en su corazón de dejar a su amo y volverse a su tierra, aunque perdiere el salario de lo servido y las esperanzas del gobierno de la prometida ínsula.

Levantóse en esto don Quijote, y, puesta la mano izquierda en la boca, porque no se le acabasen de salir los dientes, asió con la otra las riendas de Rocinante, que nunca se había movido de junto a su amo —tal era de leal y bien acondicionado—, y fuese adonde su escudero estaba, de pechos sobre su asno, con la mano en la me-

---

[25] Porque se las había quedado el ventero.

jilla, en guisa de hombre pensativo además[26]. Y viéndole
don Quijote de aquella manera, con muestras de tanta
tristeza, le dijo:

—Sábete, Sancho, que no es un hombre más que otro
si no hace más que otro. Todas estas borrascas que nos
suceden son señales de que presto ha de serenar el tiempo
y han de sucedernos bien las cosas; porque no es posible
que el mal ni el bien sean durables, y de aquí se sigue que,
habiendo durado mucho el mal, el bien está ya cerca.
Así, que no debes congojarte por las desgracias que a mí
me suceden, pues a ti no te cabe parte dellas.

—¿Cómo no? —respondió Sancho—. Por ventura, el
que ayer mantearon, ¿era otro que el hijo de mi padre?
Y las alforjas que hoy me faltan, con todas mis alhajas,
¿son de otro que del mismo?

—¿Que te faltan las alforjas, Sancho? —dijo don Quijote.

—Sí que me faltan —respondió Sancho.

—Dese modo, no tenemos qué comer hoy —replicó
don Quijote.

—Eso fuera —respondió Sancho— cuando faltaran
por estos prados las yerbas que vuestra merced dice que
conoce, con que suelen suplir semejantes faltas los tan
malaventurados andantes caballeros como vuestra merced es.

—Con todo eso —respondió don Quijote—, tomara
yo ahora más aína[27] un cuartal[28] de pan, o una hogaza
y dos cabezas de sardinas arenques, que cuantas yerbas
describe Dioscórides, aunque fuera el ilustrado por el doctor Laguna[29]. Mas, con todo esto, sube en tu jumento,
Sancho el bueno, y vente tras mí; que Dios, que es
proveedor de todas las cosas, no nos ha de faltar, y más
andando tan en su servicio como andamos, pues no falta a
los mosquitos del aire, ni a los gusanillos de la tierra, ni
a los renacuajos del agua; y es tan piadoso, que hace
salir su sol sobre los buenos y los malos, y llueve sobre
los injustos y justos.

---

[26] *pensativo además,* muy pensativo.
[27] *más aína,* más a gusto.
[28] *cuartal,* unas dos libras.
[29] El doctor Andrés Laguna, autor de unas famosas anotaciones al botánico Dioscórides, publicadas por vez primera en Amberes en 1555. Andrés Laguna es considerado por algunos autor
del famoso *Viaje de Turquía* que se atribuyó a Cristóbal de Villalón.

—Más bueno era vuestra merced —dijo Sancho—
para predicador que para caballero andante.

—De todo sabían y han de saber los caballeros andantes, Sancho —dijo don Quijote—; porque caballero
andante hubo en los pasados siglos que así se paraba a
hacer un sermón o plática en mitad de un campo real
como si fuera graduado por la Universidad de París; de
donde se infiere que nunca la lanza embotó la pluma, ni
la pluma la lanza.

—Ahora bien, sea así como vuestra merced dice —respondió Sancho—; vamos ahora de aquí, y procuremos
donde alojar esta noche, y quiera Dios que sea en parte donde no haya mantas, ni manteadores, ni fantasmas,
ni moros encantados; que si los hay, daré al diablo el
hato y el garabato[30].

—Pídeselo tú a Dios, hijo —dijo don Quijote—, y
guía tú por donde quisieres; que esta vez quiero dejar a
tu elección el alojarnos. Pero dame acá la mano, y atién-
tame con el dedo, y mira bien cuántos dientes y muelas
me faltan deste lado derecho, de la quijada alta; que allí
siento el dolor.

Metió Sancho los dedos, y estándole tentando, le dijo:

—¿Cuántas muelas solía vuestra merced tener en esta
parte?

—Cuatro —respondió don Quijote—, fuera de la cordal[31], todas enteras y muy sanas.

—Mire vuestra merced bien lo que dice, señor —respondió Sancho.

—Digo cuatro, si no eran cinco —respondió don Quijote—; porque en toda mi vida me han sacado diente ni
muela de la boca, ni se me ha caído, ni comido de neguijón[32] ni de reuma alguna.

—Pues en esta parte de abajo —dijo Sancho— no
tiene vuestra merced más de dos muelas y media; y en
la de arriba, ni media, ni ninguna; que toda está rasa
como la palma de la mano.

---

[30] *dar al diablo el hato y el garabato* significa darlo todo por
perdido desesperadamente: *garabato* es un instrumento que sirve
para colgar o asir cosas, y asimismo designa un aparejo para
escarbar la tierra; pero parece que también se dio este nombre
al cayado de pastor.
[31] *cordal*, muela del juicio.
[32] *neguijón*, caries dental.

—¡Sin ventura yo! —dijo don Quijote, oyendo las tristes nuevas que su escudero le daba—; que más quisiera que me hubieran derribado un brazo, como no fuera el de la espada. Porque te hago saber, Sancho, que la boca sin muelas es como molino sin piedra, y en mucho más se ha de estimar un diente que un diamante. Mas a todo esto estamos sujetos los que profesamos la estrecha orden de la caballería. Sube, amigo, y guía, que yo te seguiré al paso que quisieres.

Hízolo así Sancho, y encaminóse hacia donde le pareció que podía hallar acogimiento, sin salir del camino real, que por allí iba muy seguido[33].

Yéndose, pues, poco a poco, porque el dolor de las quijadas de don Quijote no le dejaba sosegar ni atender a darse priesa, quiso Sancho entretenelle y divertille diciéndole alguna cosa, y entre otras que le dijo, fue lo que se dirá en el siguiente capítulo.

CAPÍTULO XIX

DE LAS DISCRETAS RAZONES QUE SANCHO PASABA CON SU AMO Y DE LA AVENTURA QUE LE SUCEDIÓ CON UN CUERPO MUERTO, CON OTROS ACONTECIMIENTOS FAMOSOS*

PARÉCEME, señor mío, que todas estas desventuras que estos días nos han sucedido, sin duda alguna han sido pena del pecado cometido por vuestra merced contra la orden de su caballería, no habiendo cumplido el juramento que hizo de no comer pan a manteles ni con la

---

[33] *seguido*, recto, derecho.

* La aventura que se narra en este capítulo podría parecer anodina al lector moderno, pero para los contemporáneos de Cervantes tenía una clara intención, ya que se trata de una réplica paródica, consciente e intencionada, de un episodio que se relata en el libro de caballerías *Palmerín de Ingalaterra*. Cuéntase en el capítulo 76 de la primera parte de este libro que el caballero Floriano, vagando por despoblado, vio «venir hacia sí unas andas cubiertas de un paño negro, acompañadas de tres escuderos que hacían gran llanto por un cuerpo muerto que dentro dellas iba; llegando a ellas, Floriano quiso saber la causa de su lloro, y descubriendo el paño vio dentro un cuerpo muerto armado de unas armas verdes, tan envueltas en sangre que casi no se devisaba la color dellas, con tan grandes golpes, que bien parecía que en

reina folgar, con todo aquello que a esto se sigue y vuestra merced juró de cumplir, hasta quitar aquel almete de Malandrino[1], o como se llama el moro, que no me acuerdo bien.

—Tienes mucha razón, Sancho —dijo don Quijote—; mas, para decirte verdad, ello se me había pasado de la memoria; y también puedes tener por cierto que por la culpa de no habérmelo tú acordado en tiempo te sucedió aquello de la manta; pero yo haré la enmienda; que modos hay de composición[2] en la orden de la caballería para todo.

—Pues ¿juré yo algo, por dicha? —respondió Sancho.

—No importa que no hayas jurado —dijo don Quijote—: basta que yo entiendo que de participantes[3] no estás muy seguro, y, por sí o por no, no será malo proveernos de remedio.

—Pues si ello es así —dijo Sancho—, mire vuestra merced no se le torne a olvidar esto, como lo del juramento; quizá les volverá la gana a las fantasmas de solazarse otra vez conmigo, y aun con vuestra merced, si le ven tan pertinaz.

En estas y otras pláticas les tomó la noche en mitad del camino, sin tener ni descubrir donde aquella noche se recogiesen; y lo que no había de bueno en ello era que perecían de hambre; que con la falta de las alforjas les faltó toda la despensa y matalotaje. Y para acabar de confirmar esta desgracia, les sucedió una aventura que, sin artificio alguno, verdaderamente lo parecía. Y fue que

gran batalla los recibiera; movido a piedad de lo ver tal, detuvo al uno de los escuderos para preguntalle la razón de su muerte». Responde el escudero que el que llevan en las andas es Fortibrán el Esforzado, muerto el día anterior por cuatro caballeros, y propone a Floriano que «vengue tan gran maldad, por lo cual, si os atrevéis a hacerlo, allende de acrecentar vuestra fama, daréis causa que no se cometan otras traiciones como ésta». El lector podrá ver que la presente aventura de don Quijote parece calcada sobre ésta; y que Cervantes está parodiando este episodio del *Palmerín* lo revela hasta el epígrafe de este capítulo, casi idéntico al que intitula la aventura de Floriano en aquel libro de caballerías: «De lo que aconteció a Floriano del Desierto en aquella aventura del cuerpo muerto de las andas».

[1] *almete de Malandrino*, o sea, el yelmo de Mambrino, de que se tratará más adelante (capítulo 21); aquí Sancho deforma el nombre contaminándolo con «malandrín».

[2] *modos de composición*, procedimientos de restitución. Las llamadas *bulas de composición* son las que se otorgan para restituir bienes ajenos cuyo dueño no se puede precisar o se ignora.

[3] *participantes*, los que tratan con algún excomulgado notorio.

la noche cerró con alguna escuridad; pero, con todo esto,
caminaban, creyendo Sancho que, pues aquel camino era
real, a una o dos leguas, de buena razón hallaría en él
alguna venta.

Yendo, pues, desta manera, la noche escura, el escudero hambriento y el amo con gana de comer, vieron que
por el mesmo camino que iban venían hacia ellos gran
multitud de lumbres, que no parecían sino estrellas que
se movían. Pasmóse Sancho en viéndolas, y don Quijote
no las tuvo todas consigo; tiró el uno del cabestro a su
asno, y el otro de las riendas a su rocino, y estuvieron
quedos, mirando atentamente lo que podía ser aquello, y
vieron que las lumbres se iban acercando a ellos, y mientras más se llegaban, mayores parecían; a cuya vista Sancho comenzó a temblar como un azogado, y los cabellos
de la cabeza se le erizaron a don Quijote, el cual, ani-
mándose un poco, dijo:

—Ésta, sin duda, Sancho, debe de ser grandísima y
peligrosísima aventura, donde será necesario que yo muestre todo mi valor y esfuerzo.

—¡Desdichado de mí! —respondió Sancho—; si acaso
esta aventura fuese de fantasmas, como me lo va parecien-
do, ¿adónde habrá costillas que la sufran?

—Por más fantasmas que sean —dijo don Quijote—,
no consentiré yo que te toque[*] en el pelo de la ropa; que
si la otra vez se burlaron contigo, fue porque no pude
yo saltar las paredes del corral; pero ahora estamos en
campo raso, donde podré yo como quisiere esgremir mi
espada.

—Y si le encantan y entomecen, como la otra vez lo
hicieron —dijo Sancho—, ¿qué aprovechará estar en campo abierto o no?

—Con todo eso —replicó don Quijote—, te ruego,
Sancho, que tengas buen ánimo, que la experiencia te
dará a entender el que yo tengo.

—Sí tendré, si a Dios place —respondió Sancho.

Y, apartándose los dos a un lado del camino, tornaron a mirar atentamente lo que aquello de aquellas lumbres que caminaban podía ser, y de allí a muy poco des-

---

[*] *que* [ninguna] *te toque...*

cubrieron muchos encamisados⁵, cuya temerosa visión de todo punto remató el ánimo de Sancho Panza, el cual comenzó a dar diente con diente, como quien tiene frío de cuartana; y creció más el batir y dentellear cuando distintamente vieron lo que era, porque descubrieron hasta veinte encamisados, todos a caballo, con sus hachas encendidas en las manos, detrás de los cuales venía una litera cubierta de luto, a la cual seguían otros seis de a caballo, enlutados hasta los pies de las mulas; que bien vieron que no eran caballos en el sosiego con que caminaban. Iban los encamisados murmurando entre sí, con una voz baja y compasiva. Esta estraña visión, a tales horas y en tal despoblado, bien bastaba para poner miedo en el corazón de Sancho, y aun en el de su amo; y así fuera en cuanto a don Quijote, que ya Sancho había dado al través con todo su esfuerzo. Lo contrario le avino a su amo, al cual en aquel punto se le representó en su imaginación al vivo que aquélla era una de las aventuras de sus libros.

Figurósele que la litera eran andas donde debía de ir algún mal ferido o muerto caballero, cuya venganza a él solo estaba reservada, y, sin hacer otro discurso, enristró su lanzón, púsose bien en la silla, y con gentil brío y continente se puso en la mitad del camino por donde los encamisados forzosamente habían de pasar, y cuando los vio cerca alzó la voz y dijo:

—Deteneos, caballeros, o quienquiera que seáis, y dadme cuenta de quién sois, de dónde venís, adónde vais, qué es lo que en aquellas andas lleváis; que, según las muestras, o vosotros habéis fecho, o vos han fecho, algún desaguisado, y conviene y es menester que yo lo sepa, o bien para castigaros del mal que fecistes, o bien para vengaros del tuerto que vos ficieron.

—Vamos de priesa —respondió uno de los encamisados—, y está la venta lejos, y no nos podemos detener a dar tanta cuenta como pedís.

Y picando la mula, pasó delante. Sintióse desta res-

---

⁵ *encamisados*, gente de armas que, para reconocerse entre ellos de noche y no confundirse con el enemigo, se ponían ciertas camisas blancas encima. Aquí no se trata de gente de armas, sino de clérigos que iban con sobrepellices, lo que les hacía parecer encamisados.

puesta grandemente don Quijote, y trabando del freno, dijo:

—Deteneos, y sed más bien criado, y dadme cuenta de lo que os he preguntado; si no, conmigo sois todos en batalla.

Era la mula asombradiza, y al tomarla del freno se espantó de manera que, alzándose en los pies, dio con su dueño por las ancas en el suelo. Un mozo que iba a pie, viendo caer al encamisado, comenzó a denostar a don Quijote, el cual, ya encolerizado, sin esperar más, enristrando su lanzón, arremetió a uno de los enlutados, y, mal ferido, dio con él en tierra; y revolviéndose por los demás, era cosa de ver con la presteza que los acometía y desbarataba, que no parecía sino que en aquel instante le habían nacido alas a Rocinante, según andaba de ligero y orgulloso.

Todos los encamisados era gente medrosa y sin armas, y así, con facilidad, en un momento dejaron la refriega y comenzaron a correr por aquel campo, con las hachas encendidas, que no parecían sino a los de las máscaras que en noche de regocijo y fiesta corren. Los enlutados asimesmo, revueltos y envueltos en sus faldamentos y lobas[6], no se podían mover; así que, muy a su salvo, don Quijote los apaleó a todos y les hizo dejar el sitio, mal de su grado, porque todos pensaron que aquél no era hombre, sino diablo del infierno que les salía a quitar el cuerpo muerto que en la litera llevaban.

Todo lo miraba Sancho, admirado del ardimiento de su señor, y decía entre sí:

—Sin duda este mi amo es tan valiente y esforzado como él dice.

Estaba una hacha ardiendo en el suelo, junto al primero que derribó la mula, a cuya luz le pudo ver don Quijote; y, llegándose a él, le puso la punta del lanzón en el rostro, diciéndole que se rindiese; si no, que le mataría. A lo cual respondió el caído:

—Harto rendido estoy, pues no me puedo mover, que tengo una pierna quebrada; suplico a vuestra merced, si es caballero cristiano, que no me mate; que cometerá un

<hr>

[6] *loba*, **sotana negra que usaban los colegiales fuera del colegio.**

gran sacrilegio, que soy licenciado y tengo las primeras órdenes.

—Pues ¿quién diablos os ha traído aquí —dijo don Quijote—, siendo hombre de Iglesia?

—¿Quién, señor? —replicó el caído—. Mi desventura.

—Pues otra mayor os amenaza —dijo don Quijote—, si no me satisfacéis a todo cuanto primero os pregunté.

—Con facilidad será vuestra merced satisfecho —respondió el licenciado—; y así sabrá vuestra merced que, aunque denantes dije que yo era licenciado, no soy sino bachiller, y llámome Alonso López; soy natural de Alcobendas; vengo de la ciudad de Baeza, con otros once sacerdotes, que son los que huyeron con las hachas; vamos a la ciudad de Segovia acompañando un cuerpo muerto, que va en aquella litera, que es de un caballero que murió en Baeza, donde fue depositado, y ahora, como digo, llevábamos sus huesos a su sepultura, que está en Segovia, de donde es natural[1].

—¿Y quién le mató? —preguntó don Quijote.

—Dios, por medio de unas calenturas pestilentes que le dieron —respondió el bachiller.

—Desa suerte —dijo don Quijote—, quitado me ha nuestro Señor del trabajo que había de tomar en vengar su muerte, si otro alguno le hubiera muerto; pero, habiéndole muerto quien le mató, no hay sino callar y encoger los hombros, porque lo mesmo hiciera si a mí mismo me matara. Y quiero que sepa vuestra reverencia que yo soy un caballero de la Mancha, llamado don Quijote, y es mi oficio y ejercicio andar por el mundo enderezando tuertos y desfaciendo agravios.

—No sé cómo pueda ser eso de enderezar tuertos —dijo el bachiller—, pues a mí de derecho me habéis vuelto tuerto, dejándome una pierna quebrada, la cual no se verá derecha en todos los días de su vida; y el agravio que en mí habéis deshecho ha sido dejarme agraviado de manera que me quedaré agraviado para siempre; y harta desventura ha sido topar con vos, que vais buscando aventuras.

—No todas las cosas —respondió don Quijote— suce-

[1] Algunos cervantistas suponen que aquí Cervantes tuvo presente la sigilosa traslación del cuerpo de San Juan de la Cruz, de Úbeda a Segovia, verificada en 1593 (cfr. R. Marín, IX, 226-230).

den de un mismo modo. El daño estuvo, señor bachiller
Alonso López, en venir, como veníades, de noche, vestidos con aquellas sobrepellices, con las hachas encendidas,
rezando, cubiertos de luto, que propiamente semejábades
cosa mala y del otro mundo; y así, yo no pude dejar de
cumplir con mi obligación acometiéndoos, y os acometie-
ra aunque verdaderamente supiera que érades los mesmos satanases del infierno, que por tales os juzgué y tuve
siempre.

—Ya que así lo ha querido mi suerte —dijo el bachiller—, suplico a vuestra merced, señor caballero andante
(que tan mala andanza me ha dado), me ayude a salir de
debajo desta mula, que me tiene tomada una pierna
entre el estribo y la silla.

—¡Hablara yo para mañana! —dijo don Quijote—.
Y ¿hasta cuándo aguardábades a decirme vuestro afán?

Dio luego voces a Sancho Panza que viniese; pero él
no se curó de venir, porque andaba ocupado desvalijando una acémila de repuesto que traían aquellos buenos
señores, bien bastecida de cosas de comer. Hizo Sancho
costal de su gabán, y recogiendo todo lo que pudo y cupo
en el talego, cargó su jumento, y luego acudió a las voces
de su amo, y ayudó a sacar al señor bachiller de la opre-
sión de la mula, y, poniéndole encima della, le dio la
hacha; y don Quijote le dijo que siguiese la derrota de
sus compañeros, a quien de su parte pidiese perdón del
agravio, que no había sido en su mano dejar de habérle
hecho. Díjole también Sancho:

—Si acaso quisieren saber esos señores quién ha sido
el valeroso que tales los puso, diráles vuestra merced que
es el famoso don Quijote de la Mancha, que por otro
nombre se llama *el Caballero de la Triste Figura.*

Con esto se fue el bachiller, y don Quijote preguntó
a Sancho que qué le había movido a llamarle *el Caballero de la Triste Figura,* más entonces que nunca[8].

—Yo se lo diré —respondió Sancho—; porque le he

---

[8] Este sobrenombre lo tomó Cervantes del libro de caballerías
*La historia del muy esforzado e ánimoso caballero don Clarián
de Landanís, fijo del rey Lantedón de Suecia,* en el cual se muestran los maravillosos fechos del Caballero de la Triste Figura,
fijo del muy valentísimo caballero Garzón de la Loba, de cuya
primera parte existen ediciones desde 1518. El Caballero de la
Triste Figura es el príncipe, después rey, Deocliano (cfr. R. Marín, IX, 231-235).

estado mirando un rato a la luz de aquella hacha que lleva aquel malandante, y verdaderamente tiene vuestra merced la más mala figura, de poco acá, que jamás he visto; y débelo de haber causado, o ya el cansancio deste combate, o ya la falta de las muelas y dientes.

—No es eso —respondió don Quijote—; sino que el sabio a cuyo cargo debe de estar el escribir la historia de mis hazañas, le habrá parecido que será bien que yo tome algún nombre apelativo, como lo tomaban todos los caballeros pasados: cuál se llamaba *el de la Ardiente Espada*; cuál, *el del Unicornio*; aquél, *de las Doncellas*; aquéste, *el del Ave Fénix*; el otro, *el Caballero del Grifo*; estotro, *el de la Muerte*[9]; y por estos nombres e insignias eran conocidos por toda la redondez de la tierra. Y así, digo que el sabio ya dicho te habrá puesto en la lengua y en el pensamiento ahora que me llamases *el Caballero de la Triste Figura*, como pienso llamarme desde hoy en adelante; y para que mejor me cuadre tal nombre, determino de hacer pintar, cuando haya lugar, en mi escudo una muy triste figura.

—No hay para qué gastar tiempo y dineros en hacer esa figura —dijo Sancho—; sino lo que se ha de hacer es que vuestra merced descubra la suya y dé rostro a los que le miraren; que, sin más ni más, y sin otra imagen ni escudo, le llamarán *el de la Triste Figura*; y créame, que le digo verdad; porque le prometo a vuestra merced, señor, y esto sea dicho en burlas, que le hace tan mala cara la hambre y la falta de las muelas, que, como ya tengo dicho, se podrá muy bien escusar la triste pintura.

Rióse don Quijote del donaire de Sancho; pero con todo, propuso de llamarse de aquel nombre en pudiendo pintar su escudo, o rodela, como había imaginado.

En esto volvió el bachiller y le dijo a don Quijote[10]:

—Olvidábaseme de decir que advierta vuestra merced

----

[9] Estos sobrenombres corresponden a los siguientes caballeros: de la Ardiente Espada, Amadís de Grecia; del Unicornio, Belianís de Grecia; de las Doncellas, Florandino de Macedonia; del Ave Fénix, Florarlán de Tracia; del Grifo, el histórico conde de Arenberg, en tiempos de Felipe II; de la Muerte, Amadís de Grecia.

[10] *En esto... a don Quijote*, esta frase ha sido inventada por Schevill (I, 257), pues aquí sin duda alguna se saltó algo parecido el impresor de la primera edición del *Quijote*; sin ella, la frase que sigue se atribuye a Sancho, lo que no es posible. En la

que queda descomulgado, por haber puesto las manos violentamente en cosa sagrada, *juxta illud: Si quis suadente diabolo,* etc.[11].

—No entiendo ese latín —respondió don Quijote—, mas yo sé bien que no puse las manos, sino este lanzón; cuanto más, que yo no pensé que ofendía a sacerdotes ni a cosas de la Iglesia, a quien respeto y adoro como católico y fiel cristiano que soy, sino a fantasmas y a vestiglos del otro mundo. Y cuando eso así fuese, en la memoria tengo lo que le pasó al Cid Ruy Díaz, cuando quebró la silla del embajador de aquel rey delante de Su Santidad del Papa, por lo cual lo descomulgó, y anduvo aquel día el buen Rodrigo de Vivar como muy honrado y valiente caballero[12].

En oyendo esto el bachiller, se fue, como queda dicho, sin replicarle palabra. Quisiera don Quijote mirar si el cuerpo que venía en la litera eran huesos o no; pero no lo consintió Sancho, diciéndole:

—Señor, vuestra merced ha acabado esta peligrosa aventura lo más a su salvo de todas las que yo he visto; esta gente, aunque vencida y desbaratada, podría ser que cayese en la cuenta de que los venció sola una persona, y, corridos y avergonzados desto, volviesen a rehacerse y a buscarnos, y nos diesen en qué entender. El jumento está como conviene, la montaña cerca, la hambre carga, no hay que hacer sino retirarnos con gentil compás de pies, y, como dicen, váyase el muerto a la sepultura y el vivo a la hogaza[13].

Y antecogiendo su asno, rogó a su señor que le siguiese; el cual, pareciéndole a Sancho tenía razón, sin volverle a replicar le siguió. Y a poco trecho que caminaban por entre dos montañuelas, se hallaron en un espacioso y escondido valle, donde se apearon, y Sancho alivió el jumento, y tendidos sobre la verde yerba, con la salsa de

segunda edición del *Quijote* se advirtió que aquí había algún error, y se imprimió lo siguiente: «...como había imaginado. Y dijole: —Yo entiendo, Sancho, que quedo descomulgado por haber puesto...», lo que admiten la mayoría de las ediciones modernas.

[11] «según aquello: Si alguien incitado por el diablo...»; palabras del canon que excomulga al que golpeare a un clérigo.

[12] Episodio fabuloso recogido en leyendas tardías sobre el Cid y narrado en romances.

[13] Éste es el primero de los refranes que dice Sancho en la novela.

su hambre, almorzaron, comieron, merendaron y cenaron a un mesmo punto, satisfaciendo sus estómagos con más de una fiambrera, que los señores clérigos del difunto —que pocas veces se dejan mal pasar— en la acémila de su repuesto traían.

Mas sucedióles otra desgracia, que Sancho la tuvo por la peor de todas, y fue que no tenían vino que beber, ni aun agua que llegar a la boca; y, acosados de la sed, dijo Sancho, viendo que el prado donde estaban estaba colmado de verde y menuda yerba, lo que se dirá en el siguiente capítulo.

CAPÍTULO XX

DE LA JAMÁS VISTA NI OÍDA AVENTURA QUE CON MÁS POCO PELIGRO FUE ACABADA DE FAMOSO CABALLERO EN EL MUNDO, COMO LA QUE ACABÓ EL VALEROSO DON QUIJOTE DE LA MANCHA

No es posible, señor mío, sino que estas yerbas dan testimonio de que por aquí cerca debe de estar alguna fuente o arroyo que estas yerbas humedece, y así, será bien que vamos un poco más adelante; que ya toparemos donde podamos mitigar esta terrible sed que nos fatiga, que, sin duda, causa mayor pena que la hambre.

Parecióle bien el consejo a don Quijote, y tomando de la rienda a Rocinante, y Sancho del cabestro a su asno, después de haber puesto sobre él los relieves que de la cena quedaron, comenzaron a caminar por el prado arriba a tiento, porque la escuridad de la noche no les dejaba ver cosa alguna; mas no hubieron andado docientos pasos cuando llegó a sus oídos un grande ruido de agua, como que de algunos grandes y levantados riscos se despeñaba. Alegróles el ruido en gran manera; y parándose a escuchar hacia qué parte sonaba, oyeron a deshora otro estruendo que les aguó el contento del agua, especialmente a Sancho, que naturalmente era medroso y de poco ánimo. Digo que oyeron que daban unos golpes a compás, con un cierto crujir de hierros y cadenas, que, acompañados del furioso estruendo del agua, que pusieran pavor a cualquier otro corazón que no fuera el de don Quijote.

Era la noche, como se ha dicho, escura, y ellos acertaron a entrar entre unos árboles altos, cuyas hojas, movidas del blando viento, hacían un temeroso y manso ruido; de manera que la soledad, el sitio, la escuridad, el ruido del agua con el susurro de las hojas, todo causaba horror y espanto, y más cuando vieron que ni los golpes cesaban, ni el viento dormía, ni la mañana llegaba; añadiéndose a todo esto el ignorar el lugar donde se hallaban. Pero don Quijote, acompañado de su intrépido corazón, saltó sobre Rocinante, y, embrazando su rodela, terció su lanzón y dijo:

—Sancho amigo, has de saber que yo nací, por querer del cielo, en esta nuestra edad de hierro, para resucitar en ella la de oro, o la dorada, como suele llamarse. Yo soy aquel para quien están guardados los peligros, las grandes hazañas, los valerosos hechos. Yo soy, digo otra vez, quien ha de resucitar los de la Tabla Redonda, los Doce de Francia y los Nueve de la Fama, y el que ha de poner en olvido los Platires, los Tablantes, Olivantes y Tirantes, los Febos y Belianises, con toda la caterva de los famosos caballeros andantes del pasado tiempo, haciendo en este en que me hallo tales grandezas, estrañezas y fechos de armas, que escurezcan las más claras que ellos ficieron. Bien notas, escudero fiel y legal[1], las tinieblas desta noche, su estraño silencio, el sordo y confuso estruendo destos árboles, el temeroso ruido de aquella agua en cuya busca venimos, que parece que se despeña y derrumba desde los altos montes de la Luna[2], y aquel incesable golpear que nos hiere y lastima los oídos; las cuales cosas, todas juntas y cada una por sí, son bastantes a infundir miedo, temor y espanto en el pecho del mesmo Marte, cuanto más en aquel que no está acostumbrado a semejantes acontecimientos y aventuras. Pues todo esto que yo te pinto son incentivos y despertadores de mi ánimo, que ya hace que el corazón me reviente en el pecho, con el deseo que tiene de acometer esta aventura,

[1] *legal*, justo.
[2] Se creía que el Nilo nacía en el monte de la Luna, de Etiopía.

por más dificultosa que se muestra. Así que, aprieta un poco las cinchas a Rocinante, y quédate a Dios, y espérame aquí hasta tres días no más, en los cuales, si no volviere, puedes tú volverte a nuestra aldea, y desde allí, por hacerme merced y buena obra, irás al Toboso, donde dirás a la incomparable señora mía Dulcinea que su cautivo caballero murió por acometer cosas que le hiciesen digno de poder llamarse suyo.

Cuando Sancho oyó las palabras de su amo, comenzó a llorar con la mayor ternura del mundo, y a decille:

—Señor, yo no sé por qué quiere vuestra merced acometer esta tan temerosa aventura; ahora es de noche, aquí no nos vee nadie, bien podemos torcer el camino y desviarnos del peligro, aunque no bebamos en tres días; y pues no hay quien nos vea, menos habrá quien nos note de cobardes; cuanto más que yo he oído predicar al cura de nuestro lugar, que vuestra merced bien conoce, que quien busca el peligro perece en él; así, que no es bien tentar a Dios acometiendo tan desaforado hecho, donde no se puede escapar sino por milagro, y basta los que ha hecho el cielo con vuestra merced en librarle de ser manteado, como yo lo fui, y en sacarle vencedor, libre y salvo de entre tantos enemigos como acompañaban al difunto. Y cuando todo esto no mueva ni ablande ese duro corazón, muévale el pensar y creer que apenas se habrá vuestra merced apartado de aquí, cuando yo, de miedo, dé mi ánima a quien quisiere llevarla. Yo salí de mi tierra y dejé hijos y mujer por venir a servir a vuestra merced, creyendo valer más y no menos; pero como la cudicia rompe el saco, a mí me ha rasgado mis esperanzas, pues cuando más vivas las tenía de alcanzar aquella negra y malhadada ínsula que tantas veces vuestra merced me ha prometido, veo que, en pago y trueco della, me quiere ahora dejar en un lugar tan apartado del trato humano. Por un solo Dios, señor mío, que non se me faga tal desaguisado; y ya que del todo no quiera vuestra merced desistir de acometer este fecho[3], dilátelo, a lo menos, hasta la mañana; que, a lo que a mí me muestra la ciencia que aprendí cuando era pastor, no debe de haber desde aquí

---

[3] *non se me faga... fecho,* formas arcaicas que emplea Sancho porque ya se le han pegado de don Quijote.

al alba tres horas, porque la boca de la bocina está encima de la cabeza, y hace la media noche en la línea del
brazo izquierdo[4].

—¿Cómo puedes tú, Sancho —dijo don Quijote—,
ver dónde hace esa línea, ni dónde está esa boca o ese
colodrillo que dices, si hace la noche tan escura que no
parece en todo el cielo estrella alguna?

—Así es —dijo Sancho—; pero tiene el miedo muchos
ojos, y vee las cosas debajo de tierra, cuanto más encima
en el cielo; puesto que[5], por buen discurso, bien se puede
entender que hay poco de aquí al día.

—Falte lo que faltare —respondió don Quijote—; que
no se ha de decir por mí, ahora ni en ningún tiempo,
que lágrimas y ruegos me apartaron de hacer lo que debía
a estilo de caballero; y así, te ruego, Sancho, que calles;
que Dios, que me ha puesto en corazón de acometer ahora
esta tan no vista y tan temerosa aventura, tendrá cuidado
de mirar por mi salud y de consolar tu tristeza. Lo que
has de hacer es apretar bien las cinchas a Rocinante, y
quedarte aquí; que yo daré la vuelta presto, o vivo o
muerto.

Viendo, pues, Sancho la última resolución de su amo,
y cuán poco valían con él sus lágrimas, consejos y ruegos,
determinó de aprovecharse de su industria, y hacerle esperar hasta el día, si pudiese; y así, cuando apretaba las
cinchas al caballo, bonitamente y sin ser sentido, ató con
el cabestro de su asno ambos pies a Rocinante, de manera que cuando don Quijote se quiso partir, no pudo,
porque el caballo no se podía mover sino a saltos. Viendo
Sancho Panza el buen suceso de su embuste, dijo:

—Ea, señor, que el cielo, conmovido de mis lágrimas
y plegarias, ha ordenado que no se pueda mover Rocinante; y si vos queréis porfiar, y espolear, y dalle[6], será
enojar a la Fortuna, y dar coces, como dicen, contra el
aguijón.

Desesperábase con esto don Quijote, y, por más que

---

[4] La *bocina* es la Osa Mayor, y la explicación de Sancho supone un procedimiento de calcular las horas de la noche empleado por los pastores (cfr. R. Mendizábal, «Revista de Filología
Española», XII, 1925, 182-184).
[5] *puesto que*, aunque.
[6] *y dalle*, «y darle», en el sentido de insistir.

ponía las piernas[7] al caballo, menos le podía mover; y, sin caer en la cuenta de la ligadura, tuvo por bien de sosegarse y esperar, o a que amaneciese, o a que Rocinante se menease, creyendo, sin duda, que aquello venía de otra parte que de la industria de Sancho; y así, le dijo:

—Pues así es, Sancho, que Rocinante no puede moverse, yo soy contento de esperar a que ría el alba, aunque yo llore lo que ella tardare en venir.

—No hay que llorar —respondió Sancho—, que yo entretendré a vuestra merced contando cuentos desde aquí al día, si ya no es que se quiere apear y echarse a dormir un poco sobre la verde yerba, a uso de caballeros andantes, para hallarse más descansado cuando llegue el día y punto de acometer esta tan desemejable aventura que le espera.

—¿A qué llamas apear o a qué dormir? —dijo don Quijote—. ¿Soy yo, por ventura, de aquellos caballeros que toman reposo en los peligros? Duerme tú, que naciste para dormir, o haz lo que quisieres, que yo haré lo que viere que más viene con mi pretensión.

—No se enoje vuestra merced, señor mío —respondió Sancho—, que no lo dije por tanto.

Y llegándose a él, puso la una mano en el arzón delantero y la otra en el otro, de modo que quedó abrazado con el muslo izquierdo de su amo, sin osarse apartar dél un dedo: tal era el miedo que tenía a los golpes, que todavía alternativamente sonaban. Díjole don Quijote que contase algún cuento para entretenerle, como se lo había prometido, a lo que Sancho dijo que sí hiciera, si le dejara el temor de lo que oía.

—Pero, con todo eso, yo me esforzaré a decir una historia, que, si la acierto a contar y no me van a la mano[8], es la mejor de las historias; y estéme vuestra merced atento, que ya comienzo. «Érase que se era, el bien que viniere para todos sea, y el mal, para quien lo fuere a buscar[9]...» Y advierta vuestra merced, señor mío, que el principio que los antiguos dieron a sus consejas no fue así como quiera, que fue una sentencia de Catón Zonzo-

---

[7] *poner las piernas*, picar con la espuela.
[8] *ir a la mano*, contener, interrumpir.
[9] Fórmula de comienzo de cuento popular.

rino[10], romano, que dice: «Y el mal, para quien le fuere a buscar», que viene aquí como anillo al dedo, para que vuestra merced se esté quedo, y no vaya a buscar el mal a ninguna parte, sino que nos volvamos por otro camino, pues nadie nos fuerza a que sigamos éste, donde tantos miedos nos sobresaltan.

—Sigue tu cuento, Sancho —dijo don Quijote—, y del camino que hemos de seguir déjame a mí el cuidado.

—«Digo, pues —prosiguió Sancho—, que en un lugar de Estremadura había un pastor cabrerizo, quiero decir que guardaba cabras; el cual pastor o cabrerizo, como digo, de mi cuento, se llamaba Lope Ruiz; y este Lope Ruiz andaba enamorado de una pastora que se llamaba Torralba; la cual pastora llamada Torralba era hija de un ganadero rico, y este ganadero rico…»

—Si desa manera cuentas tu cuento, Sancho —dijo don Quijote—, repitiendo dos veces lo que vas diciendo, no acabarás en dos días; dilo seguidamente, y cuéntalo como hombre de entendimiento, y si no, no digas nada.

—De la misma manera que yo lo cuento —respondió Sancho— se cuentan en mi tierra todas las consejas, y yo no sé contarlo de otra, ni es bien que vuestra merced me pida que haga usos nuevos.

—Di como quisieres —respondió don Quijote—; que pues la suerte quiere que no pueda dejar de escucharte, prosigue.

—«Así que, señor mío de mi ánima —prosiguió Sancho—, que, como ya tengo dicho, este pastor andaba enamorado de Torralba, la pastora, que era una moza rolliza, zahareña y tiraba algo a hombruna, porque tenía unos pocos de bigotes, que parece que ahora la veo.»

—Luego ¿conocístela tú? —dijo don Quijote.

—No la conocí yo —respondió Sancho—; pero quien me contó este cuento me dijo que era tan cierto y verdadero, que podía bien, cuando lo contase a otro, afirmar y jurar que lo había visto todo. «Así que, yendo días y viniendo días, el diablo que no duerme y que todo lo añas-

---

[10] *Catón Zonzorino*, o sea, Catón Censorino, el Censor, convertido entre el pueblo en autor de máximas y refranes por atribuírsele una obra tardía llamada *Dichos de Catón (Dicta Catonis)* y popularizado extraordinariamente por haberse dado el nombre de *el Catón* a libros de lectura para las escuelas.

ca[11], hizo de manera que el amor que el pastor tenía a la pastora se volviese en omecillo[12] y mala voluntad; y la causa fue, según malas lenguas, una cierta cantidad de celillos que ella le dio, tales, que pasaban de la raya y llegaban a lo vedado; y fue tanto lo que el pastor la aborreció de allí adelante, que, por no verla, se quiso ausentar de aquella tierra e irse donde sus ojos no la viesen jamás. La Torralba, que se vio desdeñada del Lope, luego le quiso bien, mas que[13] nunca le había querido.»

—Ésa es natural condición de mujeres —dijo don Quijote—: desdeñar a quien las quiere y amar a quien las aborrece. Pasa adelante, Sancho.

—«Sucedió —dijo Sancho— que el pastor puso por obra su determinación, y, antecogiendo sus cabras, se encaminó por los campos de Estremadura, para pasarse a los reinos de Portugal. La Torralba, que lo supo, se fue tras él, y seguíale a pie y descalza desde lejos, con un bordón en la mano y con unas alforjas al cuello, donde llevaba, según es fama, un pedazo de espejo y otro de un peine, y no sé qué botecillo de mudas[14] para la cara; mas, llevase lo que llevase, que yo no me quiero meter ahora en averiguallo, sólo diré que dicen que el pastor llegó con su ganado a pasar el río Guadiana, y en aquella sazón iba crecido y casi fuera de madre, y por la parte que llegó no había barca ni barco, ni quien le pasase a él ni a su ganado de la otra parte, de lo que se congojó mucho, porque veía que la Torralba venía ya muy cerca, y le había de dar mucha pesadumbre con sus ruegos y lágrimas; mas, tanto anduvo mirando, que vio un pescador, que tenía junto a sí un barco, tan pequeño, que solamente podían caber en él una persona y una cabra; y, con todo esto, le habló, y concertó con él que le pasase a él y a trecientas cabras que llevaba. Entró el pescador en el barco, y pasó una cabra; volvió, y pasó otra; tornó a volver, y tornó a pasar otra.» Tenga vuestra merced cuenta en las cabras que el pescador va pasando, porque si se pierde una de la memoria, se acabará el cuento, y no será posible contar más palabra dél. «Sigo, pues, y digo

---

[11] *añasca*, enreda.
[12] *omecillo*, rencor, aborrecimiento.
[13] *mas que*, aunque.
[14] *mudas*, afeites y pinturas para la cara.

que el desembarcadero de la otra parte estaba lleno de
cieno y resbaloso, y tardaba el pescador mucho tiempo en
ir y volver. Con todo esto, volvió por otra cabra, y otra,
y otra...»

—Haz cuenta que las pasó todas —dijo don Quijote—; no andes yendo y viniendo desa manera, que no
acabarás de pasarlas en un año.

—¿Cuántas han pasado hasta agora? —dijo Sancho.

—Yo ¿qué diablos sé? —respondió don Quijote.

—He ahí lo que yo dije: que tuviese buena cuenta.
Pues por Dios que se ha acabado el cuento, que no hay
pasar adelante[15].

—¿Cómo puede ser eso? —respondió don Quijote—.
¿Tan de esencia de la historia es saber las cabras que han
pasado, por estenso, que si se yerra una del número no
puedes seguir adelante con la historia?

—No, señor, en ninguna manera —respondió Sancho—; porque así como yo pregunté a vuestra merced
que me dijese cuántas cabras habían pasado, y me respondió que no sabía, en aquel mesmo instante se me fue
a mí de la memoria cuanto me quedaba por decir, y a fe
que era de mucha virtud y contento.

—¿De modo —dijo don Quijote— que ya la historia
es acabada?

—Tan acabada es como mi madre —dijo Sancho.

—Dígote de verdad —respondió don Quijote— que
tú has contado una de las más nuevas consejas, cuento
o historia, que nadie pudo pensar en el mundo, y que
tal modo de contarla ni dejarla, jamás se podrá ver ni
habrá visto en toda la vida, aunque no esperaba yo otra
cosa de tu buen discurso; mas no me maravillo, pues
quizá estos golpes, que no cesan, te deben de tener turbado el entendimiento.

—Todo puede ser —respondió Sancho—; mas yo sé
que en lo de mi cuento no hay más que decir: que allí
se acaba do comienza el yerro de la cuenta del pasaje
de las cabras.

---

[15] Este cuento es conocido universalmente y se encuentra tanto
en colecciones literarias (*Libro de los exemplos*, Pedro Alfonso,
Cento novelle, etc.) como en la tradición oral (cfr. R. Marín, II,
página 103). Sancho lo repite en el *Quijote* apócrifo de Avellaneda
(cap. 21), donde se trata de gansos y no de cabras.

—Acabe norabuena donde quisiere —dijo don Quijote—, y veamos si se puede mover Rocinante.

Tornóle a poner las piernas, y él tornó a dar saltos y a estarse quedo: tanto estaba de bien atado.

En esto, parece ser, o que el frío de la mañana, que ya venía, o que Sancho hubiese cenado algunas cosas lenitivas, o que fuese cosa natural —que es lo que más se debe creer—, a él le vino en voluntad y deseo de hacer lo que otro no pudiera hacer por él; mas era tanto el miedo que había entrado en su corazón, que no osaba apartarse un negro de uña de su amo. Pues pensar de no hacer lo que tenía gana, tampoco era posible; y así, lo que hizo, por bien de paz, fue soltar la mano derecha, que tenía asida al arzón trasero, con la cual, bonitamente y sin rumor alguno, se soltó la lazada corrediza con que los calzones se sostenían, sin ayuda de otra alguna, y, en quitándosela, dieron luego abajo, y se le quedaron como grillos. Tras esto, alzó la camisa lo mejor que pudo, y echó al aire entrambas posaderas, que no eran muy pequeñas. Hecho esto —que él pensó que era lo más que tenía que hacer para salir de aquel terrible aprieto y angustia—, le sobrevino otra mayor, que fue que le pareció que no podía mudarse[16] sin hacer estrépito y ruido, y comenzó a apretar los dientes y a encoger los hombros, recogiendo en sí el aliento todo cuanto podía; pero, con todas estas diligencias, fue tan desdichado, que, al cabo al cabo, vino a hacer un poco de ruido, bien diferente de aquel que a él le ponía tanto miedo. Oyólo don Quijote, y dijo:

—¿Qué rumor es ése, Sancho?

—No sé, señor —respondió él—. Alguna cosa nueva debe de ser; que las aventuras y desventuras nunca comienzan por poco.

Tornó otra vez a probar ventura, y sucedióle tan bien, que, sin más ruido ni alboroto que el pasado, se halló libre de la carga que tanta pesadumbre le había dado. Mas como don Quijote tenía el sentido del olfato tan vivo como el de los oídos, y Sancho estaba tan junto y cosido con él, que casi por línea recta subían los vapores hacia arriba, no se pudo escusar de que algunos no llega-

---

[16] *mudarse*, evacuar.

sen a sus narices; y apenas hubieron llegado, cuando él
fue al socorro, apretándolas entre los dos dedos, y, con
tono algo gangoso, dijo:

—Paréceme, Sancho, que tienes mucho miedo.

—Sí tengo —respondió Sancho—; mas, ¿en qué lo
echa de ver vuestra merced ahora más que nunca?

—En que ahora más que nunca hueles, y no a ámbar —respondió don Quijote.

—Bien podrá ser —dijo Sancho—, mas yo no tengo la
culpa, sino vuestra merced, que me trae a deshoras y por
estos no acostumbrados pasos.

—Retírate tres o cuatro allá, amigo —dijo don Quijote, todo esto sin quitarse los dedos de las narices—, y
desde aquí adelante ten más cuenta con tu persona y con
lo que debes a la mía; que la mucha conversación que
tengo contigo ha engendrado este menosprecio.

—Apostaré —replicó Sancho— que piensa vuestra
merced que yo he hecho de mi persona alguna cosa que
no deba.

—Peor es meneallo, amigo Sancho —respondió don
Quijote.

En estos coloquios y otros semejantes pasaron la noche amo y mozo. Mas, viendo Sancho que a más andar
se venía la mañana, con mucho tiento desligó a Rocinante
y se ató los calzones. Como Rocinante se vio libre, aunque
él de suyo no era nada brioso, parece que se resintió, y
comenzó a dar manotadas; porque corvetas —con perdón suyo— no las sabía hacer. Viendo, pues, don Quijote que ya Rocinante se movía, lo tuvo a buena señal, y
creyó que lo era de que acometiese aquella temerosa
aventura.

Acabó en esto de descubrirse el alba, y de parecer distintamente las cosas, y vio don Quijote que estaba entre
unos árboles altos; que ellos eran castaños, que hacen la
sombra muy escura. Sintió también que el golpear no
cesaba, pero no vio quién lo podía causar; y así, sin más
detenerse, hizo sentir las espuelas a Rocinante, y, tornando a despedirse de Sancho, le mandó que allí le aguardase tres días, a lo más largo, como ya otra vez se lo había
dicho, y que, si al cabo dellos no hubiese vuelto, tuviese
por cierto que Dios había sido servido de que en aquella
peligrosa aventura se le acabasen sus días. Tornóle a re-

ferir el recado y embajada que había de llevar de su parte a su señora Dulcinea, y que, en lo que tocaba a la paga
de sus servicios, no tuviese pena, porque él había dejado
hecho su testamento antes que saliera de su lugar, donde
se hallaría gratificado de todo lo tocante a su salario,
rata por cantidad[17], del tiempo que hubiese servido; pero,
que si Dios le sacaba de aquel peligro sano y salvo y sin
cautela, se podía tener por muy más que cierta la prometida ínsula.

De nuevo tornó a llorar Sancho oyendo de nuevo las
lastimeras razones de su buen señor, y determinó de no
dejarle hasta el último tránsito y fin de aquel negocio.

Destas lágrimas y determinación tan honrada de Sancho Panza saca el autor desta historia que debía de ser
bien nacido, y, por lo menos, cristiano viejo; cuyo sentimiento enterneció algo a su amo, pero no tanto que mostrase flaqueza alguna; antes, disimulando lo mejor que
pudo, comenzó a caminar hacia la parte por donde le
pareció que el ruido del agua y del golpear venía.

Seguíale Sancho a pie, llevando, como tenía de costumbre, del cabestro a su jumento, perpetuo compañero
de sus prósperas y adversas fortunas; y habiendo andado
una buena pieza por entre aquellos castaños y árboles
sombríos, dieron en un pradecillo que al pie de unas altas peñas se hacía, de las cuales se precipitaba un grandísimo golpe de agua. Al pie de las peñas estaban unas
casas mal hechas, que más parecían ruinas de edificios
que casas, de entre las cuales advirtieron que salía el ruido y estruendo de aquel golpear, que aún no cesaba.

Alborotóse Rocinante con el estruendo del agua y de
los golpes, y sosegándole don Quijote, se fue llegando
poco a poco a las casas, encomendándose de todo corazón
a su señora, suplicándole que en aquella temerosa jornada
y empresa le favoreciese, y de camino se encomendaba
también[18] a Dios, que no le olvidase. No se le quitaba
Sancho del lado, el cual alargaba cuanto podía el cuello
y la vista, por entre las piernas de Rocinante, por ver si
vería ya lo que tan suspenso y medroso le tenía.

[17] *rata por cantidad*, a prorrata.
[18] Desde *encomendándose de todo corazón* hasta *se encomendaba también* fue censurado por la Inquisición portuguesa en
1624.

Otros cien pasos serían los que anduvieron, cuando, al doblar de una punta, pareció descubierta y patente la misma causa, sin que pudiese ser otra, de aquel horrísono y para ellos espantable ruido, que tan suspensos y medrosos toda la noche los había tenido. Y eran —si no lo has, ¡oh lector!, por pesadumbre y enojo— seis mazos de batán, que con sus alternativos golpes aquel estruendo formaban[19].

Cuando don Quijote vio lo que era, enmudeció y pasmóse de arriba abajo. Miróle Sancho, y vio que tenía la cabeza inclinada sobre el pecho, con muestras de estar corrido. Miró también don Quijote a Sancho, y vióle que tenía los carrillos hinchados, y la boca llena de risa, con evidentes señales de querer reventar con ella, y no pudo su melancolía tanto con él, que a la vista de Sancho pudiese dejar de reírse; y como vio Sancho que su amo había comenzado, soltó la presa de manera que tuvo necesidad de apretarse las ijadas con los puños, por no reventar riendo. Cuatro veces sosegó, y otras tantas volvió a su risa, con el mismo ímpetu que primero; de lo cual ya se daba al diablo don Quijote, y más cuando le oyó decir, como por modo de fisga:

—«Has de saber, ¡oh Sancho amigo!, que yo nací, por querer del cielo, en esta nuestra edad de hierro, para resucitar en ella la dorada, o de oro. Yo soy aquel para quien están guardados los peligros, las hazañas grandes, los valerosos fechos...»

Y por aquí fue repitiendo todas o las más razones que don Quijote dijo la vez primera que oyeron los temerosos golpes.

Viendo, pues, don Quijote que Sancho hacía burla dél, se corrió y enojó en tanta manera, que alzó el lanzón y le asentó dos palos, tales, que si, como los recibió en las espaldas, los recibiera en la cabeza, quedara libre de pagarle el salario, si no fuera a sus herederos. Viendo Sancho que sacaba tan malas veras de sus burlas, con temor de que su amo no pasase adelante en ellas, con mucha humildad le dijo:

---

[19] *batán,* máquina hidráulica, con una rueda movida por el agua que levanta unos mazos que dan en un pilón en el que golpean paños para desengrasarlos.

—Sosiéguese vuestra merced; que por Dios que me burlo.

—Pues, porque os burláis, no me burlo yo —respondió don Quijote—. Venid acá, señor alegre: ¿Paréceos a vos que, si como éstos fueron mazos de batán, fueran otra peligrosa aventura, no había yo mostrado el ánimo que convenía para emprendella y acaballa? ¿Estoy yo obligado, a dicha, siendo, como soy, caballero, a conocer y destinguir los sones, y saber cuáles son de batán o no? Y más, que podría ser, como es verdad, que no los he visto en mi vida, como vos los habréis visto, como villano ruin que sois, criado y nacido entre ellos. Si no, haced vos que estos seis mazos se vuelvan en seis jayanes, y echádmelos a las barbas uno a uno, o todos juntos, y cuando yo no diere con todos patas arriba, haced de mí la burla que quisiéredes.

—No haya más, señor mío —replicó Sancho—; que yo confieso que he andado algo risueño en demasía. Pero dígame vuestra merced, ahora que estamos en paz (así Dios le saque de todas las aventuras que le sucedieren tan sano y salvo como le ha sacado désta) ¿no ha sido cosa de reír, y lo es de contar, el gran miedo que hemos tenido? A lo menos, el que yo tuve; que de vuestra merced ya yo sé que no le conoce, ni sabe qué es temor ni espanto.

—No niego yo —respondió don Quijote— que lo que nos ha sucedido no sea cosa digna de risa; pero no es digna de contarse; que no son todas las personas tan discretas que sepan poner en su punto las cosas.

—A lo menos —respondió Sancho—, supo vuestra merced poner en su punto el lanzón, apuntándome a la cabeza, y dándome en las espaldas, gracias a Dios y a la diligencia que puse en ladearme. Pero vaya, que todo saldrá en la colada; que yo he oído decir: «Ése te quiere bien, que te hace llorar»; y más, que suelen los principales señores, tras una mala palabra que dicen a un criado, darle luego unas calzas; aunque no sé lo que le suelen dar tras haberle dado de palos, si ya no es que los caballeros andantes dan tras palos ínsulas, o reinos en tierra firme.

—Tal podría correr el dado[20] —dijo don Quijote—,

---

[20] *el dado*, la suerte.

que todo lo que dices viniese a ser verdad; y perdona lo
pasado, pues eres discreto y sabes que los primeros movimientos no son en mano del hombre, y está advertido de
aquí adelante en una cosa, para que te abstengas y reportes en el hablar demasiado conmigo; que en cuantos libros de caballerías he leído, que son infinitos, jamás he
hallado que ningún escudero hablase tanto con su señor
como tú con el tuyo. Y en verdad que lo tengo a gran
falta, tuya y mía: tuya, en que me estimas un poco; mía,
en que yo no me dejo estimar en más. Sí, que Gandalín, escudero de Amadís de Gaula, conde fue de la ínsula Firme; y se lee dél que siempre hablaba a su señor con la
gorra en la mano, inclinada la cabeza y doblado el cuerpo, *more turquesco*[21]. Pues, ¿qué diremos de Gasabal, escudero de don Galaor, que fue tan callado que, para declararnos la excelencia de su maravilloso silencio, sola una
vez se nombra su nombre en toda aquella tan grande
como verdadera historia[22]? De todo lo que he dicho has
de inferir, Sancho, que es menester hacer diferencia de
amo a mozo, de señor a criado y de caballero a escudero.
Así que, desde hoy en adelante, nos hemos de tratar con
más respeto, sin darnos cordelejo[23], porque, de cualquiera
manera que yo me enoje con vos, ha de ser mal para el
cántaro. Las mercedes y beneficios que yo os he prometido llegarán a su tiempo; y si no llegaren, el salario, a lo
menos, no se ha de perder como ya os he dicho.

—Está bien cuanto vuestra merced dice —dijo Sancho—; pero querría yo saber, por si acaso no llegase el
tiempo de las mercedes y fuese necesario acudir al de los
salarios, cuánto ganaba un escudero de un caballero andante en aquellos tiempos, y si se concertaban por meses,
o por días, como peones de albañir.

—No creo yo —respondió don Quijote— que jamás
los tales escuderos estuvieron a salario, sino a merced.
Y si yo ahora te le he señalado a ti en el testamento cerrado que dejé en mi casa, fue por lo que podía suceder; que

[21] *more turquesco*, «a uso turco», es decir, inclinándose mucho
para hacer una reverencia.
[22] Es cierto que en el *Amadís de Gaula* sólo se menciona una
vez a Gasabal, escudero de Galaor; pero que todos los escuderos
guardaran el silencio que dice don Quijote está muy lejos de ser
verdad.
[23] *dar cordelejo*, burlarse de alguien.

aún no sé cómo prueba en estos tan calamitosos tiempos nuestros la caballería, y no querría que por pocas cosas penase mi ánima en el otro mundo. Porque quiero que sepas, Sancho, que en él no hay estado más peligroso que el de los aventureros.

—Así es verdad —dijo Sancho—, pues sólo el ruido de los mazos de un batán pudo alborotar y desasosegar el corazón de un tan valeroso andante aventurero como es vuestra merced. Mas bien puede estar seguro que de aquí adelante no despliegue mis labios para hacer donaire de las cosas de vuestra merced, si no fuere para honrarle, como a mi amo y señor natural.

—Desa manera —replicó don Quijote— vivirás sobre la haz de la tierra; porque, después de a los padres, a los amos se ha de respetar como si lo fuesen.

CAPÍTULO XXI

QUE TRATA DE LA ALTA AVENTURA Y RICA GANANCIA DEL YELMO DE MAMBRINO, CON OTRAS COSAS SUCEDIDAS A NUESTRO INVENCIBLE CABALLERO*

E N esto, comenzó a llover un poco, y quisiera Sancho que se entraran en el molino de los batanes; mas habíales cobrado tal aborrecimiento don Quijote por la pesada burla, que en ninguna manera quiso entrar dentro; y así, torciendo el camino a la derecha mano, dieron en otro como el que habían llevado el día de antes.

* La sencilla aventura que se narra en este capítulo es una de las pocas que salen bien a don Quijote. Hacía tiempo que deseaba poseer un yelmo muy famoso, el del rey moro Mambrino que, en el *Orlando innamorato* de Boiardo conquista Reinaldos de Montalbán. Don Quijote se imagina que lleva este precioso y encantado yelmo un barbero que se ha puesto la bacía en la cabeza, y se apodera fácilmente de ella. Las bacías de barbero eran unas vasijas generalmente de metal brillante, con una escotadura por donde metía la barba el que era afeitado, y que se han usado hasta hace poco. Al tocarse don Quijote con este vulgar y corriente adminículo de barbero, tan poco caballeresco o militar, la figura del protagonista acrecentaba su aspecto ridículo, que se ha hecho corriente en infinidad de representaciones gráficas. Hoy día, desconocida casi la bacía de barbero, está en trance de hacerse imperceptible esta nueva ridiculez del aspecto de don Quijote.

De allí a poco, descubrió don Quijote un hombre a
caballo, que traía en la cabeza una cosa que relumbraba
como si fuera de oro, y aun él apenas le hubo visto, cuando se volvió a Sancho y le dijo:

—Paréceme, Sancho, que no hay refrán que no sea
verdadero, porque todos son sentencias sacadas de la mesma experiencia, madre de las ciencias todas, especialmente aquel que dice: «Donde una puerta se cierra, otra se
abre». Dígolo, porque si anoche nos cerró la ventura la
puerta de la que buscábamos, engañándonos con los batanes, ahora nos abre de par en par otra, para otra mejor
y más cierta aventura, que si yo no acertare a entrar por
ella, mía será la culpa, sin que la pueda dar a la poca
noticia de batanes, ni a la escuridad de la noche. Digo
esto, porque, si no me engaño, hacia nosotros viene uno
que trae en su cabeza puesto el yelmo de Mambrino, sobre que yo hice el juramento que sabes.

—Mire vuestra merced bien lo que dice, y mejor lo
que hace —dijo Sancho—; que no querría que fuesen
otros batanes que nos acabasen de abatanar y aporrear el
sentido.

—¡Válate el diablo por hombre! —replicó don Quijote—. ¿Qué va de yelmo a batanes?

—No sé nada —respondió Sancho—; mas, a fe que si
yo pudiera hablar tanto como solía, que quizá diera tales
razones, que vuestra merced viera que se engañaba en lo
que dice.

—¿Cómo me puedo engañar en lo que digo, traidor
escrupuloso? —dijo don Quijote—. Dime, ¿no ves aquel
caballero que hacia nosotros viene, sobre un caballo rucio
rodado[1], que trae puesto en la cabeza un yelmo de oro?

—Lo que yo veo y columbro —respondió Sancho—
no es sino un hombre sobre un asno, pardo como el mío,
que trae sobre la cabeza una cosa que relumbra.

—Pues ése es el yelmo de Mambrino —dijo don Quijote—. Apártate a una parte y déjame con él a solas; verás cuán sin hablar palabra, por ahorrar del tiempo, con-
cluyo esta aventura, y queda por mío el yelmo que tanto
he deseado.

—Yo me tengo en cuidado el apartarme —replicó

[1] *rucio rodado*, pardo con manchas oscuras.

Sancho—; mas quiera Dios —tornó a decir— que orégano sea, y no batanes[2].

—Ya os he dicho, hermano, que no me mentéis, ni
por pienso, más eso de los batanes —dijo don Quijote—;
que voto..., y no digo más, que os batanee el alma[3].

Calló Sancho, con temor que su amo no cumpliese el
voto que le había echado, redondo como una bola.

Es, pues, el caso que el yelmo, y el caballo y caballero
que don Quijote veía, era esto: que en aquel contorno
había dos lugares, el uno tan pequeño, que ni tenía bo-
tica ni barbero, y el otro, que estaba junto, sí; y así, el
barbero del mayor servía al menor, en el cual tuvo necesidad un enfermo de sangrarse, y otro de hacerse la barba,
para lo cual venía el barbero, y traía una bacía de azófar[4]; y quiso la suerte que, al tiempo que venía, comenzó
a llover, y porque no se le manchase el sombrero, que
debía de ser nuevo, se puso la bacía sobre la cabeza; y,
como estaba limpia, desde media legua relumbraba. Venía sobre un asno pardo, como Sancho dijo, y ésta fue la
ocasión que a don Quijote le pareció caballo rucio rodado,
y caballero, y yelmo de oro; que todas las cosas que veía
con mucha facilidad las acomodaba a sus desvariadas
caballerías y malandantes pensamientos. Y cuando él vio
que el pobre caballero llegaba cerca, sin ponerse con él
en razones, a todo correr de Rocinante le enristró con
el lanzón bajo, llevando intención de pasarle de parte a
parte; mas cuando a él llegaba, sin detener la furia de
su carrera, le dijo:

—¡Defiéndete, cautiva criatura, o entriégame de tu
voluntad lo que con tanta razón se me debe!

El barbero, que, tan sin pensarlo ni temerlo, vio venir aquella fantasma sobre sí, no tuvo otro remedio, para
poder guardarse del golpe de la lanza, si no fue el dejarse
caer del asno abajo; y no hubo tocado al suelo, cuando
se levantó más ligero que un gamo, y comenzó a correr
por aquel llano, que no le alcanzara el viento. Dejóse la
bacía en el suelo, con la cual se contentó don Quijote, y
dijo que el pagano había andado discreto, y que había

[2] El proverbio es «Quiera Dios que orégano sea y no se nos
vuelva alcarabea», planta ésta de menos valor que aquélla.
[3] *Voto* [a Dios], que es el sujeto de *batanee*; o sea: «y que
Dios os golpee el alma».
[4] *azófar*, latón.

imitado al castor, el cual, viéndose acosado de los cazadores, se taraza y arpa[5] con los dientes aquello por lo que
él, por distinto[6] natural, sabe que es perseguido. Mandó
a Sancho que alzase el yelmo, el cual, tomándola[7] en las
manos, dijo:

—Por Dios que la bacía es buena, y que vale un real
de a ocho como un maravedí[8].

Y dándosela a su amo, se la puso luego en la cabeza,
rodeándola a una parte y a otra, buscándole el encaje;
y como no se le hallaba, dijo:

—Sin duda que el pagano a cuya medida se forjó primero esta famosa celada, debía de tener grandísima cabeza; y lo peor dello es que le falta la mitad.

Cuando Sancho oyó llamar a la bacía celada, no pudo
tener la risa; mas vínosele a las mientes la cólera de su
amo, y calló en la mitad della.

—¿De qué te ríes, Sancho? —dijo don Quijote.

—Ríome —respondió él— de considerar la gran cabeza que tenía el pagano dueño deste almete, que no semeja sino una bacía de barbero pintiparada.

—¿Sabes qué imagino, Sancho? Que esta famosa pieza deste encantado yelmo, por algún estraño acidente debió de venir a manos de quien no supo conocer ni estimar
su valor, y, sin saber lo que hacía, viéndola de oro purísimo, debió de fundir la otra mitad para aprovecharse del
precio, y de la otra mitad hizo ésta, que parece bacía de
barbero, como tú dices. Pero, sea lo que fuere; que para
mí que la conozco no hace al caso su trasmutación; que
yo la aderezaré en el primer lugar donde haya herrero,
y de suerte que no le haga ventaja, ni aun le llegue, la
que hizo y forjó el dios de las herrerías para el dios de
las batallas[9]; y en este entretanto, la traeré como pudiere,
que más vale algo que no nada; cuanto más que bien
será bastante para defenderme de alguna pedrada.

[5] *se taraza y arpa*, se rasga con los dientes y se araña.
[6] *distinto*, instinto.
[7] *tomándola*, porque Sancho toma *la* bacía, aunque don Quijote
le ha mandado que coja *el* yelmo.
[8] *real de a ocho*, la pieza de ocho reales, antecedente de la
moderna peseta. El *maravedí* era la moneda de más bajo valor
que entonces existía. Sancho quiere decir que tanto puede valer
un real de a ocho como un maravedí.
[9] *dios de las herrerías*, Vulcano; *dios de las batallas*, Marte.
Para esta referencia mitológica véase A. Marasso, «Revista de
Filología Hispánica», I, 1939, 64-65.

—Eso será —dijo Sancho— si no se tira con honda, como se tiraron en la pelea de los dos ejércitos, cuando le santiguaron a vuestra merced las muelas y le rompieron el alcuza donde venía aquel benditísimo brebaje que me hizo vomitar las asaduras[10].

—No me da mucha pena el haberle perdido; que ya sabes tú, Sancho —dijo don Quijote—, que yo tengo la receta en la memoria.

—También la tengo yo —respondió Sancho—; pero si yo le hiciere ni le probare más en mi vida, aquí sea mi hora[11]. Cuanto más, que no pienso ponerme en ocasión de haberle menester, porque pienso guardarme con todos mis cinco sentidos de ser ferido ni de ferir a nadie. De lo del ser otra vez manteado, no digo nada; que semejantes desgracias mal se pueden prevenir, y si vienen, no hay que hacer otra cosa sino encoger los hombros, detener el aliento, cerrar los ojos y dejarse ir por donde la suerte y la manta nos llevare.

—Mal cristiano eres, Sancho —dijo, oyendo esto, don Quijote—, porque nunca olvidas la injuria que una vez te han hecho; pues sábete que es de pechos nobles y generosos no hacer caso de niñerías. ¿Qué pie sacaste cojo, qué costilla quebrada, qué cabeza rota, para que no se te olvide aquella burla? Que, bien apurada la cosa, burla fue y pasatiempo; que, a no entenderlo yo ansí, ya yo hubiera vuelto allá, y hubiera hecho en tu venganza más daño que el que hicieron los griegos por la robada Elena. La cual, si fuera en este tiempo, o mi Dulcinea fuera en aquél, pudiera estar segura que no tuviera tanta fama de hermosa como tiene.

Y aquí dio un sospiro, y le puso en las nubes. Y dijo Sancho:

—Pase por burlas, pues la venganza no puede pasar en veras; pero yo sé de qué calidad fueron las veras y las burlas, y sé también que no se me caerán de la memoria, como nunca se quitarán de las espaldas. Pero, dejando esto aparte, dígame vuestra merced qué haremos deste caballo rucio rodado, que parece asno pardo, que dejó aquí desamparado aquel Martino que vuestra merced derribó; que, según él puso los pies en polvorosa y cogió

---

[10] *asaduras*, entrañas.
[11] *mi hora*, mi muerte.

las de Villadiego, no lleva pergenio[12] de volver por él jamás. Y ¡para mis barbas, si no es bueno el rucio!

—Nunca yo acostumbro —dijo don Quijote— despojar a los que venzo, ni es uso de caballería quitarles los caballos y dejarlos a pie, si ya no fuese que el vencedor hubiese perdido en la pendencia el suyo; que, en tal caso, lícito es tomar el del vencido, como ganado en guerra lícita. Así que, Sancho, deja ese caballo, o asno, o lo que tú quisieres que sea; que como su dueño nos vea alongados de aquí, volverá por él.

—Dios sabe si quisiera llevarle —replicó Sancho—, o, por lo menos, trocalle con este mío, que no me parece tan bueno. Verdaderamente que son estrechas las leyes de caballería, pues no se estienden a dejar trocar un asno por otro; y querría saber si podría trocar los aparejos siquiera.

—En eso no estoy muy cierto —respondió don Quijote—; y en caso de duda, hasta estar mejor informado, digo que los trueques, si es que tienes dellos necesidad estrema.

—Tan estrema es —respondió Sancho—, que si fueran para mi misma persona no los hubiera menester más.

Y luego, habilitado con aquella licencia, hizo *mutatio caparum*[13], y puso su jumento a las mil lindezas, dejándole mejorado en tercio y quinto.

Hecho esto, almorzaron de las sobras del real[14] que del acémila despojaron, bebieron del agua del arroyo de los batanes, sin volver la cara a mirallos; tal era el aborrecimiento que les tenían, por el miedo en que les habían puesto.

Cortada, pues, la cólera[15], y aun la malenconía, subieron a caballo, y sin tomar determinado camino, por ser muy de caballeros andantes el no tomar ninguno cierto, se pusieron a caminar por donde la voluntad de Rocinante quiso, que se llevaba tras sí la de su amo, y aun la del asno, que siempre le seguía por dondequiera que guia-

[12] *pergenio*, intención, traza.
[13] *mutatio caparum*, «cambio de capas» que hacían los cardenales, el día de Resurrección.
[14] *real*, en el sentido de «botín»; nota irónica, pues en la Edad Media los vencedores se apoderaban de lo que contenía el *real*, o campamento del enemigo, y aquí se trata de lo que contenían los aparejos del asno del barbero.
[15] *cortar la cólera*, tomar un refrigerio entre dos comidas.

ba, en buen amor y compañía. Con todo esto, volvieron al camino real, y siguieron por él a la ventura, sin otro disignio alguno.

Yendo, pues, así caminando, dijo Sancho a su amo:

—Señor, ¿quiere vuestra merced darme licencia que departa un poco con él? Que después que me puso aquel áspero mandamiento del silencio, se me han podrido más de cuatro cosas en el estómago, y una sola que ahora tengo en el pico de la lengua no querría que se mal lograse.

—Dila —dijo don Quijote—, y sé breve en tus razonamientos; que ninguno hay gustoso si es largo.

—Digo, pues, señor —respondió Sancho—, que, de algunos días a esta parte, he considerado cuán poco se gana y granjea de andar buscando estas aventuras que vuestra merced busca por estos desiertos y encrucijadas de caminos, donde, ya que se venzan y acaben las más peligrosas, no hay quien las vea ni sepa, y así, se han de quedar en perpetuo silencio, y en perjuicio de la intención de vuestra merced y de lo que ellas merecen. Y así, me parece que sería mejor, salvo el mejor parecer de vuestra merced, que nos fuésemos a servir a algún emperador, o a otro príncipe grande, que tenga alguna guerra, en cuyo servicio vuestra merced muestre el valor de su persona, sus grandes fuerzas y mayor entendimiento; que, visto esto del señor a quien sirviéremos, por fuerza nos ha de remunerar, a cada cual según sus méritos, y allí no faltará quien ponga en escrito las hazañas de vuestra merced, para perpetua memoria. De las mías no digo nada, pues no han de salir de los límites escuderiles; aunque sé decir que, si se usa en la caballería escribir hazañas de escuderos, que no pienso que se han de quedar las mías entre renglones.

—No dices mal, Sancho —respondió don Quijote—; mas, antes que se llegue a ese término, es menester andar por el mundo, como en aprobación, buscando las aventuras, para que, acabando algunas, se cobre nombre y fama tal, que cuando se fuere a la corte de algún gran monarca ya sea el caballero conocido por sus obras; y que, apenas le hayan visto entrar los muchachos por la puerta de la ciudad, cuando todos le sigan y rodeen, dando voces, diciendo: «Éste es el caballero del Sol», o de la Sier-

pe, o de otra insignia alguna, debajo de la cual hubiere
acabado grandes hazañas. «Éste es —dirán— el que ven-
»ció en singular batalla al gigantazo Brocabruno de la
»Gran Fuerza; el que desencantó al Gran Mameluco de
»Persia del largo encantamento en que había estado casi
»novecientos años.» Así que, de mano en mano, irán pre-
gonando tus hechos, y luego, al alboroto de los muchachos
y de la demás gente, se parará a las fenestras[16] de su real
palacio el rey de aquel reino, y así como vea al caballero,
conociéndole por las armas, o por la empresa del escudo,
forzosamente ha de decir: «¡Ea, sus! ¡Salgan mis caba-
»lleros, cuantos en mi corte están, a recebir a la flor de
»la caballería, que allí viene!» A cuyo mandamiento
saldrán todos, y él llegará hasta la mitad de la escalera,
y le abrazará estrechísimamente, y le dará paz, besándole
en el rostro, y luego le llevará por la mano al aposento
de la señora reina, adonde el caballero la hallará con la
infanta, su hija, que ha de ser una de las más fermosas
y acabadas doncellas que en gran parte de lo descubierto
de la tierra a duras penas se pueda hallar. Sucederá tras
esto, luego en continente, que ella ponga los ojos en el
caballero, y él en los della, y cada uno parezca a otro
cosa más divina que humana, y, sin saber cómo ni cómo
no, han de quedar presos y enlazados en la intricable
red amorosa, y con gran cuita en sus corazones, por no
saber cómo se han de fablar para descubrir sus ansias y
sentimientos. Desde allí le llevarán, sin duda, a algún
cuarto del palacio, ricamente aderezado, donde, habiéndole quitado las armas, le traerán un rico manto de escarlata, con que se cubra; y si bien pareció armado, tan
bien y mejor ha de parecer en farseto[17]. Venida la noche, cenará con el rey, reina e infanta, donde[18] nunca
quitará los ojos della, mirándola a furto de los circunstantes, y ella hará lo mesmo con la mesma sagacidad,
porque, como tengo dicho, es muy discreta doncella. Levantarse han las tablas[19], y entrará a deshora por la puerta de la sala un feo y pequeño enano, con una fermosa
dueña que, entre dos gigantes, detrás del enano viene, con

[16] *fenestras*, ventanas (arcaísmo tomado de los libros de caballerías).
[17] *farseto*, ropa interior que se llevaba debajo de las armas.
[18] *cenará... donde*, o sea: asistirá a la *cena*... donde.
[19] *tablas*, mesas.

cierta aventura, hecha por un antiquísimo sabio, que el
que la acabare será tenido por el mejor caballero del
mundo. Mandará luego el rey que todos los que están presentes la prueben, y ninguno le dará fin y cima sino el
caballero huésped, en mucho pro de su fama, de lo cual
quedará contentísima la infanta, y se tendrá por contenta
y pagada además[20], por haber puesto y colocado sus pensamientos en tan alta parte. Y lo bueno es que este rey, o
príncipe, o lo que es, tiene una muy reñida guerra con
otro tan poderoso como él, y el caballero huésped le pide
(al cabo de algunos días que ha estado en su corte) licencia para ir a servirle en aquella guerra dicha. Darásela el
rey de muy buen talante, y el caballero le besará cortésmente las manos por la merced que le face. Y aquella noche se despedirá de su señora la infanta por las rejas de
un jardín, que cae en el aposento donde ella duerme, por
las cuales ya otras muchas veces la había fablado, siendo
medianera y sabidora de todo una doncella de quien la
infanta mucho se fiaba. Sospirará él, desmayaráse ella,
traerá agua la doncella, acuitaráse mucho, porque viene
la mañana, y no querría que fuesen descubiertos, por la
honra de su señora. Finalmente, la infanta volverá en sí,
y dará sus blancas manos por la reja al caballero, el cual
se las besará mil y mil veces, y se las bañará en lágrimas.
Quedará concertado entre los dos del modo que se han de
hacer saber sus buenos o malos sucesos, y rogarále la princesa que se detenga lo menos que pudiere; prometérselo ha
él con muchos juramentos; tórnale a besar las manos, y
despídese con tanto sentimiento, que estará poco por acabar la vida. Vase desde allí a su aposento, échase sobre
su lecho, no puede dormir del dolor de la partida, madruga muy de mañana, vase a despedir del rey y de la reina
y de la infanta; dícenle, habiéndose despedido de los dos,
que la señora infanta está mal dispuesta y que no puede
recebir visita; piensa el caballero que es de pena de su
partida, traspásasele el corazón, y falta poco de no dar
indicio manifiesto de su pena. Está la doncella medianera
delante, halo de notar todo, váselo a decir a su señora, la
cual la recibe con lágrimas, y le dice que una de las mayores penas que tiene es no saber quién sea su caballero,

<hr>

[20] *pagada además*, muy satisfecha.

y si es de linaje de reyes o no; asegúrala la doncella que
no puede caber tanta cortesía, gentileza y valentía como
la de su caballero sino en subjeto real y grave; consuélase
con esto la cuitada; procura consolarse, por no dar mal
indicio de sí a sus padres, y a cabo de dos días sale en
público. Ya se es ido el caballero; pelea en la guerra, vence al enemigo del rey, gana muchas ciudades, triunfa de
muchas batallas, vuelve a la corte, ve a su señora por
donde suele, conciértase que la pida a su padre por mujer,
en pago de sus servicios. No se la quiere dar el rey, porque
no sabe quién es; pero, con todo esto, o robada, o de otra
cualquier suerte que sea, la infanta viene a ser su esposa,
y su padre lo viene a tener a gran ventura, porque se vino
a averiguar que el tal caballero es hijo de un valeroso rey
de no sé qué reino, porque creo que no debe de estar en
el mapa. Muérese el padre, hereda la infanta, queda
rey el caballero en dos palabras; aquí entra luego el hacer
mercedes a su escudero y a todos aquellos que le ayuda-
ron a subir a tan alto estado: casa a su escudero con una
doncella de la infanta, que será, sin duda, la que fue tercera en sus amores, que es hija de un duque muy principal[21].

—Eso pido, y barras derechas[22] —dijo Sancho—: a
eso me atengo, porque todo, al pie de la letra, ha de suceder por vuestra merced llamándose *el Caballero de la
Triste Figura.*

—No lo dudes, Sancho —replicó don Quijote—; porque del mesmo[23] y por los mesmos pasos que esto he contado suben y han subido los caballeros andantes a ser reyes y emperadores. Sólo falta agora mirar qué rey de los
cristianos o de los paganos tenga guerra y tenga hija
hermosa; pero tiempo habrá para pensar esto, pues, como
te tengo dicho, primero se ha de cobrar fama por otras
partes que se acuda a la corte. También me falta otra
cosa: que, puesto caso que se halle rey con guerra y con
hija hermosa, y que yo haya cobrado fama increíble por

---

[21] En este largo parlamento don Quijote ha expuesto admirablemente los lugares comunes más frecuentes en los libros de caballerías; se podría tomar como un esquema del asunto de *Tirante el
Blanco.*
[22] *barras derechas,* «sin trampa»; es decir, que todo ocurra como
don Quijote ha dicho.
[23] *del mesmo,* del mismo modo.

todo el universo, no sé yo cómo se podía hallar que yo sea de linaje de reyes, o, por lo menos, primo segundo de emperador; porque no me querrá el rey dar a su hija por mujer, si no está primero muy enterado en esto, aunque más lo merezcan mis famosos hechos; así que, por esta falta, temo perder lo que mi brazo tiene bien merecido. Bien es verdad que yo soy hijodalgo de solar conocido, de posesión y propriedad y de devengar quinientos sueldos[24], y podría ser que el sabio que escribiese mi historia deslindase de tal manera mi parentela y decendencia, que me hallase quinto o sesto nieto de rey. Porque te hago saber, Sancho, que hay dos maneras de linajes en el mundo: unos que traen y derivan su decendencia de príncipes y monarcas, a quien poco a poco el tiempo ha deshecho, y han acabado en punta, como pirámide puesta al revés; otros tuvieron principio de gente baja, y van subiendo de grado en grado, hasta llegar a ser grandes señores. De manera, que está la diferencia en que unos fueron, que ya no son, y otros son, que ya no fueron; y podría ser yo déstos, que, después de averiguado, hubiese sido mi principio grande y famoso, con lo cual se debía de contentar el rey mi suegro, que hubiere de ser; y cuando no, la infanta me ha de querer de manera que, a pesar de su padre, aunque claramente sepa que soy hijo de un azacán[25], me ha de admitir por señor y por esposo; y si no, aquí entra el roballa y llevalla donde más gusto me diere; que el tiempo o la muerte ha de acabar el enojo de sus padres.

—Ahí entra bien también —dijo Sancho— lo que algunos desalmados dicen: «No pidas de grado lo que puedes tomar por fuerza»; aunque mejor cuadra decir: «Más vale salto de mata que ruego de hombres buenos». Dígolo porque si el señor rey, suegro de vuestra merced, no se quisiere domeñar[26] a entregalle a mi señora la infanta, no hay sino, como vuestra merced dice, roballa y trasponella. Pero está el daño que en tanto que se hagan las paces y se goce pacíficamente del reino, el pobre

[24] Quinientos sueldos era la suma que un hidalgo recibía como compensación de un agravio; el que no era hidalgo sólo recibía trescientos.

[25] *azacán*, aguador o persona que se ocupa en trabajos humildes y penosos.

[26] *domeñar*, someter.

escudero se podrá estar a diente[27] en esto de las mercedes. Si ya no es que la doncella tercera, que ha de ser su mujer, se sale con la infanta, y él pasa con ella su mala ventura, hasta que el cielo ordene otra cosa; porque bien podrá, creo yo, desde luego dársela su señor por ligítima esposa.

—Eso no hay quien la quite —dijo don Quijote.

—Pues como eso sea —respondió Sancho—, no hay sino encomendarnos a Dios, y dejar correr la suerte por donde mejor lo encaminare.

—Hágalo Dios —respondió don Quijote— como yo deseo y tú, Sancho, has menester, y ruin sea quien por ruin se tiene.

—Sea par Dios —dijo Sancho—; que yo cristiano viejo soy, y para ser conde esto me basta.

—Y aun te sobra —dijo don Quijote—, y cuando no lo fueras, no hacía nada al caso; porque, siendo yo el rey, bien te puedo dar nobleza, sin que la compres ni me sirvas con nada. Porque en haciéndote conde, cátate ahí caballero, y digan lo que dijeren; que a buena fe que te han de llamar señoría, mal que les pese.

—Y ¡montas[28] que no sabría yo autorizar el litado! —dijo Sancho.

—*Dictado* has de decir, que no litado —dijo su amo.

—Sea ansí —respondió Sancho Panza—. Digo que le sabría bien acomodar, porque por vida mía que un tiempo fui muñidor[29] de una cofradía, y que me asentaba tan bien la ropa de muñidor, que decían todos que tenía presencia para poder ser prioste[30] de la mesma cofradía. Pues ¿qué será cuando me ponga un ropón ducal[31] a cuestas, o me vista de oro y de perlas, a uso de conde estranjero? Para mí tengo que me han de venir a ver de cien leguas.

—Bien parecerás —dijo don Quijote—, pero será menester que te rapes las barbas a menudo; que, según las tienes de espesas, aborrascadas y mal puestas, si no

---

[27] *estar a diente,* estar en ayunas.
[28] *montas,* interjección.
[29] *muñidor,* criado de una cofradía que avisa a los cofrades cuando han de acudir a algún acto.
[30] *prioste,* hermano mayor en una cofradía.
[31] *ropón ducal,* manto solemne, forrado de armiños, propio de los duques.

te las rapas a navaja cada dos días, por lo menos, a tiro
de escopeta se echará de ver lo que eres.

—¿Qué hay más —dijo Sancho—, sino tomar un
barbero, y tenelle asalariado en casa? Y aun, si fuere
menester, le haré que ande tras mí, como caballerizo de
grande.

—Pues ¿cómo sabes tú —preguntó don Quijote—
que los grandes llevan detrás de sí a sus caballerizos?

—Yo se lo diré —respondió Sancho—. Los años pasados estuve un mes en la corte, y allí vi que, paseándose
un señor muy pequeño, que decían que era muy grande,
un hombre le seguía a caballo a todas las vueltas que
daba, que no parecía sino que era su rabo. Pregunté que cómo aquel hombre no se juntaba con el otro, sino
que siempre andaba tras dél. Respondiéronme que era su
caballerizo, y que era uso de grandes llevar tras sí a los
tales. Desde entonces lo sé tan bien, que nunca se me ha
olvidado.

—Digo que tienes razón —dijo don Quijote—, y que
así puedes tú llevar a tu barbero; que los usos no vinieron todos juntos, ni se inventaron a una, y puedes ser
tú el primero conde que lleve tras sí su barbero; y aun
es de más confianza el hacer la barba que ensillar un
caballo.

—Quédese eso del barbero a mi cargo —dijo Sancho—, y al de vuestra merced se quede el procurar venir
a ser rey y el hacerme conde.

—Así será —respondió don Quijote.

Y alzando los ojos, vio lo que se dirá en el siguiente
capítulo.

CAPÍTULO XXII

DE LA LIBERTAD QUE DIO DON QUIJOTE A MUCHOS DESDICHADOS QUE, MAL DE SU GRADO, LOS LLEVABAN DONDE NO QUISIERAN IR*

Cuenta Cide Hamete Benengeli, autor arábigo y manchego, en esta gravísima, altisonante, mínima[1], dulce e imaginada historia, que, después que entre el famoso don Quijote de la Mancha y Sancho Panza, su escudero, pasaron aquellas razones que en el fin del capítulo veinte y uno quedan referidas, que don Quijote alzó los ojos y vio que por el camino que llevaba venían hasta doce hombres, a pie, ensartados como cuentas en una gran cadena de hierro, por los cuellos, y todos con esposas a las manos. Venían ansimismo con ellos dos hombres de a caballo y dos de a pie; los de a caballo, con escopetas de rueda[2], y los de a pie, con dardos y espadas; y que así como Sancho Panza los vido, dijo:

---

* Aquí se narra uno de los episodios más acertados y más famosos de la novela. Don Quijote, interpretando elementalmente uno de los fines de la caballería medieval (dar libertad al forzado o esclavizado), liberta a los galeotes, aunque ello suponga el olvido de los principios de justicia y de castigo de los malhechores, que constituían una de las misiones del caballero; pero en él puede más la caridad que el rigor. Los románticos vieron este episodio arbitrariamente, pues vieron en él a don Quijote actuando de paladín de la libertad y oponiéndose a la tiranía. Lo cierto es que, en la intención de Cervantes, hay aquí un claro desquiciamiento del concepto de la justicia, pues don Quijote no defiende causas justas, sino las más injustas que darse puedan, como es el dar libertad a seres socialmente peligrosos, auténtica «quijotada» dando a esta palabra el sentido que ha adquirido en español. La prueba está en que los galeotes se muestran ingratos con don Quijote, y el principal de ellos, Ginés de Pasamonte, será un personaje siniestro tanto en la primera como en la segunda parte de la novela. Es evidente que este personaje está inspirado en el real e histórico Jerónimo de Pasamonte, aragonés que fue soldado en Italia, se alistó en Barcelona en el tercio de Miguel de Moncada, pasó a Mesina en la armada de don Juan de Austria, combatió en Lepanto y se halló en las expediciones a Navarino y Túnez, o sea que su biografía es paralela a la de Cervantes. Pasamonte fue hecho prisionero de los turcos en Túnez (1574) y estuvo dieciocho años cautivo en Constantinopla y el norte de África. Rescatado, estuvo en el sur de Italia, en Aragón (su tierra) y en Madrid, y en 1599 se estableció en Nápoles (véase A. Achleitner, «Anales cervantinos», II, 1952; O. Kattan, «Cuadernos hispanoamericanos», 244, 1970, y nuestra nota 17 al presente capítulo).

[1] *mínima,* es posible que aquí signifique «minuciosa».

[2] *escopetas de rueda,* aquellas en las que una rueda giraba contra el pedernal y producía las chispas.

—Ésta es cadena de galeotes, gente forzada del rey, que va a las galeras.

—¿Cómo gente forzada? —preguntó don Quijote—. ¿Es posible que el rey haga fuerza a ninguna gente?

—No digo eso —respondió Sancho—, sino que es gente que por sus delitos va condenada a servir al rey en las galeras, de por fuerza.

—En resolución —replicó don Quijote—, como quiera que ello sea, esta gente, aunque los llevan, van de por fuerza, y no de su voluntad.

—Así es —dijo Sancho.

—Pues desa manera —dijo su amo—, aquí encaja la ejecución de mi oficio: desfacer fuerzas y socorrer y acudir a los miserables.

—Advierta vuestra merced —dijo Sancho—, que la justicia, que es el mesmo rey, no hace fuerza ni agravio a semejante gente, sino que los castiga en pena de sus delitos.

Llegó, en esto, la cadena de los galeotes, y don Quijote, con muy corteses razones, pidió a los que iban en su guarda fuesen servidos de informalle y decille la causa o causas por que llevan aquella gente de aquella manera.

Una de las guardas[3] de a caballo respondió que eran galeotes, gente de Su Majestad, que iba a galeras, y que no había más que decir, ni él tenía más que saber.

—Con todo eso —replicó don Quijote—, querría saber de cada uno dellos en particular la causa de su desgracia.

Añadió a éstas otras tales y tan comedidas razones para moverlos a que le dijesen lo que deseaba, que la otra guarda de a caballo le dijo:

—Aunque llevamos aquí el registro y la fe de las sentencias de cada uno destos malaventurados, no es tiempo éste de detenerles a sacarlas ni a leellas; vuestra merced llegue y se lo pregunte a ellos mesmos, que ellos lo dirán si quisieren, que sí querrán, porque es gente que recibe gusto de hacer y decir bellaquerías.

Con esta licencia, que don Quijote se tomara aunque no se la dieran, se llegó a la cadena, y al primero le pre-

---

[3] *guarda*, aun significando «guardián», era femenino.

guntó que por qué pecados iba de tan mala guisa. Él le
respondió que por enamorado iba de aquella manera.

—¿Por eso no más? —replicó don Quijote—. Pues si
por enamorados echan a galeras, días ha que pudiera
yo estar bogando en ellas.

—No son los amores como los que vuestra merced
piensa —dijo el galeote—; que los míos fueron que quise
tanto a una canasta de colar, atestada de ropa blanca,
que la abracé conmigo tan fuertemente, que a no quitármela la justicia por fuerza, aún hasta agora no la
hubiera dejado de mi voluntad. Fue en fragante, no
hubo lugar de tormento; concluyóse la causa, acomodá-
ronme las espaldas con ciento[4], y por añadidura tres precisos de gurapas[5], y acabóse la obra.

—¿Qué son gurapas? —preguntó don Quijote.

—Gurapas son galeras —respondió el galeote.

El cual era un mozo de hasta edad de veinte y cuatro años, y dijo que era natural de Piedrahita. Lo mesmo
preguntó don Quijote al segundo, el cual no respondió
palabra, según iba de triste y malencónico; mas respondió por él el primero, y dijo:

—Éste, señor, va por canario[6], digo, por músico y
cantor.

—Pues ¿cómo? —repitió don Quijote—. ¿Por músicos y cantores van también a galeras?

—Sí, señor —respondió el galeote—; que no hay
peor cosa que cantar en el ansia.

—Antes he yo oído decir —dijo don Quijote— que
quien canta, sus males espanta.

—Acá es al revés —dijo el galeote—; que quien canta una vez, llora toda la vida.

—No lo entiendo —dijo don Quijote.

Mas una de las guardas le dijo:

—Señor caballero, cantar en el ansia se dice entre
esta gente *non santa* confesar en el tormento. A este pecador le dieron tormento y confesó su delito, que era ser
cuatrero, que es ser ladrón de bestias, y por haber con-

[4] Se sobreentiende *azotes*.
[5] *tres precisos de gurapas*, «tres años cabales de galeras». Los
galeotes hablan una típica jerga de maleantes que, como se verá,
el propio don Quijote no entiende y se ve obligado a hacerse traducir.
[6] *canario*, el que «canta», o confiesa, en el tormento.

fesado le condenaron por seis años a galeras, amén de docientos azotes, que ya lleva en las espaldas; y va siempre pensativo y triste, porque los demás ladrones que allá quedan y aquí van le maltratan y aniquilan, y escarnecen, y tienen en poco, porque confesó y no tuvo ánimo de decir nones. Porque dicen ellos que tantas letras tiene un *no* como un *sí*, y que harta ventura tiene un delincuente, que está en su lengua su vida o su muerte, y no en la de los testigos y probanzas; y para mí tengo que no van muy fuera de camino.

—Y yo lo entiendo así —respondió don Quijote.

El cual, pasando al tercero, preguntó lo que a los otros; el cual, de presto y con mucho desenfado, respondió y dijo:

—Yo voy por cinco años a las señoras gurapas por faltarme diez ducados.

—Yo daré veinte de muy buena gana —dijo don Quijote— por libraros desa pesadumbre.

—Eso me parece —respondió el galeote— como quien tiene dineros en mitad del golfo[7] y se está muriendo de hambre, sin tener adonde comprar lo que ha menester. Dígolo, porque si a su tiempo tuviera yo esos veinte ducados que vuestra merced ahora me ofrece, hubiera untado con ellos la péndola[8] del escribano y avivado el ingenio del procurador, de manera que hoy me viera en mitad de la plaza de Zocodover, de Toledo, y no en este camino, atraillado como galgo; pero Dios es grande: paciencia, y basta.

Pasó don Quijote al cuarto, que era un hombre de venerable rostro, con una barba blanca que le pasaba del pecho; el cual, oyéndose preguntar la causa por que allí venía, comenzó a llorar y no respondió palabra; mas el quinto condenado le sirvió de lengua[9], y dijo:

—Este hombre honrado va por cuatro años a galeras, habiendo paseado las acostumbradas[10], vestido, en pompa y a caballo.

—Eso es —dijo Sancho Panza—, a lo que a mí me parece, haber salido a la vergüenza.

[7] *golfo* en el sentido de «alta mar».
[8] «hubiera sobornado (o comprado) la pluma».
[9] *lengua*, intérprete.
[10] *las* [calles] *acostumbradas* por las que se paseaba a los delincuentes para exponerlos a la vergüenza pública.

—Así es —replicó el galeote—; y la culpa por que le dieron esta pena es por haber sido corredor de oreja[11], y aun de todo el cuerpo. En efecto, quiero decir que este caballero va por alcahuete, y por tener asimesmo sus puntas y collar de hechicero.

—A no haberle añadido esas puntas y collar —dijo don Quijote—, por solamente el alcahuete limpio, no merecía él ir a bogar en las galeras, sino a mandallas y a ser general dellas. Porque no es así como quiera el oficio de alcahuete; que es oficio de discretos y necesarísimo en la república bien ordenada, y que no le debía ejercer sino gente muy bien nacida; y aun había de haber veedor y examinador de los tales, como le hay de los demás oficios, con número deputado y conocido, como corredores de lonja, y desta manera se escusarían muchos males que se causan por andar este oficio y ejercicio entre gente idiota y de poco entendimiento, como son mujercillas de poco más a menos, pajecillos y truhanes de pocos años y de poca experiencia, que a la más necesaria ocasión, y cuando es menester dar una traza que importe, se les yelan las migas entre la boca y la mano, y no saben cuál es su mano derecha. Quisiera pasar adelante y dar las razones por que convenía hacer elección de los que en la república habían de tener tan necesario oficio; pero no es el lugar acomodado para ello: algún día lo diré a quien lo pueda proveer y remediar. Sólo digo ahora que la pena que me ha causado ver estas blancas canas y este rostro venerable en tanta fatiga, por alcahuete, me la ha quitado el adjunto de ser hechicero. Aunque bien sé que no hay hechizos en el mundo que puedan mover y forzar la voluntad, como algunos simples piensan; que es libre nuestro albedrío, y no hay yerba ni encanto que le fuerce. Lo que suelen hacer algunas mujercillas simples y algunos embusteros bellacos es algunas misturas y venenos, con que vuelven locos a los hombres, dando a entender que tienen fuerza para hacer querer bien, siendo, como digo, cosa imposible forzar la voluntad.

—Así es —dijo el buen viejo—; y, en verdad, señor, que en lo de hechicero que no tuve culpa; en lo de alcahuete, no lo pude negar. Pero nunca pensé que hacía

[11] *corredor de oreja*, el que hace de intermediario en préstamos monetarios.

mal en ello: que toda mi intención era que todo el mundo se holgase y viviese en paz y quietud, sin pendencias ni penas; pero no me aprovechó nada este buen deseo para dejar de ir adonde no espero volver, según me cargan los años y un mal de orina que llevo, que no me deja reposar un rato.

Y aquí tornó a su llanto, como de primero; y túvole Sancho tanta compasión, que sacó un real de a cuatro del seno y se le dio de limosna.

Pasó adelante don Quijote, y preguntó a otro su delito, el cual respondió con no menos, sino con mucha más gallardía que el pasado:

—Yo voy aquí porque me burlé demasiadamente con dos primas hermanas mías, y con otras dos hermanas que no lo eran mías; finalmente, tanto me burlé con todas, que resultó de la burla crecer la parentela tan intricadamente, que no hay diablo que la declare. Probóseme todo, faltó favor, no tuve dineros, víame a pique de perder los tragaderos[12], sentenciáronme a galeras por seis años, consentí; castigo es de mi culpa; mozo soy: dure la vida, que con ella todo se alcanza. Si vuestra merced, señor caballero, lleva alguna cosa con que socorrer a estos pobretes, Dios se lo pagará en el cielo, y nosotros tendremos en la tierra cuidado de rogar a Dios en nuestras oraciones por la vida y salud de vuestra merced, que sea tan larga y tan buena como su buena presencia merece.

Éste iba en hábito de estudiante, y dijo una de las guardas que era muy grande hablador y muy gentil latino.

Tras todos éstos, venía un hombre de muy buen parecer, de edad de treinta años, sino que al mirar metía el un ojo en el otro un poco. Venía diferentemente atado de los demás, porque traía una cadena al pie, tan grande, que se la liaba por todo el cuerpo, y dos argollas a la garganta, la una en la cadena, y la otra de las que llaman guardaamigo o pie de amigo, de la cual decendían dos hierros que llegaban a la cintura, en los cuales se asían dos esposas, donde llevaba las manos, cerradas con un grueso candado, de manera que ni con las ma-

---

[12] «me veía a punto de que me ahorcaran».

nos podía llegar a la boca, ni podía bajar la cabeza a llegar a las manos. Preguntó don Quijote que cómo iba
aquel hombre con tantas prisiones más que los otros. Respondióle la guarda porque tenía aquel solo más delitos
que todos los otros juntos, y que era tan atrevido y tan
grande bellaco, que, aunque le llevaban de aquella manera, no iban seguros dél, sino que temían que se les había de huir.

—¿Qué delitos puede tener —dijo don Quijote—, si
no han merecido más pena que echalle a las galeras?

—Va por diez años —replicó la guarda—, que es
como muerte cevil. No se quiera saber más sino que este
buen hombre es el famoso Ginés de Pasamonte, que por
otro nombre llaman Ginesillo de Parapilla.

—Señor comisario —dijo entonces el galeote—, váyase poco a poco, y no andemos ahora a deslindar nombres y sobrenombres. Ginés me llamo y no Ginesillo, y
Pasamonte es mi alcurnia y no Parapilla, como voacé
dice; y cada uno se dé una vuelta a la redonda[13], y no
hará poco.

—Hable con menos tono —replicó el comisario—,
señor ladrón de más de la marca, si no quiere que le
haga callar, mal que le pese.

—Bien parece —respondió el galeote— que va el
hombre como Dios es servido; pero algún día sabrá alguno si me llamo Ginesillo de Parapilla o no.

—Pues ¿no te llaman ansí, embustero? —dijo la
guarda.

—Sí llaman —respondió Ginés—; mas yo haré que
no me lo llamen, o me las pelaría[14] donde yo digo entre
mis dientes. Señor caballero, si tiene algo que darnos,
dénoslo ya, y vaya con Dios; que ya enfada con tanto
querer saber vidas ajenas; y si la mía quiere saber, sepa
que yo soy Ginés de Pasamonte, cuya vida está escrita
por estos pulgares.

—Dice verdad —dijo el comisario—; que él mesmo
ha escrito su historia, que no hay más, y deja empeñado
el libro en la cárcel, en docientos reales.

[13] «que cada uno se examine a sí mismo antes de reprender a
otro».
[14] *me pelaría las* [barbas], o sea: o me quedaría rabiando.

—Y le pienso quitar —dijo Ginés— si quedara[15] en docientos ducados.

—¿Tan bueno es? —dijo don Quijote.

—Es tan bueno —respondió Ginés—, que mal año para *Lazarillo de Tormes* y para todos cuantos de aquel género[16] se han escrito o escribieren. Lo que le sé decir a voacé es que trata verdades, y que son verdades tan lindas y tan donosas, que no pueden haber mentiras que se le igualen.

—¿Y cómo se intitula el libro? —preguntó don Quijote.

—*La vida de Ginés de Pasamonte*[17] —respondió el mismo.

—¿Y está acabado? —preguntó don Quijote.

—¿Cómo puede estar acabado —respondió él—, si aún no está acabada mi vida? Lo que está escrito es desde mi nacimiento hasta el punto que esta última vez me han echado en galeras.

—Luego ¿otra vez habéis estado en ellas? —dijo don Quijote.

—Para servir a Dios y al rey, otra vez he estado cuatro años, y ya sé a qué sabe el bizcocho y el corbacho[18] —respondió Ginés—; y no me pesa mucho de ir a ellas, porque allí tendré lugar de acabar mi libro, que me quedan muchas cosas que decir, y en las galeras de España hay más sosiego de aquel que sería menester, aunque no es menester mucho más para lo que yo tengo de escribir, porque me lo sé de coro.

—Hábil pareces —dijo don Quijote.

—Y desdichado —respondió Ginés—; porque siempre las desdichas persiguen al buen ingenio.

---

[15] *quitar... si quedara en,* desempeñar (o rescatar) aunque tuviera que pagar.

[16] *Lazarillo de Tormes,* novela breve, aparecida en 1554, sin nombre de autor y magnífico precedente de la picaresca. El protagonista del *Lazarillo* relata su vida en primera persona.

[17] Recuérdese que Jerónimo de Pasamonte también escribió su autobiografía (véase el comentario preliminar del presente capítulo) con el título de *Vida y trabajos de Gerónimo de Passamonte* (editada por R. Foulché-Delbosc, «Revue Hispanique», LV, 1922), memorias que llegan hasta diciembre de 1603, pero que su autor, como confiesa varias veces, iba escribiendo desde tiempo atrás, por lo menos desde 1593.

[18] *bizcocho,* pan preparado de modo que se conserve en travesías marítimas; *corbacho,* látigo para azuzar o castigar a los remeros.

—Persiguen a los bellacos —dijo el comisario.

—Ya le he dicho, señor comisario —respondió Pasamonte—, que se vaya poco a poco; que aquellos señores no le dieron esa vara para que maltratase a los pobretes que aquí vamos, sino para que nos guiase y llevase adonde Su Majestad manda. Si no, ¡por vida de... basta!, que podría ser que saliesen algún día en la colada las manchas que se hicieron en la venta[19]; y todo el mundo calle, y viva bien, y hable mejor, y caminemos; que ya es mucho regodeo éste.

Alzó la vara en alto el comisario para dar a Pasamonte, en respuesta de sus amenazas; mas don Quijote se puso en medio, y le rogó que no le maltratase, pues no era mucho que quien llevaba tan atadas las manos tuviese algún tanto suelta la lengua. Y volviéndose a todos los de la cadena, dijo:

—De todo cuanto me habéis dicho, hermanos carísimos, he sacado en limpio que, aunque os han castigado por vuestras culpas, las penas que vais a padecer no os dan mucho gusto, y que vais a ellas muy de mala gana y muy contra vuestra voluntad; y que podría ser que el poco ánimo que aquél tuvo en el tormento, la falta de dineros déste, el poco favor del otro y, finalmente, el torcido juicio del juez, hubiese sido causa de vuestra perdición, y de no haber salido con la justicia que de vuestra parte teníades. Todo lo cual se me representa a mí ahora en la memoria, de manera que me está diciendo, persuadiendo y aun forzando, que muestre con vosotros el efeto para que el Cielo me arrojó al mundo, y me hizo profesar en él la orden de caballería que profeso, y el voto que en ella hice de favorecer a los menesterosos y opresos de los mayores. Pero, porque sé que una de las partes de la prudencia es que lo que se puede hacer por bien no se haga por mal, quiero rogar a estos señores guardianes y comisario sean servidos de desataros y dejaros ir en paz; que no faltarán otros que sirvan al rey en mejores ocasiones; porque me parece duro caso hacer esclavos a los que Dios y naturaleza hizo libres. Cuanto más, señores guardas —añadió don Quijote—, que estos

---

[19] Alusión a algún acto ilegal o arbitrariedad que cometió el comisario en una venta.

pobres no han cometido nada contra vosotros. Allá se lo
haya cada uno con su pecado; Dios hay en el cielo, que
no se descuida de castigar al malo, ni de premiar al bueno, y no es bien que los hombres honrados sean verdugos de los otros hombres, no yéndoles nada en ello. Pido
esto con esta mansedumbre y sosiego, porque tenga, si lo
cumplís, algo que agradeceros; y cuando de grado no lo
hagáis, esta lanza y esta espada, con el valor de mi brazo, harán que lo hagáis por fuerza.

—¡Donosa majadería! —respondió el comisario—.
¡Bueno está el donaire con que ha salido a cabo de rato!
¡Los forzados del rey quiere que le dejemos, como si tuviéramos autoridad para soltarlos, o él la tuviera para
mandárnoslo! Váyase vuestra merced, señor, norabuena
su camino adelante, y enderécese ese bacín que trae en
la cabeza, y no ande buscando tres pies al gato.

—¡Vos sois el gato, y el rato, y el bellaco! —respondió don Quijote.

Y, diciendo y haciendo, arremetió con él tan presto,
que, sin que tuviese lugar de ponerse en defensa, dio con
él en el suelo, malherido de una lanzada; y avínole bien,
que éste era el de la escopeta. Las demás guardas quedaron atónitas y suspensas del no esperado acontecimiento;
pero, volviendo sobre sí, pusieron mano a sus espadas los
de a caballo, y los de a pie a sus dardos, y arremetieron a
don Quijote, que con mucho sosiego los aguardaba; y
sin duda lo pasara mal, si los galeotes, viendo la ocasión
que se les ofrecía de alcanzar libertad, no la procura-
ran, procurando romper la cadena donde venían ensartados. Fue la revuelta de manera, que las guardas, ya
por acudir a los galeotes, que se desataban, ya por acometer a don Quijote, que los acometía, no hicieron cosa
que fuese de provecho.

Ayudó Sancho, por su parte, a la soltura de Ginés
de Pasamonte, que fue el primero que saltó en la campaña libre y desembarazado, y arremetiendo al comisario caído, le quitó la espada y la escopeta, con la cual,
apuntando al uno y señalando al otro, sin disparalla jamás, no quedó guarda en todo el campo, porque se fueron huyendo, así de la escopeta de Pasamonte como de
las muchas pedradas que los ya sueltos galeotes les tiraban.

Entristecióse mucho Sancho deste suceso, porque se le representó que los que iban huyendo habían de dar noticia del caso a la Santa Hermandad, la cual, a campana herida, saldría a buscar los delincuentes, y así se lo dijo a su amo, y le rogó que luego de allí se partiesen, y se emboscasen en la sierra, que estaba cerca.

—Bien está eso —dijo don Quijote—; pero yo sé lo que ahora conviene que se haga.

Y llamando a todos los galeotes, que andaban alborotados y habían despojado al comisario hasta dejarle en cueros, se le pusieron todos a la redonda para ver lo que les mandaba, y así les dijo:

—De gente bien nacida es agradecer los beneficios que reciben, y uno de los pecados que más a Dios ofende es la ingratitud. Dígolo porque ya habéis visto, señores, con manifiesta experiencia, el que de mí habéis recebido; en pago del cual querría, y es mi voluntad, que, cargados de esa cadena que quité de vuestros cuellos, luego os pongáis en camino y vais a la ciudad del Toboso, y allí os presentéis ante la señora Dulcinea del Toboso, y le digáis que su caballero, el de la Triste Figura, se le envía a encomendar, y le contéis, punto por punto, todos los que ha tenido esta famosa aventura hasta poneros en la deseada libertad; y, hecho esto, os podréis ir donde quisiéredes, a la buena ventura.

Respondió por todos Ginés de Pasamonte, y dijo:

—Lo que vuestra merced nos manda, señor y libertador nuestro, es imposible de toda imposibilidad cumplirlo, porque no podemos ir juntos por los caminos, sino solos y divididos, y cada uno por su parte, procurando meterse en las entrañas de la tierra, por no ser hallado de la Santa Hermandad, que, sin duda alguna, ha de salir en nuestra busca. Lo que vuestra merced puede hacer, y es justo que haga, es mudar ese servicio y montazgo[20] de la señora Dulcinea del Toboso en alguna cantidad de avemarías y credos, que nosotros diremos por la intención de vuestra merced, y ésta es cosa que se podrá cumplir de noche y de día, huyendo o reposando, en paz o en guerra; pero pensar que hemos de volver ahora a las ollas de Egipto[21], digo, a tomar nuestra cadena, y a po-

---

[20] *montazgo*, tributo sobre el tránsito de ganado.
[21] «volver a la mala vida pasada».

nernos en camino del Toboso, es pensar que es ahora de
noche, que aún no son las diez del día, y es pedir a nosotros eso como pedir peras al olmo.

—Pues ¡voto a tal! —dijo don Quijote, ya puesto en
cólera—, don hijo de la puta, don Ginesillo de Paropi-
llo, o como os llamáis, que habéis de ir vos solo, rabo
entre piernas, con toda la cadena a cuestas.

Pasamonte, que no era nada bien sufrido, estando ya
enterado que don Quijote no era muy cuerdo, pues tal
disparate había cometido como el de querer darles libertad, viéndose tratar de aquella manera, hizo del ojo
a los compañeros, y apartándose aparte, comenzaron a
llover tantas piedras sobre don Quijote, que no se daba
manos a cubrirse con la rodela; y el pobre de Rocinante
no hacía más caso de la espuela que si fuera hecho de
bronce. Sancho se puso tras su asno, y con él se defendía
de la nube y pedrisco que sobre entrambos llovía. No se
pudo escudar tan bien don Quijote, que no le acertasen
no sé cuántos guijarros en el cuerpo, con tanta fuerza,
que dieron con él en el suelo; y apenas hubo caído, cuando fue sobre él el estudiante y le quitó la bacía de la
cabeza, y diole con ella tres o cuatro golpes en las espaldas y otros tantos en la tierra, con que la hizo pedazos. Quitáronle una ropilla que traía sobre las armas,
y las medias calzas le querían quitar, si las grebas no lo
estorbaran. A Sancho le quitaron el gabán, y, dejándole
en pelota[22], repartiendo entre sí los demás despojos de
la batalla, se fueron cada uno por su parte, con más cuidado de escaparse de la Hermandad, que temían, que
de cargarse de la cadena e ir a presentarse ante la señora
Dulcinea del Toboso.

Solos quedaron jumento y Rocinante, Sancho y don
Quijote; el jumento, cabizbajo y pensativo, sacudiendo
de cuando en cuando las orejas, pensando que aún no
había cesado la borrasca de las piedras, que le perseguían los oídos; Rocinante, tendido junto a su amo, que
también vino al suelo de otra pedrada; Sancho, en pelota y temeroso de la Santa Hermandad; don Quijote,
mohinísimo de verse tan malparado por los mismos a
quien tanto bien había hecho.

[22] *en pelota*, aquí desnudo de ropa exterior.

CAPÍTULO XXIII

DE LO QUE LE ACONTECIÓ AL FAMOSO DON QUIJOTE EN
SIERRA MORENA, QUE FUE UNA DE LAS MÁS RARAS
AVENTURAS QUE EN ESTA VERDADERA HISTORIA
SE CUENTAN*

VIÉNDOSE tan malparado don Quijote, dijo a su escudero:

—Siempre, Sancho, lo he oído decir, que el hacer bien a villanos es echar agua en la mar. Si yo hubiera creído lo que me dijiste, yo hubiera escusado esta pesadumbre; pero ya está hecho; paciencia, y escarmentar para desde aquí adelante.

—Así escarmentará vuestra merced —respondió Sancho— como yo soy turco; pero, pues dice que si me hubiera creído se hubiera escusado este daño, créame ahora y escusará otro mayor; porque le hago saber que con la Santa Hermandad no hay usar de caballerías; que no se le da a ella por cuantos caballeros andantes hay dos maravedís; y sepa que ya me parece que sus saetas me zumban por los oídos.

—Naturalmente eres cobarde, Sancho —dijo don Quijote—; pero porque no digas que soy contumaz y que jamás hago lo que me aconsejas, por esta vez quiero tomar tu consejo y apartarme de la furia que tanto temes; mas ha de ser con una condición: que jamás, en vida ni en muerte, has de decir a nadie que yo me retiré y aparté deste peligro de miedo, sino por complacer a tus ruegos; que si otra cosa dijeres, mentirás en ello, y desde ahora para entonces, y desde entonces para ahora,

* Internados en Sierra Morena don Quijote y Sancho, en la novela se interfiere un segundo asunto: la historia de los amores de Cardenio y Luscinda y de don Fernando y Dorotea, que se alargará hasta el capítulo 36 paralelamente a la acción principal y cuyos personajes intervendrán decisivamente en la trama de las aventuras de don Quijote. Esta historia sentimental —cuyos antecedentes conoceremos gracias a relatos de Cardenio y de Dorotea— inspiró una comedia de Shakespeare, hoy perdida, que se titulaba *The history of Cardenio*, que se representó en el palacio real de Londres en 1613. Téngase en cuenta que la primera parte del *Quijote* había aparecido, traducida al inglés por Thomas Shelton, en Londres el año 1612.

te desmiento, y digo que mientes y mentirás todas las veces que lo pensares o lo dijeres. Y no me repliques más: que en sólo pensar que me aparto y retiro de algún peligro, especialmente déste, que parece que lleva algún es no es de sombra de miedo, estoy ya para quedarme, y para aguardar aquí solo, no solamente a la Santa Hermandad que dices y temes, sino a los hermanos de los doce tribus de Israel, y a los siete Macabeos, y a Cástor y a Pólux, y aun a todos los hermanos y hermandades que hay en el mundo.

—Señor —respondió Sancho—, que el retirar no es huir, ni el esperar es cordura, cuando el peligro sobrepuja a la esperanza, y de sabios es guardarse hoy para mañana, y no aventurarse todo en un día. Y sepa que, aunque zafio y villano, todavía se me alcanza algo desto que llaman buen gobierno: así que no se arrepienta de haber tomado mi consejo, sino suba en Rocinante, si puede, o si no, yo le ayudaré, y sígame; que el caletre me dice que hemos menester ahora más los pies que las manos.

Subió don Quijote, sin replicarle más palabra, y, guiando Sancho sobre su asno, se entraron por una parte de Sierra Morena, que allí junto estaba, llevando Sancho intención de atravesarla toda e ir a salir al Viso, o a Almodóvar del Campo, y esconderse algunos días por aquellas asperezas, por no ser hallados si la Hermandad los buscase. Animóle a esto haber visto que de la refriega de los galeotes se había escapado libre la despensa que sobre su asno venía, cosa que la juzgó a milagro, según fue lo que llevaron y buscaron los galeotes[1].

---

[1] En la segunda de las ediciones conocidas del *Quijote*, publicada, como la primera, en Madrid, por Juan de la Cuesta, en 1605 (pocos meses después de la anterior), al llegar a este punto se inserta el siguiente largo pasaje: «*Aquella noche llegaron a la mitad de las entrañas de Sierra Morena, adonde le pareció a Sancho pasar aquella noche, y aun otros algunos días, a lo menos, todos aquellos que durase el matalotaje que llevaba, y así hicieron noche entre dos peñas y entre muchos alcornoques. Pero la suerte fatal, que, según opinión de los que no tienen lumbre de la verdadera fe, todo lo guía, guisa y compone a su modo, ordenó que Ginés de Pasamonte, el famoso embustero y ladrón que de la cadena, por virtud y locura de don Quijote, se había escapado, llevado del miedo de la Santa Hermandad, de quien con justa razón temía, acordó de esconderse en aquellas montañas y llevóle su suerte y su miedo a la misma parte donde había llevado a don Quijote y a Sancho Panza, a hora y tiempo que los pudo conocer, y a punto que los dejó dormir: y como siempre los malos son desagradecidos,*

Así como don Quijote entró por aquellas montañas,
se le alegró el corazón, pareciéndole aquellos lugares acomodados para las aventuras que buscaba. Reducíansele
a la memoria[2] los maravillosos acaecimientos que en se-

_____

*y la necesidad sea ocasión de acudir a lo que se debe, y el remedio
presente venza a lo por venir. Ginés, que no era ni agradecido ni
bien intincionado, acordó de hurtar el asno a Sancho Panza, no
curándose de Rocinante, por ser prenda tan mala para empeñada
como para vendida. Dormía Sancho Panza; hurtóle su jumento y
antes que amaneciese se halló bien lejos de poder ser hallado. Salió
el aurora alegrando la tierra y entristeciendo a Sancho Panza, porque halló menos su rucio; el cual, viéndose sin él, comenzó a hacer
el más triste y doloroso llanto del mundo, y fue de manera que don
Quijote despertó a las voces, y oyó que en ellas decía: —¡Oh, hijo
de mis entrañas, nacido en mi mesma casa, brinco de mis hijos,
regalo de mi mujer, envidia de mis vecinos, alivio de mis cargas,
y, finalmente, sustentador de la mitad de mi persona, porque con
veinte y seis maravedís que ganaba cada día mediaba yo mi despensa! —Don Quijote, que vio el llanto y supo la causa, consoló
a Sancho con las mejores razones que pudo, y le rogó que tuviese
paciencia, prometiéndole de darle una cédula de cambio para que
le diesen tres en su casa, de cinco que había dejado en ella.
Consolóse Sancho con esto, y limpió sus lágrimas, templó sus
sollozos, y agradeció a don Quijote la merced que le hacía; el
cual, como entró por aquellas montañas...»* El estilo de esta larga
adición revela, sin lugar a dudas, la pluma de Cervantes. Pero, si
la situamos en este lugar, nos sorprenderá el hecho de que muy
poco después encontraremos a Sancho acompañado de su asno, como
si no hubiera sido robado. En el capítulo 3 de la segunda parte
Cervantes se referirá a esta anomalía, que debió de ser advertida
por los lectores de la primera edición del *Quijote*; en el 4, Sancho resumirá el robo de su rucio y sugiere que en la primera parte no se narró porque «el historiador se engañó o sería descuido
del impresor», y en el 26 escribirá el propio Cervantes, hablando del hurto, «que por no haberse puesto el cómo ni el cuándo
en la primera parte, por culpa de los impresores, ha dado en qué
entender a muchos, que atribuían a poca memoria del autor la
falta de emprenta» (Lope de Vega se burlará de esta excusa de
Cervantes en su comedia *Amar sin saber a quién*, donde el gracioso
Limón, que ha perdido una mula, exclama: «Decidme della, que
hay hombre Que hasta de una mula parda Saber el suceso aguarda, La color, el talle y nombre. O si no, *dirán que fue Olvido
del escritor*», y poco antes ha citado al *Quijote* y a Cervantes). Lo
más verosímil es que Cervantes escribiera, cuando redactaba la
novela, el pasaje que hemos leído en esta nota y que, por un accidente, se traspapelara y no se imprimiera en la primera edición;
pero al intercalarlo en la segunda, seguramente el impresor, lo
colocó aquí equivocadamente. Es posible que aquel accidente le
ocurriera al propio Cervantes cuando separó de los episodios sucedidos en Sierra Morena la historia de Marcela y de Grisóstomo y
la trasladó a los capítulos 11 y 14 (véase el comentario preliminar al 11), lo que hace suponer a G. Stagg que el robo del rucio
acaecía al final del capítulo 12, cuando don Quijote dormía en la
choza del pastor Pedro y Sancho a raso, entre Rocinante y el jumento. Al trasladar la historia de Marcela al sitio que hoy ocupa,
Cervantes se vio obligado a suprimir el robo del rucio, pues aún
faltaba mucho para que aparecieran los galeotes, y se olvidó de
situarlo en momento oportuno.

    [2] *reducir a la memoria*, recordar.

mejantes soledades y asperezas habían sucedido a caballeros andantes. Iba pensando en estas cosas, tan embebecido y trasportado en ellas, que de ninguna otra se acordaba. Ni Sancho llevaba otro cuidado —después que le pareció que caminaba por parte segura— sino de satisfacer su estómago con los relieves que del despojo clerical[3] habían quedado; y así, iba tras su amo sentado a la mujeriega sobre su jumento[4], sacando de un costal y embaulando en su panza; y no se le diera por hallar otra ventura, entretanto que iba de aquella manera, un ardite.

En esto, alzó los ojos y vio que su amo estaba parado, procurando con la punta del lanzón alzar no sé qué bulto que estaba caído en el suelo, por lo cual se dio priesa a llegar a ayudarle, si fuese menester; y cuando llegó fue a tiempo que alzaba con la punta del lanzón un cojín[5] y una maleta asida a él, medio podridos, o podridos del todo, y deshechos; mas, pesaba tanto, que fue necesario que Sancho se apease[6] a tomarlos, y mandóle su amo que viese lo que en la maleta venía.

Hízolo con mucha presteza Sancho, y, aunque la maleta venía cerrada con una cadena y su candado, por lo roto y podrido della vio lo que en ella había, que eran cuatro camisas de delgada holanda y otras cosas de lienzo no menos curiosas que limpias, y en un pañizuelo halló un buen montoncillo de escudos de oro; y así como los vio, dijo:

—¡Bendito sea todo el cielo, que nos ha deparado una aventura que sea de provecho!

Y buscando más, halló un librillo de memoria[7], ricamente guarnecido. Éste le pidió don Quijote, y mandóle que guardase el dinero y lo tomase para él. Besóle las manos Sancho por la merced, y, desvalijando a la valija de su lencería, la puso en el costal de la despensa. Todo lo cual, visto por don Quijote, dijo:

[3] Se trata de los restos de los alimentos que Sancho robó en una acémila de los encamisados (algunos de los cuales eran clérigos), que se narró en el capítulo 19.

[4] En la tercera edición de Juan de la Cuesta (Madrid, 1608), se lee: «su amo, cargado con todo aquello que había de llevar el rucio», enmienda lógica si se admite que el rucio ya ha sido robado, pero que sin duda es ajena a Cervantes.

[5] *cojín*, maletín, maleta de mano.

[6] *se apease*, así en las ediciones antiguas.

[7] *librillo de memoria*, cuaderno para apuntes, memorándum.

—Paréceme, Sancho, y no es posible que sea otra cosa, que algún caminante descaminado debió de pasar por esta sierra, y, salteándole malandrines, le debieron de matar, y le trujeron a enterrar en esta tan escondida parte.

—No puede ser eso —respondió Sancho—, porque si fueran ladrones, no se dejaran aquí este dinero.

—Verdad dices —dijo don Quijote—, y así, no adivino ni doy en lo que esto pueda ser; mas espérate: veremos si en este librillo de memoria hay alguna cosa escrita por donde podamos rastrear y venir en conocimiento de lo que deseamos.

Abrióle, y lo primero que halló en él escrito, como en borrador, aunque de muy buena letra, fue un soneto, que leyéndole alto, porque Sancho también lo oyese, vio que decía desta manera:

O le falta al Amor conocimiento,
o le sobra crueldad, o no es mi pena
igual a la ocasión que me condena
al género más duro de tormento.

Pero si Amor es dios, es argumento
que nada ignora, y es razón muy buena
que un dios no sea cruel. Pues ¿quién ordena
el terrible dolor que adoro y siento?

Si digo que sois vos, Fili, no acierto;
que tanto mal en tanto bien no cabe,
ni me viene del cielo esta rüina.

Presto habré de morir, que es lo más cierto;
que al mal de quien la causa no se sabe
milagro es acertar la medicina.

—Por esa trova —dijo Sancho— no se puede saber nada, si ya no es que por ese hilo que está ahí se saque el ovillo de todo.

—¿Qué hilo está aquí? —dijo don Quijote.

—Paréceme —dijo Sancho— que vuestra merced nombró ahí *hilo*.

—No dije sino *Fili* —respondió don Quijote—, y éste, sin duda, es el nombre de la dama de quien se queja el autor deste soneto; y a fe que debe de ser razonable poeta, o yo sé poco del arte.

—Luego ¿también —dijo Sancho— se le entiende a vuestra merced de trovas?

—Y más de lo que tú piensas —respondió don Quijote—; y veráslo cuando lleves una carta, escrita en verso de arriba abajo, a mi señora Dulcinea del Toboso. Porque quiero que sepas, Sancho, que todos o los más caballeros andantes de la edad pasada eran grandes trovadores y grandes músicos; que estas dos habilidades o gracias, por mejor decir, son anexas a los enamorados andantes. Verdad es que las coplas de los pasados caballeros tienen más de espíritu que de primor.

—Lea más vuestra merced —dijo Sancho—; que ya hallará algo que nos satisfaga.

Volvió la hoja don Quijote y dijo:

—Esto es prosa, y parece carta.

—¿Carta misiva, señor? —preguntó Sancho.

—En el principio no parece sino de amores —respondió don Quijote.

—Pues lea vuestra merced alto —dijo Sancho—; que gusto mucho destas cosas de amores.

—Que me place —dijo don Quijote.

Y leyéndola alto, como Sancho se lo había rogado, vio que decía desta manera:

Tu falsa promesa y mi cierta desventura me llevan a parte donde antes volverán a tus oídos las nuevas de mi muerte que las razones de mis quejas. Desechásteme, ¡oh ingrata!, por quien tiene más, no por quien vale más que yo; mas si la virtud fuera riqueza que se estimara, no envidiara yo dichas ajenas ni llorara desdichas propias. Lo que levantó tu hermosura han derribado tus obras; por ella entendí que eras ángel, y por ellas conozco que eres mujer. Quédate en paz, causadora de mi guerra, y haga el cielo que los engaños de tu esposo estén siempre encubiertos, porque tú no quedes arrepentida de lo que hiciste y yo no tome venganza de lo que no deseo.

Acabando de leer la carta, dijo don Quijote:

—Menos por ésta que por los versos se puede sacar más de que quien la escribió es algún desdeñado amante.

Y hojeando casi todo el librillo, halló otros versos y

cartas, que algunos pudo leer y otros no; pero lo que todos contenían eran quejas, lamentos, desconfianzas, sabo-
res y sinsabores, favores y desdenes, solenizados los unos
y llorados los otros.

En tanto que don Quijote pasaba el libro, pasaba
Sancho la maleta, sin dejar rincón en toda ella, ni en el
cojín, que no buscase, escudriñase e inquiriese, ni costu-
ra que no deshiciese, ni vedija[8] de lana que no escarmenase[9], porque no se quedase nada por diligencia ni mal
recado; tal golosina habían despertado en él los hallados
escudos, que pasaban de ciento. Y aunque no halló más
de lo hallado, dio por bien empleados los vuelos de la
manta, el vomitar del brebaje, las bendiciones de las
estacas, las puñadas del arriero, la falta de las alforjas,
el robo del gabán y toda la hambre, sed y cansancio que
había pasado en servicio de su buen señor, pareciéndole
que estaba más que rebién pagado con la merced recebida de la entrega del hallazgo.

Con gran deseo quedó el Caballero de la Triste Figura de saber quién fuese el dueño de la maleta, conje-
turando, por el soneto y carta, por el dinero en oro y
por las tan buenas camisas, que debía de ser de algún
principal enamorado[10], a quien desdenes y malos tratamientos de su dama debían de haber conducido a algún
desesperado término. Pero como por aquel lugar inhabitable y escabroso no parecía persona alguna de quien
poder informarse, no se curó de más que de pasar adelante, sin llevar otro camino que aquel que Rocinante
quería, que era por donde él podía caminar, siempre con
imaginación que no podía faltar por aquellas malezas
alguna estraña aventura.

Yendo, pues, con este pensamiento, vio que por cima
de una montañuela que delante de los ojos se le ofrecía,
iba saltando un hombre, de risco en risco y de mata en
mata, con estraña ligereza. Figurósele que iba desnudo,
la barba negra y espesa, los cabellos muchos y rabultados[11], los pies descalzos y las piernas sin cosa alguna; los
muslos cubrían unos calzones, al parecer, de terciopelo

---

[8] *vedija*, mechón.
[9] *escarmenase*, desenredase.
[10] *principal enamorado*, enamorado de elevada condición.
[11] *rabultados*, rebultados, en desorden.

leonado, mas tan hechos pedazos, que por muchas partes
se le descubrían las carnes. Traía la cabeza descubierta;
y aunque pasó con la ligereza que se ha dicho, todas estas menudencias miró y notó el Caballero de la Triste Figura; y aunque lo procuró, no pudo seguille, porque no
era dado a la debilidad de Rocinante andar por aquellas
asperezas, y más siendo él de suyo pisacorto[12] y flemá-
tico. Luego imaginó don Quijote que aquél era el dueño
del cojín y de la maleta, y propuso en sí de buscalle,
aunque supiese[13] andar un año por aquellas montañas,
hasta hallarle; y así, mandó a Sancho que se apease del
asno y atajase por la una parte de la montaña; que él
iría por la otra, y podría ser que topasen, con esta diligencia, con aquel hombre que con tanta priesa se les había quitado de delante.

—No podré hacer eso —respondió Sancho—; porque, en apartándome de vuestra merced, luego es conmigo el miedo, que me asalta con mil géneros de sobresaltos y visiones. Y sírvale esto que digo de aviso, para
que de aquí adelante no me aparte un dedo de su presencia.

—Así será —dijo el de la Triste Figura—; y yo estoy muy contento de que te quieras valer de mi ánimo,
el cual no te ha de faltar, aunque te falte el ánima del
cuerpo. Y vente ahora tras mí poco a poco, o como pudieres, y haz de los ojos lanternas; rodearemos esta serre-
zuela: quizá toparemos con aquel hombre que vimos,
el cual, sin duda alguna, no es otro que el dueño de
nuestro hallazgo.

A lo que Sancho respondió:

—Harto mejor sería no buscalle; porque si le hallamos y acaso fuese el dueño del dinero, claro está que lo
tengo de restituir; y así, fuera mejor, sin hacer esta inútil diligencia, poseerlo yo con buena fe, hasta que, por
otra vía menos curiosa y diligente, pareciera su verdadero señor; y quizá fuera a tiempo que lo hubiera gastado, y entonces el rey me hacía franco[14].

—Engáñaste en eso, Sancho —respondió don Quijote—; que ya que hemos caído en sospecha de quién es el

---

[12] *pisacorto*, algunas ediciones enmiendan en *pasicorto*.
[13] *supiese*, tuviese que.
[14] *franco*, libre del pago.

dueño, cuasi delante[15], estamos obligados a buscarle y
volvérselos; y cuando no le buscásemos, la vehemente
sospecha que tenemos de que él lo sea nos pone ya en
tanta culpa como si lo fuese. Así que, Sancho amigo, no
te dé pena el buscalle, por la que a mí se me quitará si
le hallo.

Y así, picó a Rocinante, y siguióle Sancho con su
acostumbrado jumento[16]; y, habiendo rodeado parte de
la montaña, hallaron en un arroyo, caída, muerta y medio comida de perros y picada de grajos, una mula ensi-
llada y enfrenada; todo lo cual confirmó en ellos más la
sospecha de que aquel que huía era el dueño de la mula
y del cojín.

Estándola mirando, oyeron un silbo como de pastor
que guardaba ganado, y a deshora[17], a su siniestra mano,
parecieron una buena cantidad de cabras, y tras ellas, por
cima de la montaña, pareció el cabrero que las guardaba, que era un hombre anciano. Diole voces don Quijote, y rogóle que bajase donde estaban. Él respondió
a gritos que quién les había traído por aquel lugar, pocas o ningunas veces pisado sino de pies de cabras o de
lobos y otras fieras que por allí andaban. Respondióle
Sancho que bajase, que de todo le darían buena cuenta.
Bajó el cabrero, y en llegando adonde don Quijote estaba, dijo:

—Apostaré que está mirando la mula de alquiler que
está muerta en esa hondonada. Pues a buena fe que ha
ya seis meses que está en ese lugar. Díganme: ¿han topado por ahí a su dueño?

—No hemos topado a nadie —respondió don Quijote—, sino a un cojín y a una maletilla que no lejos deste
lugar hallamos.

—También la hallé yo —respondió el cabrero—; mas
nunca la quise alzar ni llegar a ella, temeroso de algún
desmán y de que no me la pidiesen por de hurto; que es el
diablo sotil, y debajo de los pies se le levanta allombre[18]
cosa donde tropiece y caya, sin saber cómo ni cómo no.

—Eso mesmo es lo que yo digo —respondió San-

---

[15] «y lo hemos tenido casi delante».
[16] En la edición de Juan de la Cuesta de 1608: «y siguióle Sancho a pie, cargado gracias a Ginesillo de Pasamonte».
[17] *a deshora*, de improviso.
[18] *allombre*, al hombre (forma rústica).

cho—: que también lo hallé yo, y no quise llegar a ella con un tiro de piedra: allí la dejé, y allí se queda como se estaba; que no quiero perro con cencerro[19].

—Decidme, buen hombre —dijo don Quijote—, ¿sabéis vos quién sea el dueño destas prendas?

—Lo que sabré yo decir —dijo el cabrero— es que habrá al pie de seis meses, poco más a menos, que llegó a una majada de pastores, que estará como tres leguas deste lugar, un mancebo de gentil talle y apostura, caballero sobre esa mesma mula que ahí está muerta, y con el mesmo cojín y maleta que decís que hallastes y no tocastes. Preguntónos que cuál parte desta sierra era la más áspera y escondida; dijímosle que era esta donde ahora estamos, y es ansí la verdad; porque si entráis media legua más adentro, quizá no acertaréis a salir; y estoy maravillado de cómo habéis podido llegar aquí, porque no hay camino ni senda que a este lugar encamine. Digo, pues, que, en oyendo nuestra respuesta el mancebo, volvió las riendas y encaminó hacia el lugar donde le señalamos, dejándonos a todos contentos de su buen talle, y admirados de su demanda y de la priesa con que le víamos caminar y volverse hacia la sierra; y desde entonces nunca más le vimos, hasta que desde allí a algunos días salió al camino a uno de nuestros pastores, y, sin decille nada, se llegó a él y le dio muchas puñadas y coces, y luego se fue a la borrica del hato, y le quitó cuanto pan y queso en ella traía; y con estraña ligereza, hecho esto, se volvió a emboscar en la sierra. Como esto supimos algunos cabreros, le anduvimos a buscar casi dos días por lo más cerrado desta sierra, al cabo de los cuales le hallamos metido en el hueco de un grueso y valiente[20] alcornoque. Salió a nosotros con mucha mansedumbre, ya roto el vestido, y el rostro disfigurado y tostado del sol, de tal suerte, que apenas le conocíamos; sino que los vestidos, aunque rotos, con la noticia que dellos teníamos, nos dieron a entender que era el que buscábamos. Saludónos cortésmente, y en pocas y muy buenas razones nos dijo que no nos maravillásemos de verle andar de aquella suerte, porque así le convenía

---

[19] *no quiero perro con cencerro*, no quiero cosas que me puedan perjudicar.
[20] *valiente*, grande, grueso.

para cumplir cierta penitencia que por sus muchos pecados le había sido impuesta. Rogámosle que nos dijese quién era; mas nunca lo pudimos acabar con él[21]. Pedímosle también que, cuando hubiese menester el sustento, sin el cual no podía pasar, nos dijese dónde le hallaríamos, porque con mucho amor y cuidado se lo llevaríamos; y que si esto tampoco fuese de su gusto, que, a lo menos, saliese a pedirlo, y no a quitarlo, a los pastores. Agradeció nuestro ofrecimiento, pidió perdón de los asaltos pasados, y ofreció de pedillo de allí adelante por amor de Dios, sin dar molestia alguna a nadie. En cuanto lo que tocaba a la estancia de su habitación, dijo que no tenía otra que aquella que la ocasión le ofrecía donde le tomaba la noche; y acabó su plática con un tan tierno llanto, que bien fuéramos de piedra los que escuchado le habíamos, si en él no le acompañáramos, considerándole como le habíamos visto la vez primera, y cuál le veíamos entonces. Porque, como tengo dicho, era un muy gentil y agraciado mancebo, y en sus corteses y concertadas razones mostraba ser bien nacido y muy cortesana persona; que, puesto que éramos rústicos los que le escuchábamos, su gentileza era tanta, que bastaba a darse a conocer a la mesma rusticidad. Y estando en lo mejor de su plática, paró y enmudecióse; clavó los ojos en el suelo por un buen espacio, en el cual todos estuvimos quedos y suspensos, esperando en qué había de parar aquel embelesamiento, con no poca lástima de verlo; porque, por lo que hacía de abrir los ojos, estar fijo mirando al suelo sin mover pestaña gran rato, y otras veces cerrarlos, apretando los labios y enarcando las cejas, fácilmente conocimos que algún accidente de locura le había sobrevenido. Mas él nos dio a entender presto ser verdad lo que pensábamos; porque se levantó con gran furia del suelo, donde se había echado, y arremetió con el primero que halló junto a sí, con tal denuedo y rabia, que si no se le quitáramos, le matara a puñadas y a bocados; y todo esto hacía, diciendo: «¡Ah, fementido Fer-»nando! ¡Aquí, aquí me pagarás la sinrazón que me hecis-»te: estas manos te sacarán el corazón, donde albergan y »tienen manida todas las maldades juntas, principalmen-

[21] *acabar con él*, convencerle.

»te la fraude y el engaño!» Y a éstas añadía otras razones, que todas se encaminaban a decir mal de aquel Fernando, y a tacharle de traidor y fementido. Quitámossele, pues, con no poca pesadumbre, y él, sin decir más palabra, se apartó de nosotros y se emboscó corriendo por entre estos jarales y malezas, de modo que nos imposibilitó el seguille. Por esto conjeturamos que la locura le venía a tiempos, y que alguno que se llamaba Fernando le debía de haber hecho alguna mala obra, tan pesada cuanto lo mostraba el término a que le había conducido. Todo lo cual se ha confirmado después acá con las veces, que han sido muchas, que él ha salido al camino, unas a pedir a los pastores le den de lo que llevan para comer, y otras a quitárselo por fuerza; porque cuando está con el accidente de la locura, aunque los pastores se lo ofrezcan de buen grado, no lo admite, sino que lo toma a puñadas; y cuando está en su seso, lo pide por amor de Dios, cortés y comedidamente, y rinde por ello muchas gracias, y no con falta de lágrimas. Y en verdad os digo, señores —prosiguió el cabrero—, que ayer determinamos yo y cuatro zagales, los dos criados y los dos amigos míos, de buscarle hasta tanto que le hallemos, y, después de hallado, ya por fuerza, ya por grado, le hemos de llevar a la villa de Almodóvar, que está de aquí ocho leguas, y allí le curaremos, si es que su mal tiene cura, o sabremos quién es cuando esté en su seso, y si tiene parientes a quien dar noticia de su desgracia. Esto es, señores, lo que sabré deciros de lo que me habéis preguntado; y entended que el dueño de las prendas que hallastes es el mesmo que vistes pasar con tanta ligereza como desnudez —que ya le había dicho don Quijote cómo había visto pasar aquel hombre saltando por la sierra.

El cual quedó admirado de lo que al cabrero había oído, y quedó con más deseo de saber quién era el desdichado loco, y propuso en sí lo mesmo que ya tenía pensado: de buscalle por toda la montaña, sin dejar rincón ni cueva en ella que no mirase, hasta hallarle. Pero hízolo mejor la suerte de lo que él pensaba ni esperaba, porque en aquel mesmo instante pareció por entre una quebrada de una sierra, que salía donde ellos estaban, el mancebo que buscaba, el cual venía hablando entre sí cosas que no podían ser entendidas de cerca, cuanto más de lejos. Su traje era cual se ha pintado, sólo que llegando cerca, vio don Quijote que un coleto[22] hecho pedazos que sobre sí traía era de ámbar; por donde acabó de entender que persona que tales hábitos traía no debía de ser de ínfima calidad.

En llegando el mancebo a ellos, les saludó con una voz desentonada y bronca, pero con mucha cortesía. Don Quijote le volvió las saludes[23] con no menos comedimiento, y, apeándose de Rocinante, con gentil continente y donaire, le fue a abrazar, y le tuvo un buen espacio estrechamente entre sus brazos, como si de luengos tiempos le hubiera conocido. El otro, a quien podemos llamar *el Roto de la mala Figura* —como a don Quijote *el de la Triste*—, después de haberse dejado abrazar, le apartó un poco de sí, y, puestas sus manos en los hombros de don Quijote, le estuvo mirando, como que quería ver si le conocía; no menos admirado quizá de ver la figura, talle y armas de don Quijote, que don Quijote lo estaba de verle a él. En resolución, el primero que habló después del abrazamiento fue el Roto, y dijo lo que se dirá adelante.

CAPÍTULO XXIV

Donde se prosigue la aventura de la Sierra Morena

Dice la historia que era grandísima la atención con que don Quijote escuchaba al astroso caballero de la Sierra, el cual, prosiguiendo su plática, dijo:

—Por cierto, señor, quienquiera que seáis, que yo no os conozco, yo os agradezco las muestras y la cortesía que conmigo habéis usado, y quisiera yo hallarme en términos, que con más que la voluntad pudiera servir la que habéis mostrado tenerme en el buen acogimiento que me habéis hecho; mas no quiere mi suerte darme otra cosa con que corresponda a las buenas obras que me hacen, que buenos deseos de satisfacerlas.

[22] *coleto*, cierto vestido de piel.
[23] *las saludes*, los saludos.

—Los que yo tengo —respondió don Quijote— son de serviros; tanto, que tenía determinado de no salir destas sierras hasta hallaros y saber de vos si el dolor que en la estrañeza de vuestra vida mostráis tener se podía hallar algún género de remedio; y si fuera menester buscarle, buscarle con la diligencia posible. Y cuando vuestra desventura fuera de aquellas que tienen cerradas las puertas a todo género de consuelo, pensaba ayudaros a llorarla y plañirla como mejor pudiera; que todavía es consuelo en las desgracias hallar quien se duela dellas. Y si es que mi buen intento merece ser agradecido con algún género de cortesía, yo os suplico, señor, por la mucha que veo que en vos se encierra, y juntamente os conjuro por la cosa que en esta vida más habéis amado o amáis, que me digáis quién sois y la causa que os ha traído a vivir y a morir entre estas soledades como bruto animal, pues moráis entre ellos tan ajeno de vos mismo cual lo muestra vuestro traje y persona. Y juro —añadió don Quijote— por la orden de caballería que recebí, aunque indigno y pecador, y por la profesión de caballero andante, que si en esto, señor, me complacéis, de serviros con las veras a que me obliga el ser quien soy, ora remediando vuestra desgracia, si tiene remedio, ora ayudándoos a llorarla, como os lo he prometido.

El Caballero del Bosque, que de tal manera oyó hablar al de la Triste Figura, no hacía sino mirarle, y remirarle, y tornarle a mirar de arriba abajo; y después que le hubo bien mirado, le dijo:

—Si tienen algo que darme a comer, por amor de Dios que me lo den; que, después de haber comido, yo haré todo lo que se me manda, en agradecimiento de tan buenos deseos como aquí se me han mostrado.

Luego sacaron, Sancho de su costal y el cabrero de su zurrón, con que satisfizo el Roto su hambre, comiendo lo que le dieron como persona atontada, tan apriesa, que no daba espacio de un bocado al otro, pues antes los engullía que tragaba; y en tanto que comía, ni él ni los que le miraban hablaban palabra. Como acabó de comer, les hizo de señas que le siguiesen, como lo hicieron, y él los llevó a un verde pradecillo que a la vuelta de una peña poco desviada de allí estaba. En llegando a él, se tendió en el suelo, encima de la yerba, y los demás hicieron lo mismo, y todo esto sin que ninguno hablase, hasta que el Roto, después de haberse acomodado en su asiento, dijo:

—Si gustáis, señores, que os diga en breves razones la inmensidad de mis desventuras, habéisme de prometer de que con ninguna pregunta, ni otra cosa, no interromperéis el hilo de mi triste historia; porque en el punto que lo hagáis, en ése se quedará lo que fuere contando.

Estas razones del Roto trujeron a la memoria a don Quijote el cuento que le había contado su escudero, cuando no acertó el número de las cabras que habían pasado el río, y se quedó la historia pendiente. Pero, volviendo al Roto, prosiguió diciendo:

—Esta prevención que hago es porque querría pasar brevemente por el cuento de mis desgracias; que el traerlas a la memoria no me sirve de otra cosa que añadir otras de nuevo, y, mientras menos me preguntáredes, más presto acabaré yo de decillas, puesto que no dejaré por contar cosa alguna que sea de importancia para no satisfacer del todo a vuestro deseo.

Don Quijote se lo prometió, en nombre de los demás, y él, con este seguro, comenzó desta manera:

—Mi nombre es Cardenio; mi patria, una ciudad de las mejores desta Andalucía; mi linaje, noble; mis padres, ricos; mi desventura, tanta, que la deben de haber llorado mis padres y sentido mi linaje, sin poderla aliviar con su riqueza; que para remediar desdichas del cielo poco suelen valer los bienes de fortuna. Vivía en esta mesma tierra un cielo, donde puso el amor toda la gloria que yo acertara a desearme: tal es la hermosura de Luscinda, doncella tan noble y tan rica como yo, pero de más ventura y de menos firmeza de la que a mis honrados pensamientos se debía. A esta Luscinda amé, quise y adoré desde mis tiernos y primeros años, y ella me quiso a mí, con aquella sencillez y buen ánimo que su poca edad permitía. Sabían nuestros padres nuestros intentos, y no les pesaba dello, porque bien veían que, cuando pasaran adelante, no podían tener otro fin que el de casarnos, cosa que casi la concertaba la igualdad de nuestro linaje y riquezas. Creció la edad, y con ella el amor de entrambos, que al padre de Luscinda le pareció que por buenos respetos estaba obligado a negarme la entrada de su casa, casi imitando en esto a los padres de aque-

lla Tisbe tan decantada de los poetas[1]. Y fue esta nega-
ción añadir llama a llama y deseo a deseo; porque,
aunque pusieron silencio a las lenguas, no le pudieron
poner a las plumas, las cuales, con más libertad que las
lenguas, suelen dar a entender a quien quieren lo que en
el alma está encerrado; que muchas veces la presencia de
la cosa amada turba y enmudece la intención más determinada y la lengua más atrevida. ¡Ay cielos, y cuántos billetes le escribí! ¡Cuán regaladas y honestas respuestas tuve! ¡Cuántas canciones compuse y cuántos
enamorados versos, donde el alma declaraba y trasla-
daba sus sentimientos, pintaba sus encendidos deseos,
entretenía sus memorias y recreaba su voluntad! En
efeto, viéndome apurado, y que mi alma se consumía
con el deseo de verla, determiné poner por obra y acabar en un punto lo que me pareció que más convenía
para salir con mi deseado y merecido premio, y fue el
pedírsela a su padre por legítima esposa, como lo hice;
a lo que él me respondió que me agradecía la voluntad
que mostraba de honralle, y de querer honrarme con
prendas suyas; pero que, siendo mi padre vivo, a él tocaba de justo derecho hacer aquella demanda; porque
si no fuese con mucha voluntad y gusto suyo, no era
Luscinda mujer para tomarse ni darse a hurto. Yo le
agradecí su buen intento, pareciéndome que llevaba razón en lo que decía, y que mi padre vendría en ello como
yo se lo dijese; y con este intento, luego en aquel mismo
instante fui a decirle a mi padre lo que deseaba. Y al
tiempo que entré en un aposento donde estaba, le hallé
con una carta abierta en la mano, la cual, antes que yo
le dijese palabra, me la dio y me dijo: «Por esa carta ve-
»rás, Cardenio, la voluntad que el duque Ricardo tiene de
»hacerte merced». Este duque Ricardo, como ya vosotros,
señores, debéis de saber, es un grande de España, que
tiene su estado en lo mejor desta Andalucía. Tomé y leí
la carta, la cual venía tan encarecida, que a mí mesmo
me pareció mal si mi padre dejaba de cumplir lo que en
ella se le pedía, que era que me enviase luego donde él
estaba; que quería que fuese compañero, no criado, de

---

[1] Tisbe, la enamorada mitológica, hablaba con Píramo a través
de una grieta de la pared. Esta fábula fue objeto de numerosos
poemas, algunos de ellos burlescos, como el que escribió Góngora.

su hijo el mayor, y que él tomaba a cargo el ponerme en
estado que correspondiese a la estimación en que me tenía. Leí la carta y enmudecí leyéndola, y más cuando oí
que mi padre me decía: «De aquí a dos días te parti-
»rás, Cardenio, a hacer la voluntad del duque, y da
»gracias a Dios que te va abriendo camino por donde
»alcances lo que yo sé que mereces». Añadió a éstas otras
razones de padre consejero. Llegóse el término de mi
partida, hablé una noche a Luscinda, díjele todo lo que
pasaba, y lo mesmo hice a su padre, suplicándole se entretuviese algunos días y dilatase el darle estado hasta
que yo viese lo que Ricardo me quería; él me lo prometió, y ella me lo confirmó con mil juramentos y mil desmayos. Vine, en fin, donde el duque Ricardo estaba. Fui
dél tan bien recebido y tratado, que desde luego comenzó la envidia a hacer su oficio, teniéndomela los criados
antiguos, pareciéndoles que las muestras que el duque
daba de hacerme merced habían de ser en perjuicio suyo.
Pero el que más se holgó con mi ida fue un hijo segundo
del duque, llamado Fernando, mozo gallardo, gentil hombre, liberal y enamorado, el cual, en poco tiempo, quiso
que fuese tan su amigo, que daba que decir a todos; y
aunque el mayor me quería bien y me hacía merced, no
llegó al estremo con que don Fernando me quería y trataba. Es, pues, el caso que, como entre los amigos no
hay cosa secreta que no se comunique, y la privanza que
yo tenía con don Fernando dejaba de serlo, por ser amistad, todos sus pensamientos me declaraba, especialmente
uno enamorado, que le traía con un poco de desasosiego.
Quería bien a una labradora, vasalla de su padre, y ella
los tenía muy ricos, y era tan hermosa, recatada, discreta
y honesta, que nadie que la conocía se determinaba en
cuál destas cosas tuviese más excelencia ni más se aventa-
jase. Estas tan buenas partes de la hermosa labradora re-
dujeron a tal término los deseos de don Fernando, que se
determinó, para poder alcanzarlo y conquistar la entereza de la labradora, darle palabra de ser su esposo; porque de otra manera era procurar lo imposible. Yo, obligado de su amistad, con las mejores razones que supe, y
con los más vivos ejemplos que pude, procuré estor-
barle y apartarle de tal propósito; pero viendo que no
aprovechaba, determiné de decirle el caso al duque Ri-

cardo, su padre; mas don Fernando, como astuto y discreto, se receló y temió desto, por parecerle que estaba
yo obligado, en vez[2] de buen criado, no tener encubierta cosa que tan en perjuicio de la honra de mi señor
el duque venía; y así, por divertirme y engañarme, me
dijo que no hallaba otro mejor remedio para poder apartar de la memoria la hermosura que tan sujeto le tenía,
que el ausentarse por algunos meses, y que quería que el
ausencia fuese que los dos viniésemos en casa de mi padre, con ocasión que darían al duque que venía a ver
y a feriar unos muy buenos caballos que en mi ciudad
había, que es madre de los mejores del mundo[3]. Apenas
le oí yo decir esto, cuando, movido de mi afición, aunque su determinación no fuera tan buena, la aprobara
yo por una de las más acertadas que se podían imaginar, por ver cuán buena ocasión y coyuntura se me
ofrecía de volver a ver a mi Luscinda. Con este pensamiento y deseo, aprobé su parecer y esforcé su propósito, diciéndole que lo pusiese por obra con la brevedad
posible, porque, en efeto, la ausencia hacía su oficio, a
pesar de los más firmes pensamientos. Ya, cuando él me
vino a decir esto, según después se supo, había gozado
a la labradora con título de esposo, y esperaba ocasión
de descubrirse a su salvo, temeroso de lo que el duque
su padre haría cuando supiese su disparate. Sucedió,
pues, que, como el amor en los mozos, por la mayor parte, no lo es, sino apetito, el cual, como tiene por último
fin el deleite, en llegando a alcanzarle se acaba, y ha de
volver atrás aquello que parecía amor, porque no puede
pasar adelante del término que le puso naturaleza, el
cual término no le puso a lo que es verdadero amor...;
quiero decir que, así como don Fernando gozó a la labradora, se le aplacaron sus deseos y se resfriaron sus
ahíncos; y si primero fingía quererse ausentar, por remediarlos, ahora de veras procuraba irse, por no ponerlos en ejecución. Diole el duque licencia, y mandóme
que le acompañase. Venimos a mi ciudad, recibióle mi
padre como quien era, vi yo luego a Luscinda, tornaron
a vivir, aunque no habían estado muertos ni amortigua-

---

[2] *en vez de*, haciendo las veces de, en calidad de.
[3] Este detalle de los caballos evidencia que la ciudad a que se
refiere Cardenio es Córdoba.

dos, mis deseos, de los cuales di cuenta, por mi mal, a don Fernando, por parecerme que, en la ley de la mucha amistad que mostraba, no le debía encubrir nada. Alabéle la hermosura, donaire y discreción de Luscinda, de tal manera que mis alabanzas movieron en él los deseos de querer ver doncella de tantas buenas partes adornada. Cumplíselos yo, por mi corta suerte, enseñándosela una noche, a la luz de una vela, por una ventana por donde los dos solíamos hablarnos. Vióla en sayo, tal, que todas las bellezas hasta entonces por él vistas las puso en olvido. Enmudeció, perdió el sentido, quedó absorto y, finalmente, tan enamorado, cual lo veréis en el discurso del cuento de mi desventura. Y para encenderle más el deseo, que a mí me celaba, y al cielo, a solas, descubría, quiso la fortuna que hallase un día un billete suyo, pidiéndome que la pidiese a su padre por esposa, tan discreto, tan honesto y tan enamorado, que, en leyéndolo, me dijo que en sola Luscinda se encerraban todas las gracias de hermosura y de entendimiento que en las demás mujeres del mundo estaban repartidas. Bien es verdad que quiero confesar ahora que, puesto que yo veía[4] con cuán justas causas don Fernando a Luscinda alababa, me pesaba de oír aquellas alabanzas de su boca, y comencé a temer y a recelarme dél, porque no se pasaba momento donde no quisiese que tratásemos de Luscinda, y él movía la plática, aunque la trujese por los cabellos; cosa que despertaba en mí un no sé qué de celos, no porque yo temiese revés alguno de la bondad y de la fe de Luscinda; pero, con todo eso, me hacía temer mi suerte lo mesmo que ella me aseguraba. Procuraba siempre don Fernando leer los papeles que yo a Luscinda enviaba, y los que ella me respondía, a título que de la discreción de los dos gustaba mucho. Acaeció, pues, que habiéndome pedido Luscinda un libro de caballerías en que leer, de quien era ella muy aficionada, que era el de *Amadís de Gaula*...

No hubo bien oído don Quijote nombrar libro de caballerías, cuando dijo:

—Con que me dijera vuestra merced, al principio de su historia, que su merced de la señora Luscinda era

---

[4] *puesto que yo veía*, aunque yo veía.

aficionada a libros de caballerías, no fuera menester otra
exageración para darme a entender la alteza de su entendimiento; porque no le tuviera tan bueno como vos,
señor, le habéis pintado, si careciera del gusto de tan
sabrosa leyenda[5]: así que, para conmigo, no es menester gastar más palabras en declararme su hermosura, valor y entendimiento; que, con sólo haber entendido su
afición, la confirmo por la más hermosa y más discreta
mujer del mundo. Y quisiera yo, señor, que vuestra merced le hubiera enviado junto con *Amadís de Gaula* al
bueno de *Don Rugel de Grecia*[6], que yo sé que gustara
la señora Luscinda mucho de Daraida y Geraya, y de
las discreciones del pastor Darinel, y de aquellos admirables versos de sus bucólicas, cantadas y representadas por
él con todo donaire, discreción y desenvoltura. Pero
tiempo podrá venir en que se enmiende esa falta, y no
dura más en hacerse la enmienda de cuanto quiera vuestra merced ser servido de venirse conmigo a mi aldea;
que allí le podré dar más de trecientos libros, que son
el regalo de mi alma y el entretenimiento de mi vida;
aunque tengo para mí que ya no tengo ninguno, merced
a la malicia de malos y envidiosos encantadores. Y perdóneme vuestra merced el haber contravenido a lo que
prometimos de no interrumpir su plática, pues, en oyendo cosas de caballerías y de caballeros andantes, así es
en mi mano dejar de hablar en ellos como lo es en la
de los rayos del sol dejar de calentar, ni humedecer en
los de la luna. Así que, perdón, y proseguir, que es lo
que ahora hace más al caso.

En tanto que don Quijote estaba diciendo lo que
queda dicho, se le había caído a Cardenio la cabeza sobre el pecho, dando muestras de estar profundamente
pensativo. Y, puesto que[7] dos veces le dijo don Quijote
que prosiguiese su historia, ni alzaba la cabeza ni respondía palabra; pero al cabo de un buen espacio la levantó y dijo:

—No se me puede quitar del pensamiento, ni habrá

[5] *leyenda*, lectura.
[6] Libro onceno de la serie de los amadises: *Crónica del muy
excelente príncipe don Florisel de Niquea, en la cual se trata de
las grandes hazañas de don Rogel de Grecia*, Medina del Campo,
1535. Lo escribió Feliciano de Silva.
[7] *puesto que*, aunque.

quien me lo quite en el mundo, ni quien me dé a entender otra cosa, y sería un majadero el que lo contrario entendiese o creyese, sino que aquel bellaconazo del maestro Elisabat estaba amancebado con la reina Madásima[8].

—Eso no, ¡voto a tal! —respondió con mucha cólera don Quijote, y arrojóle[9], como tenía de costumbre—; y ésa es una muy gran malicia, o bellaquería, por mejor decir: la reina Madásima fue muy principal señora, y no se ha de presumir que tan alta princesa se había de amancebar con un sacapotras[10]; y quien lo contrario entendiere, miente como muy gran bellaco. Y yo se lo daré a entender, a pie o a caballo, armado o desarmado, de noche o de día, o como más gusto le diere.

Estábale mirando Cardenio muy atentamente, al cual ya había venido el accidente de su locura y no estaba para proseguir su historia; ni tampoco don Quijote se la oyera, según le había disgustado lo que de Madásima le había oído. ¡Estraño caso; que así volvió por ella como si verdaderamente fuera su verdadera y natural señora: tal le tenían sus descomulgados libros! Digo, pues, que, como ya Cardenio estaba loco, y se oyó tratar de mentís y de bellaco, con otros denuestos semejantes, parecióle mal la burla, y alzó un guijarro que halló junto a sí, y dio con él en los pechos tal golpe a don Quijote, que le hizo caer de espaldas. Sancho Panza, que de tal modo vio parar a su señor, arremetió al loco con el puño cerrado, y el Roto le recibió de tal suerte, que con una puñada dio con él a sus pies, y luego se subió sobre él y le brumó las costillas muy a su sabor. El cabrero, que le quiso defender, corrió el mesmo peligro. Y después que los tuvo a todos rendidos y molidos, los dejó, y se fue, con gentil sosiego, a emboscarse en la montaña.

Levantóse Sancho, y, con la rabia que tenía de verse aporreado tan sin merecerlo, acudió a tomar la venganza del cabrero, diciéndole que él tenía la culpa de no haberles avisado que a aquel hombre le tomaba a tiempos

---

[8] Ninguna de las tres Madásimas que figuran en el *Amadís de Gaula* es reina ni tuvo ninguna relación con el *maestro*, o cirujano, Elisabat (cfr. Clemencín, 1220).

[9] *Y arrojó* [el juramento].

[10] *sacapotras*, nombre despectivo del cirujano (como «sacamuelas» del dentista); *potra* es hernia.

la locura; que si esto supieran, hubieran estado sobre aviso para poderse guardar. Respondió el cabrero que ya lo había dicho, y que si él no lo había oído, que no era suya la culpa. Replicó Sancho Panza, y tornó a replicar el cabrero, y fue el fin de las réplicas asirse de las barbas y darse tales puñadas, que si don Quijote no los pusiera en paz, se hicieran pedazos. Decía Sancho, asido con el cabrero:

—Déjeme vuestra merced, señor Caballero de la Triste Figura; que en éste, que es villano como yo y no está armado caballero, bien puedo a mi salvo satisfacerme del agravio que me ha hecho, peleando con él mano a mano, como hombre honrado.

—Así es —dijo don Quijote—; pero yo sé que él no tiene ninguna culpa de lo sucedido.

Con esto los apaciguó, y don Quijote volvió a preguntar al cabrero si sería posible hallar a Cardenio, porque quedaba con grandísimo deseo de saber el fin de su historia. Díjole el cabrero lo que primero le había dicho, que era no saber de cierto su manida; pero que si anduviese mucho por aquellos contornos, no dejaría de hallarle, o cuerdo o loco.

CAPÍTULO XXV

QUE TRATA DE LAS ESTRAÑAS COSAS QUE EN SIERRA MORENA SUCEDIERON AL VALIENTE CABALLERO DE LA MANCHA, Y DE LA IMITACIÓN QUE HIZO A LA PENITENCIA DE BELTENEBROS*

Despidióse del cabrero don Quijote, y, subiendo otra vez sobre Rocinante, mandó a Sancho que le siguiese, el cual lo hizo, con su jumento, de muy mala gana. Íbanse poco a poco entrando en lo más áspero de

* Don Quijote decide suspender transitoriamente su vagabundeo y permanecer un tiempo solo en Sierra Morena entregado a la penitencia y al desatino. Ello es un frecuente tópico de la novela caballeresca, en la que a veces el caballero, desesperado por desdenes amorosos o por cualquier otro motivo, se retira a la soledad de los bosques, donde no tan sólo se entrega a la oración, ayuno y disciplina (penitencia), sino también a cierta furia demencial, que le lleva a cometer toda clase de desatinos. Este tema ya aparece en

la montaña, y Sancho iba muerto por razonar con su
amo, y deseaba que él comenzase la plática, por no contravenir a lo que le tenía mandado; mas, no pudiendo
sufrir tanto silencio, le dijo:

—Señor don Quijote, vuestra merced me eche su
bendición y me dé licencia; que desde aquí me quiero
volver a mi casa, y a mi mujer, y a mis hijos, con los
cuales, por lo menos, hablaré y departiré todo lo que
quisiere; porque querer vuestra merced que vaya con él
por estas soledades de día y de noche, y que no le hable
cuando me diere gusto, es enterrarme en vida. Si ya quisiera la suerte que los animales hablaran, como hablaban en tiempo de Guisopete[1], fuera menos mal, porque
departiera yo con mi jumento lo que me viniera en gana;
y con esto pasaré mi mala ventura; que es recia cosa, y
que no se puede llevar en paciencia, andar buscando
aventuras toda la vida, y no hallar sino coces y manteamientos, ladrillazos y puñadas, y con todo esto, nos hemos de coser la boca, sin osar decir lo que el hombre tiene
en su corazón, como si fuera mudo.

—Ya te entiendo, Sancho —respondió don Quijote—: tú mueres porque te alce el entredicho que te tengo puesto en la lengua. Dale por alzado y di lo que qui-

---

Li chevaliers au lion de Chrétien de Troyes (finales del siglo XII),
donde Yvain pasa largo tiempo en el bosque, en estado semisalvaje,
junto a un ermitaño. Lo mismo ocurre en los viejos relatos sobre
Tristán y Lancelot (Lanzarote). Pero los modelos que más presentes tiene don Quijote son los de Amadís de Gaula y de Orlando
furioso. El primero, desesperado porque su amada Oriana le ha
ordenado que no vuelva a su presencia, por creerle desleal, se
retira a una especie de isla llamada la Peña Pobre, donde había
una ermita, y toma el nombre de Beltenebrós (del francés Bel
Ténébreux o del provenzal Bel Tenebrós; pero que Cervantes pronunciaba Beltenébros, como atestigua un pasaje de Guillén de
Castro donde este nombre rima con «enebros»), y allí se entrega a
la oración y a la penitencia y compone tristes versos. Imitando esta
actitud de Amadís hicieron penitencias amorosas muy similares
Lisuarte de Grecia, el Caballero del Febo y otros protagonistas
de libros de caballerías castellanos. En cuanto a Orlando furioso,
Ariosto cuenta que, al enterarse de los amores de la hermosa Angélica con el negro Medoro, enloqueció y, medio desnudo, arrancó
furiosamente árboles, enturbió las aguas de los arroyos, mató
pastores y animales y realizó otros excesos. Don Quijote combina
la penitencia de Amadís con la furia demencial de Orlando, y no
tan sólo reza, suspira y escribe versos en las cortezas de los árboles, sino que da volteretas en camisa.

[1] Guisopete, nombre dado por el vulgo al fabulista Esopo. En
las ediciones antiguas no se enmienda nada en esta frase, que
atestigua que Sancho está en posesión de su asno.

sieres, con condición que no ha de durar este alzamiento más de en cuanto anduviéramos por estas tierras.

—Sea ansí —dijo Sancho—; hable yo ahora, que después Dios sabe lo que será; y comenzando a gozar de ese salvoconducto, digo que ¿qué le iba a vuestra merced en volver tanto por aquella reina Magimasa, o como se llama? O ¿qué hacía al caso que aquel abad[2] fuese su amigo o no? Que si vuestra merced pasara con ello, pues no era su juez, bien creo yo que el loco pasara adelante con su historia, y se hubieran ahorrado el golpe del guijarro, y las coces, y aun más de seis torniscones[3].

—A fe, Sancho —respondió don Quijote—, que si tú supieras, como yo lo sé, cuán honrada y cuán principal señora era la reina Madásima, yo sé que dijeras que tuve mucha paciencia, pues no quebré la boca por donde tales blasfemias salieron. Porque es muy gran blasfemia decir ni pensar que una reina esté amancebada con un cirujano. La verdad del cuento es que aquel maestro Elisabat, que el loco dijo, fue un hombre muy prudente y de muy sanos consejos, y sirvió de ayo y de médico a la reina; pero pensar que ella era su amiga es disparate digno de muy gran castigo. Y porque veas que Cardenio no supo lo que dijo, has de advertir que cuando lo dijo ya estaba sin juicio.

—Eso digo yo —dijo Sancho—: que no había para qué hacer cuenta de las palabras de un loco, porque si la buena suerte no ayudara a vuestra merced, y encaminara el guijarro a la cabeza como le encaminó al pecho, buenos quedáramos por haber vuelto por aquella mi señora, que Dios cohonda[4]. Pues ¡montas[5] que no se librara Cardenio por loco!

—Contra cuerdos y contra locos, está obligado cualquier caballero andante a volver por la honra de las mujeres, cualesquiera que sean, cuanto más por las reinas de tan alta guisa y pro como fue la reina Madásima, a quien yo tengo particular afición, por sus buenas partes; porque, fuera de haber sido fermosa, además fue muy prudente y muy sufrida en sus calamidades, que las tuvo

[2] *abad*, Sancho entendió mal el nombre del maestro Elisabat, citado por don Quijote en el capítulo anterior.
[3] *torniscones*, golpes o reveses en la cabeza.
[4] *cohonda*, confunda.
[5] *montas*, interjección.

muchas; y los consejos y compañía del maestro Elisabat
le fue y le fueron de mucho provecho y alivio para poder llevar sus trabajos con prudencia y paciencia. Y de
aquí tomó ocasión el vulgo ignorante y mal intencionado de decir y pensar que ella era su manceba; y mienten, digo, otra vez, y mentirán otras docientas, todos los
que tal pensaren y dijeren.

—Ni yo lo digo ni lo pienso —respondió Sancho—;
allá se lo hayan; con su pan se lo coman; si fueron amancebados, o no, a Dios habrán dado la cuenta; de mis
viñas vengo, no sé nada; no soy amigo de saber vidas
ajenas; que el que compra y miente, en su bolsa lo siente. Cuanto más, que desnudo nací, desnudo me hallo:
ni pierdo ni gano; mas que lo fuesen, ¿qué me va a mí?
Y muchos piensan que hay tocinos y no hay estacas.
Mas ¿quién puede poner puertas al campo? Cuanto más,
que de Dios dijeron.

—¡Válame Dios —dijo don Quijote—, y qué de necedades vas, Sancho, ensartando! ¿Qué va de lo que tratamos a los refranes que enhilas? Por tu vida, Sancho,
que calles, y de aquí adelante, entremétete en espolear a
tu asno[6], y deja de hacello en lo que no te importa.
Y entiende con todos tus cinco sentidos que todo cuanto
yo he hecho, hago e hiciere, va muy puesto en razón y
muy conforme a las reglas de caballería, que las sé mejor que cuantos caballeros las profesaron en el mundo.

—Señor —respondió Sancho—, y ¿es buena regla de
caballería que andemos perdidos por estas montañas, sin
senda ni camino, buscando a un loco, el cual, después
de hallado, quizá le vendrá en voluntad de acabar lo
que dejó comenzado, no de su cuento, sino de la cabeza
de vuestra merced y de mis costillas, acabándonoslas de
romper de todo punto?

—Calla, te digo otra vez, Sancho —dijo don Quijote—; porque te hago saber que no sólo me trae por
estas partes el deseo de hallar al loco, cuanto el que tengo de hacer en ellas una hazaña, con que he de ganar
perpetuo nombre y fama en todo lo descubierto de la

<hr>

[6] Así en las ediciones primitivas. En la primera (Juan de la
Cuesta, 1605) ésta es la última vez que se menciona al rucio junto
a Sancho, como si no hubiese sido robado. No cabe duda, pues,
que cuando Cervantes redactaba estas páginas aún no tenía intención de colocar el episodio del robo de Ginés de Pasamonte.

tierra; y será tal, que he de echar con ella el sello a todo aquello que puede hacer perfecto y famoso a un andante caballero.

—Y ¿es de muy gran peligro esa hazaña? —preguntó Sancho Panza.

—No —respondió el de la Triste Figura—; puesto que[7] de tal manera podía correr el dado, que echásemos azar en lugar de encuentro[8]; pero todo ha de estar en tu diligencia.

—¿En mi diligencia? —dijo Sancho.

—Sí —dijo don Quijote—; porque si vuelves presto de adonde pienso enviarte, presto se acabará mi pena y presto comenzará mi gloria. Y porque no es bien que te tenga más suspenso, esperando en lo que han de parar mis razones, quiero, Sancho, que sepas que el famoso Amadís de Gaula fue uno de los más perfectos caballeros andantes. No he dicho bien *fue uno*: fue el solo, el primero, el único, el señor de todos cuantos hubo en su tiempo en el mundo. Mal año y mal mes para don Belianís y para todos aquellos que dijeren que se le igualó en algo, porque se engañan, juro cierto. Digo asimismo que, cuando algún pintor quiere salir famoso en su arte, procura imitar los originales de los más únicos pintores que sabe; y esta mesma regla corre por todos los más oficios o ejercicios de cuenta que sirven para adorno de las repúblicas, y así lo ha de hacer y hace el que quiere alcanzar nombre de prudente y sufrido, imitando a Ulises, en cuya persona y trabajos nos pinta Homero un retrato vivo de prudencia y de sufrimiento, como también nos mostró Virgilio, en persona de Eneas, el valor de un hijo piadoso y la sagacidad de un valiente y entendido capitán, no pintándolo ni describiéndolo[9] como ellos fueron, sino como habían de ser, para quedar ejemplo a los venideros hombres de sus virtudes. Desta mesma suerte, Amadís fue el norte, el lucero, el sol de los valientes y enamorados caballeros, a quien debemos de imitar todos aquellos que debajo de la bandera de amor y de la ca-

---

[7] *puesto que*, aunque.
[8] En el juego, *azar* es el lance favorable, y *encuentro*, el adverso. La frase significa, pues: «de tal modo podría ir la suerte (*el dado*), que ganásemos en lugar de salir perdiendo».
[9] *describiéndolo*, en las ediciones primitivas *descubriéndolo* (véase la nota 10 a I, 47).

ballería militamos. Siendo, pues, esto ansí, como lo es,
hallo yo, Sancho amigo, que el caballero andante que
más le imitare estará más cerca de alcanzar la perfección
de la caballería. Y una de las cosas en que más este caballero mostró su prudencia, valor, valentía, sufrimiento,
firmeza y amor fue cuando se retiró, desdeñado de la
señora Oriana, a hacer penitencia en la Peña Pobre, mudado su nombre en el de Beltenebros, nombre, por
cierto, significativo y proprio para la vida que él de su
voluntad había escogido[10]. Ansí, que me es a mí más fácil imitarle en esto que no en hender gigantes, descabezar serpientes, matar endriagos, desbaratar ejércitos, fra-
casar armadas y deshacer encantamentos. Y pues estos
lugares son tan acomodados para semejantes efectos, no
hay para qué se deje pasar la ocasión, que ahora con tanta comodidad me ofrece sus guedejas[11].

—En efecto —dijo Sancho—, ¿qué es lo que vuestra
merced quiere hacer en este tan remoto lugar?

—¿Ya no te he dicho —respondió don Quijote—
que quiero imitar a Amadís, haciendo aquí del desesperado, del sandio y del furioso, por imitar juntamente al
valiente don Roldán, cuando halló en una fuente las señales de que Angélica la Bella había cometido vileza con
Medoro[12], de cuya pesadumbre se volvió loco, y arrancó
los árboles, enturbió las aguas de las claras fuentes, mató
pastores, destruyó ganados, abrasó chozas, derribó casas,
arrastró yeguas y hizo otras cien mil insolencias[13], dignas
de eterno nombre y escritura? Y, puesto que yo no pienso imitar a Roldán, o Orlando, o Rotolando (que todos
estos tres nombres tenía[14]), parte por parte en todas las
locuras que hizo, dijo y pensó, haré el bosquejo, como
mejor pudiere, en las que me pareciere ser más esenciales.

[10] Véase el comentario preliminar a este capítulo.
[11] A la Ocasión, o Fortuna, la pintaban calva, pero con un copete o mechón (aquí *guedejas*) al que el hombre aspira a agarrarse
cuando es propicia. Cfr.: «No dejes, señor, que la ocasión que
agora se te ofrece te vuelva la calva en lugar de la guedeja (*Persiles*, II, 11).
[12] Véase el comentario preliminar a este capítulo. Roldán es
Orlando.
[13] *insolencias,* cosas insólitas.
[14] *Roldán* es la forma usada en las gestas y romances medievales, tomada del francés *Rolant; Orlando* es la italiana de los poemas épicos renacentistas; y *Rotolando,* la más próxima al latín
Ruotlandus. Se trata siempre del mismo personaje, legendaria-
mente sobrino de Carlomagno y muerto en Roncesvalles.

Y podrá ser que viniese a contentarme con sola la imitación de Amadís, que sin hacer locuras de daño, sino de
lloros y sentimientos, alcanzó tanta fama como el que
más.

—Paréceme a mí —dijo Sancho—, que los caballeros que lo tal ficieron fueron provocados y tuvieron causa para hacer esas necedades y penitencias; pero vuestra
merced, ¿qué causa tiene para volverse loco? ¿Qué dama
le ha desdeñado, o qué señales ha hallado que le den a
entender que la señora Dulcinea del Toboso ha hecho
alguna niñería con moro o cristiano?

—Ahí está el punto —respondió don Quijote—, y
ésa es la fineza de mi negocio; que volverse loco un caballero andante con causa, ni grado ni gracias[15]: el toque
está desatinar sin ocasión y dar a entender a mi dama
que, si en seco hago esto, ¿qué hiciera en mojado? Cuanto más, que harta ocasión tengo en la larga ausencia que
he hecho de la siempre señora mía Dulcinea del Toboso;
que, como ya oíste decir a aquel pastor de marras, Ambrosio, quien está ausente, todos los males tiene y teme.
Así que, Sancho amigo, no gastes tiempo en aconsejarme
que deje tan rara, tan felice y tan no vista imitación.
Loco soy, loco he de ser hasta tanto que tú vuelvas con
la respuesta de una carta que contigo pienso enviar a
mi señora Dulcinea; y si fuere tal cual a mi fe se le debe,
acabarse ha mi sandez y mi penitencia; y si fuere al
contrario, seré loco de veras, y, siéndolo, no sentiré nada.
Ansí que, de cualquiera manera que responda, saldré
del conflito y trabajo en que me dejares, gozando el
bien que me trujeres, por cuerdo, o no sintiendo el mal
que me aportares, por loco. Pero dime, Sancho, ¿traes
bien guardado el yelmo de Mambrino, que ya vi que le
alzaste del suelo cuando aquel desagradecido le quiso
hacer pedazos? Pero no pudo; donde se puede echar de
ver la fineza de su temple.

A lo cual respondió Sancho:

—Vive Dios, señor Caballero de la Triste Figura, que
no puedo sufrir ni llevar en paciencia algunas cosas
que vuestra merced dice, y que por ellas vengo a imaginar que todo cuanto me dice de caballerías, y de alcanzar

---

[15] *ni grado ni gracias*, locución que significa «no es cosa digna
de agradecimiento».

reinos e imperios, de dar ínsulas y de hacer otras mercedes y grandezas, como es uso de caballeros andantes, que
todo debe de ser cosa de viento y mentira, y todo pastraña,
o patraña, o como lo llamáremos. Porque quien oyere
decir a vuestra merced que una bacía de barbero es el
yelmo de Mambrino, y que no salga deste error en más
de cuatro días, ¿qué ha de pensar sino que quien tal dice
y afirma debe de tener güero[16] el juicio? La bacía yo la
llevo en el costal, toda abollada, y llévola para adere-
zarla en mi casa y hacerme la barba en ella, si Dios me
diere tanta gracia, que algún día me vea con mi mujer
y hijos.

—Mira, Sancho, por el mismo que denantes juraste,
te juro —dijo don Quijote— que tienes el más corto entendimiento que tiene ni tuvo escudero en el mundo.
¿Que es posible que en cuanto ha que andas conmigo
no has echado de ver que todas las cosas de los caballeros andantes parecen quimeras, necedades y desatinos, y
que son todas hechas al revés? Y no porque sea ello ansí,
sino porque andan entre nosotros siempre una caterva
de encantadores que todas nuestras cosas mudan y truecan, y les vuelven según su gusto, y según tienen la gana
de favorecernos o destruirnos; y así, eso que a ti te parece bacía de barbero, me parece a mí el yelmo de Mambrino, y a otro le parecerá otra cosa. Y fue rara providencia del sabio que es de mi parte hacer que parezca
bacía a todos lo que real y verdaderamente es yelmo de
Mambrino, a causa que, siendo él de tanta estima, todo
el mundo me perseguirá[17] por quitármele; pero como
ven que no es más que un bacín de barbero, no se curan
de procuralle, como se mostró bien en el que quiso rom-
pelle y lo dejó en el suelo sin llevarle; que a fe que si
le conociera, que nunca él le dejara. Guárdale, amigo,
que por ahora no le he menester; que antes me tengo
de quitar todas estas armas, y quedar desnudo como
cuando nací, si es que me da en voluntad de seguir en
mi penitencia más a Roldán que a Amadís[18].

---

[16] *güero*, huero, vacío.
[17] *perseguirá* en la primera edición; generalmente, se enmienda
en *perseguiría*.
[18] A continuación intercala J. E. Hartzenbusch, en su edición del
Quijote (Argamasilla de Alba, 1863, tomo I, 258) el pasaje del robo
del rucio de Sancho que apareció por vez primera en la segunda

Llegaron, en estas pláticas, al pie de una alta montaña, que, casi como peñón tajado, estaba sola entre otras muchas que la rodeaban. Corría por su falda un manso arroyuelo, y hacíase por toda su redondez un prado tan verde y vicioso, que daba contento a los ojos que le miraban. Había por allí muchos árboles silvestres y algunas plantas y flores, que hacían el lugar apacible. Este sitio escogió el Caballero de la Triste Figura para hacer su penitencia; y así, en viéndole, comenzó a decir en voz alta, como si estuviera sin juicio:

—Éste es el lugar, ¡oh cielos!, que diputo y escojo para llorar la desventura en que vosotros mesmos me habéis puesto. Éste es el sitio donde el humor de mis ojos acrecentará las aguas deste pequeño arroyo, y mis continos y profundos sospiros moverán a la contina las hojas destos montaraces árboles, en testimonio y señal de la pena que mi asendereado corazón padece. ¡Oh vosotros, quienquiera que seáis, rústicos dioses que en este inhabitable lugar tenéis vuestra morada, oíd las quejas deste desdichado amante, a quien una luenga ausencia y unos imaginados celos han traído a lamentarse entre estas asperezas, y a quejarse de la dura condición de aquella ingrata y bella, término y fin de toda humana hermosura! ¡Oh vosotras, napeas y dríadas[19], que tenéis por costumbre de habitar en las espesuras de los montes, así los ligeros y lascivos sátiros, de quien sois, aunque en vano, amadas, no perturben jamás vuestro dulce sosiego, que me ayudéis a lamentar mi desventura, o, a lo menos, no os canséis de oílla! ¡Oh Dulcinea del Toboso, día de mi noche, gloria de mi pena, norte de mis caminos, estrella de mi ventura, así el cielo te la dé buena en cuanto acertares a pedirle, que consideres el lugar y estado a que tu ausencia me ha conducido, y que con buen término correspondas al que a mi fe se le debe! ¡Oh solitarios árboles, que desde hoy en adelante habéis de hacer compañía a mi soledad, dad indicio, con el blando movimiento de vuestras ramas, que no os desagrade mi presencia! ¡Oh tú, escudero mío, agradable compañero en

---

edición de Juan de la Cuesta. La solución de Hartzenbusch es acertada porque desde ahora en la primera edición de Juan de la Cuesta el rucio se dará como robado.

[19] *napeas*, ninfas de los valles; *dríadas,* ninfas de los bosques.

más prósperos y adversos sucesos, toma bien en la memoria lo que aquí me verás hacer, para que lo cuentes y recites a la causa total de todo ello!

Y diciendo esto, se apeó de Rocinante, y en un momento le quitó el freno y la silla; y, dándole una palmada en las ancas, le dijo:

—Libertad te da el que sin ella queda, ¡oh caballo tan estremado por tus obras cuan desdichado por tu suerte! Vete por do quisieres; que en la frente llevas escrito que no te igualó en ligereza el Hipogrifo de Astolfo[20], ni el nombrado Frontino, que tan caro le costó a Bradamante[21].

Viendo esto Sancho, dijo:

—Bien haya quien nos quitó ahora del trabajo de desenalbardar al rucio[22]; que a fe que no faltaran palmadicas que dalle, ni cosas que decille en su alabanza; pero si él aquí estuviera, no consintiera yo que nadie le desalbardara, pues no había para qué; que a él no le tocaban las generales[23] de enamorado ni de desesperado, pues no lo estaba su amo, que era yo, cuando Dios quería. Y en verdad, señor Caballero de la Triste Figura, que si es que mi partida y su locura de vuestra merced va de veras, que será bien tornar a ensillar a Rocinante, para que supla la falta del rucio, porque será ahorrar tiempo a mi ida y vuelta; que si la hago a pie, no sé cuándo llegaré, ni cuándo volveré, porque, en resolución, soy mal caminante.

—Digo, Sancho —respondió don Quijote—, que sea como tú quisieres, que no me parece mal tu designio; y digo que de aquí a tres días te partirás, porque quiero que en este tiempo veas lo que por ella hago y digo, para que se lo digas.

—Pues ¿qué más tengo de ver —dijo Sancho— que lo que he visto?

[20] *hipogrifo*, animal fabuloso, engendro de grifo y yegua, o sea, caballo alado, que en el *Orlando furioso*, de Ariosto, monta Astolfo.
[21] *Frontino*, caballo que también figura en el *Orlando furioso* y que lo poseyó Bradamante, hermana de Reinaldos.
[22] En la primera edición del *Quijote*, ésta es la primera vez que se menciona al rucio como robado, lo que justifica el proceder de Hartzenbusch (véase la anterior nota 18).
[23] *generales*, condiciones que incapacitan para ser testigo en un procedimiento judicial (como parentesco, amistad o enemistad manifiesta, etc.).

—¡Bien estás en el cuento! —respondió don Quijote—. Ahora me falta rasgar las vestiduras, esparcir las armas, y darme de calabazadas por estas peñas, con otras cosas deste jaez, que te han de admirar.

—Por amor de Dios —dijo Sancho—, que mire vuestra merced cómo se da esas calabazadas; que a tal peña podrá llegar, y en tal punto, que con la primera se acabase la máquina desta penitencia; y sería yo de parecer que, ya que a vuestra merced le parece que son aquí necesarias calabazadas y que no se puede hacer esta obra sin ellas, se contentase, pues todo esto es fingido y cosa contrahecha y de burla, se contentase, digo, con dárselas en el agua, o en alguna cosa blanda, como algodón; y déjeme a mí el cargo, que yo diré a mi señora que vuestra merced se las daba en una punta de peña, más dura que la de un diamante.

—Yo agradezco tu buena intención, amigo Sancho —respondió don Quijote—; mas quiérote hacer sabidor de que todas estas cosas que hago no son de burlas, sino muy de veras; porque de otra manera, sería contravenir a las órdenes de caballería, que nos mandan que no digamos mentira alguna, pena de relasos[24], y el hacer una cosa por otra lo mesmo es que mentir. Ansí, que mis calabazadas han de ser verdaderas, firmes y valederas, sin que lleven nada del sofístico ni del fantástico. Y será necesario que me dejes algunas hilas[25] para curarme, pues que la ventura quiso que nos faltase el bálsamo que perdimos.

—Más fue perder el asno —respondió Sancho—, pues se perdieron en él las hilas y todo. Y ruégole a vuestra merced que no se acuerde más de aquel maldito brebaje; que en sólo oírle mentar se me revuelve el alma, no que el estómago. Y más le ruego: que haga cuenta que son ya pasados los tres días que me ha dado de término para ver las locuras que hace, que ya las doy por vistas y por pasadas en cosa juzgada, y diré maravillas a mi señora; y escriba la carta y despácheme luego, porque tengo gran deseo de volver a sacar a vuestra merced deste purgatorio donde le dejo.

—¿Purgatorio le llamas, Sancho? —dijo don Quijo-

24 *relasos*, relapsos.
25 *hilas*, vendas.

te—. Mejor hicieras de llamarle infierno, y aun peor, si hay otra cosa que lo sea.

—*Quien ha infierno* —respondió Sancho—, *nula es retencio*[26], según he oído decir.

—No entiendo qué quiere decir *retencio* —dijo don Quijote.

—*Retencio* es —respondió Sancho— que quien está en el infierno nunca sale dél, ni puede. Lo cual será al revés en vuestra merced, o a mí me andarán mal los pies, si es que llevo espuelas para avivar a Rocinante; y póngame yo una por una[27] en el Toboso, y delante de mi señora Dulcinea; que yo le diré tales cosas de las necedades y locuras, que todo es uno, que vuestra merced ha hecho y queda haciendo, que la venga a poner más blanda que un guante, aunque la halle más dura que un alcornoque; con cuya respuesta dulce y melificada volveré por los aires, como brujo, y sacaré a vuestra merced deste purgatorio, que parece infierno y no lo es, pues hay esperanza de salir dél, la cual, como tengo dicho, no la tienen de salir los que están en el infierno, ni creo que vuestra merced dirá otra cosa.

—Así es la verdad —dijo el de la Triste Figura—; pero ¿qué haremos para escribir la carta?

—Y la libranza pollinesca también —añadió Sancho.

—Todo irá inserto —dijo don Quijote—; y sería bueno, ya que no hay papel, que la escribiésemos, como hacían los antiguos, en hojas de árboles, o en unas tablitas de cera; aunque tan dificultoso será hallarse eso ahora como el papel. Mas ya me ha venido a la memoria dónde será bien, y aun más que bien, escribilla; que es en el librillo de memoria que fue de Cardenio, y tú tendrás cuidado de hacerla trasladar en papel, de buena letra, en el primer lugar que hallares, donde haya maestro de escuela de muchachos, o si no, cualquiera sacristán te la trasladará; y no se la des a trasladar a ningún

---

[26] Sancho corrompe las palabras del oficio de Difuntos *Quia in inferno nulla est redemptio,* que no es extraño que las conozca, pues las habría oído muchas veces en la iglesia de su aldea. Don Quijote no entiende *retencio* porque no se da cuenta que es una corrupción de *redemptio.*

[27] *una por una,* de hecho.

escribano, que hacen letra procesada[28], que no la enten-
derá Satanás.

—Pues ¿qué se ha de hacer de la firma? —dijo
Sancho.

—Nunca las cartas de Amadís se firman —respondió
don Quijote.

—Está bien —respondió Sancho—; pero la libranza
forzosamente se ha de firmar, y ésa, si se traslada, dirán
que la firma es falsa, y quedaréme sin pollinos.

—La libranza irá en el mesmo librillo firmada; que
en viéndola mi sobrina, no pondrá dificultad en cumpli-
lla. Y en lo que toca a la carta de amores, pondrás por
firma: «Vuestro hasta la muerte, el Caballero de la
Triste Figura». Y hará poco al caso que vaya de mano
ajena, porque, a lo que yo me sé acordar, Dulcinea no
sabe escribir ni leer, y en toda su vida ha visto letra
mía ni carta mía, porque mis amores y los suyos han
sido siempre platónicos, sin estenderse a más que a un
honesto mirar. Y aun esto tan de cuando en cuando, que
osaré jurar con verdad que en doce años que ha que la
quiero más que a la lumbre destos ojos que han de comer la tierra, no la he visto cuatro veces; y aun podrá
ser que destas cuatro veces no hubiese ella echado de ver
la una que la miraba; tal es el recato y encerramiento
con que su padre, Lorenzo Corchuelo, y su madre, Aldonza Nogales, la han criado.

—¡Ta, ta! —dijo Sancho—. ¿Que la hija de Lorenzo Corchuelo es la señora Dulcinea del Toboso, llamada
por otro nombre Aldonza Lorenzo?

—Ésa es —dijo don Quijote—, y es la que merece ser
señora de todo el Universo.

—Bien la conozco —dijo Sancho—, y sé decir que
tira tan bien una barra como el más forzudo zagal de
todo el pueblo. ¡Vive el Dador, que es moza de chapa,
hecha y derecha y de pelo en pecho, y que puede sacar
la barba del lodo[29] a cualquier caballero andante, o por
andar, que la tuviere por señora! ¡Oh hideputa, qué
rejo[30] que tiene, y qué voz! Sé decir que se puso un día

---

[28] Letra que se usaba principalmente en procesos, de muy difícil lectura.
[29] *sacar la barba del lodo*, sacar de un trance apurado.
[30] *rejo*, robustez.

encima del campanario del aldea a llamar unos zagales suyos que andaban en un barbecho de su padre, y
aunque estaban de allí más de media legua, así la oyeron
como si estuvieran al pie de la torre. Y lo mejor que tiene es que no es nada melindrosa, porque tiene mucho de
cortesana: con todos se burla y de todo hace mueca y
donaire. Ahora digo, señor Caballero de la Triste Figura, que no solamente puede y debe vuestra merced hacer
locuras por ella, sino que, con justo título, puede desesperarse y ahorcarse; que nadie habrá que lo sepa que no
diga que hizo demasiado de bien, puesto que le lleve el
diablo. Y querría ya verme en camino, sólo por vella;
que ha muchos días que no la veo, y debe de estar ya
trocada; porque gasta mucho la faz de las mujeres andar siempre al campo, al sol y al aire. Y confieso a vuestra merced una verdad, señor don Quijote: que hasta
aquí he estado en una grande ignorancia; que pensaba
bien y fielmente que la señora Dulcinea debía de ser
alguna princesa de quien vuestra merced estaba enamorado, o alguna persona tal, que mereciese los ricos presentes que vuestra merced le ha enviado, así el del vizcaíno
como el de los galeotes, y otros muchos que deben ser,
según deben de ser muchas las vitorias que vuestra merced ha ganado y ganó en el tiempo que yo aún no era
su escudero. Pero, bien considerado, ¿qué se le ha de dar
a la señora Aldonza Lorenzo, digo, a la señora Dulcinea
del Toboso, de que se le vayan a hincar de rodillas delante della los vencidos que vuestra merced le envía y ha
de enviar? Porque podría ser que al tiempo que ellos llegasen estuviese ella rastrillando lino, o trillando en las
eras, y ellos se corriesen de verla, y ella se riese y enfa-
dase del presente.

—Ya te tengo dicho antes de agora muchas veces,
Sancho —dijo don Quijote—, que eres muy grande hablador y que, aunque de ingenio boto, muchas veces des-
puntas de agudo; mas, para que veas cuán necio eres tú
y cuán discreto soy yo, quiero que me oyas un breve
cuento. Has de saber que una viuda hermosa, moza, libre
y rica, y sobre todo, desenfadada, se enamoró de un mozo
motilón[31], rollizo y de buen tomo; alcanzólo a saber su

---

[31] *motilón*, lego.

mayor[32], y un día dijo a la buena viuda, por vía de fraternal reprehensión: «Maravillado estoy, señora, y no sin »mucha causa, de que una mujer tan principal, tan her»mosa y tan rica como vuestra merced, se haya enamo»rado de un hombre tan soez, tan bajo y tan idiota como »fulano, habiendo en esta casa tantos maestros, tantos »presentados[33] y tantos teólogos, en quien vuestra merced »pudiera escoger como entre peras, y decir: Éste quiero, »aquéste no quiero». Mas ella le respondió, con mucho donaire y desenvoltura: «Vuestra merced, señor mío, está »muy engañado, y piensa muy a lo antiguo si piensa que »yo he escogido mal en fulano, por idiota que le parece; »pues para lo que yo le quiero, tanta filosofía sabe, y »más, que Aristóteles». Así que, Sancho, por lo que yo quiero a Dulcinea del Toboso, tanto vale como la más alta princesa de la tierra. Sí, que no todos los poetas que alaban damas, debajo de un nombre que ellos a su albedrío les ponen, es verdad que las tienen. ¿Piensas tú que las Amariles, las Filis, las Silvias, las Dianas, las Galateas, las Alidas y otras tales de que los libros, los romances, las tiendas de los barberos, los teatros de las comedias, están llenos, fueron verdaderamente damas de carne y hueso, y de aquellos que las celebran y celebraron? No, por cierto, sino que las más se las fingen, por dar subjeto[34] a sus versos, y porque los tengan por enamorados y por hombres que tienen valor para serlo. Y así, bástame a mí pensar y creer que la buena de Aldonza Lorenzo es hermosa y honesta; y en lo del linaje importa poco, que no han de ir a hacer la información dél para darle algún hábito[35], y yo me hago cuenta que es la más alta princesa del mundo. Porque has de saber, Sancho, si no lo sabes, que dos cosas solas incitan a amar más que otras; que son la mucha hermosura y la buena fama, y estas dos cosas se hallan consumadamente en Dulcinea, porque en ser hermosa ninguna le iguala, y en la buena fama, pocas le llegan. Y para concluir con todo, yo imagino que todo lo que

---

[32] *mayor*, superior.
[33] *presentado*, teólogo que aún no ha recibido el grado de maestro.
[34] *subjeto*, tema, materia.
[35] Se refiere a las informaciones sobre nobleza de los antepasados y limpieza de sangre que se hacían cuando alguien pretendía recibir el *hábito* de alguna orden militar (Santiago, Calatrava, etc.).

digo es así, sin que sobre ni falte nada, y píntola en mi imaginación como la deseo, así en la belleza como en la principalidad, y ni la llega Elena, ni la alcanza Lucrecia, ni otra alguna de las famosas mujeres de las edades pretéritas, griega, bárbara o latina. Y diga cada uno lo que quisiere; que si por esto fuere reprehendido de los ignorantes, no seré castigado de los rigurosos.

—Digo que en todo tiene vuestra merced razón —respondió Sancho—, y que yo soy un asno. Mas no sé yo para qué nombro asno en mi boca, pues no se ha de mentar la soga en casa del ahorcado. Pero venga la carta, y a Dios, que me mudo[36].

Sacó el libro de memoria don Quijote, y, apartándose a una parte, con mucho sosiego comenzó a escribir la carta, y en acabándola, llamó a Sancho y le dijo que se la quería leer, porque la tomase de memoria, si acaso se le perdiese por el camino, porque de su desdicha todo se podía temer. A lo cual respondió Sancho:

—Escríbala vuestra merced dos o tres veces ahí en el libro, y démele, que yo le llevaré bien guardado; porque pensar que yo la he de tomar en la memoria es disparate; que la tengo tan mala, que muchas veces se me olvida cómo me llamo. Pero, con todo eso, dígamela vuestra merced, que me holgaré mucho de oílla, que debe de ir como de molde.

—Escucha, que así dice —dijo don Quijote:

Carta de don Quijote a Dulcinea del Toboso

Soberana y alta señora:
El ferido de punta de ausencia y el llagado de las telas del corazón, dulcísima Dulcinea del Toboso, te envía la salud que él no tiene. Si tu fermosura me desprecia, si tu valor no es en mi pro, si tus desdenes son en mi afincamiento, maguer que yo sea asaz de sufrido, mal podré sostenerme en esta cuita, que, además de ser fuerte, es muy duradera. Mi buen escudero Sancho te dará entera relación, ¡oh bella ingrata, amada enemiga mía!, del modo que por tu causa quedo: si gustares de acorrerme, tuyo soy; y si no, haz lo que te viniere en gusto; que con

---

[36] *a Dios, que me mudo,* fórmula de despedida.

*acabar mi vida habré satisfecho a tu crueldad y a mi
deseo.*

    Tuyo hasta la muerte,

EL CABALLERO DE LA TRISTE FIGURA[37].

—Por vida de mi padre —dijo Sancho en oyendo la
carta—, que es la más alta cosa que jamás he oído. ¡Pesia
a mí, y cómo que le dice vuestra merced ahí todo cuanto
quiere, y qué bien que encaja en la firma *El Caballero de
la Triste Figura*! Digo de verdad que es vuestra merced
el mesmo diablo, y que no hay cosa que no sepa.

—Todo es menester —respondió don Quijote— para
el oficio que trayo.

—Ea, pues —dijo Sancho—, ponga vuestra merced
en esotra vuelta la cédula de los tres pollinos, y fírmela
con mucha claridad, porque la conozcan en viéndola.

—Que me place —dijo don Quijote.

Y habiéndola escrito, se la leyó, que decía ansí:

*Mandará vuestra merced, por esta primera de polli-
nos, señora sobrina, dar a Sancho Panza, mi escudero,
tres de los cinco que dejé en casa y están a cargo de
vuestra merced. Los cuales tres pollinos se los mando librar y pagar por otros tantos aquí recebidos de contado,
que consta, y con su carta de pago serán bien dados. Fecha en las entrañas de Sierra Morena a veinte y dos de
agosto deste presente año*[38].

[37] Esta carta, no tan sólo está llena de arcaísmos (*ferido, fermosura, afincamiento,* congoja, *maguer,* aunque), sino que es una imitación burlesca de las epístolas amatorias que se insertan en los
libros de caballerías. Así, en el *Florisel de Niquea*: «Soberana y hermosa reina:... La salud que quitarme querías, te envío con dalla
al que me la quería quitar para acrecentalla más en la obligación
de tu servicio». En el *Caballero de la Cruz*: «El caballero de Cupido a la sin par princesa Cupidea da salud, si alguna me queda
estando privado del resplandor de tu divina vista, con... verme
agora ansí como alanzado de tan divino favor, no sé qué me hacer,
salvo dar fin a esta mísera vida para acabar de pasar tantos males como contino padezco». En *Don Olivante de Laura*: «La princesa Lucenda a quien la ventura en su mayor alegría le mostró la
más crecida tristeza, al descuidado príncipe de Macedonia la salud
que con su ausencia le falta, con toda voluntad envía». Y Oriana,
en el sobrescrito de la carta en que comunicó a Amadís de Gaula
su decisión de no verle más (lo que produjo la penitencia de la
Peña Pobre), escribió: «Yo soy la doncella ferida de punta de espada por el corazón, y vos sois el que me feristes».
[38] Obsérvese que las libranzas y letras de cambio actuales todavía mantienen un arcaico formulismo (*se servirá por esta primera,* etc.) muy similar al de ésta, de clara intención burlesca.

—Buena está —dijo Sancho—: fírmela vuestra merced.

—No es menester firmarla —dijo don Quijote—, sino solamente poner mi rúbrica, que es lo mesmo que firma, y para tres asnos, y aun para trecientos, fuera bastante.

—Yo me confío de vuestra merced —respondió Sancho—. Déjeme, iré a ensillar a Rocinante, y aparéjese vuestra merced a echarme su bendición; que luego pienso partirme, sin ver las sandeces que vuestra merced ha de hacer, que yo diré que le vi hacer tantas, que no quiera más.

—Por lo menos, quiero, Sancho, y porque es menester ansí, quiero, digo, que me veas en cueros, y hacer una o dos docenas de locuras, que las haré en menos de media hora, porque habiéndolas tú visto por tus ojos, puedas jurar a tu salvo en las demás que quisieres añadir; y asegúrote que no dirás tú tantas cuantas yo pienso hacer.

—Por amor de Dios, señor mío, que no vea yo en cueros a vuestra merced, que me dará mucha lástima y no podré dejar de llorar; y tengo tal la cabeza, del llanto que anoche hice por el rucio, que no estoy para meterme en nuevos lloros; y si es que vuestra merced gusta de que yo vea algunas locuras, hágalas vestido, breves y las que le vinieren más a cuento. Cuanto más, que para mí no era menester nada deso, y, como ya tengo dicho, fuera ahorrar el camino de mi vuelta, que ha de ser con las nuevas que vuestra merced desea y merece. Y si no, aparéjese la señora Dulcinea; que si no responde como es razón, voto hago solene a quien puedo[39] que le tengo de sacar la buena respuesta del estómago a coces y a bofetones. Porque, ¿dónde se ha de sufrir que un caballero andante, tan famoso como vuestra merced, se vuelva loco, sin qué ni para qué, por una...? No me lo haga decir la señora, porque por Dios que despotrique y lo eche todo a doce, aunque nunca se venda[40]. ¡Bonico soy yo para eso! ¡Mal me conoce! ¡Pues a fe que si me conociese, que me ayunase[41]!

—Así, Sancho —dijo don Quijote—, que, a lo que parece, que no estás tú más cuerdo que yo.

[39] Eufemismo: «voto a Dios».
[40] «lo eche todo a rodar, sin prevenir las consecuencias».
[41] *me ayunase*, me respetase.

—No estoy tan loco —respondió Sancho—; mas estoy más colérico. Pero, dejando esto aparte, ¿qué es lo que ha de comer vuestra merced en tanto que yo vuelvo? ¿Ha de salir al camino, como Cardenio, a quitárselo a los pastores?

—No te dé pena ese cuidado —respondió don Quijote—, porque, aunque tuviera, no comiera otra cosa que las yerbas y frutos que este prado y estos árboles me dieren; que la fineza de mi negocio está en no comer y en hacer otras asperezas equivalentes. A Dios, pues.

—Pero, ¿sabe vuestra merced qué temo? Que no tengo de acertar a volver a este lugar donde agora le dejo, según está de escondido.

—Toma bien las señas, que yo procuraré no apartarme destos contornos —dijo don Quijote—, y aun tendré cuidado de subirme por estos más altos riscos, por ver si te descubro cuando vuelvas. Cuanto más, que lo más acertado será, para que no me yerres y te pierdas, que cortes algunas retamas de las muchas que por aquí hay, y las vayas poniendo de trecho en trecho, hasta salir a lo raso, las cuales te servirán de mojones y señales para que me halles cuando vuelvas, a imitación del hilo del laberinto de Perseo[42].

—Así lo haré —respondió Sancho Panza.

Y cortando algunos[43], pidió la bendición a su señor, y, no sin muchas lágrimas de entrambos, se despidió dél. Y subiendo sobre Rocinante, a quien don Quijote encomendó mucho, y que mirase por él como por su propria persona, se puso en camino del llano, esparciendo de trecho a trecho los ramos de la retama, como su amo se lo había aconsejado. Y así se fue, aunque todavía le importunaba don Quijote que le viese siquiera hacer dos locuras. Mas no hubo andado cien pasos, cuando volvió y dijo:

—Digo, señor, que vuestra merced ha dicho muy bien: que para que pueda jurar sin cargo de conciencia que le he visto hacer locuras, será bien que vea siquiera una,

---

[42] Fue Teseo, y no Perseo, quien acertó a salir del laberinto de Creta. El error es indiscutiblemente de Cervantes, pues sería extraordinario que una errata de imprenta adquiriera la forma del nombre de un personaje de la Grecia antigua.

[43] algunos [ramos de retama].

aunque bien grande la he visto en la quedada de vuestra
merced.

—¿No te lo decía yo? —dijo don Quijote—. Espérate, Sancho, que en un credo las haré.

Y desnudándose con toda priesa los calzones, quedó
en carnes y en pañales, y luego, sin más ni más, dio dos
zapatetas en el aire y dos tumbas[44] la cabeza abajo y los
pies en alto, descubriendo cosas que, por no verlas otra
vez, volvió Sancho la rienda a Rocinante, y se dio por
contento y satisfecho de que podía jurar que su amo quedaba loco. Y así, le dejaremos ir su camino, hasta la vuelta, que fue breve.

CAPÍTULO XXVI

Donde se prosiguen las finezas que de enamorado hizo don Quijote en Sierra Morena

Y volviendo a contar lo que hizo el de la Triste Figura
después que se vio solo, dice la historia que, así como
don Quijote acabó de dar las tumbas o vueltas de medio
abajo desnudo y de medio arriba vestido, y que vio que
Sancho se había ido, sin querer aguardar a ver más sandeces, se subió sobre una punta de una alta peña, y allí
tornó a pensar lo que otras muchas veces había pensado,
sin haberse jamás resuelto en ello; y era que cuál sería
mejor y le estaría más a cuento: imitar a Roldán en las
locuras desaforadas que hizo, o Amadís en las malencó-
nicas; y hablando entre sí mesmo, decía:

—Si Roldán fue tan buen caballero y tan valiente
como todos dicen, ¿qué maravilla, pues, al fin era encantado, y no le podía matar nadie si no era metiéndole un
alfiler de a blanca por la punta del pie, y él traía siempre
los zapatos con siete suelas de hierro? Aunque no le valieron tretas contra Bernardo del Carpio, que se las entendió, y le ahogó entre los brazos, en Roncesvalles. Pero,
dejando en él lo de la valentía a una parte, vengamos a
lo de perder el juicio, que es cierto que le perdió, por las

---

[44] *tumbas*, volteretas.

señales que halló en la Fortuna[1] y por las nuevas que le dio el pastor de que Angélica había dormido más de dos siestas con Medoro, un morillo de cabellos enrizados y paje de Agramante; y si él entendió que esto era verdad y que su dama le había cometido desaguisado, no hizo mucho en volverse loco; pero yo, ¿cómo puedo imitalle en las locuras, si no le imito en la ocasión dellas? Porque mi Dulcinea del Toboso osaré yo jurar que no ha visto en todos los días de su vida moro alguno, ansí como él es, en su mismo traje, y que se está hoy como la madre que la parió; y haríale agravio manifiesto si, imaginando otra cosa della, me volviese loco de aquel género de locura de Roldán el furioso. Por otra parte, veo que Amadís de Gaula, sin perder el juicio y sin hacer locuras, alcanzó tanta fama de enamorado como el que más; porque lo que hizo, según su historia, no fue más de que, por verse desdeñado de su señora Oriana, que le había mandado que no pareciese ante su presencia hasta que fuese su voluntad, de que se retiró a la Peña Pobre en compañía de un ermitaño, y allí se hartó de llorar y de encomendarse a Dios, hasta que el cielo le acorrió, en medio de su mayor cuita y necesidad. Y si esto es verdad, como lo es, ¿para qué quiero yo tomar trabajo agora de desnudarme del todo, ni dar pesadumbre a estos árboles, que no me han hecho mal alguno? Ni tengo para qué enturbiar el agua clara destos arroyos, los cuales me han de dar de beber cuando tenga gana. Viva la memoria de Amadís, y sea imitado de don Quijote de la Mancha en todo lo que pudiere; del cual se dirá lo que del otro se dijo: que si no acabó grandes cosas, murió por acometellas; y si yo no soy desechado ni desdeñado de Dulcinea del Toboso, bástame, como ya he dicho, estar ausente della. Ea, pues, manos a la obra: venid a mi memoria cosas de Amadís, y enseñadme por dónde tengo que comenzar a imitaros. Mas ya sé que lo que más que él hizo fue rezar y enco-

---

[1] *Fortuna* en todas las ediciones primitivas; las modernas enmiendan *fontana* porque Orlando encontró el epigrama de Medoro encima de una *fuente*. Pero es el caso que en esta inscripción Medoro se dirige a cualquiera que llegue a aquel lugar guiado por su propia voluntad «o Fortuna», o sea, acaso, y Orlando entró en la cueva «por casualidad». Aunque esta interpretación es un poco forzada y no da una solución perfecta, permite conservar la lectura de las ediciones primitivas.

mendarse a Dios[2]; pero, ¿qué haré de rosario, que no le tengo?

En esto le vino al pensamiento cómo le haría, y fue que rasgó una gran tira de las faldas de la camisa, que andaban colgando, y diole once ñudos, el uno más gordo que los demás, y esto le sirvió de rosario el tiempo que allí estuvo, donde rezó un millón de avemarías[3]. Y lo que le fatigaba mucho era no hallar por allí otro ermitaño que le confesase y con quien consolarse. Y así, se entretenía paseándose por el pradecillo, escribiendo y grabando por las cortezas de los árboles y por la menuda arena muchos versos, todos acomodados a su tristeza, y algunos en alabanza de Dulcinea. Mas los que se pudieron hallar enteros y que se pudiesen leer después que a él allí le hallaron, no fueron más que estos que aquí se siguen:

> Árboles, yerbas y plantas
> que en aqueste sitio estáis,
> tan altos, verdes y tantas,
> si de mi mal no os holgáis,
> escuchad mis quejas santas.
>   Mi dolor no os alborote,
> aunque más terrible sea;
> pues, por pagaros escote,
> aquí lloró don Quijote
> ausencias de Dulcinea
>   del Toboso.
>
>   Es aquí el lugar adonde
> el amador más leal
> de su señora se esconde,
> y ha venido a tanto mal
> sin saber cómo o por dónde.
>   Tráele amor al estricote[4],

---

[2] y [3] Desde *y encomendarse a Dios* hasta *un millón de avemarías* es sustituido en la segunda edición de Juan de la Cuesta de 1605 y siguientes, por «y así lo haré yo. Y sirviéronle de rosario unas agallas grandes de un alcornoque, que ensartó, de que hizo un diez». Nada justifica la opinión de que fuera el propio Cervantes quien enmendara aquellas palabras por poder parecerle irreverentes. La Inquisición portuguesa, en 1624, censuró únicamente las palabras «rasgó una gran tira de las faldas de la camisa, que andaban colgando».

[4] *al estricote*, sin sosiego.

que es de muy mala ralea;
y así, hasta henchir un pipote[5],
aquí lloró don Quijote
ausencias de Dulcinea
del Toboso.

Buscando las aventuras
por entre las duras peñas,
maldiciendo entrañas duras,
que entre riscos y entre breñas
halla el triste desventuras,
hirióle amor con su azote,
no con su blanda correa;
y en tocándole el cogote,
aquí lloró don Quijote
ausencias de Dulcinea
del Toboso.

No causó poca risa en los que hallaron los versos referidos el añadidura *del Toboso* al nombre de Dulcinea, porque imaginaron que debió de imaginar don Quijote que si en nombrando a Dulcinea no decía también *del Toboso*, no se podría entender la copla; y así fue la verdad, como él después confesó. Otros muchos escribió; pero, como se ha dicho, no se pudieron sacar en limpio, ni enteros, más destas tres coplas. En esto, y en suspirar, y en llamar a los faunos y silvanos de aquellos bosques, a las ninfas de los ríos, a la dolorosa y húmida Eco, que le respondiese, consolasen y escuchasen, se entretenía, y en buscar algunas yerbas con que sustentarse en tanto que Sancho volvía; que, si como tardó tres días, tardara tres semanas, el Caballero de la Triste Figura quedara tan desfigurado, que no le conociera la madre que lo parió.

Y será bien dejalle envuelto entre sus suspiros y versos, por contar lo que le avino a Sancho Panza en su mandadería; y fue que, en saliendo al camino real, se puso en busca del del Toboso, y otro día[6] llegó a la venta donde le había sucedido la desgracia de la manta; y no la hubo bien visto, cuando le pareció que otra vez andaba en los

---

[5] *pipote*, barril. Obsérvese que las palabras que riman con Quijote suelen ser grotescas.
[6] *otro día*, el día siguiente.

aires, y no quiso entrar dentro, aunque llegó a hora que lo pudiera y debiera hacer, por ser la del comer y llevar en deseo de gustar algo caliente; que había grandes días que todo era fiambre.

Esta necesidad le forzó a que llegase junto a la venta, todavía dudoso si entraría o no; y estando en esto, salieron de la venta dos personas que luego le conocieron. Y dijo el uno al otro:

—Dígame, señor licenciado, aquel del caballo, ¿no es Sancho Panza, el que dijo el ama de nuestro aventurero que había salido con su señor por escudero?

—Sí es —dijo el licenciado—; y aquél es el caballo de nuestro don Quijote.

Y conociéronle tan bien, como aquellos que eran el cura y el barbero de su mismo lugar, y los que hicieron el escrutinio y acto general[7] de los libros. Los cuales, así como acabaron de conocer a Sancho Panza y a Rocinante, deseosos de saber de don Quijote, se fueron a él, y el cura le llamó por su nombre, diciéndole:

—Amigo Sancho Panza, ¿adónde queda vuestro amo?

Conociólos luego Sancho Panza, y determinó de encubrir el lugar y la suerte donde y como su amo quedaba; y así, les respondió que su amo quedaba ocupado en cierta parte y en cierta cosa que le era de mucha importancia, la cual él no podía descubrir, por los ojos que en la cara tenía.

—No, no —dijo el barbero—, Sancho Panza; si vos no nos decís dónde queda, imaginaremos, como ya imaginamos, que vos le habéis muerto y robado, pues venís encima de su caballo. En verdad que nos habéis de dar el dueño del rocín, o sobre eso, morena[8].

—No hay para qué conmigo amenazas, que yo no soy hombre que robo ni mato a nadie: a cada uno mate su ventura, o Dios, que le hizo. Mi amo queda haciendo penitencia en la mitad desta montaña, muy a su sabor.

Y luego, de corrida y sin parar, les contó de la suerte que quedaba, las aventuras que le habían sucedido, y cómo llevaba la carta a la señora Dulcinea del Toboso, que era la hija de Lorenzo Corchuelo, de quien estaba enamorado hasta los hígados.

---

[7] *acto general*, auto de fe.
[8] *o, sobre eso, morena*, amenaza en tono de burla.

Quedaron admirados los dos de lo que Sancho Panza les contaba; y aunque ya sabían la locura de don Quijote y el género della, siempre que la oían se admiraban de nuevo. Pidiéronle a Sancho Panza que les enseñase la carta que llevaba a la señora Dulcinea del Toboso. Él dijo que iba escrita en un libro de memoria, y que era orden de su señor que la hiciese trasladar en papel en el primer lugar que llegase; a lo cual dijo el cura que se la mostrase; que él la trasladaría de muy buena letra. Metió la mano en el seno Sancho Panza, buscando el librillo, pero no le halló, ni le podía hallar si le buscara hasta agora, porque se había quedado don Quijote con él, y no se le había dado, ni a él se le acordó de pedírsele.

Cuando Sancho vio que no hallaba el libro, fuésele parando mortal el rostro; y tornándose a tentar todo el cuerpo muy apriesa, tornó a echar de ver que no le hallaba, y, sin más ni más, se echó entrambos puños a las barbas, y se arrancó la mitad de ellas, y luego, apriesa y sin cesar, se dio media docena de puñadas en el rostro y en las narices, que se las bañó todas en sangre. Visto lo cual por el cura y el barbero, le dijeron que qué le había sucedido, que tan mal se paraba.

—¿Qué me ha de suceder —respondió Sancho—, sino el haber perdido de una mano a otra, en un estante[9], tres pollinos, que cada uno era como un castillo?

—¿Cómo es eso? —replicó el barbero.

—He perdido el libro de memoria —respondió Sancho—, donde venía carta para Dulcinea, y una cédula firmada de su[10] señor, por la cual mandaba que su sobrina me diese tres pollinos, de cuatro o cinco que estaban en casa.

Y con esto, les contó la pérdida del rucio. Consolóle el cura, y díjole que, en hallando a su señor, él le haría revalidar la manda y que tornase a hacer la libranza en papel, como era uso y costumbre, porque las que se hacían en libros de memoria jamás se acetaban ni cumplían.

Con esto se consoló Sancho, y dijo que, como aquello fuese ansí, que no le daba mucha pena la pérdida de la

---

9 *estante*, instante.
10 *su* de la *sobrina*, que viene luego.

carta de Dulcinea, porque él la sabía casi de memoria, de la cual se podría trasladar donde y cuando quisiesen.

—Decildo, Sancho, pues —dijo el barbero—; que después la trasladaremos.

Paróse Sancho Panza a rascar la cabeza, para traer a la memoria la carta, y ya se ponía sobre un pie, y ya sobre otro; unas veces miraba al suelo, otras al cielo, y al cabo de haberse roído la mitad de la yema de un dedo, teniendo suspensos a los que esperaban que ya la dijese, dijo al cabo de grandísimo rato:

—Por Dios, señor licenciado, que los diablos lleven la cosa que de la carta se me acuerda; aunque en el principio decía: «Alta y sobajada[11] señora».

—No diría —dijo el barbero— *sobajada*, sino sobrehumana o soberana señora.

—Así es —dijo Sancho—. Luego, si mal no me acuerdo, proseguía..., si mal no me acuerdo: «el llego[12] y falto de sueño, y el ferido besa a vuestra merced las manos, ingrata y muy desconocida hermosa», y no sé qué decía de salud y de enfermedad que le enviaba, y por aquí iba escurriendo, hasta que acababa en «Vuestro hasta la muerte, el Caballero de la Triste Figura».

No poco gustaron los dos de ver la buena memoria de Sancho Panza, y alabáronsela mucho, y le pidieron que dijese la carta otras dos veces, para que ellos, ansimesmo, la tomasen de memoria para trasladalla a su tiempo. Tornóla a decir Sancho otras tres veces, y otras tantas volvió a decir otros tres mil disparates. Tras esto, contó asimesmo las cosas de su amo; pero no habló palabra acerca del manteamiento que le había sucedido en aquella venta en la cual rehusaba entrar. Dijo también como su señor, en trayendo que le trujese buen despacho de la señora Dulcinea del Toboso, se había de poner en camino a procurar cómo ser emperador, o, por lo menos, monarca; que así lo tenían concertado entre los dos, y era cosa muy fácil venir a serlo, según era el valor de su persona y la fuerza de su brazo; y que en siéndolo, le había de casar a él, porque ya sería viudo, que no podía ser menos, y le había de dar por mujer a una doncella de la empe-

[11] *sobajada*, manoseada, sobada.
[12] *llego*, pronunciación rústica de «lego».

ratriz, heredera de un rico y grande estado de tierra firme, sin ínsulos ni ínsulas, que ya no las quería.

Decía esto Sancho con tanto reposo, limpiándose de cuando en cuando las narices, y con tan poco juicio, que los dos se admiraron de nuevo, considerando cuán vehemente había sido la locura de don Quijote, pues había llevado tras sí el juicio de aquel pobre hombre. No quisieron cansarse en sacarle del error en que estaba, pareciéndoles que, pues no le dañaba nada la conciencia, mejor era dejarle en él, y a ellos les sería de más gusto oír sus necedades. Y así, le dijeron que rogase a Dios por la salud de su señor; que cosa contingente y muy agible[13] era venir, con el discurso del tiempo, a ser emperador, como él decía, o, por lo menos, arzobispo, o otra dignidad equivalente. A lo cual respondió Sancho:

—Señores, si la fortuna rodease las cosas de manera que a mi amo le viniese en voluntad de no ser emperador, sino de ser arzobispo, querría yo saber agora: ¿Qué suelen dar los arzobispos andantes a sus escuderos?

—Suélenles dar —respondió el cura—, algún beneficio, simple o curado, o alguna sacristanía, que les vale mucho de renta rentada[14], amén del pie de altar[15], que se suele estimar en otro tanto.

—Para eso será menester —replicó Sancho— que el escudero no sea casado, y que sepa ayudar a misa, por lo menos; y si esto es así, ¡desdichado de yo, que soy casado y no sé la primera letra del abecé! ¿Qué será de mí si a mi amo le da antojo de ser arzobispo, y no emperador, como es uso y costumbre de los caballeros andantes?

—No tengáis pena, Sancho amigo —dijo el barbero—; que aquí rogaremos a vuestro amo, y se lo aconsejaremos, y aun se lo pondremos en caso de conciencia, que sea emperador y no arzobispo, porque le será más fácil, a causa de que él es más valiente que estudiante.

—Así me ha parecido a mí —respondió Sancho—; aunque sé decir que para todo tiene habilidad. Lo que yo pienso hacer de mi parte es rogarle a Nuestro Señor que

---

[13] *agible,* factible, hacedera.
[14] *renta rentada,* la renta estable y fija, a diferencia de la eventual.
[15] *pie de altar,* emolumentos que perciben los eclesiásticos por las funciones que ejercen, aparte de las rentas fijas o beneficios.

le eche a aquellas partes donde él más se sirva y adonde a mí más mercedes me haga.

—Vos lo decís como discreto —dijo el cura—, y lo haréis como buen cristiano. Mas lo que ahora se ha de hacer es dar orden como sacar a vuestro amo de aquella inútil penitencia que decís que queda haciendo; y para pensar el modo que hemos de tener, y para comer, que ya es hora, será bien nos entremos en esta venta.

Sancho dijo que entrasen ellos, que él esperaría allí fuera, y que después les diría la causa por que no entraba ni le convenía entrar en ella; mas que les rogaba que le sacasen allí algo de comer que fuese cosa caliente, y, ansimismo, cebada para Rocinante. Ellos se entraron y le dejaron, y de allí a poco el barbero le sacó de comer. Después, habiendo bien pensado entre los dos el modo que tendrían para conseguir lo que deseaban, vino el cura en un pensamiento muy acomodado al gusto de don Quijote, y para lo que ellos querían; y fue que dijo al barbero que lo que había pensado era que él se vestiría en hábito de doncella andante, y que él procurase ponerse lo mejor que pudiese como escudero, y que así irían adonde don Quijote estaba, fingiendo ser ella una doncella afligida y menesterosa, y le pediría un don, el cual él no podría dejársele de otorgar, como valeroso caballero andante. Y que el don que le pensaba pedir era que se viniese con ella donde ella le llevase, a desfacelle un agravio que un mal caballero le tenía fecho; y que le suplicaba, ansimesmo, que no la mandase quitar su antifaz, ni la demandase cosa de su facienda, fasta que le hubiese fecho[16] derecho de aquel mal caballero; y que creyese, sin duda, que don Quijote vendría en todo cuanto le pidiese por este término, y que desta manera le sacarían de allí, y le llevarían a su lugar, donde procurarían ver si tenía algún remedio su estraña locura.

[16] Lenguaje arcaizante (*desfacelle, fecho, facienda, fasta*), ironizando Cervantes por su propia cuenta.

CAPÍTULO XXVII

DE CÓMO SALIERON CON SU INTENCIÓN EL CURA Y EL BAR-
BERO, CON OTRAS COSAS DIGNAS DE QUE SE CUENTEN EN
ESTA GRANDE HISTORIA*

No le pareció mal al barbero la invención del cura, sino tan bien, que luego la pusieron por obra. Pidié-
ronle a la ventera una saya y unas tocas, dejándole en prendas una sotana nueva del cura. El barbero hizo una gran barba de una cola rucia o roja de buey, donde el ventero tenía colgado el peine. Preguntóles la ventera que para qué le pedían aquellas cosas. El cura le contó en breves razones la locura de don Quijote, y cómo convenía aquel disfraz para sacarle de la montaña, donde a la sazón estaba. Cayeron luego el ventero y la ventera en que el loco era su huésped, el del bálsamo, y el amo del manteado escudero, y contaron al cura todo lo que con él les había pasado, sin callar lo que tanto callaba Sancho. En resolución, la ventera vistió al cura de modo que no ha-
bía más que ver: púsole una saya de paño, llena de fajas de terciopelo negro de un palmo en ancho, todas acuchi-
lladas, y unos corpiños de terciopelo verde, guarnecidos con unos ribetes de raso blanco, que se debieron de hacer, ellos y la saya, en tiempo del rey Wamba. No consintió el cura que le tocasen[1], sino púsose en la cabeza un birre-
tillo de lienzo colchado que llevaba para dormir de no-
che, y ciñóse por la frente una liga de tafetán negro, y con otra liga hizo un antifaz, con que se cubrió muy bien las barbas y el rostro; encasquetóse su sombrero, que era tan grande que le podía servir de quitasol, y cubriéndose su herreruelo[2], subió en su mula a mujeriegas, y el bar-

* Cardenio relata su historia. Rodríguez Marín (II, 340) consi-
dera que los personajes que en ella figuran corresponden a seres reales, y que don Fernando es don Pedro Girón (nacido en 1557), hijo segundo del primer duque de Osuna; Dorotea, doña María Torres, que fue seducida por don Pedro, aunque no llegó a casarse con ella; Cardenio, un miembro de la familia cordobesa Cár-
denas (aunque no estudia este aspecto concreto, véase Dámaso Alonso, *Lope, don Pedro de Cárdenas y los Cardenios*, «Revista de Filología Española», XL, 1956, 67-90).
[1] *tocar* en el sentido de «cubrir la cabeza».
[2] *herreruelo*, o «ferreruelo», capa corta.

bero en la suya, con su barba que le llegaba a la cintura, entre roja y blanca, como aquella que, como se ha dicho, era hecha de la cola de un buey barroso[3].

Despidiéronse de todos, y de la buena de Maritornes, que prometió de rezar un rosario, aunque pecadora, porque Dios les diese buen suceso en tan arduo y tan cristiano negocio como era el que habían emprendido.

Mas, apenas hubo salido de la venta, cuando le vino al cura un pensamiento: que hacía mal en haberse puesto de aquella manera, por ser cosa indecente que un sacerdote se pusiese así, aunque le fuese mucho en ello; y diciéndoselo al barbero, le rogó que trocasen trajes, pues era más justo que él fuese la doncella menesterosa, y que él haría el escudero, y que así se profanaba menos su dignidad; y que si no lo quería hacer, determinaba de no pasar adelante, aunque a don Quijote se le llevase el diablo.

En esto llegó Sancho, y de ver a los dos en aquel traje no pudo tener la risa. En efeto, el barbero vino en todo aquello que el cura quiso, y, trocando la invención, el cura le fue informando el modo que había de tener, y las palabras que había de decir a don Quijote para moverle y forzarle a que con él se viniese, y dejase la querencia del lugar que había escogido para su vana penitencia. El barbero respondió que, sin que se le diese lición, él lo pondría bien en su punto. No quiso vestirse por entonces, hasta que estuviesen junto de donde don Quijote estaba, y así, dobló sus vestidos, y el cura acomodó su barba, y siguieron su camino, guiándolos Sancho Panza; el cual les fue contando lo que les aconteció con el loco que hallaron en la sierra, encubriendo, empero, el hallazgo de la maleta y de cuanto en ella venía; que maguer[4] que tonto, era un poco codicioso el mancebo.

Otro día[5] llegaron al lugar donde Sancho había dejado puestas las señales de las ramas para acertar el lugar donde había dejado a su señor; y, en reconociéndole, les dijo como aquélla era la entrada, y que bien se podían vestir, si era que aquello hacía al caso para la libertad de su señor; porque ellos le habían dicho antes que el ir de

---

[3] *barroso*, de pelaje rojizo.
[4] *maguer*, aunque.
[5] *Otro día*, el día siguiente.

aquella suerte y vestirse de aquel modo era toda la importancia para sacar a su amo de aquella mala vida que había escogido, y que le encargaban mucho que no dijese a su amo quién ellos eran, ni que los conocía; y que si le preguntase, como se lo había de preguntar, si dio la carta a Dulcinea, dijese que sí, y que, por no saber leer, le había respondido de palabra, diciéndole que le mandaba, so pena de la su desgracia, que luego al momento se viniese a ver con ella, que era cosa que le importaba mucho; porque con esto y con lo que ellos pensaban decirle tenían por cosa cierta reducirle a mejor vida, y hacer con él que luego se pusiese en camino para ir a ser emperador o monarca; que en lo de ser arzobispo no había de qué temer.

Todo lo escuchó Sancho, y lo tomó muy bien en la memoria, y les agradeció mucho la intención que tenían de aconsejar a su señor fuese emperador y no arzobispo, porque él tenía para sí que, para hacer mercedes a sus escuderos, más podían los emperadores que los arzobispos andantes. También les dijo que sería bien que él fuese delante a buscarle y darle la respuesta de su señora; que ya sería ella bastante a sacarle de aquel lugar, sin que ellos se pusiesen en tanto trabajo. Parecióles bien lo que Sancho Panza decía, y así, determinaron de aguardarle, hasta que volviese con las nuevas del hallazgo de su amo.

Entróse Sancho por aquellas quebradas de la sierra, dejando a los dos en una, por donde corría un pequeño y manso arroyo, a quien hacían sombra agradable y fresca otras peñas y algunos árboles que por allí estaban. El calor, y el día que allí llegaron, era de los del mes de agosto, que por aquellas partes suele ser el ardor muy grande; la hora, las tres de la tarde: todo lo cual hacía al sitio más agradable, y que convidase a que en él esperasen la vuelta de Sancho, como lo hicieron.

Estando, pues, los dos allí, sosegados y a la sombra, llegó a sus oídos una voz que, sin acompañarla son de algún otro instrumento, dulce y regaladamente sonaba, de que no poco se admiraron, por parecerles que aquél no era lugar donde pudiese haber quien tan bien cantase. Porque aunque suele decirse que por las selvas y campos se hallan pastores de voces estremadas, más son encareci-

mientos de poetas que verdades; y más cuando advirtieron que lo que oían cantar eran versos, no de rústicos
ganaderos, sino de discretos cortesanos. Y confirmó esta
verdad haber sido los versos que oyeron éstos:

¿Quién menoscaba mis bienes?
            Desdenes.
Y ¿quién aumenta mis duelos?
            Los celos.
Y ¿quién prueba mi paciencia?
            Ausencia.
De ese modo, en mi dolencia
ningún remedio se alcanza,
pues me matan la esperanza
desdenes, celos y ausencia.

¿Quién me causa este dolor?
            Amor.
Y ¿quién mi gloria repugna?
            Fortuna.
Y ¿quién consiente en mi duelo?
            El cielo.
De ese modo, yo recelo
morir deste mal estraño,
pues se aumentan en mi daño,
amor, fortuna y el cielo.

¿Quién mejorará mi suerte?
            La muerte.
Y el bien de amor, ¿quién le alcanza?
            Mudanza.
Y sus males, ¿quién los cura?
            Locura.
De ese modo, no es cordura
querer curar la pasión
cuando los remedios son
muerte, mudanza y locura[6].

La hora, el tiempo, la soledad, la voz y la destreza
del que cantaba, causó admiración y contento en los dos

[6] Esta combinación estrófica recibió el nombre de *ovillejo* (cfr.
R. Marín, IX 236-238).

oyentes, los cuales estuvieron quedos, esperando si otra
alguna cosa oían; pero viendo que duraba algún tanto el
silencio, determinaron de salir a buscar el músico que con
tan buena voz cantaba. Y queriéndolo poner en efeto,
hizo la mesma voz que no se moviesen, la cual llegó de
nuevo a sus oídos, cantando este soneto:

Soneto

Santa amistad, que con ligeras alas,
tu apariencia quedándose en el suelo,
entre benditas almas, en el cielo,
subiste alegre a las impíreas salas,
      desde allá, cuando quieres, nos señalas
la justa paz cubierta con un velo,
por quien a veces se trasluce el celo
de buenas obras que, a la fin, son malas.
      Deja el cielo, ¡oh amistad!, o no permitas
que el engaño se vista tu librea,
con que destruye a la intención sincera;
      que si tus apariencias no le quitas,
presto ha de verse el mundo en la pelea
de la discorde confusión primera.

El canto se acabó con un profundo suspiro, y los dos,
con atención, volvieron a esperar si más se cantaba; pero
viendo que la música se había vuelto en sollozos y en las-
timeros ayes, acordaron de saber quién era el triste, tan
estremado en la voz como doloroso en los gemidos; y no
anduvieron mucho, cuando, al volver de una punta de
una peña, vieron a un hombre del mismo talle y figura
que Sancho Panza les había pintado cuando les contó el
cuento de Cardenio; el cual hombre, cuando los vio, sin
sobresaltarse, estuvo quedo, con la cabeza inclinada sobre
el pecho a guisa de hombre pensativo, sin alzar los ojos
a mirarlos más de la vez primera, cuando de improviso
llegaron.

El cura, que era hombre bien hablado, como el que
ya tenía noticia de su desgracia, pues por las señas le había conocido, se llegó a él, y con breves aunque muy discretas razones le rogó y persuadió que aquella tan miserable vida dejase, porque allí no la perdiese, que era la

desdicha mayor de las desdichas. Estaba Cardenio entonces en su entero juicio, libre de aquel furioso accidente
que tan a menudo le sacaba de sí mismo; y así, viendo a
los dos en traje tan no usado de los que por aquellas soledades andaban, no dejó de admirarse algún tanto, y más
cuando oyó que le habían hablado en su negocio, como
en cosa sabida —porque las razones que el cura le dijo
así lo dieron a entender—; y así, respondió desta manera:

—Bien veo yo, señores, quienquiera que seáis, que el
cielo, que tiene cuidado de socorrer a los buenos, y aun
a los malos muchas veces, sin yo merecerlo, me envía, en
estos tan remotos y apartados lugares del trato común
de las gentes, algunas personas que, poniéndome delante
de los ojos con vivas y varias razones cuán sin ella ando
en hacer la vida que hago, han procurado sacarme désta
a mejor parte; pero como no saben que sé yo que en saliendo deste daño he de caer en otro mayor, quizá me
deben de tener por hombre de flacos discursos, y aun, lo
que peor sería, por de ningún juicio. Y no sería maravilla que así fuese, porque a mí se me trasluce que la fuerza de la imaginación de mis desgracias es tan intensa y
puede tanto en mi perdición, que, sin que yo pueda ser
parte a estorbarlo, vengo a quedar como piedra, falto de
todo buen sentido y conocimiento; y vengo a caer en la
cuenta desta verdad, cuando algunos me dicen y muestran señales de las cosas que he hecho en tanto que aquel
terrible accidente me señorea, y no sé más que dolerme
en vano y maldecir sin provecho mi ventura, y dar por
disculpa de mis locuras el decir la causa dellas a cuantos
oírla quieren; porque viendo los cuerdos cuál es la causa,
no se maravillarán de los efetos, y si no me dieren remedio, a lo menos no me darán culpa, convirtiéndoseles el
enojo de mi desenvoltura en lástima de mis desgracias.
Y si es que vosotros, señores, venís con la mesma intención que otros han venido, antes que paséis adelante en
vuestras discretas persuasiones, os ruego que escuchéis el
cuento, que no le tiene[7], de mis desventuras, porque quizá, después de entendido, ahorraréis del trabajo que to-

---

[7] *el cuento que no le tiene,* o sea, «el relato que no tiene fin»;
aquí *cuento* está en sus dos acepciones de «relato» y «contera» o
«final» de una lanza.

maréis en consolar un mal que de todo consuelo es incapaz.

Los dos, que no deseaban otra cosa que saber de su mesma boca la causa de su daño, le rogaron se la contase, ofreciéndole de no haber otra cosa de la que él quisiese, en su remedio o consuelo; y con esto, el triste caballero comenzó su lastimera historia, casi por las mesmas palabras y pasos que la había contado a don Quijote y al cabrero pocos días atrás cuando, por ocasión del maestro Elisabat y puntualidad de don Quijote en guardar el decoro a la caballería, se quedó el cuento imperfeto, como la historia lo deja contado. Pero ahora quiso la buena suerte que se detuvo el accidente de la locura y le dio lugar de contarlo hasta el fin; y así, llegando al paso del billete que había hallado don Fernando entre el libro de *Amadís de Gaula*, dijo Cardenio que le tenía bien en la memoria, y que decía desta manera:

LUSCINDA A CARDENIO

Cada día descubro en vos valores que me obligan y fuerzan a que en más os estime; y así, si quisiéredes sacarme desta deuda sin ejecutarme en la honra, lo podréis muy bien hacer. Padre tengo, que os conoce y que me quiere bien, el cual, sin forzar mi voluntad, cumplirá la que será justo que vos tengáis, si es que me estimáis, como decís y como yo creo.

—Por este billete me moví a pedir a Luscinda por esposa, como ya os he contado, y éste fue por quien quedó Luscinda en la opinión de don Fernando por una de las más discretas y avisadas mujeres de su tiempo; y este billete fue el que le puso en deseo de destruirme, antes que el mío se efetuase. Díjele yo a don Fernando en lo que reparaba el padre de Luscinda, que era en que mi padre se la pidiese, lo cual yo no le osaba decir, temeroso que no vendría en ello, no porque no tuviese bien conocida la calidad, bondad, virtud y hermosura de Luscinda, y que tenía partes bastantes para ennoblecer cualquier otro linaje de España, sino porque yo entendía dél que deseaba que no me casase tan presto, hasta ver lo que el duque Ricardo hacía conmigo. En resolución, le dije que

no me aventuraba a decírselo a mi padre, así por aquel
inconveniente como por otros muchos que me acobarda-
ban, sin saber cuáles eran, sino que me parecía que lo que
yo deseaba jamás había de tener efeto. A todo esto me
respondió don Fernando que él se encargaba de hablar a
mi padre y hacer con él que hablase al de Luscinda. ¡Oh
Mario ambicioso, oh Catilina cruel, oh Sila facinoroso,
oh Galalón embustero, oh Vellido traidor, oh Julián vengativo, oh Judas codicioso! Traidor, cruel, vengativo y
embustero, ¿qué deservicios te había hecho este triste, que
con tanta llaneza te descubrió los secretos y contentos de
su corazón? ¿Qué ofensa te hice? ¿Qué palabras te dije,
o qué consejos te di, que no fuesen todos encaminados a
acrecentar tu honra y tu provecho? Mas ¿de qué me quejo, ¡desventurado de mí!, pues es cosa cierta que cuando
traen las desgracias la corriente de las estrellas, como vienen de alto a bajo, despeñándose con furor y con violencia, no hay fuerza en la tierra que las detenga, ni industria humana que prevenirlas pueda? ¿Quién pudiera
imaginar que don Fernando, caballero ilustre, discreto,
obligado de mis servicios, poderoso para alcanzar lo que
el deseo amoroso le pidiese dondequiera que le ocupase, se
había de enconar[8], como suele decirse, en tomarme a mí
una sola oveja, que aún no poseía? Pero quédense estas
consideraciones aparte, como inútiles y sin provecho, y
añudemos el roto hilo de mi desdichada historia. Digo,
pues, que pareciéndole a don Fernando que mi presencia
le era inconveniente para poner en ejecución su falso y
mal pensamiento, determinó de enviarme a su hermano
mayor, con ocasión de pedirle unos dineros para pagar
seis caballos, que de industria[9], y sólo para este efeto de
que me ausentase (para poder mejor salir con su dañado
intento), el mesmo día que se ofreció hablar a mi padre
los compró, y quiso que yo viniese por el dinero. ¿Pude
yo prevenir esta traición? ¿Pude, por ventura, caer en
imaginarla? No, por cierto; antes con grandísimo gusto
me ofrecí a partir luego, contento de la buena compra
hecha. Aquella noche hablé con Luscinda, y le dije lo que
con don Fernando quedaba concertado, y que tuviese firme esperanza de que tendrían efeto nuestros buenos y jus-

---

[8] *enconarse*, apropiarse arteramente de algo ajeno.
[9] *de industria*, adrede.

tos deseos. Ella me dijo, tan segura[10] como yo de la traición de don Fernando, que procurase volver presto, porque creía que no tardaría más la conclusión de nuestras
voluntades que tardase mi padre de hablar al suyo. No
sé qué se fue, que, en acabando de decirme esto, se le
llenaron los ojos de lágrimas y un nudo se le atravesó en
la garganta, que no le dejaba hablar palabra de otras
muchas que me pareció que procuraba decirme. Quedé
admirado deste nuevo accidente, hasta allí jamás en ella
visto, porque siempre nos hablábamos, las veces que la
buena fortuna y mi diligencia lo concedía, con todo regocijo y contento, sin mezclar en nuestras pláticas lágrimas, suspiros, celos, sospechas o temores. Todo era engrandecer yo mi ventura, por habérmela dado el cielo por
señora: exageraba su belleza, admirábame de su valor y
entendimiento. Volvíame ella el recambio, alabando en
mí lo que, como a enamorada, le parecía digno de alabanza. Con esto, nos contábamos cien mil niñerías y acaecimientos de nuestros vecinos y conocidos, y a lo que más
se estendía mi desenvoltura era a tomarle, casi por fuerza,
una de sus bellas y blancas manos, y llegarla a mi boca,
según daba lugar la estrecheza de una baja reja que nos
dividía. Pero la noche que precedió al triste día de mi
partida, ella lloró, gimió y suspiró, y se fue, y me dejó
lleno de confusión y sobresalto, espantado de haber visto
tan nuevas y tan tristes muestras de dolor y sentimiento en Luscinda; pero, por no destruir mis esperanzas, todo
lo atribuí a la fuerza del amor que me tenía y al dolor
que suele causar la ausencia en los que bien se quieren.
En fin, yo me partí triste y pensativo, llena el alma de
imaginaciones y sospechas, sin saber lo que sospechaba ni
imaginaba; claros indicios que me mostraban el triste suceso y desventura que me estaba guardada. Llegué al lugar donde era enviado; di las cartas al hermano de don
Fernando; fui bien recebido, pero no bien despachado,
porque me mandó aguardar, bien a mi disgusto, ocho
días, y en parte donde el duque, su padre, no me viese,
porque su hermano le escribía que le enviase cierto dinero
sin su sabiduría[11]; y todo fue invención del falso don Fernando, pues no le faltaban a su hermano dineros para

[10] *segura,* ajena, descuidada.
[11] *sin su sabiduría,* sin su conocimiento.

despacharme luego. Orden y mandato fue éste que me
puso en condición de no obedecerle, por parecerme imposible sustentar tantos días la vida en el ausencia de Luscinda, y más habiéndola dejado con la tristeza que os he
contado; pero, con todo esto, obedecí, como buen criado,
aunque veía que había de ser a costa de mi salud. Pero
a los cuatro días que allí llegué, llegó un hombre en mi
busca con una carta, que me dio, que en el sobrescrito conocí ser de Luscinda, porque la letra dél era suya. Abríla,
temeroso y con sobresalto, creyendo que cosa grande debía de ser la que la había movido a escribirme estando
ausente, pues presente pocas veces lo hacía. Preguntéle al
hombre, antes de leerla, quién se la había dado y el tiempo que había tardado en el camino; díjome que acaso pasando por una calle de la ciudad a la hora de medio día,
una señora muy hermosa le llamó desde una ventana, los
ojos llenos de lágrimas, y que con mucha priesa le dijo:
«Hermano: si sois cristiano, como parecéis, por amor de
»Dios os ruego que encaminéis luego luego esta carta al lu-
»gar y a la persona que dice el sobrescrito, que todo es
»bien conocido, y en ello haréis un gran servicio a nues-
»tro Señor; y para que no os falte comodidad de poderlo
»hacer, tomad lo que va en este pañuelo». «Y diciendo
»esto, me arrojó por la ventana un pañuelo, donde venían
»atados cien reales y esta sortija de oro que aquí traigo,
»con esa carta que os he dado. Y luego, sin aguardar res-
»puesta mía, se quitó de la ventana; aunque primero vio
»como yo tomé la carta y el pañuelo, y, por señas, le dije
»que haría lo que me mandaba. Y así, viéndome tan bien
»pagado del trabajo que podía tomar en traérosla, y co-
»nociendo por el sobrescrito que érades vos a quien se en-
»viaba, porque yo, señor, os conozco muy bien, y obligado
»asimesmo de las lágrimas de aquella hermosa señora,
»determiné de no fiarme de otra persona, sino venir yo
»mesmo a dárosla, y en diez y seis horas que ha que se
»me dio, he hecho el camino, que sabéis que es de diez
»y ocho leguas[12].»

En tanto que el agradecido y nuevo correo esto me
decía, estaba yo colgado de sus palabras, temblándome

---

[12] Ésta es la distancia que separa a Córdoba de Osuna (cfr. R.
Marín, II, 322).

las piernas, de manera que apenas podía sostenerme. En efeto, abrí la carta y vi que contenía estas razones:

La palabra que don Fernando os dio de hablar a vuestro padre para que hablase al mío, la ha cumplido más en su gusto que en vuestro provecho. Sabed, señor, que él me ha pedido por esposa, y mi padre, llevado de la ventaja que él piensa que don Fernando os hace, ha venido en lo que quiere, con tantas veras, que de aquí a dos días se ha de hacer el desposorio, tan secreto y tan a solas, que sólo han de ser testigos los cielos y alguna gente de casa. Cuál yo quedo, imaginaldo; si os cumple venir, veldo; y si os quiero bien o no, el suceso deste negocio os lo dará a entender. A Dios plega que ésta llegue a vuestras manos antes que la mía se vea en condición de juntarse con la de quien tan mal sabe guardar la fe que promete.

Éstas, en suma, fueron las razones que la carta contenía y las que me hicieron poner luego en camino, sin esperar otra respuesta ni otros dineros; que bien claro conocí entonces que no la compra de los caballos, sino la de su gusto, había movido a don Fernando a enviarme a su hermano. El enojo que contra don Fernando concebí, junto con el temor de perder la prenda que con tantos años de servicios y deseos tenía granjeada, me pusieron alas, pues, casi como en vuelo, otro día me puse en mi lugar al punto y hora que convenía para ir a hablar a Luscinda. Entré secreto, y dejé una mula en que venía en casa del buen hombre que me había llevado la carta, y quiso la suerte que entonces la tuviese tan buena, que hallé a Luscinda puesta a la reja, testigo de nuestros amores. Conocióme Luscinda luego, y conocíla yo; mas no como debía ella conocerme y yo conocerla. Pero, ¿quién hay en el mundo que se pueda alabar que ha penetrado y sabido el confuso pensamiento y condición mudable de una mujer? Ninguno, por cierto. Digo, pues, que, así como Luscinda me vio, me dijo: «Cardenio, de boda estoy vestida; ya me están aguardando en la sala don Fernando el traidor y mi padre el codicioso, con otros testigos, que antes lo serán de mi muerte que de mi desposorio. No te turbes, amigo, sino procura hallarte

»presente a este sacrificio, el cual si no pudiere ser estor-
»bado de mis razones, una daga llevo escondida que po-
»drá estorbar más determinadas fuerzas, dando fin a mi
»vida y principio a que conozcas la voluntad que te he
»tenido y tengo». Yo le respondí turbado y apriesa, temeroso no me faltase lugar para responderla: «Hagan, seño-
»ra, tus obras verdaderas tus palabras; que si tú llevas
»daga para acreditarte, aquí llevo yo espada para defen-
»derte con ella o para matarme, si la suerte nos fuere
»contraria». No creo que pudo oír todas estas razones,
porque sentí que la llamaban apriesa, porque el desposado aguardaba. Cerróse con esto la noche de mi tristeza,
púsoseme el sol de mi alegría; quedé sin luz en los ojos
y sin discurso en el entendimiento. No acertaba a entrar
en su casa, ni podía moverme a parte alguna; pero considerando cuánto importaba mi presencia para lo que suceder pudiese en aquel caso, me animé lo más que pude
y entré en su casa; y como ya sabía muy bien todas sus
entradas y salidas, y más con el alboroto que de secreto
en ella andaba, nadie me echó de ver; así que, sin ser visto, tuve lugar de ponerme en el hueco que hacía una
ventana de la mesma sala, que con las puntas y remates
de dos tapices se cubría, por entre las cuales podía yo ver,
sin ser visto, todo cuanto en la sala se hacía. ¿Quién pudiera decir ahora los sobresaltos que me dio el corazón
mientras allí estuve, los pensamientos que me ocurrieron,
las consideraciones que hice, que fueron tantas y tales, que
ni se pueden decir ni aun es bien que se digan? Basta
que sepáis que el desposado entró en la sala sin otro adorno que los mesmos vestidos ordinarios que solía. Traía por
padrino a un primo hermano de Luscinda, y en toda la
sala no había persona de fuera, sino los criados de casa.
De allí a un poco, salió de una recámara Luscinda, acompañada de su madre y de dos doncellas suyas, tan bien
aderezada y compuesta como su calidad y hermosura merecían, y como quien era la perfeción de la gala y bizarría cortesana. No me dio lugar mi suspensión y arroba-
miento para que mirase y notase en particular lo que
traía vestido; sólo pude advertir a las colores, que eran
encarnado y blanco, y en las vislumbres que las piedras
y joyas del tocado y de todo el vestido hacían, a todo lo
cual se aventajaba la belleza singular de sus hermosos y

rubios cabellos, tales, que, en competencia de las preciosas piedras y de las luces de cuatro hachas que en la sala estaban, la suya con más resplandor a los ojos ofrecían. ¡Oh memoria, enemiga mortal de mi descanso! ¿De qué sirve representarme ahora la incomparable belleza de aquella adorada enemiga mía? ¿No será mejor, cruel memoria, que me acuerdes y representes lo que entonces hizo, para que, movido de tan manifiesto agravio, procure, ya que no la venganza, a lo menos perder la vida? No os canséis, señores, de oír estas digresiones que hago; que no es mi pena de aquellas que puedan ni deban contarse sucintamente y de paso, pues cada circunstancia suya me parece a mí que es digna de un largo discurso.

A esto le respondió el cura que no sólo no se cansaban en oírle, sino que les daba mucho gusto las menudencias que contaba, por ser tales, que merecían no pasarse en silencio, y la mesma atención que lo principal del cuento.

—Digo, pues —prosiguió Cardenio—, que, estando todos en la sala, entró el cura de la parroquia y, tomando a los dos por la mano para hacer lo que en tal acto se requiere, al decir: «¿Queréis, señora Luscinda, al señor »don Fernando, que está presente, por vuestro legítimo »esposo, como lo manda la Santa Madre Iglesia?», yo saqué toda la cabeza y cuello de entre los tapices, y con atentísimos oídos y alma turbada me puse a escuchar lo que Luscinda respondía, esperando de su respuesta la sentencia de mi muerte o la confirmación de mi vida. ¡Oh, quién se atreviera a salir entonces, diciendo a voces!: «¡Ah Luscinda, Luscinda! ¡Mira lo que haces; considera »lo que me debes; mira que eres mía, y que no puedes »ser de otro! Advierte que el decir tú *sí* y el acabárseme »la vida ha de ser todo a un punto. ¡Ah traidor don Fernando, robador de mi gloria, muerte de mi vida! ¿Qué »quieres? ¿Qué pretendes? Considera que no puedes cris-»tianamente llegar al fin de tus deseos, porque Luscinda »es mi esposa, y yo soy su marido». ¡Ah, loco de mí! ¡Ahora que estoy ausente y lejos del peligro, digo que había de hacer lo que no hice! ¡Ahora que dejé robar mi cara prenda, maldigo al robador, de quien pudiera vengarme si tuviera corazón para ello, como le tengo para quejarme! En fin, pues fui entonces cobarde y necio, no

es mucho que muera ahora corrido, arrepentido y loco.
Estaba esperando el cura la respuesta de Luscinda, que
se detuvo un buen espacio en darla, y cuando yo pensé
que sacaba la daga para acreditarse, o desataba la lengua
para decir alguna verdad o desengaño que en mi provecho redundase, oigo que dijo con voz desmayada y flaca:
«Sí quiero», y lo mesmo dijo don Fernando; y, dándole el
anillo, quedaron en disoluble[13] nudo ligados. Llegó el desposado a abrazar a su esposa, y ella, poniéndose la mano
sobre el corazón, cayó desmayada en los brazos de su
madre. Resta ahora decir cuál quedé yo viendo, en el *sí*
que había oído, burladas mis esperanzas, falsas las palabras y promesas de Luscinda, imposibilitado de cobrar en
algún tiempo el bien que en aquel instante había perdido. Quedé falto de consejo, desamparado, a mi parecer,
de todo el cielo, hecho enemigo de la tierra que me sustentaba, negándome el aire aliento para mis suspiros y el
agua humor para mis ojos; sólo el fuego se acrecentó, de
manera que todo ardía de rabia y de celos. Alborotáronse
todos con el desmayo de Luscinda, y, desabrochándole su
madre el pecho para que le diese el aire, se descubrió en
él un papel cerrado, que don Fernando tomó luego y se
le puso a leer a la luz de una de las hachas; y, en acabando de leerle, se sentó en una silla y se puso la mano en
la mejilla, con muestras de hombre muy pensativo, sin
acudir a los remedios que a su esposa se hacían para que
del desmayo volviese. Yo, viendo alborotada toda la gente de casa, me aventuré a salir, ora fuese visto o no, con
determinación que si me viesen, de hacer un desatino tal,
que todo el mundo viniera a entender la justa indignación de mi pecho en el castigo del falso don Fernando,
y aun en el mudable de la desmayada traidora; pero mi
suerte, que para mayores males, si es posible que los haya,
me debe tener guardado, ordenó que en aquel punto me
sobrase el entendimiento que después acá me ha faltado;
y así, sin querer tomar venganza de mis mayores enemigos, que, por estar tan sin pensamiento mío[14], fuera fácil
tomarla, quise tomarla de mi mano y ejecutar en mí la

---

[13] *disoluble*, así en las primeras ediciones; en las modernas se
enmienda en *indisoluble*. Es muy posible que Cervantes escribiera
disoluble (cfr. F. Sánchez Escribano, *Revista de Literatura*, V, 1954,
páginas 253-255 y IX, 1956, 153).
[14] *tan sin pensamiento mío*, tan sin pensar en mí.

pena que ellos merecían, y aun quizá con más rigor del que con ellos se usara, si entonces les diera muerte, pues la que se recibe repentina, presto acaba la pena; mas la que se dilata con tormentos siempre mata, sin acabar la vida. En fin, yo salí de aquella casa y vine a la de aquel donde había dejado la mula; hice que me la ensillase, sin despedirme dél subí en ella, y salí de la ciudad, sin osar, como otro Lot, volver el rostro a miralla; y cuando me vi en el campo solo, y que la escuridad de la noche me encubría y su silencio convidaba a quejarme, sin respeto o miedo de ser escuchado ni conocido, solté la voz y desaté la lengua en tantas maldiciones de Luscinda y de don Fernando, como si con ellas satisficiera el agravio que me habían hecho. Dile títulos de cruel, de ingrata, de falsa y desagradecida; pero, sobre todos, de codiciosa, pues la riqueza de mi enemigo la había cerrado los ojos de la voluntad, para quitármela a mí y entregarla a aquel con quien más liberal y franca la fortuna se había mostrado; y en mitad de la fuga destas maldiciones y vituperios, la desculpaba, diciendo que no era mucho que una doncella recogida en casa de sus padres, hecha y acostumbrada siempre a obedecerlos, hubiese querido condecender con su gusto, pues le daban por esposo a un caballero tan principal, tan rico y tan gentil hombre, que, a no querer recebirle, se podía pensar, o que no tenía juicio, o que en otra parte tenía la voluntad, cosa que redundaba tan en perjuicio de su buena opinión y fama. Luego volvía diciendo que, puesto que[15] ella dijera que yo era su esposo, vieran ellos que no había hecho en escogerme tan mala elección, que no la disculparan, pues antes de ofrecérseles don Fernando no pudieran ellos mesmos acertar a desear, si con razón midiesen su deseo, otro mejor que yo para esposo de su hija; y que bien pudiera ella, antes de ponerse en el trance forzoso y último de dar la mano, decir que ya yo le había dado la mía; que yo viniera y concediera con todo cuanto ella acertara a fingir en este caso. En fin, me resolví en que poco amor, poco juicio, mucha ambición y deseos de grandezas hicieron que se olvidase de las palabras con que me había engañado, entretenido y sustentado en mis firmes esperanzas y honestos deseos.

---

[15] *puesto que,* aunque.

Con estas voces y con esta inquietud caminé lo que quedaba de aquella noche, y di al amanecer en una entrada
destas sierras, por las cuales caminé otros tres días, sin
senda ni camino alguno, hasta que vine a parar a unos
prados, que no sé a qué mano destas montañas caen, y
allí pregunté a unos ganaderos que hacia dónde era lo
más áspero destas sierras. Dijéronme que hacia esta parte. Luego me encaminé a ella, con intención de acabar
aquí la vida, y en entrando por estas asperezas, del cansancio y de la hambre se cayó mi mula muerta, o, lo que
yo más creo, por desechar de sí tan inútil carga como en
mí llevaba. Yo quedé a pie, rendido de la naturaleza, traspasado de hambre, sin tener, ni pensar buscar, quien me
socorriese. De aquella manera estuve no sé qué tiempo,
tendido en el suelo, al cabo del cual me levanté sin hambre, y hallé junto a mí a unos cabreros, que, sin duda,
debieron ser los que mi necesidad remediaron, porque
ellos me dijeron de la manera que me habían hallado, y
cómo estaba diciendo tantos disparates y desatinos, que
daba indicios claros de haber perdido el juicio; y yo he
sentido en mí después acá que no todas veces le tengo
cabal, sino tan desmedrado y flaco, que hago mil locuras,
rasgándome los vestidos, dando voces por estas soledades,
maldiciendo mi ventura y repitiendo en vano el nombre
amado de mi enemiga, sin tener otro discurso ni intento
entonces que procurar acabar la vida voceando; y cuando
en mí vuelvo, me hallo tan cansado y molido, que apenas
puedo moverme. Mi más común habitación es en el hueco de un alcornoque, capaz de cubrir este miserable cuerpo. Los vaqueros y cabreros que andan por estas montañas, movidos de caridad, me sustentan, poniéndome el
manjar por los caminos y por las peñas por donde entienden que acaso podré pasar y hallarlo; y así, aunque entonces me falte el juicio, la necesidad natural me da a conocer el mantenimiento, y despierta en mí el deseo de
apetecerlo y la voluntad de tomarlo. Otras veces me dicen ellos, cuando me encuentran con juicio, que yo salgo
a los caminos y que se lo quito por fuerza, aunque me lo
den de grado, a los pastores que vienen con ello del lugar a las majadas. Desta manera paso mi miserable y estrema vida, hasta que el cielo sea servido de conducirle
a su último fin, o de ponerle en mi memoria, para que

no me acuerde de la hermosura y de la traición de Luscinda y del agravio de don Fernando; que si esto él hace sin quitarme la vida, yo volveré a mejor discurso mis pensamientos; donde no, no hay sino rogarle que absolutamente tenga misericordia de mi alma; que yo no siento en mí valor ni fuerzas para sacar el cuerpo desta estrecheza en que por mi gusto he querido ponerle. Ésta es, ¡oh señores!, la amarga historia de mi desgracia: decidme si es tal, que pueda celebrarse con menos sentimientos de los que en mí habéis visto, y no os canséis en persuadirme ni aconsejarme lo que la razón os dijere que puede ser bueno para mi remedio, porque ha de aprovechar conmigo lo que aprovecha la medicina recetada del famoso médico al enfermo que recebir no la quiere. Yo no quiero salud sin Luscinda; y pues ella gustó de ser ajena, siendo, o debiendo ser, mía, guste yo de ser de la desventura, pudiendo haber sido de la buena dicha. Ella quiso, con su mudanza, hacer estable mi perdición; yo querré, con procurar perderme, hacer contenta su voluntad, y será ejemplo a los por venir de que a mí solo faltó lo que a todos los desdichados sobra, a los cuales suele ser consuelo la imposibilidad de tenerle, y en mí es causa de mayores sentimientos y males, porque aun pienso que no se han de acabar con la muerte.

Aquí dio fin Cardenio a su larga plática y tan desdichada como amorosa historia; y al tiempo que el cura se prevenía para decirle algunas razones de consuelo, le suspendió una voz que llegó a sus oídos, que en lastimados acentos oyeron que decía lo que se dirá en la cuarta parte desta narración, que en este punto dio fin a la tercera el sabio y atentado historiador Cide Hamete Benengeli.

CUARTA PARTE DEL INGENIOSO HIDALGO
DON QUIJOTE DE LA MANCHA

CAPÍTULO XXVIII

QUE TRATA DE LA NUEVA Y AGRADABLE AVENTURA QUE AL CURA Y BARBERO SUCEDIÓ EN LA MESMA SIERRA

FELICÍSIMOS y venturosos fueron los tiempos donde se echó al mundo el audacísimo caballero don Quijote de la Mancha, pues por haber tenido tan honrosa determinación como fue el querer resucitar y volver al mundo la ya perdida y casi muerta orden de la andante caballería, gozamos ahora, en esta nuestra edad, necesitada de alegres entretenimientos, no sólo de la dulzura de su verdadera historia, sino de los cuentos y episodios della, que, en parte, no son menos agradables y artificiosos y verdaderos que la misma historia[1]; la cual, prosiguiendo su rastrillado, torcido y aspado hilo, cuenta que, así como el cura comenzó a prevenirse para consolar a Cardenio, lo impidió una voz que llegó a sus oídos, que, con tristes acentos, decía desta manera:

—¡Ay Dios! ¡Si será posible que he ya hallado lugar que pueda servir de escondida sepultura a la carga pesada deste cuerpo, que tan contra mi voluntad sostengo! Sí será, si la soledad que prometen estas sierras no me miente. ¡Ay, desdichada, y cuán más agradable compañía harán estos riscos y malezas a mi intención, pues me darán lugar para que con quejas comunique mi desgracia

---

[1] Con estas palabras Cervantes justifica la inserción en la novela de asuntos distintos a la trama principal, lo que evitará en la segunda parte.

al cielo, que no la de ningún hombre humano, pues no
hay ninguno en la tierra de quien se pueda esperar consejo en las dudas, alivio en las quejas, ni remedio en los
males!

Todas estas razones oyeron y percibieron el cura y los
que con él estaban, y por parecerles, como ello era, que
allí junto las decían, se levantaron a buscar el dueño, y
no hubieron andado veinte pasos, cuando detrás de un
peñasco vieron sentado al pie de un fresno a un mozo
vestido como labrador, al cual, por tener inclinado el
rostro, a causa de que se lavaba los pies en el arroyo que
por allí corría, no se le pudieron ver por entonces; y ellos
llegaron con tanto silencio, que dél no fueron sentidos,
ni él estaba a otra cosa atento que a lavarse los pies, que
eran tales, que no parecían sino dos pedazos de blanco
cristal que entre las otras piedras del arroyo se habían
nacido. Suspendióles la blancura y belleza de los pies,
pareciéndoles que no estaban hechos a pisar terrones, ni
a andar tras el arado y los bueyes, como mostraba el hábito de su dueño, y así, viendo que no habían sido sentidos, el cura, que iba delante, hizo señas a los otros dos
que se agazapasen o escondiesen detrás de unos pedazos
de peña que allí había, y así lo hicieron todos, mirando
con atención lo que el mozo hacía; el cual traía puesto un
capotillo pardo de dos haldas, muy ceñido al cuerpo con
una toalla blanca. Traía, ansimesmo, unos calzones y polainas de paño pardo, y en la cabeza una montera parda.
Tenía las polainas levantadas hasta la mitad de la pierna, que, sin duda alguna, de blanco alabastro parecía.
Acabóse de lavar los hermosos pies, y luego, con un paño
de tocar, que sacó debajo de la montera, se los limpió;
y al querer quitársele, alzó el rostro, y tuvieron lugar los
que mirándole estaban de ver una hermosura incomparable, tal, que Cardenio dijo al cura, con voz baja:

—Ésta, ya que no es Luscinda, no es persona humana,
sino divina.

El mozo se quitó la montera y, sacudiendo la cabeza
a una y a otra parte, se comenzaron a descoger y despar-
cir unos cabellos, que pudieran los del sol tenerles envidia.
Con esto conocieron que el que parecía labrador era mujer, y delicada, y aun la más hermosa que hasta entonces
los ojos de los dos habían visto, y aun los de Cardenio, si

no hubieran mirado y conocido a Luscinda; que después afirmó que sola la belleza de Luscinda podía contender con aquélla. Los luengos y rubios cabellos no sólo le cubrieron las espaldas, mas toda en torno la escondieron debajo de ellos, que si no eran los pies, ninguna otra cosa de su cuerpo se parecía: tales y tantos eran. En esto, les sirvió de peine unas manos, que si los pies en el agua habían parecido pedazos de cristal, las manos en los cabellos semejaban pedazos de apretada nieve; todo lo cual, en más admiración y en más deseo de saber quién era ponía a los tres que la miraban.

Por esto determinaron de mostrarse; y al movimiento que hicieron de ponerse en pie, la hermosa moza alzó la cabeza y apartándose los cabellos de delante de los ojos con entrambas manos, miró los que el ruido hacían; y apenas los hubo visto, cuando se levantó en pie y, sin aguardar a calzarse, ni a recoger los cabellos, asió con mucha presteza un bulto, como de ropa, que junto a sí tenía, y quiso ponerse en huida, llena de turbación y sobresalto; mas no hubo dado seis pasos cuando, no pudiendo sufrir los delicados pies la aspereza de las piedras, dio consigo en el suelo. Lo cual, visto por los tres, salieron a ella, y el cura fue el primero que le dijo:

—Deteneos, señora, quienquiera que seáis; que los que aquí veis sólo tienen intención de serviros: no hay para qué os pongáis en tan impertinente huida, porque ni vuestros pies lo podrán sufrir ni nosotros consentir.

A todo esto, ella no respondía palabra, atónita y confusa. Llegaron, pues, a ella, y asiéndola por la mano el cura, prosiguió diciendo:

—Lo que vuestro traje, señora, nos niega, vuestros cabellos nos descubren: señales claras que no deben de ser de poco momento las causas que han disfrazado vuestra belleza en hábito tan indigno, y traídola a tanta soledad como es ésta, en la cual ha sido ventura el hallaros, si no para dar remedio a vuestros males, a lo menos para darles consejo, pues ningún mal puede fatigar tanto, ni llegar tan al estremo de serlo, mientras no acaba la vida, que rehúya de no escuchar, siquiera, el consejo que con buena intención se le da al que lo padece. Así que, señora mía, o señor mío, o lo que vos quisierdes ser, perded el sobresalto que nuestra vista os ha causado y contadnos vuestra buena o mala suerte: que en nosotros juntos, o en cada uno, hallaréis quien os ayude a sentir vuestras desgracias.

En tanto que el cura decía estas razones, estaba la disfrazada moza como embelesada, mirándolos a todos, sin mover labio ni decir palabra alguna, bien así como rústico aldeano que de improviso se le muestran cosas raras y dél jamás vistas. Mas volviendo el cura a decirle otras razones al mesmo efeto encaminadas, dando ella un profundo suspiro, rompió el silencio y dijo:

—Pues que la soledad destas sierras no ha sido parte para encubrirme, ni la soltura de mis descompuestos cabellos no ha permitido que sea mentirosa mi lengua, en balde sería fingir yo de nuevo ahora lo que, si se me creyese, sería más por cortesía que por otra razón alguna. Presupuesto esto, digo, señores, que os agradezco el ofrecimiento que me habéis hecho, el cual me ha puesto en obligación de satisfaceros en todo lo que me habéis pedido, puesto que temo que la relación que os hiciere de mis desdichas os ha de causar, al par de la compasión, la pesadumbre, porque no habéis de hallar remedio para remediarlas ni consuelo para entretenerlas. Pero, con todo esto, porque no ande vacilando mi honra en vuestras intenciones, habiéndome ya conocido por mujer y viéndome moza, sola y en este traje, cosas, todas juntas, y cada una por sí, que pueden echar por tierra cualquier honesto crédito, os habré de decir lo que quisiera callar, si pudiera.

Todo esto dijo sin parar la que tan hermosa mujer parecía, con tan suelta lengua, con voz tan suave, que no menos les admiró su discreción que su hermosura. Y tornándole a hacer nuevos ofrecimientos y nuevos ruegos para que lo prometido cumpliese, ella, sin hacerse más de rogar, calzándose con toda honestidad y recogiendo sus cabellos, se acomodó en el asiento de una piedra, y, puestos los tres alrededor della, haciéndose fuerza por detener algunas lágrimas que a los ojos se le venían, con voz reposada y clara comenzó la historia de su vida desta manera:

—En esta Andalucía hay un lugar de quien toma título un duque[2], que le hace uno de los que llaman gran-

----

² Sin duda se trata de Osuna.

des en España. Éste tiene dos hijos: el mayor, heredero de
su estado y, al parecer, de sus buenas costumbres, y el menor, no sé de qué sea heredero, sino de las traiciones
de Vellido y de los embustes de Galalón[3]. Deste señor son
vasallos mis padres, humildes en linaje, pero tan ricos,
que si los bienes de su naturaleza igualaran a los de su
fortuna, ni ellos tuvieran más que desear ni yo temiera
verme en la desdicha en que me veo; porque quizá nace
mi poca ventura de la que no tuvieron ellos en no haber
nacido ilustres. Bien es verdad que no son tan bajos que
puedan afrentarse de su estado, ni tan altos que a mí me
quiten la imaginación que tengo de que de su humildad
viene mi desgracia. Ellos, en fin, son labradores, gente
llana, sin mezcla de alguna raza mal sonante, y, como suele decirse, cristianos viejos rancios; pero tan ricos, que
su riqueza y magnífico trato les va poco a poco adquiriendo nombre de hidalgos, y aun de caballeros. Puesto que
de la mayor riqueza y nobleza que ellos se preciaban era
de tenerme a mí por hija; y así por no tener otra ni otro
que los heredase como por ser padres, y aficionados[4], yo
era una de las más regaladas hijas que padres jamás regalaron. Era el espejo en que se miraban, el báculo de su
vejez, y el sujeto a quien encaminaban, midiéndolos con
el cielo, todos sus deseos; de los cuales, por ser ellos tan
buenos, los míos no salían un punto. Y del mismo modo
que yo era señora de sus ánimos, ansí lo era de su hacienda: por mí se recebían y despedían los criados; la razón
y cuenta de lo que se sembraba y cogía pasaba por mi
mano; los molinos de aceite, los lagares del vino, el número del ganado mayor y menor, el de las colmenas. Finalmente, de todo aquello que un tan rico labrador como
mi padre puede tener y tiene, tenía yo la cuenta, y era la
mayordoma y señora, con tanta solicitud mía y con tanto
gusto suyo, que buenamente no acertaré a encarecerlo.
Los ratos que del día me quedaban, después de haber
dado lo que convenía a los mayorales, a capataces y a
otros jornaleros, los entretenía en ejercicios que son a las
doncellas tan lícitos como necesarios, como son los que

[3] *Vellido*, el zamorano que mató al rey Sancho en el cerco de
Zamora, considerado traidor en la epopeya castellana y en el
Romancero; *Galalón*, o Ganelón, el traidor en las leyendas sobre
la batalla de Roncesvalles.
[4] *aficionados*, afectuosos.

ofrece la aguja y la almohadilla, y la rueca muchas veces;
y si alguna, por recrear el ánimo, estos ejercicios dejaba,
me acogía al entretenimiento de leer algún libro devoto,
o a tocar una arpa, porque la experiencia me mostraba
que la música compone los ánimos descompuestos y alivia
los trabajos que nacen del espíritu. Ésta, pues, era la vida
que yo tenía en casa de mis padres, la cual, si tan particularmente he contado, no ha sido por ostentación ni por
dar a entender que soy rica, sino porque se advierta cuán
sin culpa me he venido de aquel buen estado que he dicho al infelice en que ahora me hallo. Es, pues, el caso
que, pasando mi vida en tantas ocupaciones y en un encerramiento tal, que al de un monesterio pudiera compa-
rarse, sin ser vista, a mi parecer, de otra persona alguna
que de los criados de casa, porque los días que iba a misa
era tan de mañana, y tan acompañada de mi madre y de
otras criadas, y yo tan cubierta y recatada, que apenas
vían mis ojos más tierra de aquella donde ponía los pies,
y, con todo esto, los del amor, o los de la ociosidad, por
mejor decir, a quien los de lince no pueden igualarse, me
vieron, puestos en la solicitud de don Fernando, que éste
es el nombre del hijo menor del duque que os he contado.

No hubo bien nombrado a don Fernando la que el
cuento contaba, cuando a Cardenio se le mudó la color
del rostro, y comenzó a trasudar, con tan grande alteración, que el cura y el barbero, que miraron en ello, temieron que le venía aquel accidente de locura que habían
oído decir que de cuando en cuando le venía. Mas Cardenio no hizo otra cosa que trasudar y estarse quedo, mirando de hito en hito a la labradora, imaginando quién
ella era; la cual, sin advertir en los movimientos de Cardenio, prosiguió su historia, diciendo:

—Y no me hubieron bien visto, cuando, según él dijo
después, quedó tan preso de mis amores cuanto lo dieron
bien a entender sus demostraciones. Mas por acabar presto con el cuento, que no le tiene[5] de mis desdichas, quiero
pasar en silencio las diligencias que don Fernando hizo
para declararme su voluntad. Sobornó toda la gente de
mi casa, dio y ofreció dádivas y mercedes a mis parientes.

[5] El mismo juego de palabras que ha hecho Cardenio (cfr. I,
27, nota 7).

Los días eran todos de fiesta y de regocijo en mi calle;
las noches no dejaban dormir a nadie las músicas. Los billetes que, sin saber cómo, a mis manos venían, eran infinitos, llenos de enamoradas razones y ofrecimientos, con
menos letras que promesas y juramentos. Todo lo cual no
sólo no me ablandaba, pero me endurecía de manera como
si fuera mi mortal enemigo, y que todas las obras que
para reducirme a su voluntad hacía, las hiciera para el
efeto contrario; no porque a mí me pareciese mal la gentileza de don Fernando, ni que tuviese a demasía sus solicitudes; porque me daba un no sé qué de contento verme tan querida y estimada de un tan principal caballero,
y no me pesaba ver en sus papeles mis alabanzas; que en
esto, por feas que seamos las mujeres, me parece a mí que
siempre nos da gusto el oír que nos llaman hermosas. Pero
a todo esto se opone mi honestidad, y los consejos continuos que mis padres me daban, que ya muy al descubierto sabían la voluntad de don Fernando, porque ya a él
no se le daba nada de que todo el mundo la supiese. De-
cíanme mis padres que en sola mi virtud y bondad dejaban y depositaban su honra y fama, y que considerase la
desigualdad que había entre mí y don Fernando, y que
por aquí echaría de ver que sus pensamientos, aunque él
dijese otra cosa, más se encaminaban a su gusto que a mi
provecho; y que si yo quisiese poner en alguna manera
algún inconveniente para que él se dejase de su injusta
pretensión, que ellos me casarían luego con quien yo más
gustase; así de los más principales de nuestro lugar como
de todos los circunvecinos, pues todo se podía esperar de
su mucha hacienda y de mi buena fama. Con estos ciertos
prometimientos, y con la verdad que ellos me decían, for-
tificaba yo mi entereza, y jamás quise responder a don
Fernando palabra que le pudiese mostrar, aunque de muy
lejos, esperanza de alcanzar su deseo. Todos estos recatos
míos, que él debía de tener por desdenes, debieron de ser
causa de avivar más su lascivo apetito, que este nombre
quiero dar a la voluntad que me mostraba; la cual, si
ella fuera como debía, no la supiérades vosotros ahora,
porque hubiera faltado la ocasión de decírosla. Finalmente, don Fernando supo que mis padres andaban por
darme estado, por quitalle a él la esperanza de poseerme,
o, a lo menos, porque yo tuviese más guardas para guar-

darme, y esta nueva o sospecha fue causa para que hiciese lo que ahora oiréis. Y fue que una noche[6], estando yo en mi aposento con sola la compañía de una doncella que me servía, teniendo bien cerradas las puertas, por temor que, por descuido, mi honestidad no se viese en peligro, sin saber ni imaginar cómo, en medio destos recatos y prevenciones, y en la soledad deste silencio y encierro, me le hallé delante; cuya vista me turbó de manera, que me quitó la de mis ojos y me enmudeció la lengua; y así, no fui poderosa de dar voces, ni aun él creo que me las dejara dar, porque luego se llegó a mí, y tomándome entre sus brazos (porque yo, como digo, no tuve fuerzas para defenderme, según estaba turbada), comenzó a decirme tales razones, que no sé cómo es posible que tenga tanta habilidad la mentira, que las sepa componer de modo que parezcan tan verdaderas. Hacía el traidor que sus lágrimas acreditasen sus palabras y los suspiros su intención. Yo, pobrecilla, sola entre los míos, mal ejercitada en casos semejantes, comencé, no sé en qué modo, a tener por verdaderas tantas falsedades, pero no de suerte que me moviesen a compasión menos que buena sus lágrimas y suspiros. Y así, pasándoseme aquel sobresalto primero, torné algún tanto a cobrar mis perdidos espíritus, y con más ánimo del que pensé que pudiera tener, le dije: «Si como estoy, señor, en tus brazos, estuviera »entre los de un león fiero, y el librarme dellos se me »asegurara con que hiciera, o dijera, cosa que fuera en »perjuicio de mi honestidad, así fuera posible hacella o »decilla como es posible dejar de haber sido lo que fue. »Así que, si tú tienes ceñido mi cuerpo con tus brazos, yo »tengo atada mi alma con mis buenos deseos, que son »tan diferentes de los tuyos como lo verás, si con hacerme »fuerza quisieres pasar adelante en ellos. Tu vasalla soy, »pero no tu esclava; ni tiene ni debe tener imperio la »nobleza de tu sangre para deshonrar y tener en poco la »humildad de la mía; y en tanto me estimo yo, villana »y labradora, como tú, señor y caballero. Conmigo no »han de ser de ningún efecto tus fuerzas, ni han de tener »valor tus riquezas, ni tus palabras han de poder enga-

---

[6] *Y fue que una noche*, desde aquí, hasta las palabras indicadas en la próxima nota 8, fue censurado por la Inquisición portuguesa en 1624.

»ñarme, ni tus suspiros y lágrimas enternecerme. Si algu-
»na de todas estas cosas que he dicho viera yo en el que
»mis padres me dieran por esposo, a su voluntad se ajus-
»tara la mía, y mi voluntad de la suya no saliera; de
»modo que, como quedara con honra, aunque quedara
»sin gusto, de grado te entregara lo que tú, señor, ahora
»con tanta fuerza procuras. Todo esto he dicho, porque
»no es pensar que de mí alcance cosa alguna al que no
»fuere mi ligítimo esposo». «Si no reparas más que en
»eso, bellísima Dorotea» (que éste es el nombre desta desdichada), dijo el desleal caballero, «ves aquí te doy la
»mano de serlo tuyo, y sean testigos desta verdad los cie-
»los, a quien ninguna cosa se asconde, y esta imagen de
»Nuestra Señora que aquí tienes.»

Cuando Cardenio le oyó decir que se llamaba Dorotea, tornó de nuevo a sus sobresaltos y acabó de confirmar
por verdadera su primera opinión; pero no quiso interrumpir el cuento, por ver en qué venía a parar lo que
él ya casi sabía; sólo dijo:

—¿Que Dorotea es tu nombre, señora? Otra he oído
yo decir del mesmo, que quizá corre parejas con tus desdichas. Pasa adelante, que tiempo vendrá en que te diga
cosas que te espanten en el mesmo grado que te lastimen.

Reparó Dorotea en las razones de Cardenio y en su
estraño y desastrado traje, y rogóle que si alguna cosa de
su hacienda sabía, se la dijese luego; porque si algo le
había dejado bueno la fortuna, era el ánimo que tenía
para sufrir cualquier desastre que le sobreviniese, segura
de que, a su parecer, ninguno podía llegar que el que tenía acrecentase un punto.

—No le perdiera yo, señora —respondió Cardenio—,
en decirte lo que pienso, si fuera verdad lo que imagino;
y hasta ahora no se pierde conyuntura, ni a ti te importa
nada el saberlo.

—Sea lo que fuere —respondió Dorotea—, lo que en
mi cuento pasa fue que tomando don Fernando una imagen que en aquel aposento estaba, la puso por testigo de
nuestro desposorio. Con palabras eficacísimas y juramentos estraordinarios, me dio la palabra de ser mi marido,
puesto que, antes que acabase de decirlas, le dije que mirase bien lo que hacía y que considerase el enojo que su
padre había de recebir de verle casado con una villana,

vasalla suya; que no le cegase mi hermosura, tal cual era,
pues no era bastante para hallar en ella disculpa de su
yerro, y que si algún bien me quería hacer, por el amor
que me tenía, fuese dejar correr mi suerte a lo igual de
lo que mi calidad pedía, porque nunca los tan desiguales
casamientos se gozan ni duran mucho en aquel gusto con
que se comienzan. Todas estas razones que aquí he dicho
le dije, y otras muchas de que no me acuerdo; pero no
fueron parte para que él dejase de seguir su intento, bien
ansí como el que no piensa pagar, que, al concertar de la
barata[7], no repara en inconvenientes. Yo, a esta razón,
hice un breve discurso conmigo, y me dije a mí mesma:
«Sí, que no seré yo la primera que por vía de matrimo-
»nio haya subido de humilde a grande estado, ni será don
»Fernando el primero a quien hermosura, o ciega afición,
»que es lo más cierto, haya hecho tomar compañía desi-
»gual a su grandeza. Pues si no hago ni mundo ni uso
»nuevo, bien es acudir a esta honra que la suerte me
»ofrece, puesto que en éste no dure más la voluntad que
»me muestra de cuanto dure el cumplimiento de su deseo;
»que, en fin, para con Dios seré su esposa. Y si quiero con
»desdenes despedille, en término le veo que, no usando
»el que debe, usará el de la fuerza, y vendré a quedar
»deshonrada y sin disculpa de la culpa que me podía dar
»el que no supiere cuán sin ella he venido a este punto.
»Porque ¿qué razones serán bastantes para persuadir a
»mis padres, y a otros, que este caballero entró en mi
»aposento sin consentimiento mío?» Todas estas demandas y respuestas revolví yo en un instante en la imaginación, y, sobre todo, me comenzaron a hacer fuerza y a
inclinarme a lo que fue, sin yo pensarlo, mi perdición, los
juramentos de don Fernando, los testigos que ponía, las
lágrimas que derramaba y, finalmente, su dispusición y
gentileza, que, acompañada con tantas muestras de verdadero amor, pudieran rendir a otro tan libre y recatado corazón como el mío. Llamé a mi criada, para que en la
tierra acompañase a los testigos del cielo; tornó don Fernando a reiterar y confirmar sus juramentos; añadió a los
primeros nuevos santos por testigos; echóse mil futuras
maldiciones, si no cumpliese lo que me prometía; volvió

---

[7] *barata*, trato que resulta engañoso para el que adquiere.

a humedecer sus ojos y a acrecentar sus suspiros; apretóme más entre sus brazos, de los cuales jamás me había dejado, y con esto, y con volverse a salir del aposento mi doncella, yo dejé de serlo y él acabó de ser traidor y fementido. El día que sucedió a la noche de mi desgracia, se venía aun no tan apriesa como yo pienso que don Fernando deseaba; porque, después de cumplido aquello que el apetito pide, el mayor gusto que puede venir es apartarse de donde le alcanzaron. Digo esto, porque don Fernando dio priesa por partirse de mí, y por industria de mi doncella, que era la misma que allí le había traído, antes que amaneciese se vio en la calle. Y al despedirse de mí, aunque no con tanto ahínco y vehemencia como cuando vino, me dijo que estuviese segura de su fe, y de ser firmes y verdaderos sus juramentos; y, para más confirmación de su palabra, sacó un rico anillo del dedo y lo puso en el mío. En efecto, él se fue, y yo quedé ni sé si triste o alegre; esto sé bien decir: que quedé confusa y pensativa y casi fuera de mí con el nuevo acaecimiento, y no tuve ánimo, o no se me acordó, de reñir a mi doncella por la traición cometida de encerrar a don Fernando en mi mismo aposento, porque aún no me determinaba si era bien o mal el que me había sucedido. Díjele, al partir, a don Fernando que por el mesmo camino de aquélla podía verme otras noches, pues ya era suya, hasta que, cuando él quisiese, aquel hecho se publicase. Pero no vino otra alguna, si no fue la siguiente, ni yo pude verle en la calle ni en la iglesia en más de un mes; que en vano me cansé en solicitallo, puesto que supe que estaba en la villa y que los más días iba a caza, ejercicio de que él era muy aficionado[8]. Estos días y estas horas bien sé yo que para mí fueron aciagos y menguadas, y bien sé que comencé a dudar en ellos, y aun a descreer de la fe de don Fernando; y sé también que mi doncella oyó entonces las palabras que en reprehensión de su atrevimiento antes no había oído; y sé que me fue forzoso tener cuenta con mis lágrimas, y con la compostura de mi rostro, por no dar ocasión a que mis padres me preguntasen que de qué andaba descontenta y me obligasen a buscar mentiras que decilles. Pero todo esto se acabó en un punto, llegándose

[8] *aficionado*, aquí acaba la censura de la Inquisición portuguesa que se ha señalado en la nota 6.

uno donde se atropellaron respectos y se acabaron los honrados discursos, y adonde se perdió la paciencia y salieron a plaza mis secretos pensamientos. Y esto fue porque de allí a pocos días se dijo en el lugar cómo en una ciudad allí cerca se había casado don Fernando con una doncella hermosísima en todo estremo, y de muy principales padres, aunque no tan rica, que por la dote pudiera aspirar a tan noble casamiento. Díjose que se llamaba Luscinda, con otras cosas que en sus desposorios sucedieron, dignas de admiración.

Oyó Cardenio el nombre de Luscinda, y no hizo otra cosa que encoger los hombros, morderse los labios, enarcar las cejas, y dejar de allí a poco caer por sus ojos dos fuentes de lágrimas. Mas no por esto dejó Dorotea de seguir su cuento, diciendo:

—Llegó esta triste nueva a mis oídos, y, en lugar de helárseme el corazón en oílla, fue tanta la cólera y rabia que se encendió en él, que faltó poco para no salirme por las calles dando voces, publicando la alevosía y traición que se me había hecho. Mas templóse esta furia por entonces con pensar de poner aquella mesma noche por obra lo que puse; que fue ponerme en este hábito, que me dio uno de los que llaman zagales en casa de los labradores, que era criado de mi padre, al cual descubrí toda mi desventura, y le rogué me acompañase hasta la ciudad donde entendí que mi enemigo estaba. Él, después que hubo reprehendido mi atrevimiento y afeado mi determinación, viéndome resuelta en mi parecer, se ofreció a tenerme compañía, como él dijo, hasta el cabo del mundo. Luego al momento encerré en una almohada de lienzo un vestido de mujer, y algunas joyas y dineros, por lo que podía suceder. Y en el silencio de aquella noche, sin dar cuenta a mi traidora doncella, salí de mi casa, acompañada de mi criado y de muchas imaginaciones, y me puse en camino de la ciudad a pie, llevada en vuelo del deseo de llegar, ya que no a estorbar lo que tenía por hecho, a lo menos, a decir a don Fernando me dijese con qué alma lo había hecho. Llegué en dos días y medio donde quería, y en entrando por la ciudad pregunté por la casa de los padres de Luscinda, y al primero a quien hice la pregunta me respondió más de lo que yo quisiera oír. Díjome la casa y todo lo que había sucedido en el desposorio de su hija, cosa tan pública en la ciudad, que se hace en corrillos[9] para contarla por toda ella. Díjome que la noche que don Fernando se desposó con Luscinda, después de haber ella dado el sí de ser su esposa, le había tomado un recio desmayo, y que llegando su esposo a desabrocharle el pecho para que le diese el aire, le halló un papel escrito de la misma letra de Luscinda, en que decía y declaraba que ella no podía ser esposa de don Fernando, porque lo era de Cardenio, que, a lo que el hombre me dijo, era un caballero muy principal, de la mesma ciudad; y que si había dado el sí a don Fernando, fue por no salir de la obediencia de sus padres. En resolución, tales razones dijo que contenía el papel, que daba a entender que ella había tenido intención de matarse en acabándose de desposar, y daba allí las razones por que se había quitado la vida; todo lo cual dicen que confirmó una daga que le hallaron no sé en qué parte de sus vestidos. Todo lo cual visto por don Fernando, pareciéndole que Luscinda le había burlado y escarnecido y tenido en poco, arremetió a ella antes que de su desmayo volviese, y con la misma daga que le hallaron la quiso dar de puñaladas, y lo hiciera, si sus padres y los que se hallaron presentes no se lo estorbaran. Dijeron más: que luego se ausentó don Fernando, y que Luscinda no había vuelto de su parasismo hasta otro día, que contó a sus padres cómo ella era verdadera esposa de aquel Cardenio que he dicho. Supe más: que el Cardenio, según decían, se halló presente a los desposorios, y que en viéndola desposada, lo cual él jamás pensó, se salió de la ciudad desesperado, dejándole primero escrita una carta, donde daba a entender el agravio que Luscinda le había hecho, y de cómo él se iba adonde gentes no le viesen. Esto todo era público y notorio en toda la ciudad, y todos hablaban dello, y más hablaron cuando supieron que Luscinda había faltado de casa de sus padres y de la ciudad, pues no la hallaron en toda ella, de que perdían el juicio sus padres, y no sabían qué medio se tomar para hallarla. Esto que supe, puso en bando[10] mis esperanzas, y tuve por me-

---

[9] *se hace en corrillos,* así en las dos primeras ediciones, lo que supone que *ciudad* equivale a «los habitantes de la ciudad». Posteriormente se enmendó *se hacen corrillos,* lo que se acepta en la mayoría de las ediciones modernas.

[10] *puso en bando,* reagrupó, reunió.

jor no haber hallado a don Fernando, que no hallarle casado, pareciéndome que aún no estaba del todo cerrada la puerta a mi remedio, dándome yo a entender que podría ser que el cielo hubiese puesto aquel impedimento en el segundo matrimonio, por atraerle a conocer lo que al primero debía, y a caer en la cuenta de que era cristiano, y que estaba más obligado a su alma que a los respetos humanos. Todas estas cosas revolvía en mi fantasía, y me consolaba sin tener consuelo, fingiendo unas esperanzas largas y desmayadas, para entretener la vida que ya aborrezco. Estando, pues, en la ciudad, sin saber qué hacerme, pues a don Fernando no hallaba, llegó a mis oídos un público pregón, donde se prometía grande hallazgo[11] a quien me hallase, dando las señas de la edad y del mesmo traje que traía; y oí decir que se decía que me había sacado de casa de mis padres el mozo que conmigo vino, cosa que me llegó al alma, por ver cuán de caída andaba mi crédito, pues no bastaba perderle con mi venida, sino añadir el con quién, siendo subjeto tan bajo y tan indigno de mis buenos pensamientos. Al punto que oí el pregón, me salí de la ciudad con mi criado, que ya comenzaba a dar muestras de titubear en la fe que de fidelidad me tenía prometida, y aquella noche nos entramos por lo espeso desta montaña, con el miedo de no ser hallados. Pero como suele decirse que un mal llama a otro, y que el fin de una desgracia suele ser principio de otra mayor, así me sucedió a mí, porque mi buen criado, hasta entonces fiel y seguro, así como me vio en esta soledad, incitado de su mesma bellaquería antes que de mi hermosura, quiso aprovecharse de la ocasión que, a su parecer, estos yermos le ofrecían, y, con poca vergüenza y menos temor de Dios ni respeto mío, me requirió de amores; y viendo que yo con feas[12] y justas palabras respondía a las desvergüenzas de sus propósitos, dejó aparte los ruegos, de quien primero pensó aprovecharse, y comenzó a usar de la fuerza. Pero el justo cielo, que pocas o ningunas veces deja de mirar y favorecer a las justas intenciones, favoreció las mías, de manera que con mis pocas fuerzas, y con poco trabajo, di con él por un derrumbadero, donde le dejé, ni sé si muerto o si vivo; y luego, con más lige-

---

[11] *hallazgo*, premio para el que encuentre una cosa.
[12] *feas... palabras*, palabras que afean o reprochan.

reza que mi sobresalto y cansancio pedían, me entré por estas montañas, sin llevar otro pensamiento ni otro disignio que esconderme en ellas y huir de mi padre y de aquellos que de su parte me andaban buscando. Con este deseo ha no sé cuántos meses que entré en ellas, donde hallé un ganadero que me llevó por su criado a un lugar que está en las entrañas desta sierra, al cual he servido de zagal todo este tiempo, procurando estar siempre en el campo por encubrir estos cabellos que ahora, tan sin pensarlo, me han descubierto. Pero toda mi industria y toda mi solicitud fue y ha sido de ningún provecho, pues mi amo vino en conocimiento de que yo no era varón, y nació en él el mesmo mal pensamiento que en mi criado; y como no siempre la fortuna con los trabajos da los remedios, no hallé derrumbadero ni barranco de donde despeñar y despenar al amo, como le hallé para el criado, y así, tuve por menor inconveniente dejalle y asconderme de nuevo entre estas asperezas que probar con él mis fuerzas o mis disculpas. Digo, pues, que me torné a emboscar, y a buscar donde sin impedimento alguno pudiese con suspiros y lágrimas rogar al cielo se duela de mi desventura y me dé industria y favor para salir della, o para dejar la vida entre estas soledades, sin que quede memoria desta triste, que tan sin culpa suya habrá dado materia para que de ella se hable y murmure en la suya y en las ajenas tierras.

CAPÍTULO XXIX

QUE TRATA DEL GRACIOSO ARTIFICIO Y ORDEN QUE SE TUVO EN SACAR A NUESTRO ENAMORADO CABALLERO DE LA ASPERÍSIMA PENITENCIA EN QUE SE HABÍA PUESTO*

Esta es, señores, la verdadera historia de mi tragedia: mirad y juzgad ahora si los suspiros que escuchastes, las palabras que oístes y las lágrimas que de mis ojos salían, tenían ocasión bastante para mostrarse en mayor abundancia; y, considerada la calidad de mi desgracia, veréis que será en vano el consuelo, pues es imposible el

* En las primeras ediciones la rúbrica de este capítulo se colocó al frente del siguiente, el 30, y la de éste aquí.

remedio della. Sólo os ruego (lo que con facilidad podréis y debéis hacer) que me aconsejéis dónde podré pasar la vida sin que me acabe el temor y sobresalto que tengo de ser hallada de los que me buscan; que aunque sé que el mucho amor que mis padres me tienen me asegura que seré dellos bien recebida, es tanta la vergüenza que me ocupa sólo al pensar que, no como ellos pensaban, tengo que parecer a su presencia, que tengo por mejor desterrarme para siempre de ser vista que no verles el rostro, con pensamiento que ellos miran el mío ajeno de la honestidad que de mí se debían de tener prometida.

Calló en diciendo esto, y el rostro se le cubrió de un color que mostró bien claro el sentimiento y vergüenza del alma. En las suyas sintieron los que escuchado la habían tanta lástima como admiración de su desgracia; y aunque luego quisiera el cura consolarla y aconsejarla, tomó primero la mano Cardenio, diciendo:

—En fin, señora, ¿que tú eres la hermosa Dorotea, la hija única del rico Clenardo?

Admirada quedó Dorotea cuando oyó el nombre de su padre, y de ver cuán de poco era el que le nombraba, porque ya se ha dicho de la mala manera que Cardenio estaba vestido, y así, le dijo:

—Y ¿quién sois vos, hermano, que así sabéis el nombre de mi padre? Porque yo, hasta ahora, si mal no me acuerdo, en todo el discurso del cuento de mi desdicha no le he nombrado.

—Soy —respondió Cardenio— aquel sin ventura que, según vos, señora, habéis dicho, Luscinda dijo que era su esposa. Soy el desdichado Cardenio, a quien el mal término de aquel que a vos os ha puesto en el que estáis, me ha traído a que me veáis cual me veis, roto, desnudo, falto de todo humano consuelo y, lo que es peor de todo, falto de juicio, pues no le tengo sino cuando al cielo se le antoja dármele por algún breve espacio. Yo, Dorotea, soy el que me hallé presente a las sinrazones de don Fernando, y el que aguardó oír el sí que de ser su esposa pronunció Luscinda. Yo soy el que no tuvo ánimo para ver en qué paraba su desmayo, ni lo que resultaba del papel que le fue hallado en el pecho, porque no tuvo el alma sufrimiento para ver tantas desventuras juntas; y así, dejé la casa y la paciencia, y una carta que dejé a un huésped

mío, a quien rogué que en manos de Luscinda la pusiese,
y víneme a estas soledades, con intención de acabar en
ellas la vida, que desde aquel punto aborrecí, como mortal enemiga mía. Mas no ha querido la suerte quitármela,
contentándose con quitarme el juicio, quizá por guardarme para la buena ventura que he tenido en hallaros; pues
siendo verdad, como creo que lo es, lo que aquí habéis
contado, aún podría ser que a entrambos nos tuviese el
cielo guardado mejor suceso en nuestros desastres que nosotros pensamos. Porque, presupuesto que Luscinda no
puede casarse con don Fernando, por ser mía, ni don
Fernando con ella, por ser vuestro, y haberlo ella tan manifiestamente declarado, bien podemos esperar que el cielo nos restituya lo que es nuestro, pues está todavía en
ser[1], y no se ha enajenado ni deshecho. Y pues este consuelo tenemos, nacido no de muy remota esperanza, ni
fundado en desvariadas imaginaciones, suplícoos, señora,
que toméis otra resolución en vuestros honrados pensamientos, pues yo la pienso tomar en los míos, acomodándoos a esperar mejor fortuna; que yo os juro por la fe de
caballero y de cristiano de no desampararos hasta veros
en poder de don Fernando, y que cuando con razones no
le pudiere atraer a que conozca lo que os debe, de usar
entonces la libertad que me concede el ser caballero, y
poder con justo título desafialle, en razón de la sinrazón que os hace, sin acordarme de mis agravios, cuya
venganza dejaré al cielo, por acudir en la tierra a los
vuestros.

Con lo que Cardenio dijo se acabó de admirar Dorotea, y, por no saber qué gracias volver a tan grandes ofrecimientos, quiso tomarle los pies para besárselos; mas no
lo consintió Cardenio, y el licenciado respondió por entrambos, y aprobó el buen discurso de Cardenio, y, sobre
todo, les rogó, aconsejó y persuadió que se fuesen con él a
su aldea, donde se podrían reparar[2] de las cosas que les
faltaban, y que allí se daría orden como buscar a don Fernando, o como llevar a Dorotea a sus padres, o hacer lo
que más les pareciese conveniente. Cardenio y Dorotea
se lo agradecieron, y acetaron la merced que se les ofrecía. El barbero, que a todo había estado suspenso y ca-

[1] *en ser*, entero, intacto.
[2] *repararse*, proveerse, abastecerse.

llado, hizo también su buena plática y se ofreció con no
menos voluntad que el cura a todo aquello que fuese
bueno para servirles.

Contó asimesmo con brevedad la causa que allí los
había traído, con la estrañeza de la locura de don Quijote, y cómo aguardaban a su escudero, que había ido a
buscalle. Vínosele a la memoria a Cardenio, como por
sueños, la pendencia que con don Quijote había tenido,
y contóla a los demás; mas no supo decir por qué causa
fue su quistión.

En esto, oyeron voces y conocieron que el que las
daba era Sancho Panza, que, por no haberlos hallado en
el lugar donde los dejó, los llamaba a voces. Saliéronle
al encuentro y, preguntándole por don Quijote, les dijo
como le había hallado desnudo en camisa, flaco, amarillo y muerto de hambre, y suspirando por su señora
Dulcinea; y que puesto que le había dicho que ella le
mandaba que saliese de aquel lugar y se fuese al del Toboso, donde le quedaba esperando, había respondido que
estaba determinado de no parecer ante su fermosura
fasta que hobiese fecho fazañas que le ficiesen digno de
su gracia[3]. Y que si aquello pasaba adelante, corría peligro de no venir a ser emperador, como estaba obligado, ni aun arzobispo, que era lo menos que podía ser.
Por eso, que mirasen lo que se había de hacer para sacarle de allí.

El licenciado le respondió que no tuviese pena; que
ellos le sacarían de allí, mal que le pesase. Contó luego
a Cardenio y a Dorotea lo que tenían pensado para remedio de don Quijote, a lo menos para llevarle a su
casa. A lo cual dijo Dorotea que ella haría la doncella
menesterosa mejor que el barbero, y más, que tenía
allí vestidos con que hacerlo al natural, y que la dejasen
el cargo de saber representar todo aquello que fuese menester para llevar adelante su intento, porque ella había
leído muchos libros de caballerías y sabía bien el estilo
que tenían las doncellas cuitadas cuando pedían sus dones a los andantes caballeros.

—Pues no es menester más —dijo el cura— sino que
luego se ponga por obra; que, sin duda, la buena suerte

[3] Arcaísmos de Sancho, expresados en estilo indirecto (*fermosura, fasta, fecho, fazañas, ficiesen*), imitando a don Quijote.

se muestra en favor mío, pues, tan sin pensarlo, a vosotros, señores, se os ha comenzado a abrir puerta para vuestro remedio, y a nosotros se nos ha facilitado la que habíamos menester.

Sacó luego Dorotea de su almohada una saya entera de cierta telilla rica y una mantellina de otra vistosa tela verde, y de una cajita un collar y otras joyas, con que en un instante se adornó de manera que una rica y gran señora parecía. Todo aquello, y más, dijo que había sacado de su casa para lo que se ofreciese, y que hasta entonces no se le había ofrecido ocasión de habello menester. A todos contentó en estremo su mucha gracia, donaire y hermosura, y confirmaron a don Fernando por de poco conocimiento, pues tanta belleza desechaba.

Pero el que más se admiró fue Sancho Panza, por parecerle —como era así verdad— que en todos los días de su vida había visto tan hermosa criatura; y así, preguntó al cura con grande ahínco le dijese quién era aquella tan fermosa señora, y qué era lo que buscaba por aquellos andurriales.

—Esta hermosa señora —respondió el cura—, Sancho hermano, es, como quien no dice nada, es la heredera por línea recta de varón del gran reino de Micomicón, la cual viene en busca de vuestro amo a pedirle un don, el cual es que la desfaga un tuerto o agravio que un mal gigante le tiene fecho; y a la fama que de buen caballero vuestro amo tiene por todo lo descubierto[4], de Guinea ha venido a buscarle esta princesa.

—Dichosa buscada[5] y dichoso hallazgo —dijo a esta sazón Sancho Panza—, y más si mi amo es tan venturoso que desfaga ese agravio y enderece ese tuerto, matando a ese hideputa dese gigante que vuestra merced dice; que sí matará si él le encuentra, si ya no fuese fantasma; que contra las fantasmas no tiene mi señor poder alguno. Pero una cosa quiero suplicar a vuestra merced, entre otras, señor licenciado, y es que porque a mi amo no le tome gana de ser arzobispo, que es lo que yo temo, que vuestra merced le aconseje que se case luego con esta princesa, y así quedará imposibilitado de recebir órdenes arzobispales, y vendrá con facilidad a su impe-

[4] *por todo lo descubierto* [de la tierra].
[5] *buscada*, búsqueda.

rio, y yo al fin de mis deseos; que yo he mirado bien en ello y hallo por mi cuenta que no me está bien que mi amo sea arzobispo, porque yo soy inútil para la Iglesia, pues soy casado, y andarme ahora a traer dispensaciones para poder tener renta por la Iglesia, teniendo, como tengo, mujer y hijos, sería nunca acabar. Así que, señor, todo el toque está en que mi amo se case luego con esta señora, que hasta ahora no sé su gracia, y así, no la llamo por su nombre.

—Llámase —respondió el cura— la princesa Micomicona, porque llamándose su reino Micomicón, claro está que ella se ha de llamar así.

—No hay duda en eso —respondió Sancho—; que yo he visto a muchos tomar el apellido y alcurnia del lugar donde nacieron, llamándose Pedro de Alcalá, Juan de Úbeda y Diego de Valladolid, y esto mesmo se debe de usar allá en Guinea: tomar las reinas los nombres de sus reinos.

—Así debe de ser —dijo el cura—; y en lo del casarse vuestro amo, yo haré en ello todos mis poderíos[6].

Con lo que quedó tan contento Sancho cuanto el cura admirado de su simplicidad, y de ver cuán encajados tenía en la fantasía los mesmos disparates que su amo, pues sin alguna duda se daba a entender que había de venir a ser emperador.

Ya, en esto, se había puesto Dorotea sobre la mula del cura y el barbero se había acomodado al rostro la barba de la cola de buey, y dijeron a Sancho que los guiase adonde don Quijote estaba; al cual advirtieron que no dijese que conocía al licenciado ni al barbero, porque en no conocerlos consistía todo el toque de venir a ser emperador su amo; puesto que ni el cura ni Cardenio quisieron ir con ellos, porque no se le acordase a don Quijote la pendencia que con Cardenio había tenido, y el cura porque no era menester por entonces su presencia. Y así, los dejaron ir delante, y ellos los fueron siguiendo a pie, poco a poco. No dejó de avisar el cura lo que había de hacer Dorotea; a lo que ella dijo que descuidasen, que todo se haría sin faltar punto, como lo pedían y pintaban los libros de caballerías.

[6] «haré todo cuanto yo pueda».

Tres cuartos de legua habrían andado, cuando descubrieron a don Quijote entre unas intricadas peñas, ya vestido, aunque no armado, y así como Dorotea le vio y fue informada de Sancho, que aquél era don Quijote, dio del azote a su palafrén[7], siguiéndole el bien barbado barbero. Y en llegando junto a él, el escudero se arrojó de la mula y fue a tomar en los brazos a Dorotea, la cual, apeándose con grande desenvoltura, se fue a hincar de rodillas ante las de don Quijote; y aunque él pugnaba por levantarla, ella, sin levantarse, le fabló en esta guisa:

—De aquí no me levantaré, ¡oh valeroso y esforzado caballero!, fasta que la vuestra bondad y cortesía me otorgue un don, el cual redundará en honra y prez de vuestra persona y en pro de la más desconsolada y agraviada doncella que el sol ha visto. Y si es que el valor de vuestro fuerte brazo corresponde a la voz de vuestra inmortal fama, obligado estáis a favorecer a la sin ventura que de tan lueñes tierras viene, al olor de vuestro famoso nombre, buscándoos para remedio de sus desdichas[8].

—No os responderé palabra, fermosa señora —respondió don Quijote—, ni oiré más cosa de vuestra facienda, fasta que os levantéis de tierra.

—No me levantaré, señor —respondió la afligida doncella—, si primero por la vuestra cortesía no me es otorgado el don que pido.

—Yo vos le otorgo y concedo —respondió don Quijote—, como no se haya de cumplir en daño o mengua de mi rey, de mi patria y de aquella que de mi corazón y libertad tiene la llave.

—No será en daño ni en mengua de los que decís, mi buen señor —replicó la dolorosa doncella.

[7] *palafrén,* caballería mansa y de paso lento. Aquí se da humorísticamente este nombre a la mula del cura, pues en los libros de caballerías las damas y las doncellas suelen ir montadas en palafrenes.

[8] Dorotea, mujer inteligente y que, como ya sabemos, había leído libros de caballerías, inventa muy acertadamente este parlamento de «doncella menesterosa» con adecuados arcaísmos (*fasta, la vuestra, lueñes,* lejanas), pero permitiéndose una ligera ironía («al *olor* de vuestro famoso nombre»). Cervantes introduce burlescamente este parlamento con otro arcaísmo: «le *fabló* en esta guisa».

Y estando en esto, se llegó Sancho Panza al oído de su señor y muy pasito le dijo:

—Bien puede vuestra merced, señor, concederle el don que pide, que no es cosa de nada: sólo es matar a un gigantazo, y esta que lo pide es la alta princesa Micomicona, reina del gran reino Micomicón de Etiopia.

—Sea quien fuere —respondió don Quijote—, que yo haré lo que soy obligado y lo que me dicta mi conciencia, conforme a lo que profesado tengo.

Y volviéndose a la doncella, dijo:

—La vuestra gran fermosura se levante, que yo le otorgo el don que pedirme quisiere.

—Pues el que pido es —dijo la doncella— que la vuestra magnánima persona se venga luego conmigo donde yo le llevaré y me prometa que no se ha de entremeter en otra aventura ni demanda alguna hasta darme venganza de un traidor que, contra todo derecho divino y humano, me tiene usurpado mi reino.

—Digo que así lo otorgo —respondió don Quijote—, y así podéis, señora, desde hoy más, desechar la malenconía que os fatiga y hacer que cobre nuevos bríos y fuerzas vuestra desmayada esperanza; que, con el ayuda de Dios y la de mi brazo, vos os veréis presto restituida en vuestro reino y sentada en la silla de vuestro antiguo y grande estado, a pesar y a despecho de los follones que contradecirlo quisieren. Y manos a labor; que en la tardanza dicen que suele estar el peligro.

La menesterosa doncella pugnó con mucha porfía por besarle las manos; mas don Quijote, que en todo era comedido y cortés caballero, jamás lo consintió; antes la hizo levantar y la abrazó con mucha cortesía y comedimiento; y mandó a Sancho que requiriese las cinchas a Rocinante, y le armase luego al punto. Sancho descolgó las armas, que, como trofeo, de un árbol estaban pendientes, y, requiriendo las cinchas, en un punto armó a su señor; el cual, viéndose armado, dijo:

—Vamos de aquí, en el nombre de Dios, a favorecer esta gran señora.

Estábase el barbero aún de rodillas, teniendo gran cuenta de disimular la risa y de que no se le cayese la barba, con cuya caída quizá quedaran todos sin conseguir su buena intención; y viendo que ya el don estaba concedido y con la diligencia que don Quijote se alistaba para ir a cumplirle, se levantó y tomó de la otra mano a su señora, y entre los dos la subieron en la mula. Luego subió don Quijote sobre Rocinante, y el barbero se acomodó en su cabalgadura, quedándose Sancho a pie, donde de nuevo se le renovó la pérdida del rucio, con la falta que entonces le hacía; mas todo lo llevaba con gusto, por parecerle que ya su señor estaba puesto en camino y muy a pique de ser emperador; porque sin duda alguna pensaba que se había de casar con aquella princesa, y ser, por lo menos, rey de Micomicón. Sólo le daba pesadumbre el pensar que aquel reino era en tierra de negros y que la gente que por sus vasallos le diesen habían de ser todos negros; a lo cual hizo luego en su imaginación un buen remedio, y díjose a sí mismo:

—¿Qué se me da a mí que mis vasallos sean negros? ¿Habrá más que cargar con ellos y traerlos a España, donde los podré vender, y adonde me los pagarán de contado, de cuyo dinero podré comprar algún título o algún oficio con que vivir descansado todos los días de mi vida? ¡No, sino dormíos, y no tengáis ingenio ni habilidad para disponer de las cosas y para vender treinta o diez mil vasallos en dácame esas pajas[9]! Par Dios que los he de volar, chico con grande, o como pudiere, y que, por negros que sean, los he de volver blancos o amarillos[10]. ¡Llegaos, que me mamo el dedo[11]!

Con esto andaba tan solícito y tan contento, que se le olvidaba la pesadumbre de caminar a pie.

Todo esto miraban de entre unas breñas Cardenio y el cura, y no sabían qué hacerse para juntarse con ellos; pero el cura, que era gran tracista[12], imaginó luego lo que harían para conseguir lo que deseaban, y fue que con unas tijeras que traía en un estuche quitó con mucha presteza la barba a Cardenio, y vistióle un capotillo pardo que él traía, y diole un herreruelo negro, y él se quedó en calzas y en jubón; y quedó tan otro de lo que antes parecía Cardenio, que él mesmo no se conociera,

[9] *en dácame esas pajas*, en un momento.
[10] «los he de malvender (*volar*) todos conjuntamente (*chico con grande*) y convertir en monedas de plata (*blancos*) y de oro (*amarillos*).»
[11] «Acercaos, que soy tonto», dicho irónicamente.
[12] *tracista*, ingenioso.

aunque a un espejo se mirara. Hecho esto, puesto ya que los otros habían pasado adelante en tanto que ellos se disfrazaron, con facilidad salieron al camino real antes que ellos, porque las malezas y malos pasos de aquellos lugares no concedían que anduviesen tanto los de a caballo como los de a pie. En efeto, ellos se pusieron en el llano, a la salida de la sierra, y así como salió della don Quijote y sus camaradas, el cura se le puso a mirar muy de espacio, dando señales de que le iba reconociendo, y al cabo de haberle una buena pieza estado mirando, se fue a él abiertos los brazos y diciendo a voces:

—Para bien sea hallado el espejo de la caballería, el mi buen compatriote don Quijote de la Mancha, la flor y la nata de la gentileza, el amparo y remedio de los menesterosos, la quinta esencia de los caballeros andantes.

Y diciendo esto, tenía abrazado por la rodilla de la pierna izquierda a don Quijote; el cual, espantado de lo que veía y oía decir y hacer a aquel hombre, se le puso a mirar con atención, y, al fin, le conoció, y quedó como espantado de verle, y hizo grande fuerza por apearse; mas el cura no lo consintió por lo cual don Quijote decía:

—Déjeme vuestra merced, señor licenciado, que no es razón que yo esté a caballo, y una tan reverenda persona como vuestra merced esté a pie.

—Eso no consentiré yo en ningún modo —dijo el cura—: estése la vuestra grandeza a caballo, pues estando a caballo acaba las mayores fazañas y aventuras que en nuestra edad se han visto; que a mí, aunque indigno sacerdote, bastárame subir en las ancas de una destas mulas destos señores que con vuestra merced caminan, si no lo han por enojo. Y aun haré cuenta que voy caballero sobre el caballo Pegaso, o sobre la cebra o alfana en que cabalgaba aquel famoso moro Muzaraque, que aún hasta ahora yace encantado en la gran cuesta Zulema, que dista poco de la gran Compluto[13].

—Aún no caía yo en tanto, mi señor licenciado —respondió don Quijote—; y yo sé que mi señora la princesa

---

[13] *Pegaso*, caballo alado mitológico. La alusión a la *alfana* (caballo corpulento) del moro Muzaraque, encantado en la cuesta de Zulema (cerro próximo a Alcalá de Henares, llamada antiguamente Compluto) se refiere sin duda a alguna tradición que Cervantes de niño habría oído en su ciudad natal o que se recordaba en su familia.

será servida, por mi amor, de mandar a su escudero dé
a vuestra merced la silla de su mula, que él podrá acomodarse en las ancas, si es que ella las sufre.

—Sí sufre, a lo que yo creo —respondió la princesa—; y también sé que no será menester mandárselo
al señor mi escudero; que él es tan cortés y tan cortesano, que no consentirá que una persona eclesiástica vaya
a pie, pudiendo ir a caballo.

—Así es —respondió el barbero.

Y apeándose en un punto, convidó al cura con la
silla, y él la tomó sin hacerse mucho de rogar. Y fue el
mal que al subir a las ancas el barbero, la mula, que, en
efeto, era de alquiler, que para decir que era mala esto
basta, alzó un poco los cuartos traseros y dio dos coces
en el aire, que, a darlas en el pecho de maese Nicolás,
o en la cabeza, él diera al diablo la venida por don Quijote. Con todo eso, le sobresaltaron de manera, que cayó
en el suelo, con tan poco cuidado de las barbas, que se
le cayeron en el suelo; y como se vio sin ellas, no tuvo
otro remedio sino acudir a cubrirse el rostro con ambas
manos y a quejarse que le habían derribado las muelas.
Don Quijote, como vio todo aquel mazo[14] de barbas,
sin quijadas y sin sangre, lejos del rostro del escudero
caído, dijo:

—¡Vive Dios, que es gran milagro éste! ¡Las barbas
le ha derribado y arrancado del rostro, como si las quitaran a posta!

El cura, que vio el peligro que corría su invención
de ser descubierta, acudió luego a las barbas y fuese con
ellas adonde yacía maese Nicolás, dando aún voces todavía, y de un golpe, llegándole la cabeza a su pecho, se
las puso, murmurando sobre él unas palabras, que dijo
que era cierto ensalmo apropiado para pegar barbas,
como lo verían; y cuando se las tuvo puestas, se apartó,
y quedó el escudero tan bien barbado y tan sano como
de antes, de que se admiró don Quijote sobremanera,
y rogó al cura que cuando tuviese lugar le enseñase
aquel ensalmo; que él entendía que su virtud a más que
pegar barbas se debía de estender, pues estaba claro
que de donde las barbas se quitasen había de quedar la

---

[14] *mazo*, porción de mercaderías atadas juntas, aquí trenzado
o mata de pelo.

carne llagada y maltrecha, y que, pues todo lo sanaba, a más que barbas aprovechaba.

—Así es —dijo el cura, y prometió de enseñársele en la primera ocasión.

Concertáronse que por entonces subiese el cura, y a trechos se fuesen los tres mudando, hasta que llegasen a la venta, que estaría hasta dos leguas de allí. Puestos los tres a caballo, es a saber, don Quijote, la princesa y el cura, y los tres a pie, Cardenio, el barbero y Sancho Panza, don Quijote dijo a la doncella:

—Vuestra grandeza, señora mía, guíe por donde más gusto le diere.

Y antes que ella respondiese, dijo el licenciado:

—¿Hacia qué reino quiere guiar la vuestra señoría? ¿Es, por ventura, hacia el de Micomicón? Que sí debe de ser, o yo sé poco de reinos.

Ella, que estaba bien en todo, entendió que había de responder que sí, y así, dijo:

—Sí, señor: hacia ese reino es mi camino.

—Si así es —dijo el cura—, por la mitad de mi pueblo hemos de pasar y de allí tomará vuestra merced la derrota de Cartagena, donde se podrá embarcar con la buena ventura; y si hay viento próspero, mar tranquilo y sin borrasca, en poco menos de nueve años se podrá estar a vista de la gran laguna Meona, digo, Meótides[15], que está poco más de cien jornadas más acá del reino de vuestra grandeza.

—Vuestra merced está engañado, señor mío —dijo ella—; porque no ha dos años que yo partí dél, y en verdad que nunca tuve buen tiempo, y, con todo eso, he llegado a ver lo que tanto deseaba, que es al señor don Quijote de la Mancha, cuyas nuevas llegaron a mis oídos así como puse los pies en España, y ellas me movieron a buscarle, para encomendarme en su cortesía y fiar mi justicia del valor de su invencible brazo.

—No más: cesen mis alabanzas —dijo a esta sazón don Quijote— porque soy enemigo de todo género de adulación; y aunque ésta no lo sea, todavía ofenden mis castas orejas semejantes pláticas. Lo que yo sé decir, se-

---

[15] La laguna Meótides o Meotis, citada por autores clásicos (Virgilio, Plinio, etc.), está en el mar de Azof. El cura ha escogido este nombre por su efecto cómico en castellano.

ñora mía, que ora tenga valor o no, el que tuviere o no
tuviere se ha de emplear en vuestro servicio hasta perder la vida; y así, dejando esto para su tiempo, ruego al
señor licenciado me diga qué es la causa que le ha traído por estas partes tan solo, y tan sin criados, y tan a la
ligera, que me pone espanto.

—A eso yo responderé con brevedad —respondió el
cura—; porque sabrá vuestra merced, señor don Quijote, que yo y maese Nicolás, nuestro amigo y nuestro barbero, íbamos a Sevilla a cobrar cierto dinero que un pariente mío que ha muchos años que pasó a Indias me
había enviado, y no tan pocos que no pasan de sesenta
mil pesos ensayados, que es otro que tal[16]; y pasando ayer
por estos lugares, nos salieron al encuentro cuatro salteadores y nos quitaron hasta las barbas; y de modo nos las
quitaron, que le convino al barbero ponérselas postizas;
y aun a este mancebo que aquí va —señalando a Cardenio— le pusieron como de nuevo. Y es lo bueno que es
pública fama por todos estos contornos que los que nos
saltearon son de unos galeotes que dicen que libertó,
casi en este mesmo sitio, un hombre tan valiente que, a
pesar del comisario y de las guardas, los soltó a todos;
y, sin duda alguna, él debía de estar fuera de juicio, o
debe de ser tan grande bellaco como ellos, o algún hombre sin alma y sin conciencia, pues quiso soltar al lobo
entre las ovejas, a la raposa entre las gallinas, a la mosca entre la miel: quiso defraudar la justicia, ir contra su
rey y señor natural, pues fue contra sus justos mandamientos. Quiso, digo, quitar a las galeras sus pies[17], poner en alboroto a la Santa Hermandad, que había muchos años que reposaba; quiso, finalmente, hacer un
hecho por donde se pierda su alma y no se gane su
cuerpo.

Habíales contado Sancho al cura y al barbero la
aventura de los galeotes, que acabó su amo con tanta
gloria suya, y por esto cargaba la mano el cura refirién-
dola, por ver lo que hacía o decía don Quijote; al cual
se le mudaba la color a cada palabra, y no osaba decir

[16] Los pesos remitidos valían, pues, el doble de los corrientes
(*otro que tal*). Estos *pesos* eran los reales de a ocho que se la-
braban en las cecas de Indias (Méjico, Perú).
[17] Los *pies* de las galeras son los remeros o galeotes.

que él había sido el libertador de aquella buena gente.

—Éstos, pues —dijo el cura—, fueron los que nos robaron. Que Dios, por su misericordia, se lo perdone al que no los dejó llevar al debido suplicio.

CAPÍTULO XXX

QUE TRATA DE LA DISCRECIÓN DE LA HERMOSA DOROTEA, CON OTRAS COSAS DE MUCHO GUSTO Y PASATIEMPO*

No hubo bien acabado el cura, cuando Sancho dijo:

—Pues mía fe, señor licenciado, el que hizo esa fazaña fue mi amo, y no porque yo no le dije antes y le avisé que mirase lo que hacía, y que era pecado darles libertad, porque todos iban allí por grandísimos bellacos.

—Majadero —dijo a esta sazón don Quijote—, a los caballeros andantes no les toca ni atañe averiguar si los afligidos, encadenados y opresos que encuentran por los caminos van de aquella manera, o están en aquella angustia, por sus culpas, o por sus gracias; sólo le¹ toca ayudarles como a menesterosos, poniendo los ojos en sus penas, y no en sus bellaquerías. Yo topé un rosario y sarta de gente mohína y desdichada, y hice con ellos lo que mi religión² me pide, y lo demás allá se avenga; y a quien mal le ha parecido, salvo la santa dignidad del señor licenciado y su honrada persona, digo que sabe poco de achaque de caballería, y que miente como un hideputa y mal nacido; y esto le haré conocer con mi espada, donde más largamente se contiene³.

Y esto dijo afirmándose en los estribos y calándose el morrión; porque la bacía de barbero, que a su cuenta era el yelmo de Mambrino, llevaba colgado del arzón delantero, hasta adobarla del mal tratamiento que la hicieron los galeotes.

Dorotea, que era discreta y de gran donaire, como

---

* En las primeras ediciones del *Quijote* el epígrafe de este capítulo va al frente del anterior.
¹ *le toca*, considerando el plural *caballeros* como singular.
² *religión*, orden de caballería.
³ *donde más largamente se contiene*, fórmula de juramento (véase I, 10, nota 14).

quien ya sabía el menguado humor de don Quijote y
que todos hacían burla dél, sino Sancho Panza, no quiso
ser para menos, y viéndole tan enojado, le dijo:

—Señor caballero, miémbresele[4] a la vuestra merced
el don que me tiene prometido, y que, conforme a él, no
puede entremeterse en otra aventura, por urgente que
sea; sosiegue vuestra merced el pecho; que si el señor licenciado supiera que por ese invicto brazo habían sido
librados los galeotes, él se diera tres puntos en la boca,
y aun se mordiera tres veces la lengua, antes que haber
dicho palabra que en despecho[5] de vuestra merced re-
dundara.

—Eso juro yo bien —dijo el cura—, y aun me hubiera quitado un bigote.

—Yo callaré, señora mía —dijo don Quijote—, y re-
primiré la justa cólera que ya en mi pecho se había levantado, y iré quieto y pacífico hasta tanto que os
cumpla el don prometido; pero, en pago deste buen deseo,
os suplico me digáis, si no se os hace de mal, cuál es la
vuestra cuita y cuántas, quiénes y cuáles son las personas
de quien os tengo que dar debida, satisfecha y entera
venganza.

—Eso haré yo de gana —respondió Dorotea—, si es
que no os enfadan oír lástimas y desgracias.

—No enfadará, señora mía —respondió don Quijote.

A lo que respondió Dorotea:

—Pues así es, esténme vuestras mercedes atentos.

No hubo ella dicho esto, cuando Cardenio y el barbero se le pusieron al lado, deseosos de ver cómo fingía
su historia la discreta Dorotea, y lo mismo hizo Sancho,
que tan engañado iba con ella como su amo. Y ella, después de haberse puesto bien en la silla y prevenídose con
toser y hacer otros ademanes, con mucho donaire comenzó a decir desta manera:

—Primeramente, quiero que vuestras mercedes sepan, señores míos, que a mí me llaman...

Y detúvose aquí un poco, porque se le olvidó el nombre que el cura le había puesto; pero él acudió al remedio, porque entendió en lo que reparaba, y dijo:

—No es maravilla, señora mía, que la vuestra gran-

---

[4] *miémbresele*, acuérdese de.
[5] *despecho*, ofensa.

deza se turbe y empache contando sus desventuras; que
ellas suelen ser tales, que muchas veces quitan la memoria a los que maltratan, de tal manera, que aun de sus
mesmos nombres no se les acuerda, como han hecho
con vuestra gran señoría, que se ha olvidado que se
llama la princesa Micomicona, legítima heredera del
gran reino Micomicón; y con este apuntamiento puede
la vuestra grandeza reducir ahora fácilmente a su lastimada memoria todo aquello que contar quisiere.

—Así es la verdad —respondió la doncella—, y desde aquí adelante creo que no será menester apuntarme
nada; que yo saldré a buen puerto con mi verdadera
historia. La cual es que el rey mi padre, que se llama
Tinacrio el Sabidor[6], fue muy docto en esto que llaman
el arte mágica, y alcanzó por su ciencia que mi madre,
que se llamaba la reina Jaramilla, había de morir primero que él, y que de allí a poco tiempo él también había de pasar desta vida y yo había de quedar huérfana
de padre y madre. Pero decía él que no le fatigaba tanto
esto cuanto le ponía en confusión saber por cosa muy
cierta que un descomunal gigante, señor de una grande
ínsula, que casi alinda con nuestro reino, llamado Pandafilando de la Fosca Vista (porque es cosa averiguada
que, aunque tiene los ojos en su lugar y derechos, siempre mira al revés, como si fuese bizco, y esto lo hace él
de maligno y por poner miedo y espanto a los que mira),
digo que supo que este gigante, en sabiendo mi orfandad, había de pasar con gran poderío sobre mi reino,
y me lo había de quitar todo, sin dejarme una pequeña
aldea donde me recogiese; pero que podía escusar toda
esta ruina y desgracia si yo me quisiese casar con él;
mas, a lo que él entendía, jamás pensaba que me vendría
a mí en voluntad de hacer tan desigual casamiento; y
dijo en esto la pura verdad, porque jamás me ha pasado por el pensamiento casarme con aquel gigante, pero
ni con otro alguno, por grande y desaforado que fuese.
Dijo también mi padre que después que él fuese muerto
y viese yo que Pandafilando comenzaba a pasar sobre mi
reino, que no aguardase a ponerme en defensa, porque
sería destruirme, sino que libremente le dejase desemba-

---

[6] *Tinacrio* figura en algunos libros de caballerías, como el
Caballero del Febo. Sabidor, sabio.

razado el reino, si quería escusar la muerte y total des-
truición de mis buenos y leales vasallos, porque no había
de ser posible defenderme de la endiablada fuerza del
gigante; sino que luego, con algunos de los míos, me pusiese en camino de las Españas, donde hallaría el remedio de mis males hallando a un caballero andante, cuya
fama en este tiempo se estendería por todo este reino,
el cual se había de llamar, si mal no me acuerdo, don
Azote, o don Gigote[7].

—Don Quijote diría, señora —dijo a esta sazón Sancho Panza—, o, por otro nombre, el Caballero de la
Triste Figura.

—Así es la verdad —dijo Dorotea—. Dijo más: que
había de ser alto de cuerpo, seco de rostro, y que en el
lado derecho, debajo del hombro izquierdo, o por allí
junto, había de tener un lunar pardo con ciertos cabellos
a manera de cerdas.

En oyendo esto don Quijote, dijo a su escudero:

—Ten aquí, Sancho, hijo, ayúdame a desnudar; que
quiero ver si soy el caballero que aquel sabio rey dejó
profetizado.

—Pues ¿para qué quiere vuestra merced desnudarse?
—dijo Dorotea.

—Para ver si tengo ese lunar que vuestro padre dijo
—respondió don Quijote.

—No hay para qué desnudarse —dijo Sancho—, que
yo sé que tiene vuestra merced un lunar desas señas en
la mitad del espinazo, que es señal de ser hombre fuerte.

—Eso basta —dijo Dorotea—; porque con los amigos no se ha de mirar en pocas cosas, y que esté en el
hombro o que esté en el espinazo, importa poco: basta
que haya lunar, y esté donde estuviere, pues todo es una
mesma carne; y, sin duda, acertó mi buen padre en todo,
y yo he acertado en encomendarme al señor don Quijote, que él es por quien mi padre dijo, pues las señales
del rostro vienen con las de la buena fama que este caballero tiene no sólo en España, pero en toda la Mancha, pues apenas me hube desembarcado en Osuna[8],

---

[7] *gigote*, guisado de carne picada.
[8] Dorotea da a entender que España es una parte de la Mancha
con intención irónica; pero en cambio, dice que Osuna es puerto
de mar porque sufre un lapsus (Osuna es la patria de don Fernando), como ya se advertirá en seguida.

cuando oí decir tantas hazañas suyas, que luego me dio
el alma que era el mesmo que venía a buscar.

—Pues ¿cómo se desembarcó vuestra merced en
Osuna, señora mía —preguntó don Quijote—, si no es
puerto de mar?

Mas antes que Dorotea respondiese, tomó el cura
la mano y dijo:

—Debe de querer decir la señora princesa que después que desembarcó en Málaga, la primera parte donde
oyó nuevas de vuestra merced fue en Osuna.

—Eso quise decir —dijo Dorotea.

—Y esto lleva camino —dijo el cura—, y prosiga
vuestra majestad adelante.

—No hay que proseguir —respondió Dorotea—, sino
que, finalmente, mi suerte ha sido tan buena en hallar
al señor don Quijote, que ya me cuento y tengo por
reina y señora de todo mi reino, pues él, por su cortesía
y magnificencia, me ha prometido el don de irse conmigo dondequiera que yo le llevare, que no será a otra parte que a ponerle delante de Pandafilando de la Fosca
Vista, para que le mate y me restituya lo que tan contra
razón me tiene usurpado; que todo esto ha de suceder a
pedir de boca, pues así lo dejó profetizado Tinacrio el
Sabidor, mi buen padre; el cual también dejó dicho y
escrito en letras caldeas o griegas, que yo no las sé leer,
que si este caballero de la profecía, después de haber de-
gollado al gigante, quisiese casarse conmigo, que yo me
otorgase luego sin réplica alguna por su legítima esposa,
y le diese la posesión de mi reino, junto con la de mi
persona.

—¿Qué te parece, Sancho amigo? —dijo a este punto don Quijote—. ¿No oyes lo que pasa? ¿No te lo dije
yo? Mira si tenemos ya reino que mandar y reina con
quien casar.

—¡Eso juro yo —dijo Sancho— para el puto que
no se casare en abriendo el gaznatico al señor Panda-
hilado! Pues ¡monta[9] que es mala la reina! ¡Así se me
vuelvan las pulgas de la cama!

Y diciendo esto, dio dos zapatetas en el aire, con
muestras de grandísimo contento, y luego fue a tomar

---

[9] *monta*, interjección.

las riendas de la mula de Dorotea, y haciéndola detener,
se hincó de rodillas ante ella, suplicándole le diese las
manos para besárselas, en señal que la recibía por su reina y señora. ¿Quién no había de reír de los circunstantes, viendo la locura del amo y la simplicidad del criado? En efecto, Dorotea se las dio, y le prometió de
hacerle gran señor en su reino, cuando el cielo le hiciese
tanto bien, que se lo dejase cobrar y gozar. Agradecióselo
Sancho con tales palabras que renovó la risa en todos.

—Ésta, señores —prosiguió Dorotea—, es mi historia;
sólo resta por deciros que de cuanta gente de acompañamiento saqué de mi reino no me ha quedado sino sólo
este buen barbado escudero, porque todos se anegaron
en una gran borrasca que tuvimos a vista del puerto, y
él y yo salimos en dos tablas a tierra, como por milagro;
y así, es todo milagro y misterio el discurso de mi vida,
como lo habréis notado. Y si en alguna cosa he andado
demasiada, o no tan acertada como debiera, echad la
culpa a lo que el señor licenciado dijo al principio de
mi cuento: que los trabajos continuos y extraordinarios
quitan la memoria al que los padece.

—Ésa no me quitarán a mí, ¡oh alta y valerosa señora! —dijo don Quijote—, cuantos yo pasare en serviros, por grandes y no vistos que sean; y así, de nuevo
confirmo el don que os he prometido y juro de ir con vos
al cabo del mundo, hasta verme con el fiero enemigo
vuestro, a quien pienso, con el ayuda de Dios y de mi
brazo, tajar la cabeza soberbia con los filos desta... no
quiero decir buena espada, merced a Ginés de Pasamonte, que me llevó la mía[10].

Esto dijo entre dientes, y prosiguió diciendo:

—Y después de habérsela tajado y puéstoos en pacífica posesión de vuestro estado, quedará a vuestra voluntad hacer de vuestra persona lo que más en talante
os viniere; porque mientras que yo tuviere ocupada la
memoria y cautiva la voluntad, perdido el entendimiento, a aquella..., y no digo más, no es posible que yo

---

[10] No se ha dicho, ni se indica en ningún otro pasaje de la novela, que Ginés de Pasamonte se llevara la espada de don Quijote.
Es posible que en una primitiva redacción ello ocurriera, pero al
reestructurar Cervantes el libro lo eliminara, sin acordarse de
quitar la alusión presente.

arrostre, ni por pienso, el casarme, aunque fuese con el ave fénix[11].

Parecióle tan mal a Sancho lo que últimamente su amo dijo acerca de no querer casarse, que, con grande enojo, alzando la voz dijo:

—Voto a mí, y juro a mí, que no tiene vuestra merced, señor don Quijote, cabal juicio. Pues ¿cómo es posible que pone vuestra merced en duda el casarse con tan alta princesa como aquésta? ¿Piensa que le ha de ofrecer la fortuna tras cada cantillo semejante ventura como la que ahora se le ofrece? ¿Es, por dicha, más hermosa mi señora Dulcinea? No, por cierto, ni aun con la mitad, y aun estoy por decir que no llega a su zapato de la que está delante. Así, noramala alcanzaré yo el condado que espero, si vuestra merced se anda a pedir cotufas en el golfo[12]. Cásese, cásese luego, encomiéndole yo a Satanás, y tome ese reino que se le viene a las manos de vobis vobis[13], y en siendo rey, hágame marqués o adelantado, y luego, siquiera se lo lleve el diablo todo.

Don Quijote, que tales blasfemias oyó decir contra su señora Dulcinea, no lo pudo sufrir; y, alzando el lanzón, sin hablalle palabra a Sancho, y sin decirle esta boca es mía, le dio tales dos palos, que dio con él en tierra; y si no fuera porque Dorotea le dio voces que no le diera más, sin duda le quitara allí la vida.

—¿Pensáis —le dijo a cabo de rato—, villano ruin, que ha de haber lugar siempre para ponerme la mano en la horcajadura[14] y que todo ha de ser errar vos y perdonaros yo? Pues no lo penséis, bellaco descomulgado, que sin duda lo estás, pues has puesto lengua en la sin par Dulcinea. Y ¿no sabéis vos, gañán, faquín, belitre[15], que si no fuese por el valor que ella infunde en mi brazo, que no le tendría yo para matar una pulga? Decid, so-

---

[11] Animal fabuloso del que se decía que sólo existía uno y que renacía de sus propias cenizas; y por esta razón es símbolo de una cosa única.

[12] *pedir cotufas en el golfo*, pedir cosas imposibles de lograr; cotufa, tubérculo parecido a la chufa.

[13] Corrupción rústica de Sancho de la expresión «de bóbilis bóbilis», o sea, de balde, regalado.

[14] Locución que significa «tener demasiada familiaridad con una persona»; *horcajadura*, el ángulo que forman las piernas en su nacimiento.

[15] *faquín*, ganapán; *belitre*, pícaro, ruin (ésta era palabra nueva en castellano).

carrón de lengua viperina, y ¿quién pensáis que ha ganado este reino y cortado la cabeza a este gigante, y héchoos a vos marqués, que todo esto doy ya por hecho y por cosa pasada en cosa juzgada, si no es el valor de Dulcinea, tomando a mi brazo por instrumento de sus hazañas? Ella pelea en mí, y vence en mí, y yo vivo y respiro en ella, y tengo vida y ser. ¡Oh hideputa bellaco, y cómo sois desagradecido: que os veis levantado del polvo de la tierra a ser señor de título, y correspondéis a tan buena obra con decir mal de quien os la hizo!

No estaba tan maltrecho Sancho, que no oyese todo cuanto su amo le decía; y levantándose con un poco de presteza, se fue a poner detrás del palafrén de Dorotea, y desde allí dijo a su amo:

—Dígame, señor: si vuestra merced tiene determinado de no casarse con esta gran princesa, claro está que no será el reino suyo; y no siéndolo, ¿qué mercedes me puede hacer? Esto es de lo que yo me quejo; cásese vuestra merced una por una[16] con esta reina, ahora que la tenemos aquí como llovida del cielo, y después puede volverse con mi señora Dulcinea; que reyes debe de haber habido en el mundo que hayan sido amancebados. En lo de la hermosura no me entremeto; que, en verdad, si va a decirla, que entrambas me parecen bien, puesto que yo nunca he visto a la señora Dulcinea.

—¿Cómo que no la has visto, traidor blasfemo? —dijo don Quijote—. Pues ¿no acabas de traerme ahora un recado de su parte?

—Digo que no la he visto tan despacio —dijo Sancho— que pueda haber notado particularmente su hermosura y sus buenas partes punto por punto; pero así, a bulto, me parece bien.

—Ahora te disculpo —dijo don Quijote—, y perdóname el enojo que te he dado; que los primeros movimientos no son en manos de los hombres.

—Ya yo lo veo —respondió Sancho—; y así, en mí la gana de hablar siempre es primero movimiento, y no puedo dejar de decir, por una vez siquiera, lo que me viene a la lengua.

---

[16] *una por una*, por ahora.

—Con todo eso —dijo don Quijote—, mira, Sancho, lo que hablas; porque tantas veces va el cantarillo a la fuente..., y no te digo más.

—Ahora bien —respondió Sancho—. Dios está en el cielo, que ve las trampas, y será juez de quién hace más mal: yo en no hablar bien, o vuestra merced en no obrallo.

—No haya más —dijo Dorotea—: corred, Sancho, y besad la mano a vuestro señor, y pedilde perdón y de aquí adelante andad más atento en vuestras alabanzas y vituperios, y no digáis mal de aquesa señora Tobosa, a quien yo no conozco si no es para servilla, y tened confianza en Dios, que no os ha de faltar un estado donde viváis como un príncipe.

Fue Sancho cabizbajo y pidió la mano a su señor, y él se la dio con reposado continente; y después que se la hubo besado, le echó la bendición, y dijo a Sancho que se adelantasen un poco, que tenía que preguntalle y que departir con él cosas de mucha importancia. Hízolo así Sancho y apartáronse los dos algo adelante, y díjole don Quijote:

—Después que veniste, no he tenido lugar ni espacio para preguntarte muchas cosas de particularidad acerca de la embajada que llevaste y de la respuesta que trujiste; y ahora, pues la fortuna nos ha concedido tiempo y lugar, no me niegues tú la ventura que puedes darme con tan buenas nuevas.

—Pregunte vuestra merced lo que quisiere —respondió Sancho—; que a todo daré tan buena salida como tuve la entrada. Pero suplico a vuestra merced, señor mío, que no sea de aquí adelante tan vengativo.

—¿Por qué lo dices, Sancho? —dijo don Quijote.

—Dígolo —respondió— porque estos palos de agora más fueron por la pendencia que entre los dos trabó el diablo la otra noche que por lo que dije contra mi señora Dulcinea, a quien amo y reverencio como a una reliquia, aunque en ella no lo haya, sólo por ser cosa de vuestra merced.

—No tornes a esas pláticas, Sancho, por tu vida —dijo don Quijote—, que me dan pesadumbre; ya te perdoné entonces, y bien sabes tú que suele decirse: a pecado nuevo, penitencia nueva[17].

En tanto que los dos iban en estas pláticas, dijo el cura a Dorotea que había andado muy discreta, así en el cuento como en la brevedad dél y en la similitud que tuvo con los de los libros de caballerías. Ella dijo que muchos ratos se había entretenido en lellos; pero que no sabía ella dónde eran las provincias ni puertos de mar, y que así había dicho a tiento que se había desembarcado en Osuna.

—Yo lo entendí así —dijo el cura—, y por eso acudí luego a decir lo que dije, con que se acomodó todo. Pero ¿no es cosa estraña ver con cuánta facilidad cree este desventurado hidalgo todas estas invenciones y mentiras, sólo porque llevan el estilo y modo de las necedades de sus libros?

—Sí es —dijo Cardenio—, y tan rara y nunca vista, que yo no sé si queriendo inventarla y fabricarla mentirosamente, hubiera tan agudo ingenio que pudiera dar en ella.

—Pues otra cosa hay en ello —dijo el cura—: que fuera de las simplicidades que este buen hidalgo dice tocantes a su locura, si le tratan de otras cosas, discurre con bonísimas razones y muestra tener un entendimien-

---

[17] En la segunda edición de Juan de la Cuesta se intercala aquí el hallazgo del rucio de Sancho con el siguiente pasaje: «*Mientras esto pasaba, vieron venir por el camino donde ellos iban a un hombre caballero sobre un jumento, y cuando llegó cerca les parecía que era gitano; pero Sancho Panza, que doquiera que vía asnos se le iban los ojos y el alma, apenas hubo visto al hombre, cuando conoció que era Ginés de Pasamonte, y por el hilo del gitano sacó el ovillo de su asno, como era la verdad, pues era el rucio sobre que Pasamonte venía; el cual, por no ser conocido y por vender el asno, se había puesto en traje de gitano, cuya lengua, y otras muchas, sabía hablar, como si fueran naturales suyas. Viole Sancho y conocióle; y apenas le hubo visto y conocido, cuando a grandes voces dijo: —¡Ah, laarón Ginesillo! ¡Deja mi prenda, suelta mi vida, no te empaches con mi descanso, deja mi asno, deja mi regalo! ¡Huye, puto; auséntate, ladrón, y desampara lo que no es tuyo!— No fueran menester tantas palabras ni baldones, porque a la primera saltó Ginés y, tomando un trote que parecía carrera, en un punto se ausentó y alejó de todos. Sancho llegó a su rucio y, abrazándole, le dijo: —¿Cómo has estado, bien mío, rucio de mis ojos, compañero mío?— Y con esto le besaba y acariciaba, como si fuera persona. El asno callaba y se dejaba besar y acariciar de Sancho, sin responderle palabra alguna. Llegaron todos y diéronle el parabién del hallazgo del rucio, especialmente don Quijote, el cual le dijo que no por eso anulaba la póliza de los tres pollinos. Sancho se lo agradeció.*

to claro y apacible en todo; de manera que, como no le
toquen en sus caballerías, no habrá nadie que le juzgue
sino por de muy buen entendimiento.

En tanto que ellos iban en esta conversación, prosiguió don Quijote con la suya y dijo a Sancho:

—Echemos, Panza amigo, pelillos a la mar[18] en esto
de nuestras pendencias, y dime ahora, sin tener cuenta
con enojo ni rencor alguno: ¿Dónde, cómo y cuándo
hallaste a Dulcinea? ¿Qué hacía? ¿Qué le dijiste? ¿Qué
te respondió? ¿Qué rostro hizo cuando leía mi carta?
¿Quién te la trasladó[19]? Y todo aquello que vieres que
en este caso es digno de saberse, de preguntarse y satis-
facerse, sin que añadas o mientas por darme gusto, ni
menos te acortes por no quitármele.

—Señor —respondió Sancho—, si va a decir la verdad, la carta no me la trasladó nadie, porque yo no llevé
carta alguna.

—Así es como tú dices —dijo don Quijote—; porque el librillo de memoria donde yo la escribí le hallé
en mi poder a cabo de dos días de tu partida, lo cual
me causó grandísima pena, por no saber lo que habías tú
de hacer cuando te vieses sin carta y creí siempre que
te volvieras desde el lugar donde la echaras menos.

—Así fuera —respondió Sancho—, si no la hubiera
yo tomado en la memoria cuando vuestra merced me la
leyó, de manera que se la dije a un sacristán, que me
la trasladó del entendimiento tan punto por punto, que
dijo que en todos los días de su vida, aunque había leído muchas cartas de descomunión, no había visto ni leído
tan linda carta como aquélla.

—Y ¿tiénesla todavía en la memoria, Sancho? —dijo
don Quijote.

—No, señor —respondió Sancho—, porque después
que la di, como vi que no había de ser de más provecho,
di en olvidalla; y si algo se me acuerda, es aquello del
sobajada, digo, del *soberana señora*, y lo último: *Vuestro
hasta la muerte, el Caballero de la Triste Figura.* Y en
medio destas dos cosas le puse más de trecientas almas,
y vidas, y ojos míos.

---

[18] *echar pelillos a la mar,* «olvidar las rencillas», expresión infantil.—
[19] *trasladó,* copió.

CAPÍTULO XXXI

DE LOS SABROSOS RAZONAMIENTOS QUE PASARON ENTRE DON QUIJOTE Y SANCHO PANZA SU ESCUDERO, CON OTROS SUCESOS

Todo eso no me descontenta; prosigue adelante —dijo don Quijote—. Llegaste, ¿y qué hacía aquella reina de la hermosura? A buen seguro que la hallaste ensartando perlas, o bordando alguna empresa[1] con oro de cañutillo para este su cautivo caballero.

—No la hallé —respondió Sancho— sino ahechando dos hanegas de trigo en un corral de su casa.

—Pues haz cuenta —dijo don Quijote— que los granos de aquel trigo eran granos de perlas, tocados de sus manos. Y si miraste, amigo, el trigo ¿era candeal o trechel?

—No era sino rubión[2] —respondió Sancho.

—Pues yo te aseguro —dijo don Quijote— que, ahechado por sus manos, hizo pan candeal, sin duda alguna. Pero pasa adelante: cuando le diste mi carta, ¿besóla? ¿Púsosela sobre la cabeza? ¿Hizo alguna ceremonia digna de tal carta, o qué hizo?

—Cuando yo se la iba a dar —respondió Sancho—, ella estaba en la fuga del meneo de una buena parte de trigo que tenía en la criba, y díjome: «Poned, amigo, esa »carta sobre aquel costal; que no la puedo leer hasta que »acabe de acribar todo lo que aquí está».

—¡Discreta señora! —dijo don Quijote—. Eso debió de ser por leerla despacio y recrearse con ella. Adelante, Sancho. Y en tanto que estaba en su menester, ¿qué coloquios pasó contigo? ¿Qué te preguntó de mí? Y tú, ¿qué le respondiste? Acaba, cuéntamelo todo; no se te quede en el tintero una mínima[4].

—Ella no me preguntó nada —dijo Sancho—; mas

---

[1] *empresa*, símbolo heráldico.
[2] El trigo *candeal* es el que da la harina más blanca; el *trechel* es de mucho peso y producto; y el *rubión*, de granos dorados.
[3] Para el sentido de *poner sobre la cabeza*, véase I, 6, nota 17.
[4] *mínima*, figura musical para la expresión de la duración del sonido, que vale la mitad de la semibreve.

yo le dije de la manera que vuestra merced, por su servicio, quedaba haciendo penitencia, desnudo de la cintura arriba, metido entre estas sierras como si fuera salvaje, durmiendo en el suelo, sin comer pan a manteles ni sin peinarse la barba, llorando y maldiciendo su fortuna.

—En decir que maldecía mi fortuna dijiste mal —dijo don Quijote—; porque antes la bendigo y bendeciré todos los días de mi vida, por haberme hecho digno de merecer amar tan alta señora como Dulcinea del Toboso.

—Tan alta es —respondió Sancho—, que a buena fe que me lleva a mí más de un coto[5].

—Pues ¿cómo, Sancho? —dijo don Quijote—. ¿Haste medido tú con ella?

—Medíme en esta manera —le respondió Sancho—: que llegándole a ayudar a poner un costal de trigo sobre un jumento, llegamos tan juntos, que eché de ver que me llevaba más de un gran palmo.

—Pues ¡es verdad —replicó don Quijote— que no acompaña esa grandeza y la adorna con mil millones de gracias del alma! Pero no me negarás, Sancho, una cosa: cuando llegaste junto a ella, ¿no sentiste un olor sabeo[6], una fragancia aromática, y un no sé qué de bueno, que yo no acierto a dalle nombre? Digo, ¿un tuho o tufo como si estuvieras en la tienda de algún curioso guantero?

—Lo que sé decir —dijo Sancho— es que sentí un olorcillo algo hombruno; y debía de ser que ella, con el mucho ejercicio, estaba sudada y algo correosa.

—No sería eso —respondió don Quijote—; sino que tú debías de estar romadizado[7], o te debiste de oler a ti mismo; porque yo sé bien a lo que huele aquella rosa entre espinas, aquel lirio del campo, aquel ámbar desleído.

—Todo puede ser —respondió Sancho—; que muchas veces sale de mí aquel olor que entonces me pareció que salía de su merced de la señora Dulcinea; pero no hay de qué maravillarse, que un diablo parece a otro.

—Y bien —prosiguió don Quijote—, he aquí que

---

[5] *coto*, medida que se establece con los cuatro dedos de la mano cerrada y sobre ella el pulgar levantado.
[6] *sabeo*, de Sabá, región de Arabia famosa por su incienso.
[7] *romadizado*, acatarrado.

acabó de limpiar su trigo y de enviallo al molino. ¿Qué hizo cuando leyó la carta?

—La carta —dijo Sancho— no la leyó, porque dijo que no sabía leer ni escribir; antes la rasgó y la hizo menudas piezas, diciendo que no la quería dar a leer a nadie, porque no se supiesen en el lugar sus secretos, y que bastaba lo que yo le había dicho de palabra acerca del amor que vuestra merced le tenía y de la penitencia extraordinaria que por su causa quedaba haciendo. Y, finalmente, me dijo que dijese a vuestra merced que le besaba las manos, y que allí quedaba con más deseo de verle que de escribirle; y que, así, le suplicaba y mandaba que, vista la presente, saliese de aquellos matorrales y se dejase de hacer disparates, y se pusiese luego luego en camino del Toboso, si otra cosa de más importancia no le sucediese, porque tenía gran deseo de ver a vuestra merced. Rióse mucho cuando le dije como se llamaba vuestra merced *el Caballero de la Triste Figura*. Pregunté si había ido allá el vizcaíno de marras; díjome que sí, y que era un hombre muy de bien. También le pregunté por los galeotes; mas díjome que no había visto hasta entonces alguno.

—Todo va bien hasta agora —dijo don Quijote—. Pero dime: ¿qué joya fue la que te dio al despedirte, por las nuevas que de mí le llevaste? Porque es usada y antigua costumbre entre los caballeros y damas andantes dar a los escuderos, doncellas o enanos que les llevan nuevas, de sus damas a ellos, a ellas de sus andantes, alguna rica joya en albricias, en agradecimiento de su recado.

—Bien puede eso ser así, y yo la tengo por buena usanza; pero eso debió de ser en los tiempos pasados: que ahora sólo se debe de acostumbrar a dar un pedazo de pan y queso, que esto fue lo que me dio mi señora Dulcinea, por las bardas de un corral, cuando della me despedí; y aun, por más señas, era el queso ovejuno.

—Es liberal en estremo —dijo don Quijote—; y si no te dio joya de oro, sin duda debió de ser porque no la tendría allí a la mano para dártela; pero buenas son mangas después de Pascua[8]: yo la veré, y se satisfará todo.

---

[8] Refrán que se dice cuando se realiza algo muy deseado; *manga* significaba «propina».

¿Sabes de qué estoy maravillado, Sancho? De que me
parece que fuiste y veniste por los aires, pues poco más
de tres días has tardado en ir v venir desde aquí al Toboso, habiendo de aquí allá más de treinta leguas; por lo
cual me doy a entender que aquel sabio nigromante que
tiene cuenta con mis cosas y es mi amigo (porque por
fuerza le hay, y le ha de haber, so pena que yo no sería
buen caballero andante), digo que este tal te debió de
ayudar a caminar, sin que tú lo sintieses; que hay sabio
déstos que coge a un caballero andante durmiendo en su
cama, y sin saber cómo o en qué manera, amanece otro
día más de mil leguas de donde anocheció. Y si no fuese
por esto, no se podrían socorrer en sus peligros los caballeros andantes unos a otros, como se socorren a cada
paso. Que acaece estar uno peleando en las sierras de
Armenia con algún endriago, o con algún fiero vestiglo,
o con otro caballero, donde lleva lo peor de la batalla y
está ya a punto de muerte, y cuando no os me cato, asoma por acullá, encima de una nube, o sobre un carro de
fuego, otro caballero amigo suyo, que poco antes se hallaba en Ingalaterra, que le favorece y libra de la muerte, y a la noche se halla en su posada, cenando muy a
su sabor; y suele haber de la una a la otra parte dos
o tres mil leguas. Y todo esto se hace por industria y sabiduría destos sabios encantadores que tienen cuidado
destos valerosos caballeros. Así que, amigo Sancho, no se
me hace dificultoso creer que en tan breve tiempo hayas
ido y venido desde este lugar al del Toboso, pues, como
tengo dicho, algún sabio amigo te debió de llevar en vo-
landillas, sin que tú lo sintieses.

—Así sería —dijo Sancho—; porque a buena fe que
andaba Rocinante como si fuera asno de gitano con azogue en los oídos[9].

—Y ¡cómo si llevaba azogue! —dijo don Quijote—.
Y aun una legión de demonios, que es gente que camina
y hace caminar, sin cansarse, todo aquello que se les antoja. Pero, dejando esto aparte, ¿qué te parece a ti que
debo yo de hacer ahora cerca de lo que mi señora me
manda que la vaya a ver? Que, aunque yo veo que estoy
obligado a cumplir su mandamiento, véome también im-

---

[9] Alude a un ardid de los gitanos consistente en echar azogue en
los oídos de las caballerías para que corran más.

posibilitado del don que he prometido a la princesa que
con nosotros viene, y fuérzame la ley de caballería a
cumplir mi palabra antes que mi gusto. Por una parte,
me acosa y fatiga el deseo de ver a mi señora; por otra,
me incita y llama la prometida fe y la gloria que he de
alcanzar en esta empresa. Pero lo que pienso hacer será
caminar apriesa y llegar presto donde está este gigante,
y en llegando, le cortaré la cabeza, y pondré a la princesa pacíficamente en su estado, y al punto daré la vuelta a ver a la luz que mis sentidos alumbra, a la cual daré
tales disculpas, que ella venga a tener por buena mi tardanza, pues verá que todo redunda en aumento de su
gloria y fama, pues cuanta yo he alcanzado, alcanzo y
alcanzare por las armas en esta vida, toda me viene del
favor que ella me da y de ser yo suyo.

—¡Ay —dijo Sancho—, y cómo está vuestra merced
lastimado de esos cascos! Pues dígame, señor: ¿piensa
vuestra merced caminar este camino en balde, y dejar
pasar y perder un tan rico y tan principal casamiento
como éste, donde le dan en dote un reino, que a buena
verdad que he oído decir que tiene más de veinte mil leguas de contorno, y que es abundantísimo de todas las
cosas que son necesarias para el sustento de la vida humana, y que es mayor que Portugal y que Castilla juntos?
Calle, por amor de Dios, y tenga vergüenza de lo que ha
dicho, y tome mi consejo, y perdóneme, y cásese luego en
el primer lugar que haya cura; y si no, ahí está nuestro
licenciado, que lo hará de perlas. Y advierta que ya tengo
edad para dar consejos, y que este que le doy le viene
de molde, y que más vale pájaro en mano que buitre volando, porque quien bien tiene y mal escoge, por bien
que se enoja no se venga[10].

—Mira, Sancho —respondió don Quijote—: si el
consejo que me das de que me case es porque sea luego
rey en matando al gigante, y tenga comodo[11] para hacerte mercedes y darte lo prometido, hágote saber que
sin casarme podré cumplir tu deseo muy fácilmente; porque yo sacaré de adahala[12], antes de entrar en la batalla,

---

[10] Sancho dice este refrán trastrocándolo; es: «Quien bien tiene
y mal escoge, por mal que le venga, no se enoje».
[11] *comodo*, comodidad, oportunidad.
[12] *adahala*, propina.

que, saliendo vencedor della, ya que no me case, me han de dar una parte del reino, para que la pueda dar a quien yo quisiere, y en dándomela, ¿a quién quieres tú que la dé sino a ti?

—Eso está claro —respondió Sancho—; pero mire vuestra merced que la escoja hacia la marina, porque, si no me contentare la vivienda, pueda embarcar mis negros vasallos y hacer dellos lo que ya he dicho. Y vuestra merced no se cure de ir por agora a ver a mi señora Dulcinea, sino váyase a matar al gigante, y concluyamos este negocio; que por Dios que se me asienta que ha de ser de mucha honra y de mucho provecho.

—Dígote, Sancho —dijo don Quijote—, que estás en lo cierto, y que habré de tomar tu consejo en cuanto el ir antes con la princesa que a ver a Dulcinea. Y avísote que no digas nada a nadie, ni a los que con nosotros vienen, de lo que aquí hemos departido y tratado; que pues Dulcinea es tan recatada, que no quiere que se sepan sus pensamientos, no será bien que yo, ni otro por mí, los descubra.

—Pues si eso es así —dijo Sancho—, ¿cómo hace vuestra merced que todos los que vence por su brazo se vayan a presentar ante mi señora Dulcinea, siendo esto firma de su nombre que la quiere bien y que es su enamorado? Y siendo forzoso que los que fueren se han de ir a hincar de finojos ante su presencia, y decir que van de parte de vuestra merced a dalle la obediencia, ¿cómo se pueden encubrir los pensamientos de entrambos?

—¡Oh, qué necio y qué simple que eres! —dijo don Quijote—. ¿Tú no ves, Sancho, que eso todo redunda en su mayor ensalzamiento? Porque has de saber que en este nuestro estilo de caballería es gran honra tener una dama muchos caballeros andantes que la sirvan, sin que se estiendan más sus pensamientos que a servilla por sólo ser ella quien es, sin esperar otro premio de sus muchos y buenos deseos sino que ella se contente de acetarlos por sus caballeros.

—Con esa manera de amor —dijo Sancho— he oído yo predicar que se ha de amar a Nuestro Señor, por sí solo, sin que nos mueva esperanza de gloria o temor de pena. Aunque yo le querría amar y servir por lo que pudiese.

—¡Válate el diablo por villano —dijo don Quijote—, y qué de discreciones dices a las veces! No parece sino que has estudiado.

—Pues a fe mía que no sé leer —respondió Sancho.

En esto les dio voces maese Nicolás que esperasen un poco; que querían detenerse a beber en una fontecilla que allí estaba. Detúvose don Quijote, con no poco gusto de Sancho, que ya estaba cansado de mentir tanto y temía no le cogiese su amo a palabras; porque, puesto que[13] él sabía que Dulcinea era una labradora del Toboso, no la había visto en toda su vida.

Habíase en este tiempo vestido Cardenio los vestidos que Dorotea traía cuando la hallaron, que aunque no eran muy buenos, hacían mucha ventaja a los que dejaba. Apeáronse junto a la fuente, y con lo que el cura se acomodó en la venta satisficieron, aunque poco, la mucha hambre que todos traían.

Estando en esto, acertó a pasar por allí un muchacho que iba de camino, el cual, poniéndose a mirar con mucha atención a los que en la fuente estaban, de allí a poco arremetió a don Quijote y, abrazándole por las piernas, comenzó a llorar muy de propósito, diciendo:

—¡Ay, señor mío! ¿No me conoce vuestra merced? Pues míreme bien; que yo soy aquel mozo Andrés que quitó vuestra merced de la encina donde estaba atado[14].

Reconocióle don Quijote, y asiéndole por la mano se volvió a los que allí estaban, y dijo:

—Porque vean vuestras mercedes cuán de importancia es haber caballeros andantes en el mundo, que desfagan los tuertos y agravios que en él se hacen por los insolentes y malos hombres que en él viven, sepan vuestras mercedes que los días pasados, pasando yo por un bosque, oí unos gritos y unas voces muy lastimosas, como de persona afligida y menesterosa; acudí luego, llevado de mi obligación, hacia la parte donde me pareció que las lamentables voces sonaban, y hallé atado a una encina a este muchacho que ahora está delante, de lo que me huelgo en el alma, porque será testigo que no me dejará

---

[13] *puesto que,* aunque.
[14] Se refiere al episodio narrado en 1, 4.

mentir en nada. Digo que estaba atado a la encina, desnudo del medio cuerpo arriba, y estábale abriendo a azotes con las riendas de una yegua un villano, que después
supe que era amo suyo; y así como yo le vi le pregunté
la causa de tan atroz vapulamiento; respondió el zafio
que le azotaba porque era su criado, y que ciertos descuidos que tenía nacían más de ladrón que de simple;
a lo cual este niño dijo: «Señor, no me azota sino porque le pido mi salario». El amo replicó no sé qué arengas y disculpas, las cuales, aunque de mí fueron oídas,
no fueron admitidas. En resolución, yo le hice desatar,
y tomé juramento al villano de que le llevaría consigo
y le pagaría un real sobre otro, y aun sahumados. ¿No es
verdad todo esto, hijo Andrés? ¿No notaste con cuánto
imperio se lo mandé, y con cuánta humildad prometió
de hacer todo cuanto yo le impuse, y notifiqué y quise?
Responde; no te turbes ni dudes en nada; di lo que pasó
a estos señores, porque se vea y considere ser del provecho que digo haber caballeros andantes por los caminos.

—Todo lo que vuestra merced ha dicho es mucha
verdad —respondió el muchacho—; pero el fin del negocio sucedió muy al revés de lo que vuestra merced se
imagina.

—¿Cómo al revés? —replicó don Quijote—. Luego
¿no te pagó el villano?

—No sólo no me pagó —respondió el muchacho—,
pero así como vuestra merced traspuso del bosque y quedamos solos, me volvió a atar a la mesma encina, y me
dio de nuevo tantos azotes, que quedé hecho un San
Bartolomé desollado; y a cada azote que me daba, me
decía un donaire y chufeta[15] acerca de hacer burla de
vuestra merced, que, a no sentir yo tanto dolor, me riera
de lo que decía. En efecto: él me paró tal, que hasta
ahora he estado curándome en un hospital del mal que
el mal villano entonces me hizo. De todo lo cual tiene
vuestra merced la culpa; porque si se fuera su camino
adelante y no viniera donde no le llamaban, ni se entre-
metiera en negocios ajenos, mi amo se contentara con
darme una o dos docenas de azotes, y luego me soltara
y pagara cuanto me debía. Mas como vuestra merced le

---

[15] *chufeta*, cuchufleta, burla.

deshonró tan sin propósito, y le dijo tantas villanías, encendiósele la cólera, y como no la pudo vengar en vuestra merced, cuando se vio solo descargó sobre mí el nublado, de modo que me parece que no seré más hombre en toda mi vida.

—El daño estuvo —dijo don Quijote— en irme yo de allí, que no me había de ir hasta dejarte pagado; porque bien debía yo de saber, por luengas experiencias, que no hay villano que guarde palabra que tiene, si él vee que no le está bien guardalla. Pero ya te acuerdas, Andrés, que yo juré que si no te pagaba, que había de ir a buscarle, y que le había de hallar, aunque se escondiese en el vientre de la ballena.

—Así es la verdad —dijo Andrés—; pero no aprovechó nada.

—Ahora verás si aprovecha —dijo don Quijote.

Y diciendo esto, se levantó muy apriesa y mandó a Sancho que enfrenase a Rocinante, que estaba paciendo en tanto que ellos comían.

Preguntóle Dorotea qué era lo que hacer quería. Él le respondió que quería ir a buscar al villano y castigalle de tan mal término, y hacer pagado a Andrés hasta el último maravedí, a despecho y pesar de cuantos villanos hubiese en el mundo. A lo que ella respondió que advirtiese que no podía, conforme al don prometido, entremeterse en ninguna empresa hasta acabar la suya; y que pues esto sabía él mejor que otro alguno, que sosegase el pecho hasta la vuelta de su reino.

—Así es verdad —respondió don Quijote—, y es forzoso que Andrés tenga paciencia hasta la vuelta, como vos, señora, decís; que yo le torno a jurar y a prometer de nuevo de no parar hasta hacerle vengado y pagado.

—No me creo desos juramentos —dijo Andrés—; más quisiera tener agora con que llegar a Sevilla que todas las venganzas del mundo: déme, si tiene ahí, algo que coma y lleve, y quédese con Dios su merced y todos los caballeros andantes, que tan bien andantes sean ellos para castigo como lo han sido para conmigo.

Sacó de su repuesto Sancho un pedazo de pan y otro de queso, y dándoselo al mozo, le dijo:

—Tomá, hermano Andrés; que a todos nos alcanza parte de vuestra desgracia.

—Pues ¿qué parte os alcanza a vos? —preguntó Andrés.

—Esta parte de queso y pan que os doy —respondió Sancho—, que Dios sabe si me ha de hacer falta o no; porque os hago saber, amigo, que los escuderos de los caballeros andantes estamos sujetos a mucha hambre y a mala ventura, y aun a otras cosas que se sienten mejor que se dicen.

Andrés asió de su pan y queso y, viendo que nadie le daba otra cosa, abajó su cabeza y tomó el camino en las manos, como suele decirse[16]. Bien es verdad que, al partirse, dijo a don Quijote:

—Por amor de Dios, señor caballero andante, que si otra vez me encontrare, aunque vea que me hacen pedazos, no me socorra ni ayude, sino déjeme con mi desgracia; que no será tanta, que no sea mayor la que me vendrá de su ayuda de vuestra merced, a quien Dios maldiga, y a todos cuantos caballeros andantes han nacido en el mundo.

Íbase a levantar don Quijote para castigalle; mas él se puso a correr de modo que ninguno se atrevió a seguille. Quedó corridísimo don Quijote del cuento de Andrés, y fue menester que los demás tuviesen mucha cuenta con no reírse, por no acaballe de correr del todo.

CAPÍTULO XXXII

Que trata de lo que sucedió en la venta a toda la cuadrilla de don Quijote*

ACABÓSE la buena comida, ensillaron luego y, sin que les sucediese cosa digna de contar, llegaron otro día a la venta, espanto y asombro de Sancho Panza; y aun-

---

[16] *tomar el camino en las manos,* ponerse en camino.
* La conversación sobre libros que mantienen en este capítulo el cura y el ventero Palomeque revela, por una parte, hasta qué punto la lectura de los de caballerías había cundido, en el bajo pueblo, y por la otra la lamentable confusión que en algunos —entre ellos don Quijote— se producía entre la literatura fabulosa o novelesca y la histórica, que es un aspecto esencial en el pensamiento cervantino por lo que se refiere a la sátira de tipo exclusivamente literario. Cervantes no ataca la caballería ni el heroísmo, como bien se puede ver aquí, sino la degeneración literaria de una y otro.

que él quisiera no entrar en ella, no lo pudo huir. La ventera, ventero, su hija y Maritornes, que vieron venir a don Quijote y a Sancho, les salieron a recebir con muestras de mucha alegría, y él las recibió con grave continente y aplauso[1], y díjoles que le aderezasen otro mejor lecho que la vez pasada; a lo cual le respondió la huéspeda que como la pagase mejor que la otra vez, que ella se la[2] daría de príncipes. Don Quijote dijo que sí haría, y así, le aderezaron uno razonable en el mismo caramanchón de marras, y él se acostó luego, porque venía muy quebrantado y falto de juicio.

No se hubo bien encerrado, cuando la huéspeda arremetió al barbero, y asiéndole de la barba, dijo:

—Para mi santiguada, que no se ha aún de aprovechar más de mi rabo para su barba, y que me ha de volver mi cola; que anda lo de mi marido por esos suelos, que es vergüenza; digo, el peine, que solía yo colgar de mi buena cola.

No se la quería dar el barbero, aunque ella más tiraba, hasta que el licenciado le dijo que se la diese; que ya no era menester más usar de aquella industria, sino que se descubriese y mostrase en su misma forma, y dijese a don Quijote que cuando le despojaron los ladrones galeotes se habían venido a aquella venta huyendo; y que si preguntase por el escudero de la princesa, le dirían que ella le había enviado adelante a dar aviso a los de su reino como ella iba y llevaba consigo el libertador de todos. Con esto dio de buena gana la cola a la ventera el barbero, y asimismo le volvieron todos los adherentes que había prestado para la libertad de don Quijote. Espantáronse todos los de la venta de la hermosura de Dorotea, y aun del buen talle del zagal Cardenio. Hizo el cura que les aderezasen de comer de lo que en la venta hubiese, y el huésped, con esperanza de mejor paga, con diligencia les aderezó una razonable comida; y a todo esto dormía don Quijote, y fueron de parecer de no despertalle, porque más provecho le haría por entonces el dormir que el comer.

Trataron sobre comida[3], estando delante el ventero,

---

[1] *aplauso*, tono solemne, pausado.
[2] *la* concuerda con el sujeto mental *cama*, sinónimo de *lecho*.
[3] *sobre comida*, de sobremesa.

su mujer, su hija, Maritornes, todos los pasajeros, de la estraña locura de don Quijote y del modo que le habían hallado. La huéspeda les contó lo que con él y el arriero les había acontecido, y mirando si acaso estaba allí Sancho, como no le viese, contó todo lo de su manteamiento, de que no poco gusto recibieron. Y como el cura dijese que los libros de caballerías que don Quijote había leído le habían vuelto el juicio, dijo el ventero:

—No sé yo cómo puede ser eso; que en verdad que, a lo que yo entiendo, no hay mejor letrado[4] en el mundo, y que tengo ahí dos o tres dellos, con otros papeles, que verdaderamente me han dado la vida, no sólo a mí, sino a otros muchos. Porque cuando es tiempo de la siega, se recogen aquí, las fiestas, muchos segadores, y siempre hay algunos que saben leer, el cual[5] coge uno destos libros en las manos, y rodeámonos dél más de treinta, y estámosle escuchando con tanto gusto, que nos quita mil canas; a lo menos, de mí sé decir que cuando oyo decir aquellos furibundos y terribles golpes que los caballeros pegan, que me toma gana de hacer otro tanto, y que querría estar oyéndoles noches y días.

—Y yo ni más ni menos —dijo la ventera—, porque nunca tengo buen rato en mi casa sino aquel que vos estáis escuchando leer: que estáis tan embobado, que no os acordáis de reñir por entonces.

—Así es la verdad —dijo Maritornes—; y a buena fe que yo también gusto mucho de oír aquellas cosas, que son muy lindas, y más cuando cuentan que se está la otra señora debajo de unos naranjos abrazada con su caballero, y que les está una dueña haciéndoles la guarda, muerta de envidia y con mucho sobresalto. Digo que todo esto es cosa de mieles.

—Y a vos ¿qué os parece, señora doncella? —dijo el cura hablando con la hija del ventero.

—No sé, señor, en mi ánima[6] —respondió ella—; también yo lo escucho, y en verdad que, aunque no lo entiendo, que recibo gusto en oíllo; pero no gusto yo de los golpes de que mi padre gusta, sino de las lamentacio-

---

[4] *letrado*, lectura.
[5] *el cual*, uno de los cuales.
[6] *en mi ánima*, por mi alma.

nes que los caballeros hacen cuando están ausentes de
sus señoras; que en verdad que algunas veces me hacen
llorar, de compasión que les tengo.

—Luego ¿bien las remediárades vos, señora doncella
—dijo Dorotea—, si por vos lloraran?

—No sé lo que me hiciera —respondió la moza—;
sólo sé que hay algunas señoras de aquéllas tan crueles,
que las llaman sus caballeros tigres y leones y otras mil
inmundicias. Y, ¡Jesús!, yo no sé qué gente es aquélla tan
desalmada y tan sin conciencia, que por no mirar a un
hombre honrado, le dejan que se muera, o que se vuelva
loco. Yo no sé para qué es tanto melindre: si lo hacen
de honradas, cásense con ellos, que ellos no desean otra
cosa.

—Calla, niña —dijo la ventera—, que parece que
sabes mucho destas cosas, y no está bien a las doncellas
saber ni hablar tanto.

—Como me lo pregunta este señor —respondió
ella—, no pude dejar de respondelle.

—Ahora bien —dijo el cura—, traedme, señor huésped, aquesos libros; que los quiero ver.

—Que me place —respondió él.

Y entrando en su aposento, sacó dél una maletilla
vieja, cerrada con una cadenilla, y, abriéndola, halló en
ella tres libros grandes y unos papeles de muy buena letra, escritos de mano. El primer libro que abrió vio que
era *Don Cirongilio de Tracia*[7]; y el otro, de *Felixmarte
de Hircania*[8]; y el otro, la *Historia del Gran Capitán
Gonzalo Hernández de Córdoba, con la vida de Diego
García de Paredes*[9]. Así como el cura leyó los dos títulos
primeros, volvió el rostro al barbero y dijo:

—Falta nos hacen aquí ahora el ama de mi amigo y
su sobrina.

—No hacen —respondió el barbero—; que también
sé yo llevallos al corral o a la chimenea, que en verdad
que hay muy buen fuego en ella.

---

[7] *Los cuatro libros del valeroso caballero don Cirongilio de Tracia* (Sevilla 1545), escritos por Bernardo de Vargas, obra de estilo
recargadísimo y lleno de mala retórica.
[8] Para esta obra véase I, 6, nota 8.
[9] Obra varias veces publicada, entre ellas en Sevilla, 1580, con
el título de *Crónica del Gran Capitán Gonzalo Hernández de Córdoba y Aguilar, con la vida del caballero don García de Paredes*.

—Luego ¿quiere vuestra merced quemar más[10] libros? —dijo el ventero.

—No más —dijo el cura— que estos dos: el de *Don Cirongilio* y el de *Felixmarte*.

—Pues, ¿por ventura —dijo el ventero— mis libros son herejes o flemáticos, que los quiere quemar?

—*Cismáticos* queréis decir, amigo —dijo el barbero—; que no *flemáticos*.

—Así es —replicó el ventero—. Mas si alguno quiere quemar, sea ese del Gran Capitán y dese Diego García; que antes dejaré quemar un hijo que dejar quemar ninguno desotros.

—Hermano mío —dijo el cura—, estos dos libros son mentirosos y están llenos de disparates y devaneos; y este del Gran Capitán es historia verdadera, y tiene los hechos de Gonzalo Hernández de Córdoba, el cual, por sus muchas y grandes hazañas, mereció ser llamado de todo el mundo *Gran Capitán*, renombre famoso y claro, y dél sólo merecido; y este Diego García de Paredes fue un principal caballero, natural de la ciudad de Trujillo, en Estremadura, valentísimo soldado y de tantas fuerzas naturales, que detenía con un dedo una rueda de molino en la mitad de su furia[11]; y, puesto con un montante[12] en la entrada de una puente, detuvo a todo un innumerable ejército, que no pasase por ella; y hizo otras tales cosas, que si como él las cuenta, y las escribe él asimismo, con la modestia de caballero y de coronista propio, las escribiera otro libre y desapasionado, pusieran en su olvido las de los Hétores, Aquiles y Roldanes.

—¡Tomaos con mi padre[13]! —dijo el dicho ventero—. ¡Mirad de qué se espanta: de detener una rueda de molino! Por Dios, ahora había vuestra merced de leer lo que hizo Felixmarte de Hircania, que de un revés solo partió cinco gigantes por la cintura, como si fueran hechos de habas, como los frailecicos que hacen los ni-

---

[10] *más*, así en la primera edición; tal vez habría que enmendar en *mis*.

[11] Diego García de Paredes (1469-1533), capitán de fuerza física y de valor extraordinarios llamado el Sansón de Extremadura, que luchó en Italia a las órdenes de don Gonzalo Fernández de Córdoba. Su figura, que parece legendaria, pasó pronto a la literatura.

[12] *montante*, espada grande que se esgrime con dos manos.

[13] Exclamación que aquí sin duda denota que el ventero encuentra insignificante lo que acaba de oír.

ños[14]. Y otra vez arremetió con un grandísimo y poderosísimo ejército, donde llevó más de un millón y seiscientos mil soldados, todos armados desde el pie hasta la
cabeza, y los desbarató a todos, como si fueran manadas
de ovejas. Pues ¿qué me dirán del bueno de don Cirongilio de Tracia, que fue tan valiente y animoso como se verá
en el libro, donde cuenta que navegando por un río, le
salió de la mitad del agua una serpiente de fuego, y él,
así como la vio, se arrojó sobre ella, y se puso a horcajadas encima de sus escamosas espaldas, y le apretó con
ambas manos la garganta con tanta fuerza, que, viendo
la serpiente que la iba ahogando, no tuvo otro remedio
sino dejarse ir a lo hondo del río, llevándose tras sí al
caballero, que nunca la quiso soltar? Y cuando llegaron
allá bajo, se halló en unos palacios y en unos jardines
tan lindos, que era maravilla; y luego la sierpe se volvió
en un viejo anciano, que le dijo tantas de cosas, que no
hay más que oír. Calle, señor, que si oyese esto, se volvería loco de placer. ¡Dos higas[15] para el Gran Capitán
y para ese Diego García que dice!

Oyendo esto Dorotea, dijo callando[16] a Cardenio:

—Poco le falta a nuestro huésped para hacer la segunda parte de don Quijote.

—Así me parece a mí —respondió Cardenio—, porque, según da indicio, él tiene por cierto que todo lo que
estos libros cuentan pasó ni más ni menos que lo escriben, y no le harán creer otra cosa frailes descalzos.

—Mirad, hermano —tornó a decir el cura—, que no
hubo en el mundo Felixmarte de Hircania, ni don Cirongilio de Tracia, ni otros caballeros semejantes que
los libros de caballerías cuentan, porque todo es compostura y ficción de ingenios ociosos, que los compusieron
para el efeto que vos decís de entretener el tiempo, como
lo entretienen leyéndolos vuestros segadores. Porque realmente os juro que nunca tales caballeros fueron en el
mundo, ni tales hazañas ni disparates acontecieron en él.

—¡A otro perro con ese hueso! —respondió el ventero—. ¡Como si yo no supiese cuántas son cinco y adón-

---

[14] Muñecos hechos con habas.
[15] *higa*, palabra de desprecio que se acompaña de un gesto deni-
gratorio.
[16] *callando*, aparte, por lo bajo.

de me aprieta el zapato! No piense vuestra merced darme papilla, porque por Dios que no soy nada blanco[17]. ¡Bueno es que quiera darme vuestra merced a entender que todo aquello que estos buenos libros dicen sea disparates y mentiras, estando impreso con licencia de los señores del Consejo Real, como si ellos fueran gente que habían de dejar imprimir tanta mentira junta y tantas batallas y tantos encantamentos que quitan el juicio!

—Ya os he dicho, amigo —replicó el cura—, que esto se hace para entretener nuestros ociosos pensamientos; y así como se consiente en las repúblicas bien concertadas que haya juegos de ajedrez, de pelota y de trucos[18], para entretener a algunos que ni tienen, ni deben, ni pueden trabajar, así se consiente imprimir y que haya tales libros, creyendo, como es verdad, que no ha de haber alguno tan ignorante que tenga por historia verdadera ninguna destos libros. Y si me fuera lícito agora, y el auditorio lo requiriera, yo dijera cosas acerca de lo que han de tener los libros de caballerías para ser buenos, que quizá fueran de provecho y aun de gusto para algunos; pero yo espero que vendrá tiempo en que lo pueda comunicar con quien pueda remediallo, y en este entretanto creed, señor ventero, lo que os he dicho, y tomad vuestros libros, y allá os avenid con sus verdades o mentiras, y buen provecho os hagan, y quiera Dios que no cojeéis del pie que cojea vuestro huésped don Quijote.

—Eso no —respondió el ventero—; que no seré yo tan loco que me haga caballero andante; que bien veo que ahora no se usa lo que se usaba en aquel tiempo, cuando se dice que andaban por el mundo estos famosos caballeros.

A la mitad desta plática se halló Sancho presente, y quedó muy confuso y pensativo de lo que había oído decir que ahora no se usaban caballeros andantes, y que todos los libros de caballerías eran necedades y mentiras, y propuso en su corazón de esperar en lo que paraba aquel viaje de su amo, y que si no salía con la felicidad que él pensaba, determinaba de dejalle y volverse con su mujer y sus hijos a su acostumbrado trabajo.

---

[17] *blanco*, ingenuo, poco experimentado.
[18] *trucos*, juego parecido al del billar.

Llevábase la maleta y los libros el ventero; mas el cura le dijo:

—Esperad, que quiero ver qué papeles son esos que de tan buena letra están escritos.

Sacólos el huésped, y dándoselos a leer, vio hasta obra de ocho pliegos escritos de mano, y al principio tenían un título grande que decía: *Novela del Curioso impertinente*. Leyó el cura para sí tres o cuatro renglones, y dijo:

—Cierto que no me parece mal el título desta novela, y que me viene voluntad de leella toda.

A lo que respondió el ventero:

—Pues bien puede leella su reverencia, porque le hago saber que algunos huéspedes que aquí la han leído les ha contentado mucho, y me la han pedido con muchas veras; mas yo no se la he querido dar, pensando volvérsela a quien aquí dejó esta maleta olvidada con estos libros y esos papeles; que bien puede ser que vuelva su dueño por aquí algún tiempo, y aunque sé que me han de hacer falta los libros, a fe que se los he de volver; que, aunque ventero, todavía soy cristiano.

—Vos tenéis mucha razón, amigo —dijo el cura—; mas, con todo eso, si la novela me contenta, me la habéis de dejar trasladar[19].

—De muy buena gana —respondió el ventero.

Mientras los dos esto decían, había tomado Cardenio la novela y comenzado a leer en ella; y pareciéndole lo mismo que al cura, le rogó que la leyese de modo que todos la oyesen.

—Sí leyera —dijo el cura—, si no fuera mejor gastar este tiempo en dormir que en leer.

—Harto reposo será para mí —dijo Dorotea —entretener el tiempo oyendo algún cuento, pues aún no tengo el espíritu tan sosegado que me conceda dormir cuando fuera razón.

—Pues desa manera —dijo el cura—, quiero leerla, por curiosidad siquiera; quizá tendrá alguna[20] de gusto.

Acudió maese Nicolás a rogarle lo mesmo, y Sancho también; lo cual visto del cura, y entendiendo que a todos daría gusto y él le recibiría, dijo:

---

[19] *trasladar*, copiar.
[20] *alguna* [razón] o *alguna* [curiosidad].

—Pues así es, esténme todos atentos; que la novela comienza desta manera:

CAPÍTULO XXXIII

DONDE SE CUENTA LA NOVELA DEL CURIOSO IMPERTINENTE*

«EN Florencia, ciudad rica y famosa de Italia, en la provincia que llaman Toscana, vivía Anselmo y Lotario, dos caballeros ricos y principales, y tan amigos que, por excelencia y antonomasia, de todos los que los conocían *los dos amigos* eran llamados. Eran solteros, mozos de una misma edad y de unas mismas costumbres; todo lo cual era bastante causa a que los dos con recíproca amistad se correspondiesen. Bien es verdad que el Anselmo era algo más inclinado a los pasatiempos amorosos que el Lotario, al cual llevaban tras sí los de la caza; pero cuando se ofrecía, dejaba Anselmo de acudir a sus gustos, por seguir los de Lotario, y Lotario dejaba los suyos, por acudir a los de Anselmo; y desta manera, andaban tan a una sus voluntades, que no había concertado reloj que así lo anduviese.

Andaba Anselmo perdido de amores de una doncella principal y hermosa de la misma ciudad, hija de tan buenos padres y tan buena ella por sí, que se determinó, con el parecer de su amigo Lotario, sin el cual ninguna cosa hacía, de pedilla por esposa a sus padres, y así lo puso en ejecución; y el que llevó la embajada fue Lo-

---

* El relato que aparece aquí intercalado es totalmente independiente de la acción principal, e incluso de tono y ambiente completamente distintos, pues desarrolla una materia «grave» y una trama situada en Florencia y un siglo antes de las aventuras de don Quijote (véase I, 35, nota 10). Es exactamente una *novela*, o sea, una narración de extensión breve —abusivamente llamamos hoy «novela» al *Quijote*, nombre que jamás le dio Cervantes— similar a las doce que forman las *Novelas ejemplares* que se imprimirán en 1613. Es posible que, dado que la presente no es «ejemplar», Cervantes no quisiera incluirla en este tomo y la adelantara en el *Quijote*. La novela del *Curioso impertinente* desarrolla un conflicto que, con elementos mágicos y caballerescos, se encuentra en el canto XLIII del *Orlando furioso*, de Ludovico Ariosto, que a su vez aprovechó Cristóbal de Villalón en su *Crotalón*. La novela de Cervantes es aguda y penetrante en sus intenciones psicológicas. Guillén de Castro llevó el tema del *Curioso impertinente* al teatro en una comedia del mismo título.

tario, y el que concluyó el negocio tan a gusto de su amigo, que en breve tiempo se vio puesto en la posesión que deseaba, y Camila tan contenta de haber alcanzado a Anselmo por esposo, que no cesaba de dar gracias al cielo, y a Lotario, por cuyo medio tanto bien le había venido. Los primeros días, como todos los de boda suelen ser alegres, continuó Lotario como solía la casa de su amigo Anselmo, procurando honralle, festejalle y regocijalle con todo aquello que a él le fue posible; pero acabadas las bodas y sosegada ya la frecuencia de las visitas y parabienes, comenzó Lotario a descuidarse con cuidado de las idas en casa de Anselmo, por parecerle a él —como es razón que parezca a todos los que fueren discretos— que no se han de visitar ni continuar las casa de los amigos casados de la misma manera que cuando eran solteros; porque aunque la buena y verdadera amistad no puede ni debe de ser sospechosa en nada, con todo esto, es tan delicada la honra del casado, que parece que se puede ofender aun de los mesmos hermanos, cuanto más de los amigos.

Notó Anselmo la remisión[1] de Lotario, y formó dél quejas grandes, diciéndole que si él supiera que el casarse había de ser parte para no comunicalle como solía, que jamás lo hubiera hecho, y que si, por la buena correspondencia que los dos tenían mientras él fue soltero, habían alcanzado tan dulce nombre como el de ser llamados *los dos amigos,* que no permitiese, por querer hacer del circunspecto, sin otra ocasión alguna, que tan famoso y tan agradable nombre se perdiese; y que así, le suplicaba, si era lícito que tal término de hablar se usase entre ellos, que volviese a ser señor de su casa, y a entrar y salir en ella como de antes, asegurándole que su esposa Camila no tenía otro gusto ni otra voluntad que la que él quería que tuviese, y que por haber sabido ella con cuántas veras los dos se amaban, estaba confusa de ver en él tanta esquiveza.

A todas estas y otras muchas razones que Anselmo dijo a Lotario para persuadille volviese como solía a su casa, respondió Lotario con tanta prudencia, discreción y aviso, que Anselmo quedó satisfecho de la buena inten-

---

[1] *remisión,* acción de diferir una cosa.

ción de su amigo, y quedaron de concierto que dos días
en la semana y las fiestas fuese Lotario a comer con él; y
aunque esto quedó así concertado entre los dos, propuso
Lotario de no hacer más de aquello que viese que más
convenía a la honra de su amigo, cuyo crédito estimaba
en más que el suyo proprio. Decía él, y decía bien, que
el casado a quien el cielo había concedido mujer hermosa, tanto cuidado había de tener qué amigos llevaba a
su casa como en mirar con qué amigas su mujer conver-
saba; porque lo que no se hace ni concierta en las plazas,
ni en los templos, ni en las fiestas públicas, ni estaciones[2]
—cosas que no todas veces las han de negar los maridos
a sus mujeres—, se concierta y facilita en casa de la
amiga o la parienta de quien más satisfación se tiene.

También decía Lotario que tenían necesidad los casados de tener cada uno algún amigo que le advirtiese
de los descuidos que en su proceder hiciese, porque suele
acontecer que con el mucho amor que el marido a la
mujer tiene, o no le advierte o no le dice, por no enoja-
lla, que haga o deje de hacer algunas cosas, que el ha-
cellas o no, le sería de honra o de vituperio; de lo cual,
siendo del amigo advertido, fácilmente pondría remedio
en todo. Pero ¿dónde se hallará amigo tan discreto y tan
leal y verdadero como aquí Lotario le pide? No lo sé yo,
por cierto; sólo Lotario era éste, que con toda solicitud
y advertimiento miraba por la honra de su amigo, y procuraba dezmar, frisar[3] y acortar los días del concierto del
ir a su casa, porque no pareciese mal al vulgo ocioso y a
los ojos vagabundos y maliciosos la entrada de un mozo
rico, gentilhombre y bien nacido, y de las buenas partes
que él pensaba que tenía, en la casa de una mujer tan
hermosa como Camila; que, puesto que su bondad y
valor podía poner freno a toda maldiciente lengua, todavía no quería poner en duda su crédito ni el de su amigo, y por esto los más de los días del concierto los ocupaba y entretenía en otras cosas, que él daba a entender
ser inexcusables; así que en quejas del uno y disculpas
del otro se pasaban muchos ratos y partes del día.

Sucedió, pues, que uno que los dos se andaban pa-

---

[2] *estaciones*, en el sentido de visitas que se hacen por devoción
a iglesias o altares.
[3] *dezmar*, diezmar; *frisar*, disminuir.

seando por un prado fuera de la ciudad, Anselmo dijo a
Lotario las semejantes razones:

—Pensabas, amigo Lotario, que a las mercedes que
Dios me ha hecho en hacerme hijo de tales padres como
fueron los míos y al darme, no con mano escasa, los bienes, así los que llaman de naturaleza como los de fortuna, no puedo yo corresponder con agradecimiento que
llegue al bien recebido, y sobre al que me hizo en darme
a ti por amigo y a Camila por mujer propria, dos prendas que las estimo, si no en el grado que debo, en el que
puedo. Pues con todas estas partes, que suelen ser el todo
con que los hombres suelen y pueden vivir contentos,
vivo yo el más despechado y el más desabrido hombre
de todo el universo mundo; porque no sé qué días a esta
parte me fatiga y aprieta un deseo tan estraño y tan fuera del uso común de otros, que yo me maravillo de mí
mismo, y me culpo y me riño a solas, y procuro callarlo
y encubrirlo de mis proprios pensamientos; y así me ha
sido posible salir con este secreto como si de industria[4]
procurara decillo a todo el mundo. Y pues que, en efeto,
él ha de salir a plaza, quiero que sea en la del archivo
de tu secreto, confiado que, con él y con la diligencia
que pondrás, como mi amigo verdadero, en remediarme,
yo me veré presto libre de la angustia que me causa, y
llegará mi alegría por tu solicitud al grado que ha llegado mi descontento por mi locura.

Suspenso tenían a Lotario las razones de Anselmo, y
no sabía en qué había de parar tan larga prevención o
preámbulo; y aunque iba revolviendo en su imaginación
qué deseo podría ser aquel que a su amigo tanto fatigaba, dio siempre muy lejos del blanco de la verdad; y,
por salir presto de la agonía que le causaba aquella suspensión, le dijo que hacía notorio agravio a su mucha
amistad en andar buscando rodeos para decirle sus más
encubiertos pensamientos, pues tenía cierto que se podía
prometer dél, o ya consejos para entretenellos, o ya remedio para cumplillos.

—Así es la verdad —respondió Anselmo—, y con
esa confianza te hago saber, amigo Lotario, que el deseo
que me fatiga es pensar si Camila, mi esposa, es tan bue-

_____
[4] *de industria*, adrede.

na y tan perfeta como yo pienso, y no puedo enterarme
en esta verdad, si no es probándola de manera que la
prueba manifieste los quilates de su bondad, como el fuego muestra los del oro. Porque yo tengo para mí, ¡oh
amigo!, que no es una mujer más buena de cuanto es o
no es solicitada, y que aquella sola es fuerte que no se
dobla a las promesas, a las dádivas, a las lágrimas y a las
continuas importunidades de los solícitos amantes. Porque ¿qué hay que agradecer —decía él— que una mujer
sea buena, si nadie le dice que sea mala? ¿Qué mucho
que esté recogida y temerosa la que no le dan ocasión
para que se suelte, y la que sabe que tiene marido que,
en cogiéndola en la primera desenvoltura, la ha de quitar la vida? Ansí que la que es buena por temor, o por
falta de lugar, yo no la quiero tener en aquella estima
en que tendré a la solicitada y perseguida, que salió con
la corona del vencimiento. De modo que por estas razones, y por otras muchas que te pudiera decir para acreditar y fortalecer la opinión que tengo, deseo que Camila, mi esposa, pase por estas dificultades, y se acrisole
y quilate en el fuego de verse requerida y solicitada, y de
quien tenga valor para poner en ella sus deseos; y si ella
sale, como creo que saldrá, con la palma desta batalla,
tendré yo por sin igual mi ventura; podré yo decir que
está colmo el vacío de mis deseos; diré que me cupo en
suerte la mujer fuerte, de quien el Sabio dice que ¿quién
la hallará? Y cuando esto suceda al revés de lo que pienso, con el gusto de ver que acerté en mi opinión, llevaré
sin pena la que de razón podrá causarme mi tan costosa
experiencia. Y prosupuesto que ninguna cosa de cuantas
me dijeres en contra de mi deseo ha de ser de algún provecho para dejar de ponerle por la obra, quiero, ¡oh amigo Lotario!, que te dispongas a ser el instrumento que
labre aquesta obra de mi gusto; que yo te daré lugar
para que lo hagas, sin faltarte todo aquello que yo viere
ser necesario para solicitar a una mujer honesta, honrada, recogida y desinteresada. Y muéveme, entre otras
cosas, a fiar de ti esta tan ardua empresa, el ver que si de
ti es vencida Camila, no ha de llegar el vencimiento a
todo trance y rigor, sino a sólo a tener por hecho lo que
se ha de hacer, por buen respeto, y así, no quedaré yo
ofendido más de con el deseo, y mi injuria quedará es-

condida en la virtud de tu silencio, que bien sé que en lo
que me tocare ha de ser eterno como el de la muerte.
Así que, si quieres que yo tenga vida que pueda decir
que lo es, desde luego has de entrar en esta amorosa batalla, no tibia ni perezosamente, sino con el ahínco y diligencia que mi deseo pide, y con la confianza que nuestra amistad me asegura.

Éstas fueron las razones que Anselmo dijo a Lotario,
a todas las cuales estuvo tan atento, que si no fueron las
que quedan escritas que le dijo, no desplegó sus labios
hasta que hubo acabado; y viendo que no decía más,
después que le estuvo mirando un buen espacio, como
si mirara otra cosa que jamás hubiera visto, que le cau-
sara admiración y espanto, le dijo:

—No me puedo persuadir, ¡oh amigo Anselmo!, a
que no sean burlas las cosas que me has dicho; que
a pensar que de veras las decías, no consintiera que tan
adelante pasaras, porque con no escucharte previniera
tu larga arenga. Sin duda imagino, o que no me conoces, o que yo no te conozco. Pero no; que bien sé que
eres Anselmo, y tú sabes que yo soy Lotario; el daño está
en que yo pienso que no eres el Anselmo que solías, y tú
debes de haber pensado que tampoco yo soy el Lotario
que debía ser, porque las cosas que me has dicho, ni son
de aquel Anselmo mi amigo, ni las que me pides se han
de pedir a aquel Lotario que tú conoces; porque los buenos amigos han de probar a sus amigos y valerse dellos,
como dijo un poeta, *usque ad aras*[5]; que quiso decir que
no se habían de valer de su amistad en cosas que fuesen
contra Dios. Pues si esto sintió un gentil de la amistad,
¿cuánto mejor es que lo sienta el cristiano, que sabe que
por ninguna humana ha de perder la amistad divina?
Y cuando el amigo tirase tanto la barra, que pusiese
aparte los respetos del cielo por acudir a los de su amigo,
no ha de ser por cosas ligeras y de poco momento, sino
por aquellas en que vaya la honra y la vida de su amigo.
Pues dime tú ahora, Anselmo: ¿cuál destas dos cosas
tienes en peligro para que yo me aventure a compla-
certe y a hacer una cosa tan detestable como me pides?
Ninguna, por cierto; antes me pides, según yo entiendo,

[5] No parece que se trate de ningún poeta sino de Pericles, a
quien atribuye estas palabras Plutarco.

que procure y solicite quitarte la honra y la vida, y quitármela a mí juntamente. Porque si yo he de procurar
quitarte la honra, claro está que te quito la vida, pues el
hombre sin honra peor es que un muerto; y siendo yo
el instrumento, como tú quieres que lo sea, de tanto mal
tuyo, ¿no vengo a quedar deshonrado, y, por el mesmo
consiguiente, sin vida? Escucha, amigo Anselmo, y ten
paciencia de no responderme hasta que acabe de decirte
lo que se me ofreciere acerca de lo que te ha pedido tu
deseo; que tiempo quedará para que tú me repliques y
yo te escuche.

—Que me place —dijo Anselmo—; di lo que quisieres.

Y Lotario prosiguió diciendo:

—Paréceme, ¡oh Anselmo!, que tienes tú ahora el ingenio como el que siempre tienen los moros, a los cuales
no se les puede dar a entender el error de su secta con
las acotaciones de la Santa Escritura, ni con razones que
consistan en especulación del entendimiento, ni que vayan fundadas en artículos de fe, sino que les han de
traer ejemplos palpables, fáciles, inteligibles, demostrativos, indubitables, con demostraciones matemáticas que
no se pueden negar, como cuando dicen: «Si de dos partes iguales quitamos partes iguales, las que quedan también son iguales»; y cuando esto no entiendan de palabra, como, en efeto, no lo entienden, háseles de mostrar
con las manos, y ponérselo delante de los ojos, y, aun con
todo esto, no basta nadie con ellos a persuadirles las verdades de mi sacra religión. Y este mesmo término y modo
me convendrá usar contigo, porque el deseo que en ti
ha nacido va tan descaminado y tan fuera de todo aquello que tenga sombra de razonable, que me parece que
ha de ser tiempo gastado el que ocupare en darte a
entender tu simplicidad, que por ahora no le quiero dar
otro nombre, y aun estoy por dejarte en tu desatino, en
pena de tu mal deseo; mas no me deja usar deste rigor la
amistad que te tengo, la cual no consiente que te deje
puesto en tan manifiesto peligro de perderte. Y porque
claro lo veas, dime, Anselmo: ¿tú no me has dicho que
tengo de solicitar a una retirada, persuadir a una honesta, ofrecer a una desinteresada, servir a una prudente?
Sí, que me lo has dicho. Pues si tú sabes que tienes mu-

jer retirada, honesta, desinteresada y prudente, ¿qué
buscas? Y si piensas que de todos mis asaltos ha de salir
vencedora, como saldrá sin duda, ¿qué mejores títulos
piensas darle después de los que ahora tiene, o qué será
más después de lo que es ahora? O es que tú no la tienes
por la que dices, o tú no sabes lo que pides. Si no la tienes por lo que dices, ¿para qué quieres probarla, sino,
como a mala, hacer della lo que más te viniere en gusto?
Mas si es tan buena como crees, impertinente cosa será
hacer experiencia de la mesma verdad, pues, después
de hecha, se ha de quedar con la estimación que primero
tenía. Así que es razón concluyente que el intentar las
cosas de las cuales antes nos puede suceder daño que
provecho es de juicios sin discurso y temerarios, y más
cuando quieren intentar aquellas a que no son forzados
ni compelidos, y que de muy lejos traen descubierto que
el intentarlas es manifiesta locura. Las cosas dificultosas
se intentan por Dios, o por el mundo, o por entrambos
a dos: las que se acometen por Dios son las que acometieron los santos, acometiendo a vivir vida de ángeles en
cuerpos humanos; las que se acometen por respeto del
mundo son las de aquellos que pasan tanta infinidad de
agua, tanta diversidad de climas, tanta estrañeza de gentes, por adquirir estos que llaman bienes de fortuna. Y las
que se intentan por Dios y por el mundo juntamente son
aquellas de los valerosos soldados, que apenas veen en el
contrario muro abierto tanto espacio cuanto es el que
pudo hacer una redonda bala de artillería, cuando, puesto
aparte todo temor, sin hacer discurso ni advertir al manifiesto peligro que les amenaza, llevados en vuelo de las
alas del deseo de volver por su fe, por su nación y por
su rey, se arrojan intrépidamente por la mitad de mil
contrapuestas muertes que los esperan. Estas cosas son
las que suelen intentarse, y es honra, gloria y provecho
intentarlas, aunque tan llenas de inconvenientes y peligros. Pero la que tú dices que quieres intentar y poner
por obra, ni te ha de alcanzar gloria de Dios, bienes de
la fortuna, ni fama con los hombres; porque, puesto que
salgas con ella como deseas, no has de quedar ni más
ufano, ni más rico, ni más honrado que estás ahora; y
si no sales, te has de ver en la mayor miseria que imaginarse pueda, porque no te ha de aprovechar pensar

entonces que no sabe nadie la desgracia que te ha sucedido; porque bastará para afligirte y deshacerte que la sepas tú mesmo. Y para confirmación desta verdad, te quiero decir una estancia que hizo el famoso poeta Luis Tansilo, en el fin de su primera parte de *Las lágrimas de San Pedro*[6], que dice así:

> Crece el dolor y crece la vergüenza
> en Pedro, cuando el día se ha mostrado,
> y aunque allí no ve a nadie, se avergüenza
> de sí mesmo, por ver que había pecado:
> que a un magnánimo pecho a haber vergüenza
> no sólo ha de moverle el ser mirado;
> que de sí se avergüenza cuando yerra,
> si bien otro no vee[7] que cielo y tierra.

Así que no escusarás con el secreto tu dolor; antes tendrás que llorar contino, si no lágrimas de los ojos, lágrimas de sangre del corazón, como las lloraba aquel simple doctor que nuestro poeta nos cuenta que hizo la prueba del vaso[8], que, con mejor discurso, se escusó de hacerla el prudente Reinaldos; que puesto que[9] aquello sea ficción poética, tiene en sí encerrados secretos morales dignos de ser advertidos y entendidos e imitados. Cuanto más que con lo que ahora pienso decirte acabarás de venir en conocimiento del grande error que quieres cometer. Dime, Anselmo, si el cielo, o la suerte buena, te hubiera hecho señor y legítimo posesor de un finísimo diamante, de cuya bondad y quilates estuviesen satisfechos cuantos lapidarios le viesen, y que todos a una voz y común parecer dijesen que llegaba en quilates, bondad y fineza a cuanto se podía estender la naturaleza de tal piedra, y tú mesmo lo creyeses así, sin saber otra cosa en contrario, ¿sería justo que te viniese en deseo de tomar aquel diamante, y ponerle entre un ayunque y un martillo, y allí, a pura fuerza de golpes y brazos, probar si es tan duro y tan fino

---

[6] Poema religioso *Le lacrime di San Pietro* de Luigi Tansillo (1510-1568), publicado póstumo en 1585. Fue muy conocido en España.

[7] *otro no vee*, no ve otra cosa.

[8] Prueba fabulosa de la fidelidad de las mujeres de que se trata en el episodio del *Orlando furioso* que ha dado origen a la presente novela.

[9] *puesto que*, aunque.

como dicen? Y más, si lo pusieses por obra; que, puesto
caso que la piedra hiciese resistencia a tan necia prueba,
no por eso se le añadiría más valor ni más fama; y si
se rompiese, cosa que podría ser, ¿no se perdía todo? Sí,
por cierto, dejando a su dueño en estimación de que
todos le tengan por simple. Pues haz cuenta, Anselmo
amigo, que Camila es finísimo diamante, así en tu estimación como en la ajena, y que no es razón ponerla en
contingencia de que se quiebre, pues aunque se quede
con su entereza, no puede subir a más valor del que ahora tiene; y si faltase y no resistiese, considera desde
ahora cuál quedarías sin ella, y con cuánta razón te po-
drías quejar de ti mesmo, por haber sido causa de su
perdición y la tuya. Mira que no hay joya en el mundo
que tanto valga como la mujer casta y honrada, y que
todo el honor de las mujeres consiste en la opinión buena que dellas se tiene; y pues la de tu esposa es tal que
llega al estremo de bondad que sabes, ¿para qué quieres
poner esta verdad en duda? Mira, amigo, que la mujer
es animal imperfecto, y que no se le han de poner embarazos donde tropiece y caiga, sino quitárselos y despe-
jalle el camino de cualquier inconveniente, para que sin
pesadumbre corra ligera a alcanzar la perfección que le
falta, que consiste en el ser virtuosa. Cuentan los naturales[10] que el arminio es un animalejo que tiene una piel
blanquísima, y que cuando quieren cazarle, los cazadores
usan deste artificio; que, sabiendo las partes por donde
suele pasar y acudir, las atajan con lodo, y después,
ojeándole[11], le encaminan hacia aquel lugar, y así como
el arminio llega al lodo, se está quedo y se deja prender
y cautivar, a trueco de no pasar por el cieno y perder
y ensuciar su blancura, que la estima en más que la libertad y la vida. La honesta y casta mujer es arminio,
y es más que nieve blanca y limpia la virtud de la honestidad; y el que quisiere que no la pierda, antes la
guarde y conserve, ha de usar de otro estilo diferente
que con el arminio se tiene, porque no le han de poner
delante el cieno de los regalos y servicios de los importu-
nos amantes, porque quizá, y aun sin quizá, no tiene tanta virtud y fuerza natural que pueda por sí mesma atro-

---

[10] *naturales,* naturalistas.
[11] *ojear,* espantar la caza y acosarla.

pellar y pasar por aquellos embarazos; y es necesario quitárselos y ponerle delante la limpieza de la virtud y la
belleza que encierra en sí la buena fama. Es asimesmo la
buena mujer como espejo de cristal luciente y claro;
pero está sujeto a empañarse y escurecerse con cualquiera aliento que le toque. Hase de usar con la honesta mujer el estilo que con las reliquias; adorarlas y no tocarlas.
Hase de guardar y estimar la mujer buena como se
guarda y estima un hermoso jardín que está lleno de
flores y rosas, cuyo dueño no consiente que nadie le pasee
ni manosee; basta que desde lejos y por entre las verjas
de hierro gocen de su fragrancia y hermosura. Finalmente, quiero decirte unos versos que se me han venido a la
memoria, que los oí en una comedia moderna[12], que me
parece que hacen al propósito de lo que vamos tratando.
Aconsejaba un prudente viejo a otro, padre de una doncella, que la recogiese, guardase y encerrase, y entre otras
razones, le dijo éstas:

> Es de vidrio la mujer;
> pero no se ha de probar
> si se puede o no quebrar,
> porque todo podría ser.
> Y es más fácil el quebrarse,
> y no es cordura ponerse
> a peligro de romperse
> lo que no puede soldarse.
> Y en esta opinión estén
> todos, y en razón la fundo;
> que si hay Dánaes en el mundo,
> hay pluvias de oro también[13].

Cuanto hasta aquí te he dicho, ¡oh Anselmo!, ha sido por
lo que a ti te toca; y ahora es bien que se oiga algo de lo
que a mí me conviene; y si fuere largo, perdóname; que
todo lo requiere el laberinto donde te has entrado y de
donde quieres que yo te saque. Tú me tienes por amigo,
y quieres quitarme la honra, cosa que es contra toda

[12] No se sabe de qué comedia se trata; tal vez de alguna del
propio Cervantes.
[13] Alusión a la fábula mitológica de Júpiter transformado en lluvia de oro para penetrar en el encierro de Dánae.

amistad; y aun no sólo pretendes esto, sino que procuras
que yo te la quite a ti. Que me la quieres quitar a mí
está claro, pues cuando Camila vea que yo la solicito,
como me pides, cierto está que me ha de tener por hombre sin honra y mal mirado, pues intento y hago una cosa
tan fuera de aquello que el ser quien soy y tu amistad me
obliga. De que quieres que te la quite a ti no hay duda,
porque viendo Camila que yo la solicito, ha de pensar
que yo he visto en ella alguna liviandad que me dio atrevimiento a descubrirle mi mal deseo, y teniéndose por
deshonrada, te toca a ti, como a cosa suya, su mesma
deshonra. Y de aquí nace lo que comúnmente se platica:
que el marido de la mujer adúltera, puesto que él no lo
sepa ni haya dado ocasión para que su mujer no sea la
que debe, ni haya sido en su mano, ni en su descuido y
poco recato estorbar su desgracia, con todo, le llaman y
le nombran con nombre de vituperio y bajo, y en cierta
manera le miran los que la maldad de su mujer saben
con ojos de menosprecio, en cambio de mirarle con los
de lástima, viendo que no por su culpa, sino por el gusto de su mala compañera, está en aquella desventura. Pero
quiérote decir la causa por que con justa razón es deshonrado el marido de la mujer mala, aunque él no sepa que
lo es, ni tenga culpa, ni haya sido parte, ni dado ocasión,
para que ella lo sea. Y no te canses de oírme; que todo
ha de redundar en tu provecho. Cuando Dios crió a
nuestro primero padre en el Paraíso terrenal, dice la divina Escritura que infundió Dios sueño en Adán, y que,
estando durmiendo, le sacó una costilla del lado siniestro,
de la cual formó a nuestra madre Eva; y así como Adán
despertó y la miró, dijo: «Ésta es carne de mi carne y
»hueso de mis huesos». Y Dios dijo: «Por ésta dejará el
»hombre a su padre y madre, y serán dos en una carne
»misma». Y entonces fue instituido el divino sacramento
del matrimonio, con tales lazos, que sola la muerte puede
desatarlos. Y tiene tanta fuerza y virtud este milagroso
sacramento, que hace que dos diferentes personas sean
una mesma carne; y aun hace más en los buenos casados,
que, aunque tienen dos almas, no tienen más de una voluntad. Y de aquí viene que, como la carne de la esposa
sea una mesma con la del esposo, las manchas que en ella
caen, o los defectos que se procura, redundan en la carne

del marido, aunque él no haya dado, como queda dicho, ocasión para aquel daño. Porque así como el dolor del pie o de cualquier miembro del cuerpo humano le siente todo el cuerpo, por ser todo de una carne mesma, y la cabeza siente el daño del tobillo, sin que ella se le haya causado, así el marido es participante de la deshonra de la mujer, por ser una mesma cosa con ella. Y como las honras y deshonras del mundo sean todas y nazcan de carne y sangre, y las de la mujer mala sean deste género, es forzoso que al marido le quepa parte dellas, y sea tenido por deshonrado sin que él lo sepa. Mira, pues, ¡oh Anselmo!, al peligro que te pones en querer turbar el sosiego en que tu buena esposa vive; mira por cuán vana e impertinente curiosidad quieres revolver los humores que ahora están sosegados en el pecho de tu casta esposa; advierte que lo que aventuras a ganar es poco, y que lo que perderás será tanto, que lo dejaré en su punto, porque me faltan palabras para encarecerlo. Pero si todo cuanto he dicho no basta a moverte de tu mal propósito, bien puedes buscar otro instrumento de tu deshonra y desventura; que yo no pienso serlo, aunque por ello pierda tu amistad, que es la mayor pérdida que imaginar puedo.

Calló en diciendo esto el virtuoso y prudente Lotario, y Anselmo quedó tan confuso y pensativo, que por un buen espacio no le pudo responder palabra; pero, en fin, le dijo:

—Con la atención que has visto he escuchado, Lotario amigo, cuanto has querido decirme, y en tus razones, ejemplos y comparaciones he visto la mucha discreción que tienes y el estremo de la verdadera amistad que alcanzas; y ansimesmo veo y confieso que si no sigo tu parecer y me voy tras el mío, voy huyendo del bien y corriendo tras el mal. Presupuesto esto, has de considerar que yo padezco ahora la enfermedad que suelen tener algunas mujeres, que se les antoja comer tierra, yeso, carbón y otras cosas peores, aún asquerosas para mirarse, cuanto más para comerse; así que es menester usar de algún artificio para que yo sane, y esto se podía hacer con facilidad, sólo con que comiences, aunque tibia y fingidamente, a solicitar a Camila, la cual no ha de ser tan tierna, que a los primeros encuentros dé con su honestidad

por tierra; y con solo este principio quedaré contento, y
tú habrás cumplido con lo que debes a nuestra amistad,
no solamente dándome la vida, sino persuadiéndome de
no verme sin honra. Y estás obligado a hacer esto por una
razón sola; y es que, estando yo, como estoy, determinado
de poner en plática[14] esta prueba, no has tú de consentir
que yo dé cuenta de mi desatino a otra persona, con que
pondría en aventura[15] el honor que tú procuras que no
pierda; y cuando el tuyo no esté en el punto que debe
en la intención de Camila en tanto que la solicitares, importa poco o nada, pues con brevedad, viendo en ella la
entereza que esperamos, le podrás decir la pura verdad de
nuestro artificio, con que volverá tu crédito al ser primero. Y pues tan poco aventuras y tanto contento me puedes dar aventurándote, no lo dejes de hacer, aunque más
inconvenientes se te pongan delante, pues, como ya he
dicho, con sólo que comiences daré por concluida la causa.

Viendo Lotario la resoluta voluntad de Anselmo, y
no sabiendo qué más ejemplos traerle ni qué más razones
mostrarle para que no la siguiese, y viendo que le amenazaba que daría a otro cuenta de su mal deseo, por evitar mayor mal, determinó de contentarle y hacer lo que
le pedía, con propósito e intención de guiar aquel negocio
de modo que, sin alterar los pensamientos de Camila,
quedase Anselmo satisfecho; y así, le respondió que no
comunicase su pensamiento con otro alguno, que él tomaba a su cargo aquella empresa, la cual comenzaría
cuando a él le diese más gusto. Abrazóle Anselmo tierna y
amorosamente, y agradecióle su ofrecimiento, como si alguna grande merced le hubiera hecho; y quedaron de
acuerdo entre los dos que desde otro día siguiente se comenzase la obra; que él le daría lugar y tiempo como a
sus solas pudiese hablar a Camila, y asimesmo le daría
dineros y joyas que darla y que ofrecerla. Aconsejóle que
le diese músicas, que escribiese versos en su alabanza, y
que, cuando él no quisiese tomar trabajo de hacerlos, él
mesmo los haría. A todo se ofreció Lotario, bien con diferente intención que Anselmo pensaba.

Y con este acuerdo se volvieron a casa de Anselmo,
donde hallaron a Camila con ansia y cuidado, esperando

a su esposo, porque aquel día tardaba en venir más de lo acostumbrado.

Fuese Lotario a su casa, y Anselmo quedó en la suya, tan contento como Lotario fue pensativo, no sabiendo qué traza dar para salir bien de aquel impertinente negocio. Pero aquella noche pensó el modo que tendría para engañar a Anselmo sin ofender a Camila, y otro día vino a comer con su amigo, y fue bien recebido de Camila, la cual le recebía y regalaba con mucha voluntad, por entender la buena que su esposo le tenía.

Acabaron de comer, levantaron los manteles y Anselmo dijo a Lotario que se quedase allí con Camila en tanto que él iba a un negocio forzoso; que dentro de hora y media volvería. Rogóle Camila que no se fuese, y Lotario se ofreció a hacerle compañía; mas nada aprovechó con Anselmo; antes importunó a Lotario que se quedase y le aguardase, porque tenía que tratar con él una cosa de mucha importancia. Dijo también a Camila que no dejase solo a Lotario en tanto que él volviese. En efeto, él supo tan bien fingir la necesidad o necedad de su ausencia, que nadie pudiera entender que era fingida. Fuese Anselmo, y quedaron solos a la mesa Camila y Lotario, porque la demás gente de casa toda se había ido a comer. Viose Lotario puesto en la estacada que su amigo deseaba y con el enemigo delante, que pudiera vencer con sola su hermosura a un escuadrón de caballeros armados: mirad si era razón que le temiera Lotario.

Pero lo que hizo fue poner el codo sobre el brazo de la silla, y la mano abierta en la mejilla, y pidiendo perdón a Camila del mal comedimiento, dijo que quería reposar un poco en tanto que Anselmo volvía. Camila le respondió que mejor reposaría en el estrado que en la silla, y así, le rogó se entrase a dormir en él. No quiso Lotario, y allí se quedó dormido hasta que volvió Anselmo, el cual, como halló a Camila en su aposento y a Lotario durmiendo, creyó que, como se había tardado tanto, ya habrían tenido los dos lugar para hablar, y aun para dormir, y no vio la hora en que Lotario despertase, para volverse con él fuera y preguntarle de su ventura.

Todo le sucedió como él quiso: Lotario despertó, y luego salieron los dos de casa, y así, le preguntó lo que deseaba, y le respondió Lotario que no le había parecido

ser bien que la primera vez se descubriese del todo, y así
no había hecho otra cosa que alabar a Camila de hermosa, diciéndole que en toda la ciudad no se trataba de
otra cosa que de su hermosura y discreción, y que éste le
había parecido buen principio para entrar ganando la voluntad, y disponiéndola a que otra vez le escuchase con
gusto, usando en esto del artificio que el demonio usa
cuando quiere engañar a alguno que está puesto en atalaya de mirar por sí; que se transforma en ángel de luz,
siéndolo él de tinieblas, y, poniéndole delante apariencias
buenas, al cabo descubre quién es y sale con su intención,
si a los principios no es descubierto su engaño. Todo esto
le contentó mucho a Anselmo, y dijo que cada día daría
el mesmo lugar, aunque no saliese de casa, porque en ella
se ocuparía en cosas que Camila no pudiese venir en
conocimiento de su artificio.

Sucedió, pues, que se pasaron muchos días que sin decir Lotario palabra a Camila, respondía a Anselmo que la
hablaba y jamás podía sacar della una pequeña muestra
de venir en ningun cosa que mala fuese, ni aun dar una
señal de sombra de esperanza; antes decía que le amenazaba que si de aquel mal pensamiento no se quitaba, que
lo había de decir a su esposo.

—Bien está —dijo Anselmo—. Hasta aquí ha resis-
tido Camila a las palabras; es menester ver cómo resiste
a las obras: yo os daré mañana dos mil escudos de oro
para que se los ofrezcáis, y aun se los deis, y otros tantos para que compréis joyas con que cebarla; que las mujeres suelen ser aficionadas, y más si son hermosas, por más
castas que sean, a esto de traerse bien y andar galanas; y
si ella resiste a esta tentación, yo quedaré satisfecho y no
os daré más pesadumbre.

Lotario respondió que ya que había comenzado, que
él llevaría hasta el fin aquella empresa, puesto que entendía salir della cansado y vencido. Otro día recibió los
cuatro mil escudos, y con ellos cuatro mil confusiones,
porque no sabía qué decirle para mentir de nuevo; pero,
en efeto, determinó de decirle que Camila estaba tan entera a las dádivas y promesas como a las palabras, y que
no había para qué cansarse más, porque todo el tiempo
se gastaba en balde.

Pero la suerte, que las cosas guiaba de otra manera,

ordenó que, habiendo dejado Anselmo solos a Lotario y
a Camila, como otras veces solía, él se encerró en un aposento y por los agujeros de la cerradura estuvo mirando
y escuchando lo que los dos trataban, y vio que en más
de media hora Lotario no habló palabra a Camila, ni se
la hablara si allí estuviera un siglo, y cayó en la cuenta
de que cuanto su amigo le había dicho de las respuestas
de Camila todo era ficción y mentira. Y para ver si esto
era ansí, salió del aposento, y llamando a Lotario aparte,
le preguntó qué nuevas había y de qué temple estaba Camila. Lotario le respondió que no pensaba más darle puntada en aquel negocio, porque respondía tan áspera y
desabridamente, que no tendría ánimo para volver a decirle cosa alguna.

—¡Ah —dijo Anselmo—, Lotario, Lotario, y cuán mal
correspondes a lo que me debes y a lo mucho que de ti
confío! Ahora te he estado mirando por el lugar que concede la entrada desta llave, y he visto que no has dicho
palabra a Camila; por donde me doy a entender que
aun las primeras le tienes por decir; y si esto es así, como
sin duda lo es, ¿para qué me engañas, o por qué quieres
quitarme con tu industria los medios que yo podría hallar
para conseguir mi deseo?

No dijo más Anselmo; pero bastó lo que había dicho
para dejar corrido y confuso a Lotario; el cual, casi como
tomando por punto de honra el haber sido hallado en
mentira, juró a Anselmo que desde aquel momento tomaba tan a su cargo el contentalle y no mentille, cual lo vería si con curiosidad lo espiaba; cuanto más que no sería
menester usar de ninguna diligencia, porque la que él
pensaba poner en satisfacelle le quitaría de toda sospecha.
Creyóle Anselmo, y para dalle comodidad más segura y
menos sobresaltada, determinó de hacer ausencia de su
casa por ocho días, yéndose a la de un amigo suyo, que
estaba en una aldea, no lejos de la ciudad; con el cual
amigo concertó que le enviase a llamar con muchas veras,
para tener ocasión con Camila de su partida.

¡Desdichado y mal advertido de ti, Anselmo! ¿Qué es
lo que haces? ¿Qué es lo que trazas? ¿Qué es lo que or-
denas? Mira que haces contra ti mismo, trazando tu deshonra y ordenando tu perdición. Buena es tu esposa Camila; quieta y sosegadamente la posees; nadie sobresalta

tu gusto; sus pensamientos no salen de las paredes de su casa; tú eres su cielo en la tierra, el blanco de sus deseos, el cumplimiento de sus gustos y la medida por donde mide su voluntad, ajustándola en todo con la tuya y con la del cielo. Pues si la mina de su honor, hermosura, honestidad y recogimiento te da sin ningún trabajo toda la riqueza que tiene y tú puedes desear, ¿para qué quieres ahondar la tierra, y buscar nuevas vetas de nuevo y nunca visto tesoro, poniéndote a peligro que toda venga abajo, pues, en fin, se sustenta sobre los débiles arrimos de su flaca naturaleza? Mira que el que busca lo imposible, es justo que lo posible se le niegue, como lo dijo mejor un poeta[16], diciendo:

> Busco en la muerte la vida,
> salud en la enfermedad,
> en la prisión libertad,
> en lo cerrado salida
> y en el traidor lealtad.
> Pero mi suerte, de quien
> jamás espero algún bien,
> con el cielo ha estatuido
> que, pues lo imposible pido,
> lo posible aun no me den.

Fuese otro día Anselmo a la aldea, dejando dicho a Camila que el tiempo que él estuviese ausente vendría Lotario a mirar por su casa y a comer con ella; que tuviese cuidado de tratalle como a su mesma persona. Afligióse Camila, como mujer discreta y honrada, de la orden que su marido le dejaba, y díjole que advirtiese que no estaba bien que nadie, él ausente, ocupase la silla de su mesa; y que si lo hacía por no tener confianza que ella sabría gobernar su casa, que probase por aquella vez, y vería por experiencia como para mayores cuidados era bastante. Anselmo le replicó que aquél era su gusto, y que no tenía más que hacer que bajar la cabeza y obedecelle. Camila dijo que ansí lo haría, aunque contra su voluntad.

Partióse Anselmo, y otro día vino a su casa Lotario, donde fue rescebido de Camila con amoroso y honesto acogimiento; la cual jamás se puso en parte donde Lota-

[16] Se ignora de qué poeta se trata.

rio la viese a solas, porque siempre andaba rodeada de
sus criados y criadas, especialmente de una doncella suya
llamada Leonela, a quien ella mucho quería, por haberse
criado desde niñas las dos juntas en casa de los padres de
Camila, y cuando se casó con Anselmo la trujo consigo.
En los tres días primeros nunca Lotario le dijo nada,
aunque pudiera, cuando se levantaban los manteles y la
gente se iba a comer con mucha priesa, porque así se lo
tenía mandado Camila. Y aun tenía orden Leonela que
comiese primero que Camila, y que de su lado jamás se
quitase; mas ella, que en otras cosas de su gusto tenía
puesto el pensamiento y había menester aquellas horas y
aquel lugar para ocuparle en sus contentos, no cumplía
todas veces el mandamiento de su señora; antes los dejaba solos, como si aquello le hubieran mandado. Mas la
honesta presencia de Camila, la gravedad de su rostro,
la compostura de su persona era tanta, que ponía freno a
la lengua de Lotario.

Pero el provecho que las muchas virtudes de Camila
hicieron poniendo silencio en la lengua de Lotario, redun-
dó más en daño de los dos, porque si la lengua callaba,
el pensamiento discurría y tenía lugar de contemplar, parte por parte, todos los estremos de bondad y de hermosura que Camila tenía, bastantes a enamorar una estatua de
mármol, no que un corazón de carne.

Mirábala Lotario en el lugar y espacio que había de
hablarla, y consideraba cuán digna era de ser amada; y
esta consideración comenzó poco a poco a dar asaltos a
los respectos que a Anselmo tenía, y mil veces quiso ausentarse de la ciudad y irse donde jamás Anselmo le viese
a él, ni él viese a Camila; mas ya le hacía impedimento y
detenía el gusto que hallaba en mirarla. Hacíase fuerza y
peleaba consigo mismo por desechar y no sentir el contento que le llevaba a mirar a Camila. Culpábase a solas
de su desatino; llamábase mal amigo, y aun mal cristiano; hacía discursos y comparaciones entre él y Anselmo,
y todos paraban en decir que más había sido la locura y
confianza de Anselmo que su poca fidelidad, y que si así
tuviera disculpa para con Dios como para con los hombres
de lo que pensaba hacer, que no temiera pena por su
culpa.

En efecto, la hermosura y la bondad de Camila, jun-

tamente con la ocasión que el ignorante marido le había
puesto en las manos, dieron con la lealtad de Lotario en
tierra; y, sin mirar a otra cosa que aquella a que su gusto le inclinaba, al cabo de tres días de la ausencia de Anselmo, en los cuales estuvo en continua batalla por resistir
a sus deseos, comenzó a requebrar a Camila, con tanta
turbación y con tan amorosas razones, que Camila quedó
suspensa, y no hizo otra cosa que levantarse de donde
estaba y entrarse en su aposento, sin respondelle palabra
alguna. Mas no por esta sequedad se desmayó en Lotario
la esperanza, que siempre nace juntamente con el amor;
antes tuvo en más a Camila. La cual, habiendo visto en
Lotario lo que jamás pensara, no sabía qué hacerse.
Y, pareciéndole no ser cosa segura ni bien hecha darle ocasión ni lugar a que otra vez la hablase, determinó de enviar aquella mesma noche, como lo hizo, a un criado suyo
con un billete a Anselmo, donde le escribió estas razones:

CAPÍTULO XXXIV

Donde se prosigue la novela del Curioso impertinente

Así *como suele decirse que parece mal el ejército sin
su general y el castillo sin su castellano, digo yo que
parece muy peor la mujer casada y moza sin su marido,
cuando justísimas ocasiones no lo impiden. Yo me hallo
tan mal sin vos, y tan imposibilitada de no poder sufrir
esta ausencia, que si presto no venís, me habré de ir a
entretener en casa de mis padres, aunque deje sin guarda
la vuestra; porque la*[1] *que me dejastes, si es que quedó
con tal título, creo que mira más por su gusto que por lo
que a vos os toca; y pues sois discreto, no tengo más que
deciros, ni aun es bien que más os diga.*

Esta carta recibió Anselmo, y entendió por ella que
Lotario había ya comenzado la empresa, y que Camila
debía de haber respondido como él deseaba; y, alegre sobremanera de tales nuevas, respondió a Camila, de palabra, que no hiciese mudamiento de su casa en modo

---

[1] *la* [guarda] *que.*

ninguno, porque él volvería con mucha brevedad. Admirada quedó Camila de la respuesta de Anselmo, que la puso en más confusión que primero, porque ni se atrevía a estar en su casa, ni menos irse a la de sus padres; porque en la quedada corría peligro su honestidad; y en la ida, iba contra el mandamiento de su esposo.

En fin, se resolvió en lo que le estuvo peor, que fue en el quedarse, con determinación de no huir la presencia de Lotario por no dar que decir a sus criados, y ya le pesaba de haber escrito lo que escribió a su esposo, temerosa de que no pensase que Lotario había visto en ella alguna desenvoltura que le hubiese movido a no guardalle el decoro que debía. Pero, fiada en su bondad, se fió en Dios y en su buen pensamiento, con que pensaba resistir callando a todo aquello que Lotario decirle quisiese, sin dar más cuenta a su marido, por no ponerle en alguna pendencia y trabajo. Y aun andaba buscando manera como disculpar a Lotario con Anselmo, cuando le preguntase la ocasión que le había movido a escribirle aquel papel. Con estos pensamientos, más honrados que acertados ni provechosos, estuvo otro día escuchando a Lotario, el cual cargó la mano de manera que comenzó a titubear la firmeza de Camila, y su honestidad tuvo harto que hacer en acudir a los ojos, para que no diesen muestra de alguna amorosa compasión que las lágrimas y las razones de Lotario en su pecho habían despertado. Todo esto notaba Lotario, y todo le encendía.

Finalmente, a él le pareció que era menester, en el espacio y lugar que daba la ausencia de Anselmo, apretar el cerco a aquella fortaleza, y así, acometió a su presunción con las alabanzas de su hermosura, porque no hay cosa que más presto rinda y allane las encastilladas torres de la vanidad de las hermosas que la mesma vanidad, puesta en las lenguas de la adulación. En efecto, él, con toda diligencia, minó la roca de su entereza, con tales pertrechos, que aunque Camila fuera toda de bronce, viniera al suelo. Lloró, rogó, ofreció, aduló, porfió y fingió Lotario con tantos sentimientos, con muestras de tantas veras, que dio al través con[2] el recato de Camila y vino a triunfar de lo que menos se pensaba y más deseaba.

---

[2] *dio al través con*, echó a pique.

Rindióse Camila; Camila se rindió; pero ¿qué mucho, si la amistad de Lotario no quedó en pie? Ejemplo claro que nos muestra que sólo se vence la pasión amorosa con huilla, y que nadie se ha de poner a brazos con tan poderoso enemigo, porque es menester fuerzas divinas para vencer las suyas humanas. Sólo supo Leonela la flaqueza de su señora, porque no se la pudieron encubrir los dos malos amigos y nuevos amantes. No quiso Lotario decir a Camila la pretensión de Anselmo, ni que él le había dado lugar para llegar a aquel punto, porque no tuviese en menos su amor, y pensase que así, acaso y sin pensar, y no de propósito, la había solicitado.

Volvió de allí a pocos días Anselmo a su casa, y no echó de ver lo que faltaba en ella, que era lo que en menos tenía y más estimaba. Fuese luego a ver a Lotario, y hallóle en su casa; abrazáronse los dos, y el uno preguntó por las nuevas de su vida o de su muerte.

—Las nuevas que te podré dar, ¡oh amigo Anselmo! —dijo Lotario—, son de que tienes una mujer que dignamente puede ser ejemplo y corona de todas las mujeres buenas. Las palabras que le he dicho se las ha llevado el aire; los ofrecimientos se han tenido en poco; las dádivas no se han admitido; de algunas lágrimas fingidas mías se ha hecho burla notable. En resolución, así como Camila es cifra de toda belleza, es archivo donde asiste la honestidad y vive el comedimiento y el recato, y todas las virtudes que pueden hacer loable y bien afortunada a una honrada mujer. Vuelve a tomar tus dineros, amigo, que aquí los tengo, sin haber tenido necesidad de tocar a ellos; que la entereza de Camila no se rinde a cosas tan bajas como son dádivas ni promesas. Conténtate, Anselmo, y no quieras hacer más pruebas de las hechas, y pues a pie enjuto has pasado el mar de las dificultades y sospechas que de las mujeres suelen y pueden tenerse, no quieras entrar de nuevo en el profundo piélago de nuevos inconvenientes, ni quieras hacer experiencia con otro piloto de la bondad y fortaleza del navío que el cielo te dio en suerte para que en él pasases la mar deste mundo; sino haz cuenta que estás ya en seguro puerto, y aférrate con las áncoras de la buena consideración, y déjate estar hasta que te vengan a pedir la deuda que no hay hidalguía humana que de pagarla se escuse.

Contentísimo quedó Anselmo de las razones de Lotario, y así se las creyó como si fueran dichas por algún oráculo. Pero, con todo eso, le rogó que no dejase la empresa, aunque no fuese más de por curiosidad y entretenimiento; aunque no se aprovechase de allí adelante de tan ahincadas diligencias como hasta entonces; y que sólo quería que le escribiese algunos versos en su alabanza, debajo del nombre de Clori, porque él le daría a entender a Camila que andaba enamorado de una dama, a quien le había puesto aquel nombre por poder celebrarla con el decoro que a su honestidad se le debía. Y que, cuando Lotario no quisiera tomar trabajo de escribir los versos, que él los haría.

—No será menester eso —dijo Lotario—, pues no me son tan enemigas las musas que algunos ratos del año no me visiten. Dile tú a Camila lo que has dicho del fingimiento de mis amores; que los versos yo los haré; si no tan buenos como el subjeto merece, serán, por lo menos, los mejores que yo pudiere.

Quedaron deste acuerdo el impertinente y el traidor amigo; y, vuelto Anselmo a su casa, preguntó a Camila lo que ella ya se maravillaba que no se lo hubiese preguntado: que fue que le dijese la ocasión por que le había escrito el papel que le envió. Camila le respondió que le había parecido que Lotario la miraba un poco más desenvueltamente que cuando él estaba en casa; pero que ya estaba desengañada y creía que había sido imaginación suya, porque ya Lotario huía de vella y de estar con ella a solas. Díjole Anselmo que bien podía estar segura de aquella sospecha, porque él sabía que Lotario andaba enamorado de una doncella principal de la ciudad, a quien él celebraba debajo del nombre de Clori, y que, aunque no lo estuviera, no había que temer de la verdad de Lotario y de la mucha amistad de entrambos. Y, a no estar avisada Camila de Lotario de que eran fingidos aquellos amores de Clori, y que él se lo había dicho a Anselmo por poder ocuparse algunos ratos en las mismas alabanzas de Camila, ella, sin duda, cayera en la desesperada red de los celos; mas, por estar ya advertida, pasó aquel sobresalto sin pesadumbre.

Otro día, estando los tres sobre mesa, rogó Anselmo a Lotario dijese alguna cosa de las que había compuesto

a su amada Clori; que, pues Camila no la conocía, seguramente podía decir lo que quisiese.

—Aunque la conociera —respondió Lotario—, no encubriera yo nada; porque cuando algún amante loa a su
dama de hermosa y la nota de cruel, ningún oprobrio hace
a su buen crédito; pero, sea lo que fuere, lo que sé decir,
que ayer hice un soneto a la ingratitud desta Clori, que
dice ansí:

SONETO

En el silencio de la noche, cuando
ocupa el dulce sueño a los mortales,
la pobre cuenta de mis ricos males
estoy al cielo y a mi Clori dando.

Y al tiempo cuando el sol se va mostrando
por las rosadas puertas orientales,
con suspiros y acentos desiguales
voy la antigua querella renovando.

Y cuando el sol, de su estrellado asiento
derechos rayos a la tierra envía,
el llanto crece y doblo los gemidos.

Vuelve la noche, y vuelvo al triste cuento,
y siempre hallo, en mi mortal porfía,
al cielo, sordo; a Clori, sin oídos[3].

Bien le pareció el soneto a Camila; pero mejor a Anselmo, pues le alabó, y dijo que era demasiadamente cruel
la dama que a tan claras verdades no correspondía. A lo
que dijo Camila:

—Luego ¿todo aquello que los poetas enamorados dicen es verdad?

—En cuanto poetas, no la dicen —respondió Lotario—; mas en cuanto enamorados, siempre quedan tan
cortos como verdaderos.

—No hay duda deso —replicó Anselmo, todo por
apoyar y acreditar los pensamientos de Lotario con Camila, tan descuidada del artificio de Anselmo como ya
enamorada de Lotario.

Y así, con el gusto que de sus cosas tenía, y más, teniendo por entendido que sus deseos y escritos a ella se

---

[3] Este soneto lo incluyó también Cervantes, con pequeñas variantes, en la jornada tercera de su comedia *La casa de los celos*.

encaminaban, y que ella era la verdadera Clori, le rogó
que si otro soneto o otros versos sabía, los dijese:

—Sí sé —respondió Lotario—; pero no creo que es
tan bueno como el primero, o, por mejor decir, menos
malo. Y podréislo bien juzgar, pues es éste:

SONETO

Yo sé que muero; y si no soy creído,
es más cierto el morir, como es más cierto
verme a tus pies, ¡oh bella ingrata!, muerto,
antes que de adorarte arrepentido.
Podré yo verme en la región de olvido,
de vida y gloria y de favor desierto,
y allí verse podrá en mi pecho abierto
cómo tu hermoso rostro está esculpido.
Que esta reliquia guardo para el duro
trance que me amenaza mi porfía,
que en tu mismo rigor se fortalece.
¡Ay de aquel que navega, el cielo escuro,
por mar no usado y peligrosa vía,
adonde norte o puerto no se ofrece!

También alabó este segundo soneto Anselmo como
había hecho el primero, y desta manera iba añadiendo eslabón a eslabón a la cadena con que se enlazaba y tra-
baba su deshonra, pues cuando más Lotario le deshon-
raba, entonces le decía que estaba más honrado; y con
esto, todos los escalones que Camila bajaba hacia el centro de su menosprecio, los subía, en la opinión de su
marido, hacia la cumbre de la virtud y de su buena fama.

Sucedió en esto que, hallándose una vez, entre otras,
sola Camila con su doncella, le dijo:

—Corrida estoy, amiga Leonela, de ver en cuán poco
he sabido estimarme, pues siquiera no hice que con el
tiempo comprara Lotario la entera posesión que le di tan
presto de mi voluntad. Temo que ha de estimar mi presteza o ligereza, sin que eche de ver la fuerza que él me
hizo para no poder resistirle.

—No te dé pena eso, señora mía —respondió Leonela—; que no está la monta[4] ni es causa para menguar la

---

[4] *la monta*, la importancia.

estimación darse lo que se da presto, si, en efecto, lo que se da es bueno, y ello por sí digno de estimarse. Y aun suele decirse que el que luego[5] da, da dos veces.

—También se suele decir —dijo Camila—, que lo que cuesta poco se estima en menos.

—No corre por ti esa razón —respondió Leonela—, porque el amor, según he oído decir, unas veces vuela y otras anda; con éste corre, y con aquél va despacio; a unos entibia, y a otros abrasa; a unos hiere, y a otros mata; en un mesmo punto comienza la carrera de sus deseos, y en aquel mesmo punto la acaba y concluye; por la mañana suele poner el cerco a una fortaleza, y a la noche la tiene rendida, porque no hay fuerza que le resista. Y siendo así, ¿de qué te espantas, o de qué temes, si lo mismo debe de haber acontecido a Lotario, habiendo tomado el amor por instrumento de rendirnos la ausencia de mi señor? Y era forzoso que en ella se concluyese lo que el amor tenía determinado, sin dar tiempo al tiempo para que Anselmo le tuviese de volver, y con su presencia quedase imperfecta la obra. Porque el amor no tiene otro mejor ministro para ejecutar lo que desea que es la ocasión: de la ocasión se sirve en todos sus hechos, principalmente en los principios. Todo esto sé yo muy bien, más de experiencia que de oídas, y algún día te lo diré, señora; que yo también soy de carne y de sangre moza. Cuanto más, señora Camila, que no te entregaste ni diste tan luego, que primero no hubieses visto en los ojos, en los suspiros, en las razones y en las promesas y dádivas de Lotario toda su alma, viendo en ella y en sus virtudes cuán digno era Lotario de ser amado. Pues si esto es ansí, no te asalten la imaginación esos escrupulosos y melindrosos pensamientos; sino asegúrate que Lotario te estima como tú le estimas a él, y vive con contento y satisfación de que ya que caíste en el lazo amoroso, es el que te aprieta de valor y de estima. Y que no sólo tiene las cuatro eses[6] que dicen que han de tener los buenos enamorados, sino todo un abecé entero: si no, escúchame, y ve-

---

[5] luego, pronto.

[6] Las cuatro eses son solo, solícito, sabio y secreto, como aclaran varios poetas y autores de comedias (Barahona de Soto, Lope de Vega, Guillén de Castro, Calderón, etc.). También eran frecuentes los alfabetos de amor, como el que sigue (cfr. R. Marín, III, 75-76).

rás como te le digo de coro. Él es, según yo veo y a mí
me parece, agradecido, bueno, caballero, dadivoso, enamorado, firme, gallardo, honrado, ilustre, leal, mozo, noble, onesto, principal, quantioso[7], rico y las eses que dicen,
y luego, tácito, verdadero. La X no le cuadra, porque es
letra áspera; la Y ya está dicha[8]; la Z, zelador de tu
honra.

Rióse Camila del abecé de su doncella, y túvola por
más plática[9] en las cosas de amor que ella decía; y así lo
confesó ella, descubriendo a Camila como trataba amores con un mancebo bien nacido, de la mesma ciudad; de
lo cual se turbó Camila, temiendo que era aquél camino
por donde su honra podía correr riesgo. Apuróla si pasaban sus pláticas a más que serlo. Ella, con poca vergüenza y mucha desenvoltura, le respondió que sí pasaban. Porque es cosa ya cierta que los descuidos de las
señoras quitan la vergüenza a las criadas, las cuales,
cuando ven a las amas echar traspiés, no se les da nada
a ellas de cojear, ni de que lo sepan.

No pudo hacer otra cosa Camila sino rogar a Leonela no dijese nada de su hecho al que decía ser su amante, y que tratase sus cosas con secreto, porque no viniesen
a noticia de Anselmo ni de Lotario. Leonela respondió
que así lo haría; mas cumpliólo de manera, que hizo cierto el temor de Camila de que por ella había de perder
su crédito. Porque la deshonesta y atrevida Leonela, después que vio que el proceder de su ama no era el que
solía, atrevióse a entrar y poner dentro de casa a su amante, confiada que, aunque su señora le viese, no había de
osar descubrille; que este daño acarrean, entre otros, los
pecados de las señoras: que se hacen esclavas de sus mesmas criadas, y se obligan a encubrirles sus deshonestidades
y vilezas, como aconteció con Camila; que, aunque vio
una y muchas veces que su Leonela estaba con su galán
en un aposento de su casa, no sólo no la osaba reñir, mas
dábale lugar a que lo encerrase, y quitábale todos los es-
torbos, para que no fuese visto de su marido.

Pero no los pudo quitar, que Lotario no le viese una

[7] *quantioso*, mantenemos la grafía antigua para conservar el
alfabeto, como más adelante *zelador*.
[8] La *y* griega se equipara a la *i* latina.
[9] *plática*, práctica, experta.

vez salir, al romper del alba; el cual, sin conocer quién era, pensó primero que debía de ser alguna fantasma; mas cuando le vio caminar, embozarse y encubrirse con cuidado y recato, cayó de su simple pensamiento, y dio en otro, que fuera la perdición de todos, si Camila no lo remediara. Pensó Lotario que aquel hombre que había visto salir tan a deshora de casa de Anselmo no había entrado en ella por Leonela, ni aun se acordó si Leonela era en el mundo: sólo creyó que Camila, de la misma manera que había sido fácil y ligera con él, lo era para otro; que estas añadiduras trae consigo la maldad de la mujer mala: que pierde el crédito de su honra con el mesmo a quien se entregó rogada y persuadida, y cree que con mayor facilidad se entrega a otros, y da infalible crédito a cualquiera sospecha que desto le venga. Y no parece sino que le faltó a Lotario en este punto todo su buen entendimiento, y se le fueron de la memoria todos sus advertidos discursos; pues, sin hacer alguno que bueno fuese, ni aun razonable, sin más ni más, antes que Anselmo se levantase, impaciente y ciego de la celosa rabia que las entrañas le roía, muriendo por vengarse de Camila, que en ninguna cosa le había ofendido, se fue a Anselmo y le dijo:

—Sábete, Anselmo, que ha muchos días que he andado peleando conmigo mesmo, haciéndome fuerza a no decirte lo que ya no es posible ni justo que más te encubra. Sábete que la fortaleza de Camila está ya rendida y sujeta a todo aquello que yo quisiere hacer della; y si he tardado en descubrirte esta verdad, ha sido por ver si era algún liviano antojo suyo, o si lo hacía por probarme y ver si eran con propósito firme tratados los amores que, con tu licencia, con ella he comenzado. Creí ansimismo que ella, si fuera la que debía y la que entrambos pensábamos, ya te hubiera dado cuenta de mi solicitud; pero habiendo visto que se tarda, conozco que son verdaderas las promesas que me ha dado de que cuando otra vez hagas ausencia de tu casa, me hablará en la recámara, donde está el repuesto de tus alhajas —y era la verdad que allí le solía hablar Camila—; y no quiero que precipitosamente corras a hacer alguna venganza, pues no está aún cometido el pecado sino con pensamiento, y podría ser que desde éste hasta el tiempo de ponerle por obra se mudase el de Camila, y naciese en su lugar el arrepentimiento. Y así, ya que, en todo o en parte, has seguido siempre mis consejos, sigue y guarda uno que ahora te diré, para que sin engaño y con medroso advertimento te satisfagas de aquello que más vieres que te convenga. Finge que te ausentas por dos o tres días, como otras veces sueles, y haz de manera que te quedes escondido en tu recámara, pues los tapices que allí hay y otras cosas con que te puedas encubrir te ofrecen mucha comodidad, y entonces verás por tus mismos ojos, y yo por los míos, lo que Camila quiere; y si fuere la maldad que se puede temer antes que esperar, con silencio, sagacidad y discreción podrás ser el verdugo de tu agravio.

Absorto, suspenso y admirado quedó Anselmo con las razones de Lotario, porque le cogieron en tiempo donde menos las esperaba oír, porque ya tenía a Camila por vencedora de los fingidos asaltos de Lotario, y comenzaba a gozar la gloria del vencimiento. Callando estuvo por un buen espacio, mirando al suelo sin mover pestaña, y al cabo dijo:

—Tú lo has hecho, Lotario, como yo esperaba de tu amistad; en todo he de seguir tu consejo; haz lo que quisieres y guarda aquel secreto que ves que conviene en caso tan no pensado.

Prometiósclo Lotario, y, en apartándose dél, se arrepintió totalmente de cuanto le había dicho, viendo cuán neciamente había andado, pues pudiera él vengarse de Camila, y no por camino tan cruel y tan deshonrado. Maldecía su entendimiento, afeaba su ligera determinación y no sabía qué medio tomarse para deshacer lo hecho, o para dalle alguna razonable salida. Al fin, acordó de dar cuenta de todo a Camila; y como no faltaba lugar para poderlo hacer, aquel mismo día la halló sola, y ella, así como vio que le podía hablar, le dijo:

—Sabed, amigo Lotario, que tengo una pena en el corazón, que me le aprieta de suerte que parece que quiere reventar en el pecho, y ha de ser maravilla si no lo hace; pues ha llegado la desvergüenza de Leonela a tanto, que cada noche encierra a un galán suyo en esta casa, y se está con él hasta el día, tan a costa de mi crédito, cuanto le quedará campo abierto de juzgarlo al que le viere salir a horas tan inusitadas de mi casa. Y lo que me fatiga es que no la puedo castigar ni reñir: que el ser ella secre-

tario de nuestros tratos me ha puesto un freno en la boca
para callar los suyos, y temo que de aquí ha de nacer algún mal suceso.

Al principio que Camila esto decía creyó Lotario que
era artificio para desmentille que el hombre que había
visto salir era de Leonela, y no suyo; pero viéndola llorar, y afligirse, y pedirle remedio, vino a creer la verdad,
y, en creyéndola, acabó de estar confuso y arrepentido
del todo. Pero, con todo esto, respondió a Camila que no
tuviese pena; que él ordenaría remedio para atajar la insolencia de Leonela. Díjole asimismo lo que, instigado de
la furiosa rabia de los celos, había dicho a Anselmo, y
cómo estaba concertado de esconderse en la recámara,
para ver desde allí a la clara la poca lealtad que ella le
guardaba. Pidióle perdón desta locura, y consejo para
poder remedialla y salir bien de tan revuelto laberinto
como su mal discurso le había puesto.

Espantada quedó Camila de oír lo que Lotario le decía, y con mucho enojo y muchas y discretas razones le riñó
y afeó su mal pensamiento, y la simple y mala determinación que había tenido; pero, como naturalmente tiene la
mujer ingenio presto para el bien y para el mal, más que
el varón, puesto que le va faltando cuando de propósito
se pone a hacer discursos, luego al instante halló Camila
el modo de remediar tan al parecer inremediable negocio,
y dijo a Lotario que procurase que otro día se escondiese
Anselmo donde decía, porque ella pensaba sacar de su
escondimiento comodidad para que desde allí en adelante
los dos se gozasen sin sobresalto alguno; y, sin declararle
del todo su pensamiento, le advirtió que tuviese cuidado
que en estando Anselmo escondido, él viniese cuando Leonela le llamase, y que a cuanto ella le dijese le respondiese como respondiera aunque no supiera que Anselmo
le escuchaba. Porfió Lotario que le acabase de declarar su
intención, porque con más seguridad y aviso guardase
todo lo que viese ser necesario.

—Digo —dijo Camila— que no hay más que guardar,
si no fuere responderme como yo os preguntare —no queriendo Camila darle antes cuenta de lo que pensaba hacer, temerosa que no quisiese seguir el parecer que a ella
tan bueno le parecía, y siguiese o buscase otros que no
podrían ser tan buenos.

Con esto, se fue Lotario; y Anselmo, otro día, con la escusa de ir a aquella aldea de su amigo, se partió y volvió a esconderse; que lo pudo hacer con comodidad, porque de industria se la dieron Camila y Leonela.

Escondido, pues, Anselmo, con aquel sobresalto que se puede imaginar que tendría el que esperaba ver por sus ojos hacer notomía[10] de las entrañas de su honra, íbase a pique de perder el sumo bien que él pensaba que tenía en su querida Camila. Seguras ya y ciertas Camila y Leonela que Anselmo estaba escondido, entraron en la recámara; y, apenas hubo puesto los pies en ella Camila, cuando, dando un grande suspiro, dijo:

—¡Ay, Leonela amiga! ¿No sería mejor que antes que llegase a poner en ejecución lo que no quiero que sepas, porque no procures estorbarlo, que tomases la daga de Anselmo, que te he pedido, y pasases con ella este infame pecho mío? Pero no hagas tal; que no será razón que yo lleve la pena de la ajena culpa. Primero quiero saber qué es lo que vieron en mí los atrevidos y deshonestos ojos de Lotario que fuese causa de darle atrevimiento a descubrirme un tan mal deseo como es el que me ha descubierto, en desprecio de su amigo y en deshonra mía. Ponte, Leonela, a esa ventana, y llámale; que, sin duda alguna, se debe de estar en la calle, esperando poner en efeto su mala intención. Pero primero se pondrá la cruel cuanto honrada mía.

—¡Ay, señora mía! —respondió la sagaz y advertida Leonela—. Y ¿qué es lo que quieres hacer con esta daga? ¿Quieres por ventura quitarte la vida o quitársela a Lotario? Que cualquiera destas cosas que quieras ha de redundar en pérdida de tu crédito y fama. Mejor es que disimules tu agravio, y no des lugar a que este mal hombre entre ahora en esta casa y nos halle solas. Mira, señora, que somos flacas mujeres, y él es hombre, y determinado; y como viene con aquel mal propósito, ciego y apasionado, quizá antes que tú pongas en ejecución el tuyo, hará él lo que te estaría más mal que quitarte la vida. ¡Mal haya mi señor Anselmo, que tanto mal[11] ha

---

[10] *notomía*, «anatomía», aquí en el sentido de «examen minucioso».
[11] *tanto mal* en la primera edición; en algunas modernas se enmienda en *tanta mano*.

querido dar a este desuellacaras[12] en su casa! Y ya, señora, que le mates, como yo pienso que quieres hacer,
¿qué hemos de hacer dél después de muerto?

—¿Qué, amiga? —respondió Camila—. Dejarémosle
para que Anselmo le entierre, pues será justo que tenga
por descanso el trabajo que tomare en poner debajo de
la tierra su misma infamia. Llámale, acaba; que todo el
tiempo que tardo en tomar la debida venganza de mi
agravio parece que ofendo a la lealtad que a mi esposo
debo.

Todo esto escuchaba Anselmo, y a cada palabra que
Camila decía se le mudaban los pensamientos; mas cuando entendió que estaba resuelta en matar a Lotario, quiso
salir y descubrirse, porque tal cosa no se hiciese; pero detúvole el deseo de ver en qué paraba tanta gallardía y
honesta resolución, con propósito de salir a tiempo que
la estorbase.

Tomóle en esto a Camila un fuerte desmayo y, arro-
jándose encima de una cama que allí estaba, comenzó
Leonela a llorar muy amargamente y a decir:

—¡Ay, desdichada de mí si fuese tan sin ventura, que
se me muriese aquí entre mis brazos la flor de la honestidad del mundo, la corona de las buenas mujeres, el
ejemplo de la castidad...!

Con otras cosas a éstas semejantes, que ninguno la es-
cuchara que no la tuviera por la más lastimada y leal
doncella del mundo, y a su señora por otra nueva y perseguida Penélope. Poco tardó en volver de su desmayo
Camila, y, al volver en sí, dijo:

—¿Por qué no vas, Leonela, a llamar al más leal amigo de amigo que vio el sol, o cubrió la noche? Acaba,
corre, aguija, camina, no se esfogue con la tardanza el
fuego de la cólera que tengo, y se pase en amenazas y
maldiciones la justa venganza que espero.

—Ya voy a llamarle, señora mía —dijo Leonela—;
mas hasme de dar primero esa daga, porque no hagas
cosa, en tanto que falto, que dejes con ella que llorar
toda la vida a todos los que bien te quiren.

—Ve segura, Leonela amiga, que no haré —respondió Camila—; porque ya que sea atrevida y simple a tu

---

[12] *desuellacaras*, desvergonzado.

parecer en volver por mi honra, no lo he de ser tanto como aquella Lucrecia de quien dicen que se mató sin haber cometido error alguno, y sin haber muerto primero a quien tuvo la causa de su desgracia. Yo moriré, si muero; pero ha de ser vengada y satisfecha del que me ha dado ocasión de venir a este lugar a llorar sus atrevimientos, nacidos tan sin culpa mía.

Mucho se hizo de rogar Leonela antes que saliese a llamar a Lotario; pero, en fin, salió, y entre tanto que volvía, quedó Camila diciendo, como que hablaba consigo misma:

—¡Válame Dios! ¿No fuera más acertado haber despedido a Lotario, como otras muchas veces lo he hecho, que no ponerle en condición, como ya le he puesto, que me tenga por deshonesta y mala, siquiera este tiempo que he de tardar en desengañarle? Mejor fuera, sin duda; pero no quedara yo vengada, ni la honra de mi marido satisfecha, si tan a manos lavadas[13] y tan a paso llano se volviera a salir de donde sus malos pensamientos le entraron. Pague el traidor con la vida lo que intentó con tan lascivo deseo: sepa el mundo, si acaso llegare a saberlo, de que Camila no sólo guardó la lealtad a su esposo, sino que le dio venganza del que se atrevió a ofendelle. Mas, con todo, creo que fuera mejor dar cuenta desto a Anselmo; pero ya se la apunté a dar en la carta que le escribí al aldea. y creo que el no acudir él al remedio del daño que allí le señalé, debió de ser que, de puro bueno y confiado, no quiso ni pudo creer que en el pecho de su tan firme amigo pudiese caber género de pensamiento que contra su honra fuese; ni aun yo lo creí después, por muchos días, ni lo creyera jamás, si su insolencia no llegara a tanto, que las manifiestas dádivas y las largas promesas y las continuas lágrimas no me lo manifestaran. Mas ¿para qué hago yo ahora estos discursos? ¿Tiene, por ventura, una resulución gallarda necesidad de consejo alguno? No, por cierto. ¡Afuera, pues, traidores; aquí, venganzas! ¡Entre el falso, venga, llegue, muera y acabe, y suceda lo que sucediere! Limpia entré en poder del que el cielo me dio por mío; limpia he de salir dél, y, cuando mucho, saldré bañada en mi casta sangre, y en la impura del más falso amigo que vio la amistad en el mundo.

---

[13] *a manos lavadas*, sin daño ni coste alguno.

Y diciendo esto, se paseaba por la sala con la daga
desenvainada, dando tan desconcertados y desaforados pasos y haciendo tales ademanes, que no parecía sino que le
faltaba el juicio, y que no era mujer delicada, sino un
rufián desesperado.

Todo lo miraba Anselmo, cubierto detrás de unos tapices donde se había escondido, y de todo se admiraba,
y ya le parecía que lo que había visto y oído era bastante
satisfación para mayores sospechas, y ya quisiera que la
prueba de venir Lotario faltara, temeroso de algún mal
repentino suceso. Y estando va para manifestarse y salir,
para abrazar y desengañar a su esposa, se detuvo porque
vio que Leonela volvía con Lotario de la mano; y así
como Camila le vio, haciendo con la daga en el suelo una
gran raya delante della, le dijo:

—Lotario, advierte lo que te digo: si a dicha te atre-
vieres a pasar desta raya que ves, ni aun llegar a ella, en
el punto que viere que lo intentas, en ese mismo me pasaré el pecho con esta daga que en las manos tengo. Y antes que a esto me respondas palabra, quiero que otras algunas me escuches; que después responderás lo que más
te agradare. Lo primero, quiero, Lotario, que me digas si
conoces a Anselmo mi marido, y en qué opinión le tienes;
y lo segundo, quiero saber también si me conoces a mí.
Respóndeme a esto, y no te turbes, ni pienses mucho lo
que has de responder, pues no son dificultades las que te
pregunto.

No era tan ignorante Lotario, que desde el primer
punto que Camila le dijo que hiciese esconder a Anselmo, no hubiese dado en la cuenta de lo que ella pensaba
hacer; y así, correspondió con su intención tan discretamente y tan a tiempo, que hicieran los dos pasar aquella
mentira por más que cierta verdad; y así, respondió a
Camila desta manera:

—No pensé yo, hermosa Camila, que me llamabas
para preguntarme cosas tan fuera de la intención con que
yo aquí vengo. Si lo haces por dilatarme la prometida
merced, desde más lejos pudieras entretenerla, porque
tanto más fatiga el bien deseado cuanto la esperanza está
más cerca de poseello; pero porque no digas que no respondo a tus preguntas, digo que conozco a tu esposo Anselmo, y nos conocemos los dos desde nuestros más tiernos

años; y no quiero decir lo que tú tan bien sabes de nuestra amistad, por no me hacer testigo del agravio que el amor hace que le haga, poderosa disculpa de mayores yerros. A ti te conozco y tengo en la misma posesión[14] que él te tiene; que, a no ser así, por menos prendas que las tuyas no había yo de ir contra lo que debo a ser quien soy y contra las santas leyes de la verdadera amistad, ahora por tan poderoso enemigo como el amor por mí rompidas y violadas.

—Si eso confiesas —respondió Camila—, enemigo mortal de todo aquello que justamente merece ser amado, ¿con qué rostro osas parecer ante quien sabes que es el espejo donde se mira aquel en quien tú te debieras mirar, para que vieras con cuán poca ocasión le agravias? Pero ya cayo, ¡ay, desdichada de mí!, en la cuenta de quién te ha hecho tener tan poca con lo que a ti mismo debes, que debe de haber sido alguna desenvoltura mía, que no quiero llamarla deshonestidad, pues no habrá procedido de deliberada determinación, sino de algún descuido de los que las mujeres que piensan que no tienen de quién recatarse suelen hacer inadvertidamente. Si no, dime: ¿cuándo, ¡oh traidor!, respondí a tus ruegos con alguna palabra o señal que pudiese despertar en ti alguna sombra de esperanza de cumplir tus infames deseos? ¿Cuándo tus amorosas palabras no fueron deshechas y reprehendidas de las mías con rigor y con aspereza? ¿Cuándo tus muchas promesas y mayores dádivas fueron de mí creídas ni admitidas? Pero, por parecerme que alguno no puede perseverar en el intento amoroso luengo tiempo, si no es sustentado de alguna esperanza, quiero atribuirme a mí la culpa de tu impertinencia, pues, sin duda, algún descuido mío ha sustentado tanto tiempo tu cuidado; y así, quiero castigarme y darme la pena que tu culpa merece. Y porque vieses que siendo conmigo tan inhumana, no era posible dejar de serlo contigo, quise traerte a ser testigo del sacrificio que pienso hacer a la ofendida honra de mi tan honrado marido, agraviado de ti con el mayor cuidado que te ha sido posible, y de mí también con el poco recato que he tenido del huir la ocasión, si alguna te di, para favorecer y canonizar tus

---

[14] *posesión*, reputación.

malas intenciones. Torno a decir que la sospecha que tengo que algún descuido mío engendró en ti tan desvariados pensamientos es la que más me fatiga, y la que yo más deseo castigar con mis propias manos, porque, castigándome otro verdugo, quizá sería más pública mi culpa; pero antes que esto haga, quiero matar muriendo, y llevar conmigo quien me acabe de satisfacer el deseo de la venganza que espero y tengo, viendo allá, dondequiera que fuere, la pena que da la justicia desinteresada y que no se dobla al que en términos tan desesperados me ha puesto.

Y diciendo estas razones, con una increíble fuerza y ligereza arremetió a Lotario con la daga desenvainada, con tales muestras de querer enclavársela en el pecho, que casi él estuvo en duda si aquellas demostraciones eran falsas o verdaderas, porque le fue forzoso valerse de su industria y de su fuerza para estorbar que Camila no le diese. La cual tan vivamente fingía aquel estraño embuste y fealdad, que, por dalle color de verdad, la quiso matizar con su misma sangre; porque, viendo que no podía haber a Lotario, o fingiendo que no podía, dijo:

—Pues la suerte no quiere satisfacer del todo mi tan justo deseo, a lo menos, no será tan poderosa que, en parte, me quite que no le satisfaga.

Y haciendo fuerza para soltar la mano de la daga, que Lotario la tenía asida, la sacó, y guiando su punta por parte que pudiese herir no profundamente, se la entró y escondió por más arriba de la islilla[15] del lado izquierdo, junto al hombro, y luego se dejó caer en el suelo, como desmayada.

Estaban Leonela y Lotario suspensos y atónitos de tal suceso, y todavía dudaban de la verdad de aquel hecho, viendo a Camila tendida en tierra y bañada en su sangre. Acudió Lotario con mucha presteza, despavorido y sin aliento, a sacar la daga, y en ver la pequeña herida, salió del temor que hasta entonces tenía, y de nuevo se admiró de la sagacidad, prudencia y mucha discreción de la hermosa Camila; y, por acudir con lo que a él le tocaba, comenzó a hacer una larga y triste lamentación sobre el cuerpo de Camila, como si estuviera difunta, echándose muchas maldiciones, no sólo a él, sino al que había sido

---

[15] *islilla*, axila, sobaco.

causa de habelle puesto en aquel término. Y como sabía
que le escuchaba su amigo Anselmo, decía cosas que el que
le oyera le tuviera mucha más lástima que a Camila,
aunque por muerta la juzgara.

Leonela la tomó en brazos y la puso en el lecho, su-
plicando a Lotario fuese a buscar quien secretamente a
Camila curase; pedíale asimismo consejo y parecer de lo
que dirían a Anselmo de aquella herida de su señora, si
acaso viniese antes que estuviese sana. Él respondió que
dijesen lo que quisiesen; que él no estaba para dar consejo que de provecho fuese; sólo le dijo que procurase tomarle la sangre[16], porque él se iba adonde gentes no le
viesen. Y con muestras de mucho dolor y sentimiento, se
salió de casa; y cuando se vio solo y en parte donde nadie
le veía, no cesaba de hacerse cruces, maravillándose de la
industria de Camila y de los ademanes tan proprios de
Leonela. Consideraba cuán enterado había de quedar Anselmo de que tenía por mujer a una segunda Porcia, y
deseaba verse con él para celebrar los dos la mentira y la
verdad más disimulada que jamás pudiera imaginarse.

Leonela tomó, como se ha dicho, la sangre a su señora, que no era más de aquello que bastó para acreditar su
embuste, y lavando con un poco de vino la herida, se la
ató lo mejor que supo, diciendo tales razones en tanto
que la curaba, que aunque no hubieran precedido otras,
bastaran a hacer creer a Anselmo que tenía en Camila un
simulacro[17] de la honestidad.

Juntáronse a las palabras de Leonela otras de Camila,
llamándose cobarde y de poco ánimo, pues le había faltado al tiempo que fuera más necesario tenerle, para quitarse la vida, que tan aborrecida tenía. Pedía consejo a
su doncella si daría[18], o no, todo aquel suceso a su querido esposo; la cual le dijo que no se lo dijese, porque le
pondría en obligación de vengarse de Lotario, lo cual no
podría ser sin mucho riesgo suyo, y que la buena mujer
estaba obligada a no dar ocasión a su marido a que riñe-
se, sino a quitalle todas aquellas que le fue posible.

Respondió Camila que le parecía muy bien su parecer, y que ella le seguiría; pero que en todo caso conve-

---

[16] *tomarle la sangre,* contenerle la hemorragia.
[17] *simulacro,* imagen, modelo.
[18] *daría,* diría.

nía buscar qué decir a Anselmo de la causa de aquella
herida, que él no podría dejar de ver; a lo que Leonela
respondía que ella, ni aun burlando, no sabía mentir.

—Pues yo, hermana —replicó Camila—, ¿qué tengo
de saber, que no me atreveré a forjar ni sustentar una
mentira, si me fuese en ello la vida? Y si es que no hemos
de saber dar salida a esto, mejor será decirle la verdad
desnuda, que no que nos alcance en mentirosa cuenta.

—No tengas pena, señora; de aquí a mañana —respondió Leonela— yo pensaré qué le digamos, y quizá que
por ser la herida donde es, la podrás encubrir sin que él
la vea, y el cielo será servido de favorecer a nuestros tan
justos y tan honrados pensamientos. Sosiégate, señora mía,
y procura sosegar tu alteración, porque mi señor no te
halle sobresaltada, y lo demás déjalo a mi cargo, y al de
Dios, que siempre acude a los buenos deseos.

Atentísimo había estado Anselmo a escuchar y a ver
representar la tragedia de la muerte de su honra; la cual
con tan estraños y eficaces afectos la representaron los
personajes della, que pareció que se habían transformado
en la misma verdad de lo que fingían. Deseaba mucho la
noche, y el tener lugar para salir de su casa, y ir a verse
con su buen amigo Lotario, congratulándose con él de la
margarita[19] preciosa que había hallado en el desengaño
de la bondad de su esposa. Tuvieron cuidado las dos de
darle lugar y comodidad a que saliese, y él, sin perdella,
salió, y luego fue a buscar a Lotario; el cual hallado, no
se puede buenamente contar los abrazos que le dio, las cosas que de su contento le dijo, las alabanzas que dio a Camila. Todo lo cual escuchó Lotario sin poder dar muestras
de alguna alegría, porque se le representaba a la memoria
cuán engañado estaba su amigo, y cuán injustamente
él le agraviaba. Y aunque Anselmo veía que Lotario
no se alegraba, creía ser la causa por haber dejado a
Camila herida y haber él sido la causa; y así, entre otras
razones, le dijo que no tuviese pena del suceso de Camila,
porque, sin duda, la herida era ligera, pues quedaban de
concierto de encubrírsela a él; y que, según esto, no había
de qué temer, sino que de allí adelante se gozase y alegrase con él, pues por su industria y medio él se veía levan-

[19] *margarita*, perla.

tado a la más alta felicidad que acertara a desearse, y
quería que no fuesen otros sus entretenimientos que en
hacer versos en alabanza de Camila, que la hiciesen eterna en la memoria de los siglos venideros. Lotario alabó
su buena determinación y dijo que él, por su parte, ayu-
daría a levantar tan ilustre edificio.

Con esto quedó Anselmo el hombre más sabrosamente
engañado que pudo haber en el mundo: él mismo llevó
por la mano a su casa, creyendo que llevaba el instrumento de su gloria, toda la perdición de su fama. Rece-
bíale Camila con rostro, al parecer, torcido, aunque con
alma risueña. Duró este engaño algunos días, hasta que
al cabo de pocos meses volvió Fortuna su rueda, y salió
a plaza la maldad con tanto artificio hasta allí cubierta, y
a Anselmo le costó la vida su impertinente curiosidad.»

CAPÍTULO XXXV

DONDE SE DA FIN A LA NOVELA DEL CURIOSO IMPERTINENTE*

Poco más quedaba por leer de la novela, cuando del
caramanchón donde reposaba don Quijote salió Sancho Panza todo alborotado, diciendo a voces:

—Acudid, señores, presto y socorred a mi señor, que
anda envuelto en la más reñida y trabada batalla que mis
ojos han visto. ¡Vive Dios, que ha dado una cuchillada al
gigante enemigo de la señora princesa Micomicona, que
le ha tajado la cabeza cercen a cercen[1], como si fuera un
nabo!

—¿Qué dices, hermano? —dijo el cura, dejando de
leer lo que de la novela quedaba—. ¿Estáis en vos, Sancho? ¿Cómo diablos puede ser eso que decís, estando el
gigante dos mil leguas de aquí?

* Las ediciones modernas suelen empezar el epígrafe del presente capítulo con parte del que va al frente del siguiente: «Que
trata de la brava y descomunal batalla que don Quijote tuvo con
unos cueros de vino, y se da fin...» Ello está muy acertado, pero
siempre es mejor respetar el texto de la primera edición, que revela
estos detalles, que podrían ser descuidos, que hacen comprender el
modo de trabajar de Cervantes.
[1] cercen, hoy «cercén», era palabra llana.

En esto, oyeron un gran ruido en el aposento, y que don Quijote decía a voces:

—¡Tente, ladrón, malandrín, follón; que aquí te tengo, y no te ha de valer tu cimitarra!

Y parecía que daba grandes cuchilladas por las paredes. Y dijo Sancho:

—No tienen que pararse a escuchar, sino entren a despartir la pelea, o a ayudar a mi amo; aunque ya no será menester, porque, sin duda alguna, el gigante está ya muerto, y dando cuenta a Dios de su pasada y mala vida; que yo vi correr la sangre por el suelo, y la cabeza cortada y caída a un lado, que es tamaña como un gran cuero de vino.

—Que me maten —dijo a esta sazón el ventero— si don Quijote, o don diablo, no ha dado alguna cuchillada en alguno de los cueros de vino tinto que a su cabecera estaban llenos, y el vino derramado debe de ser lo que le parece sangre a este buen hombre.

Y con esto, entró en el aposento, y todos tras él, y hallaron a don Quijote en el más estraño traje del mundo. Estaba en camisa, la cual no era tan cumplida, que por delante le acabase de cubrir los muslos, y por detrás tenía seis dedos menos; las piernas eran muy largas y flacas, llenas de vello y no nada limpias; tenía en la cabeza un bonetillo[2] colorado, grasiento, que era del ventero; en el brazo izquierdo tenía revuelta la manta de la cama, con quien tenía ojeriza Sancho, y él se sabía bien el porqué; y en la derecha, desenvainada la espada, con la cual daba cuchilladas a todas partes, diciendo palabras como si verdaderamente estuviera peleando con algún gigante. Y es lo bueno que no tenía los ojos abiertos, porque estaba durmiendo y soñando que estaba en batalla con el gigante; que fue tan intensa la imaginación de la aventura que iba a fenecer, que le hizo soñar que ya había llegado al reino de Micomicón, y que ya estaba en la pelea con su enemigo. Y había dado tantas cuchilladas en los cueros, creyendo que las daba en el gigante, que todo el aposento estaba lleno de vino. Lo cual visto por el ventero, tomó tanto enojo, que arremetió con don Quijote, y a puño cerrado le comenzó a dar tantos golpes, que si

---

[2] *bonetillo*, gorro de viejos y de enfermos y también para dormir.

Cardenio y el cura no se le quitaran, él acabara la guerra
del gigante; y, con todo aquello, no despertaba el pobre
caballero, hasta que el barbero trujo un gran caldero de
agua fría del pozo y se le echó por todo el cuerpo de golpe, con lo cual despertó don Quijote; mas no con tanto
acuerdo, que echase de ver de la manera que estaba.

Dorotea, que vio cuán corta y sotilmente estaba vestido, no quiso entrar a ver la batalla de su ayudador y
de su contrario.

Andaba Sancho buscando la cabeza del gigante por
todo el suelo, y como no la hallaba, dijo:

—Ya yo sé que todo lo desta casa es encantamento;
que la otra vez, en este mesmo lugar donde ahora me
hallo, me dieron muchos mojicones y porrazos, sin saber
quién me los daba, y nunca pude ver a nadie; y ahora no
parece por aquí esta cabeza que vi cortar por mis mismí-
simos ojos, y la sangre corría del cuerpo como de una
fuente.

—¿Qué sangre ni qué fuente dices, enemigo de Dios
y de sus santos? —dijo el ventero—. ¿No vees, ladrón, que
la sangre y la fuente no es otra cosa que estos cueros
que aquí están horadados y el vino tinto que nada en este
aposento, que nadando vea yo el alma en los infiernos
de quien los horadó?

—No sé nada —respondió Sancho—: sólo sé que vendré a ser tan desdichado, que, por no hallar esta cabeza, se
me ha de deshacer mi condado, como la sal en el agua.

Y estaba peor Sancho despierto que su amo durmiendo: tal le tenían las promesas que su amo le había hecho. El ventero se desesperaba de ver la flema del escudero y el maleficio del señor, y juraba que no había de
ser como la vez pasada, que se le fueron sin pagar, y que
ahora no le habían de valer los previlegios de su caballería para dejar de pagar lo uno y lo otro, aun hasta lo que
pudiesen costar las botanas[3] que se habían de echar a los
rotos cueros.

Tenía el cura de las manos a don Quijote, el cual,
creyendo que ya había acabado la aventura, y que se hallaba delante de la princesa Micomicona, se hincó de rodillas delante del cura, diciendo:

—Bien puede la vuestra grandeza, alta y famosa se-

[3] *botanas*, remiendos, parches.

ñora, vivir, de hoy más, segura que le pueda hacer mal
esta mal nacida criatura; y yo también, de hoy más, soy
quito[4] de la palabra que os di, pues, con el ayuda del alto
Dios y con el favor de aquella por quien yo vivo y respiro, tan bien la he cumplido.

—¿No lo dije yo? —dijo oyendo esto Sancho—. Sí que
no estaba yo borracho: ¡mirad si tiene puesto ya en sal
mi amo al gigante! ¡Ciertos son los toros: mi condado
está de molde!

¿Quién no había de reír con los disparates de los dos,
amo y mozo? Todos reían sino el ventero, que se daba a
Satanás; pero, en fin, tanto hicieron el barbero, Cardenio
y el cura, que, con no poco trabajo, dieron con don Quijote en la cama, el cual se quedó dormido, con muestras
de grandísimo cansancio. Dejáronle dormir, y saliéronse
al portal de la venta a consolar a Sancho Panza de no
haber hallado la cabeza del gigante; aunque más tuvieron
que hacer en aplacar al ventero, que estaba desesperado
por la repentina muerte de sus cueros. Y la ventera decía
en voz y en grito:

—En mal punto y en hora menguada entró en mi
casa este caballero andante, que nunca mis ojos le hubieran visto, que tan caro me cuesta. La vez pasada se fue
con el costo de una noche, de cena, cama, paja y cebada,
para él y para su escudero, y un rocín y un jumento, diciendo que era caballero aventurero, que mala ventura le
dé Dios, a él y a cuantos aventureros hay en el mundo,
y que por esto no estaba obligado a pagar nada, que así
estaba escrito en los aranceles de la caballería andantesca. Y ahora, por su respeto, vino estotro señor y me llevó
mi cola, y hámela vuelto con más de dos cuartillos[5] de
daño, toda pelada, que no puede servir para lo que la
quiere mi marido. Y por fin y remate de todo, romperme
mis cueros y derramarme mi vino, que derramada le vea
yo su sangre. ¡Pues no se piense; que por los huesos de
mi padre y por el siglo de mi madre, si no me lo han de
pagar un cuarto sobre otro, o no me llamaría yo como
me llamo, ni sería hija de quien soy!

Estas y otras razones tales decía la ventera con grande
enojo, y ayudábala su buena criada Maritornes. La hija

---

[4] *soy quito*, quedo libre.
[5] *cuartillo*, moneda de vellón que valía la cuarta parte del real.

callaba, y de cuando en cuando se sonreía. El cura lo sosegó todo, prometiendo de satisfacerles su pérdida lo mejor
que pudiese, así de los cueros como del vino, y principalmente del menoscabo de la cola, de quien tanta cuenta hacían. Dorotea consoló a Sancho Panza diciéndole que
cada y cuando que pareciese haber sido verdad que su
amo hubiese descabezado al gigante, le prometía, en viéndose pacífica en su reino, de darle el mejor condado que
en él hubiese. Consolóse con esto Sancho, y aseguró a la
princesa que tuviese por cierto que él había visto la cabeza
del gigante, y que, por más señas, tenía una barba que le
llegaba a la cintura; y que si no parecía, era porque todo
cuanto en aquella casa pasaba era por vía de encantamento, como él lo había probado otra vez que había posado en ella. Dorotea dijo que así lo creía, y que no tuviese pena; que todo se haría bien y sucedería a pedir de
boca.

Sosegados todos, el cura quiso acabar de leer la novela, porque vio que faltaba poco. Cardenio, Dorotea y
todos los demás le rogaron la acabase. Él, que a todos
quiso dar gusto, y por el que él tenía de leerla, prosiguió
el cuento, que así decía:

«Sucedió, pues, que, por la satisfación que Anselmo
tenía de la bondad de Camila, vivía una vida contenta y
descuidada, y Camila, de industria, hacía mal rostro a Lotario, porque Anselmo entendiese al revés de la voluntad
que le tenía; y para más confirmación de su hecho, pidió
licencia Lotario para no venir a su casa, pues claramente
se mostraba la pesadumbre que con su vista Camila recebía; mas el engañado Anselmo le dijo que en ninguna
manera tal hiciese; y desta manera, por mil maneras era
Anselmo el fabricador de su deshonra, creyendo que lo
era de su gusto.

En esto, el[6] que tenía Leonela de verse cualificada y
notada con sus amores[7], llegó a tanto, que, sin mirar a

---

[6] *el* [gusto].
[7] En las ediciones primera y segunda: *cualificada no de con
sus amores*, lo que no ofrece sentido. Se han propuesto varias enmiendas: «cualificada no de [deshonesta] con sus amores», Schevill; «cualificada en sus amores», R. Marín, etc. Como sea que el
verbo *notar* es a veces en Cervantes sinónimo de *cualificar*, «calificar» (cfr. «nos *note* de cobardes», I, 20; «loa a su dama de hermosura y la *nota* de cruel», I, 34; «Julio César... fue *notado* de
ambicioso», II, 2), creo factible enmendar *no de* en *notada*.

otra cosa, se iba tras él a suelta rienda, fiada en que su señora la encubría, y aun la advertía del modo que con poco recelo pudiese ponerle en ejecución. En fin, una noche sintió Anselmo pasos en el aposento de Leonela, y queriendo entrar a ver quién los daba, sintió que le detenían la puerta, cosa que le puso más voluntad de abrirla; y tanta fuerza hizo, que la abrió, y entró dentro a tiempo que vio que un hombre saltaba por la ventana a la calle; y acudiendo con presteza a alcanzarle o conocerle, no pudo conseguir lo uno ni lo otro, porque Leonela se abrazó con él, diciéndole:

—Sosiégate, señor mío, y no te alborotes, ni sigas al que de aquí saltó; es cosa mía, y tanto, que es mi esposo.

No lo quiso creer Anselmo; antes, ciego de enojo, sacó la daga y quiso herir a Leonela, diciéndole que le dijese la verdad; si no, que la mataría. Ella, con el miedo, sin saber lo que se decía, le dijo:

—No me mates, señor, que yo te diré cosas de más importancia de las que puedes imaginar.

—Dilas luego —dijo Anselmo—; si no, muerta eres.

—Por ahora será imposible —dijo Leonela—, según estoy de turbada; déjame hasta mañana, que entonces sabrás de mí lo que te ha de admirar; y está seguro que el que saltó por esta ventana es un mancebo desta ciudad, que me ha dado la mano de ser mi esposo.

Sosegóse con esto Anselmo y quiso aguardar el término que se le pedía, porque no pensaba oír cosa que contra Camila fuese, por estar de su bondad tan satisfecho y seguro; y así, se salió del aposento, y dejó encerrada en él a Leonela, diciéndole que de allí no saldría hasta que le dijese lo que tenía que decirle.

Fue luego a ver a Camila y a decirle, como le dijo, todo aquello que con su doncella le había pasado, y la palabra que le había dado de decirle grandes cosas y de importancia. Si se turbó Camila o no, no hay para qué decirlo, porque fue tanto el temor que cobró, creyendo verdaderamente, y era de creer, que Leonela había de decir a Anselmo todo lo que sabía de su poca fe, que no tuvo ánimo para esperar si su sospecha salía falsa o no, y aquella mesma noche, cuando le pareció que Anselmo dormía, juntó las mejores joyas que tenía y algunos dineros, y, sin ser de nadie sentida, salió de casa y se fue a la de Lotario, a quien contó lo que pasaba, y le pidió que la pusiese en cobro o que se ausentasen los dos donde de Anselmo pudiesen estar seguros. La confusión en que Camila puso a Lotario fue tal, que no le sabía responder palabra, ni menos sabía resolverse en lo que haría.

En fin, acordó de llevar a Camila a un monesterio, en quien era priora una su hermana. Consintió Camila en ello, y con la presteza que el caso pedía la llevó Lotario y la dejó en el monesterio, y él ansimesmo se ausentó luego de la ciudad, sin dar parte a nadie de su ausencia.

Cuando amaneció, sin echar de ver Anselmo que Camila faltaba de su lado, con el deseo que tenía de saber lo que Leonela quería decirle, se levantó y fue adonde la había dejado encerrada. Abrió y entró en el aposento, pero no halló en él a Leonela; sólo halló puestas unas sábanas añudadas a la ventana, indicio y señal que por allí se había descolgado e ido. Volvió luego muy triste a decírselo a Camila y, no hallándola en la cama ni en toda la casa, quedó asombrado. Preguntó a los criados de casa por ella; pero nadie le supo dar razón de lo que pedía.

Acertó acaso, andando a buscar a Camila, que vio sus cofres abiertos y que dellos faltaban las más de sus joyas, y con esto acabó de caer en la cuenta de su desgracia, y en que no era Leonela la causa de su desventura. Y ansí como estaba, sin acabarse de vestir, triste y pensativo, fue a dar cuenta de su desdicha a su amigo Lotario. Mas cuando no le halló, y sus criados le dijeron que aquella noche había faltado de casa, y había llevado consigo todos los dineros que tenía, pensó perder el juicio. Y para acabar de concluir con todo, volviéndose a su casa, no halló en ella ninguno de cuantos criados ni criadas tenía, sino la casa desierta y sola.

No sabía qué pensar, qué decir, ni qué hacer, y poco a poco se le iba volviendo el juicio. Contemplábase y mirábase en un instante sin mujer, sin amigo y sin criados, desamparado, a su parecer, del cielo que le cubría, y sobre todo sin honra, porque en la falta de Camila vio su perdición.

Resolvióse, en fin, a cabo de una gran pieza, de irse a la aldea de su amigo, donde había estado cuando dio lugar a que se maquinase toda aquella desventura. Cerró las puertas de su casa, subió a caballo, y con desmayado aliento se puso en camino; y apenas hubo andado la mitad, cuando, acosado de sus pensamientos, le fue forzoso apearse y arrendar[8] su caballo a un árbol, a cuyo tronco se dejó caer, dando tiernos y dolorosos suspiros, y allí se estuvo hasta casi que anochecía; y a aquella hora vio que venía un hombre a caballo de la ciudad y, después de haberle saludado, le preguntó qué nuevas había en Florencia. El ciudadano respondió:

—Las más estrañas que muchos días ha se han oído en ella; porque se dice públicamente que Lotario, aquel grande amigo de Anselmo el rico, que vivía a San Juan, se llevó esta noche a Camila, mujer de Anselmo, el cual tampoco parece. Todo esto ha dicho una criada de Camila, que anoche la halló el gobernador descolgándose con una sábana por las ventanas de la casa de Anselmo. En efeto, no sé puntualmente cómo pasó el negocio; sólo sé que toda la ciudad está admirada deste suceso, porque no se podía esperar tal hecho de la mucha y familiar amistad de los dos, que dicen que era tanta, que los llamaban *los dos amigos*.

—¿Sábese, por ventura —dijo Anselmo—, el camino que llevan Lotario y Camila?

—Ni por pienso —dijo el ciudadano—, puesto que[9] el gobernador ha usado de mucha diligencia en buscarlos.

—A Dios vais, señor —dijo Anselmo.

—Con Él quedéis —respondió el ciudadano, y fuese.

Con tan desdichadas nuevas, casi casi llegó a términos Anselmo, no sólo de perder el juicio, sino de acabar la vida. Levantóse como pudo, y llegó a casa de su amigo, que aún no sabía su desgracia; mas como le vio llegar amarillo, consumido y seco, entendió que de algún grave mal venía fatigado. Pidió luego Anselmo que le acostasen, y que le diesen aderezo de escribir. Hízose así, y dejáronle acostado y solo, porque él así lo quiso, y aun que le cerrasen la puerta. Viéndose, pues, solo, comenzó a cargar tanto la imaginación de su desventura, que claramente conoció que se le iba acabando la vida; y así, ordenó de dejar noticia de la causa de su estraña muerte; y comenzando a escribir, antes que acabase de poner todo lo que

---

[8] *arrendar*, sujetar con las riendas.
[9] *puesto que*, aunque.

quería, le faltó el aliento y dejó la vida en las manos del dolor que le causó su curiosidad impertinente.

Viendo el señor de casa que era ya tarde y que Anselmo no llamaba, acordó de entrar a saber si pasaba adelante su indisposición, y hallóle tendido boca abajo, la mitad del cuerpo en la cama y la otra mitad sobre el bufete, sobre el cual estaba, con el papel escrito y abierto, y él tenía aún la pluma en la mano. Llegóse el huésped a él, habiéndole llamado primero; y, trabándole por la mano, viendo que no le respondía, y hallándole frío, vio que estaba muerto. Admiróse y congojóse en gran manera, y llamó a la gente de casa para que viesen la desgracia a Anselmo sucedida, y, finalmente, leyó el papel, que conoció que de su mesma mano estaba escrito, el cual contenía estas razones:

Un necio e impertinente deseo me quitó la vida. Si las nuevas de mi muerte llegaren a los oídos de Camila, sepa que yo la perdono, porque no estaba ella obligada a hacer milagros, ni yo tenía necesidad de querer que ella los hiciese; y pues yo fui el fabricador de mi deshonra, no hay para qué...

Hasta aquí escribió Anselmo, por donde se echó de ver que en aquel punto, sin poder acabar la razón, se le acabó la vida. Otro día dio aviso su amigo a los parientes de Anselmo de su muerte, los cuales ya sabían su desgracia, y el monesterio donde Camila estaba, casi en el término de acompañar a su esposo en aquel forzoso viaje, no por las nuevas del muerto esposo. mas por las que supo del ausente amigo. Dícese que aunque se vio viuda, no quiso salir del monesterio, ni, menos, hacer profesión de monja, hasta que, no de allí a muchos días, le vinieron nuevas que Lotario había muerto en una batalla que en aquel tiempo dio monsiur de Lautrec al Gran Capitán Gonzalo Fernández de Córdoba en el reino de Nápoles[10], donde había ido a parar el tarde arrepentido amigo; lo cual sabido por Camila, hizo profesión, y acabó en breves días la vida, a las rigurosas manos de tristezas y melan-

---

[10] Seguramente se refiere a la batalla de Ceriñola (1503), en la que Odet de Foix, señor de Lautrec, entonces muy joven, combatió en la vanguardia de las tropas francesas contra las españolas del Gran Capitán. Cervantes sitúa, pues, la acción del *Curioso impertinente*, un siglo antes de su tiempo y de la acción principal del *Quijote*.

colías. Éste fue el fin que tuvieron todos, nacido de un tan desatinado principio.»

—Bien —dijo el cura— me parece esta novela; pero no me puedo persuadir que esto sea verdad; y si es fingido, fingió mal el autor, porque no se puede imaginar que haya marido tan necio, que quiera hacer tan costosa experiencia como Anselmo. Si este caso se pusiera entre un galán y una dama, pudiérase llevar; pero entre marido y mujer, algo tiene del imposible; y en lo que toca al modo de contarle, no me descontenta.

CAPÍTULO XXXVI

QUE TRATA DE LA BRAVA Y DESCOMUNAL BATALLA QUE DON QUIJOTE TUVO CON UNOS CUEROS DE VINO TINTO, CON OTROS RAROS SUCESOS QUE EN LA VENTA LE SUCEDIERON*

E STANDO en esto, el ventero, que estaba a la puerta de la venta, dijo:

—Esta que viene es una hermosa tropa de huéspedes: si ellos paran aquí, gaudeamus[1] tenemos.

—¿Qué gente es? —dijo Cardenio.

—Cuatro hombres —respondió el ventero— vienen a caballo, a la jineta, con lanzas y adargas, y todos con antifaces negros[2]; y junto con ellos viene una mujer vestida de blanco, en un sillón[3], ansimesmo cubierto el rostro, y otros dos mozos a pie.

—¿Vienen muy cerca? —preguntó el cura.

—Tan cerca —respondió el ventero—, que ya llegan.

Oyendo esto Dorotea, se cubrió el rostro, y Cardenio se entró en el aposento de don Quijote; y casi no habían tenido lugar para esto, cuando entraron en la venta todos los que el ventero había dicho; y apeándose los cuatro de a caballo, que de muy gentil talle y disposición eran, fue-

---

* La primera parte del epígrafe de este capítulo está equivocada, ya que el episodio de los cueros de vino se dio en el anterior.

[1] *gaudeamus*, alegría, regocijo. El ventero puede emplear esta palabra latina porque existe el refrán: «El comer, *gaudeamus*; al pagar, *ad te suspiramus*».

[2] antifaces de camino, para resguardarse del polvo y del sol.

[3] *sillón*, aquí silla de montar con respaldo para que vayan cómodas las mujeres.

ron a apear a la mujer que en el sillón venía; y, tomándola uno dellos en sus brazos, la sentó en una silla que estaba a la entrada del aposento donde Cardenio se había escondido. En todo este tiempo, ni ella ni ellos se habían quitado los antifaces, ni hablado palabra alguna; sólo que al sentarse la mujer en la silla dio un profundo suspiro, y dejó caer los brazos, como persona enferma y desmayada. Los mozos de a pie llevaron los caballos a la caballeriza.

Viendo esto el cura, deseoso de saber qué gente era aquella que con tal traje y tal silencio estaba, se fue donde estaban los mozos, y a uno dellos le preguntó lo que ya deseaba; el cual le respondió:

—Pardiez, señor, yo no sabré deciros qué gente sea ésta; sólo sé que muestra ser muy principal, especialmente aquel que llegó a tomar en sus brazos a aquella señora que habéis visto; y esto dígolo porque todos los demás le tienen respeto, y no se hace otra cosa más de la que él ordena y manda.

—Y la señora, ¿quién es? —preguntó el cura.

—Tampoco sabré decir eso —respondió el mozo—, porque en todo el camino no la he visto el rostro; suspirar sí la he oído muchas veces, y dar unos gemidos, que parece que con cada uno dellos quiere dar el alma. Y no es de maravillar que no sepamos más de lo que habemos dicho, porque mi compañero y yo no ha más de dos días que los acompañamos; porque, habiéndolos encontrado en el camino, nos rogaron y persuadieron que viniésemos con ellos hasta el Andalucía, ofreciéndose a pagárnoslo muy bien.

—Y ¿habéis oído nombrar a alguno dellos? —preguntó el cura.

—No, por cierto —respondió el mozo—, porque todos caminan con tanto silencio, que es maravilla; porque no se oye entre ellos otra cosa que los suspiros y sollozos de la pobre señora, que nos mueven a lástima; y sin duda tenemos creído que ella va forzada dondequiera que va; y, según se puede colegir por su hábito, ella es monja, o va a serlo, que es lo más cierto, y quizá porque no le debe de nacer de voluntad el monjío, va triste, como parece.

—Todo podría ser —dijo el cura.

Y dejándolos, se volvió adonde estaba Dorotea; la cual,

como había oído suspirar a la embozada, movida de natural compasión, se llegó a ella y le dijo:

—¿Qué mal sentís, señora mía? Mirad si es alguno de quien las mujeres suelen tener uso y experiencia de curarle; que de mi parte os ofrezco una buena voluntad de serviros.

A todo esto callaba la lastimada señora; y aunque Dorotea tornó con mayores ofrecimientos, todavía se estaba en su silencio, hasta que llegó el caballero embozado que dijo el mozo que los demás obedecían, y dijo a Dorotea:

—No os canséis, señora, en ofrecer nada a esa mujer, porque tiene por costumbre de no agradecer cosa que por ella se hace, ni procuréis que os responda, si no queréis oír alguna mentira de su boca.

—Jamás la dije —dijo a esta sazón la que hasta allí había estado callando—; antes por ser tan verdadera[4] y tan sin trazas mentirosas me veo ahora en tanta desventura; y desto vos mesmo quiero que seáis el testigo, pues mi pura verdad os hace a vos ser falso y mentiroso.

Oyó estas razones Cardenio bien clara y distintamente, como quien estaba tan junto de quien las decía, que sola la puerta del aposento de don Quijote estaba en medio; y así como las oyó, dando una gran voz dijo:

—¡Válgame Dios! ¿Qué es esto que oigo? ¿Qué voz es esta que ha llegado a mis oídos?

Volvió la cabeza a estos gritos aquella señora, toda sobresaltada, y no viendo quién las[5] daba, se levantó en pie y fuese a entrar en el aposento; lo cual, visto por el caballero, la detuvo, sin dejarla mover un paso. A ella, con la turbación y desasosiego, se le cayó el tafetán con que traía cubierto el rostro, y descubrió una hermosura incomparable y un rostro milagroso, aunque descolorido y asombrado, porque con los ojos andaba rodeando todos los lugares donde alcanzaba con la vista, con tanto ahínco, que parecía persona fuera de juicio; cuyas señales, sin saber por qué las hacía, pusieron gran lástima en Dorotea y en cuantos la miraban. Teníala el caballero fuertemente asida por las espaldas, y por estar tan ocupado en tenerla, no pudo acudir a alzarse el embozo, que se le caía, como, en efeto, se le cayó del todo; y alzando los ojos Dorotea, que abrazada con la señora estaba, vio que el que abrazada ansimesmo la tenía era su esposo don Fernando; y apenas le hubo conocido, cuando, arrojando de lo íntimo de sus entrañas un luengo y tristísimo ¡ay!, se dejó caer de espaldas desmayada; y a no hallarse allí junto el barbero, que la recogió en los brazos, ella diera consigo en el suelo.

Acudió luego el cura a quitarle el embozo, para echarle agua en el rostro, y así como la descubrió, la conoció don Fernando, que era el que estaba abrazado con la otra, y quedó como muerto en verla; pero no porque dejase, con todo esto, de tener a Luscinda, que era la que procuraba soltarse de sus brazos; la cual había conocido en el suspiro a Cardenio, y él la había conocido a ella. Oyó asimesmo Cardenio el ¡ay! que dio Dorotea cuando se cayó desmayada, y, creyendo que era su Luscinda, salió del aposento despavorido, y lo primero que vio fue a don Fernando, que tenía abrazada a Luscinda. También don Fernando conoció luego a Cardenio, y todos tres, Luscinda, Cardenio y Dorotea, quedaron mudos y suspensos, casi sin saber lo que les había acontecido.

Callaban todos y mirábanse todos: Dorotea a don Fernando, don Fernando a Cardenio, Cardenio a Luscinda y Luscinda a Cardenio. Mas quien primero rompió el silencio fue Luscinda, hablando a don Fernando desta manera:

—Dejadme, señor don Fernando, por lo que debéis a ser quien sois, ya que por otro respeto no lo hagáis, dejadme llegar al muro de quien yo soy yedra, al arrimo de quien no me han podido apartar vuestras importunaciones, vuestras amenazas, vuestras promesas ni vuestras dádivas. Notad cómo el cielo, por desusados y a nosotros encubiertos caminos, me ha puesto a mi verdadero esposo delante. Y bien sabéis por mil costosas experiencias que sola la muerte fuera bastante para borrarle de mi memoria. Sean, pues, parte tan claros desengaños para que volváis, ya que no podáis hacer otra cosa, el amor en rabia, la voluntad en despecho, y acabadme con él la vida; que como yo la rinda delante de mi buen esposo, la daré por bien empleada: quizá con mi muerte quedará satisfecho de la fe que le mantuve hasta el último trance de la vida.

Había en este entretanto vuelto Dorotea en sí, y había estado escuchando todas las razones que Luscinda dijo, por las cuales vino en conocimiento de quién ella era; que viendo que don Fernando aún no la dejaba de los brazos, ni respondía a sus razones, esforzándose lo más que pudo, se levantó y se fue a hincar de rodillas a sus pies, y derramando mucha cantidad de hermosas y lastimeras lágrimas, así le comenzó a decir:

—Si ya no es, señor mío, que los rayos deste sol que en tus brazos eclipsados tienes te quitan y ofuscan los de tus ojos, ya habrás echado de ver que la que a tus pies está arrodillada es la sin ventura, hasta que tú quieras, y la desdichada Dorotea. Yo soy aquella labradora humilde a quien tú, por tu bondad o por tu gusto, quisiste levantar a la alteza de poder llamarse tuya. Soy la que, encerrada en los límites de la honestidad, vivió vida contenta hasta que, a las voces de tus importunidades, y, al parecer, justos y amorosos sentimientos, abrió las puertas de su recato y te entregó las llaves de su libertad, dádiva de ti tan mal agradecida, cual lo muestra bien claro haber sido forzoso hallarme en el lugar donde me hallas, y verte yo a ti de la manera que te veo. Pero, con todo esto, no querría que cayese en tu imaginación pensar que he venido aquí con pasos de mi deshonra, habiéndome traído sólo los del dolor y sentimiento de verme de ti olvidada. Tú quisiste que yo fuese tuya, y quisístelo de manera que, aunque ahora quieras que no lo sea, no será posible que tú dejes de ser mío. Mira, señor mío, que puede ser recompensa a la hermosura y nobleza por quien me dejas la incomparable voluntad que te tengo. Tú no puedes ser de la hermosa Luscinda, porque eres mío, ni ella puede ser tuya, porque es de Cardenio; y más fácil te será, si en ello miras, reducir tu voluntad a querer a quien te adora, que no encaminar la que te aborrece a que bien te quiera. Tú solicitaste mi descuido; tú rogaste a mi entereza; tú no ignoraste mi calidad; tú sabes bien de la manera que me entregué a toda tu voluntad: no te queda lugar ni acogida de llamarte a engaño. Y si esto es así, como lo es, y tú eres tan cristiano como caballero, ¿por qué por tantos rodeos dilatas de hacerme venturosa en los fines, como me hiciste en los principios? Y si no me quieres por la que soy, que soy tu verdadera y legítima

esposa, quiéreme, a lo menos, y admíteme por tu esclava;
que como yo esté en tu poder, me tendré por dichosa y
bien afortunada. No permitas, con dejarme y desampa-
rarme, que se hagan y junten corrillos en mi deshonra; no
des tan mala vejez a mis padres, pues no lo merecen los
leales servicios que, como buenos vasallos, a los tuyos
siempre han hecho. Y si te parece que has de aniquilar
tu sangre por mezclarla con la mía, considera que pocas
o ninguna nobleza hay en el mundo que no haya corrido
por este camino, y que la que se toma de las mujeres no
es la que hace al caso en las ilustres decendencias[6]; cuanto más, que la verdadera nobleza consiste en la virtud, y
si ésta a ti te falta negándome lo que tan justamente me
debes, yo quedaré con más ventajas de noble que las que
tú tienes. En fin, señor, lo que últimamente te digo es
que, quieras o no quieras, yo soy tu esposa; testigos son
tus palabras, que no han ni deben ser mentirosas, si ya es
que te precias de aquello[7] por que me desprecias; testigo
será la firma que hiciste, y testigo el cielo, a quien tú lla-
maste por testigo de lo que me prometías. Y cuando todo
esto falte, tu misma conciencia no ha de faltar de dar
voces callando en mitad de tus alegrías, volviendo por
esta verdad que te he dicho, y turbando tus mejores gustos y contentos.

Estas y otras razones dijo la lastimada Dorotea, con
tanto sentimiento y lágrimas, que los mismos que acompañaban a don Fernando, y cuantos presentes estaban, la
acompañaron en ellas. Escuchóla don Fernando sin repli-
calle palabra, hasta que ella dio fin a las suyas, y principio de tantos sollozos y suspiros, que bien había de ser
corazón de bronce el que con muestras de tanto dolor no
se enterneciera. Mirándola estaba Luscinda, no menos
lastimada de su sentimiento que admirada de su mucha
discreción y hermosura; y aunque quisiera llegarse a ella
y decirle algunas palabras de consuelo, no la dejaban los
brazos de don Fernando, que apretada la tenían. El cual,
lleno de confusión y espanto, al cabo de un buen espacio
que atentamente estuvo mirando a Dorotea, abrió los brazos y, dejando libre a Luscinda, dijo:

[6] La hidalguía la transmiten los hombres, no las mujeres, según se establece en las *Partidas* de Alfonso el Sabio.
[7] *aquello*, la nobleza.

—Venciste, hermosa Dorotea, venciste; porque no es posible tener ánimo para negar tantas verdades juntas.

Con el desmayo que Luscinda había tenido, así como la dejó don Fernando iba a caer en el suelo; mas hallándose Cardenio allí junto, que a las espaldas de don Fernando se había puesto porque no le conociese, pospuesto todo temor y aventurando a todo riesgo, acudió a sostener a Luscinda, y, cogiéndola entre sus brazos, le dijo:

—Si el piadoso cielo gusta y quiere que ya tengas algún descanso, leal, firme y hermosa señora mía, en ninguna parte creo yo que le tendrás más seguro que en estos brazos que ahora te reciben, y otro tiempo te recibieron, cuando la fortuna quiso que pudiese llamarte mía.

A estas razones, puso Luscinda en Cardenio los ojos, y, habiendo comenzado a conocerle, primero por la voz, y asegurándose que él era con la vista[8], casi fuera de sentido y sin tener cuenta a ningún honesto respeto, le echó los brazos al cuello y, juntando su rostro con el de Cardenio, le dijo:

—Vos sí, señor mío, sois el verdadero dueño desta vuestra captiva, aunque más lo impida la contraria suerte, y aunque más amenazas le hagan a esta vida que en la vuestra se sustenta.

Estraño espectáculo fue éste para don Fernando y para todos los circunstantes, admirándose de tan no visto suceso. Parecióle a Dorotea que don Fernando había perdido la color del rostro y que hacía además de querer vengarse de Cardenio, porque le vio encaminar la mano a ponella en la espada; y así como lo pensó, con no vista presteza se abrazó con él por las rodillas, besándoselas y teniéndole apretado, que no dejaba mover, y, sin cesar un punto de sus lágrimas, le decía:

—¿Qué es lo que piensas hacer, único refugio mío, en este tan impensado trance? Tú tienes a tus pies a tu esposa, y la que quieres que lo sea está en los brazos de su marido. Mira si te estará bien, o te será posible deshacer lo que el cielo ha hecho, o si te convendrá querer levan-

---

[8] Luscinda y Cardenio ya se habían visto; Cervantes olvida este detalle, revelador de una interrupción en la redacción de este episodio, que debería continuar sin leer lo que antes había escrito.

tar a igualar a ti mismo a la que, pospuesto todo inconveniente, confirmada en su verdad y firmeza, delante de tus ojos tiene los suyos, bañados de licor amoroso el rostro y pecho de su verdadero esposo. Por quien Dios es te ruego, y por quien tú eres te suplico, que este tan notorio desengaño no sólo no acreciente tu ira, sino que la mengüe en tal manera, que con quietud y sosiego permitas que estos dos amantes le tengan sin impedimento tuyo todo el tiempo que el cielo quisiere concedérsele, y en esto mostrarás la generosidad de tu ilustre y noble pecho, y verá el mundo que tiene contigo más fuerza la razón que el apetito.

En tanto que esto decía Dorotea, aunque Cardenio tenía abrazada a Luscinda, no quitaba los ojos de don Fernando, con determinación de que, si le viese hacer algún movimiento en su perjuicio, procurar defenderse y ofender como mejor pudiese a todos aquellos que en su daño se mostrasen, aunque le costase la vida. Pero a esta sazón acudieron los amigos de don Fernando, y el cura y el barbero, que a todo habían estado presentes, sin que faltase el bueno de Sancho Panza, y todos rodeaban a don Fernando, suplicándole tuviese por bien de mirar las lágrimas de Dorotea, y que siendo verdad, como sin duda ellos creían que lo era, lo que en sus razones había dicho, que no permitiese quedase defraudada de sus tan justas esperanzas. Que considerase que, no acaso, como parecía, sino con particular providencia del cielo, se habían todos juntado en lugar donde menos ninguno pensaba; y que advirtiese —dijo el cura— que sola la muerte podía apartar a Luscinda de Cardenio; y aunque los dividiesen filos de alguna espada, ellos tendrían por felicísima su muerte; y que en los lazos inremediables era suma cordura, forzándose y venciéndose a sí mismo, mostrar un generoso pecho, permitiendo que por sola su voluntad los dos gozasen el bien que el cielo ya les había concedido; que pusiese los ojos ansimesmo en la beldad de Dorotea, y vería que pocas o ninguna se le podían igualar, cuanto más hacerle ventaja, y que juntase a su hermosura su humildad y el estremo del amor que le tenía, y, sobre todo, advirtiese que si se preciaba de caballero y de cristiano, que no podía hacer otra cosa que cumplille la palabra dada; y que, cumpliéndosela, cumpliría con Dios y satisfaría a las gentes discretas, las cuales saben y conocen que es prerrogativa de la hermosura, aunque esté en sujeto humilde, como se acompañe con la honestidad, poder levantarse e igualarse a cualquiera alteza, sin nota de menoscabo del que la levanta e iguala a sí mismo; y cuando se cumplen las fuertes leyes del gusto, como en ello no intervenga pecado, no debe de ser culpado el que las sigue.

En efeto, a estas razones añadieron todos otras, tales y tantas, que el valeroso pecho de don Fernando —en fin, como alimentado con ilustre sangre— se ablandó y se dejó vencer de la verdad, que él no pudiera negar aunque quisiera; y la señal que dio de haberse rendido y entregado al buen parecer que se le había propuesto fue abajarse y abrazar a Dorotea, diciéndole:

—Levantaos, señora mía; que no es justo que esté arrodillada a mis pies la que yo tengo en mi alma; y si hasta aquí no he dado muestras de lo que digo, quizá ha sido por orden del cielo, para que viendo yo en vos la fe con que me amáis, os sepa estimar en lo que merecéis. Lo que os ruego es que no me reprehendáis mi mal término y mi mucho descuido; pues la misma ocasión y fuerza que me movió para acetaros por mía, esa misma me impelió para procurar no ser vuestro. Y que esto sea verdad, volved y mirad los ojos de la ya contenta Luscinda, y en ellos hallaréis disculpa de todos mis yerros; y pues ella halló y alcanzó lo que deseaba, y yo he hallado en vos lo que me cumple, viva ella segura y contenta luengos y felices años con su Cardenio; que yo rogaré al cielo que me los deje vivir con mi Dorotea.

Y diciendo esto, la tornó a abrazar y a juntar su rostro con el suyo, con tan tierno sentimiento, que le fue necesario tener gran cuenta con que las lágrimas no acabasen de dar indubitables señas de su amor y arrepentimiento. No lo hicieron así las de Luscinda y Cardenio, y aun las de casi todos los que allí presentes estaban; porque comenzaron a derramar tantas, los unos de contento proprio, y los otros del ajeno, que no parecía sino que algún grave y mal caso a todos había sucedido. Hasta Sancho Panza lloraba, aunque después dijo que no lloraba él sino por ver que Dorotea no era, como él pensaba, la reina Micomicona, de quien él tantas mercedes espe-

raba. Duró algún espacio, junto con el llanto, la admiración en todos, y luego Cardenio y Luscinda se fueron a
poner de rodillas ante don Fernando, dándole gracias de
la merced que les había hecho, con tan corteses razones,
que don Fernando no sabía qué responderles; y así, los
levantó y abrazó con muestras de mucho amor y de mucha cortesía.

Preguntó luego a Dorotea le dijese cómo había venido
a aquel lugar, tan lejos del suyo. Ella, con breves y discretas razones, contó todo lo que antes había contado a Cardenio; de lo cual gustó tanto don Fernando y los que
con él venían, que quisieran que durara el cuento más
tiempo: tanta era la gracia con que Dorotea contaba sus
desventuras. Y así como hubo acabado, dijo don Fernan-
de lo que en la ciudad le había acontecido después que
halló el papel, en el seno de Luscinda, donde declaraba ser
esposa de Cardenio, y no poderlo ser suya. Dijo que la
quiso matar, y lo hiciera si de sus padres no fuera impedido; y que así, se salió de su casa despechado y corrido,
con determinación de vengarse con más comodidad; y que
otro día supo como Luscinda había faltado de casa de
sus padres, sin que nadie supiese decir dónde se había ido,
y que, en resolución, al cabo de algunos meses vino a
saber como estaba en un monesterio, con voluntad de quedarse en él toda la vida, si no la pudiese pasar con Cardenio; y que así como lo supo, escogiendo para su compañía aquellos tres caballeros, vino al lugar donde estaba,
a la cual no había querido hablar, temeroso que en sabiendo que él estaba allí, había de haber más guarda en el
monesterio; y así, aguardando un día a que la portería
estuviese abierta, dejó a los dos a la guarda de la puerta,
y él, con otro, había entrado en el monesterio buscando a
Luscinda, la cual hallaron en el claustro hablando con
una monja; y, arrebatándola, sin darle lugar a otra cosa,
se habían venido con ella a un lugar donde se acomodaron
de aquello que hubieron menester para traella. Todo lo
cual habían podido hacer bien a su salvo, por estar el monesterio en el campo, buen trecho fuera del pueblo. Dijo
que así como Luscinda se vio en su poder, perdió todos
los sentidos; y que después de vuelta en sí, no había hecho
otra cosa sino llorar y suspirar, sin hablar palabra alguna;
y que así, acompañados de silencio y de lágrimas, habían

llegado a aquella venta, que para él era haber llegado al cielo, donde se rematan y tienen fin todas las desventuras de la tierra.

CAPÍTULO XXXVII

QUE TRATA DONDE SE PROSIGUE LA HISTORIA DE LA FAMOSA INFANTA MICOMICONA, CON OTRAS GRACIOSAS AVENTURAS

Todo esto escuchaba Sancho, no con poco dolor de su ánima, viendo que se le desparecían e iban en humo las esperanzas de su ditado[1], y que la linda princesa Micomicona se le había vuelto en Dorotea, y el gigante en don Fernando, y su amo se estaba durmiendo a sueño suelto, bien descuidado de todo lo sucedido. No se podía asegurar Dorotea si era soñado el bien que poseía; Cardenio estaba en el mismo pensamiento, y el de Luscinda corría por la misma cuenta. Don Fernando daba gracias al cielo por la merced recebida y haberle sacado de aquel intricado laberinto, donde se hallaba tan a pique de perder el crédito y el alma; y, finalmente, cuantos en la venta estaban, estaban contentos y gozosos del buen suceso que habían tenido tan trabados y desesperados negocios.

Todo lo ponía en su punto el cura, como discreto, y a cada uno daba el parabién del bien alcanzado; pero quien más jubilaba[2] y se contentaba era la ventera, por la promesa que Cardenio y el cura le habían hecho de pagalle todos los daños e intereses que por cuenta de don Quijote le hubiesen venido. Sólo Sancho, como ya se ha dicho, era el afligido, el desventurado y el triste; y así, con malencónico semblante, entró a su amo, el cual acababa de despertar, a quien dijo:

—Bien puede vuestra merced, señor Triste Figura, dormir todo lo que quisiere, sin cuidado de matar a ningún gigante, ni de volver a la princesa su reino; que ya todo está hecho y concluido.

—Eso creo yo bien —respondió don Quijote—, porque he tenido con el gigante la más descomunal y desaforada

[1] *ditado*, o «dictado», título nobiliario.
[2] *jubilaba*, experimentaba júbilo.

batalla que pienso tener en todos los días de mi vida, y de un revés, ¡zas!, le derribé la cabeza en el suelo, y fue tanta la sangre que le salió, que los arroyos corrían por la tierra como si fueran de agua.

—Como si fueran de vino tinto, pudiera vuestra merced decir mejor —respondió Sancho—; porque quiero que sepa vuestra merced, si es que no lo sabe, que el gigante muerto es un cuero horadado; y la sangre, seis arrobas de vino tinto que encerraba en su vientre; y la cabeza cortada es la puta que me parió, y llévelo todo Satanás.

—Y ¿qué es lo que dices, loco? —replicó don Quijote—. ¿Estás en tu seso?

—Levántese vuestra merced —dijo Sancho—, y verá el buen recado[3] que ha hecho, y lo que tenemos que pagar, y verá a la reina convertida en una dama particular, llamada Dorotea, con otros sucesos que, si cae en ellos, le han de admirar.

—No me maravillaría de nada deso —replicó don Quijote—; porque, si bien te acuerdas, la otra vez que aquí estuvimos te dije yo que todo cuanto aquí sucedía eran cosas de encantamento, y no sería mucho que ahora fuese lo mesmo.

—Todo lo creyera yo —respondió Sancho—, si también mi manteamiento fuera cosa dese jaez; mas no lo fue, sino real y verdaderamente; y vi yo que el ventero que aquí está hoy día tenía del un cabo de la manta, y me empujaba hacia el cielo con mucho donaire y brío, y con tanta risa como fuerza; y donde interviene conocerse las personas, tengo para mí, aunque simple y pecador, que no hay encantamento alguno, sino mucho molimiento y mucha mala ventura.

—Ahora bien, Dios lo remediará —dijo don Quijote—. Dame de vestir y déjame salir allá fuera; que quiero ver los sucesos y transformaciones que dices.

Diole de vestir Sancho, y en el entretanto que se vestía, contó el cura a don Fernando y a los demás las locuras de don Quijote, y del artificio que habían usado para sacarle de la Peña Pobre, donde él se imaginaba estar, por desdenes de su señora. Contóles asimismo casi todas las

---

[3] *buen recado*, o «buen recaudo», ganancia; dicho irónicamente.

aventuras que Sancho había contado, de que no poco se admiraron y rieron, por parecerles lo que a todos parecía: ser el más estraño género de locura que podía caber en pensamiento desparatado. Dijo más el cura: que pues ya el buen suceso de la señora Dorotea impidía pasar con su disignio adelante, que era menester inventar y hallar otro para poderle llevar a su tierra. Ofrecióse Cardenio de proseguir lo comenzado, y que Luscinda haría y representaría la persona de Dorotea.

—No —dijo don Fernando—, no ha de ser así: que yo quiero que Dorotea prosiga su invención; que como no sea muy lejos de aquí el lugar deste buen caballero, yo holgaré de que se procure su remedio.

—No está más de dos jornadas de aquí.

—Pues aunque estuviera más, gustara yo de caminallas, a trueco de hacer tan buena obra.

Salió, en esto, don Quijote, armado de todos sus pertrechos, con el yelmo, aunque abollado, de Mambrino en la cabeza, embrazado de su rodela y arrimado a su tronco o lanzón. Suspendió a don Fernando y a los demás la estraña presencia de don Quijote, viendo su rostro de media legua de andadura[4], seco y amarillo, la desigualdad de sus armas y su mesurado continente, y estuvieron callando, hasta ver lo que él decía; el cual, con mucha gravedad y reposo, puestos los ojos en la hermosa Dorotea, dijo:

—Estoy informado, hermosa señora, deste mi escudero que la vuestra grandeza se ha aniquilado, y vuestro ser se ha deshecho, porque de reina y gran señora que solíades ser os habéis vuelto en una particular doncella. Si esto ha sido por orden del rey nigromante de vuestro padre, temeroso que yo no os diese la necesaria y debida ayuda, digo que no supo ni sabe de la misa la media, y que fue poco versado en las historias caballerescas; porque si él las hubiera leído y pasado tan atentamente y con tanto espacio como yo las pasé y leí, hallara a cada paso como otros caballeros de menor fama que la mía habían acabado cosas más dificultosas, no siéndolo mucho matar a un gigantillo, por arrogante que sea; porque no ha muchas horas que yo me vi con él, y... quiero

---

[4] *andadura*, «camino». A don Fernando el rostro de don Quijote le parece tan largo como media legua de camino.

callar, porque no me digan que miento; pero el tiempo, descubridor de todas las cosas, lo dirá cuando menos lo pensemos.

—Vístesos vos con dos cueros; que no con un gigante —dijo a esta sazón el ventero.

Al cual mandó don Fernando que callase y no interrumpiese la plática de don Quijote en ninguna manera; y don Quijote prosiguió diciendo:

—Digo, en fin, alta y desheredada señora, que si por la causa que he dicho vuestro padre ha hecho este metamorfóseos en vuestra persona, que no le deis crédito alguno; porque no hay ningún peligro en la tierra por quien no se abra camino mi espada, con la cual, poniendo la cabeza de vuestro enemigo en tierra, os pondré a vos la corona de la vuestra en la cabeza, en breves días.

No dijo más don Quijote, y esperó a que la princesa le respondiese, la cual, como ya sabía la determinación de don Fernando de que se prosiguiese adelante en el engaño hasta llevar a su tierra a don Quijote, con mucho donaire y gravedad le respondió:

—Quienquiera que os dijo, valeroso caballero de la Triste Figura, que yo me había mudado y trocado de mi ser, no os dijo lo cierto, porque la misma que ayer fui me soy hoy. Verdad es que alguna mudanza han hecho en mí ciertos acaecimientos de buena ventura, que me la han dado la mejor que yo pudiera desearme; pero no por eso he dejado de ser la que antes y de tener los mesmos pensamientos de valerme del valor de vuestro valeroso e invenerable[5] brazo que siempre he tenido. Así que, señor mío, vuestra bondad vuelva la honra al padre que me engendró, y téngale por hombre advertido y prudente, pues con su ciencia halló camino tan fácil y tan verdadero para remediar mi desgracia, que yo creo que si por vos, señor, no fuera, jamás acertara a tener la ventura que tengo; y en esto digo tanta verdad como son buenos testigos della los más destos señores que están presentes. Lo que resta es que mañana nos pongamos en camino, porque ya hoy se podrá hacer poca jornada, y

---

[5] *invenerable,* en la primera edición, lo que supone una ironía de Dorotea; las ediciones modernas suelen enmendar en *invulnerable.*

en lo demás del buen suceso que espero, lo dejaré a Dios y al valor de vuestro pecho.

Esto dijo la discreta Dorotea, y en oyéndolo don Quijote, se volvió a Sancho, y con muestras de mucho enojo, le dijo:

—Ahora te digo, Sanchuelo, que eres el mayor bellacuelo que hay en España. Dime, ladrón vagamundo, ¿no me acabaste de decir ahora que esta princesa se había vuelto en una doncella que se llamaba Dorotea y que la cabeza que entiendo que corté a un gigante era la puta que te parió, con otros disparates que me pusieron en la mayor confusión que jamás he estado en todos los días de mi vida? ¡Voto... —y miró al cielo y apretó los dientes— que estoy por hacer un estrago en ti, que ponga sal en la mollera a todos cuantos mentirosos escuderos hubiere de caballeros andantes, de aquí adelante, en el mundo!

—Vuestra merced se sosiegue, señor mío —respondió Sancho—; que bien podría ser que yo me hubiese engañado en lo que toca a la mutación de la señora princesa Micomicona; pero en lo que toca a la cabeza del gigante, o, a lo menos, a la horadación de los cueros, y a lo de ser vino tinto la sangre, no me engaño, vive Dios, porque los cueros allí están heridos, a la cabecera del lecho de vuestra merced, y el vino tinto tiene hecho un lago el aposento; y si no, al freír de los huevos lo verá[6], quiero decir que lo verá cuando aquí su merced del señor ventero le pida el menoscabo de todo. De lo demás, de que la señora reina se esté como se estaba, me regocijo en el alma, porque me va mi parte, como a cada hijo de vecino.

—Ahora yo te digo, Sancho —dijo don Quijote—, que eres un mentecato, y perdóname, y basta.

—Basta —dijo don Fernando—, y no se hable más en esto; y pues la señora princesa dice que se camine mañana, porque ya hoy es tarde, hágase así, y esta noche la podremos pasar en buena conversación, hasta el venidero día, donde todos acompañaremos al señor don Quijote, porque queremos ser testigos de las valerosas e inauditas hazañas que ha de hacer en el discurso desta grande empresa que a su cargo lleva.

[6] Expresión que denota que ya se verá si algo tendrá efecto o no.

—Yo soy el que tengo de serviros y acompañaros —respondió don Quijote—, y agradezco mucho la merced que se me hace y la buena opinión que de mí se tiene, la cual procuraré que salga verdadera, o me costará la vida, y aun más, si más costarme puede.

Muchas palabras de comedimiento y muchos ofrecimientos pasaron entre don Quijote y don Fernando; pero a todo puso silencio un pasajero que en aquella sazón entró en la venta, el cual en su traje mostraba ser cristiano recién venido de tierra de moros, porque venía vestido con una casaca de paño azul, corta de faldas, con medias mangas y sin cuello; los calzones eran asimismo de lienzo azul, con bonete de la misma color; traía unos borceguíes datilados[7] y un alfanje morisco, puesto en un tahelí que le atravesaba el pecho. Entró luego tras él, encima de un jumento, una mujer a la morisca vestida, cubierto el rostro con una toca en la cabeza; traía un bonetillo de brocado, y vestida una almalafa[8], que desde los hombros a los pies la cubría.

Era el hombre de robusto y agraciado talle, de edad de poco más de cuarenta años, algo moreno de rostro, largo de bigotes y la barba muy bien puesta; en resolución, él mostraba en su apostura que si estuviera bien vestido, le juzgaran por persona de calidad y bien nacida.

Pidió, en entrando, un aposento, y como le dijeron que en la venta no le había, mostró recibir pesadumbre; y llegándose a la que en el traje parecía mora, la apeó en sus brazos. Luscinda, Dorotea, la ventera, su hija y Maritornes, llevadas del nuevo y para ellas nunca visto traje, rodearon a la mora, y Dorotea, que siempre fue agraciada, comedida y discreta, pareciéndole que así ella como el que la traía se congojaban por la falta del aposento, le dijo:

—No os dé mucha pena, señora mía, la incomodidad de regalo que aquí falta, pues es proprio de ventas no hallarse en ellas; pero, con todo esto, si gustáredes de pasar con nosotras —señalando a Luscinda—, quizá en el discurso de este camino habréis hallado otros no tan buenos acogimientos.

No respondió nada a esto la embozada, ni hizo otra

---

[7] *datilados*, del color de los dátiles.
[8] *almalafa*, manto grande propio de moros notables.

cosa que levantarse de donde sentado se había, y puestas entrambas manos cruzadas sobre el pecho, inclinada
la cabeza, dobló el cuerpo en señal de que lo agradecía.
Por su silencio imaginaron que, sin duda alguna, debía
de ser mora, y que no sabía hablar cristiano. Llegó, en esto,
el cautivo, que entendiendo en otra cosa hasta entonces
había estado, y viendo que todas tenían cercada a la que
con él venía, y que ella a cuanto le decían callaba, dijo:

—Señoras mías, esta doncella apenas entiende mi lengua, ni sabe hablar otra ninguna sino conforme a su tierra, y por esto no debe de haber respondido, ni responde,
a lo que se le ha preguntado.

—No se le pregunta otra cosa ninguna —respondió
Luscinda— sino ofrecelle por esta noche nuestra compañía y parte del lugar donde nos acomodáremos, donde
se le hará el regalo que la comodidad ofreciere, con la
voluntad que obliga a servir a todos los estranjeros que
dello tuvieren necesidad, especialmente siendo mujer a
quien se sirve.

—Por ella y por mí —respondió el captivo— os beso,
señora mía, las manos, y estimo mucho y en lo que es
razón la merced ofrecida, que en tal ocasión, y de tales
personas como vuestro parecer muestra, bien se echa de
ver que ha de ser muy grande.

—Decidme, señor —dijo Dorotea—: ¿esta señora es
cristiana o mora? Porque el traje y el silencio nos hace
pensar que es lo que no querríamos que fuese.

—Mora es en el traje y en el cuerpo; pero en el alma
es muy grande cristiana, porque tiene grandísimos deseos
de serlo.

—Luego ¿no es baptizada? —replicó Luscinda.

—No ha habido lugar para ello —respondió el captivo— después que salió de Argel, su patria y tierra, y
hasta agora no se ha visto en peligro de muerte tan cercana, que obligase a baptizalla sin que supiese primero
todas las ceremonias que nuestra Madre la Santa Iglesia
manda; pero Dios será servido que presto se bautice con
la decencia que la calidad de su persona merece, que es
más de lo que muestra su hábito y el mío.

Con estas razones puso gana en todos los que escuchándole estaban de saber quién fuese la mora y el captivo; pero nadie se lo quiso preguntar por entonces, por

ver que aquella sazón era más para procurarles descanso que para preguntarles sus vidas. Dorotea la tomó por la mano y la llevó a sentar junto a sí, y le rogó que se quitase el embozo. Ella miró al cautivo, como si le preguntara le dijese lo que decían y lo que ella haría. Él, en lengua arábiga, le dijo que le pedían se quitase el embozo, y que lo hiciese; y así, se lo quitó, y descubrió un rostro tan hermoso, que Dorotea la tuvo por más hermosa que a Luscinda, y Luscinda por más hermosa que a Dorotea, y todos los circunstantes conocieron que si alguno se podría igualar al de las dos, era el de la mora, y aun hubo algunos que le aventajaron en alguna cosa. Y como la hermosura tenga prerrogativa y gracia de reconciliar los ánimos y atraer las voluntades, luego se rindieron todos al deseo de servir y acariciar a la hermosa mora.

Preguntó don Fernando al cautivo cómo se llamaba la mora, el cual respondió que lela[9] Zoraida; y así como esto oyó ella, entendió lo que le habían preguntado al cristiano, y dijo con mucha priesa, llena de congoja y donaire:

—¡No, no Zoraida: María, María! —dando a entender que se llamaba María y no Zoraida.

Estas palabras y el grande afecto con que la mora las dijo hicieron derramar más de una lágrima a algunos de los que la escucharon, especialmente a las mujeres, que de su naturaleza son tiernas y compasivas. Abrazóla Luscinda con mucho amor, diciéndole:

—Sí, sí, María, María.

A lo cual respondió la mora:

—¡Sí, sí, María; Zoraida *macange*! —que quiere decir *no*.

Ya en esto llegaba la noche, y por orden de los que venían con don Fernando había el ventero puesto diligencia y cuidado en aderezarles de cenar lo mejor que a él le fue posible. Llegada, pues, la hora, sentáronse todos a una larga mesa como de tinelo[10], porque no la había redonda ni cuadrada en la venta, y dieron la cabecera y principal asiento, puesto que él lo rehusaba, a don Quijote, el cual quiso que estuviese a su lado la se-

---

[9] *lela*, señora (en árabe).
[10] *tinelo*, comedor para la servidumbre en las casas grandes.

ñora Micomicona, pues él era su aguardador[11]. Luego se
sentaron Luscinda y Zoraida, y frontero dellas don Fernando y Cardenio, y luego el cautivo y los demás caballeros, y al lado de las señoras, el cura y el barbero. Y así,
cenaron con mucho contento, y acrecentóseles más viendo que, dejando de comer don Quijote, movido de otro
semejante espíritu que el que le movió a hablar tanto
como habló cuando cenó con los cabreros, comenzó a
decir:

—Verdaderamente, si bien se considera, señores míos,
grandes e inauditas cosas ven los que profesan la orden
de la andante caballería. Si no, ¿cuál de los vivientes
habrá en el mundo que ahora por la puerta deste castillo
entrara, y de la suerte que estamos nos viere, que juzgue
y crea que nosotros somos quien somos? ¿Quién podrá
decir que esta señora que está a mi lado es la gran reina
que todos sabemos, y que soy yo aquel Caballero de la
Triste Figura que anda por ahí en boca de la fama?
Ahora no hay que dudar, sino que esta arte y ejercicio
excede a todas aquellas y aquellos que los hombres inventaron, y tanto más se ha de tener en estima cuanto a
más peligros está sujeto. Quítenseme delante los que
dijeren que las letras hacen ventaja a las armas; que les
diré, y sean quien se fueren, que no saben lo que dicen.
Porque la razón que los tales suelen decir y a lo que
ellos más se atienen, es que los trabajos del espíritu exceden a los del cuerpo, y que las armas sólo con el cuerpo
se ejercitan como si fuese su ejercicio oficio de ganapanes, para el cual no es menester más de buenas fuerzas, o como si en esto que llamamos armas los que las
profesamos no se encerrasen los actos de la fortaleza, los
cuales piden para ejecutallos mucho entendimiento, o
como si no trabajase el ánimo del guerrero que tiene a
su cargo un ejército, o la defensa de una ciudad sitiada,
así con el espíritu como con el cuerpo. Si no, véase si se
alcanza con las fuerzas corporales a saber y conjeturar el
intento del enemigo, los disignios, las estratagemas, las
dificultades, el prevenir los daños que se temen; que todas estas cosas son acciones del entendimiento, en quien
no tiene parte alguna el cuerpo. Siendo pues ansí, que

---

[11] *aguardador*, guardador, guardián.

las armas requieren espíritu, como las letras, veamos ahora cuál de los dos espíritus, el del letrado o el del guerrero, trabaja más; y esto se vendrá a conocer por el fin y paradero a que cada uno se encamina; porque aquella intención se ha de estimar en más que tiene por objeto más noble fin. Es el fin y paradero de las letras..., y no hablo ahora de las divinas, que tienen por blanco llevar y encaminar las almas al cielo; que a un fin tan sin fin como éste ninguno otro se le puede igualar: hablo de las letras humanas, que es su fin poner en su punto la justicia distributiva y dar a cada uno lo que es suyo, entender y hacer que las buenas leyes se guarden. Fin, por cierto, generoso y alto y digno de grande alabanza; pero no de tanta como merece aquel a que las armas atienden, las cuales tienen por objeto y fin la paz, que es el mayor bien que los hombres pueden desear en esta vida. Y así, las primeras buenas nuevas que tuvo el mundo y tuvieron los hombres fueron las que dieron los ángeles la noche que fue nuestro día, cuando cantaron en los aires: «Gloria sea en las alturas, y paz en la tierra a los hombres de buena voluntad»; y a la salutación que el mejor maestro de la tierra y del cielo enseñó a sus allegados y favoridos fue decirles que cuando entrasen en alguna casa, dijesen: «Paz sea en esta casa»; y otras muchas veces les dijo: «Mi paz os doy; mi paz os dejo; paz sea con vosotros», bien como joya y prenda dada y dejada de tal mano; joya, que sin ella, en la tierra ni en el cielo puede haber bien alguno. Esta paz es el verdadero fin de la guerra; que lo mesmo es decir armas que guerra. Presupuesta, pues, esta verdad, que el fin de la guerra es la paz, y que en esto hace ventaja al fin de las letras, vengamos ahora a los trabajos del cuerpo del letrado y a los del profesor de las armas, y véase cuáles son mayores.

De tal manera y por tan buenos términos iba prosiguiendo en su plática don Quijote, que obligó a que, por entonces, ninguno de los que escuchándole estaban le tuviese por loco; antes, como todos los más eran caballeros, a quien son anejas las armas, le escuchaban de muy buena gana; y él prosiguió diciendo:

—Digo, pues, que los trabajos del estudiante son éstos: principalmente pobreza, no porque todos sean pobres, sino por poner este caso en todo el estremo que pueda ser; y en haber dicho que padece pobreza me parece que no había que decir más de su mala ventura; porque quien es pobre no tiene cosa buena. Esta pobreza la padece por sus partes, ya en hambre, ya en frío, ya en desnudez, ya en todo junto; pero, con todo eso, no es tanta, que no coma, aunque sea un poco más tarde de lo que se usa; aunque sea de las sobras de los ricos, que es la mayor miseria del estudiante este que entre ellos llaman *andar a la sopa*; y no les falta algún ajeno brasero o chimenea, que, si no callenta, a lo menos entibie su frío, y, en fin, la noche duermen debajo de cubierta. No quiero llegar a otras menudencias, conviene a saber, de la falta de camisas y no sobra de zapatos, la raridad y poco pelo del vestido, ni aquel ahitarse con tanto gusto, cuando la buena suerte les depara algún banquete. Por este camino que he pintado, áspero y dificultoso, tropezando aquí, cayendo allí, levantándose acullá, tornando a caer acá, llegan al grado que desean; el cual alcanzado, a muchos hemos visto que, habiendo pasado por estas sirtes[12] y por estas Scilas y Caribdis[13] como llevados en vuelo de la favorable fortuna, digo que los hemos visto mandar y gobernar el mundo desde una silla, trocada su hambre en hartura, su frío en refrigerio, su desnudez en galas y su dormir en una estera en reposar en holandas y damascos, premio justamente merecido de su virtud. Pero contrapuestos y comparados sus trabajos con los del mílite guerrero, se quedan muy atrás en todo, como ahora diré.

CAPÍTULO XXXVIII

QUE TRATA DEL CURIOSO DISCURSO QUE HIZO DON QUIJOTE DE LAS ARMAS Y LAS LETRAS

PROSIGUIENDO don Quijote, dijo:

—Pues comenzamos en el estudiante por la pobreza y sus partes, veamos si es más rico el soldado. Y ve-

---

[12] *sirtes*, bajos de arena.
[13] Escila y Caribdis, cabo y torbellino del estrecho de Mesina, de peligrosa navegación.

remos que no hay ninguno más pobre en la misma pobreza, porque está atenido a la miseria de su paga, que
viene o tarde o nunca, o a lo que garbeare[1] por sus manos, con notable peligro de su vida y de su conciencia.
Y a veces suele ser su desnudez tanta, que un coleto acuchillado[2] le sirve de gala y de camisa, y en la mitad del
invierno se suele reparar de las inclemencias del cielo,
estando en la campaña rasa, con sólo el aliento de su
boca, que, como sale de lugar vacío, tengo por averiguado que debe de salir frío, contra toda naturaleza. Pues
esperad que espere que llegue la noche para restaurarse
de todas estas incomodidades en la cama que le aguarda, la cual, si no es por su culpa, jamás pecará de estrecha; que bien puede medir en la tierra los pies que quisiere, y revolverse en ella a su sabor, sin temor que se le
encojan las sábanas. Lléguese, pues, a todo esto, el día
y la hora de recebir el grado de su ejercicio: lléguese
un día de batalla; que allí le pondrán la borla en
la cabeza, hecha de hilas, para curarle algún balazo, que
quizá le habrá pasado las sienes, o le dejará estropeado
de brazo o pierna. Y cuando esto no suceda, sino que el
cielo piadoso le guarde y conserve sano y vivo, podrá ser
que se quede en la mesma pobreza que antes estaba, y que
sea menester que suceda uno y otro rencuentro, una y otra
batalla, y que de todas salga vencedor, para medrar en
algo; pero estos milagros vense raras veces. Pero, decidme, señores, si habéis mirado en ello: ¿cuán menos son
los premiados por la guerra que los que han perecido
en ella? Sin duda, habéis de responder, que no tienen
comparación, ni se pueden reducir a cuenta los muertos,
y que se podrán contar los premiados vivos con tres letras de guarismo[3]. Todo esto es al revés en los letrados;
porque de faldas, que no quiero decir de mangas[4], todos
tienen en qué entretenerse; así que, aunque es mayor el
trabajo del soldado, es mucho menor el premio. Pero a
esto se puede responder que es más fácil premiar a dos
mil letrados que a treinta mil soldados, porque a aqué-

---

[1] *garbear*, robar.
[2] *coleto acuchillado*, vestidura de piel con aberturas; pero aquí
acuchillado está también en sentido irónico, «roto a cuchilladas».
[3] O sea, con tres cifras, lo que significa sin llegar al millar.
[4] *faldas*, lo que se recibe en calidad de honorarios; *mangas*,
propinas.

llos se premian con darles oficios que por fuerza se han
de dar a los de su profesión, y a éstos no se pueden premiar sino con la mesma hacienda del señor a quien sirven; y esta imposibilidad fortifica más la razón que tengo. Pero dejemos esto aparte, que es laberinto de muy
dificultosa salida, sino volvamos a la preeminencia de las
armas contra las letras, materia que hasta ahora está por
averiguar, según son las razones que cada una de su parte alega; y entre las que he dicho, dicen las letras que
sin ellas no se podrían sustentar las armas, porque la
guerra también tiene sus leyes y está sujeta a ellas, y que
las leyes caen debajo de lo que son letras y letrados. A esto
responden las armas que las leyes no se podrán sustentar
sin ellas, porque con las armas se defienden las repúblicas, se conservan los reinos, se guardan las ciudades, se
aseguran los caminos, se despejan los mares de cosarios,
y, finalmente, si por ellas no fuese, las repúblicas, los reinos, las monarquías, las ciudades, los caminos de mar y
tierra estarían sujetos al rigor y a la confusión que trae
consigo la guerra el tiempo que dura y tiene licencia de
usar de sus previlegios y de sus fuerzas. Y es razón averiguada que aquello que más cuesta se estima y debe de
estimar en más. Alcanzar alguno a ser eminente en letras
le cuesta tiempo, vigilias, hambre, desnudez, vaguidos de
cabeza, indigestiones de estómago, y otras cosas a éstas
adherentes, que, en parte, ya las tengo referidas; mas
llegar uno por sus términos a ser buen soldado le cuesta
todo lo que al estudiante, en tanto mayor grado, que no
tiene comparación, porque a cada paso está a pique de
perder la vida. Y ¿qué temor de necesidad y pobreza
puede llegar ni fatigar al estudiante, que llegue al que
tiene un soldado, que, hallándose cercado en alguna
fuerza[5], y estando de posta[6], o guarda en algún revellín
o caballero[7], siente que los enemigos están minando hacia la parte donde él está, y no puede apartarse de allí
por ningún caso, ni huir el peligro que de tan cerca le
amenaza? Sólo lo que puede hacer es dar noticia a su capitán de lo que pasa, para que lo remedie con alguna

---

[5] *fuerza*, fortaleza.
[6] *estando de posta*, estando de guardia.
[7] *revellín*, valladar exterior que cubre la cortina de un fuerte;
caballero, obra interior, en una fortificación, que domina la plaza.

contramina, y él estarse quedo, temiendo y esperando cuándo improvisamente ha de subir a las nubes sin alas, y bajar al profundo sin su voluntad. Y si éste parece pequeño peligro, veamos si le iguala o hace ventajas el de embestirse dos galeras por las proas en mitad del mar espacioso, las cuales enclavijadas y trabadas, no le queda al soldado más espacio del que concede dos pies de tabla del espolón; y, con todo esto, viendo que tiene delante de sí tantos ministros de la muerte que le amenazan cuantos cañones de artillería se asestan de la parte contraria, que no distan de su cuerpo una lanza, y viendo que al primer descuido de los pies iría a visitar los profundos senos de Neptuno, y, con todo esto, con intrépido corazón, llevado de la honra que le incita, se pone a ser blanco de tanta arcabucería, y procura pasar por tan estrecho paso al bajel contrario. Y lo que más es de admirar: que apenas uno ha caído donde no se podrá levantar hasta la fin del mundo, cuando otro ocupa su mesmo lugar; y si éste también cae en el mar, que como a enemigo le aguarda, otro y otro le sucede, sin dar tiempo al tiempo de sus muertes: valentía y atrevimiento el mayor que se puede hallar en todos los trances de la guerra. Bien hayan aquellos benditos siglos que carecieron de la espantable furia de aquestos endemoniados instrumentos de la artillería, a cuyo inventor tengo para mí que en el infierno se le está dando el premio de su diabólica invención, con la cual dio causa que un infame y cobarde brazo quite la vida a un valeroso caballero, y que, sin saber cómo o por dónde, en la mitad del coraje y brío que enciende y anima a los valientes pechos, llega una desmandada bala, disparada de quien quizá huyó y se espantó del resplandor que hizo el fuego al disparar de la maldita máquina, y corta y acaba en un instante los pensamientos y vida de quien la merecía gozar luengos siglos. Y así, considerando esto, estoy por decir que en el alma me pesa de haber tomado este ejercicio de caballero andante en edad tan detestable como es esta en que ahora vivimos; porque aunque a mí ningún peligro me pone miedo, todavía me pone recelo pensar si la pólvora y el estaño me han de quitar la ocasión de hacerme famoso y conocido por el valor de mi brazo y filos de mi espada, por todo lo descubierto de la tierra.

Pero haga el cielo lo que fuere servido; que tanto seré más estimado, si salgo con lo que pretendo, cuanto a mayores peligros me he puesto que se pusieron los caballeros andantes de los pasados siglos.

Todo este largo preámbulo dijo don Quijote en tanto que los demás cenaban, olvidándose de llevar bocado a la boca, puesto que algunas veces le había dicho Sancho Panza que cenase; que después habría lugar para decir todo lo que quisiese. En los que escuchado le habían sobrevino nueva lástima de ver que hombre que, al parecer, tenía buen entendimiento y buen discurso en todas las cosas que trataba, le hubiese perdido tan rematadamente en tratándole de su negra y pizmienta[8] caballería. El cura le dijo que tenía mucha razón en todo cuanto había dicho en favor de las armas, y que él, aunque letrado y graduado, estaba de su mesmo parecer.

Acabaron de cenar, levantaron los manteles, y en tanto que la ventera, su hija y Maritornes aderezaban el camaranchón de don Quijote de la Mancha, donde habían determinado que aquella noche las mujeres solas en él se recogiesen, don Fernando rogó al cautivo les contase el discurso de su vida, porque no podría ser sino que fuese peregrino y gustoso, según las muestras que había comenzado a dar, viniendo en compañía de Zoraida. A lo cual respondió el cautivo que de muy buena gana haría lo que se le mandaba, y que sólo temía que el cuento no había de ser tal, que les diese el gusto que él deseaba; pero que, con todo eso, por no faltar en obedecelle, le contaría. El cura y todos los demás se lo agradecieron, y de nuevo se lo rogaron; y él, viéndose rogar de tantos, dijo que no eran menester ruegos adonde el mandar tenía tanta fuerza.

—Y así, estén vuestras mercedes atentos, y oirán un discurso verdadero a quien podría ser que no llegasen los mentirosos que con curioso y pensado artificio suelen componerse.

Con esto que dijo hizo que todos se acomodasen y le prestasen un grande silencio; y él, viendo que ya callaban y esperaban lo que decir quisiese, con voz agradable y reposada comenzó a decir desta manera:

---

[8] *pizmienta*, negra como la pez.

CAPÍTULO XXXIX

Donde el cautivo cuenta su vida y sucesos[*]

En un lugar de las montañas de León tuvo principio
mi linaje, con quien fue más agradecida y liberal
la naturaleza que la fortuna, aunque en la estrecheza de
aquellos pueblos todavía alcanzaba mi padre fama de
rico, y verdaderamente lo fuera si así se diera maña a
conservar su hacienda como se la daba en gastalla. Y la
condición que tenía de ser liberal y gastador le procedió
de haber sido soldado los años de su joventud; que es
escuela la soldadesca donde el mezquino se hace franco,
y el franco, pródigo; y si algunos soldados se hallan miserables, son como monstruos que se ven raras veces. Pasaba mi padre los términos de la liberalidad y rayaba en
los de ser pródigo, cosa que no le es de ningún provecho

---

[*] La historia que se relata en este capítulo y en los dos siguientes es una versión novelada de las aventuras de un español cautivo en Argel, como el propio Cervantes y muchos de sus compañeros de infortunio, y de la figura de una hermosa mora de la que
nuestro autor recogió abundantes noticias durante su cautiverio.
Hay estrecha relación entre la vida del Cautivo y la comedia de
Cervantes *Los baños de Argel,* de asunto muy similar. La mayoría de los personajes que aparecen en estas dos versiones son históricos y están fielmente retratados. La hermosa protagonista se
llamó en realidad Zahara, «bella» (nombre que Cervantes conserva
en la comedia), pero aquí se la denomina Zoraida (o sea, Turayya,
«Pléyades»); era hija del renegado Hajji Murad (Agi Morato), al
que Cervantes, en *Los baños,* llama «hombre de bien», y por parte
de madre nieta de una mallorquina que había sido cautivada. Zahara-Zoraida casó en 1574 con Abd al-Malik (nacido en 1541 y al que
en la comedia se le llama Muley Maluco), hombre muy afecto a los
cristianos y a sus costumbres (firmaba con caracteres latinos), que
fue proclamado sultán de Marruecos en junio de 1576, y murió el
4 de agosto de 1578, en la acción de Alcazarquivir, contra los por-
tugueses. De este matrimonio nació un hijo, Muley Ismail. Zahara-
Zoraida se volvió a casar con Hasán Bajá (el Azán Agá que se cita
en el capítulo 40; véase la nota 5), y desde 1580 vivió en Constantinopla. En *Los baños de Argel,* Cervantes atestigua la veraci-
dad de esta historia, que ya había adquirido carácter legendario,
con los siguientes versos: «No de la imaginación Este trato se
sacó, Que la verdad le fraguó Bien lejos de la ficción. Dura en
Argel este cuento De amor y dulce memoria, Y es bien que verdad y historia. Alegre al entendimiento. Y aún hoy se hallarán
en él. La ventana y el jardín...» Véase para todo esto el estudio
de J. Oliver Asín, *La hija de Agi Morato en la obra de Cervantes,*
«Boletín de la Real Academia Española», XXVII, 1947-48, 245-339,
del que extraemos datos para varias de las notas de estos tres
capítulos.

al hombre casado y que tiene hijos que le han de suceder
en el nombre y en el ser. Los que mi padre tenía eran tres,
todos varones y todos de edad de poder elegir estado.
Viendo, pues, mi padre que, según él decía, no podía irse
a la mano[1] contra su condición, quiso privarse del instrumento y causa que le hacía gastador y dadivoso, que
fue privarse de la hacienda, sin la cual el mismo Alejandro pareciera estrecho. Y así, llamándonos un día a todos tres a solas en un aposento, nos dijo unas razones
semejantes a las que ahora diré: «—Hijos, para deciros
»que os quiero bien basta saber y decir que sois mis hi-
»jos; y para entender que os quiero mal basta saber que
»no me voy a la mano en lo que toca a conservar vues-
»tra hacienda. Pues para que entendáis desde aquí ade-
»lante que os quiero como padre, y que no os quiero
»destruir como padrastro, quiero hacer una cosa con
»vosotros que ha muchos días que la tengo pensada y
»con madura consideración dispuesta. Vosotros estáis ya
»en edad de tomar estado, o, a lo menos, de elegir ejer-
»cicio, tal, que, cuando mayores, os honre y aproveche.
»Y lo que he pensado es hacer de mi hacienda cuatro
»partes: las tres os daré a vosotros, a cada uno lo que le
»tocare, sin exceder en cosa alguna, y con la otra me
»quedaré yo para vivir y sustentarme los días que el cie-
»lo fuere servido de darme de vida. Pero querría que
»después que cada uno tuviese en su poder la parte que le
»toca de su hacienda, siguiese uno de los caminos que
»le diré. Hay un refrán en nuestra España, a mi parecer
»muy verdadero, como todos lo son, por ser sentencias
»breves sacadas de la luenga y discreta experiencia; y el
»que yo digo dice: Iglesia, o mar, o casa real, como si
»más claramente dijera: "Quien quisiere valer y ser rico,
»"siga, o la Iglesia, o navegue, ejercitando el arte de la
»"mercancía, o entre a servir a los reyes en sus casas";
»porque dicen: "Más vale migaja de rey que merced de
»"señor,". Digo esto porque querría, y es mi voluntad,
»que uno de vosotros siguiese las letras, el otro la mer-
»cancía, y el otro sirviese al rey en la guerra, pues es
»dificultoso entrar a servirle en su casa; que ya que la
»guerra no dé muchas riquezas, suele dar mucho valor

---

[1] *irse a la mano*, moderarse, contenerse.

»y mucha fama. Dentro de ocho días os daré toda vues-
»tra parte en dineros, sin defraudaros en un ardite, como
»lo veréis por la obra. Decidme ahora si queréis seguir
»mi parecer y consejo en lo que os he propuesto». Y mandándome a mí, por ser el mayor, que respondiese, después de haberle dicho que no se deshiciese de la hacienda, sino que gastase todo lo que fuese su voluntad, que
nosotros éramos mozos para saber ganarla, vine a concluir en que cumpliría su gusto, y que el mío era seguir
el ejercicio de las armas, sirviendo en él a Dios y a mi
rey. El segundo hermano hizo los mesmos ofrecimientos,
y escogió el irse a las Indias, llevando empleada la hacienda que le cupiese. El menor, y, a lo que yo creo, el
más discreto, dijo que quería seguir la Iglesia, o irse a
acabar sus comenzados estudios a Salamanca. Así como
acabamos de concordarnos y escoger nuestros ejercicios,
mi padre nos abrazó a todos, y con la brevedad que dijo
puso por obra cuanto nos había prometido; y dando a
cada uno su parte, que, a lo que se me acuerda, fueron cada tres mil ducados en dineros[2] (porque un nuestro
tío compró toda la hacienda y la pagó de contado, porque
no saliese del tronco de la casa), en un mesmo día nos
despedimos todos tres de nuestro buen padre, y en aquel
mesmo, pareciéndome a mí ser inhumanidad que mi
padre quedase viejo y con tan poca hacienda, hice con
él que de mis tres mil tomase los dos mil ducados, porque a mí me bastaba el resto para acomodarme de lo que
había menester un soldado. Mis dos hermanos, movidos
de mi ejemplo, cada uno le dio mil ducados; de modo
que a mi padre le quedaron cuatro mil en dineros, y más
tres mil, que, a lo que parece, valía la hacienda que le
cupo, que no quiso vender, sino quedarse con ella en
raíces. Digo, en fin, que nos despedimos dél y de aquel
nuestro tío que he dicho, no sin mucho sentimiento y lágrimas de todos, encargándonos que les hiciésemos saber,
todas las veces que hubiese comodidad para ello, de
nuestros sucesos, prósperos o adversos. Prometímosselo,
y abrazándonos y echándonos su bendición, el uno tomó
el viaje de Salamanca, el otro de Sevilla, y yo el de Alicante, adonde tuve nuevas que había una nave ginovesa

---

[2] «correspondieron a cada uno tres mil ducados en dineros»;
aproximadamente unas 200.000 pesetas actuales.

que cargaba allí lana para Génova. Éste hará veinte y
dos años que salí de casa de mi padre, y en todos ellos,
puesto que he escrito algunas cartas, no he sabido dél
ni de mis hermanos nueva alguna. Y lo que en este discurso de tiempo he pasado lo diré brevemente. Embar-
quéme en Alicante, llegué con próspero viaje a Génova,
fui desde allí a Milán, donde me acomodé de armas y
de algunas galas de soldado, de donde quise ir a asentar
mi plaza al Piamonte; y estando ya de camino para Ale-
jandría de la Palla[3], tuve nuevas que el gran duque de
Alba pasaba a Flandes[4]. Mudé propósito, fuime con él,
servíle en las jornadas que hizo, halléme en la muerte
de los condes de Eguemón y de Hornos[5], alcancé a ser
alférez de un famoso capitán de Guadalajara, llamado
Diego de Urbina[6], y a cabo de algún tiempo que llegué
a Flandes, se tuvo nuevas de la liga que la Santidad del
Papa Pío Quinto, de felice recordación, había hecho
con Venecia y con España, contra el enemigo común,
que es el Turco; el cual en aquel mesmo tiempo había
ganado con su armada la famosa isla de Chipre, que estaba debajo del dominio del Veneciano; y pérdida lamentable y desdichada. Súpose cierto que venía por general desta liga el serenísimo don Juan de Austria, hermano natural de nuestro buen rey don Felipe. Divulgóse el grandísimo aparato de guerra que se hacía; todo
lo cual me incitó y conmovió el ánimo y el deseo de
verme en la jornada que se esperaba; y aunque tenía
barruntos, y casi promesas ciertas, de que en la primera
ocasión que se ofreciese sería promovido a capitán, lo
quise dejar todo y venirme, como me vine, a Italia.
Y quiso mi buena suerte que el señor don Juan de Aus-

---

[3] Alessandria della Paglia, en el Milanesado.
[4] El 22 de agosto de 1567 el duque de Alba llegó a Bruselas al
frente de diez mil hombres. Obsérvese que el cautivo ha dicho
poco antes: «Éste hará veinte y dos años que salí de casa de mi
padre», lo que supone que está narrando en 1589. Gracias a ello
sabemos que Cervantes había escrito esta historia dieciséis años
antes de publicarse la primera parte del *Quijote* (cfr. F. Ayala, *La
invención del Quijote*, «Realidad», II, Buenos Aires, 1947, 195).
[5] Lamoral de Egmont y Felipe de Montmorency-Nivelle, conde de
Hoorne, rebeldes a España, fueron ajusticiados el 5 de junio
de 1568.
[6] Diego de Urbina, capitán en cuya compañía sirvió Cervantes,
de soldado raso, en la batalla de Lepanto, formando parte del tercio de Miguel de Moncada.

tria acababa de llegar a Génova[7]; que pasaba a Nápoles
a juntarse con la armada de Venecia, como después lo
hizo en Mecina[8]. Digo, en fin, que yo me hallé en aquella felicísima jornada[9], ya hecho capitán de infantería, a
cuyo honroso cargo me subió mi buena suerte, más que
mis merecimientos. Y aquel día, que fue para la cristiandad tan dichoso, porque en él se desengañó el mundo y
todas las naciones del error en que estaban, creyendo que
los turcos eran invencibles por la mar, en aquel día, digo,
donde quedó el orgullo y soberbia otomana quebrantada, entre tantos venturosos como allí hubo (porque más
ventura tuvieron los cristianos que allí murieron que los
que vivos y vencedores quedaron), yo solo fui el desdichado; pues, en cambio de que pudiera esperar, si fuera
en los romanos siglos, alguna naval corona, me vi aquella
noche que siguió a tan famoso día con cadenas a los pies
y esposas a las manos. Y fue desta suerte: que habiendo
el Uchalí[10], rey de Argel, atrevido y venturoso cosario,
embestido y rendido la capitana de Malta, que solos tres
caballeros quedaron vivos en ella, y éstos mal heridos,
acudió la capitana de Juan Andrea[11] a socorrella, en la
cual yo iba con mi compañía; y haciendo lo que debía
en ocasión semejante, salté en la galera contraria, la
cual, desviándose de la que la había embestido, estorbó
que mis soldados me siguiesen, y así, me hallé solo entre
mis enemigos, a quien no pude resistir, por ser tantos;
en fin, me rindieron lleno de heridas. Y como ya habréis, señores, oído decir que el Uchalí se salvó con toda
su escuadra, vine yo a quedar cautivo en su poder, y
solo fui el triste entre tantos alegres y el cautivo entre
tantos libres; porque fueron quince mil cristianos los que
aquel día alcanzaron la deseada libertad, que todos venían al remo en la turquesca armada. Lleváronme a
Costantinopla, donde el Gran Turco Selim hizo general de la mar a mi amo, porque había hecho su deber
en la batalla, habiendo llevado por muestra de su valor

---

[7] Llegó el 26 de julio de 1571.
[8] *Mecina*, Messina de Sicilia, adonde llegó don Juan de Austria
el 23 de agosto de 1571.
[9] La batalla de Lepanto, 7 de octubre de 1571.
[10] *Uchalí*, Uluj Alí, virrey de Argel y jefe de la flota otomana.
Las noticias que sobre él da Cervantes son ciertas.
[11] Giovanni Andrea Doria, que murió en 1606.

el estandarte de la religión de Malta[12]. Halléme el segundo año, que fue el de setenta y dos, en Navarino[13],
bogando en la capitana de los tres fanales. Vi y noté la
ocasión que allí se perdió de no coger en el puerto toda
el armada turquesca, porque todos los leventes y genízaros[14] que en ella venían tuvieron por cierto que les habían de embestir dentro del mesmo puerto, y tenían a
punto su ropa y pasamaques[15], que son sus zapatos, para
huirse luego por tierra, sin esperar ser combatidos; tanto
era el miedo que habían cobrado a nuestra armada. Pero
el cielo lo ordenó de otra manera, no por culpa ni descuido del general que a los nuestros regía, sino por los
pecados de la cristiandad, y porque quiere y permite
Dios que tengamos siempre verdugos que nos castiguen.
En efeto, el Uchalí se recogió a Modón, que es una isla
que está junto a Navarino, y echando la gente en tierra,
fortificó la boca del puerto, y estúvose quedo hasta que
el señor don Juan[16] se volvió. En este viaje se tomó la
galera que se llamaba *La Presa*, de quien era capitán un
hijo de aquel famoso cosario Barbarroja. Tomóla la capitana de Nápoles, llamada *La Loba*, regida por aquel rayo
de la guerra, por el padre de los soldados, por aquel
venturoso y jamás vencido capitán don Álvaro de Bazán,
marqués de Santa Cruz. Y no quiero dejar de decir
lo que sucedió en la presa de *La Presa*. Era tan cruel el
hijo de Barbarroja, y trataba tan mal a sus cautivos, que
así como los que venían al remo vieron que la galera *Loba*
les iba entrando y que los alcanzaba, soltaron todos a un
tiempo los remos, y asieron de su capitán, que estaba sobre el estanterol gritando que bogasen apriesa, y pasándole
de banco en banco, de popa a proa, le dieron bocados, que
a poco más que pasó del árbol ya había pasado su ánima
al infierno: tal era, como he dicho, la crueldad con que
los trataba y el odio que ellos le tenían. Volvimos a
Constantinopla, y el año siguiente, que fue el de setenta
y tres, se supo en ella cómo el señor don Juan había

[12] En la batalla de Lepanto Uluj Alí se apoderó de la nave de
la orden (*religión*) de San Juan de Jerusalén o de Malta.
[13] *Navarino,* puerto en el golfo de Mesenia, al sur del Peloponeso.
[14] *leventes y genízaros* respectivamente infantería de marina, e
infantería de tierra.
[15] *pasamaques,* babuchas.
[16] Don Juan de Austria.

ganado a Túnez, y quitado aquel reino a los turcos, y
puesto en posesión dél a Muley Hamet, cortando las
esperanzas que de volver a reinar en él tenía Muley Hamida[17], el moro más cruel y más valiente que tuvo el
mundo. Sintió mucho esta pérdida el Gran Turco, y,
usando de la sagacidad que todos los de su casa tienen,
hizo paz con venecianos, que mucho más que él la deseaban, y el año siguiente de setenta v cuatro acometió
a la Goleta[18] y al fuerte que junto a Túnez había dejado
medio levantado el señor don Juan. En todos estos trances andaba yo al remo, sin esperanza de libertad alguna;
a lo menos, no esperaba tenerla por rescate, porque tenía
determinado de no escribir las nuevas de mi desgracia a
mi padre. Perdióse, en fin, la Goleta; perdióse el fuerte,
sobre las cuales plazas hubo de soldados turcos, pagados,
setenta y cinco mil, y de moros y alárabes de toda la
África, más de cuatrocientos mil, acompañado este gran
número de gente con tantas municiones y pertrechos de
guerra, y con tantos gastadores, que con las manos y a
puñados de tierra pudieran cubrir la Goleta y el fuerte.
Perdióse primero la Goleta, tenida hasta entonces por
inexpugnable, y no se perdió por culpa de sus defenso-
res, los cuales hicieron en su defensa todo aquello que
debían y podían, sino porque la experiencia mostró la
facilidad con que se podían levantar trincheas en aquella
desierta arena, porque a dos palmos se hallaba agua, y
los turcos no la hallaron a dos varas; y así, con muchos
sacos de arena levantaron las trincheas tan altas, que so-
brepujaban las murallas de la fuerza; y tirándoles a caballero[19], ninguno podía parar, ni asistir a la defensa.
Fue común opinión que no se habían de encerrar los
nuestros en la Goleta, sino esperar en campaña al desem-

---

[17] *Muley Hamet* (Muley Muhammad) y *Muley Hamida* (Hamida
o Ahmad Sultán) eran hermanos y pertenecían a la dinastía bereber de los hafsíes. Hamida destronó a su padre Muley Hasán
en 1542. Depuesto en 1569 se refugió en la plaza española de La
Goleta y volvió a entrar solemnemente en Túnez en 1573, estando
entonces allí Cervantes. Murió en Palermo en 1575. Su hermano
Hamet se posesionó del reino de Túnez el 14 de octubre de 1573,
pero a poco fue hecho prisionero por los turcos. En 1576 vivía en
Constantinopla.
[18] La Goleta, fortaleza que defendía a Túnez, cayó el 23 de
agosto de 1574.
[19] *tirar a caballero*, disparar desde una altura superior a donde
se encuentra el blanco.

barcadero, y los que esto dicen hablan de lejos y con poca experiencia de casos semejantes; porque si en la Goleta y en el fuerte apenas había siete mil soldados, ¿cómo podía tan poco número, aunque más esforzados fuesen, salir a la campaña y quedar en las fuerzas, contra tanto como era el de los enemigos? Y ¿cómo es posible dejar de perderse fuerza que no es socorrida, y más cuando la cercan enemigos muchos y porfiados, y en su mesma tierra? Pero a muchos les pareció, y así me pareció a mí, que fue particular gracia y merced que el cielo hizo a España en permitir que se asolase aquella oficina y capa de maldades, y aquella gomia[20] o esponja y polilla de la infinidad de dineros que allí sin provecho se gastaban, sin servir de otra cosa que de conservar la memoria de haberla ganado la felicísima del invictísimo Carlos Quinto, como si fuera menester para hacerla eterna, como lo es y será, que aquellas piedras la sustentaran. Perdióse también el fuerte; pero fuéronle ganando los turcos palmo a palmo, porque los soldados que lo defendían pelearon tan valerosa y fuertemente, que pasaron de veinte y cinco mil enemigos los que mataron, en veinte y dos asaltos generales que les dieron. Ninguno cautivaron sano de trecientos que quedaron vivos, señal cierta y clara de su esfuerzo y valor, y de lo bien que se habían defendido y guardado sus plazas. Rindióse a partido[21] un pequeño fuerte o torre que estaba en mitad del estaño[22], a cargo de don Juan Zanoguera, caballero valenciano y famoso soldado. Cautivaron a don Pedro Puertocarrero, general de la Goleta, el cual hizo cuanto fue posible por defender su fuerza; y sintió tanto el haberla perdido, que de pesar murió en el camino de Constantinopla, donde le llevaban cautivo. Cautivaron ansimesmo al general del fuerte, que se llamaba Gabrio Cervellón, caballero milanés, grande ingeniero y valentísimo soldado[23]. Murieron en estas dos fuerzas muchas personas de cuenta, de las cuales fue una Pagán de Oria, caballero del hábito de San Juan, de condición generoso, como lo mostró la summa liberalidad que usó con su hermano, el famoso Juan de

[20] *gomia,* persona que engulle con voracidad.
[21] *a partido,* mediante convenio.
[22] *estaño,* estanque, laguna.
[23] Todos estos personajes son históricos (cfr. R. Marín, IX, 239-261).

Andrea de Oria[24]; y lo que más hizo lastimosa su muerte
fue haber muerto a manos de unos alárabes de quien se
fió, viendo ya perdido el fuerte, que se ofrecieron de llevarle en hábito de moro a Tabarca, que es un portezuelo
o casa que en aquellas riberas tienen los ginoveses que
se ejercitan en la pesquería del coral; los cuales alárabes
le cortaron la cabeza y se la trujeron al general de la
armada turquesca, el cual cumplió con ellos nuestro refrán castellano: «Que aunque la traición aplace, el traidor se aborrece»; y así, se dice que mandó el general
ahorcar a los que le trujeron el presente, porque no se
le habían traído vivo. Entre los cristianos que en el fuerte se perdieron, fue uno llamado don Pedro de Aguilar,
natural no sé de qué lugar del Andalucía, el cual había
sido alférez en el fuerte, soldado de mucha cuenta y de
raro entendimiento; especialmente tenía particular gracia en lo que llaman poesía. Dígolo porque su suerte le
trujo a mi galera y a mi banco, y a ser esclavo de mi
mesmo patrón; y antes que nos partiésemos de aquel
puerto hizo este caballero dos sonetos a manera de epitafios, el uno a la Goleta y el otro al fuerte. Y en verdad
que los tengo de decir, porque los sé de memoria y creo
que antes causarán gusto que pesadumbre.

En el punto que el cautivo nombró a don Pedro de
Aguilar, don Fernando miró a sus camaradas, y todos
tres se sonrieron; y cuando llegó a decir de los sonetos,
dijo el uno:

—Antes que vuestra merced pase adelante, le suplico me diga qué se hizo ese don Pedro de Aguilar que
ha dicho.

—Lo que sé es —respondió el cautivo— que al cabo
de dos años que estuvo en Constantinopla se huyó en
traje de arnaute[25] con un griego espía, y no sé si vino
en libertad, puesto que creo que sí, porque de allí a un
año vi yo al griego en Constantinopla, y no le pude preguntar el suceso de aquel viaje.

—Pues lo fue —respondió el caballero—, porque ese
don Pedro es mi hermano, y está ahora en nuestro lugar, bueno y rico, casado y con tres hijos.

[24] Pagán Doria, que había sido paje de Felipe II y que se halló
en las batallas de San Quintín y Lepanto, dejó sus bienes a su
hermano Andrea e ingresó en la Orden de San Juan o Malta.
[25] *arnaute*, albanés.

—Gracias sean dadas a Dios —dijo el cautivo— por tantas mercedes como le hizo; porque no hay en la tierra, conforme mi parecer, contento que se iguale a alcanzar la libertad perdida.

—Y más —replicó el caballero—, que yo sé los sonetos que mi hermano hizo.

—Dígalos, pues, vuestra merced —dijo el cautivo—, que los sabrá decir mejor que yo.

—Que me place —respondió el caballero—; y el de la Goleta decía así:

CAPÍTULO XL

DONDE SE PROSIGUE LA HISTORIA DEL CAUTIVO

SONETO

Almas dichosas que del mortal velo
libres y esentas, por el bien que obrastes,
desde la baja tierra os levantastes,
a lo más alto y lo mejor del cielo,
    y, ardiendo en ira y en honroso celo,
de los cuerpos la fuerza ejercitastes,
que en propia y sangre ajena colorastes
el mar vecino y arenoso suelo;
    primero que el valor faltó la vida
en los cansados brazos, que, muriendo,
con ser vencidos, llevan la vitoria.
    Y esta vuestra mortal, triste caída
entre el muro y el hierro, os va adquiriendo
fama que el mundo os da, y el cielo gloria.

—Desa mesma manera le sé yo —dijo el cautivo.

—Pues el del fuerte, si mal no me acuerdo —dijo el caballero—, dice así:

SONETO

De entre esta tierra estéril, derribada,
destos terrones por el suelo echados,

las almas santas de tres mil soldados
subieron vivas a mejor morada,
        siendo primero, en vano, ejercitada
la fuerza de sus brazos esforzados,
hasta que, al fin, de pocos y cansados,
dieron la vida al filo de la espada.
        Y éste es el suelo que continuo ha sido
de mil memorias lamentables lleno
en los pasados siglos y presentes.
        Mas no más justas de su duro seno
habrán al claro cielo almas subido,
ni aun él sostuvo cuerpos tan valientes.

No parecieron mal los sonetos, y el cautivo se alegró
con las nuevas que de su camarada le dieron, y, prosiguiendo su cuento, dijo:

—Rendidos, pues, la Goleta y el fuerte, los turcos
dieron orden en desmantelar la Goleta, porque el fuerte
quedó tal que no hubo qué poner por tierra, y para hacerlo con más brevedad y menos trabajo, la minaron por
tres partes; pero con ninguna se pudo volar lo que parecía menos fuerte, que eran las murallas viejas, y todo
aquello que había quedado en pie de la fortificación
nueva que había hecho el Fratín[1], con mucha facilidad
vino a tierra. En resolución, la armada volvió a Constantinopla triunfante y vencedora, y de allí a pocos meses murió mi amo el Uchalí[2], al cual llamaban *Uchalí
Fartax*, que quiere decir, en lengua turquesca, *el renegado tiñoso*[3], porque lo era, y es costumbre entre los turcos
ponerse nombres de alguna falta que tengan, o de alguna virtud que en ellos haya; y esto es porque no hay
entre ellos sino cuatro apellidos de linajes[4], que decien-

---

[1] *El Fratín*, ingeniero italiano llamado Giacome Paleazzo, espe-
cializado en fortificaciones (reparó las de Gibraltar) y que sirvió
a Carlos I y a Felipe II.
[2] Uluj Alí murió repentinamente en Constantinopla el 21 de junio de 1587.
[3] «Desde luego todos estos datos son exactos. Uchalí es nombre
compuesto de *uluj*, plural árabe de *ilj* en el sentido de "renegado
europeo al servicio de príncipes musulmanes", y el nombre propio
Alí. Nació, efectivamente, en Calabria... Su sobrenombre "Fartax"
es, en efecto, el árabe *fartas*, "tiñoso", palabra de origen bereber,
alusiva a la enfermedad que le aquejaba, para ocultar la cual había adoptado el turbante, según decía irónicamente Pierre de
Bourdeille», J. Oliver Asín, trabajo citado, pág. 314.
[4] Son los «apellidos» Muhammat, Mustafá, Murad y Alí.

den de la casa Otomana, y los demás, como tengo dicho, toman nombre y apellido ya de las tachas del cuerpo y ya de las virtudes del ánimo. Y este Tiñoso bogó el remo, siendo esclavo del Gran Señor, catorce años, y a más de los treinta y cuatro de su edad renegó, de despecho de que un turco, estando al remo, le dio un bofetón, y por poderse vengar dejó su fe; y fue tanto su valor, que, sin subir por los torpes medios y caminos que los más privados del Gran Turco suben, vino a ser rey de Argel, y después, a ser general de la mar, que es el tercero cargo que hay en aquel señorío. Era calabrés de nación, y moralmente fue hombre de bien, y trataba con mucha humanidad a sus cautivos, que llegó a tener tres mil, los cuales, después de su muerte, se repartieron, como él lo dejó en su testamento, entre el Gran Señor, que también es hijo heredero de cuantos mueren y entra a la parte con los más hijos que deja el difunto, y entre sus renegados; y yo cupe a un renegado veneciano que, siendo grumete de una nave, le cautivó el Uchalí, y le quiso tanto, que fue uno de los más regalados garzones, suyos, y él vino a ser el más cruel renegado que jamás se ha visto. Llamábase Azán Agá⁵, y llegó a ser muy rico, y a ser rey de Argel; con el cual yo vine de Constantinopla, algo contento, por estar tan cerca de España, no porque pensase escribir a nadie el desdichado suceso mío, sino por ver si me era más favorable la suerte en Argel que en Constantinopla, donde ya había probado mil maneras de huirme, y ninguna tuvo sazón ni ventura; y pensaba en Argel buscar otros medios de alcanzar lo que tanto deseaba, porque jamás me desamparó la esperanza de tener libertad; y cuando en lo que fabricaba, pensaba y ponía por obra no correspondía el suceso a la intención, luego, sin abandonarme, fingía y buscaba otra esperanza que me sustentase, aunque fuese débil y flaca. Con esto entretenía la vida, encerrado en una prisión o casa que los turcos llaman *baño,* donde encierran los cautivos cristianos, así los que son del rey como de algunos particulares, y los que llaman *del almacén,* que

---

⁵ *Azán Agá,* Hasán Bajá, segundo marido de Zahara-Zoraida (véase el comentario preliminar al capítulo 39), nacido en Venecia en 1545, gobernó en Argel de 1577 a 1580. Perdonó tres veces la vida a Cervantes durante el cautiverio de éste.

es como decir *cautivos del concejo*, que sirven a la ciudad
en las obras públicas que hace y en otros oficios, y estos
tales cautivos tienen muy dificultosa su libertad; que,
como son del común y no tienen amo particular, no hay
con quien tratar su rescate, aunque le tengan. En estos
baños, como tengo dicho, suelen llevar a sus cautivos
algunos particulares del pueblo, principalmente cuando
son de rescate, porque allí los tienen holgados y seguros
hasta que venga su rescate. También los cautivos del
rey que son de rescate no salen al trabajo con la demás
chusma, si no es cuando se tarda su rescate; que entonces, por hacerles que escriban por él con más ahínco, les
hacen trabajar y ir por leña con los demás, que es un
no pequeño trabajo. Yo, pues, era uno de los de rescate;
que como se supo que era capitán, puesto que dije mi
poca posibilidad y falta de hacienda, no aprovechó nada
para que no me pusiesen en el número de los caballeros
y gente de rescate. Pusiéronme una cadena, más por señal de rescate que por guardarme con ella, y así pasaba
la vida en aquel baño, con otros muchos caballeros y
gente principal, señalados y tenidos por de rescate. Y aunque la hambre y desnudez pudiera fatigarnos a veces,
y aun casi siempre, ninguna cosa nos fatigaba tanto
como oír y ver a cada paso las jamás vistas ni oídas
crueldades que mi amo usaba con los cristianos. Cada
día ahorcaba el suyo, empalaba a éste, desorejaba aquél;
y esto, por tan poca ocasión, y tan sin ella, que los turcos conocían que lo hacía no más de por hacerlo, y por
ser natural condición suya ser homicida de todo el género humano. Sólo libró bien con él un soldado español
llamado tal de Saavedra[6], el cual, con haber hecho cosas
que quedarán en la memoria de aquellas gentes por muchos años, y todas por alcanzar libertad, jamás le dio
palo, ni se lo mandó dar, ni le dijo mala palabra; y por
la menor cosa de muchas que hizo temíamos todos que
había de ser empalado, y así lo temió él más de una vez;
y si no fuera porque el tiempo no da lugar, yo dijera
ahora algo de lo que este soldado hizo, que fuera parte
para entreteneros y admiraros harto mejor que con el
cuento de mi historia. Digo, pues, que encima del patio

---

[6] El propio Miguel de Cervantes *Saavedra.*

de nuestra prisión caían las ventanas de la casa de un
moro rico y principal, las cuales, como de ordinario son
las de los moros, más eran agujeros que ventanas, y aun
éstas se cubrían con celosías muy espesas y apretadas.
Acaeció, pues, que un día, estando en un terrado de
nuestra prisión con otros tres compañeros, haciendo pruebas de saltar con las cadenas, por entretener el tiempo,
estando solos, porque todos los demás cristianos habían
salido a trabajar, alcé acaso los ojos y vi que por aquellas cerradas ventanillas que he dicho parecía una caña, y
al remate della puesto un lienzo atado, y la caña se estaba blandeando[7] y moviéndose, casi como si hiciera
señas que llegásemos a tomarla. Miramos en ello, y
uno de los que conmigo estaban fue a ponerse debajo de
la caña, por ver si la soltaban, o lo que hacían; pero así
como llegó, alzaron la caña y la movieron a los dos lados, como si dijeran no con la cabeza. Volvióse el cristiano, y tornáronla a bajar y hacer los mesmos movimientos que primero. Fue otro de mis compañeros, y
sucedióle lo mesmo que al primero. Finalmente, fue el
tercero, y avínole lo que al primero y al segundo. Viendo yo esto no quise dejar de probar la suerte, y así como
llegué a ponerme debajo de la caña, la dejaron caer, y
dio a mis pies dentro del baño. Acudí luego a desatar el
lienzo, en el cual vi un nudo, y dentro dél venían diez
cianiís, que son unas monedas de oro bajo que usan los
moros, que cada una vale diez reales de los nuestros.
Si me holgué con el hallazgo, no hay para qué decirlo,
pues fue tanto el contento como la admiración de pensar
de dónde podía venirnos aquel bien, especialmente a
mí, pues las muestras de no haber querido soltar la caña
sino a mí claro decían que a mí se hacía la merced.
Tomé mi buen dinero, quebré la caña, volvíme al terradillo, miré la ventana, y vi que por ella salía una muy
blanca mano; que la abrían y cerraban muy apriesa.
Con esto entendimos o imaginamos que alguna mujer
que en aquella casa vivía nos debía de haber hecho aquel
beneficio; y en señal de que lo agradecíamos hecimos zalemas a uso de moros, inclinando la cabeza, doblando el
cuerpo y poniendo los brazos sobre el pecho. De allí a

[7] *blandear*, blandir.

poco sacaron por la mesma ventana una pequeña cruz
hecha de cañas, y luego la volvieron a entrar. Esta señal
nos confirmó en que alguna cristiana debía de estar cautiva en aquella casa, y era la que el bien nos hacía; pero
la blancura de la mano, y las ajorcas que en ella vimos,
nos deshizo este pensamiento, puesto que imaginamos
que debía de ser cristiana renegada, a quien de ordinario
suelen tomar por legítimas mujeres sus mesmos amos, y
aun lo tienen a ventura, porque las estiman en más que
las de su nación. En todos nuestros discursos dimos muy
lejos en la verdad del caso, y así, todo nuestro entretenimiento desde allí adelante era mirar y tener por norte a la
ventana donde nos había aparecido la estrella de la caña;
pero bien se pasaron quince días en que no la vimos, ni
la mano tampoco, ni otra señal alguna. Y aunque en este
tiempo procuramos con toda solicitud saber quién en
aquella casa vivía, y si había en ella alguna cristiana renegada, jamás hubo quien nos dijese otra cosa sino que
allí vivía un moro principal y rico, llamado Agi Morato[8], alcaide que había sido de La Pata[9], que es oficio entre ellos de mucha calidad. Mas cuando más descuidados
estábamos de que por allí habían de llover más cianiís,
vimos a deshora parecer la caña, y otro lienzo en ella,
con otro nudo más crecido; y esto fue a tiempo que estaba el baño, como la vez pasada, solo y sin gente. Hecimos la acostumbrada prueba, yendo cada uno primero que
yo, de los mismos tres que estábamos; pero a ninguno se
rindió la caña sino a mí, porque, en llegando yo, la dejaron caer. Desaté el nudo y hallé cuarenta escudos de oro
españoles y un papel escrito en arábigo, y al cabo de lo
escrito hecha una grande cruz. Besé la cruz, tomé los escudos, volvíme al terrado, hecimos todos nuestras zalemas, tornó a parecer la mano, hice señas que leería el
papel, cerraron la ventana. Quedamos todos confusos y
alegres con lo sucedido; y como ninguno de nosotros no
entendía el arábigo, era grande el deseo que teníamos de
entender lo que el papel contenía, y mayor la dificultad
de buscar quien lo leyese. En fin, yo me determiné de
fiarme de un renegado, natural de Murcia, que se había

---

[8] *Agi Morato*, Hajji Murad; véase el comentario preliminar al
capítulo 39.
[9] *La Pata*, al-Batha, fortaleza en el Oranesado.

dado por grande amigo mío, y puesto prendas entre los dos, que le obligaban a guardar el secreto que le encargase; porque suelen algunos regenados, cuando tienen intención de volverse a tierra de cristianos, traer consigo algunas firmas de cautivos principales, en que dan fe, en la forma que pueden, como el tal renegado es hombre de bien, y que siempre ha hecho bien a cristianos, y que lleva deseo de huirse en la primera ocasión que se le ofrezca. Algunos hay que procuran estas fees con buena intención; otros se sirven dellas a caso y de industria[10]: que viniendo a robar a tierra de cristianos, si a dicha se pierden o los cautivan, sacan sus firmas y dicen que por aquellos papeles se verá el propósito con que venían, el cual era de quedarse en tierra de cristianos, y que por eso venían en corso con los demás turcos. Con esto se escapan de aquel primer ímpetu, y se reconcilian con la Iglesia, sin que se les haga daño; y cuando veen la suya, se vuelven a Berbería a ser lo que antes eran. Otros hay que usan destos papeles, y los procuran con buen intento, y se quedan en tierra de cristianos. Pues uno de los renegados que he dicho era este mi amigo, el cual tenía firmas de todas nuestras camaradas, donde le acreditábamos cuanto era posible; y si los moros le hallaran estos papeles, le quemaran vivo. Supe que sabía muy bien arábigo, y no solamente hablarlo, sino escribirlo; pero antes que del todo me declarase con él, le dije que me leyese aquel papel, que acaso me había hallado en un agujero de mi rancho. Abrióle, y estuvo un buen espacio mirándole, y construyéndole, murmurando entre los dientes. Preguntéle si lo entendía; díjome que muy bien, y que si quería que me lo declarase palabra por palabra, que le diese tinta y pluma, porque mejor lo hiciese. Dímosle luego lo que pedía, y él poco a poco lo fue traduciendo, y en acabando, dijo: «—Todo lo que va aquí en »romance, sin faltar letra, es lo que contiene este papel »morisco: y hase de advertir que adonde dice *Lela Ma-* »*rién* quiere decir *Nuestra Señora la Virgen María*». Leímos el papel, y decía así: *Cuando yo era niña, tenía mi padre una esclava, la cual en mi lengua me mostró la zalá cristianesca*[11], *y me dijo muchas cosas de Lela Ma-*

---

[10] *a caso y de industria,* cuando se les ofrece ocasión y adrede.
[11] *me mostró la zalá cristianesca,* me enseñó la oración cristiana.

rién. *La cristiana murió, y yo sé que no fue al fuego,
sino con Alá, porque después la vi dos veces, y me dijo
que me fuese a tierra de cristianos a ver a Lela Marién, que me quería mucho. No sé yo cómo vaya: muchos
cristianos he visto por esta ventana, y ninguno me ha
parecido caballero sino tú. Yo soy muy hermosa y muchacha, y tengo muchos dineros que llevar conmigo: mira
tú si puedes hacer cómo nos vamos, y serás allá mi marido, si quisieres, y si no quisieres, no se me dará nada;
que Lela Marién me dará con quien me case. Yo escribí
esto; mira a quién lo das a leer: no te fíes de ningún
moro, porque son todos marfuces*[12]. *Desto tengo mucha
pena: que quisiera que no te descubrieras a nadie; porque si mi padre lo sabe, me echará luego en un pozo, y
me cubrirá de piedras. En la caña pondré un hilo: ata
allí la respuesta; y si no tienes quien te escriba arábigo,
dímelo por señas; que Lela Marién hará que te entienda.
Ella y Alá te guarden, y esa cruz que yo beso muchas veces; que así me lo mandó la cautiva.* Mirad, señores, si
era razón que las razones deste papel nos admirasen y
alegrasen; y así, lo uno y lo otro fue de manera, que el
renegado entendió que no acaso se había hallado aquel
papel, sino que realmente a alguno de nosotros se había
escrito; y así, nos rogó que si era verdad lo que sospechaba, que nos fiásemos dél y se lo dijésemos, que
él aventuraría su vida por nuestra libertad. Y diciendo
esto, sacó del pecho un crucifijo de metal, y con muchas
lágrimas juró por el Dios que aquella imagen representaba, en quien él, aunque pecador y malo, bien y fielmente
creía, de guardarnos lealtad y secreto en todo cuanto
quisiésemos descubrirle, porque le parecía, y casi adevinaba, que por medio de aquella que aquel papel había
escrito había él y todos nosotros de tener libertad, y verse él en lo que tanto deseaba, que era reducirse al gremio de la santa Iglesia, su madre, de quien como miembro podrido estaba dividido y apartado, por su ignorancia y pecado. Con tantas lágrimas y con muestras de
tanto arrepentimiento dijo esto el renegado, que todos
de un mesmo parecer consentimos, y venimos en declararle la verdad del caso; y así, le dimos cuenta de todo,

[12] *marfuces*, falaces, engañosos.

sin encubrirle nada. Mostrámosle la ventanilla por donde parecía la caña, y él marcó desde allí la casa, y quedó de tener especial y gran cuidado de informarse quién en ella vivía. Acordamos ansimesmo que sería bien responder al billete de la mora; y como teníamos quien lo supiese hacer, luego al momento el renegado escribió las razones que yo le fui notando[13], que puntualmente fueron las que diré, porque de todos los puntos sustanciales que en este suceso me acontecieron, ninguno se me ha ido de la memoria, ni aun se me irá en tanto que tuviere vida. En efeto, lo que a la mora se le respondió fue esto: *El verdadero Alá te guarde, señora mía, y aquella bendita madre Marién, que es la verdadera madre de Dios y es la que te ha puesto en corazón que te vayas a tierra de cristianos, porque te quiere bien. Ruégale tú que se sirva de darte a entender cómo podrás poner por obra lo que te manda; que ella es tan buena, que sí hará. De mi parte y de la de todos estos cristianos que están conmigo, te ofrezco de hacer por ti todo lo que pudiéremos, hasta morir. No dejes de escribirme y avisarme lo que pensares hacer, que yo te responderé siempre; que el grande Alá nos ha dado un cristiano cautivo que sabe hablar y escribir tu lengua tan bien como lo verás por este papel. Así que, sin tener miedo, nos puedes avisar de todo lo que quisieres. A lo que dices que si fueres a tierra de cristianos, que has de ser mi mujer, yo te lo prometo como buen cristiano; y sabe que los cristianos cumplen lo que prometen mejor que los moros. Alá y Marién, su madre, sean en tu guarda, señora mía.* Escrito y cerrado este papel, aguardé dos días a que estuviese el baño solo, como solía, y luego salí al paso acostumbrado del terradillo, por ver si la caña parecía, que no tardó mucho en asomar. Así como la vi, aunque no podía ver quién la ponía, mostré el papel, como dando a entender que pusiesen el hilo; pero ya venía puesto en la caña, al cual até el papel, y de allí a poco tornó a parecer nuestra estrella, con la blanca bandera de paz del atadillo. Dejáronla caer, y alcé[14] yo, y hallé en el paño, en toda suerte de moneda de plata y de oro, más de cincuenta escudos, los cuales cincuenta veces más doblaron nuestro contento y

---

[13] *notando*, dictando.
[14] [la] *alcé*.

confirmaron la esperanza de tener libertad. Aquella misma noche volvió nuestro renegado, y nos dijo que había sabido que en aquella casa vivía el mesmo moro que a nosotros nos habían dicho que se llamaba Agi Morato, riquísimo por todo estremo, el cual tenía una sola hija, heredera de toda su hacienda, y que era común opinión en toda la ciudad ser la más hermosa mujer de la Berbería; y que muchos de los virreyes que allí venían la habían pedido por mujer, y que ella nunca se había querido casar; y que también supo que tuvo una cristiana cautiva, que ya se había muerto; todo lo cual concertaba con lo que venía en el papel. Entramos luego en consejo con el renegado en qué orden se tendría para sacar a la mora y venirnos todos a tierra de cristianos, y, en fin, se acordó por entonces que esperásemos al aviso segundo de Zoraida, que así se llamaba la que ahora quiere llamarse María; porque bien vimos que ella y no otra alguna era la que había de dar medio a todas aquellas dificultades. Después que quedamos en esto, dijo el renegado que no tuviésemos pena; que él perdería la vida o nos pondría en libertad. Cuatro días estuvo el baño con gente, que fue ocasión que cuatro días tardase en parecer la caña; al cabo de los cuales, en la acostumbrada soledad del baño, pareció con el lienzo tan preñado, que un felicísimo parto prometía. Inclinóse a mí la caña y el lienzo; hallé en él otro papel y cien escudos de oro, sin otra moneda alguna. Estaba allí el renegado; dímosle a leer el papel dentro de nuestro rancho[15], el cual dijo que así decía: *Yo no sé, mi señor, cómo dar orden que nos vamos a España, ni Lela Marién me lo ha dicho, aunque yo se lo he preguntado; lo que se podrá hacer es que yo os daré por esta ventana muchísimos dineros de oro; rescataos vos con ellos y vuestros amigos, y vaya uno en tierra de cristianos, y compre allá una barca, y vuelva por los demás; y a mí me hallarán en el jardín de mi padre, que está a la puerta de Babazón[16], junto a la marina, donde tengo de estar todo este verano con mi padre y con mis criados. De allí, de noche, me podréis sacar sin miedo y llevarme a la barca; y mira que has de ser mi marido, porque si no, yo pediré a Marién que te*

---

[15] *rancho*, habitación pobre o rústica.
[16] *Babazón*, «puerta de Azún», en Argel.

castigue. Si no te fías de nadie que vaya por la barca, rescátate tú y ve; que yo sé que volverás mejor que otro, pues eres caballero y cristiano. Procura saber el jardín, y cuando te pasees por ahí sabré que está solo el baño, y te daré mucho dinero. Alá te guarde, señor mío. Esto decía y contenía el segundo papel; lo cual visto por todos, cada uno se ofreció a querer ser el rescatado, y prometió de ir y volver con toda puntualidad, y también yo me ofrecí a lo mismo; a todo lo cual se opuso el renegado, diciendo que en ninguna manera consentiría que ninguno saliese de libertad hasta que fuesen todos juntos, porque la experiencia le había mostrado cuán mal cumplían los libres las palabras que daban en el cautiverio; porque muchas veces habían usado de aquel remedio algunos principales cautivos, rescatando a uno que fuese a Valencia o Mallorca con dineros para poder armar una barca y volver por los que le habían rescatado, y nunca habían vuelto; porque, decía, la libertad alcanzada y el temor de no volver a perderla les borraba de la memoria todas las obligaciones del mundo. Y en confirmación de la verdad que nos decía, nos contó brevemente un caso que casi en aquella mesma sazón había acaecido a unos caballeros cristianos, el más estraño que jamás sucedió en aquellas partes, donde a cada paso suceden cosas de grande espanto y de admiración. En efecto, él vino a decir que lo que se podía y debía hacer era que el dinero que se había de dar para rescatar al cristiano, que se le diese a él para comprar allí en Argel una barca, con achaque de hacerse mercader y tratante en Tetuán y en aquella costa; y que siendo él señor de la barca, fácilmente se daría traza para sacarlos del baño y embarcarlos a todos. Cuanto más que si la mora, como ella decía, daba dineros para rescatarlos a todos, que estando libres, era facilísima cosa aun embarcarse en la mitad del día; y que la dificultad que se ofrecía mayor era que los moros no consienten que renegado alguno compre ni tenga barca, si no es bajel grande para ir en corso, porque se temen que el que compra barca, principalmente si es español, no la quiere sino para irse a tierra de cristianos; pero que él facilitaría este inconveniente con hacer que un moro tagarino[17] fuese a la parte con él en la compa-

[17] *moro tagarino*, morisco de la antigua Corona de Aragón.

ñía de la barca y en la ganancia de las mercancías, y con esta sombra[18] él vendría a ser el señor de la barca, con que daba por acabado todo lo demás. Y puesto que a mí y a mis camaradas nos había parecido mejor lo de enviar por la barca a Mallorca, como la mora decía, no osamos contradecirle, temerosos que, si no hacíamos lo que él decía, nos había de descubrir y poner a peligro de perder las vidas, si descubriese el trato de Zoraida, por cuya vida diéramos todos las nuestras; y así determinamos de ponernos en las manos de Dios y en las del renegado, y en aquel mismo punto se le respondió a Zoraida, diciéndole que haríamos todo cuanto nos aconsejaba, porque lo había advertido tan bien como si Lela Marién se lo hubiera dicho, y que en ella sola estaba dilatar aquel negocio, o ponello luego por obra. Ofrecímele de nuevo de ser su esposo, y con esto, otro día que acaeció a estar solo el baño, en diversas veces, con la caña y el paño, nos dio dos mil escudos de oro, y un papel donde decía que el primer jumá, que es el viernes, se iba al jardín de su padre, y que antes que se fuese nos daría más dinero, y que si aquello no bastase, que se lo avisásemos, que nos daría cuanto le pidiésemos: que su padre tenía tantos, que no lo echaría menos, cuanto más que ella tenía las llaves de todo. Dimos luego quinientos escudos al renegado para comprar la barca; con ochocientos me rescaté yo, dando el dinero a un mercader valenciano que a la sazón se hallaba en Argel, el cual me rescató del rey, tomándome sobre su palabra, dándola de que con el primer bajel que viniese de Valencia pagaría mi rescate; porque si luego diera el dinero, fuera dar sospechas al rey que había muchos días que mi rescate estaba en Argel, y que el mercader, por sus granjerías, lo había callado. Finalmente, mi amo era tan caviloso, que en ninguna manera me atreví a que luego se desembolsase el dinero. El jueves antes del viernes que la hermosa Zoraida se había de ir al jardín nos dio otros mil escudos y nos avisó de su partida, rogándome que, si me rescatase, supiese luego el jardín de su padre, y que en todo caso buscase ocasión de ir allá y verla. Respondíle en breves palabras que así lo haría, y que tuviese

---

[18] *sombra*, pretexto, excusa.

cuidado de encomendarnos a Lela Marién, con todas
aquellas oraciones que la cautiva le había enseñado. Hecho esto, dieron orden en que los tres compañeros nuestros se rescatasen, por facilitar la salida del baño, y porque, viéndome a mí rescatado, y a ellos no, pues había
dinero, no se alborotasen y les persuadiese el diablo que
hiciesen alguna cosa en perjuicio de Zoraida; que puesto
que el ser ellos quien eran me podía asegurar deste temor, con todo eso, no quise poner el negocio en aventura, y así, los hice rescatar por la misma orden que yo me
rescaté, entregando todo el dinero al mercader, para que
con certeza y seguridad pudiese hacer la fianza; al cual
nunca descubrimos nuestro trato y secreto, por el peligro
que había.

CAPÍTULO XLI

Donde todavía prosigue el cautivo su suceso

No se pasaron quince días, cuando ya nuestro renegado tenía comprada una muy buena barca, capaz de
más de treinta personas: y para asegurar su hecho y dalle color[1], quiso hacer, como hizo, un viaje a un lugar que
se llamaba Sargel[2], que está treinta leguas de Argel hacia la parte de Orán, en el cual hay mucha contratación
de higos pasos[3]. Dos o tres veces hizo este viaje, en compañía del tagarino que había dicho. *Tagarinos* llaman en
Berbería a los moros de Aragón, y a los de Granada,
mudéjares; y en el reino de Fez llaman a los mudéjares
elches, los cuales son la gente de quien aquel rey más se
sirve en la guerra. Digo, pues, que cada vez que pasaba
con su barca daba fondo en una caleta que estaba no
dos tiros de ballesta del jardín donde Zoraida esperaba;
y allí, muy de propósito, se ponía el renegado con los mo-
rillos que bogaban el remo, o ya a hacer la zalá, o a
como por ensayarse de burlas a lo que pensaba hacer
de veras; y así, se iba al jardín de Zoraida y le pedía
fruta, y su padre se la daba sin conocelle; y, aunque él

---

[1] *color*, apariencia de verosimilitud.
[2] *Sargel*, hoy Cherchell o Cerceli.
[3] *higos pasos*, higos secos.

quisiera hablar a Zoraida, como él después me dijo y
decille que él era el que por orden mía le había de llevar a tierra de cristianos, que estuviese contenta y segura, nunca le fue posible, porque las moras no se dejan
ver de ningún moro ni turco, si no es que su marido o
su padre se lo manden. De cristianos cautivos se dejan
tratar y comunicar, aun más de aquello que sería razonable; y a mí me hubiera pesado que él la hubiera hablado, que quizá la alborotara, viendo que su negocio
andaba en boca de renegados. Pero Dios, que lo ordenaba de otra manera, no dio lugar al buen deseo que
nuestro renegado tenía; el cual, viendo cuán seguramente iba y venía a Sargel, y que daba fondo cuando y como
y adonde quería, y que el tagarino, su compañero, no
tenía más voluntad de lo que la suya ordenaba, y que
yo estaba ya rescatado, y que sólo faltaba buscar algunos cristianos que bogasen el remo, me dijo que mirase
yo cuáles quería traer conmigo, fuera de los rescatados,
y que los tuviese hablados para el primer viernes, donde
tenía determinado que fuese nuestra partida. Viendo
esto, hablé a doce españoles, todos valientes hombres del
remo, y de aquellos que más libremente podían salir de
la ciudad; y no fue poco hallar tantos en aquella conyuntura, porque estaban veinte bajeles en corso, y se habían
llevado toda la gente de remo, y éstos no se hallaran, si
no fuera que su amo se quedó aquel verano sin ir en
corso, a acabar una galeota que tenía en astillero. A los
cuales no les dije otra cosa sino que el primer viernes
en la tarde se saliesen uno a uno, disimuladamente, y se
fuesen la vuelta del jardín de Agi Morato, y que allí me
aguardasen hasta que yo fuese. A cada uno di este
aviso de por sí, con orden que, aunque allí viesen a otros
cristianos, no les dijesen sino que yo les había mandado
esperar en aquel lugar. Hecha esta diligencia, me faltaba hacer otra, que era la que más me convenía: y era
la de avisar a Zoraida en el punto que estaban los negocios, para que estuviese apercebida y sobre aviso, que
no se sobresaltase si de improviso la asaltásemos antes
del tiempo que ella podía imaginar que la barca de cristianos podía volver. Y así, determiné de ir al jardín y ver
si podría hablarla; y, con ocasión de coger algunas yerbas, un día, antes de mi partida, fui allá, y la primera

persona con quien encontré fue con su padre, el cual me
dijo en lengua que en toda la Berbería, y aun en Costantinopla, se halla entre cautivos y moros, que ni es
morisca, ni castellana, ni de otra nación alguna, sino
una mezcla de todas las lenguas, con la cual todos nos
entendemos; digo, pues, que en esta manera de lenguaje
me preguntó que qué buscaba en aquel su jardín, y de
quién era. Respondíle que era esclavo de Arnaute Mamí[4]
(y esto, porque sabía yo por muy cierto que era un grandísimo amigo suyo), y que buscaba de todas yerbas, para
hacer ensalada. Preguntóme, por el consiguiente, si era
hombre de rescate o no, y que cuánto pedía mi amo por
mí. Estando en todas estas preguntas y respuestas, salió
de la casa del jardín la bella Zoraida, la cual ya había
mucho que me había visto; y como las moras en ninguna
manera hacen melindre de mostrarse a los cristianos, ni
tampoco se esquivan, como ya he dicho, no se le dio
nada de venir adonde su padre conmigo estaba; antes,
luego cuando su padre vio que venía, y de espacio, la
llamó y mandó que llegase. Demasiada cosa sería decir
yo agora la mucha hermosura, la gentileza, el gallardo
y rico adorno con que mi querida Zoraida se mostró a
mis ojos: sólo diré que más perlas pendían de su hermosísimo cuello, orejas y cabellos que cabellos tenía en la
cabeza; en las gargantas de los sus pies, que descubiertas,
a su usanza, traía, traía dos carcajes (que así se llamaban las manillas o ajorcas de los pies en morisco) de purísimo oro, con tantos diamantes engastados, que ella me
dijo después que su padre los estimaba en diez mil doblas, y las que traía en las muñecas de las manos valían
otro tanto. Las perlas eran en gran cantidad y muy buenas, porque la mayor gala y bizarría de las moras es
adornarse de ricas perlas y aljófar[5], y así, hay más perlas
y aljófar entre moros que entre todas las demás naciones; y el padre de Zoraida tenía fama de tener muchas y de las mejores que en Argel había, y de tener
asimismo más de docientos mil escudos españoles, de
todo lo cual era señora esta que ahora lo es mía. Si con

---

[4] *Arnaute Mamí*, Arnauti Mami, corsario que atacó la galera
Sol y apresó a Cervantes; era un renegado de origen albanés. Dejó
de navegar en 1592 y se trasladó a Constantinopla.
[5] *aljófar*, perla de figura irregular y pequeña.

todo este adorno podía venir entonces hermosa, o no, por
las reliquias que le han quedado en tantos trabajos se
podrá conjeturar cuál debía de ser en las prosperidades.
Porque ya se sabe que la hermosura de algunas mujeres
tiene días y sazones, y requiere accidentes para dimi-
nuirse o acrecentarse; y es natural cosa que las pasiones
del ánimo la levanten o abajen, puesto que las más veces la destruyen. Digo, en fin, que entonces llegó en todo
estremo aderezada y en todo estremo hermosa, o, a lo
menos, a mí me pareció serlo la más que hasta entonces había visto; y con esto, viendo las obligaciones en
que me había puesto, me parecía que tenía delante de
mí una deidad del cielo, venida a la tierra para mi
gusto y para mi remedio. Así como ella llegó, le dijo su
padre en su lengua como yo era cautivo de su amigo
Arnaute Mamí, y que venía a buscar ensalada. Ella
tomó la mano, y en aquella mezcla de lenguas que tengo dicho me preguntó si era caballero y qué era la causa que no me rescataba. Yo le respondí que ya estaba
rescatado, y que en el precio podía echar de ver en lo
que mi amo me estimaba, pues había dado por mí mil
y quinientos zoltamís[6]. A lo cual ella respondió: «—En
»verdad que si tú fueras de mi padre, que yo hiciera que
»no te diera él por otros dos tantos; porque vosotros,
»cristianos, siempre mentís en cuanto decís, y os hacéis
»pobres por engañar a los moros». «—Bien podría ser
»eso, señora», le respondí; «mas en verdad que yo la
»he tratado con mi amo, y la trato y la trataré con
»cuantas personas hay en el mundo». «—Y ¿cuándo te
»vas?», dijo Zoraida. «—Mañana, creo yo», dije, «por-
»que está aquí un bajel de Francia que se hace mañana
»a la vela, y pienso irme en él». «—¿No es mejor», re-
»plicó Zoraida, «esperar a que vengan bajeles de España,
»y irte con ellos, que no con los de Francia, que no son
»vuestros amigos?» «—No», respondí yo; «aunque si
»como hay nuevas que viene ya un bajel de España es ver-
»dad, todavía yo le aguardaré, puesto que es más cierto
»el partirme mañana; porque el deseo que tengo de ver-
»me en mi tierra y con las personas que bien quiero es
»tanto, que no me dejará esperar otra comodidad, si

---

[6] *zoltamí*, mejor «zoltaní», *sultaní*, moneda de plata de Argel.

»se tarda, por mejor que sea». «—Debes de ser, sin
»duda, casado en tu tierra», dijo Zoraida, «y por eso
»deseas ir a verte con tu mujer». «—No soy», respondí
yo, «casado; mas tengo dada la palabra de casarme en
»llegando allá». «—Y ¿es hermosa la dama a quien se
»la diste?», dijo Zoraida. «—Tan hermosa es», respondí yo, «que para encarecella y decirte la verdad, te pa-
»rece a ti mucho». Desto se rïyó muy de veras su padre,
y dijo: «—Gualá[7], cristiano, que debe de ser muy her-
»mosa si se parece a mi hija, que es la más hermosa de
»todo este reino. Si no, mírala bien, y verás cómo te
»digo verdad». Servíanos de intérprete a las más destas
palabras y razones el padre de Zoraida, como más ladino[8]; que aunque ella hablaba la bastarda lengua que,
como he dicho, allí se usa, más declaraba su intención
por señas que por palabras. Estando en estas y otras muchas razones, llegó un moro corriendo, y dijo, a grandes
voces, que por las bardas o paredes del jardín habían
saltado cuatro turcos, y andaban cogiendo la fruta, aunque no estaba madura. Sobresaltóse el viejo, y lo mesmo
hizo Zoraida; porque es común y casi natural el miedo
que los moros a los turcos tienen, especialmente a los
soldados, los cuales son tan insolentes y tienen tanto
imperio sobre los moros que a ellos están sujetos, que
los tratan peor que si fuesen esclavos suyos. Digo, pues,
que dijo su padre a Zoraida: «—Hija, retírate a la
»casa y enciérrate, en tanto que yo voy a hablar a es-
»tos canes; y tú, cristiano, busca tus yerbas, y vete en
»buen hora, y llévete Alá con bien a tu tierra». Yo
me incliné, y él se fue a buscar los turcos, dejándome solo con Zoraida, que comenzó a dar muestras de
irse donde su padre la había mandado. Pero apenas él
se encubrió con los árboles del jardín, cuando ella, volviéndose a mí, llenos los ojos de lágrimas, me dijo:
«—*Ámexi*[9], cristiano, cristiano, *ámexi*?» Que quiere decir: «¿Vas-
»te, cristiano, vaste?» Yo la respondí: «—Señora, sí;
»pero no, en ninguna manera, sin ti: el primero jumá[10]

[7] *Gualá*, por Alá.
[8] *ladino*, moro que sabe castellano.
[9] *ámexi*, significa «vete», como se dice más adelante; *¿te vas?*,
en cambio, en dialecto argelino sería *támxixi*, y ésta es la lectura
que adoptan algunas ediciones modernas (cfr. R. Marín, III, 216).
Es más prudente respetar el texto de la primera edición.
[10] *jumá*, viernes.

»me aguarda, y no te sobresalte, cuando nos veas; que
»sin duda alguna[11] iremos a tierra de cristianos». Yo le
dije esto de manera que ella me entendió muy bien a todas las razones que entrambos pasamos; y echándome
un brazo al cuello, con desmayados pasos comenzó a caminar hacia la casa; y quiso la suerte, que pudiera ser
muy mala si el cielo no lo ordenara de otra manera, que
yendo los dos de la manera y postura que os he contado,
con un brazo al cuello, su padre, que ya volvía de hacer
ir a los turcos, nos vio de la suerte y manera que íbamos,
y nosotros vimos que él nos había visto; pero Zoraida,
advertida y discreta, no quiso quitar el brazo de mi cuello; antes se llegó más a mí y puso su cabeza sobre mi
pecho, doblando un poco las rodillas, dando claras señales y muestras que se desmayaba, y yo, ansimismo, di a
entender que la sostenía contra mi voluntad. Su padre
llegó corriendo adonde estábamos, y viendo a su hija de
aquella manera, le preguntó que qué tenía; pero como
ella no le respondiese, dijo su padre: «—Sin duda algu-
»na que con el sobresalto de la entrada de estos canes
»se ha desmayado». Y quitándola del mío, la arrimó a
su pecho, y ella, dando un suspiro y aún no enjutos los
ojos de lágrimas, volvió a decir: «—*Ámexi*, cristiano,
ámexi». «Vete, cristiano, vete.» A lo que su padre respondió: «—No importa, hija, que el cristiano se vaya;
»que ningún mal te ha hecho, y los turcos ya son idos.
»No te sobresalte cosa alguna, pues ninguna hay que
»pueda darte pesadumbre; pues, como ya te he dicho,
»los turcos, a mi ruego, se volvieron por donde entra-
»ron». «—Ellos, señor, la sobresaltaron, como has dicho», dije yo a su padre; «mas, pues ella dice que yo
»me vaya, no la quiero dar pesadumbre: quédate en
»paz, y, con tu licencia, volveré, si fuere menester, por
»yerbas a este jardín; que, según dice mi amo, en nin-
»guno las hay mejores para ensalada que en él». «—To-
»das las[12] que quisieres podrás volver», respondió Agi
Morato; «que mi hija no dice esto porque tú ni ninguno
»de los cristianos la enojaban, sino que, por decir que
»los turcos se fuesen, dijo que tú te fueses, o porque ya

---

[11] *sin duda alguna*, indudablemente.
[12] *todas las* [veces], o también [por] *todas las* [yerbas] *que
quisieres...*

»era hora que buscases tus yerbas». Con esto, me despedí al punto de entrambos; y ella, arrancándosele el alma, al parecer, se fue con su padre, y yo, con achaque de buscar las yerbas, rodeé muy bien y a mi placer todo el jardín: miré bien las entradas y salidas, y la fortaleza de la casa, y la comodidad que se podía ofrecer para facilitar todo nuestro negocio. Hecho esto, me vine y di cuenta de cuanto había pasado al renegado y a mis compañeros, y ya no veía la hora de verme gozar sin sobresalto del bien que en la hermosa y bella Zoraida la suerte me ofrecía. En fin, el tiempo se pasó, y se llegó el día y plazo de nosotros tan deseado; y siguiendo todos el orden y parecer que, con discreta consideración y largo discurso, muchas veces habíamos dado, tuvimos el buen suceso que deseábamos; porque el viernes que se siguió al día que yo con Zoraida hablé en el jardín, nuestro renegado, al anochecer, dio fondo con la barca casi frontero de donde la hermosísima Zoraida estaba. Ya los cristianos que habían de bogar el remo estaban prevenidos, y escondidos por diversas partes de todos aquellos alrededores. Todos estaban suspensos y alborozados aguardándome, deseosos ya de embestir con el bajel que a los ojos tenían; porque ellos no sabían el concierto del renegado, sino que pensaban que a fuerza de brazos habían de haber y ganar la libertad, quitando la vida a los moros que dentro de la barca estaban. Sucedió, pues, que así como yo me mostré y mis compañeros, todos los demás escondidos que nos vieron se vinieron llegando a nosotros. Esto era ya a tiempo que la ciudad estaba ya cerrada, y por toda aquella campaña ninguna persona parecía. Como estuvimos juntos, dudamos si sería mejor ir primero por Zoraida, o rendir primero a los moros bagarinos[13] que bogaban el remo en la barca. Y estando en esta duda, llegó a nosotros nuestro renegado diciéndonos que en qué nos deteníamos, que ya era hora, y que todos sus moros estaban descuidados, y los más de ellos, durmiendo. Dijímosle en lo que reparábamos, y él dijo que lo que más importaba era rendir primero el bajel, que se podía hacer con grandísima facilidad y sin peligro alguno, y que luego

---

[13] *bagarinos,* remeros.

podíamos ir por Zoraida. Pareciónos bien a todos lo
que decía, y así, sin detenernos más, haciendo él la guía,
llegamos al bajel, y saltando él dentro primero, metió
mano a un alfanje, y dijo en morisco: «—Ninguno de
»vosotros se mueva de aquí, si no quiere que le cueste
»la vida». Ya, a este tiempo, habían entrado dentro
casi todos los cristianos. Los moros, que eran de poco
ánimo, viendo hablar de aquella manera su arráez[14],
quedáronse espantados, y sin ninguno de todos ellos
echar mano a las armas, que pocas o casi ningunas tenían, se dejaron, sin hablar alguna palabra, maniatar
de los cristianos, los cuales con mucha presteza lo hicieron, amenazando a los moros que si alzaban por alguna
vía o manera la voz, que luego al punto los pasarían todos a cuchillo. Hecho ya esto, quedándose en guardia
dellos la mitad de los nuestros, los que quedábamos,
haciéndonos asimismo el renegado la guía, fuimos al jardín de Agi Morato, y quiso la buena suerte que, llegando a abrir la puerta, se abrió con tanta facilidad como
si cerrada no estuviera; y así, con gran quietud y silencio, llegamos a la casa sin ser sentidos de nadie. Estaba
la bellísima Zoraida aguardándonos a una ventana, y
así como sintió gente preguntó con voz baja si éramos
nizarani, como si dijera o preguntara si éramos cristianos.
Yo le respondí que sí, y que bajase. Cuando ella me conoció, no se detuvo un punto; porque, sin responderme
palabra, bajó en un instante, abrió la puerta y mostróse
a todos tan hermosa y ricamente vestida, que no lo acierto a encarecer. Luego que yo la vi, le tomé una mano y
la comencé a besar, y el renegado hizo lo mismo, y mis
dos camaradas; y los demás que el caso no sabían, hicieron lo que vieron que nosotros hacíamos, que no parecía sino que le dábamos las gracias y la reconocíamos
por señora de nuestra libertad. El renegado le dijo en
lengua morisca si estaba su padre en el jardín. Ella respondió que sí, y que dormía. «—Pues será menester des-
»pertalle», replicó el renegado, «y llevárnosle con noso-
»tros, y todo aquello que tiene de valor este hermoso
»jardín». «—No», dijo ella, «a mi padre no se ha de to-
»car en ningún modo, y en esta casa no hay otra cosa

---

[14] *arráez*, capitán.

»que lo que yo llevo, que es tanto, que bien habrá
»para que todos quedéis ricos y contentos, y esperaros un
»poco y lo veréis». Y diciendo esto, se volvió a entrar,
diciendo que muy presto volvería; que nos estuviésemos
quedos, sin hacer ningún ruido. Preguntéle al renegado
lo que con ella había pasado, el cual me lo contó, a
quien yo dije que ninguna cosa se había de hacer más
de lo que Zoraida quisiese; la cual ya que volvía cargada con un cofrecillo lleno de escudos de oro, tantos,
que apenas lo podía sustentar. Quiso la mala suerte que su
padre despertase en el ínterin y sintiese el ruido que
andaba en el jardín; y asomándose a la ventana, luego
conoció que todos los que en él estaban eran cristianos;
y dando muchas, grandes y desaforadas voces, comenzó
a decir en arábigo: «—¡Cristianos, cristianos! ¡Ladrones, ladrones!» Por los cuales gritos nos vimos todos
puestos en grandísima y temerosa confusión. Pero el renegado, viendo el peligro en que estábamos, y lo mucho que le importaba salir con aquella empresa antes de
ser sentido, con grandísima presteza subió donde Agi
Morato estaba, y juntamente con él fueron algunos de
nosotros; que yo no osé desamparar a la Zoraida, que
como desmayada se había dejado caer en mis brazos. En
resolución, los que subieron se dieron tan buena maña,
que en un momento bajaron con Agi Morato, trayéndole atadas las manos y puesto un pañizuelo en la boca,
que no le dejaba hablar palabra, amenazándole que el
hablarla le había de costar la vida. Cuando su hija le
vio se cubrió los ojos por no verle, y su padre quedó
espantado, ignorando cuán de su voluntad se había puesto en nuestras manos. Mas entonces siendo más necesarios los pies, con diligencia y presteza nos pusimos en la
barca; que ya los que en ella habían quedado nos esperaban, temerosos de algún mal suceso nuestro. Apenas
serían dos horas pasadas de la noche, cuando ya estábamos todos en la barca, en la cual se le quitó al padre
de Zoraida la atadura de las manos y el paño de la boca;
pero tornóle a decir el renegado que no hablase palabra;
que le quitarían la vida. Él, como vio allí a su hija, comenzó a suspirar ternísimamente, y más cuando vio que
yo estrechamente la tenía abrazada, y que ella sin defender, quejarse ni esquivarse, se estaba queda; pero,

con todo esto, callaba, porque no pusiesen en efeto las
muchas amenazas que el renegado le hacía. Viéndose,
pues, Zoraida ya en la barca, y que queríamos dar los
remos al agua, y viendo allí a su padre y a los demás
moros que atados estaban, le dijo al renegado que me
dijese le hiciese merced de soltar a aquellos moros y de
dar libertad a su padre; porque antes se arrojaría en la
mar que ver delante de sus ojos y por causa suya llevar
cautivo a un padre que tanto la había querido. El renegado me lo dijo, y yo respondí que era muy contento;
pero él respondió que no convenía, a causa que, si allí
los dejaban, apellidarían luego la tierra[15] y alborotarían
la ciudad, y serían causa que saliesen a buscallos con algunas fragatas ligeras, y les tomasen la tierra y la mar,
de manera que no pudiésemos escaparnos; que lo que
se podría hacer era darles libertad en llegando a la primera tierra de cristianos. En este parecer venimos todos,
y Zoraida, a quien se le dio cuenta, con las causas que
nos movían a no hacer luego lo que quería, también se
satisfizo; y luego, con regocijado silencio y alegre diligencia, cada uno de nuestros valientes remeros tomó su
remo, y comenzamos, encomendándonos a Dios de todo
corazón, a navegar la vuelta de las islas de Mallorca,
que es la tierra de cristianos más cerca. Pero a causa de
soplar un poco el viento tramontana y estar la mar algo
picada, no fue posible seguir la derrota de Mallorca, y
fuenos forzoso dejarnos ir tierra a tierra la vuelta de
Orán, no sin mucha pesadumbre nuestra, por no ser
descubiertos del lugar de Sargel, que en aquella costa
cae sesenta millas de Argel. Y asimismo temíamos encontrar por aquel paraje alguna galeota de las que de
ordinario vienen con mercancía de Tetuán, aunque cada
uno por sí, y por todos juntos, presumíamos de que, si
se encontraba galeota de mercancía, como no fuese de
las que andan en corso, que no sólo no nos perderíamos,
mas que tomaríamos bajel donde con más seguridad pudiésemos acabar nuestro viaje. Iba Zoraida, en tanto que
se navegaba, puesta la cabeza entre mis manos, por no
ver a su padre, y sentía yo que iba llamando a Lela
Marién que nos ayudase. Bien habríamos navegado

---

[15] *apellidarían... la tierra*, reunirían gente.

treinta millas, cuando nos amaneció, como tres tiros de
arcabuz, desviados de tierra, toda la cual vimos desierta
y sin nadie que nos descubriese; pero, con todo eso, nos
fuimos a fuerza de brazos entrando un poco en la mar,
que ya estaba algo más sosegada; y habiendo entrado
casi dos leguas, diose orden que se bogase a cuarteles[16]
en tanto que comíamos algo, que iba bien proveída la
barca, puesto que los que bogaban dijeron que no era
aquél tiempo de tomar reposo alguno; que les diesen
de comer los que no bogaban, que ellos no querían soltar los remos de las manos en manera alguna. Hízose
ansí, y en esto comenzó a soplar un viento largo[17], que
nos obligó a hacer luego vela y a dejar el remo, y enderezar a Orán, por no ser posible poder hacer otro viaje.
Todo se hizo con mucha presteza, y así a la vela, na-
vegamos por más de ocho millas por hora, sin llevar
otro temor alguno sino el de encontrar con bajel que de
corso fuese. Dimos de comer a los moros bagarinos, y el
renegado les consoló diciéndoles como no iban cautivos;
que en la primera ocasión les darían libertad. Lo mismo
se dijo al padre de Zoraida, el cual respondió:
«—Cualquiera otra cosa pudiera yo esperar y creer de
»vuestra liberalidad y buen término, ¡oh cristianos!;
»mas el darme libertad, no me tengáis por tan sim-
»ple que lo imagine; que nunca os pusistes vosotros al
»peligro de quitármela para volverla tan liberalmente,
»especialmente sabiendo quién soy yo, y el interese que
»se os puede seguir de dármela; el cual interese, si le
»queréis poner nombre[18], desde aquí os ofrezco todo
»aquello que quisiéredes por mí y por esa desdichada
»hija mía, o si no, por ella sola, que es la mayor y la
»mejor parte de mi alma». En diciendo esto, comenzó
a llorar tan amargamente, que a todos nos movió a
compasión, y forzó a Zoraida que le mirase; la cual,
viéndole llorar, así se enterneció, que se levantó de mis
pies y fue abrazar a su padre, y, juntando su rostro con
el suyo, comenzaron los dos tan tierno llanto, que muchos de los que allí íbamos le acompañamos en él. Pero
cuando su padre la vio adornada de fiesta y con tantas

---

[16] *a cuarteles*, relevándose para descansar.
[17] *viento largo*, el que sopla perpendicular al rumbo de la nave.
[18] *poner nombre*, asignar precio.

joyas sobre sí, le dijo en su lengua: «—¿Qué es esto,
»hija, que ayer al anochecer, antes que nos sucediese
»esta terrible desgracia en que nos vemos, te vi con tus
»ordinarios y caseros vestidos, y agora, sin que hayas te-
»nido tiempo de vestirte, y sin haberte dado alguna nue-
»va alegre de solenizalle con adornarte y pulirte, te veo
»compuesta con los mejores vestidos que yo supe y pude
»darte cuando nos fue la ventura más favorable? Res-
»póndeme a esto, que me tiene más suspenso y admi-
»rado que la misma desgracia en que me hallo». Todo
lo que el moro decía a su hija nos lo declaraba el renegado, y ella no le respondía palabra. Pero cuando él
vio a un lado de la barca el cofrecillo donde ella solía
tener sus joyas, el cual sabía él bien que le había dejado
en Argel, y no traídole al jardín, quedó más confuso, y
preguntóle que cómo aquel cofre había venido a nuestras manos, y qué era lo que venía dentro. A lo cual el
renegado, sin aguardar que Zoraida le respondiese, le
respondió: «—No te canses, señor, en preguntar a Zo-
»raida, tu hija, tantas cosas, porque con una que yo
»te responda te satisfaré a todas; y así, quiero que se-
»pas que ella es cristiana, y es la que ha sido la lima
»de nuestras cadenas y la libertad de nuestro cautive-
»rio; ella va aquí de su voluntad, tan contenta, a lo que
»yo imagino, de verse en este estado, como el que sale
»de las tinieblas a la luz, de la muerte a la vida y de
»la pena a la gloria.» «—¿Es verdad lo que éste dice,
»hija?», dijo el moro. «—Así es», respondió Zoraida.
«—¿Que, en efeto», replicó el viejo, «tú eres cristiana, y
»la que ha puesto a su padre en poder de sus enemi-
»gos?» A lo cual respondió Zoraida: «—La que es cris-
»tiana, yo soy; pero no la que te ha puesto en este pun-
»to; porque nunca mi deseo se estendió a dejarte ni a
»hacerte mal, sino a hacerme a mí bien». «—Y ¿qué
»bien es el que te has hecho, hija?» «—Eso», respondió
ella, «pregúntaselo tú a Lela Marién; que ella te lo sabrá
»decir mejor que no yo». Apenas hubo oído esto el moro,
cuando, con una increíble presteza, se arrojó de cabeza en
la mar, donde sin ninguna duda se ahogara, si el vestido
largo y embarazoso que traía no le entretuviera un poco
sobre el agua. Dio voces Zoraida que le sacasen, y así,
acudimos luego todos, y, asiéndole de la almalafa, le sa-

camos medio ahogado y sin sentido; de que recibió tanta pena Zoraida, que, como si fuera ya muerto, hacía
sobre él un tierno y doloroso llanto. Volvímosle boca
abajo; volvió mucha agua; tornó en sí al cabo de dos
horas, en las cuales, habiéndose trocado el viento, nos
convino volver hacia tierra, y hacer fuerza de remos, por
no embestir en ella; mas quiso nuestra buena suerte que
llegamos a una cala que se hace al lado de un pequeño
promontorio o cabo que de los moros es llamado el de
la Cava Rumía, que en nuestra lengua quiere decir *la
mala mujer cristiana;* y es tradición entre los moros que
en aquel lugar está enterrada la Cava, por quien se perdió España[19], porque *cava* en su lengua quiere decir
mujer mala, y *rumía, cristiana;* y aun tienen por mal
agüero llegar allí a dar fondo cuando la necesidad les
fuerza a ello, porque nunca le dan sin ella; puesto que
para nosotros no fue abrigo de mala mujer, sino puerto
seguro de nuestro remedio, según andaba alterada la
mar. Pusimos nuestras centinelas en tierra, y no dejamos
jamás los remos de la mano; comimos de lo que el renegado había proveído, y rogamos a Dios y a Nuestra
Señora, de todo nuestro corazón, que nos ayudase y favoreciese para que felicemente diésemos fin a tan dichoso principio. Diose orden, a suplicación de Zoraida, como
echásemos en tierra a su padre y a todos los demás moros que allí atados venían, porque no le bastaba el ánimo, ni lo podían sufrir sus blandas entrañas, ver delante de sus ojos atado a su padre y aquellos de su tierra
presos. Prometímosle de hacerlo así al tiempo de la partida, pues no corría peligro el dejallos en aquel lugar,
que era despoblado. No fueron tan vanas nuestras oraciones que no fuesen oídas del cielo; que, en nuestro
favor, luego volvió el viento, tranquilo el mar, convi-
dándonos a que tornásemos alegres a proseguir nuestro
comenzado viaje. Viendo esto, desatamos a los moros, y
uno a uno los pusimos en tierra, de lo que ellos se quedaron admirados; pero llegando a desembarcar al padre
de Zoraida, que ya estaba en todo su acuerdo, dijo:
«—¿Por qué pensáis, cristianos, que esta mala hembra

---

[19] *La Cava,* la hija del conde don Julián, engañada por el rey
Rodrigo, el último de los godos, según la tradición. A la Cava,
a partir del siglo XVII, se le dio el nombre de Florinda.

»huelga de que me deis libertad? ¿Pensáis que es por
»piedad que de mí tiene? No, por cierto, sino que lo
»hace por el estorbo que le dará mi presencia cuando
»quiera poner en ejecución sus malos deseos; ni penséis
»que la ha movido a mudar religión entender ella que
»la vuestra a la nuestra se aventaja, sino el saber que en
»vuestra tierra se usa la deshonestidad más libremente
»que en la nuestra». Y volviéndose a Zoraida, teniéndole
yo y otro cristiano de entrambos brazos asido, porque
algún desatino no hiciese, le dijo: «—¡Oh infame moza
»y mal aconsejada muchacha! ¿Adónde vas, ciega y de-
»satinada, en poder destos perros, naturales enemigos
»nuestros? ¡Maldita sea la hora en que yo te engendré,
»y malditos sean los regalos y deleites en que te he cria-
»do!» Pero viendo yo que llevaba término de no acabar
tan presto, di priesa a ponelle en tierra, y desde allí, a
voces, prosiguió en sus maldiciones y lamentos, rogando
a Mahoma rogase a Alá que nos destruyese, confundiese
y acabase; y cuando, por habernos hecho a la vela, no
podimos oír sus palabras, vimos sus obras, que eran
arrancarse las barbas, mesarse los cabellos y arrastrarse
por el suelo; mas una vez esforzó la voz de tal manera,
que podimos entender que decía: «—¡Vuelve, amada
»hija, vuelve a tierra, que todo te lo perdono; entrega
»a esos hombres ese dinero, que ya es suyo, y vuelve a
»consolar a este triste padre tuyo, que en esta desierta
»arena dejará la vida, si tú le dejas!» Todo lo cual escuchaba Zoraida, y todo lo sentía y lloraba, y no supo decirle ni respondelle palabra, sino: «—Plega a Alá, pa-
»dre mío, que Lela Marién, que ha sido la causa de que
»yo sea cristiana, ella te consuele en tu tristeza. Alá sabe
»bien que no pude hacer otra cosa de la que he hecho,
»y que estos cristianos no deben nada a mi voluntad,
»pues aunque quisiera no venir con ellos y quedarme en
»mi casa, me fuera imposible, según la priesa que me
»daba mi alma a poner por obra esta que a mí me pa-
»rece tan buena como tú, padre amado, la juzgas por
»mala». Esto dijo, a tiempo que ni su padre la oía, ni
nosotros ya le veíamos; y así, consolando yo a Zoraida,
atendimos todos a nuestro viaje, el cual nos le facilitaba
el proprio viento, de tal manera que bien tuvimos por
cierto de vernos otro día al amanecer en las riberas de

España. Mas como pocas veces, o nunca, viene el bien puro y sencillo, sin ser acompañado o seguido de algún mal que le turbe o sobresalte, quiso nuestra ventura, o quizá las maldiciones que el moro a su hija había echado, que siempre se han de temer de cualquier padre que sean, quiso, digo, que estando ya engolfados y siendo ya casi pasadas tres horas de la noche, yendo con la vela tendida de alto baja, frenillados[20] los remos, porque el próspero viento nos quitaba del trabajo de haberlos menester, con la luz de la luna, que claramente resplandecía, vimos cerca de nosotros un bajel redondo[21], que, con todas las velas tendidas, llevando un poco a orza el timón, delante de nosotros atravesaba; y esto tan cerca, que nos fue forzoso amainar por no embestirle, y ellos, asimesmo, hicieron fuerza de timón para darnos lugar que pasásemos. Habíanse puesto a bordo del bajel a preguntarnos quién éramos, y adónde navegábamos, y de dónde veníamos; pero, por preguntarnos esto en lengua francesa, dijo nuestro renegado: «—Ninguno responda; »porque éstos, sin duda, son cosarios franceses, que hacen »a toda ropa[22]». Por este advertimiento, ninguno respondió palabra; y habiendo pasado un poco delante, que ya el bajel quedaba sotavento, de improviso soltaron dos piezas de artillería, y, a lo que parecía, ambas venían con cadenas, porque con una cortaron nuestro árbol por medio, y dieron con él y con la vela en la mar; y al momento, disparando otra pieza, vino a dar la bala en mitad de nuestra barca, de modo que la abrió toda, sin hacer otro mal alguno; pero como nosotros nos vimos ir a fondo, comenzamos todos a grandes voces a pedir socorro y a rogar a los del bajel que nos acogiesen, porque nos anegábamos. Amainaron entonces, y echando el esquife, o barca, al mar, entraron en él hasta doce franceses bien armados, con sus arcabuces y cuerdas[23] encendidas, y así llegaron junto al nuestro; y viendo cuán pocos éramos y cómo el bajel se hundía, nos recogieron, diciendo que, por haber usado de la descortesía de no respondelles, nos había sucedido aquello. Nuestro renegado tomó el cofre de las riquezas de Zoraida, y dio con

[20] *frenillados*, amarrados.
[21] *bajel redondo*, de vela cuadrada.
[22] *hacer a toda ropa*, robar.
[23] *cuerdas*, mechas.

él en la mar, sin que ninguno echase de ver en lo que
hacía. En resolución, todos pasamos con los franceses, los
cuales, después de haberse informado de todo aquello
que de nosotros saber quisieron, como si fueran nuestros
capitales enemigos, nos despojaron de todo cuanto teníamos, y a Zoraida le quitaron hasta los carcajes que
traía en los pies. Pero no me daba a mí tanta pesadumbre la que a Zoraida daban como me la daba el temor
que tenía de que habían de pasar del quitar de las riquísimas y preciosísimas joyas al quitar de la joya que
más valía y ella más estimaba. Pero los deseos de aquella
gente no se estienden a más que al dinero, y desto jamás
se vee harta su codicia; lo cual entonces llegó a tanto,
que aun hasta los vestidos de cautivos nos quitaran si
de algún provecho les fueran. Y hubo parecer entre ellos
de que a todos nos arrojasen a la mar envueltos en una
vela, porque tenían intención de tratar en algunos puertos de España con nombre de que eran bretones, y si nos
llevaban vivos, serían castigados siendo descubierto su
hurto. Mas el capitán, que era el que había despojado
a mi querida Zoraida, dijo que él se contentaba con la
presa que tenía, y que no quería tocar en ningún puerto de España, sino pasar el estrecho de Gibraltar de
noche, o como pudiese, y irse a la Rochela, de donde había salido; y así, tomaron por acuerdo de darnos el esquife de su navío, y todo lo necesario para la corta navegación que nos quedaba, como lo hicieron otro día, ya
a vista de tierra de España; con la cual vista, todas
nuestras pesadumbres y pobrezas se nos olvidaron de
todo punto, como si no hubieran pasado por nosotros;
tanto es el gusto de alcanzar la libertad perdida. Cerca
de medio día podría ser cuando nos echaron en la barca, dándonos dos barriles de agua y algún bizcocho; y
el capitán, movido no sé de qué misericordia, al embarcarse la hermosísima Zoraida, le dio hasta cuarenta escudos de oro, y no consintió que le quitasen sus soldados
estos mesmos vestidos que ahora tiene puestos. Entramos
en el bajel; dímosles las gracias por el bien que nos hacían, mostrándonos más agradecidos que quejosos; ellos
se hicieron a lo largo, siguiendo la derrota del estrecho;
nosotros, sin mirar a otro norte que a la tierra que se nos
mostraba delante, nos dimos tanta priesa a bogar, que

al poner del sol estábamos tan cerca, que bien pudiéramos, a nuestro parecer, llegar antes que fuera muy
noche; pero, por no parecer en aquella noche la luna y
el cielo mostrarse oscuro, y por ignorar el paraje en que
estábamos, no nos pareció cosa segura embestir en tierra, como a muchos de nosotros les parecía, diciendo que
diésemos en ella, aunque fuese en unas peñas y lejos de
poblado, porque así aseguraríamos el temor que de razón
se debía tener que por allí anduviesen bajeles de cosarios de Tetuán, los cuales anochecen en Berbería y ama-
necen en las costas de España, y hacen de ordinario
presa, y se vuelven a dormir a sus casas; pero de los contrarios pareceres el que se tomó fue que nos llegásemos
poco a poco, y que si el sosiego del mar lo concediese,
desembarcásemos donde pudiésemos. Hízose así, y poco
antes de la media noche sería cuando llegamos al pie de
una disformísima y alta montaña, no tan junto al mar,
que no concediese un poco de espacio para poder desembarcar cómodamente. Embestimos en la arena, salimos
a tierra, besamos el suelo, y con lágrimas de muy ale-
grísimo contento dimos todos gracias a Dios, Señor Nuestro, por el bien tan incomparable que nos había hecho.
Sacamos de la barca los bastimentos que tenía, tirámos-
la en tierra, y subímonos un grandísimo trecho en la
montaña, porque aún allí estábamos, y aún no podíamos asegurar el pecho, ni acabábamos de creer que era
tierra de cristianos la que ya nos sostenía. Amaneció más
tarde, a mi parecer, de lo que quisiéramos. Acabamos de
subir toda la montaña, por ver si desde allí algún poblado se descubría, o algunas cabañas de pastores; pero
aunque más tendimos la vista, ni poblado, ni persona, ni
senda, ni camino descubrimos. Con todo esto, determinamos de entrarnos la tierra adentro, pues no podría ser
menos sino que presto descubriésemos quien nos diese
noticia della. Pero lo que a mí más me fatigaba era el
ver ir a pie a Zoraida por aquellas asperezas, que, puesto que alguna vez la puse sobre mis hombros, más le
cansaba a ella mi cansancio que la reposaba su reposo;
y así, nunca más quiso que yo aquel trabajo tomase; y
con mucha paciencia y muestras de alegría, llevándola
yo siempre de la mano, poco menos de un cuarto de
legua debíamos de haber andado, cuando llegó a nues-

tros oídos el son de una pequeña esquila, señal clara que
por allí cerca había ganado; y mirando todos con atención si alguno se parecía, vimos al pie de un alcornoque
un pastor mozo, que con grande reposo y descuido estaba labrando un palo con un cuchillo. Dimos voces, y
él, alzando la cabeza, se puso ligeramente en pie, y a lo
que después supimos, los primeros que a la vista se le
ofrecieron fueron el renegado y Zoraida, y como él los
vio en hábito de moros, pensó que todos los de la Berbería estaban sobre él; y metiéndose con estraña ligereza
por el bosque adelante, comenzó a dar los mayores gritos del mundo, diciendo: «—¡Moros, moros hay en la
»tierra! ¡Moros, moros! ¡Arma, arma!» Con estas voces quedamos todos confusos, y no sabíamos qué hacernos; pero considerando que las voces del pastor habían
de alborotar la tierra, y que la caballería de la costa
había de venir luego a ver lo que era, acordamos que
el renegado se desnudase las ropas del turco y se vistiese un gilecuelco o casaca de cautivo que uno de nosotros le dio luego, aunque se quedó en camisa; y así,
encomendándonos a Dios, fuimos por el mismo camino
que vimos que el pastor llevaba, esperando siempre
cuándo había de dar sobre nosotros la caballería de
la costa. Y no nos engañó nuestro pensamiento, porque
aún no habrían pasado dos horas cuando, habiendo ya
salido de aquellas malezas a un llano, descubrimos hasta
cincuenta caballeros, que con gran ligereza, corriendo a
media rienda, a nosotros se venían, y así como los vimos, nos estuvimos quedos aguardándolos; pero como
ellos llegaron, y vieron, en lugar de los moros que buscaban, tanto pobre cristiano, quedaron confusos, y uno
dellos nos preguntó si éramos nosotros acaso la ocasión
por que un pastor había apellidado al arma. «—Sí»,
dije yo; y queriendo comenzar a decirle su suceso, y de
dónde veníamos y quién éramos, uno de los cristianos
que con nosotros venían conoció al jinete que nos había
hecho la pregunta, y dijo, sin dejarme a mí decir más
palabra: «—¡Gracias sean dadas a Dios, señores, que a
»tan buena parte nos ha conducido! Porque, si yo no
»me engaño, la tierra que pisamos es la de Vélez Mála-
»ga; si ya los años de mi cautiverio no me han quitado
»de la memoria el acordarme que vos, señor, que nos

»preguntáis quién somos, sois Pedro de Bustamante, tío
»mío». Apenas hubo dicho esto el cristiano cautivo,
cuando el jinete se arrojó del caballo y vino a abrazar
al mozo, diciéndole: «—Sobrino de mi alma y de mi
»vida, ya te conozco, y ya te he llorado por muerto yo,
»y mi hermana, tu madre, y todos los tuyos, que aún
»viven, y Dios ha sido servido de darles vida para que
»gocen el placer de verte: ya sabíamos que estabas en
»Argel, y por las señales y muestras de tus vestidos, y
»la de todos los desta compañía, comprehendo que ha-
»béis tenido milagrosa libertad». «—Así es», respondió
el mozo, «y tiempo nos quedará para contároslo todo».
Luego que los jinetes entendieron que éramos cristianos
cautivos, se apearon de sus caballos, y cada uno nos convidaba con el suyo para llevarnos a la ciudad de Vélez
Málaga, que legua y media de allí estaba. Algunos dellos
volvieron a llevar la barca a la ciudad, diciéndoles dónde la habíamos dejado; otros nos subieron a las ancas,
y Zoraida fue en las del caballo del tío del cristiano.
Saliónos a recebir todo el pueblo; que ya de alguno que
se había adelantado sabían la nueva de nuestra venida.
No se admiraban de ver cautivos libres, ni moros cautivos, porque toda la gente de aquella costa está hecha a
ver a los unos y a los otros; pero admirábanse de la hermosura de Zoraida, la cual en aquel instante y sazón
estaba en su punto, ansí con el cansancio del camino
como con la alegría de verse ya en tierra de cristianos,
sin sobresalto de perderse; y esto le había sacado al rostro tales colores, que si no es que la afición entonces me
engañaba, osaré decir que más hermosa criatura no había en el mundo; a lo menos, que yo la hubiese visto.
Fuimos derechos a la iglesia, a dar gracias a Dios por la
merced recebida; y así como en ella entró Zoraida, dijo
que allí había rostros que se parecían a los de Lela Marién. Dijímosle que eran imágenes suyas, y como mejor
se pudo le dio el renegado a entender lo que significa-
ban, para que ella las adorase como si verdaderamente
fueran cada una dellas la misma Lela Marién que la había hablado. Ella, que tiene buen entendimiento y un
natural fácil y claro, entendió luego cuanto acerca de
las imágenes[24] se le dijo. Desde allí nos llevaron y repar-

[24] Los mahometanos tienen prohibidas las imágenes.

tieron a todos en diferentes casas del pueblo; pero al renegado, Zoraida y a mí nos llevó el cristiano que vino
con nosotros, y en casa de sus padres, que medianamente eran acomodados de los bienes de fortuna, y nos regalaron con tanto amor como a su mismo hijo. Seis días
estuvimos en Vélez, al cabo de los cuales el renegado, hecha su información de cuanto le convenía, se fue a la
ciudad de Granada, a reducirse por medio de la Santa
Inquisición al gremio santísimo de la Iglesia; los demás
cristianos libertados se fueron cada uno donde mejor le
pareció; solos quedamos Zoraida y yo, con solos los escudos que la cortesía del francés le dio a Zoraida, de los
cuales compré este animal en que ella viene, y, sirvién-
dola yo hasta agora de padre y escudero, y no de esposo,
vamos con intención de ver si mi padre es vivo, o si alguno de mis hermanos ha tenido más próspera ventura
que la mía, puesto que, por haberme hecho el cielo compañero de Zoraida, me parece que ninguna otra suerte
me pudiera venir, por buena que fuera, que más la estimara. La paciencia con que Zoraida lleva las incomodidades que la pobreza trae consigo, y el deseo que muestra tener de verse ya cristiana es tanto y tal, que me
admira, y me mueve a servirla todo el tiempo de mi vida;
puesto que el gusto que tengo de verme suyo y de que
ella sea mía me le turba y deshace no saber si hallaré
en mi tierra algún rincón donde recogella, y si habrán
hecho el tiempo y la muerte tal mudanza en la hacienda
y vida de mi padre y hermanos, que apenas halle quien
me conozca, si ellos faltan. No tengo más, señores, que
deciros de mi historia; la cual, si es agradable y peregrina, júzguenlo vuestros buenos entendimientos; que de mí
sé decir que quisiera habérosla contado más brevemente,
puesto que el temor de enfadaros más de cuatro circus-
tancias me ha quitado de la lengua.

CAPÍTULO XLII

QUE TRATA DE LO QUE MÁS SUCEDIÓ EN LA VENTA Y DE OTRAS MUCHAS COSAS DIGNAS DE SABERSE

CALLÓ en diciendo esto el cautivo, a quien don Fernando dijo:

—Por cierto, señor capitán, el modo con que habéis contado este estraño suceso ha sido tal, que iguala a la novedad y estrañeza del mesmo caso. Todo es peregrino, y raro, y lleno de accidentes que maravillan y suspenden a quien los oye; y es de tal manera el gusto que hemos recebido en escuchalle, que aunque nos hallara el día de mañana entretenidos en el mesmo cuento, holgáramos que de nuevo se comenzara.

Y en diciendo esto, Cardenio[1] y todos los demás se le ofrecieron con todo lo a ellos posible para servirle, con palabras y razones tan amorosas y tan verdaderas, que el capitán se tuvo por bien satisfecho de sus voluntades. Especialmente, le ofreció don Fernando que si quería volverse con él, que él haría que el marqués, su hermano, fuese padrino del bautismo de Zoraida, y que él, por su parte, le acomodaría de manera que pudiese entrar en su tierra con el autoridad y cómodo que a su persona se debía. Todo lo agradeció cortesísimamente el cautivo, pero no quiso acetar ninguno de sus liberales ofrecimientos.

En esto llegaba ya la noche, y al cerrar della, llegó a la venta un coche, con algunos hombres de a caballo. Pidieron posada; a quien la ventera respondió que no había en toda la venta un palmo desocupado.

—Pues, aunque eso sea —dijo uno de los de a caballo que habían entrado—, no ha de faltar para el señor oidor[2] que aquí viene.

---

[1] *Cardenio,* en las primeras ediciones *don Antonio,* tal vez error de imprenta, aunque no es imposible que en una primera redacción así se hubiera llamado a este personaje, al que luego Cervantes mudaría el nombre por el de Cardenio y se hubiera olvidado de enmendarlo aquí.

[2] *oidor,* «juez de los supremos en las chancillerías o consejos del rey, dichos así porque oyen las causas y lo que cada una de las partes alega» (Covarrubias).

A este nombre se turbó la güéspeda, y dijo:

—Señor, lo que en ello hay, es que no tengo camas; si es que su merced del señor oidor la trae, que sí debe de traer, entre en buen hora; que yo y mi marido nos saldremos de nuestro aposento por acomodar a su merced.

—Sea en buen hora —dijo el escudero.

Pero a este tiempo ya había salido del coche un hombre, que en el traje mostró luego el oficio y cargo que tenía, porque la ropa luenga, con las mangas arrocadas[3], que vestía, mostraron ser oidor, como su criado había dicho. Traía de la mano a una doncella, al parecer de hasta diez y seis años, vestida de camino, tan bizarra, tan hermosa y tan gallarda, que a todos puso en admiración su vista; de suerte que, a no haber visto a Dorotea y a Luscinda y Zoraida, que en la venta estaban, creyeran que otra tal hermosura como la desta doncella difícilmente pudiera hallarse. Hallóse don Quijote al entrar del oidor y de la doncella, y así como le vio, dijo:

—Seguramente puede vuestra merced entrar y espaciarse en[4] este castillo; que aunque es estrecho y mal acomodado, no hay estrecheza ni incomodidad en el mundo que no dé lugar a las armas y a las letras, y más si las armas y letras traen por guía y adalid a la fermosura, como la traen las letras de vuestra merced en esta fermosa doncella, a quien deben no sólo abrirse y manifestarse los castillos, sino apartarse los riscos, y devidirse y abajarse las montañas, para dalle acogida. Entre vuestra merced, digo, en este paraíso; que aquí hallará estrellas y soles que acompañen el cielo que vuestra merced trae consigo: aquí hallará las armas en su punto y la hermosura en su estremo.

Admirado quedó el oidor del razonamiento de don Quijote, a quien se puso a mirar muy de propósito[5], y no menos le admiraba su talle que sus palabras; y sin hallar ningunas con que respondelle, se tornó a admirar de nuevo cuando vio delante de sí a Luscinda, Dorotea

---

[3] *mangas arrocadas*, con vuelos y aberturas acuchilladas. Forman parte de la ropa talar que vestían oidores y otros altos magistrados, que desde 1579 tenían obligación de llevar incluso cuando viajaban, a fin de que se respetara su autoridad.
[4] *espaciarse en*, pasearse, o recrearse, por (expresión arcaica).
[5] *de propósito*, fijamente.

y a Zoraida, que a las nuevas de los nuevos güéspedes y
a las que la ventera les había dado de la hermosura de
la doncella, habían venido a verla y a recebirla. Pero
don Fernando, Cardenio y el cura le hicieron más llanos
y más cortesanos ofrecimientos. En efecto, el señor oidor
entró confuso, así de lo que veía como de lo que escuchaba, y las hermosas de la venta dieron la bienllegada
a la hermosa doncella.

En resolución, bien echó de ver el oidor que era
gente principal toda la que allí estaba; pero el talle, vi-
saje y la apostura de don Quijote le desatinaba; y habiendo pasado entre todos corteses ofrecimientos y tanteado la comodidad de la venta, se ordenó lo que antes
estaba ordenado: que todas las mujeres se entrasen en
el camaranchón ya referido, y que los hombres se quedasen fuera, como en su guarda. Y así, fue contento el
oidor que su hija, que era la doncella, se fuese con aquellas señoras, lo que ella hizo de muy buena gana. Y con
parte de la estrecha cama del ventero, y con la mitad
de la que el oidor traía, se acomodaron aquella noche,
mejor de lo que pensaban.

El cautivo, que desde el punto que vio al oidor, le
dio saltos el corazón y barruntos de que aquél era su
hermano, preguntó a uno de los criados que con él venían que cómo se llamaba y si sabía de qué tierra era.
El criado le respondió que se llamaba el licenciado Juan
Pérez de Viedma, y que había oído decir que era de un
lugar de las montañas de León. Con esta relación y con
lo que él había visto se acabó de confirmar de que aquél
era su hermano, que había seguido las letras, por consejo de su padre; y alborotado y contento, llamando aparte a don Fernando, a Cardenio y al cura, les contó lo
que pasaba, certificándoles que aquel oidor era su hermano. Habíale dicho también el criado como iba proveído por oidor a las Indias, en la Audiencia de Méjico; supo también como aquella doncella era su hija, de
cuyo parto había muerto su madre, y que él había quedado muy rico con el dote que con la hija se le quedó
en casa. Pidióles consejo qué modo tendría para descubrirse, o para conocer primero si, después de descubierto,
su hermano, por verle pobre, se afrentaba o le recebía
con buenas entrañas.

—Déjeseme a mí el hacer esa experiencia —dijo el cura—; cuanto más que no hay pensar sino que vos, señor capitán, seréis muy bien recebido; porque el valor y prudencia que en su buen parecer descubre vuestro hermano no da indicios de ser arrogante ni desconocido, ni que no ha de saber poner los casos de la fortuna en su punto.

—Con todo eso —dijo el capitán—, yo querría, no de improviso, sino por rodeos, dármele a conocer.

—Ya os digo —respondió el cura— que yo lo trazaré de modo que todos quedemos satisfechos.

Ya, en esto, estaba aderezada la cena, y todos se sentaron a la mesa, eceto el cautivo y las señoras, que cenaron de por sí en su aposento. En la mitad de la cena dijo el cura:

—Del mesmo nombre de vuestra merced, señor oidor, tuve yo una camarada en Costantinopla, donde estuve cautivo algunos años; la cual camarada era uno de los valientes soldados y capitanes que había en toda la infantería española; pero tanto cuanto tenía de esforzado y valeroso tenía de desdichado.

—Y ¿cómo se llamaba ese capitán, señor mío? —preguntó el oidor.

—Llamábase —respondió el cura— Ruy Pérez de Viedma, y era natural de un lugar de las montañas de León; el cual me contó un caso que a su padre con sus hermanos le había sucedido, que, a no contármelo un hombre tan verdadero como él, lo tuviera por conseja de aquellas que las viejas cuentan el invierno al fuego. Porque me dijo que su padre había dividido su hacienda entre tres hijos que tenía, y les había dado ciertos consejos, mejores que los de Catón. Y sé yo decir que el que él escogió de venir a la guerra le había sucedido tan bien, que en pocos años, por su valor y esfuerzo, sin otro brazo que el de su mucha virtud, subió a ser capitán de infantería, y a verse en camino y predicamento[6] de ser presto maestre de campo[7]. Pero fuele la fortuna contraria, pues donde la pudiera esperar y tener buena, allí la perdió, con perder la libertad en la felicísima jor-

---

[6] *predicamento*, opinión o estimación que se tiene de una persona.
[7] *maestre de campo*, jefe superior de un tercio de infantería.

nada donde tantos la cobraron, que fue en la batalla de Lepanto. Yo la perdí en la Goleta, y después, por diferentes sucesos, nos hallamos camaradas en Costantinopla. Desde allí vino a Argel, donde sé que le sucedió uno de los más estraños casos que en el mundo han sucedido.

De aquí fue prosiguiendo el cura, y con brevedad sucinta contó lo que con Zoraida a su hermano había sucedido; a todo lo cual estaba tan atento el oidor, que ninguna vez había sido tan oidor como entonces. Sólo llegó el cura al punto de cuando los franceses despojaron a los cristianos que en la barca venían, y la pobreza y necesidad en que su camarada y la hermosa mora habían quedado; de los cuales no había sabido en qué habían parado, ni si habían llegado a España, o llevádolos los franceses a Francia.

Todo lo que el cura decía estaba escuchando, algo de allí desviado, el capitán, y notaba todos los movimientos que su hermano hacía; el cual, viendo que ya el cura había llegado al fin de su cuento, dando un grande suspiro y llenándosele los ojos de agua, dijo:

—¡Oh, señor, si supiésedes las nuevas que me habéis contado, y cómo me tocan tan en parte, que me es forzoso dar muestras dello con estas lágrimas que, contra toda mi discreción y recato, me salen por los ojos! Ese capitán tan valeroso que decís es mi mayor hermano, el cual, como más fuerte y de más altos pensamientos que yo ni otro hermano menor mío, escogió el honroso y digno ejercicio de la guerra, que fue uno de los tres caminos que nuestro padre nos propuso, según os dijo vuestra camarada en la conseja que, a vuestro parecer, le oístes[8]. Yo seguí el de las letras, en las cuales Dios y mi diligencia me han puesto en el grado que me veis. Mi menor hermano está en el Pirú, tan rico, que con lo que ha enviado a mi padre y a mí ha satisfecho bien la parte que él se llevó, y aun dado a las manos de mi padre con que poder hartar su liberalidad natural; y yo, ansimesmo, he podido con más decencia y autoridad tratarme en mis estudios, y llegar al puesto en que me veo. Vive aún mi padre, muriendo con el deseo de saber de su hijo

[8] O sea: «en la a vuestro parecer conseja (cuento) que le oísteis».

mayor, y pide a Dios con continuas oraciones no cierre la muerte sus ojos hasta que él vea con vida a los de su hijo. Del cual me maravillo, siendo tan discreto, cómo en tantos trabajos y aflicciones, o prósperos sucesos, se haya descuidado de dar noticia de sí a su padre; que si él lo supiera, o alguno de nosotros, no tuviera necesidad de aguardar el milagro de la caña para alcanzar su rescate. Pero de lo que yo agora me temo es de pensar si aquellos franceses le habrán dado libertad, o le habrán muerto por encubrir su hurto. Esto todo será que yo prosiga mi viaje, no con aquel contento con que le comencé, sino con toda melancolía y tristeza. ¡Oh buen hermano mío, y quién supiera agora dónde estabas; que yo te fuera a buscar y a librar de tus trabajos, aunque fuera a costa de los míos! ¡Oh, quién llevara nuevas a nuestro viejo padre de que tenías vida, aunque estuvieras en las mazmorras más escondidas de Berbería; que de allí te sacaran sus riquezas, las de mi hermano y las mías! ¡Oh Zoraida hermosa y liberal, quién pudiera pagar el bien que a un hermano hiciste! ¡Quién pudiera hallarse al renacer de tu alma, y a las bodas, que tanto gusto a todos nos dieran!

Estas y otras semejantes palabras decía el oidor, lleno de tanta compasión con las nuevas que de su hermano le habían dado, que todos los que le oían le acompañaban en dar muestras del sentimiento que tenían de su lástima.

Viendo, pues, el cura que tan bien había salido con su intención y con lo que deseaba el capitán, no quiso tenerlos a todos más tiempo tristes, y así, se levantó de la mesa, y entrando donde estaba Zoraida, la tomó por la mano, y tras ella se vinieron Luscinda, Dorotea y la hija del oidor. Estaba esperando el capitán a ver lo que el cura quería hacer, que fue que, tomándole a él asimesmo de la otra mano, con entrambos a dos se fue donde el oidor y los demás caballeros estaban, y dijo:

—Cesen, señor oidor, vuestras lágrimas, y cólmese vuestro deseo de todo el bien que acertare a desearse, pues tenéis delante a vuestro buen hermano y a vuestra buena cuñada. Este que aquí veis es el capitán Viedma, y ésta, la hermosa mora que tanto bien le hizo. Los franceses que os dije los pusieron en la estrecheza que veis, para que vos mostréis la liberalidad de vuestro buen pecho.

Acudió el capitán a abrazar a su hermano, y él le puso ambas manos en los pechos, por mirarle algo más apartado; mas, cuando le acabó de conocer, le abrazó tan estrechamente, derramando tan tiernas lágrimas de contento, que los más de los que presentes estaban le hubieron de acompañar en ellas. Las palabras que entrambos hermanos se dijeron, los sentimientos que mostraron, apenas creo que pueden pensarse, cuando más escribirse. Allí, en breves razones, se dieron cuenta de sus sucesos; allí mostraron puesta en su punto la buena amistad de dos hermanos; allí abrazó el oidor a Zoraida; allí le ofreció su hacienda; allí hizo que la abrazase su hija; allí la cristiana hermosa y la mora hermosísima renovaron las lágrimas de todos.

Allí don Quijote estaba atento, sin hablar palabra, considerando estos tan estraños sucesos, atribuyéndolos todos a quimeras de la andante caballería. Allí concertaron que el capitán y Zoraida se volviesen con su hermano a Sevilla y avisasen a su padre de su hallazgo y libertad, para que, como pudiese, viniese a hallarse en las bodas y bautismo de Zoraida, por no le ser al oidor posible dejar el camino que llevaba, a causa de tener nuevas que de allí a un mes partía flota de Sevilla a la Nueva España, y fuérale de grande incomodidad perder el viaje.

En resolución, todos quedaron contentos y alegres del buen suceso del cautivo; y como ya la noche iba casi en las dos partes de su jornada, acordaron de recogerse y reposar lo que de ella les quedaba. Don Quijote se ofreció a hacer la guardia del castillo, porque de algún gigante o otro mal andante follón no fuesen acometidos, codiciosos del gran tesoro de hermosura que en aquel castillo se encerraba. Agradeciéronselo los que le conocían, y dieron al oidor cuenta del humor estraño de don Quijote, de que no poco gusto recibió.

Sólo Sancho Panza se desesperaba con la tardanza del recogimiento, y sólo él se acomodó mejor que todos, echándose sobre los aparejos de su jumento, que le costaron tan caros como adelante se dirá.

Recogidas, pues, las damas en su estancia, y los demás acomodádose como menos mal pudieron, don Quijote se salió fuera de la venta a hacer la centinela del castillo, como lo había prometido.

Sucedió, pues, que faltando poco por venir el alba, llegó a los oídos de las damas una voz tan entonada y tan buena, que les obligó a que todas le prestasen atento oído, especialmente Dorotea, que despierta estaba, a cuyo lado dormía doña Clara de Viedma, que ansí se llamaba la hija del oidor. Nadie podía imaginar quién era la persona que tan bien cantaba, y era una voz sola, sin que la acompañase instrumento alguno. Unas veces les parecía que cantaban en el patio; otras, que en la caballeriza; y estando en esta confusión muy atentas, llegó a la puerta del aposento Cardenio, y dijo:

—Quien no duerme, escuche; que oirán una voz de un mozo de mulas, que de tal manera canta, que encanta.

—Ya lo oímos, señor —respondió Dorotea.

Y con esto, se fue Cardenio, y Dorotea, poniendo toda la atención posible, entendió que lo que se cantaba era esto:

CAPÍTULO XLIII

Donde se cuenta la agradable historia del mozo de mulas, con otros estraños acaecimientos en la venta sucedidos[*]

—Marinero soy de amor,
y en su piélago profundo
navego sin esperanza
de llegar a puerto alguno.

Siguiendo voy a una estrella
que desde lejos descubro,
más bella y resplandeciente
que cuantas vio Palinuro[1].
Yo no sé adónde me guía,

---

[*] El epígrafe de este capítulo falta aquí en la primera edición, pero en cambio se da en la «tabla de los capítulos» que va al final del tomo.

[1] *Palinuro*, piloto de la flota de Eneas, que pereció al caer al mar y al que luego volvió a ver en el infierno, según la *Eneida* de Virgilio.

        y así, navego confuso,
        el alma a mirarla atenta,
        cuidadosa y con descuido.
          Recatos impertinentes,
        honestidad contra el uso,
        son nubes que me la encubren
        cuando más verla procuro.
          ¡Oh clara y luciente estrella,
        en cuya lumbre me apuro !
        Al punto que te me encubras,
        será de mi muerte el punto.

Llegando el que cantaba a este punto, le pareció a
Dorotea que no sería bien que dejase Clara de oír una
tan buena voz; y así, moviéndola a una y a otra parte,
la despertó, diciéndole :

—Perdóname, niña, que te despierto, pues lo hago
porque gustes de oír la mejor voz que quizá habrás oído
en toda tu vida.

Clara despertó toda soñolienta, y de la primera vez
no entendió lo que Dorotea le decía; y volviéndoselo a
preguntar, ella se lo volvió a decir, por lo cual estuvo
atenta Clara. Pero apenas hubo oído dos versos que el
que cantaba iba prosiguiendo, cuando le tomó un tem-
blor tan estraño, como si de algún grave accidente de
cuartana estuviera enferma, y abrazándose estrechamente con Dorotea, le dijo :

—¡Ay señora de mi alma y de mi vida ! ¿Para qué
me despertastes ? Que el mayor bien que la fortuna me
podía hacer por ahora era tenerme cerrados los ojos y
los oídos, para no ver ni oír a ese desdichado músico.

—¿Qué es lo que dices, niña ? Mira que dicen que
el que canta es un mozo de mulas.

—No es sino señor de lugares —respondió Clara—,
y el que le tiene[2] en mi alma con tanta seguridad, que
si él no quiere dejalle, no le será quitado eternamente.

Admirada quedó Dorotea de las sentidas razones de
la muchacha, pareciéndole que se aventajaban en mucho
a la discreción que sus pocos años prometían; y así, le
dijo:

—Habláis de modo, señora Clara, que no puedo en-

_____
[2] *le tiene*, es decir : «tiene lugar».

tenderos: declaraos más y decidme qué es lo que decís de alma y de lugares, y deste músico, cuya voz tan inquieta os tiene. Pero no me digáis nada por ahora; que no quiero perder, por acudir a vuestro sobresalto, el gusto que recibo de oír al que canta; que me parece que con nuevos versos y nuevo tono torna a su canto.

—Sea en buen hora —respondió Clara.

Y por no oílle, se tapó con las manos entrambos oídos, de lo que también se admiró Dorotea; la cual, estando atenta a lo que se cantaba, vio que proseguían en esta manera:

> Dulce esperanza mía,
> que, rompiendo imposibles y malezas,
> sigues firme la vía
> que tú mesma te finges y aderezas;
> no te desmaye el verte
> a cada paso junto al de tu muerte.
>
> No alcanzan perezosos
> honrados triunfos ni vitoria alguna,
> ni pueden ser dichosos
> los que, no contrastando a la fortuna,
> entregan, desvalidos,
> al ocio blando todos los sentidos.
>
> Que amor sus glorias venda
> caras, es gran razón, y es trato justo;
> pues no hay más rica prenda
> que la que se quilata por su gusto;
> y es cosa manifiesta
> que no es de estima lo que poco cuesta.
>
> Amorosas porfías
> tal vez alcanzan imposibles cosas;
> y ansí, aunque con las mías
> sigo de amor las más dificultosas,
> no por eso recelo
> de no alcanzar desde la tierra el cielo[3].

Aquí dio fin la voz, y principio a nuevos sollozos Clara; todo lo cual encendía el deseo de Dorotea, que

---

[3] Don Luis Salvador, cantor de capilla de Felipe II, puso música a esta canción en 1591, lo que indica que Cervantes la había compuesto mucho antes de escribir el *Quijote* (cfr. Schevill, II, 457).

deseaba saber la causa de tan suave canto y de tan triste lloro. Y así, le volvió a preguntar qué era lo que le
quería decir denantes. Entonces Clara, temerosa de que
Luscinda no la oyese, abrazando estrechamente a Dorotea, puso su boca tan junto del oído de Dorotea, que seguramente podía hablar sin ser de otro sentida, y así le
dijo:

—Este que canta, señora mía, es un hijo de un caballero natural del reino de Aragón, señor de dos lugares, el cual vivía frontero de la casa de mi padre en la
Corte; y aunque mi padre tenía las ventanas de su casa
con lienzos[4] en el invierno y celosías en el verano, yo no
sé lo que fue, ni lo que no, que este caballero, que andaba al estudio, me vio, ni sé si en la iglesia o en otra
parte. Finalmente, él se enamoró de mí, y me lo dio a
entender desde las ventanas de su casa con tantas señas
y con tantas lágrimas, que yo le hube de creer, y aun
querer, sin saber lo que me quería. Entre las señas que
me hacía, era una de juntarse la una mano con la otra,
dándome a entender que se casaría conmigo; y aunque
yo me holgaría mucho de que ansí fuera, como sola y
sin madre, no sabía con quién comunicallo, y así, lo dejé
estar sin dalle otro favor si no era, cuando estaba mi padre fuera de casa y el suyo también, alzar un poco el
lienzo o la celosía, y dejarme ver toda; de lo que él hacía
tanta fiesta, que daba señales de volverse loco. Llegóse
en esto el tiempo de la partida de mi padre, la cual él
supo, y no de mí, pues nunca pude decírselo. Cayó malo,
a lo que yo entiendo, de pesadumbre, y así, el día que
nos partimos nunca pude verle para despedirme dél, siquiera con los ojos. Pero a cabo de dos días que cami-
nábamos, al entrar de una posada en un lugar una
jornada de aquí, le vi a la puerta del mesón, puesto en
hábito de mozo de mulas, tan al natural, que si yo no le
trujera tan retratado en mi alma fuera imposible conocelle. Conocíle, admiréme y alegréme; él me miró a hurto de mi padre, de quien él siempre se esconde cuando
atraviesa por delante de mí en los caminos y en las po-
sadas do llegamos; y como yo sé quién es, y considero que

---

[4] Estos lienzos hacían las veces de vidrios de ventanas, todavía raros entonces.

por amor de mí viene a pie y con tanto trabajo, muéro-
me de pesadumbre, y adonde él pone los pies pongo yo
los ojos. No sé con qué intención viene, ni cómo ha podido escaparse de su padre, que le quiere estraordinaria-
mente, porque no tiene otro heredero, y porque él lo
merece, como lo verá vuestra merced cuando le vea.
Y más le sé decir: que todo aquello que canta lo saca de
su cabeza; que he oído decir que es muy gran estudiante y poeta. Y hay más: que cada vez que le veo o le
oigo cantar, tiemblo toda y me sobresalto, temerosa de
que mi padre le conozca y venga en conocimiento de
nuestros deseos. En mi vida le he hablado palabra, y, con
todo eso, le quiero de manera que no he de poder vivir
sin él. Esto es, señora mía, todo lo que os puedo decir
deste músico cuya voz tanto os ha contentado; que en
sola ella echaréis bien de ver que no es mozo de mulas,
como decís, sino señor de almas y lugares, como yo os
he dicho.

—No digáis más, señora doña Clara —dijo a esta
sazón Dorotea, y esto, besándola mil veces—; no digáis
más, digo, y esperad que venga el nuevo día; que yo espero en Dios de encaminar de manera vuestros negocios,
que tengan el felice fin que tan honestos principios merecen.

—¡ Ay señora! —dijo doña Clara—, ¿qué fin se puede esperar, si su padre es tan principal y tan rico, que
le parecerá que aun yo no puedo ser criada de su hijo,
cuanto más esposa? Pues casarme yo a hurto de mi padre, no lo haré por cuanto hay en el mundo. No querría
sino que este mozo se volviese y me dejase; quizá con
no velle y con la gran distancia del camino que llevamos
se me aliviaría la pena que ahora llevo, aunque sé decir
que este remedio que me imagino me ha de aprovechar
bien poco. No sé qué diablos ha sido esto, ni por dónde
se ha entrado este amor que le tengo, siendo yo tan
muchacha y él tan muchacho, que en verdad que creo
que somos de una edad mesma, y que yo no tengo cumplidos diez y seis años; que para el día de San Miguel
que vendrá dice mi padre que los cumplo.

No pudo dejar de reírse Dorotea oyendo cuán como
niña hablaba doña Clara, a quien dijo:

—Reposemos, señora, lo poco que creo queda de la

noche, y amanecerá Dios y medraremos, o mal me andarán las manos[5].

Sosegáronse con esto, y en toda la venta se guardaba
un grande silencio; solamente no dormían la hija de la
ventera y Maritornes su criada, las cuales, como ya sabían el humor de que pecaba don Quijote, y que estaba
fuera de la venta armado y a caballo haciendo la guarda, determinaron las dos de hacelle alguna burla, o, a lo
menos, de pasar un poco el tiempo oyéndole sus disparates.

Es, pues, el caso, que en toda la venta no había ventana que saliese al campo, sino un agujero de un pajar,
por donde echaban la paja por defuera. A este agujero
se pusieron las dos semidoncellas, y vieron que don Quijote estaba a caballo, recostado sobre su lanzón, dando
de cuando en cuando tan dolientes y profundos suspiros, que parecía que con cada uno se le arrancaba el
alma. Y asimesmo oyeron que decía con voz blanda, regalada y amorosa:

—¡Oh mi señora Dulcinea del Toboso, estremo de
toda hermosura, fin y remate de la discreción, archivo
del mejor donaire, depósito de la honestidad, y, ultima-
damente, idea de todo lo provechoso, honesto y deleitable que hay en el mundo! Y ¿qué fará agora la tu merced? ¿Si tendrás por ventura las mientes en tu cautivo
caballero, que a tantos peligros, por sólo servirte, de su
voluntad ha querido ponerse? Dame tú nuevas della, ¡oh
luminaria de las tres caras[6]! Quizá con envidia de la
suya la estás ahora mirando, que, o paseándose por alguna galería de sus suntuosos palacios, o ya puesta de
pechos sobre algún balcón, está considerando cómo, salva su honestidad y grandeza, ha de amansar la tormenta
que por ella este mi cuitado corazón padece, qué gloria
ha de dar a mis penas, qué sosiego a mi cuidado y finalmente, qué vida a mi muerte y qué premio a mis servicios. Y tú, sol, que ya debes de estar apriesa ensillando
tus caballos, por madrugar y salir a ver a mi señora,
así como la veas, suplícote que de mi parte la saludes;

[5] *y amanecerá... manos*, o sea: «mañana lo arreglaré yo todo,
o muy poco hábil he de ser».
[6] La luna, que puede ser llena, creciente y menguante (*diva
triformis* de Horacio).

pero guárdate que al verla y saludarla no le des paz[7] en el rostro, que tendré más celos de ti que tú los tuviste de aquella ligera ingrata que tanto te hizo sudar y correr por los llanos de Tesalia, o por las riberas de Peneo[8], que no me acuerdo bien por dónde corriste entonces celoso y enamorado.

A este punto llegaba entonces don Quijote en su tan lastimero razonamiento, cuando la hija de la ventera le comenzó a cecear y a decirle:

—Señor mío, lléguese acá la vuestra merced, si es servido.

A cuyas señas y voz volvió don Quijote la cabeza, y vio, a la luz de la luna, que entonces estaba en toda su claridad, cómo le llamaban del agujero que a él le pareció ventana, y aun con rejas doradas, como conviene que las tengan tan ricos castillos como él se imaginaba que era aquella venta; y luego en el instante se le representó en su loca imaginación que otra vez, como la pasada, la doncella fermosa, hija de la señora de aquel castillo, vencida de su amor, tornaba a solicitarle; y con este pensamiento, por no mostrarse descortés y desagradecido, volvió las riendas a Rocinante y se llegó al agujero, y así como vio a las dos mozas, dijo:

—Lástima os tengo, fermosa señora, de que hayades puesto vuestras amorosas mientes en parte donde no es posibles corresponderos conforme merece vuestro gran valor y gentileza; de lo que no debéis dar culpa a este miserable andante caballero, a quien tiene amor imposibilitado de poder entregar su voluntad a otra que aquella que, en el punto que sus ojos la vieron, la hizo señora absoluta de su alma. Perdonadme, buena señora, y recogeos en vuestro aposento, y no queráis, con significarme más vuestros deseos, que yo me muestre más desagradecido; y si del amor que me tenéis halláis en mí otra cosa con que satisfaceros que el mismo amor no sea, pedídmela; que yo os juro por aquella ausente enemiga dulce mía de dárosla encontinente, si bien me pidiésedes una guedeja de los cabellos de Medusa, que eran todos

---

[7] *dar la paz*, besar.
[8] Dafne, según la mitología, huyó de Apolo por Tesalia, regada por el río Peneo, padre de la doncella, quien la convirtió en laurel. Recuérdese que Apolo es el sol.

culebras, o ya los mesmos rayos del sol, encerrados en una redoma.

—No ha menester nada deso mi señora, señor caballero —dijo a este punto Maritornes.

—Pues ¿qué ha menester, discreta dueña, vuestra señora? —respondió don Quijote.

—Sola una de vuestras hermosas manos —dijo Maritornes—, por poder deshogar con ella el gran deseo que a este agujero la ha traído, tan a peligro de su honor, que si su señor padre la hubiera sentido, la menor tajada della fuera la oreja.

—¡Ya quisiera yo ver eso! —respondió don Quijote—. Pero él se guardará bien deso, si ya no quiere hacer el más desastrado fin que padre hizo en el mundo, por haber puesto las manos en los delicados miembros de su enamorada hija.

Parecióle a Maritornes que sin duda don Quijote daría la mano que le habían pedido, y, proponiendo en su pensamiento lo que había de hacer, se bajó del agujero y se fue a la caballeriza, donde tomó el cabestro del jumento de Sancho Panza, y con mucha presteza se volvió a su agujero, a tiempo que don Quijote se había puesto de pies sobre la silla de Rocinante, por alcanzar a la ventana enrejada donde se imaginaba estar la ferida doncella; y al darle la mano, dijo:

—Tomad, señora, esa mano, o, por mejor decir, ese verdugo de los malhechores del mundo; tomad esa mano, digo, a quien no ha tocado otra de mujer alguna, ni aun la de aquella que tiene entera posesión de todo mi cuerpo. No os la doy para que la beséis, sino para que miréis la contextura de sus nervios, la trabazón de sus músculos, la anchura y espaciosidad de sus venas; de donde sacaréis qué tal debe de ser la fuerza del brazo que tal mano tiene.

—Ahora lo veremos —dijo Maritornes.

Y haciendo una lazada corrediza al cabestro, se la echó a la muñeca, y bajándose del agujero, ató lo que quedaba al cerrojo de la puerta del pajar, muy fuertemente. Don Quijote, que sintió la aspereza del cordel en su muñeca, dijo:

—Más parece que vuestra merced me ralla[9] que no

---
[9] *rallar*, desmenuzar con el rallador.

que me regala la mano; no la tratéis tan mal, pues ella no tiene la culpa del mal que mi voluntad os hace, ni es bien que en tan poca parte venguéis el todo de vuestro enojo. Mirad que quien quiere bien no se venga tan mal.

Pero todas estas razones de don Quijote ya no las escuchaba nadie, porque, así como Maritornes le ató, ella y la otra se fueron, muertas de risa, y le dejaron asido de manera que fue imposible soltarse.

Estaba, pues, como se ha dicho, de pies sobre Rocinante, metido todo el brazo por el agujero, y atado de la muñeca, y al cerrojo de la puerta, con grandísimo temor y cuidado, que si Rocinante se desviaba a un cabo o a otro, había de quedar colgado del brazo; y así, no osaba hacer movimiento alguno, puesto que de la paciencia y quietud de Rocinante bien se podía esperar que estaría sin moverse un siglo entero.

En resolución, viéndose don Quijote atado, y que ya las damas se habían ido, se dio a imaginar que todo aquello se hacía por vía de encantamento, como la vez pasada, cuando en aquel mesmo castillo le molió aquel moro encantado del arriero; y maldecía entre sí su poca discreción y discurso, pues habiendo salido tan mal la vez primera de aquel castillo, se había aventurado a entrar en él la segunda, siendo advertimiento de caballeros andantes que cuando han probado una aventura y no salido bien con ella, es señal que no está para ellos guardada, sino para otros; y así, no tienen necesidad de probarla segunda vez. Con todo esto, tiraba de su brazo, por ver si podía soltarse; mas él estaba tan bien asido, que todas sus pruebas fueron en vano. Bien es verdad que tiraba con tiento, porque Rocinante no se moviese; y aunque él quisiera sentarse y ponerse en la silla, no podía sino estar en pie, o arrancarse la mano.

Allí fue el desear de la espada de Amadís, contra quien no tenía fuerza encantamento alguno; allí fue el maldecir de su fortuna; allí fue el exagerar la falta que haría en el mundo su presencia el tiempo que allí estuviese encantado, que sin duda alguna se había creído que lo estaba; allí el acordarse de nuevo de su querida Dulcinea del Toboso; allí fue el llamar a su buen escudero Sancho Panza, que, sepultado en sueño y tendido sobre el albarda de su jumento, no se acordaba en aquel instante de la madre que lo había parido; allí llamó a los sabios Lirgandeo y Alquife, que le ayudasen; allí invocó a su buena amiga Urganda, que le socorriese, y, finalmente, allí le tomó la mañana, tan desesperado y confuso, que bramaba como un toro; porque no esperaba él que con el día se remediaría su cuita, porque la tenía por eterna, teniéndose por encantado. Y hacíale creer esto ver que Rocinante poco ni mucho se movía, y creía que de aquella suerte, sin comer ni beber ni dormir, habían de estar él y su caballo, hasta que aquel mal influjo de las estrellas se pasase, o hasta que otro más sabio encantador le desencantase.

Pero engañóse mucho en su creencia, porque apenas comenzó a amanecer, cuando llegaron a la venta cuatro hombres de a caballo, muy bien puestos y aderezados, con sus escopetas sobre los arzones. Llamaron a la puerta de la venta, que aún estaba cerrada, con grandes golpes; lo cual, visto por don Quijote desde donde aún no dejaba de hacer la centinela, con voz arrogante y alta dijo:

—Caballeros, o escuderos, o quienquiera que seáis: no tenéis para qué llamar a las puertas deste castillo; que asaz de claro está que a tales horas, o los que están dentro duermen, o no tienen por costumbre de abrirse las fortalezas hasta que el sol esté tendido por todo el suelo. Desviaos afuera, y esperad que aclare el día, y entonces veremos si será justo o no que os abran.

—¿Qué diablos de fortaleza o castillo es éste —dijo uno—, para obligarnos a guardar esas ceremonias? Si sois el ventero, mandad que nos abran; que somos caminantes que no queremos más de dar cebada a nuestras cabalgaduras y pasar adelante, porque vamos de priesa.

—¿Paréceos, caballeros, que tengo yo talle de ventero? —respondió don Quijote.

—No sé de qué tenéis talle —respondió el otro—; pero sé que decís disparates en llamar castillo a esta venta.

—Castillo es —replicó don Quijote—, y aun de los mejores de toda esta provincia; y gente tiene dentro que ha tenido cetro en la mano y corona en la cabeza.

—Mejor fuera al revés —dijo el caminante—; el cetro en la cabeza y la corona en la mano. Y será, si a mano viene, que debe de estar dentro alguna compañía de representantes[10], de los cuales es tener a menudo esas coronas y cetros que decís; porque en una venta tan pequeña, y adonde se guarda tanto silencio como ésta, no creo yo que se alojan personas dignas de corona y cetro.

—Sabéis poco del mundo —replicó don Quijote—, pues ignoráis los casos que suelen acontecer en la caballería andante.

Cansábanse los compañeros que con el preguntante venían del coloquio que con don Quijote pasaba, y así, tornaron a llamar con grande furia; y fue de modo que el ventero despertó, y aun todos cuantos en la venta estaban, y así, se levantó a preguntar quién llamaba. Sucedió en este tiempo que una de las cabalgaduras en que venían los cuatro que llamaban se llegó a oler a Rocinante, que, melancólico y triste, con las orejas caídas, sostenía sin moverse a su estirado señor; y como, en fin, era de carne, aunque parecía de leño, no pudo dejar de resentirse y tornar a oler a quien le llegaba a hacer caricias; y así, no se hubo movido tanto cuanto[11], cuando se desviaron los juntos pies de don Quijote, y, resbalando de la silla, dieran con él en el suelo, a no quedar colgado del brazo; cosa que le causó tanto dolor, que creyó, o que la muñeca le cortaban, o que el brazo se le arrancaba; porque él quedó tan cerca del suelo, que con los estremos de las puntas de los pies besaba la tierra, que era en su perjuicio, porque, como sentía lo poco que le faltaba para poner las plantas en la tierra, fatigábase y estirábase cuanto podía por alcanzar al suelo, bien así como los que están en el tormento de la garrucha[12], puestos a toca, no toca, que ellos mesmos son causa de acrecentar su dolor, con el ahínco que ponen en estirarse, engañados de la esperanza que se les representa, que con poco más que se estiren llegarán al suelo.

[10] *representantes*, cómicos.
[11] *tanto cuanto*, un poco.
[12] *garrucha*, polea de tortura con una soga a la que se ataban las manos del delincuente.

CAPÍTULO XLIV

DONDE SE PROSIGUEN LOS INAUDITOS SUCESOS DE LA VENTA

En efeto, fueron tantas las voces que don Quijote dio, que, abriendo de presto las puertas de la venta, salió el ventero, despavorido, a ver quién tales gritos daba, y los que estaban fuera hicieron lo mesmo. Maritornes, que ya había despertado a las mismas voces, imaginando lo que podía ser, se fue al pajar y desató, sin que nadie lo viese, el cabestro que a don Quijote sostenía, y él dio luego en el suelo, a vista del ventero y de los caminantes, que, llegándose a él, le preguntaron qué tenía, que tales voces daba. Él, sin responder palabra, se quitó el cordel de la muñeca, y levantándose en pie, subió sobre Rocinante, embrazó su adarga, enristró su lanzón, y tomando buena parte del campo, volvió a medio galope, diciendo:

—Cualquiera que dijere que yo he sido con justo título encantado, como mi señora la princesa Micomicona me dé licencia para ello, yo le desmiento, le rieto[1] y desafío a singular batalla.

Admirados se quedaron los nuevos caminantes de las palabras de don Quijote; pero el ventero les quitó de aquella admiración, diciéndoles que era don Quijote, y que no había de hacer caso dél, porque estaba fuera de juicio.

Preguntáronle al ventero si acaso había llegado a aquella venta un muchacho de hasta edad de quince años, que venía vestido como mozo de mulas, de tales y tales señas, dando las mesmas que traía el amante de doña Clara. El ventero respondió que había tanta gente en la venta, que no había echado de ver en el que preguntaban. Pero habiendo visto uno dellos el coche donde había venido el oidor, dijo:

—Aquí debe de estar sin duda, porque éste es el coche que él dicen que sigue; quédese uno de nosotros a la puerta y entren los demás a buscarle; y aun sería

---

[1] *le rieto*, le reto (forma arcaica).

bien que uno de nosotros rodease toda la venta, porque no se fuese por las bardas de los corrales.

—Así se hará —respondió uno dellos.

Y entrándose los dos dentro, uno se quedó a la puerta y el otro se fue a rodear la venta; todo lo cual veía el ventero, y no sabía atinar para qué se hacían aquellas diligencias, puesto que bien creyó que buscaban aquel mozo cuyas señas le habían dado.

Ya a esta sazón aclaraba el día; y así por esto como por el ruido que don Quijote había hecho, estaban todos despiertos y se levantaban, especialmente doña Clara y Dorotea, que la una con sobresalto de tener tan cerca a su amante, y la otra con el deseo de verle, habían podido dormir bien mal aquella noche. Don Quijote, que vio que ninguno de los cuatro caminantes hacía caso dél, ni le respondían a su demanda, moría y rabiaba de despecho y saña; y si él hallara en las ordenanzas de su caballería que lícitamente podía el caballero andante tomar y emprender otra empresa habiendo dado su palabra y fe de no ponerse en ninguna hasta acabar la que había prometido, él embistiera con todos, y les hiciera responder mal de su grado; pero por parecerle no convenirle ni estarle bien comenzar nueva empresa hasta poner a Micomicona en su reino, hubo de callar y estarse quedo, esperando a ver en qué paraban las diligencias de aquellos caminantes; uno de los cuales halló al mancebo que buscaba, durmiendo al lado de un mozo de mulas, bien descuidado de que nadie ni le buscase, ni menos de que le hallase. El hombre le trabó del brazo y le dijo:

—Por cierto, señor don Luis, que responde bien a quien vos sois el hábito que tenéis, y que dice bien la cama en que os hallo al regalo con que vuestra madre os crió.

Limpióse el mozo los soñolientos ojos y miró de espacio al que le tenía asido, y luego conoció que era criado de su padre, de que recibió tal sobresalto, que no acertó o no pudo hablarle palabra por un buen espacio; y el criado prosiguió diciendo:

—Aquí no hay que hacer otra cosa, señor don Luis, sino prestar paciencia y dar la vuelta a casa, si ya vuestra merced no gusta que su padre y mi señor la dé al

otro mundo, porque no se puede esperar otra cosa de
la pena con que queda por vuestra ausencia.

—Pues ¿cómo supo mi padre —dijo don Luis— que
yo venía este camino y en este traje?

—Un estudiante —respondió el criado— a quien dis-
tes cuenta de vuestros pensamientos fue el que lo descubrió, movido a lástima de las que vio que hacía vuestro
padre al punto que os echó menos; y así, despachó
a cuatro de sus criados en vuestra busca, y todos estamos
aquí a vuestro servicio, más contentos de lo que imaginar se puede, por el buen despacho con que tornare-
mos, llevándoos a los ojos que tanto os quieren.

—Eso será como yo quisiere, o como el cielo lo ordenare —respondió don Luis.

—¿Qué habéis de querer, o qué ha de ordenar el
cielo fuera de consentir en volveros? Porque no ha de
ser posible otra cosa.

Todas estas razones que entre los dos pasaban oyó
el mozo de mulas junto a quien don Luis estaba; y levantándose de allí, fue a decir lo que pasaba a don Fernando y a Cardenio, y a los demás, que ya vestido se
habían; a los cuales dijo cómo aquel hombre llamaba de
don a aquel muchacho, y las razones que pasaban, y
cómo le quería volver a casa de su padre, y el mozo no
quería. Y con esto, y con lo que dél sabían, de la buena
voz que el cielo le había dado, vinieron todos en gran
deseo de saber más particularmente quién era, y aun de
ayudarle si alguna fuerza le quisiesen hacer; y así, se
fueron hacia la parte donde aún estaba hablando y porfiando con su criado.

Salía en esto Dorotea de su aposento, y tras ella doña
Clara, toda turbada; y llamando Dorotea a Cardenio
aparte, le contó en breves razones la historia del músico
y de doña Clara; a quien[2] él también dijo lo que pasaba
de la venida a buscarle los criados de su padre, y no se
lo dijo tan callando, que lo dejase de oír Clara; de lo
que quedó tan fuera de sí, que si Dorotea no llegara a
tenerla, diera consigo en el suelo. Cardenio dijo a Dorotea que se volviesen al aposento; que él procuraría poner remedio en todo, y ellas lo hicieron.

---

[2] *a quien* se refiere a Dorotea.

Ya estaban todos los cuatro que venían a buscar a
don Luis dentro de la venta y rodeados dél[3], persuadién-
dole que luego, sin detenerse un punto, volviese a consolar a su padre. Él respondió que en ninguna manera
lo podía hacer hasta dar fin a un negocio en que le iba
la vida, la honra y el alma. Apretáronle entonces los
criados, diciéndole que en ningún modo volverían sin
él, y que le llevarían, quisiese o no quisiese.

—Eso no haréis vosotros —replicó don Luis—, si no
es llevándome muerto; aunque de cualquiera manera que
me llevéis, será llevarme sin vida.

Ya a esta sazón habían acudido a la porfía todos los
más que en la venta estaban, especialmente Cardenio,
don Fernando, sus camaradas, el oidor, el cura, el barbero y don Quijote, que ya le pareció que no había necesidad de guardar más el castillo. Cardenio, como ya
sabía la historia del mozo, preguntó a los que llevarle
querían que qué les movía a querer llevar contra su voluntad aquel muchacho.

—Muévenos —respondió uno de los cuatro— dar la
vida a su padre, que por la ausencia deste caballero
queda a peligro de perderla.

A esto dijo don Luis:

—No hay para qué se dé cuenta aquí de mis cosas;
yo soy libre, y volveré si me diere gusto, y si no ninguno
de vosotros me ha de hacer fuerza.

—Harásela a vuestra merced la razón —respondió el
hombre—; y cuando ella no bastare con vuestra merced,
bastará con nosotros para hacer a lo que venimos y lo
que somos obligados.

—Sepamos qué es esto de raíz —dijo a este tiempo
el oidor.

Pero el hombre, que lo conoció, como vecino de su
casa, respondió:

—¿No conoce vuestra merced, señor oidor, a este caballero, que es el hijo de su vecino, el cual se ha ausentado de casa de su padre en el hábito tan indecente a su
calidad[4] como vuestra merced puede ver?

Miróle entonces el oidor más atentamente y conocióle; y abrazándole, dijo:

---

[3] *rodeados dél*, puestos en torno de él.
[4] *tan indecente a su calidad*, tan impropio de su rango.

—¿Qué niñerías son éstas, señor don Luis, o qué causas tan poderosas, que os hayan movido a venir desta manera, y en este traje, que dice tan mal con la calidad vuestra?

Al mozo se le vinieron las lágrimas a los ojos, y no pudo responder palabra. El oidor dijo a los cuatro que se sosegasen, que todo se haría bien; y tomando por la mano a don Luis, le apartó a una parte y le preguntó qué causa venida había sido aquélla.

Y en tanto que le hacía esta y otras preguntas, oyeron grandes voces a la puerta de la venta, y era la causa dellas que dos huéspedes que aquella noche habían alojado en ella, viendo a toda la gente ocupada en saber lo que los cuatro buscaban, habían intentado a irse sin pagar lo que debían; mas el ventero, que atendía más a su negocio que a los ajenos, les asió al salir de la puerta, y pidió su paga, y les afeó su mala intención con tales palabras, que les movió a que le respondiesen con los puños; y así, le comenzaron a dar tal mano[5], que el pobre ventero tuvo necesidad de dar voces y pedir socorro. La ventera y su hija no vieron a otro más desocupado para poder socorrerle que a don Quijote, a quien la hija de la ventera dijo:

—Socorra vuestra merced, señor caballero, por la virtud que Dios le dio, a mi pobre padre; que dos malos hombres le están moliendo como a cibera.

A lo cual respondió don Quijote, muy de espacio y con mucha flema:

—Fermosa doncella, no ha lugar por ahora vuestra petición, porque estoy impedido de entremeterme en otra aventura en tanto que no diere cima a una en que mi palabra me ha puesto. Mas lo que yo podré hacer por serviros es lo que ahora diré: corred y decid a vuestro padre que se entretenga en esa batalla lo mejor que pudiere, y que no se deje vencer en ningún modo, en tanto que yo pido licencia a la princesa Micomicona para poder socorrerle en su cuita; que si ella me la da, tened por cierto que yo le sacaré della.

—¡Pecadora de mí! —dijo a esto Maritornes, que estaba delante—. Primero que vuestra merced alcance esa licencia que dice, estará ya mi señor en el otro mundo.

[5] *mano* [de palos], paliza, tunda.

—Dadme vos, señora, que yo alcance la licencia que digo —respondió don Quijote—; que como yo la tenga, poco hará al caso que él esté en el otro mundo; que de allí le sacaré a pesar del mismo mundo que lo contradiga; o, por lo menos, os daré tal venganza de los que allá le hubieren enviado, que quedéis más que medianamente satisfechas.

Y sin decir más se fue a poner de hinojos ante Dorotea, pidiéndole con palabras caballerescas y andantescas que la su grandeza fuese servida de darle licencia de acorrer y socorrer al castellano de aquel castillo, que estaba puesto en una grave mengua. La princesa se la dio de buen talante, y él luego, embrazando su adarga y poniendo mano a su espada, acudió a la puerta de la venta, adonde aún todavía traían los dos huéspedes a mal traer al ventero; pero así como llegó, embazó[6] y se estuvo quedo, aunque Maritornes y la ventera le decían que en qué se detenía, que socorriese a su señor y marido.

—Deténgome —dijo don Quijote— porque no me es lícito poner mano a la espada contra gente escuderil; pero llamadme aquí a mi escudero Sancho, que a él toca y atañe esta defensa y venganza.

Esto pasaba en la puerta de la venta, y en ella andaban las puñadas y mojicones muy en su punto, todo en daño del ventero y en rabia de Maritornes, la ventera y su hija, que se desesperaban de ver la cobardía de don Quijote, y de lo mal que lo pasaba su marido, señor y padre.

Pero dejémosle aquí, que no faltará quien le socorra, o si no, sufra y calle el que se atreve a más de a lo que sus fuerzas le prometen, y volvámonos atrás cincuenta pasos, a ver qué fue lo que don Luis respondió ol oidor, que le dejamos aparte, preguntándole la causa de su venida a pie y de tan vil traje vestido. A lo cual el mozo, asiéndole fuertemente de las manos, como en señal de que algún gran dolor le apretaba el corazón, y derramando lágrimas en grande abundancia, le dijo:

—Señor mío, yo no sé deciros otra cosa sino que desde el punto que quiso el cielo y facilitó nuestra vecindad que yo viese a mi señora doña Clara, hija vuestra y señora mía, desde aquel instante la hice dueño de mi vo-

[6] *embazó*, se quedó atónito.

luntad; y si la vuestra, verdadero señor y padre mío, no lo impide, en este mesmo día ha de ser mi esposa. Por ella dejé la casa de mi padre, y por ella me puse en este traje, para seguirla dondequiera que fuese, como la saeta al blanco, o como el marinero al norte. Ella no sabe de mis deseos más de lo que ha podido entender de algunas veces que desde lejos ha visto llorar mis ojos. Ya, señor, sabéis la riqueza y la nobleza de mis padres, y como yo soy su único heredero, si os parece que éstas son partes para que os aventuréis a hacerme en todo venturoso, recebidme luego por vuestro hijo; que si mi padre, llevado de otros disignios suyos, no gustare deste bien que yo supe buscarme, más fuerza tiene el tiempo para deshacer y mudar las cosas que las humanas voluntades.

Calló en diciendo esto el enamorado mancebo, y el oidor quedó en oírle suspenso, confuso y admirado, así de haber oído el modo y la discreción con que don Luis le había descubierto su pensamiento, como de verse en punto que no sabía el que poder tomar en tan repentino y no esperado negocio; y así, no respondió otra cosa sino que se sosegase por entonces, y entretuviese a sus criados, que por aquel día no le volviesen, porque se tuviese tiempo para considerar lo que mejor a todos estuviese. Besóle las manos por fuerza don Luis, y aun se las bañó con lágrimas, cosa que pudiera enternecer un corazón de mármol, no sólo el del oidor, que, como discreto, ya había conocido cuán bien le estaba a su hija aquel matrimonio; puesto que, si fuera posible, lo quisiera efetuar con voluntad del padre de don Luis, del cual sabía que pretendía hacer de título a su hijo.

Ya a esta sazón estaban en paz los huéspedes con el ventero, pues por persuasión y buenas razones de don Quijote, más que por amenazas. le habían pagado todo lo que él quiso, y los criados de don Luis aguardaban el fin de la plática del oidor y la resolución de su amo, cuando el demonio, que no duerme, ordenó que en aquel mesmo punto entró en la venta el barbero a quien don Quijote quitó el yelmo de Mambrino y Sancho Panza los aparejos del asno, que trocó con los del suyo; el cual barbero, llevando su jumento a la caballeriza, vio a Sancho Panza que estaba aderezando no sé qué de la albar-

da, y así como la vio la conoció, y se atrevió a arremeter
a Sancho, diciendo:

—¡Ah don ladrón, que aquí os tengo! ¡Venga mi
bacía y mi albarda, con todos mis aparejos que me ro-
bastes!

Sancho, que se vio acometer tan de improviso y oyó
los vituperios que le decían, con la una mano asió de la
albarda, y con la otra dio un mojicón al barbero, que le
bañó los dientes en sangre; pero no por esto dejó el barbero la presa que tenía hecha en el albarda; antes alzó
la voz de tal manera, que todos los de la venta acudieron al ruido y pendencia, y decía:

—¡Aquí del rey[7] y de la justicia; que sobre cobrar[8]
mi hacienda me quiere matar este ladrón, salteador de
caminos!

—Mentís —respondió Sancho—; que yo no soy salteador de caminos; que en buena guerra ganó mi señor
don Quijote estos despojos.

Ya estaba don Quijote delante, con mucho contento
de ver cuán bien se defendía y ofendía su escudero, y túvole desde allí adelante por hombre de pro, y propuso
en su corazón de armalle caballero en la primera ocasión que se le ofreciese, por parecerle que sería en él
bien empleada la orden de la caballería. Entre otras cosas que el barbero decía en el discurso de la pendencia,
vino a decir:

—Señores, así esta albarda es mía como la muerte
que debo a Dios, y así la conozco como si la hubiera parido; y ahí está mi asno en el establo, que no me dejará
mentir; si no, pruébensela, y si no le viniere pintiparada, yo quedaré por infame. Y hay más: que el mismo
día que ella se me quitó, me quitaron también una bacía
de azófar nueva, que no se había estrenado, que era señora[9] de un escudo.

Aquí no se pudo contener don Quijote sin responder,
y poniéndose entre los dos y apartándoles, depositando
la albarda en el suelo, que la tuviese de manifiesto hasta
que la verdad se aclarase, dijo:

---

[7] *Aquí del rey...*, forma de pedir socorro cuando se es agredido
o robado.
[8] *sobre cobrar*, además de quedarse con.
[9] *era señora de*, valía.

—¡Porque vean vuestras mercedes clara y manifiestamente el error en que está este buen escudero, pues
llama bacía a lo que fue, es y será yelmo de Mambrino,
el cual se le quité yo en buena guerra, y me hice señor
dél con ligítima y lícita posesión! En lo del albarda no
me entremeto; que lo que en ello sabré decir es que mi
escudero Sancho me pidió licencia para quitar los jaeces del caballo deste vencido cobarde, y con ellos adornar el suyo; yo se la di, y él los tomó, y de haberse convertido de jaez en albarda, no sabré dar otra razón si
no es la ordinaria: que como esas transformaciones se
ven en los sucesos de la caballería; para confirmación de
lo cual corre, Sancho hijo, y saca aquí el yelmo que este
buen hombre dice ser bacía.

—¡Pardiez, señor —dijo Sancho—, si no tenemos otra
prueba de nuestra intención que la que vuestra merced
dice, tan bacía es el yelmo de Malino como el jaez deste
buen hombre albarda!

—Haz lo que te mando —replicó don Quijote—; que
no todas las cosas deste castillo han de ser guiadas por
encantamento.

Sancho fue a do estaba la bacía y la trujo; y así
como don Quijote la vio, la tomó en las manos y dijo:

—Miren vuestras mercedes con qué cara podía decir
este escudero que ésta es bacía, y no el yelmo que yo
he dicho; y juro por la orden de caballería que profeso
que este yelmo fue el mismo que yo le quité, sin haber
añadido en él ni quitado cosa alguna.

—En eso no hay duda —dijo a esta sazón Sancho—;
porque desde que mi señor le ganó hasta agora no ha
hecho con él más de una batalla, cuando libró a los sin
ventura encadenados; y si no fuera por este baciyelmo[10],
no lo pasara entonces muy bien, porque hubo asaz de
pedradas en aquel trance.

[10] *baciyelmo*, palabra socarronamente inventada por Sancho a
fin de no contradecir a don Quijote. que cree que se trata de un
yelmo, y de no traicionar su propia opinión, pues sabe que es
en realidad una *bacía* de barbero.

CAPÍTULO XLV

Donde se acaba de averiguar la duda del yelmo de Mambrino y de la albarda y otras aventuras sucedidas, con toda verdad

¿Qué les parece a vuestras mercedes, señores —dijo el barbero—, de lo que afirman estos gentiles hombres, pues aún porfían que ésta no es bacía, sino yelmo?

—Y quien lo contrario dijere —dijo don Quijote—, le haré yo conocer que miente, si fuere caballero, y si escudero, que remiente mil veces.

Nuestro barbero, que a todo estaba presente, como tenía tan bien conocido el humor de don Quijote, quiso esforzar su desatino y llevar adelante la burla para que todos riesen, y dijo, hablando con el otro barbero:

—Señor barbero, o quien sois, sabed que yo también soy de vuestro oficio, y tengo más ha de veinte años carta de examen[1], y conozco muy bien de todos los instrumentos de la barbería, sin que le falte uno; y ni más ni menos fui un tiempo en mi mocedad soldado, y sé también qué es yelmo, y qué es morrión, y celada de encaje, y otras cosas tocantes a la milicia, digo, a los géneros de armas de los soldados; y digo, salvo mejor parecer, remitiéndome siempre al mejor entendimiento, que esta pieza que está aquí delante y que este buen señor tiene en las manos, no sólo no es bacía de barbero, pero está tan lejos de serlo como está lejos lo blanco de lo negro y la verdad de la mentira; también digo que éste, aunque es yelmo, no es yelmo entero.

—No, por cierto —dijo don Quijote—, porque le falta la mitad, que es la babera.

—Así es —dijo el cura, que ya había entendido la intención de su amigo el barbero.

Y lo mismo confirmó Cardenio, don Fernando y sus camaradas; y aun el oidor, si no estuviera tan pensativo

---

[1] *carta de examen*, documento mediante el cual se hacía constar que un artesano había adquirido, tras un examen, cierta categoría en su oficio (aprendiz, oficial o maestro).

con el negocio de don Luis, ayudara, por su parte, a la
burla; pero las veras de lo que pensaba le tenían tan suspenso, que poco o nada atendía a aquellos donaires.

—¡Válame Dios! —dijo a esta sazón el barbero burlado—. ¿Que es posible que tanta gente honrada diga
que ésta no es bacía, sino yelmo? Cosa parece ésta que
puede poner en admiración a toda una Universidad, por
discreta que sea. Basta: si es que esta bacía es yelmo,
también debe de ser esta albarda jaez de caballo, como
este señor ha dicho.

—A mí albarda me parece —dijo don Quijote—;
pero ya he dicho que en esto no me entremeto.

—De que sea albarda o jaez —dijo el cura— no está
en más de decirlo el señor don Quijote; que en estas
cosas de la caballería todos estos señores y yo le damos
la ventaja.

—Por Dios, señores míos —dijo don Quijote—, que
son tantas y tan estrañas las cosas que en este castillo,
en dos veces que en él he alojado, me han sucedido, que
no me atreva a decir afirmativamente ninguna cosa de
lo que acerca de lo que en él se contiene se preguntare,
porque imagino que cuanto en él se trata va por vía de
encantamento. La primera vez me fatigó mucho un moro
encantado que en él hay, y a Sancho no le fue muy bien
con otros sus secuaces; y anoche estuve colgado deste brazo
casi dos horas, sin saber cómo ni cómo no vine a caer
en aquella desgracia. Así que, ponerme yo agora en cosa
de tanta confusión a dar mi parecer, será caer en juicio
temerario. En lo que toca a lo que dicen que ésta es
bacía, y no yelmo, ya yo tengo respondido; pero en lo
de declarar si ésa es albarda o jaez, no me atrevo a dar
sentencia difinitiva: sólo lo dejo al buen parecer de
vuestras mercedes. Quizá por no ser armados caballeros
como yo lo soy, no tendrán que ver con vuestras mercedes los encantamentos deste lugar, y tendrán los entendimientos libres, y podrán juzgar de las cosas deste castillo como ellas son real y verdaderamente, y no como
a mí me parecían.

—No hay duda —respondió a esto don Fernando—,
sino que el señor don Quijote ha dicho muy bien hoy,
que a nosotros toca la difinición deste caso; y porque
vaya con más fundamento, yo tomaré en secreto los vo-

tos destos señores, y de lo que resultare daré entera y clara noticia.

Para aquellos que la tenían del humor de don Quijote era todo esto materia de grandísima risa; pero para los que le ignoraban les parecía el mayor disparate del mundo, especialmente a los cuatro criados de don Luis, y a don Luis ni más ni menos, y a otros tres pasajeros que acaso habían llegado a la venta, que tenían parecer de ser cuadrilleros, como, en efeto, lo eran. Pero el que más se desesperaba era el barbero, cuya bacía allí delante de sus ojos se le había vuelto en yelmo de Mambrino, y cuya albarda pensaba sin duda alguna que se le había de volver en jaez rico de caballo; y los unos y los otros se reían de ver cómo andaba don Fernando tomando los votos de unos en otros, hablándolos al oído para que en secreto declarasen si era albarda o jaez aquella joya sobre quien tanto se había peleado. Y después que hubo tomado los votos de aquellos que a don Quijote conocían, dijo en alta voz:

—El caso es, buen hombre, que ya yo estoy cansado de tomar tantos pareceres, porque veo que a ninguno pregunto lo que deseo saber que no me diga que es disparate el decir que ésta sea albarda de jumento, sino jaez de caballo, y aun de caballo castizo; y así, habréis de tener paciencia, porque, a vuestro pesar y al de vuestro asno, éste es jaez y no albarda, y vos habéis alegado y probado muy mal de vuestra parte.

—No la tenga yo en el cielo —dijo el sobrebarbero[2]— si todos vuestras mercedes no se engañan, y que así parezca mi ánima ante Dios como ella me parece a mí albarda, y no jaez; pero allá van leyes..., etcétera[3]; y no digo más; y en verdad que no estoy borracho: que no me he desayunado, si de pecar no.

No menos causaban risa las necedades que decía el barbero que los disparates de don Quijote, el cual a esta sazón dijo:

—Aquí no hay más que hacer sino que cada uno

---

[2] *sobrebarbero*, tal vez quiere decir «segundo barbero», o sea, el propietario de la bacía y la albarda, para distinguirlo del barbero vecino de don Quijote. Algunas ediciones antiguas enmiendan *pobre barbero*.

[3] «...do quieren reyes», es la segunda parte de este refrán.

tome lo que es suyo, y a quien Dios se la dio, San Pedro se la bendiga.

Uno de los cuatro[4] dijo:

—Si ya no es que esto sea burla pesada, no me puedo persuadir que hombres de tan buen entendimiento como son, o parecen, todos los que aquí están, se atrevan a decir y afirmar que ésta no es bacía, ni aquélla albarda; mas como veo que lo afirman y lo dicen, me doy a entender que no carece de misterio el porfiar una cosa tan contraria de lo que nos muestra la misma verdad y la misma experiencia; porque ¡voto a tal! —y arrojóle redondo— que no me den a mí a entender cuantos hoy viven en el mundo al revés de que ésta no sea bacía de barbero y ésta albarda de asno.

—Bien podría ser de borrica —dijo el cura.

—Tanto monta —dijo el criado—; que el caso no consiste en eso, sino en si es o no es albarda, como vuestras mercedes dicen.

Oyendo esto uno de los cuadrilleros que habían entrado, que había oído la pendencia y quistión, lleno de cólera y de enfado, dijo:

—Tan albarda es como mi padre; y el que otra cosa ha dicho o dijere debe de estar hecho uva[5].

—Mentís como bellaco villano —respondió don Quijote.

Y alzando el lanzón, que nunca le dejaba de las manos, le iba a descargar tal golpe sobre la cabeza, que, a no desviarse el cuadrillero, se le dejara allí tendido. El lanzón se hizo pedazos en el suelo y los demás cuadrilleros, que vieron tratar mal a su compañero, alzaron la voz pidiendo favor a la Santa Hermandad.

El ventero, que era de la cuadrilla, entró al punto por su varilla[6] y por su espada, y se puso al lado de sus compañeros; los criados de don Luis rodearon a don Luis, porque con el alboroto no se les fuese; el barbero, viendo la casa revuelta, tornó a asir de su albarda, y lo mismo hizo Sancho; don Quijote puso mano a su espada

---

[4] Uno de los cuatro criados de don Luis.
[5] *estar hecho uva*, estar borracho.
[6] Muchos venteros eran cuadrilleros de la Santa Hermandad. Es curioso que Cervantes no lo consignara en el anterior capítulo 16. La *varilla* es la «media vara» que significaba su autoridad.

y arremetió a los cuadrilleros. Don Luis daba voces a sus criados, que le dejasen a él y acorriesen a don Quijote, y a Cardenio, y a don Fernando, que todos favorecían a don Quijote. El cura daba voces, la ventera gritaba, su hija se afligía, Maritornes lloraba, Dorotea estaba confusa, Luscinda suspensa y doña Clara desmayada. El barbero aporreaba a Sancho, Sancho molía al barbero, don Luis, a quien un criado suyo se atrevió a asirle del brazo porque no se fuese, le dio una puñada que le bañó los dientes en sangre; el oidor le defendía, don Fernando tenía debajo de sus pies a un cuadrillero, midiéndole el cuerpo con ellos muy a su sabor; el ventero tornó a reforzar la voz, pidiendo favor a la Santa Hermandad: de modo que toda la venta era llantos, voces, gritos, confusiones, temores, sobresaltos, desgracias, cuchilladas, mojicones, palos, coces y efusión de sangre. Y en la mitad deste caos, máquina y laberinto de cosas se le representó en la memoria de don Quijote que se veía metido de hoz y de coz en la discordia del campo de Agramante, y así dijo, con voz que atronaba la venta:

—Ténganse todos; todos envainen; todos se sosieguen; óiganme todos, si todos quieren quedar con vida.

A cuya gran voz todos se pararon, y él prosiguió, diciendo:

—¿No os dije yo, señores, que este castillo era encantado, y que alguna región[7] de demonios debe de habitar en él? En confirmación de lo cual quiero que veáis por vuestros ojos cómo se ha pasado aquí y trasladado entre nosotros la discordia del campo de Agramante. Mirad cómo allí se pelea por la espada, aquí por el caballo, acullá por el águila, acá por el yelmo, y todos peleamos, y todos no nos entendemos[8]. Venga, pues, vuestra merced, señor oidor, y vuestra merced, señor cura, y el uno sirva de rey Agramante, y el otro de rey Sobrino, y pónganos en paz; porque por Dios Todopoderoso que es gran

---

[7] *región*, legión.

[8] *campo de Agramante*, pendencia, que ha quedado como frase proverbial, narrada en el *Orlando furioso* de Ariosto. Se trata de una discordia surgida entre los fabulosos reyes y jefes moros que sitiaban a Carlomagno en París, en la que se peleaban por la posesión de la espada Durindana, del caballo Frontino, del escudo del águila blanca, pero no de ningún yelmo. Como se dice más adelante, la pendencia fue aplacada por los reyes sarracenos Agramante y Sobrino.

bellaquería que tanta gente principal como aquí estamos se mate por causas tan livianas.

Los cuadrilleros, que no entendían el frasis[9] de don Quijote, y se veían malparados de don Fernando, Cardenio y sus camaradas, no querían sosegarse; el barbero sí, porque en la pendencia tenía deshechas las barbas y el albarda; Sancho, a la más mínima voz de su amo, obedeció como buen criado; los cuatro criados de don Luis también se estuvieron quedos, viendo cuán poco les iba en no estarlo. Sólo el ventero porfiaba que se habían de castigar las insolencias de aquel loco, que a cada paso le alborotaba la venta. Finalmente, el rumor se apaciguó por entonces, la albarda se quedó por jaez hasta el día del juicio, y la bacía por yelmo y la venta por castillo en la imaginación de don Quijote.

Puestos, pues, ya en sosiego, y hechos amigos todos a persuasión del oidor y del cura, volvieron los criados de don Luis a porfiarle que al momento se viniese con ellos; y en tanto que él con ellos se avenía, el oidor comunicó con don Fernando, Cardenio y el cura qué debía hacer en aquel caso, contándoseles[10] con las razones que don Luis le había dicho. En fin, fue acordado que don Fernando dijese a los criados de don Luis quién él era y cómo era su gusto que don Luis se fuese con él al Andalucía, donde de su hermano el marqués sería estimado como el valor de don Luis merecía; porque desta manera se sabía de la intención de don Luis que no volvería por aquella vez a los ojos de su padre, si le hiciesen pedazos. Entendida, pues, de los cuatro la calidad de don Fernando y la intención de don Luis, determinaron entre ellos que los tres se volviesen a contar lo que pasaba a su padre, y el otro se quedase a servir a don Luis, y a no dejalle hasta que ellos volviesen por él, o viese lo que su padre les ordenaba.

Desta manera se apaciguó aquella máquina de pendencias, por la autoridad de Agramante y prudencia del rey Sobrino; pero viéndose el enemigo de la concordia y el émulo de la paz[11] menospreciado y burlado, y el

---

[9] *el frasis*, el lenguaje.
[10] «contándoles el caso»; en algunas ediciones se enmienda *contándoselo*.
[11] Se refiere al diablo.

poco fruto que había granjeado de haberlos puesto a
todos en tan confuso laberinto, acordó de probar otra vez
la mano, resucitando nuevas pendencias y desasosiegos.

Es, pues, el caso, que los cuadrilleros se sosegaron,
por haber entreoído la calidad de los que con ellos se
habían combatido, y se retiraron de la pendencia, por
parecerles que, de cualquiera manera que sucediese, habían de llevar lo peor de la batalla; pero uno de ellos, que
fue el que fue molido y pateado por don Fernando, le
vino a la memoria que entre algunos mandamientos que
traía para prender a algunos delincuentes, traía uno contra don Quijote, a quien la Santa Hermandad había
mandado prender, por la libertad que dio a los galeotes,
y como Sancho con mucha razón había temido.

Imaginando, pues, esto, quiso certificarse si las señas
que de don Quijote traía venían bien, y sacando del seno
un pergamino, topó con el que buscaba, y poniéndosele
a leer de espacio, porque no era buen lector, a cada palabra que leía ponía los ojos en don Quijote, y iba cote-
jando las señas del mandamiento con el rostro de don
Quijote, y halló que sin duda alguna era el que el mandamiento rezaba. Y apenas se hubo certificado, cuando,
recogiendo su pergamino, en la izquierda tomó el mandamiento, y con la derecha asió a don Quijote del cuello fuertemente, que no le dejaba alentar, y a grandes
voces decía:

—¡Favor a la Santa Hermandad! Y para que se vea
que lo pido de veras, léase este mandamiento, donde se
contiene que se prenda a este salteador de caminos.

Tomó el mandamiento el cura y vio como era verdad
cuanto el cuadrillero decía, y como convenía con las señas con don Quijote; el cual, viéndose tratar mal de
aquel villano malandrín, puesta la cólera en su punto, y
crujiéndole los huesos de su cuerpo, como mejor pudo
él, asió al cuadrillero con entrambas manos de la garganta, que a no ser socorrido de sus compañeros, allí dejara
la vida antes que don Quijote la presa. El ventero, que
por fuerza había de favorecer a los de su oficio, acudió
luego a dalle favor. La ventera, que vio de nuevo a su
marido en pendencias, de nuevo alzó la voz, cuyo tenor
le llevaron luego Maritornes y su hija, pidiendo favor al

cielo y a los que allí estaban. Sancho dijo, viendo lo que pasaba:

—¡Vive el Señor, que es verdad cuanto mi amo dice de los encantos deste castillo, pues no es posible vivir una hora con quietud en él!

Don Fernando despartió al cuadrillero y a don Quijote, y, con gusto de entrambos, les desenclavijó las manos, que el uno en el collar del sayo del uno, y el otro en la garganta del otro, bien asidas tenían; pero no por esto cesaban los cuadrilleros de pedir su preso, y que les ayudasen a dársele atado y entregado a toda su voluntad, porque así convenía al servicio del rey y de la Santa Hermandad, de cuya parte de nuevo les pedían socorro y favor para hacer aquella prisión de aquel robador y salteador de sendas y de carreras. Reíase de oír decir estas razones don Quijote, y con mucho sosiego dijo:

—Venid acá, gente soez y malnacida: ¿saltear de caminos llamáis al dar libertad a los encadenados, soltar los presos, acorrer a los miserables, alzar los caídos, remediar los menesterosos? ¡Ah gente infame, digna por vuestro bajo y vil entendimiento que el cielo no os comunique el valor que se encierra a la caballería andante, ni os dé a entender el pecado e ignorancia en que estáis en no reverenciar la sombra, cuanto más la asistencia, de cualquier caballero andante! Venid acá, ladrones en cuadrilla, que no cuadrilleros, salteadores de caminos con licencia de la Santa Hermandad; decidme: ¿quién fue el ignorante que firmó mandamiento de prisión contra un tal caballero como yo soy? ¿Quién el que ignoró que son esentos de todo judicial fuero los caballeros andantes, y que su ley es su espada, sus fueros sus bríos, sus premáticas su voluntad? ¿Quién fue el mentecato, vuelvo a decir, que no sabe que no hay secutoria[12] de hidalgo con tantas preeminencias ni esenciones como la que adquiere un caballero andante el día que se arma caballero y se entrega al duro ejercicio de la caballería? ¿Qué caballero andante pagó pecho, alcabala, chapín de la reina, moneda forera, portazgo ni barca[13]? ¿Qué sastre le llevó hechura de vestido que le hiciese? ¿Qué castellano le acogió en su castillo que le hiciese pagar el escote? ¿Qué

---

[12] *secutoria*, ejecutoria.
[13] Diversos tributos de aquella época.

rey no le asentó a su mesa? ¿Qué doncella no se le afi-
cionó y se le entregó rendida, a todo su talante y voluntad? Y, finalmente, ¿qué caballero andante ha habido,
hay ni habrá en el mundo, que no tenga bríos para dar
él solo cuatrocientos palos a cuatrocientos cuadrilleros
que se le pongan delante?

CAPÍTULO XLVI

DE LA NOTABLE AVENTURA DE LOS CUADRILLEROS, Y LA GRAN FEROCIDAD DE NUESTRO BUEN CABALLERO DON QUIJOTE

EN tanto que don Quijote esto decía, estaba persuadiendo el cura a los cuadrilleros como don Quijote
era falto de juicio, como lo veían por sus obras y por
sus palabras, y que no tenían para qué llevar aquel negocio adelante, pues aunque le prendiesen y llevasen, luego le habían de dejar por loco; a lo que respondió el del
mandamiento que a él no tocaba juzgar de la locura de
don Quijote, sino hacer lo que por su mayor¹ le era
mandado, y que una vez preso, siquiera² le soltasen trecientas.

—Con todo eso —dijo el cura—, por esta vez no le
habéis de llevar, ni aun él dejará llevarse, a lo que yo
entiendo.

En efeto, tanto les supo el cura decir, y tantas locuras supo don Quijote hacer, que más locos fueran que
no él los cuadrilleros si no conocieran la falta de don
Quijote; y así, tuvieron por bien de apaciguarse, y aun
de ser medianeros de hacer las paces entre el barbero y
Sancho Panza, que todavía asistían con gran rancor a su
pendencia. Finalmente, ellos, como miembros de justicia, mediaron la causa y fueron árbitros della, de tal
modo, que ambas partes quedaron, si no del todo contentas, a lo menos en algo satisfechas, porque se trocaron
las albardas, y no las cinchas y jáquimas; y en lo que
tocaba a lo del yelmo de Mambrino, el cura, a socapa

¹ su mayor, su superior.
² siquiera, «si querían, que».

y sin que don Quijote lo entendiese, le dio por la bacía ocho reales, y el barbero le hizo una cédula del recibo y de no llamarse a engaño por entonces, ni por siempre jamás amén.

Sosegadas, pues, estas dos pendencias, que eran las más principales y de más tomo, restaba que los criados de don Luis se contentasen de volver los tres, y que el uno quedase para acompañarle donde don Fernando le quería llevar; y como ya la buena suerte y mejor fortuna había comenzado a romper lanzas y a facilitar dificultades en favor de los amantes de la venta y de los valientes della, quiso llevarlo al cabo y dar al todo felice suceso, porque los criados se contentaron de cuanto don Luis quería; de que recibió tanto contento doña Clara, que ninguno en aquella sazón la mirara al rostro que no conociera el regocijo de su alma.

Zoraida, aunque no entendía bien todos los sucesos que había visto, se entristecía y alegraba a bulto, conforme veía y notaba los semblantes a cada uno, especialmente de su español, en quien tenía siempre puestos los ojos y traía colgada el alma. El ventero, a quien no se le pasó por alto la dádiva y recompensa que el cura había hecho al barbero, pidió el escote de don Quijote, con el menoscabo de sus cueros y falta de vino jurando que no saldría de la venta Rocinante, ni el jumento[3] de Sancho, sin que se le pagase primero hasta el último ardite. Todo lo apaciguó el cura, y lo pagó don Fernando, puesto que el oidor, de muy buena voluntad, había también ofrecido la paga; y de tal manera quedaron todos en paz y sosiego, que ya no parecía la venta la discordia del campo de Agramante, como don Quijote había dicho, sino la misma paz y quietud del tiempo de Otaviano; de todo lo cual fue común opinión que se debían dar las gracias a la buena intención y mucha elocuencia del señor cura y a la incomparable liberalidad de don Fernando.

Viéndose, pues, don Quijote libre y desembarazado de tantas pendencias, así de su escudero como suyas, le pareció que sería bien seguir su comenzado viaje y dar fin a aquella grande aventura para que había sido lla-

---

[3] *jumento*, es la primera vez que se le menciona desde que Sancho lo recuperó.

mado y escogido; y así, con resoluta determinación se fue a poner de hinojos ante Dorotea, la cual no le consintió que hablase palabra hasta que se levantase; y él, por obedecella, se puso en pie, y le dijo:

—Es común proverbio, fermosa señora, que la diligencia es madre de la buena ventura, y en muchas y graves cosas ha mostrado la experiencia que la solicitud del negociante trae a buen fin el pleito dudoso; pero en ningunas cosas se muestra más esta verdad que en las de la guerra, adonde la celeridad y presteza previene los discursos del enemigo, y alcanza la vitoria antes que el contrario se ponga en defensa. Todo esto digo, alta y preciosa señora, porque me parece que la estada nuestra en este castillo ya es sin provecho, y podría sernos de tanto daño, que lo echásemos de ver algún día; porque ¿quién sabe si por ocultas espías y diligentes habrá sabido ya vuestro enemigo el gigante de que yo voy a destruille?; y, dándole lugar el tiempo, se fortificase en algún inexpugnable castillo o fortaleza contra quien valiesen poco mis diligencias y la fuerza de mi incansable brazo. Así que, señora mía, prevengamos, como tengo dicho, con nuestra diligencia sus designios, y partámonos luego a la buena ventura; que no está más de tenerla vuestra grandeza como desea, de cuanto yo tarde de verme con vuestro contrario.

Calló y no dijo más don Quijote, y esperó con mucho sosiego la respuesta de la fermosa infanta; la cual, con ademán señoril y acomodado al estilo de don Quijote, le respondió desta manera:

—Yo os agradezco, señor caballero, el deseo que mostráis tener de favorecerme en mi gran cuita, bien así como caballero a quien es anejo y concerniente favorecer los huérfanos y menesterosos; y quiera el cielo que el vuestro y mi deseo se cumplan, para que veáis que hay agradecidas mujeres en el mundo. Y en lo de mi partida, sea luego; que yo no tengo más voluntad que la vuestra: disponed vos de mí a toda vuestra guisa y talante; que la que una vez os entregó la defensa de su persona y puso en vuestras manos la restauración de sus señoríos no ha de querer ir contra lo que la vuestra prudencia ordenare.

—A la mano de Dios —dijo don Quijote—; pues así

es que una señora se me humilla, no quiero yo perder la ocasión de levantalla y ponella en su heredado trono. La partida sea luego, porque me va poniendo espuelas al deseo y al camino, lo que suele decirse que en la tardanza está el peligro. Y pues no ha criado el cielo, ni visto el infierno, ninguno que me espante ni acobarde, ensilla, Sancho, a Rocinante, y apareja tu jumento y el palafrén de la reina, y despidámonos del castellano y destos señores, y vamos de aquí luego al punto.

Sancho, que a todo estaba presente, dijo, meneando la cabeza a una parte y a otra:

—¡Ay señor, señor, y cómo hay más mal en la aldegüela que se suena, con perdón sea dicho de las tocadas honradas[4]!

—¿Qué mal puede haber en ninguna aldea, ni en todas las ciudades del mundo, que pueda sonarse en menoscabo mío, villano?

—Si vuestra merced se enoja —respondió Sancho—, yo callaré, y dejaré de decir lo que soy obligado como buen escudero, y como debe un buen criado decir a su señor.

—Di lo que quisieres —replicó don Quijote—, como tus palabras no se encaminen a ponerme miedo; que si tú le tienes, haces como quien eres; y si yo no le tengo, hago como quien soy.

—No es eso, ¡pecador fui yo a Dios! —respondió Sancho—; sino que yo tengo por cierto y por averiguado que esta señora que se dice ser reina del gran reino Micomicón no lo es más que mi madre; porque a ser lo que ella dice, no se anduviera hocicando con alguno de

---

[4] *tocadas honradas* en la primera edición, lo que en casi todas se enmienda en *tocas honradas,* ya que se solía usar esta última expresión para pedir perdón cuando se tenía que decir algo desagradable o picante en presencia de damas («con perdón de las tocas honradas»). No obstante creo que hay que mantener la lectura de la primera edición porque sin duda Sancho hace aquí un pícaro y grosero juego de palabras porque ha visto, como dirá en seguida, ciertas actitudes amorosas de don Fernando para con Dorotea. Justifica esta interpretación la airada respuesta de don Quijote. Chistes de este tipo eran frecuentes; Melchor de Santa Cruz, en su *Floresta general,* I, Madrid, 1910, pág. 50, explica el siguiente: «La señora se escusó diciendo que la perdonase, que estaba *destocada* [es decir, con la cabeza descubierta]. Respondió él: Decidle que, porque yo creo que está destocada, la sirvo; que a estar *tocada* no la sirviera».

los que están en la rueda, a vuelta de cabeza y a cada traspuesta.

Paróse colorada con las razones de Sancho Dorotea, porque era verdad que su esposo don Fernando, alguna vez, a hurto de otros ojos, había cogido con los labios parte del premio que merecían sus deseos —lo cual había visto Sancho, pareciéndole que aquella desenvoltura más era de dama cortesana que de reina de tan gran reino—, y no pudo ni quiso responder palabra a Sancho, sino dejóle proseguir en su plática, y él fue diciendo:

—Esto digo, señor, porque, si al cabo de haber andado caminos y carreras, y pasado malas noches y peores días, ha de venir a coger el fruto de nuestros trabajos el que se está holgando en esta venta, no hay para qué darme priesa a que ensille a Rocinante, albarde el jumento y aderece al palafrén, pues será mejor que nos estemos quedos, y cada puta hile, y comamos.

¡Oh, válame Dios, y cuán grande que fue el enojo que recibió don Quijote oyendo las descompuestas palabras de su escudero! Digo que fue tanto, que, con voz atropellada y tartamuda lengua, lanzando vivo fuego por los ojos, dijo:

—¡Oh bellaco villano, mal mirado, descompuesto, ignorante, infacundo, deslenguado, atrevido, murmurador y maldiciente! ¿Tales palabras has osado decir en mi presencia y en la destas ínclitas señoras, y tales deshonestidades y atrevimientos osaste poner en tu confusa imaginación? ¡Vete de mi presencia, monstruo de naturaleza, depositario de mentiras, almario de embustes, silo de bellaquerías, inventor de maldades, publicador de sandeces, enemigo del decoro que se debe a las reales personas! ¡Vete, no parezcas delante de mí, so pena de mi ira!

Y diciendo esto, enarcó las cejas, hinchó los carrillos, miró a todas partes, y dio con el pie derecho una gran patada en el suelo, señales todas de la ira que encerraba en sus entrañas. A cuyas palabras y furibundos ademanes quedó Sancho tan encogido y medroso, que se holgara que en aquel instante se abriera debajo de sus pies la tierra y le tragara. Y no supo qué hacerse, sino volver las espaldas y quitarse de la enojada presencia de su señor.

Pero la discreta Dorotea, que tan entendido tenía ya el humor de don Quijote, dijo, para templarle la ira:

—No os despechéis, señor Caballero de la Triste Figura, de las sandeces que vuestro buen escudero ha dicho; porque quizá no las debe de decir sin ocasión, ni de su buen entendimiento y cristiana conciencia se puede sospechar que levante testimonio a nadie; y así, se ha de creer, sin poner duda en ello, que, como en este castillo, según vos, señor caballero, decís, todas las cosas van y suceden por modo de encantamento, podría ser, digo, que Sancho hubiese visto por esta diabólica vía lo que él dice que vio, tan en ofensa de mi honestidad.

—Por el omnipotente Dios juro —dijo a esta sazón don Quijote—, que la vuestra grandeza ha dado en el punto, y que alguna mala visión se le puso delante a este pecador de Sancho, que le hizo ver lo que fuera imposible verse de otro modo que por el de encantos no fuera; que sé lo bien de la bondad e inocencia deste desdichado, que no sabe levantar testimonios a nadie.

—Ansí es y ansí será —dijo don Fernando—; por lo cual debe vuestra merced, señor don Quijote, perdonalle y reducille al gremio de su gracia[5], *sicut erat in principio*, antes que las tales visiones le sacasen de juicio.

Don Quijote respondió que él le perdonaba, y el cura fue por Sancho, el cual vino muy humilde, y, hincándose de rodillas, pidió la mano a su amo, y él se la dio, y después de habérsela dejado besar, le echó la bendición, diciendo:

—Agora acabarás de conocer, Sancho hijo, ser verdad lo que yo otras muchas veces te he dicho de que todas las cosas deste castillo son hechas por vía de encantamento.

—Así lo creo yo —dijo Sancho—, excepto aquello de la manta, que realmente sucedió por vía ordinaria.

—No lo creas —respondió don Quijote—; que si así fuera, yo te vengara entonces, y aun agora; pero ni entonces ni agora, pude ni vi en quién tomar venganza de tu agravio.

Desearon saber todos qué era aquello de la manta, y el ventero lo contó, punto por punto: la volatería de San-

---

[5] *reducir al gremio*, volver al seno de la Iglesia los que han estado apartados de ella por excomunión.

cho Panza, de que no poco se rieron todos, y de que no menos se corriera Sancho, si de nuevo no le asegurara su amo que era encantamento; puesto que jamás llegó la sandez de Sancho a tanto, que creyese no ser verdad pura y averiguada, sin mezcla de engaño alguno, lo de haber sido manteado por personas de carne y hueso, y no por fantasmas soñadas ni imaginadas, como su señor lo creía y lo afirmaba.

Dos días eran ya pasados los que había que toda aquella ilustre compañía estaba en la venta; y pareciéndoles que ya era tiempo de partirse, dieron orden para que, sin ponerse al trabajo de volver Dorotea y don Fernando con don Quijote a su aldea, con la invención de la libertad de la reina Micomicona, pudiesen el cura y el barbero llevársele, como deseaban, y procurar la cura de su locura en su tierra. Y lo que ordenaron fue que se concertaron con un carretero de bueyes que acaso acertó a pasar por allí, para que lo llevase en esta forma: hicieron como una jaula de palos enrejados, capaz que pudiese en ella caber holgadamente don Quijote, y luego don Fernando y sus camaradas, con los criados de don Luis y los cuadrilleros, juntamente con el ventero, todos, por orden y parecer del cura, se cubrieron los rostros y se disfrazaron, quién de una manera y quién de otra, de modo que a don Quijote le pareciese ser otra gente de la que en aquel castillo había visto.

Hecho esto, con grandísimo silencio se entraron adonde él estaba durmiendo y descansando de las pasadas refriegas. Llegáronse a él, que libre y seguro[6] de tal acontecimiento dormía, y asiéndole fuertemente, le ataron muy bien las manos y los pies, de modo que cuando él despertó con sobresalto, no pudo menearse, ni hacer otra cosa más que admirarse y suspenderse de ver delante de sí tan estraños visajes; y luego dio en la cuenta de lo que su continua y desvariada imaginación le representaba, y se creyó que todas aquellas figuras eran fantasmas de aquel encantado castillo, y que, sin duda alguna, ya estaba encantado, pues no se podía menear ni defender: todo a punto como había pensado que sucedería el cura, trazador desta máquina[7]. Sólo Sancho,

---

[6] *seguro*, ajeno.
[7] *máquina*, artificio, proyecto.

de todos los presentes, estaba en su mesmo juicio y en
su mesma figura; el cual, aunque le faltaba bien poco
para tener la mesma enfermedad de su amo, no dejó de
conocer quién eran todas aquellas contrahechas[8] figuras;
mas no osó descoser su boca, hasta ver en qué paraba
aquel asalto y prisión de su amo, el cual tampoco hablaba
palabra, atendiendo[9] a ver el paradero de su desgracia;
que fue que, trayendo allí la jaula, le encerraron dentro,
y le clavaron los maderos tan fuertemente, que no se
pudieran romper a dos tirones.

Tomáronle luego en hombros, y al salir del aposento
se oyó una voz temerosa, todo cuanto la supo formar el
barbero, no el del albarda, sino el otro, que decía:

—¡Oh Caballero de la Triste Figura! No te dé afincamiento[10] la prisión en que vas, porque así conviene para
acabar más presto la aventura en que tu gran esfuerzo
te puso. La cual se acabará cuando el furibundo león
manchado con la blanca paloma tobosina yoguieren en
uno[11], ya después de humilladas las altas cervices al
blando yugo matrimoñesco; de cuyo inaudito consorcio
saldrán a la luz del orbe los bravos cachorros, que imi-
tarán las rumpantes[12] garras del valeroso padre. Y esto
será antes que el seguidor de la fugitiva ninfa[13] faga dos
vegadas la visita de las lucientes imágines[14] con su rápido y natural curso. Y tú, ¡oh, el más noble y obediente
escudero que tuvo espada en cinta, barbas en rostro y
olfato en las narices!, no te desmaye ni descontente ver
llevar ansí delante de tus ojos mesmos a la flor de la
caballería andante; que presto, si al plasmador del mundo le place, te verás tan alto y tan sublimado que no te
conozcas, y no saldrán defraudadas las promesas que te
ha fecho tu buen señor. Y asegúrote, de parte de la sabia Mentironiana, que tu salario te sea pagado, como
lo verás por la obra; y sigue las pisadas del valeroso y

---

[8] *contrahechas,* disfrazadas.
[9] *atendiendo,* esperando.
[10] *afincamiento,* congoja. Este parlamento intenta imitar el estilo de los libros de caballerías.
[11] *yoguieren en uno,* yacieren juntos.
[12] *rumpantes* en las ediciones primitivas, luego enmendado en
rapantes y *rampantes*; pero puede tratarse de un despropósito
intencionado. El león *rampante* es el heráldico que se mantiene
erguido sobre las patas traseras.
[13] Apolo, el sol, perseguidor de la ninfa Dafne.
[14] *las lucientes imágines,* los signos del Zodíaco.

encantado caballero; que conviene que vayas donde paréis entrambos. Y porque no me es lícito decir otra cosa,
a Dios quedad; que yo me vuelvo adonde yo me sé.

Y al acabar de la profecía, alzó la voz de punto, y
diminuyóla después, con tan tierno acento, que aun los
sabidores de la burla estuvieron por creer que era verdad lo que oían.

Quedó don Quijote consolado con la escuchada profecía, porque luego coligió de todo en todo la signifi-
cación de ella, y vio que le prometían el verse ayuntado
en santo y debido matrimonio con su querida Dulcinea
del Toboso, de cuyo felice vientre saldrían los cachorros,
que eran sus hijos, para gloria perpetua de la Mancha;
y creyendo esto bien y firmemente, alzó la voz, y dando
un gran suspiro, dijo:

—¡Oh tú, quienquiera que seas, que tanto bien me
has pronosticado! Ruégote que pidas de mi parte al sabio encantador que mis cosas tiene a cargo, que no me
deje perecer en esta prisión donde agora me llevan, hasta ver cumplidas tan alegres e incomparables promesas
como son las que aquí se me han hecho; que como esto
sea, tendré por gloria las penas de mi cárcel, y por alivio estas cadenas que me ciñen, y no por duro campo
de batalla este lecho en que me acuestan, sino por cama
blanda y tálamo dichoso. Y en lo que toca a la consola-
ción de Sancho Panza mi escudero, yo confío de su bondad y buen proceder que no me dejará, en buena ni en
mala suerte; porque cuando no suceda, por la suya o
por mi corta ventura, el poderle yo dar la ínsula, o otra
cosa equivalente, que le tengo prometida, por lo menos
su salario no podrá perderse; que en mi testamento, que
ya está hecho, dejo declarado lo que se le ha de dar, no
conforme a sus muchos y buenos servicios, sino a la posibilidad mía.

Sancho Panza se le inclinó con mucho comedimiento, y le besó entrambas las manos, porque la una no pudiera, por estar atadas entrambas.

Luego tomaron la jaula en hombros aquellas visiones, y la acomodaron en el carro de los bueyes.

CAPÍTULO XLVII

DEL ESTRAÑO MODO CON QUE FUE ENCANTADO DON QUIJOTE DE LA MANCHA, CON OTROS FAMOSOS SUCESOS*

Cuando don Quijote se vio de aquella manera enjaulado y encima del carro, dijo:

—Muchas y muy graves historias he yo leído de caballeros andantes; pero jamás he leído, ni visto, ni oído, que a los caballeros encantados los lleven desta manera y con el espacio que prometen estos perezosos y tardíos animales; porque siempre los suelen llevar por los aires, con estraña ligereza, encerrados en alguna parda y escura nube, o en algún carro de fuego, o ya sobre algún hipogrifo o otra bestia semejante; pero que me lleven a mí agora sobre un carro de bueyes, ¡vive Dios que me pone en confusión! Pero quizá la caballería y los encantos destos nuestros tiempos deben de seguir otro camino que siguieron los antiguos. Y también podría ser que, como yo soy nuevo caballero en el mundo, y el primero que ha resucitado el ya olvidado ejercicio de la caballería aventurera, también nuevamente se hayan inventado otros géneros de encantamentos y otros modos de llevar a los encantados. ¿Qué te parece desto, Sancho hijo?

—No sé yo lo que me parece —respondió Sancho—, por no ser tan leído como vuestra merced en las escrituras andantes; pero, con todo eso, osaría afirmar y jurar que estas visiones que por aquí andan, que no son del todo católicas.

* A pesar de las palabras con que empieza el parlamento de don Quijote con que se abre este capítulo el hecho de que un caballero sea llevado en un carro es un motivo fundamental en una de las más antiguas novelas caballerescas *Li chevaliers de la charrete* de Chrétien de Troyes (segunda mitad del siglo XII), en la que el protagonista, Lancelot (Lanzarote en los textos castellanos), sufre la infamante prueba de ser llevado en una carreta conducida por un desagradable enano, lo que se tiene por cosa deshonrosa ya que, como dice Chrétien, en carretas semejantes se ofrecían a la vergüenza, como en la picota, a los malhechores. Este motivo fue muy conocido, y es de creer que Cervantes lo tuviera presente al imaginar el regreso de don Quijote a su aldea.

—¿Católicas? ¡Mi padre! —respondió don Quijote—. ¿Cómo han de ser católicas si son todos demonios que han tomado cuerpos fantásticos para venir a hacer esto y a ponerme en este estado? Y si quieres ver esta verdad, tócalos y pálpalos, y verás como no tienen cuerpo sino de aire, y como no consiste más de en la apariencia.

—Par Dios, señor —replicó Sancho—, ya yo los he tocado; y este diablo que aquí anda tan solícito es rollizo de carnes, y tiene otra propiedad muy diferente de la que yo he oído decir que tienen los demonios; porque, según se dice, todos huelen a piedra azufre y a otros malos olores; pero éste huele a ámbar de media legua.

Decía esto Sancho por don Fernando, que, como tan señor, debía de oler a lo que Sancho decía.

—No te maravilles deso, Sancho amigo —respondió don Quijote—; porque te hago saber que los diablos saben mucho, y puesto que traigan olores consigo, ellos no huelen nada, porque son espíritus, y si huelen, no pueden oler cosas buenas, sino malas y hidiondas. Y la razón es que como ellos, dondequiera que están, traen el infierno consigo, y no pueden recibir género de alivio alguno en sus tormentos, y el buen olor sea cosa que deleita y contenta, no es posible que ellos huelan cosa buena. Y si a ti te parece que ese demonio que dices huele a ámbar, o tú te engañas, o él quiere engañarte con hacer que no le tengas por demonio.

Todos estos coloquios pasaron entre amo y criado; y temiendo don Fernando y Cardenio que Sancho no viniese a caer del todo en cuenta de su invención, a quien andaba ya muy en los alcances, determinaron de abreviar con la partida; y llamando aparte al ventero, le ordenaron que ensillase a Rocinante y enalbardase el jumento de Sancho; el cual lo hizo con mucha presteza.

Ya en esto, el cura se había concertado con los cuadrilleros que le acompañasen hasta su lugar, dándoles un tanto cada día. Colgó Cardenio del arzón de la silla de Rocinante, del un cabo la adarga y del otro la bacía, y por señas mandó a Sancho que subiese en su asno y tomase de las riendas a Rocinante, y puso a los dos lados del carro a los dos cuadrilleros con sus escopetas. Pero

antes que se moviese el carro, salió la ventera, su hija y
Maritornes a despedirse de don Quijote, fingiendo que
lloraban de dolor de su desgracia; a quien don Quijote dijo:

—No lloréis, mis buenas señoras, que todas estas desdichas son anexas a los que profesan lo que yo profeso;
y si estas calamidades no me acontecieran no me tuviera
yo por famoso caballero andante; porque a los caballeros de poco nombre y fama nunca les suceden semejantes casos, porque no hay en el mundo quien se acuerde
dellos. A los valerosos sí, que tienen envidiosos de su
virtud y valentía a muchos príncipes y a muchos otros
caballeros, que procuran por malas vías destruir a los
buenos. Pero, con todo eso, la virtud es tan poderosa
que, por sí sola, a pesar de toda la nigromancía que supo
su primer inventor, Zoroastes, saldrá vencedora de todo
trance, y dará de sí luz en el mundo, como la da el sol
en el cielo. Perdonadme, fermosas damas, si algún desaguisado, por descuido mío, os he fecho, que de voluntad y a sabiendas jamás le di a nadie, y rogad a Dios
me saque destas prisiones, donde algún mal intencionado encantador me ha puesto; que si de ellas me veo libre, no se me caerá de la memoria las mercedes que en
este castillo me habedes fecho, para gratificallas, servillas
y recompensallas como ellas merecen.

En tanto que las damas del castillo esto pasaban con
don Quijote, el cura y el barbero se despidieron de don
Fernando y sus camaradas, y del capitán y de su hermano y todas aquellas contentas señoras, especialmente
de Dorotea y Luscinda. Todos se abrazaron y quedaron
de darse noticia de sus sucesos, diciendo don Fernando
al cura dónde había de escribirle para avisarle en lo que
paraba don Quijote, asegurándole que no habría cosa
que más gusto le diese que saberlo; y que él, asimesmo
le avisaría de todo aquello que él viese que podría darle
gusto, así de su casamiento como del bautismo de Zoraida, y suceso de don Luis, y vuelta de Luscinda a su
casa. El cura ofreció de hacer cuanto se le mandaba,
con toda puntualidad. Tornaron a abrazarse otra vez, y
otra vez tornaron a nuevos ofrecimientos.

El ventero se llegó al cura y le dio unos papeles, diciéndole que los había hallado en un aforro de la ma-

leta donde se halló la *Novela del Curioso impertinente*,
y que pues su dueño no había vuelto más por allí, que
se los llevase todos; que, pues él no sabía leer, no los
quería. El cura se lo agradeció, y abriéndolos luego, vio
que al principio del escrito decía: *Novela de Rinconete
y Cortadillo*[1], por donde entendió ser alguna novela, y
coligió que, pues la del *Curioso impertinente* había sido
buena, que también lo sería aquélla, pues podría ser fuesen todas de un mesmo autor; y así, la guardó, con prosupuesto[2] de leerla cuando tuviese comodidad.

Subió a caballo, y también su amigo el barbero, con
sus antifaces, porque no fuesen luego conocidos de don
Quijote, y pusiéronse a caminar tras el carro. Y la orden
que llevaban era ésta: iba primero el carro, guiándole
su dueño; a los dos lados iban los cuadrilleros, como se
ha dicho, con sus escopetas; seguía luego Sancho Panza
sobre su asno, llevando de rienda a Rocinante. Detrás de
todo esto iban el cura y el barbero sobre sus poderosas
mulas, cubiertos los rostros, como se ha dicho, con grave y reposado continente, no caminando más de lo que
permitía el paso tardo de los bueyes. Don Quijote iba
sentado en la jaula, las manos atadas, tendidos los pies,
y arrimado a las verjas, con tanto silencio y tanta paciencia como si no fuera hombre de carne, sino estatua
de piedra.

Y así, con aquel espacio y silencio caminaron hasta
dos leguas, que llegaron a un valle, donde le pareció al
boyero ser lugar acomodado para reposar y dar pasto a
los bueyes; y comunicándolo con el cura, fue de parecer
el barbero que caminasen un poco más, porque él sabía
detrás de un recuesto que cerca de allí se mostraba, había un valle de más yerba y mucho mejor que aquel
donde parar querían. Tomóse el parecer del barbero,
y así, tornaron a proseguir su camino.

En esto, volvió el cura el rostro, y vio que a sus espaldas venían hasta seis o siete hombres de a caballo,
bien puestos y aderezados, de los cuales fueron presto

---

[1] *Rinconete y Cortadillo* se publicó en el tomo de *Novelas
ejemplares* de Cervantes, que aparecieron en 1613. Pero existe de
esta novela una redacción anterior, con curiosas variantes, sin
duda alguna hecha por el mismo Cervantes, copiada en el llamado manuscrito de Porras.
[2] *prosupuesto,* intención.

alcanzados, porque caminaban no con la flema y reposo de los bueyes, sino como quien iba sobre mulas de canónigos y con deseo de llegar presto a sestear a la venta, que menos de una legua de allí se parecía. Llegaron los diligentes a los perezosos y saludáronse cortésmente; y uno de los que venían, que, en resolución, era canónigo de Toledo y señor de los demás que le acompañaban, viendo la concertada procesión del carro, cuadrilleros, Sancho, Rocinante, cura y barbero, y más a don Quijote, enjaulado y aprisionado, no pudo dejar de preguntar qué significaba llevar aquel hombre de aquella manera; aunque ya se había dado a entender, viendo las insignias de los cuadrilleros, que debía de ser algún facinoroso salteador, o otro delincuente cuyo castigo tocase a la Santa Hermandad. Uno de los cuadrilleros, a quien fue hecha la pregunta, respondió ansí:

—Señor, lo que significa ir este caballero desta manera, dígalo él, porque nosotros no lo sabemos.

Oyó don Quijote la plática, y dijo:

—¿Por dicha vuestras mercedes, señores caballeros, son versados y perictos en esto de la caballería andante? Porque si lo son, comunicaré con ellos mis desgracias; y si no, no hay para qué me canse en decillas.

Y a este tiempo habían ya llegado el cura y el barbero, viendo que los caminantes estaban en pláticas con don Quijote de la Mancha, para responder de modo que no fuese descubierto su artificio.

El canónigo, a lo que don Quijote dijo, respondió:

—En verdad, hermano, que sé más de libros de caballerías que de las *Súmulas* de Villalpando[3]. Ansí que, si no está más que en esto, seguramente podéis comunicar conmigo lo que quisiéredes.

—A la mano de Dios —replicó don Quijote—. Pues así es, quiero, señor caballero, que sepades que yo voy encantado en esta jaula, por envidia y fraude de malos encantadores; que la virtud más es perseguida de los malos que amada de los buenos. Caballero andante soy, y no de aquellos de cuyos nombres jamás la Fama se acordó para eternizarlos en su memoria, sino de aque-

---

[3] Libro de teología en latín titulado *Summa summularum* de Gaspar Cardillo de Villalpando, catedrático de Alcalá, donde se publicó por vez primera en 1557. Era libro de texto.

llos que, a despecho y pesar de la mesma envidia, y de cuantos magos crió Persia, bracmanes la India, ginosofistas[4] la Etiopia, ha de poner su nombre en el templo de la inmortalidad para que sirva de ejemplo y dechado en los venideros siglos, donde los caballeros andantes vean los pasos que han de seguir, si quisieren llegar a la cumbre y alteza honrosa de las armas.

—Dice verdad el señor don Quijote de la Mancha —dijo a esta sazón el cura—; que él va encantado en esta carreta, no por sus culpas y pecados, sino por la mala intención de aquellos a quien la virtud enfada y la valentía enoja. Éste es, señor, el Caballero de la Triste Figura, si ya le oístes nombrar en algún tiempo, cuyas valerosas hazañas y grandes hechos serán escritas en bronces duros y en eternos mármoles, por más que se canse la envidia en escurecerlos y la malicia en ocultarlos.

Cuando el canónigo oyó hablar al preso y al libre en semejante estilo, estuvo por hacerse la cruz de admirado, y no podía saber lo que le había acontecido; y en la mesma admiración cayeron todos los que con él venían. En esto, Sancho Panza, que se había acercado a oír la plática, para adobarlo todo, dijo:

—Ahora, señores, quiéranme bien o quiéranme mal por lo que dijere, el caso de ello es que así va encantado mi señor don Quijote como mi madre; él tiene su entero juicio, él come y bebe y hace sus necesidades como los demás hombres, y como las hacía ayer, antes que le enjaulasen. Siendo esto ansí, ¿cómo quieren hacerme a mí entender que va encantado? Pues yo he oído decir a muchas personas que los encantados ni comen, ni duermen, ni hablan, y mi amo, si no le van a la mano, habrará más que treinta procuradores.

Y volviéndose a mirar al cura, prosiguió diciendo:

—¡Ah señor cura, señor cura! ¿Pensaba vuestra merced que no le conozco, y pensará que yo no calo y adivino adónde se encaminan estos nuevos encantamentos? Pues sepa que le conozco, por más que se encubra el rostro, y sepa que le entiendo, por más que disimule sus embustes. En fin, donde reina la envidia no puede

---

[4] *ginosofistas,* los bracmanes indios, de los que se decía que iban desnudos.

vivir la virtud, ni adonde hay escaseza la liberalidad.
¡Mal haya el diablo; que si por su reverencia no fuera,
ésta fuera ya la hora que mi señor estuviera casado con
la infanta Micomicona, y yo fuera conde, por lo menos,
pues no se podía esperar otra cosa, así de la bondad de
mi señor el de la Triste Figura como de la grandeza de
mis servicios! Pero ya veo que es verdad lo que se dice
por ahí: que la rueda de la Fortuna anda más lista que
una rueda de molino, y que los que ayer estaban en
pinganitos⁵ hoy están por el suelo. De mis hijos y de mi
mujer me pesa; pues cuando podían y debían esperar
ver entrar a su padre por sus puertas hecho gobernador
o visorrey de alguna ínsula o reino, le verán entrar hecho mozo de caballos. Todo esto que he dicho, señor
cura, no es más de por encarecer a su paternidad haga
conciencia del mal tratamiento que a mi señor se le hace,
y mire bien no le pida⁶ Dios en la otra vida esta prisión
de mi amo, y se le haga cargo de todos aquellos socorros
y bienes que mi señor don Quijote deja de hacer en este
tiempo que está preso.

—¡Adóbame esos candiles⁷! —dijo a este punto el
barbero—. ¿También vos, Sancho, sois de la cofradía de
vuestro amo? ¡Vive el Señor, que voy viendo que le habéis de tener compañía en la jaula, y que habéis de
quedar tan encantado como él, por lo que os toca de su
humor y de su caballería! En mal punto os empreñastes
de sus promesas, y en mal hora se os entró en los cascos
la ínsula que tanto deseáis.

—Yo no estoy preñado de nadie —respondió Sancho—, ni soy hombre que me dejaría empreñar, del rey
que fuese; y aunque pobre, soy cristiano viejo, y no debo
nada a nadie; y si ínsulas deseo, otros desean otras cosas
peores; y cada uno es hijo de sus obras; y debajo de
ser hombre puedo venir a ser papa, cuanto más gobernador de una ínsula, y más pudiendo ganar tantas mi
señor, que le falte a quien dallas. Vuestra merced mire
cómo habla, señor barbero; que no es todo hacer barbas, y algo va de Pedro a Pedro. Dígolo porque todos

---

⁵ *estar en pinganitos*, hallarse en fortuna próspera o disfru-
tar de una posición elevada.
⁶ *le pida* [cuentas].
⁷ Exclamación que equivale a «¡qué disparate!».

nos conocemos, y a mí no se me ha de echar dado falso[8]. Y en eso del encanto de mi amo, Dios sabe la verdad; y quédese aquí, porque es peor meneallo.

No quiso responder el barbero a Sancho, porque no descubriese con sus simplicidades lo que él y el cura tanto procuraban encubrir; y por este mesmo temor había el cura dicho al canónigo que caminasen un poco delante: que él le diría el misterio del enjaulado, con otras cosas que le diesen gusto. Hízolo así el canónigo, y, adelantóse con sus criados y con él, estuvo atento a todo aquello que decirle quiso de la condición, vida, locura y costumbres de don Quijote, contándole brevemente el principio y causa de su desvarío, y todo el progreso de sus sucesos, hasta haberlo puesto en aquella jaula, y el disignio que llevaban de llevarle a su tierra, para ver si por algún medio hallaban remedio a su locura. Admiráronse de nuevo los criados y el canónigo de oír la peregrina historia de don Quijote, y en acabándola de oír, dijo:

—Verdaderamente, señor cura, yo hallo por mi cuenta que son perjudiciales en la república estos que llaman libros de caballerías; y aunque he leído, llevado de un ocioso y falso gusto, casi el principio de todos los más que hay impresos, jamás me he podido acomodar a leer ninguno del principio al cabo, porque me parece que, cuál más, cuál menos, todos ellos son una mesma cosa, y no tiene más éste que aquél, ni estotro que el otro. Y según a mí me parece, este género de escritura y composición cae debajo de aquel de las fábulas que llaman milesias[9], que son cuentos disparatados, que atienden solamente a deleitar, y no a enseñar: al contrario de lo que hacen las fábulas apólogas, que deleitan y enseñan juntamente. Y puesto que el principal intento de semejantes libros sea el deleitar, no sé yo cómo puedan conseguirle, yendo llenos de tantos y tan desaforados disparates; que el deleite que en el alma se concibe ha de ser de la hermosura y concordancia que vee o contempla en las cosas que la vista o la imaginación le ponen delante; y toda cosa que tiene en sí fealdad y descompos-

tura no nos puede causar contento alguno. Pues ¿qué
hermosura puede haber, o qué proporción de partes con
el todo, y del todo con las partes, en un libro o fábula
donde un mozo de diez y seis años da una cuchillada
a un gigante como una torre, y le divide en dos mita-
des, como si fuera de alfeñique, y que cuando nos quieren pintar una batalla, después de haber dicho que hay
de la parte de los enemigos un millón de competientes,
como sea contra ellos el señor del libro, forzosamente,
mal que nos pese, habemos de entender que el tal caballero alcanzó la vitoria por solo el valor de su fuerte
brazo? Pues ¿qué diremos de la facilidad con que una
reina o emperatriz heredera se conduce en los brazos
de un andante y no conocido caballero? ¿Qué ingenio,
si no es del todo bárbaro e inculto, podrá contentarse leyendo que una gran torre llena de caballeros va por la
mar adelante, como nave con próspero viento, y hoy
anochece en Lombardía, y mañana amanezca en tierras
del Preste Juan de las Indias, o en otras que ni las describió Tolomeo[10] ni las vio Marco Polo? Y si a esto se
me respondiese que los que tales libros componen los
escriben como cosas de mentira, y que así, no están
obligados a mirar en delicadezas ni verdades, responderles hía[11] yo que tanto la mentira es mejor cuanto
más parece verdadera, y tanto más agrada cuanto tiene más de lo dudoso y posible. Hanse de casar las
fábulas mentirosas con el entendimiento de los que las leyeren, escribiéndose de suerte que, facilitando los imposibles, allanando las grandezas, suspendiendo los ánimos, admiren, suspendan, alborocen y entretengan, de
modo que anden a un mismo paso la admiración y la
alegría juntas; y todas estas cosas no podrá hacer el que
huyere de la verisimilitud y de la imitación, en quien

---

[10] *describió*, en la primera edición *descubrió*, lo que es un despropósito tratando de Ptolomeo. Es de suponer que en la letra
de Cervantes se confundían fácilmente los rasgos de *cri* con los de
cu, lo que originó varios errores de imprenta. Más adelante la
primera edición imprime *descubriendo naufragios* por *describiendo naufragios*; en el capítulo XXV de esta primera parte *pintándolo ni descubriéndolo* por *pintándolo ni describiéndolo*; en
el primero de la segunda parte *pintar y descubrir* por *pintar y
describir*; en el XVIII de la primera *cubren el finísimo y menudo
oro* por *criban el finísimo y menudo oro*. En todos estos casos
hemos enmendado la lectura de la primera edición.
[11] *responderles hía*, les respondería.

consiste la perfeción de lo que se escribe. No he visto ningún libro de caballerías que haga un cuerpo de fábula entero con todos sus miembros, de manera que el medio corresponda al principio, y el fin al principio y al medio; sino que los componen con tantos miembros, que más parece que llevan intención a formar una quimera o un monstruo que a hacer una figura proporcionada. Fuera desto, son en el estilo duros; en las hazañas, increíbles; en los amores, lascivos; en las cortesías, mal mirados; largos en las batallas, necios en las razones, disparatados en los viajes, y, finalmente, ajenos de todo discreto artificio, y por esto dignos de ser desterrados de la república cristiana, como a gente inútil.

El cura le estuvo escuchando con grande atención, y parecióle hombre de buen entendimiento, y que tenía razón en cuanto decía; y así, le dijo que, por ser él de su mesma opinión, y tener ojeriza a los libros de caballerías, había quemado todos los de don Quijote, que eran muchos. Y contóle el escrutinio que dellos había hecho, y los que había condenado al fuego y dejado con vida, de que no poco se rió el canónigo, y dijo que, con todo cuanto mal había dicho de tales libros, hallaba en ellos una cosa buena: que era el sujeto que ofrecían para que un buen entendimiento pudiese mostrarse en ellos, porque daban largo y espacioso campo por donde sin empacho alguno pudiese correr la pluma, describiendo naufragios, tormentas, rencuentros y batallas, pintando un capitán valeroso con todas las partes que para ser tal se requieren, mostrándose prudente previniendo las astucias de sus enemigos, y elocuente orador persuadiendo o disuadiendo a sus soldados, maduro en el consejo, presto en lo determinado, tan valiente en el esperar como en el acometer; pintando ora un lamentable y trágico suceso, ahora un alegre y no pensado acontecimiento; allí una hermosísima dama, honesta, discreta y recatada; aquí un caballero cristiano, valiente y comedido; acullá un desaforado bárbaro fanfarrón; acá un príncipe cortés, valeroso y bien mirado; representando bondad y lealtad de vasallos, grandezas y mercedes de señores. Ya puede mostrarse astrólogo, ya cosmógrafo excelente, ya músico, ya inteligente en las materias de estado, y tal vez le vendrá ocasión de mostrar-

se nigromante, si quisiere. Puede mostrar las astucias de
Ulixes, la piedad de Eneas, la valentía de Aquiles, las
desgracias de Héctor, las traiciones de Sinón[12], la amistad de Eurialio[13], la liberalidad de Alejandro, el valor
de César, la clemencia y verdad de Trajano, la fidelidad
de Zopiro, la prudencia de Catón, y, finalmente, todas
aquellas acciones que pueden hacer perfecto a un varón
ilustre, ahora poniéndolas en uno solo, ahora dividién-
dolas en muchos.

—Y siendo esto hecho con apacibilidad de estilo y
con ingeniosa invención, que tire lo más que fuere posible a la verdad, sin duda compondrá una tela de varios y hermosos lazos tejida, que después de acabada,
tal perfeción y hermosura muestre, que consiga el fin
mejor que se pretende en los escritos, que es enseñar
y deleitar juntamente, como ya tengo dicho. Porque la
escritura desatada destos libros da lugar a que el autor
pueda mostrarse épico, lírico, trágico, cómico, con todas
aquellas partes que encierran en sí las dulcísimas y agradables ciencias de la poesía y de la oratoria; que la
épica también[14] puede escrebirse en prosa como en verso.

CAPÍTULO XLVIII

DONDE PROSIGUE EL CANÓNIGO LA MATERIA DE LOS LIBROS
DE CABALLERÍAS, CON OTRAS COSAS DIGNAS DE SU INGENIO*

A sí es como vuestra merced dice, señor canónigo
—dijo el cura—, y por esta causa son más dignos de reprehensión los que hasta aquí han compuesto

[12] *Sinón,* el que indujo a los troyanos a que entraran el caballo en la ciudad. Según las leyendas clásicas era griego, pero en
tiempo de Cervantes se divulgó la creencia de que era un troyano
al servicio del enemigo (como en *Troya abrasada* de Calderón y
Zabaleta), lo que justifica que aquí se le atribuyan traiciones.

[13] *Eurialio,* mejor Euríalo, guerrero famoso por su amistad con
Niso, según la *Eneida* de Virgilio.

[14] *también,* tanto.

* El canónigo toledano y el cura departen amigablemente sobre literatura, y al tratar de la disparatada estructura de los libros de caballerías más vulgares extienden tales consideraciones
al teatro, lo que permite a Cervantes defender la comedia de
tipo renacentista, sujeta a normas clásicas, que él mismo había
cultivado. Aunque lo elogia, pero con algunas reservas, mucho de

semejantes libros sin tener advertencia a ningún buen discurso, ni al arte y reglas por donde pudieran guiarse y hacerse famosos en prosa, como lo son en verso los dos príncipes de la poesía griega y latina.

—Yo, a lo menos —replicó el canónigo—, he tenido cierta tentación de hacer un libro de caballerías, guardando en él todos los puntos que he significado; y si he de confesar la verdad, tengo escritas más de cien hojas. Y para hacer la experiencia de si correspondían a mi estimación, las he comunicado con hombres apasionados desta leyenda[1], dotos y discretos, y con otros ignorantes, que sólo atienden al gusto de oír disparates, y de todos he hallado una agradable aprobación; pero, con todo esto, no he proseguido adelante, así por parecerme que hago cosa ajena de mi profesión como por ver que es más el número de los simples que de los prudentes, y que, puesto que es mejor ser loado de los pocos sabios que burlado de los muchos necios, no quiero sujetarme al confuso juicio del desvanecido vulgo, a quien por la mayor parte toca leer semejantes libros. Pero lo que más me le quitó de las manos, y aun del pensamiento, de acabarle, fue un argumento que hice conmigo mesmo, sacado de las comedias que ahora se representan, diciendo: «Si estas que ahora se usan, así las imaginadas como las de historia, todas o las más son conocidos disparates y cosas que no llevan pies ni cabeza, y, con todo eso, el vulgo las oye con gusto, y las tiene y las

lo que aquí se dice apunta a Lope de Vega, entonces en el pináculo de su popularidad y de su éxito. En el *Peregrino en su patria,* publicado en Madrid en 1604, y por lo tanto obra recentísima, Lope había escrito: «adviertan los extranjeros, de camino, que las comedias en España no guardan el arte [o sea, las normas clásicas], y que yo las proseguí en el estado en que las hallé, sin atreverme a guardar los preceptos, porque con aquel rigor de ninguna manera fueran oídas de los españoles» (véanse las notas 2 y 13 al presente capítulo). Es curioso que Cervantes, en boca del cura, proponga la creación de una especie de censor literario de comedias, pues si tal proyecto se llega a convertir en realidad, y con los criterios que nuestro escritor sustenta, el teatro español hubiera recibido un duro golpe. En 1615 el Consejo de Castilla dispuso «que las comedias, entremeses, bailes, danzas y cantares que se hubieren de representar» se presenten, antes de ser entregadas a los cómicos, a un censor designado por el citado Consejo, el cual «con su censura dé licencia firmada de su nombre para que se puedan hacer y representar..., no permitiendo cosa lasciva ni deshonesta, ni malsonante ni en daño de otros, ni de materia que no convenga que salga en público».

[1] *leyenda,* lectura.

aprueba por buenas, estando tan lejos de serlo, y los
autores que las componen y los actores que las representan dicen que así han de ser, porque así las quiere el
vulgo, y no de otra manera[2], y que las que llevan traza
y siguen la fábula como el arte pide, no sirven sino para
cuatro discretos que las entienden, y todos los demás se
quedan ayunos de entender su artificio, y que a ellos
les está mejor ganar de comer con los muchos, que no
opinión con los pocos, deste modo vendrá a ser un libro,
al cabo de haberme quemado las cejas por guardar los
preceptos referidos, y vendré a ser el sastre del cantillo[3]». Y aunque algunas veces he procurado persuadir a
los actores que se engañan en tener la opinión que tienen, y que más gente atraerán y más fama cobrarán
representando comedias que hagan el arte que no con
las disparatadas, y están tan asidos y encorporados en
su parecer, que no hay razón ni evidencia que dél los
saque. Acuérdome que un día dije a uno destos perti-
naces: «Decidme, ¿no os acordáis que ha pocos años
»que se representaron en España tres tragedias que
»compuso un famoso poeta destos reinos, las cuales fue-
»ron tales, que admiraron, alegraron y suspendieron a
»todos cuantos las oyeron, así simples como prudentes,
»así del vulgo como de los escogidos, y dieron más di-
»neros a los representantes ellas tres solas que treinta
»de las mejores que después acá se han hecho?» «Sin
»duda», respondió el autor que digo, «que debe de de-
»cir vuestra merced por *La Isabela, La Filis* y *La Ale-
»jandra*[4].» «Por ésas digo», le repliqué yo; «y mirad si
»guardaban bien los preceptos del arte, y si por guar-
»darlos dejaron de parecer lo que eran y de agradar a
»todo el mundo. Así que no está la falta en el vulgo, que
»pide disparates, sino en aquellos que no saben repre-
»sentar otra cosa. Sí, que no fue disparate *La ingratitud*

---

[2] Recuérdense los famosos versos de Lope de Vega en el *Arte nuevo de hacer comedias en este tiempo* (Madrid, 1609): «Escribo por el arte que inventaron Los que el vulgar aplauso pretendieron; Porque, como las paga el vulgo, es justo Hablarle en necio para darle gusto».
[3] «El sastre del cantillo, que cosía de balde y ponía el hilo.»
[4] Se trata de tragedias de Lupercio Leonardo de Argensola. La *Isabela*, compuesta hacia 1581; la *Alejandra* está inspirada en *Marianna* de Ludovico Dolce. La *Filis* se ha perdido.

»*vengada*[5], ni le tuvo *La Numancia*[6], ni se le halló en
»la del *Mercader amante*[7], ni menos en *La Enemiga*
»*favorable*[8], ni en otras algunas que de algunos enten-
»didos poetas han sido compuestas, para fama y renom-
»bre suyo, y para ganancia de los que las han represen-
»tado». Y otras cosas añadí a éstas, con que, a mi
parecer, le dejé algo confuso; pero no satisfecho ni convencido, para sacarle de su errado pensamiento.

—En materia ha tocado vuestra merced, señor canónigo —dijo a esta sazón el cura—, que ha despertado
en mí un antiguo rancor que tengo con las comedias que
agora se usan, tal, que iguala al que tengo con los libros
de caballerías; porque habiendo de ser la comedia, según
le parece a Tulio, espejo de la vida humana, ejemplo
de las costumbres y imagen de la verdad[9], las que ahora se representan son espejos de disparates, ejemplos de
necedades e imágenes de lascivia. Porque, ¿qué mayor
disparate puede ser en el sujeto que tratamos que salir
un niño en mantillas en la primera cena[10] del primer
acto, y en la segunda salir ya hecho hombre barbado?
Y ¿qué mayor que pintarnos un viejo valiente y un
mozo cobarde, un lacayo rectórico, un paje consejero, un
rey ganapán y una princesa fregona? ¿Qué diré, pues,
de la observancia que guardan en los tiempos en que
pueden o podían suceder las acciones que representan,
sino que he visto comedia que la primera jornada comenzó en Europa, la segunda en Asia, la tercera se acabó en África, y aun si fuera de cuatro jornadas, la cuarta
acababa en América, y así se hubiera hecho en todas las
cuatro partes del mundo? Y si es que la imitación es lo
principal que ha de tener la comedia, ¿cómo es posible
que satisfaga a ningún mediano entendimiento que, fingiendo una acción que pasa en tiempo del rey Pepino y
Carlomagno, el mismo que en ella hace la persona principal le atribuyan que fue el emperador Heraclio, que
entró con la Cruz en Jerusalén, y el que ganó la Casa

---

[5] De Lope de Vega.
[6] De Cervantes.
[7] De Gaspar de Aguilar.
[8] Del canónigo Francisco Agustín Tárrega.
[9] Frase de Cicerón (Tulio) conservada por Donato.
[10] *cena*, escena. Casos como los que cita Cervantes aquí se dan
en algunas comedias de Lope de Vega.

Santa, como Godofre de Bullón, habiendo infinitos años
de lo uno a lo otro; y fundándose la comedia sobre cosa
fingida, atribuirle verdades de historia y mezclarle pedazos de otras sucedidas a diferentes personas y tiempos, y
esto, no con trazas verisímiles, sino con patentes errores,
de todo punto inexcusables? Y es lo malo que hay ignorantes que digan que esto es lo perfecto, y que lo demás
es buscar gullurías[11]. Pues ¿qué, si venimos a las comedias divinas? ¡Qué de milagros falsos fingen en ellas, qué
de cosas apócrifas y mal entendidas, atribuyendo a un
santo los milagros de otro! Y aun en las humanas se
atreven a hacer milagros, sin más respeto ni consideración que parecerles que allí estará bien el tal milagro y
apariencia[12], como ellos llaman, para que gente ignorante se admire y venga a la comedia; que todo esto es en
perjuicio de la verdad y en menoscabo de las historias,
y aun en oprobio de los ingenios españoles; porque los
estranjeros, que con mucha puntualidad guardan las leyes de la comedia, nos tienen por bárbaros e ignorantes[13], viendo los absurdos y disparates de las que hacemos. Y no sería bastante disculpa desto decir que el
principal intento que las repúblicas bien ordenadas tienen
permitiendo que se hagan públicas comedias es para entretener la comunidad con alguna honesta recreación, y
divertirla a veces de los malos humores que suele engendrar la ociosidad; y que, pues éste se consigue con
cualquier comedia, buena o mala, no hay para qué poner leyes, ni estrechar a los que las componen y representan a que las hagan como debían hacerse, pues, como
he dicho, con cualquiera se consigue lo que con ellas se
pretende. A lo cual respondería yo que este fin se conseguiría mucho mejor, sin comparación alguna, con las
comedias buenas que con las no tales; porque de haber
oído la comedia artificiosa y bien ordenada, saldría el
oyente alegre con las burlas, enseñado con las veras, admirado de los sucesos, discreto con las razones, advertido

---

[11] *gullurías,* cosas superfluas.
[12] *apariencia,* tramoya.
[13] Lope de Vega, en su *Arte nuevo,* presume de lo que aquí
reprueba Cervantes: «Mas ninguno de todos llamar puedo Más
bárbaro que yo, pues contra el arte Me atrevo a dar preceptos,
y me dejo Llevar de la vulgar corriente, adonde Me llamen
ignorante Italia y Francia».

con los embustes, sagaz con los ejemplos, airado contra
el vicio y enamorado de la virtud; que todos estos afectos ha de despertar la buena comedia en el ánimo del
que la escuchare, por rústico y torpe que sea, y de toda
imposibilidad es imposible dejar de alegrar y entretener,
satisfacer y contentar, la comedia que todas estas partes
tuviere mucho más que aquella que careciese dellas, como
por la mayor parte carecen estas que de ordinario agora
se representan. Y no tienen la culpa desto los poetas que
las componen, porque algunos hay dellos que conocen
muy bien en lo que yerran, y saben estremadamente lo
que deben hacer; pero como las comedias se han hecho
mercadería vendible, dicen, y dicen verdad, que los representantes no se las comprarían si no fuesen de aquel
jaez; y así, el poeta procura acomodarse con lo que el
representante que le ha de pagar su obra le pide. Y que
esto sea verdad véase por muchas e infinitas comedias
que ha compuesto un felicísimo ingenio destos reinos[14],
con tanta gala, con tanto donaire, con tan elegante verso, con tan buenas razones, con tan graves sentencias y,
finalmente, tan llenas de elocución y alteza de estilo, que
tiene lleno el mundo de su fama; y, por querer acomodarse al gusto de los representantes, no han llegado todas, como han llegado algunas, al punto de la perfección que requieren. Otros las componen tan sin mirar lo
que hacen, que después de representadas tienen necesidad los recitantes de huirse y ausentarse, temerosos de
ser castigados, como lo han sido muchas veces, por haber representado cosas en perjuicio de algunos reyes y
en deshonra de algunos linajes. Y todos estos inconvenientes cesarían, y aun otros muchos más que no digo,
con que hubiese en la Corte una persona inteligente y
discreta que examinase todas las comedias antes que se
representasen; no sólo aquellas que se hiciesen en la
Corte, sino todas las que se quisiesen representar en España; sin la cual aprobación, sello y firma ninguna justicia en su lugar dejase representar comedia alguna; y
desta manera, los comediantes tendrían cuidado de enviar las comedias a la Corte, y con seguridad podrían
representallas, y aquellos que las componen mirarían

---

[14] Lope de Vega.

con más cuidado y estudio lo que hacían, temerosos de
haber de pasar sus obras por el riguroso examen de
quien lo entiende; y desta manera se harían buenas comedias y se conseguiría felicísimamente lo que en ellas
se pretende: así el entretenimiento del pueblo como la
opinión de los ingenios de España, el interés y seguridad
de los recitantes y el ahorro del cuidado de castigallos.
Y si se diese cargo a otro, o a este mismo, que examinase los libros de caballerías que de nuevo se compusie-
sen, sin duda podrían salir algunos con la perfección que
vuestra merced ha dicho, enriqueciendo nuestra lengua
del agradable y precioso tesoro de la elocuencia, dando
ocasión que los libros viejos se escureciesen a la luz de
los nuevos que saliesen, para honesto pasatiempo, no solamente de los ociosos, sino de los más ocupados; pues
no es posible que esté continuo el arco armado, ni la
condición y flaqueza humana se pueda sustentar sin alguna lícita recreación.

A este punto de su coloquio llegaban el canónigo y
el cura, cuando adelantándose el barbero, llegó a ellos,
y dijo el cura:

—Aquí, señor licenciado, es el lugar que yo dije que
era bueno para que, sesteando nosotros, tuviesen los bueyes fresco y abundoso pasto.

—Así me lo parece a mí —respondió el cura.

Y diciéndole al canónigo lo que pensaba hacer, él
también quiso quedarse con ellos, convidado del sitio
de un hermoso valle que a la vista se les ofrecía. Y así
por gozar dél como de la conversación del cura, de quien
ya iba aficionado, y por saber más por menudo las hazañas de don Quijote, mandó a algunos de sus criados
que se fuesen a la venta que no lejos de allí estaba, y
trujesen della lo que hubiese de comer, para todos, porque él determinaba de sestear en aquel lugar aquella
tarde; a lo cual uno de sus criados respondió que el acémila del repuesto, que ya debía de estar en la venta, traía
recado bastante para no obligar a no tomar de la venta
más que cebada.

—Pues así es —dijo el canónigo—, llévense allá todas las cabalgaduras, y haced volver la acémila.

En tanto que esto pasaba, viendo Sancho que podía
hablar a su amo sin la continua asistencia del cura y el

barbero, que tenía por sospechosos, se llegó a la jaula donde iba su amo, y le dijo:

—Señor, para descargo de mi conciencia le quiero decir lo que pasa cerca de su encantamento; y es que aquestos dos que vienen aquí cubiertos los rostros son el cura de nuestro lugar y el barbero; y imagino han dado esta traza de llevalle desta manera, de pura envidia que tienen como vuestra merced se les adelanta en hacer famosos hechos. Presupuesta, pues, esta verdad, síguese que no va encantado, sino embaído[15] y tonto. Para prueba de lo cual le quiero preguntar una cosa; y si me responde como creo que me ha de responder, tocará con la mano este engaño y verá como no va encantado, sino trastornado el juicio.

—Pregunta lo que quisieres, hijo Sancho —respondió don Quijote—, que yo te satisfaré y responderé a toda tu voluntad. Y en lo que dices que aquellos que allí van y vienen con nosotros son el cura y el barbero, nuestros compatriotos y conocidos, bien podrá ser que parezca que son ellos mesmos; pero que lo sean realmente y en efeto, eso no lo creas en ninguna manera. Lo que has de creer y entender es que si ellos se les parecen, como dices, debe de ser que los que me han encantado habrán tomado esa apariencia y semejanza; porque es fácil a los encantadores tomar la figura que se les antoja, y habrán tomado las destos nuestros amigos, para darte a ti ocasión de que pienses lo que piensas y ponerte en un laberinto de imaginaciones, que no aciertes a salir dél, aunque tuvieses la soga de Teseo. Y también lo habrán hecho para que yo vacile en mi entendimiento, y no sepa atinar de dónde me viene este daño; porque si, por una parte, tú me dices que me acompañan el barbero y el cura de nuestro pueblo, y, por otra, yo me veo enjaulado, y sé de mí que fuerzas humanas, como no fueran sobrenaturales, no fueran bastantes para enjaularme, ¿qué quieres que diga o piense sino que la manera de mi encantamento excede a cuantas yo he leído en todas las historias que tratan de caballeros andantes que han sido encantados? Ansí que bien puedes darte paz y sosiego en esto de creer que son los que dices, porque así son ellos

---

[15] *embair,* embaucar.

como yo soy turco. Y en lo que toca a querer preguntarme algo, di, que yo te responderé, aunque me preguntes de aquí a mañana.

—¡Válame Nuestra Señora! —respondió Sancho, dando una gran voz—. Y ¿es posible que sea vuestra merced tan duro de celebro y tan falto de meollo, que no eche de ver que es pura verdad la que le digo, y que en esta su prisión y desgracia tiene más parte la malicia que el encanto? Pero, pues así es, yo le quiero probar evidentemente como no va encantado. Si no, dígame, así Dios le saque desta tormenta, y así se vea en los brazos de mi señora Dulcinea cuando menos se piense...

—Acaba de conjurarme —dijo don Quijote—, y pregunta lo que quisieres; que ya te he dicho que te responderé con toda puntualidad.

—Eso pido —replicó Sancho—; y lo que quiero saber es que me diga, sin añadir ni quitar cosa ninguna, sino con toda verdad, como se espera que la han de decir y la dicen todos aquellos que profesan las armas, como vuestra merced las profesa, debajo de título de caballeros andantes...

—Digo que no mentiré en cosa alguna —respondió don Quijote—. Acaba ya de preguntar; que en verdad que me cansas con tantas salvas, plegarias y prevenciones, Sancho.

—Digo que yo estoy seguro de la bondad y verdad de mi amo; y así, porque hace al caso a nuestro cuento, pregunto, hablando con acatamiento, si acaso después que vuestra merced va enjaulado y, a su parecer, encantado en esta jaula, le ha venido gana y voluntad de hacer aguas mayores o menores, como suele decirse.

—No entiendo eso de *hacer aguas,* Sancho; aclárate más, si quieres que te responda derechamente.

—¿Es posible que no entiende vuestra merced de hacer aguas menores o mayores? Pues en la escuela destetan a los muchachos con ello. Pues sepa que quiero decir si le ha venido gana de hacer lo que no se excusa.

—¡Ya, ya te entiendo, Sancho! Y muchas veces; y aun agora la tengo. ¡Sácame deste peligro, que no anda todo limpio!

CAPÍTULO XLIX

Donde se trata del discreto coloquio que Sancho Panza tuvo con su señor don Quijote

¡A H ! —dijo Sancho—. Cogido le tengo: esto es lo que yo deseaba saber, como al alma y como a la vida. Venga acá, señor: ¿Podría negar lo que comúnmente suele decirse por ahí cuando una persona está de mala voluntad: «No sé qué tiene fulano, que ni come, ni bebe, ni duerme, ni responde a propósito a lo que le preguntan, que no parece sino que está encantado»? De donde se viene a sacar que los que no comen, ni beben, ni duermen, ni hacen las obras naturales que yo digo, estos tales están encantados[1]; pero no aquellos que tienen la gana que vuestra merced tiene y que bebe cuando se lo dan, y come cuando lo tiene, y responde a todo aquello que le preguntan.

—Verdad dices, Sancho —respondió don Quijote—; pero ya te he dicho que hay muchas maneras de encantamentos, y podría ser que con el tiempo se hubiesen mudado de unos en otros, y que agora se use que los encantados hagan todo lo que yo hago, aunque antes no lo hacían. De manera, que contra el uso de los tiempos no hay que argüir ni de qué hacer consecuencias. Yo sé y tengo para mí que voy encantado, y esto me basta para la seguridad de mi conciencia; que la formaría muy grande si yo pensase que no estaba encantado y me dejase estar en esta jaula perezoso y cobarde, defraudando el socorro que podría dar a muchos menesterosos y necesitados que de mi ayuda y amparo deben tener a la hora de ahora precisa y estrema necesidad.

—Pues con todo eso —replicó Sancho—, digo que, para mayor abundancia y satisfación, sería bien que vuestra merced probase a salir desta cárcel, que yo me obligo con todo mi poder a facilitarlo, y aun a sacarle della, y probase de nuevo a subir sobre su buen Roci-

---

[1] Más adelante dirá don Quijote que los encantados «no comen... ni tienen escrementos mayores; aunque es opinión que les crecen las uñas, las barbas y los cabellos» (II, 23).

nante, que también parece que va encantado, según va
de malencólico y triste; y, hecho esto, probásemos otra
vez la suerte de buscar más aventuras; y si no nos sucediese bien, tiempo nos queda para volvernos a la jaula, en la cual prometo, a ley de buen y leal escudero, de
encerrarme juntamente con vuestra merced, si acaso fuere vuestra merced tan desdichado, o yo tan simple, que
no acierte a salir con lo que digo.

—Yo soy contento de hacer lo que dices, Sancho
hermano —replicó don Quijote—; y cuando tú veas coyuntura de poner en obra mi libertad, yo te obedeceré
en todo y por todo; pero tú, Sancho, verás como te engañas en el conocimiento de mi desgracia.

En estas pláticas se entretuvieron el caballero andante y el mal andante escudero, hasta que llegaron donde,
ya apeados, los aguardaban el cura, el canónigo y el
barbero. Desunció luego los bueyes de la carreta el boyero, y dejólos andar a sus anchuras por aquel verde y
apacible sitio, cuya frescura convidaba a quererla gozar, no a las personas tan encantadas como don Quijote,
sino a los tan advertidos y discretos como su escudero;
el cual rogó al cura que permitiese que su señor saliese
por un rato de la jaula, porque si no le dejaban salir, no
iría tan limpia aquella prisión como requería la decencia de un tal caballero como su amo. Entendióle el cura,
y dijo que de muy buena gana haría lo que le pedía,
si no temiera que en viéndose su señor en libertad había
de hacer de las suyas, y irse donde jamás gentes le viesen.

—Yo le fío de la fuga —respondió Sancho.

—Y yo y todo —dijo el canónigo—, y más si él me
da la palabra como caballero de no apartarse de nosotros hasta que sea nuestra voluntad.

—Sí doy —respondió don Quijote, que todo lo estaba escuchando—; cuanto más que el que está encantado, como yo, no tiene libertad para hacer de su persona lo que quisiere, porque el que le encantó le puede
hacer que no se mueva de un lugar en tres siglos; y si
hubiere huido, le hará volver en volandas. —Y que, pues
esto era así, bien podían soltalle, y más siendo tan en
provecho de todos; y del no soltalle les protestaba que
no podía dejar de fatigalles el olfato, si de allí no se
desviaban.

Tomóle la mano el canónigo, aunque las tenía atadas, y debajo de su buena fe y palabra, le desenjaularon, de que él se alegró infinito y en grande manera de verse fuera de la jaula; y lo primero que hizo fue estirarse todo el cuerpo, y luego se fue donde estaba Rocinante, y dándole dos palmadas en las ancas, dijo:

—Aún espero en Dios y en su bendita Madre, flor y espejo de los caballos, que presto nos hemos de ver los dos cual deseamos; tú, con tu señor a cuestas; y yo, encima de ti, ejercitando el oficio para que Dios me echó al mundo.

Y diciendo esto, don Quijote se apartó con Sancho en remota parte, de donde vino más aliviado y con más deseos de poner en obra lo que su escudero ordenase.

Mirábalo el canónigo, y admirábase de ver la estrañeza de su grande locura, y de que en cuanto hablaba y respondía mostraba tener bonísimo entendimiento; solamente venía a perder los estribos, como otras veces se ha dicho, en tratándole de caballería. Y así, movido de compasión, después de haberse sentado todos en la verde yerba para esperar el repuesto del canónigo, le dijo:

—¿Es posible, señor hidalgo, que haya podido tanto con vuestra merced la amarga y ociosa letura de los libros de caballerías, que le hayan vuelto el juicio de modo que venga a creer que va encantado, con otras cosas deste jaez, tan lejos de ser verdaderas como lo está la mesma mentira de la verdad? Y ¿cómo es posible que haya entendimiento humano que se dé a entender que ha habido en el mundo aquella infinidad de Amadises, y aquella turbamulta de tanto famoso caballero, tanto emperador de Trapisonda, tanto Felixmarte de Hircania, tanto palafrén, tanta doncella andante, tantas sierpes, tantos endriagos, tantos gigantes, tantas inauditas aventuras, tanto género de encantamentos, tantas batallas, tantos desaforados encuentros, tanta bizarría de trajes, tantas princesas enamoradas, tantos escuderos condes, tantos enanos graciosos, tanto billete, tanto requiebro, tantas mujeres valientes y, finalmente, tantos y tan disparatados casos como los libros de caballerías contienen? De mí sé decir que cuando los leo, en tanto que no pongo la imaginación en pensar que son todos mentira y liviandad, me dan algún contento; pero cuando

caigo en la cuenta de lo que son, doy con el mejor dellos
en la pared, y aun diera con él en el fuego si cerca o presente le tuviera, bien como a merecedores de tal pena,
por ser falsos y embusteros, y fuera del trato que pide
la común naturaleza, y como a inventores de nuevas sec-
tas y de nuevo modo de vida, y como a quien da la ocasión
que el vulgo ignorante venga a creer y a tener por verdaderas tantas necedades como contienen. Y aun tienen
tanto atrevimiento, que se atreven a turbar los ingenios
de los discretos y bien nacidos hidalgos, como se echa
bien de ver por lo que con vuestra merced han hecho,
pues le han traído a términos, que sea forzoso encerrarle
en una jaula, y traerle sobre un carro de bueyes, como
quien trae o lleva algún león o algún tigre de lugar en
lugar, para ganar con él dejando que le vean. ¡Ea, señor
don Quijote, duélase de sí mismo, y redúzgase al gremio
de la discreción, y sepa usar de la mucha que el cielo
fue servido de darle, empleando el felicísimo talento de
su ingenio en otra letura que redunde en aprovechamiento de su conciencia y en aumento de su honra!
Y si todavía, llevado de su natural inclinación, quisiere
leer libros de hazañas y de caballerías, lea en la Sacra
Escritura el de los Jueces; que allí hallará verdades
grandiosas y hechos tan verdaderos como valientes. Un
Viriato tuvo Lusitania; un César, Roma; un Aníbal,
Cartago; un Alejandro, Grecia; un conde Fernán González, Castilla; un Cid, Valencia; un Gonzalo Fernández,
Andalucía; un Diego García de Paredes, Estremadura;
un Garci Pérez de Vargas, Jerez; un Garcilaso, Toledo; un
don Manuel de León, Sevilla, cuya leción de sus valerosos hechos[2] puede entretener, enseñar, deleitar y admirar a los más altos ingenios que los leyeren. Ésta sí
será letura digna del buen entendimiento de vuestra
merced, señor don Quijote mío, de la cual saldrá eru-

---

[2] «la lectura de cuyos valerosos hechos». Todos los personajes
citados son rigurosamente históricos. Gonzalo Fernández es el
Gran Capitán; Garcilaso es el caballero Garcilaso de la Vega, que
se distinguió en la guerra de Granada, y que no hay que confundir con el poeta del mismo nombre; de Manuel de León, también de tiempos de los Reyes Católicos, se dice que entró en una
jaula de un león para recoger un guante que había dejado caer
una dama (sobre este tema véase M. A. Buchanan, *The glove and
the lions*, «Estudios dedicados a Menéndez Pidal», VI, 1956, 245-
258).

dito en la historia, enamorado de la virtud, enseñado en la bondad, mejorado en las costumbres, valiente sin temeridad, osado sin cobardía, y todo esto, para honra de Dios, provecho suyo y fama de la Mancha, do, según he sabido, trae vuestra merced su principio y origen.

Atentísimamente estuvo don Quijote escuchando las razones del canónigo; y cuando vio que ya había puesto fin a ellas, después de haberle estado un buen espacio mirando, le dijo:

—Paréceme, señor hidalgo, que la plática de vuestra merced se ha encaminado a querer darme a entender que no ha habido caballeros andantes en el mundo, y que todos los libros de caballerías son falsos, mentirosos, dañadores e inútiles para la república, y que yo he hecho mal en leerlos, y peor en creerlos, y más mal en imitarlos, habiéndome puesto a seguir la durísima profesión de la caballería andante, que ellos enseñan, negándome que no ha habido en el mundo Amadises, ni de Gaula ni de Grecia, ni todos los otros caballeros de que las escrituras están llenas.

—Todo es al pie de la letra como vuestra merced lo va relatando —dijo a esta sazón el canónigo.

A lo cual respondió don Quijote:

—Añadió también vuestra merced, diciendo que me habían hecho mucho daño tales libros, pues me habían vuelto el juicio y puéstome en una jaula, y que me sería mejor hacer la enmienda y mudar de letura, leyendo otros más verdaderos y que mejor deleitan y enseñan.

—Así es —dijo el canónigo.

—Pues yo —replicó don Quijote—, hallo por mi cuenta que el sin juicio y el encantado es vuestra merced, pues se ha puesto a decir tantas blasfemias contra una cosa tan recebida en el mundo, y tenida por tan verdadera, que el que la negase, como vuestra merced la niega, merecía la mesma pena que vuestra merced dice que da a los libros cuando los lee y le enfadan. Porque querer dar a entender a nadie que Amadís no fue en el mundo, ni todos los otros caballeros aventureros de que están colmadas las historias, será querer persuadir que el sol no alumbra, ni el yelo enfría, ni la tierra sustenta; porque ¿qué ingenio puede haber en el mundo que pueda persuadir a otro que no fue verdad lo de la infanta Floripes y Guy de Borgoña, y lo de Fierabrás con la puente de Mantible[3], que sucedió en el tiempo de Carlomagno, que voto a tal que es tanta verdad como es ahora de día? Y si es mentira, también lo debe de ser que no hubo Héctor, ni Aquiles, ni la guerra de Troya, ni los doce Pares de Francia, ni el rey Artús de Ingalaterra, que anda hasta ahora convertido en cuervo y le esperan en su reino por momentos. Y también se atreverán a decir que es metirosa la historia de Guarino Mezquino[4], y la de la demanda del Santo Grial, y que son apócrifos los amores de don Tristán y la reina Iseo, como los de Ginebra y Lanzarote, habiendo personas que casi se acuerdan de haber visto a la dueña Quintañona, que fue la mejor escanciadora de vino que tuvo la Gran Bretaña. Y es esto tan ansí, que me acuerdo yo que me decía una mi agüela de partes de mi padre, cuando veía alguna dueña con tocas reverendas: «Aquélla, nieto, se parece a la dueña Quintañona». De donde arguyo yo que la debió de conocer ella o, por lo menos, debió de alcanzar a ver algún retrato suyo. Pues ¿quién podrá negar no ser verdadera la historia de Pierres y la linda Magalona, pues aun hasta hoy día se vee en la armería de los reyes la clavija con que volvía al caballo de madera sobre quien iba el valiente Pierres por los aires, que es un poco mayor que un timón de carreta? Y junto a la clavija está la silla de Babieca, y en Roncesvalles está el cuerno de Roldán, tamaño como una grande viga: de donde se infiere que hubo doce Pares, que hubo Pierres, que hubo Cides, y otros caballeros semejantes,

---

[3] Floripes, sarracena hermana de Fierabrás, se enamoró de Guy de Borgoña y ayudó a libertar a los francos prisioneros en Aigremore. El puente de Mantible, de treinta arcos de mármol, estaba defendido por el gigante Galafre, que exigía, para pasar por él, un tributo compuesto de cien doncellas, cien caballos, cien halcones y cien perros. Se narra todo esto en *La historia del emperador Carlomagno y los doce pares de Francia* (Sevilla, 1525).

[4] *Crónica del muy noble caballero Guarino Mezquino, en la cual trata de las aventuras que le acontecieron por todas partes del mundo* (Sevilla, 1548). Es traducción de la novela italiana *Guerrin Meschino* (Padua, 1473) de Andrea de Barberino. Juan de Valdés, en el *Diálogo de la lengua,* la cuenta entre los libros que «demás de ser mentirosísimos, son tan mal compuestos, así por decir las mentiras muy desvergonzadas, como por tener el estilo muy desbaratado...».

déstos que dicen las gentes
que a sus aventuras van[5].

Si no, díganme también que no es verdad que fue caballero andante el valiente lusitano Juan de Merlo, que
fue a Borgoña y se combatió en la ciudad de Ras con
el famoso señor de Charní, llamado mosén Pierres, y
después, en la ciudad de Basilea, con mosén Enrique de
Remestán, saliendo de entrambas empresas vencedor y
lleno de honrosa fama[6], y las aventuras y desafíos que
también acabaron en Borgoña los valientes españoles
Pedro Barba y Gutierre Quijada (de cuya alcurnia yo
deciendo por línea recta de varón), venciendo a los hijos
del conde de San Polo[7]. Niéguenme asimesmo que no
fue a buscar las aventuras a Alemania don Fernando
de Guevara, donde se combatió con micer Jorge, caballero de la casa del duque de Austria[8]; digan que fueron
burla las justas de Suero de Quiñones, del Paso[9]; las
empresas de mosén Luis de Falces contra don Gonzalo

[5] Con estos versos, que ya hemos encontrado antes (I, 9, nota 3),
acaba la relación de personajes y hechos fabulosos, procedentes
de libros de caballerías y del romancero, que don Quijote imagina
que existieron y sucedieron en realidad. Acto seguido don Quijote
enumera a una serie de caballeros de cuya existencia y hazañas
hay noticia histórica fehaciente. Todos ellos vivieron en el siglo XV y figuran en la *Crónica de Juan II*, que parece ser la
fuente exclusiva de este pasaje. Eran verdaderos «caballeros andantes» de los últimos tiempos de la caballería como tal (véase
M. de Riquer, *Vida caballeresca en la España del siglo XV*, discurso de recepción en la Real Academia Española, Madrid, 1965).
[6] Juan de Merlo, caballero castellano de ascendencia portuguesa, fue con una empresa caballeresca a Arrás, que fue acep-
tada por Pierres de Brecemont, o de Beaufremont, señor de Char-
ny; llevó luego la empresa a Basilea, donde luchó con Enrique
de Ramestán. En las justas de Valladolid organizadas en 1434
por don Álvaro de Luna fue mantenedor con éste y con don Diego Manrique, e intervino en el Passo Honroso. Murió en 1443.
[7] En 1435 Gutierre de Quexada, señor de Villagarcía, y Pedro
Barba enviaron capítulos de batalla al duque Felipe de Borgoña
y requirieron a micer Pierres, señor de Haubourdin, y micer Ja-
ques, hijos bastardos del conde de Saint-Pol.
[8] En 1436 la empresa de don Fernando de Guevara fue tocada
por micer George Vourepag, de la casa del duque de Austria, y
lucharon en Viena. En Nápoles, Alfonso V lo hizo conde de Bel-
castro.
[9] El famoso *Passo honroso*, defendido por Suero de Quiñones
en el puente de Órbigo, en el camino de Santiago, cerca de León,
se dio en julio de 1434. Es una de las más gallardas empresas
caballerescas de la época, de la que tenemos completísima información gracias al relato de Rodríguez de Lena. Intervinieron sesenta y ocho caballeros y, descontando a castellanos y leoneses,
la mayoría fueron aragoneses, catalanes y valencianos.

de Guzmán, caballero castellano[10], con otras muchas hazañas hechas por caballeros cristianos, déstos y de los
reinos estranjeros, tan auténticas y verdaderas, que torno a decir que el que las negase carecería de toda razón
y buen discurso.

Admirado quedó el canónigo de oír la mezcla que
don Quijote hacía de verdades y mentiras, y de ver la
noticia que tenía de todas aquellas cosas tocantes y concernientes a los hechos de su andante caballería, y así
le respondió:

—No puedo yo negar, señor don Quijote, que no sea
verdad algo de lo que vuestra merced ha dicho, especialmente en lo que toca a los caballeros andantes españoles; y asimesmo quiero conceder que hubo doce Pares
de Francia; pero no quiero creer que hicieron todas
aquellas cosas que el arzobispo Turpín dellos escribe;
porque la verdad dello es que fueron caballeros escogidos por los reyes de Francia, a quien llamaron *pares*
por ser todos iguales en valor, en calidad y en valentía;
a lo menos, si no lo eran, era razón que lo fuesen, y era
como una religión de las que ahora se usan de Santiago
o de Calatrava, que se presupone que los que la profesan han de ser, o deben ser, caballeros valerosos, valientes y bien nacidos; y como ahora dicen caballero de San
Juan, o de Alcántara, decían en aquel tiempo caballero
de los doce Pares, porque lo fueron doce iguales los que
para esta religión militar se escogieron. En lo de que hubo
Cid no hay duda, ni menos Bernardo del Carpio; pero
de que hicieron las hazañas que dicen, creo que la hay
muy grande. En lo otro de la clavija que vuestra merced dice del conde Pierres, y que está junto a la silla
de Babieca en la armería de los reyes, confieso mi pecado; que soy tan ignorante, o tan corto de vista, que,
aunque he visto la silla, no he echado de ver la clavija, y
más siendo tan grande como vuestra merced ha dicho.

—Pues allí está, sin duda alguna —replicó don Quijote—; y, por más señas, dicen que está metida en una
funda de vaqueta[11], porque no se tome de moho.

[10] En 1428, en las fiestas celebradas en Valladolid por el rey
de Castilla, el de Navarra y don Álvaro de Luna, el caballero
navarro mosén Luis de Falces llevó una empresa que tocó Gonzalo de Guzmán, señor de Torija.

[11] *vaqueta*, cuero de ternera curtido y adobado.

—Todo puede ser —respondió el canónigo—; pero por las órdenes que recebí que no me acuerdo haberla visto. Mas puesto que conceda que está allí, no por eso me obligo a creer las historias de tantos Amadises, ni las de tanta turbamulta de caballeros como por ahí nos cuentan, ni es razón que un hombre como vuestra merced, tan honrado y de tan buenas partes, y dotado de tan buen entendimiento, se dé a entender que son verdaderas tantas y tan estrañas locuras como las que están escritas en los disparatados libros de caballerías.

CAPÍTULO L

DE LAS DISCRETAS ALTERCACIONES QUE DON QUIJOTE Y EL CANÓNIGO TUVIERON, CON OTROS SUCESOS

¡Bueno está eso! —respondió don Quijote—. Los libros que están impresos con licencia de los reyes y con aprobación de aquellos a quien se remitieron, y que con gusto general son leídos y celebrados de los grandes y de los chicos, de los pobres y de los ricos, de los letrados e ignorantes, de los plebeyos y caballeros, finalmente, de todo género de personas de cualquier estado y condición que sean, ¿habían de ser mentira, y más llevando tanta apariencia de verdad, pues nos cuentan el padre, la madre, la patria, los parientes, la edad, el lugar y las hazañas, punto por punto y día por día, que el tal caballero hizo, o caballeros hicieron? Calle vuestra merced, no diga tal blasfemia, y créame que le aconsejo en esto lo que debe de hacer como discreto, si no léalos, y verá el gusto que recibe de su leyenda. Si no, dígame: ¿Hay mayor contento que ver, como si dijésemos, aquí ahora se muestra delante de nosotros un gran lago de pez hirviendo a borbollones, y que andan nadando y cruzando por él muchas serpientes, culebras y lagartos, y otros muchos géneros de animales feroces y espantables, y que del medio del lago sale una voz tristísima que dice: «Tú, caballero, quienquiera que seas, »que el temeroso lago estás mirando, si quieres alcanzar »el bien que debajo destas negras aguas se encubre,

»muestra el valor de tu fuerte pecho y arrójate en mi-
»tad de su negro y encendido licor; porque si así no lo
»haces, no serás digno de ver las altas maravillas que en
»sí encierran y contienen los siete castillos de las siete
»fadas que debajo desta negregura yacen»? ¿Y que apenas el caballero no ha acabado de oír la voz temerosa,
cuando, sin entrar más en cuentas consigo, sin ponerse a
considerar el peligro a que se pone, y aun sin despo-
jarse de la pesadumbre de sus fuertes armas, encomendándose a Dios y a su señora, se arroja en mitad del
bullente lago, y cuando no se cata ni sabe dónde ha de
parar, se halla entre unos floridos campos, con quien
los Elíseos no tienen que ver en ninguna cosa? Allí le
parece que el cielo es más transparente, y que el sol luce
con claridad más nueva; ofrécesele a los ojos una apacible floresta de tan verdes y frondosos árboles compuesta, que alegra a la vista su verdura, y entretiene los oídos
el dulce y no aprendido canto de los pequeños, infinitos
y pintados pajarillos que por los intricados ramos van cruzando. Aquí descubre un arroyuelo, cuyas frescas aguas,
que líquidos cristales parecen, corren sobre menudas arenas y blancas pedrezuelas, que oro cernido y puras perlas
semejan; acullá vee una artificiosa fuente de jaspe variado y de liso mármol compuesta; acá vee otra a lo
brutesco¹ adornada, adonde las menudas conchas de las
almejas con las torcidas casas blancas y amarillas del caracol, puestas con orden desordenada, mezclados entre
ellas pedazos de cristal luciente y de contrahechas esmeraldas, hacen una variada labor, de manera que el arte,
imitando a la naturaleza, parece que allí la vence. Acullá de improviso se le descubre un fuerte castillo o vistoso alcázar, cuyas murallas son de macizo oro, las almenas de diamantes, las puertas de jacintos; finalmente, él
es de tan admirable compostura, que, con ser la materia
de que está formado no menos que de diamantes, de
carbuncos, de rubíes, de perlas, de oro y de esmeraldas,
es de más estimación su hechura. Y ¿hay más que ver,
después de haber visto esto, que ver salir por la puerta
del castillo un buen número de doncellas, cuyos galanos
y vistosos trajes, si yo me pusiese ahora a decirlos como

¹ _brutesco_, tosco.

las historias nos los cuentan, sería nunca acabar; y tomar luego la que parecía principal de todas por la mano
al atrevido caballero que se arrojó en el ferviente lago,
y llevarle, sin hablarle palabra, dentro del rico alcázar
o castillo, y hacerle desnudar como su madre le parió,
y bañarle con templadas aguas, y luego untarle todo
con olorosos ungüentos, y vestirle una camisa de cendal delgadísimo, toda olorosa y perfumada, y acudir otra
doncella y echarle un mantón sobre los hombros, que, por
lo menos menos, dicen que suele valer una ciudad, y aun
más? ¿Qué es ver, pues, cuando nos cuentan que, tras
todo esto, le llevan a otra sala, donde halla puestas las
mesas, con tanto concierto, que queda suspenso y admirado? ¿Qué el verle echar agua a manos, toda de ámbar
y de olorosas flores distilada? ¿Qué el hacerle sentar sobre una silla de marfil? ¿Qué verle servir todas las
doncellas, guardando un maravilloso silencio? ¿Qué el
traerle tanta diferencia de manjares, tan sabrosamente
guisados, que no sabe el apetito a cuál deba de alargar la
mano? ¿Cuál será oír la música que en tanto que come
suena, sin saberse quién la canta ni adónde suena? ¿Y,
después de la comida acabada y las mesas alzadas, quedarse el caballero recostado sobre la silla, y quizá mondán-
dose los dientes, como es costumbre, entrar a deshora
por la puerta de la sala otra mucho más hermosa doncella que ninguna de las primeras, y sentarse al lado
del caballero, y comenzar a darle cuenta de qué castillo
es aquél, y de cómo ella está encantada en él, con otras
cosas que suspenden al caballero y admiran a los leyentes que van leyendo su historia? No quiero alargarme
más en esto, pues dello se puede colegir que cualquiera
parte que se lea de cualquiera historia de caballero andante ha de causar gusto y maravilla a cualquiera que
la leyere. Y vuestra merced créame, y como otra vez le
he dicho, lea estos libros, y verá cómo le destierran la
melancolía que tuviere, y le mejoran la condición, si
acaso la tiene mala. De mí sé decir que después que soy
caballero andante soy valiente, comedido, liberal, bien-
criado, generoso, cortés, atrevido, blando, paciente, sufridor de trabajos, de prisiones, de encantos; y aunque
ha tan poco que me vi encerrado en una jaula como
loco, pienso, por el valor de mi brazo, favoreciéndome

el cielo y no me siendo contraria la fortuna, en pocos días verme rey de algún reino, adonde pueda mostrar el agradecimiento y liberalidad que mi pecho encierra. Que, mía fe[2], señor, el pobre está inhabilitado de poder mostrar la virtud de liberalidad con ninguno, aunque en sumo grado la posea; y el agradecimiento que sólo consiste en el deseo es cosa muerta, como es muerta la fe sin obras. Por esto querría que la fortuna me ofreciese presto alguna ocasión donde me hiciese emperador, por mostrar mi pecho haciendo bien a mis amigos, especialmente a este pobre de Sancho Panza, mi escudero, que es el mejor hombre del mundo, y querría darle un condado que le tengo muchos días ha prometido; sino que temo que no ha de tener habilidad para gobernar su estado.

Casi estas últimas palabras oyó Sancho a su amo, a quien dijo:

—Trabaje vuestra merced, señor don Quijote, en darme ese condado tan prometido de vuestra merced, como de mí esperado; que yo le prometo que no me falte a mí habilidad para gobernarle; y cuando me faltare, yo he oído decir que hay hombres en el mundo que toman en arrendamiento los estados de los señores, y les dan un tanto cada año, y ellos se tienen cuidado del gobierno, y el señor se está a pierna tendida, gozando de la renta que le dan, sin curarse de otra cosa; y así haré yo, y no repararé en tanto más cuanto, sino que luego me desistiré de todo, y me gozaré mi renta como un duque, y allá se lo hayan.

—Eso, hermano Sancho —dijo el canónigo—, entiéndese en cuanto al gozar la renta; empero al administrar justicia, ha de atender el señor del estado, y aquí entra la habilidad y buen juicio, y principalmente la buena intención de acertar; que si ésta falta en los principios, siempre irán errados los medios y los fines; y así suele Dios ayudar al buen deseo del simple como desfavorecer al malo del discreto.

—No sé esas filosofías —respondió Sancho Panza—; mas sólo sé que tan presto tuviese yo el condado como sabría regirle; que tanta alma tengo yo como otro, y

---

[2] mía fe, a fe mía.

tanto cuerpo como el que más, y tan rey sería yo de
mi estado como cada uno del suyo; y siéndolo, haría lo
que quisiese; y haciendo lo que quisiese, haría mi gusto;
y haciendo mi gusto, estaría contento; y en estando uno
contento, no tiene más que desear; y no teniendo más
que desear, acabóse, y el estado venga, y a Dios y veá-
monos, como dijo un ciego a otro.

—No son malas filosofías ésas, como tú dices, Sancho; pero, con todo eso, hay mucho que decir sobre
esta materia de condados.

A lo cual replicó don Quijote:

—Yo no sé que haya más que decir; sólo me guío
por el ejemplo que me da el grande Amadís de Gaula,
que hizo a su escudero conde de la Ínsula Firme; y así,
puedo yo sin escrúpulo de conciencia hacer conde a
Sancho Panza, que es uno de los mejores escuderos que
caballero andante ha tenido.

Admirado quedó el canónigo de los concertados disparates que don Quijote había dicho, del modo con que
había pintado la aventura del Caballero del Lago, de la
impresión que en él habían hecho las pensadas mentiras
de los libros que había leído, y, finalmente, le admiraba
la necedad de Sancho, que con tanto ahínco deseaba
alcanzar el condado que su amo le había prometido.

Ya en esto volvían los criados del canónigo, que a la
venta habían ido por la acémila del repuesto, y haciendo mesa de una alhombra y de la verde yerba del prado,
a la sombra de unos árboles se sentaron, y comieron
allí, porque el boyero no perdiese la comodidad de aquel
sitio, como queda dicho. Y estando comiendo, a deshora
oyeron un recio estruendo y un son de esquila, que por
entre unas zarzas y espesas matas que allí junto estaban
sonaba, y al mesmo instante vieron salir de entre aquellas malezas una hermosa cabra, toda la piel manchada
de negro, blanco y pardo. Tras ella venía un cabrero
dándole voces, y diciéndole palabras a su uso, para que
se detuviese, o al rebaño volviese. La fugitiva cabra, temerosa y despavorida, se vino a la gente, como a favo-
recerse della, y allí se detuvo. Llegó el cabrero, y asiéndola de los cuernos, como si fuera capaz de discurso y
entendimiento, le dijo:

—¡Ah, cerrera, cerrera, Manchada, Manchada[3], y
cómo andáis vos estos días de pie cojo! ¿Qué lobos os
espantan, hija? ¿No me diréis qué es esto, hermosa?
Mas ¡qué puede ser sino que sois hembra, y no podéis estar sosegada; que mal haya vuestra condición, y la de
todas aquellas a quien imitáis! Volved, volved, amiga;
que si no tan contenta, a lo menos, estaréis más segura
en vuestro aprisco, o con vuestras compañeras; que si
vos que las habéis de guardar y encaminar andáis tan
sin guía y tan descaminada, ¿en qué podrán parar ellas?

Contento dieron las palabras del cabrero a los que
las oyeron, especialmente al canónigo, que le dijo:

—Por vida vuestra, hermano, que os soseguéis un
poco y no os acuciéis en volver tan presto esa cabra a
su rebaño; que pues ella es hembra, como vos decís, ha
de seguir su natural distinto[4], por más que vos os pongáis a estorbarlo. Tomad este bocado y bebed una vez,
con que templaréis la cólera, y en tanto, descansará la
cabra.

Y el decir esto y el darle con la punta del cuchillo
los lomos de un conejo fiambre, todo fue uno. Tomólo
y agradeciólo el cabrero; bebió y sosegóse, y luego dijo:

—No querría que por haber yo hablado con esta ali-
maña tan en seso, me tuviesen vuestras mercedes por
hombre simple; que en verdad que no carecen de misterio las palabras que le dije. Rústico soy; pero no tanto
que no entienda cómo se ha de tratar con los hombres
y con las bestias.

—Eso creo yo muy bien —dijo el cura—; que ya yo
sé de esperiencia que los montes crían letrados y las cabañas de los pastores encierran filósofos.

—A lo menos, señor —replicó el cabrero—, acogen
hombres escarmentados; y para que creáis esta verdad y
la toquéis con la mano, aunque parezca que sin ser rogado me convido, si no os enfadáis dello y queréis, señores, un breve espacio prestarme oído atento, os contaré
una verdad que acredite lo que ese señor —señalando
al cura— ha dicho, y la mía.

[3] *cerrera*, «cerril», que gusta de andar por los cerros. *Manchada*, aunque se debe a la condición de su piel, es el nombre
de la cabra.

[4] *distinto*, instinto.

A esto respondió don Quijote:

—Por ver que tiene este caso un no sé qué de sombra de aventura de caballería, yo, por mi parte, os oiré, hermano, de muy buena gana, y así lo harán todos estos señores, por lo mucho que tienen de discretos y de ser amigos de curiosas novedades que suspendan, alegren y entretengan los sentidos, como, sin duda, pienso que lo ha de hacer vuestro cuento. Comenzad, pues, amigo: que todos escucharemos.

—Saco la mía[5] —dijo Sancho—; que yo a aquel arroyo me voy con esta empanada, donde pienso hartarme por tres días; porque he oído decir a mi señor don Quijote que el escudero de caballero andante ha de comer cuando se le ofreciere, hasta no poder más, a causa que se les suele ofrecer entrar acaso por una selva tan intricada, que no aciertan a salir della en seis días; y si el hombre no va harto, o bien proveídas las alforjas, allí se podrá quedar, como muchas veces se queda, hecho carnemomia[6].

—Tú estás en lo cierto, Sancho —dijo don Quijote—; vete adonde quisieres, y come lo que pudieres; que yo ya estoy satisfecho, y sólo me falta dar al alma su refacción, como se la daré escuchando el cuento deste buen hombre.

—Así las daremos todos a las nuestras —dijo el canónigo.

Y luego rogó al cabrero que diese principio a lo que prometido había. El cabrero dio dos palmadas sobre el lomo a la cabra, que por los cuernos tenía, diciéndole:

—Recuéstate junto a mí, Manchada; que tiempo nos queda para volver a nuestro apero.

Parece que lo entendió la cabra, porque en sentándose su dueño, se tendió ella junto a él con mucho sosiego, y mirándole al rostro daba a entender que estaba atenta a lo que el cabrero iba diciendo; el cual comenzó su historia desta manera:

---

[5] *saco la mía*, o sea, «retiro mi carta», frase del que se retira del juego.

[6] *carnemomia*, como queda el cuerpo embalsamado.

CAPÍTULO LI

Que trata de lo que contó el cabrero a todos los que llevaban a don Quijote*

Tres leguas deste valle está una aldea que, aunque pequeña, es de las más ricas que hay en todos estos contornos; en la cual había un labrador muy honrado, y tanto, que aunque es anexo al ser rico el ser honrado, más lo era él por la virtud que tenía que por la riqueza que alcanzaba. Mas lo que le hacía más dichoso, según él decía, era tener una hija de tan estremada hermosura, rara discreción, donaire y virtud, que el que la conocía y la miraba se admiraba de ver las estremadas partes con que el cielo y la naturaleza la habían enriquecido. Siendo niña fue hermosa, y siempre fue creciendo en belleza, y en la edad de diez y seis años fue hermosísima. La fama de su belleza se comenzó a estender por todas las circunvecinas aldeas, ¿qué digo yo por las circunvecinas no más, si se estendió a las apartadas ciudades, y aun se entró por las salas de los reyes, y por los oídos de todo género de gente, que como a cosa rara, o como a imagen de milagros, de todas partes a verla venían? Guardábala su padre, y guardábase ella; que no hay candados, guardas ni cerraduras que mejor guarden a una doncella que las del recato proprio. La riqueza del padre y la belleza de la hija movieron a muchos, así del pueblo como forasteros, a que por mujer se la pidiesen; mas él, como a quien tocaba disponer de tan rica joya, andaba confuso, sin saber determinarse a quién la entregaría de los infinitos que le importunaban. Y entre los muchos que tan buen deseo tenían, fui yo uno, a quien dieron muchas y grandes esperanzas de buen suceso conocer que el padre conocía quién yo era, el ser natural del mismo pueblo, limpio en sangre, en la edad floreciente, en la hacienda muy rico y en el in-

---

* La última narración intercalada en el *Quijote* es la historia de Leandra y de Vicente de la Rosa (llamado así dos veces en la primera edición, y una Roca, lo que suelen aceptar las posteriores), en la que Cervantes insiste en el ambiente artificial de la novela pastoril.

genio no menos acabado. Con todas estas mismas partes
la pidió también otro del mismo pueblo, que fue causa
de suspender y poner en balanza la voluntad del padre,
a quien parecía que con cualquiera de nosotros estaba
su hija bien empleada; y, por salir desta confusión, determinó decírselo a Leandra, que así se llama la rica
que en miseria me tiene puesto, advirtiendo que, pues
los dos éramos iguales, era bien dejar a la voluntad de
su querida hija el escoger a su gusto; cosa digna de imitar de todos los padres que a sus hijos quieren poner en
estado: no digo yo que los dejen escoger en cosas ruines
y malas, sino que se las propongan buenas, y de las buenas, que escojan a su gusto. No sé yo el que tuvo Leandra; sólo sé que el padre nos entretuvo a entrambos con
la poca edad de su hija y con palabras generales, que
ni le obligaban, ni nos desobligaba tampoco. Llámase
mi competidor Anselmo, y yo, Eugenio, porque vais con
noticia de los nombres de las personas que en esta tragedia se contienen, cuyo fin aún está pendiente; pero
bien se deja entender que ha de ser desastrado. En esta
sazón vino a nuestro pueblo un Vicente de la Rosa, hijo
de un pobre labrador del mismo lugar; el cual Vicente
venía de las Italias y de otras diversas partes, de ser
soldado. Llevóle de nuestro lugar, siendo muchacho de
hasta doce años, un capitán que con su compañía por
allí acertó a pasar, y volvió el mozo de allí a otros doce,
vestido a la soldadesca, pintado con mil colores, lleno
de mil dijes de cristal y sutiles cadenas de acero. Hoy se
ponía una gala y mañana otra; pero todas sutiles, pintadas, de poco peso y menos tomo. La gente labradora,
que de suyo es maliciosa, y dándole el ocio lugar es la
misma malicia, lo notó, y contó punto por punto sus galas y preseas, y halló que los vestidos eran tres, de diferentes colores, con sus ligas y medias; pero él hacía
tantos guisados e invenciones dellas, que si no se los
contaran, hubiera quien jurara que había hecho muestra de más de diez pares de vestidos y de más de veinte
plumajes. Y no parezca impertinencia y demasía esto
que de los vestidos voy contando, porque ellos hacen una
buena parte en esta historia. Sentábase en un poyo que
debajo de un gran álamo está en nuestra plaza, y allí
nos tenía a todos la boca abierta, pendientes de las ha-

zañas que nos iba contando. No había tierra en todo el
orbe que no hubiese visto, ni batalla donde no se hubiese hallado; había muerto más moros que tiene Marruecos y Túnez, y entrado en más singulares desafíos,
según él decía, que Gante y Luna[1], Diego García de
Paredes y otros mil que nombraba; y de todos había
salido con vitoria, sin que le hubiesen derramado una
sola gota de sangre. Por otra parte, mostraba señales de
heridas que, aunque no se divisaban, nos hacía entender que eran arcabuzazos dados en diferentes rencuentros y faciones. Finalmente, con una no vista arrogancia,
llamaba de vos a sus iguales y a los mismos que le conocían[2], y decía que su padre era su brazo, su linaje, sus
obras, y que debajo de ser soldado, al mismo rey no debía nada. Añadiósele a estas arrogancias ser un poco
músico y tocar una guitarra a lo rasgado, de manera
que decían algunos que la hacía hablar; pero no pararon aquí sus gracias; que también la tenía de poeta, y así,
de cada niñería que pasaba en el pueblo, componía un romance de legua y media de escritura. Este soldado, pues,
que aquí he pintado, este Vicente de la Rosa, este bravo,
este galán, este músico, este poeta fue visto y mirado
muchas veces de Leandra, desde una ventana de su casa
que tenía la vista a la plaza. Enamoróla el oropel de
sus vistosos trajes; encantáronla sus romances, que de
cada uno que componía daba veinte traslados[3], llegaron
a sus oídos las hazañas que él de sí mismo había referido, y, finalmente, que así el diablo lo debía de tener
ordenado, ella se vino a enamorar dél, antes que en él
naciese presunción de solicitalla. Y como en los casos
de amor no hay ninguno que con más facilidad se cumpla que aquel que tiene de su parte el deseo de la dama,
con facilidad se concertaron Leandra y Vicente, y primero que alguno de sus muchos pretendientes cayesen
en la cuenta de su deseo, ya ella le tenía cumplido, habiendo dejado la casa de su querido y amado padre,
que madre no la tiene, y ausentádose de la aldea con el
soldado, que salió con más triunfo desta empresa que
de todas las muchas que él se aplicaba. Admiró el suceso

---

[1] No se tiene noticia de estos Gante y Luna.
[2] El tratamiento de vos se empleaba al dirigirse a un inferior.
[3] traslados, copias.

a toda el aldea, y aun a todos los que dél noticia tuvieron; yo quedé suspenso, Anselmo atónito, el padre triste, sus parientes afrentados, solícita la justicia, los cuadrilleros listos; tomáronse los caminos, escudriñáronse los bosques y cuanto había, y al cabo de tres días hallaron a la antojadiza Leandra en una cueva de un monte, desnuda en camisa, sin muchos dineros y preciosísimas joyas que de su casa había sacado. Volviéronla a la presencia del lastimado padre; preguntáronle su desgracia; confesó sin apremio que Vicente de la Rosa la había engañado, y debajo de su palabra de ser su esposo la persuadió que dejase la casa de su padre; que él la llevaría a la más rica y más viciosa ciudad que había en todo el universo mundo, que era Nápoles; y que ella, mal advertida y peor engañada, le había creído; y, robando a su padre, se le entregó la misma noche que había faltado; y que él la llevó a un áspero monte, y la encerró en aquella cueva donde la habían hallado. Contó también como el soldado, sin quitalle su honor, le robó cuanto tenía, y la dejó en aquella cueva, y se fue: suceso que de nuevo puso en admiración a todos. Duro se nos hizo de creer la continencia del mozo; pero ella lo afirmó con tantas veras, que fueron parte para que el desconsolado padre se consolase, no haciendo cuenta de las riquezas que le llevaban, pues le habían dejado a su hija con la joya que, si una vez se pierde, no deja esperanza de que jamás se cobre. El mismo día que pareció Leandra la despareció su padre de nuestros ojos, y la llevó a encerrar en un monesterio de una villa que está aquí cerca, esperando que el tiempo gaste alguna parte de la mala opinión en que su hija se puso. Los pocos años de Leandra sirvieron de disculpa de su culpa, a lo menos con aquellos que no les iba algún interés en que ella fuese mala o buena; pero los que conocían su discreción y mucho entendimiento no atribuyeron a ignorancia su pecado, sino a su desenvoltura y a la natural inclinación de las mujeres, que, por la mayor parte, suele ser desatinada y mal compuesta. Encerrada Leandra, quedaron los ojos de Anselmo ciegos, a lo menos sin tener cosa que mirar que contento le diese; los míos en tinieblas, sin luz que a ninguna cosa de gusto les encaminase; con la ausencia de Leandra crecía nuestra tristeza, apocábase nuestra paciencia, maldecíamos las galas del soldado y abominábamos del poco recato del padre de Leandra. Finalmente, Anselmo y yo nos concertamos de dejar el aldea y venirnos a este valle, donde él, apacentando una gran cantidad de ovejas suyas proprias, y yo un numeroso rebaño de cabras, también mías, pasamos la vida entre los árboles, dando vado[4] a nuestras pasiones, o cantando juntos alabanzas o vituperios de la hermosa Leandra, o suspirando solos y a solas comunicando con el cielo nuestras querellas. A imitación nuestra, otros muchos de los pretendientes de Leandra se han venido a estos ásperos montes usando el mismo ejercicio nuestro; y son tantos, que parece que este sitio se ha convertido en la pastoral Arcadia, según está colmo de pastores y de apriscos, y no hay parte en él donde no se oiga el nombre de la hermosa Leandra. Éste la maldice y la llama antojadiza, varia y deshonesta; aquél la condena por fácil y ligera; tal la absuelve y perdona, y tal la justicia[5] y vitupera; uno celebra su hermosura, otro reniega de su condición, y, en fin, todos la deshonran, y todos la adoran, y de todos se estiende a tanto la locura, que hay quien se queje de desdén sin haberla jamás hablado, y aun quien se lamente y sienta la rabiosa enfermedad de los celos, que ella jamás dio a nadie; porque, como ya tengo dicho, antes se supo su pecado que su deseo. No hay hueco de peña, ni margen de arroyo, ni sombra de árbol que no esté ocupada de algún pastor que sus desventuras a los aires cuente; el eco repite el nombre de Leandra dondequiera que pueda formarse: Leandra resuenan los montes, Leandra murmuran los arroyos, y Leandra nos tiene a todos suspensos y encantados, esperando sin esperanza y temiendo sin saber de qué tememos. Entre estos disparatados, el que muestra que menos y más juicio tiene es mi competidor Anselmo, el cual, teniendo tantas otras cosas de que quejarse, sólo se queja de ausencia; y al son de un rabel, que admirablemente toca, con versos donde muestra su buen entendimiento, cantando se queja. Yo sigo otro camino más fácil, y a mi parecer el más acertado, que es decir mal de la ligereza de las mujeres, de su in-

[4] *vado*, remedio, alivio.
[5] *justiciar*, condenar.

constancia, de su doble trato, de sus promesas muertas, de su fe rompida, y, finalmente, del poco discurso que tienen en saber colocar sus pensamientos e intenciones que tienen. Y ésta fue la ocasión, señores, de las palabras y razones que dije a esta cabra cuando aquí llegué; que por ser hembra la tengo en poco, aunque es la mejor de todo mi apero. Ésta es la historia que prometí contaros; si he sido en el contarla prolijo, no seré en serviros corto: cerca de aquí tengo mi majada, y en ella tengo fresca leche y muy sabrosísimo queso, con otras varias y sazonadas frutas, no menos a la vista que al gusto agradables.

CAPÍTULO LII

DE LA PENDENCIA QUE DON QUIJOTE TUVO CON EL CABRERO, CON LA RARA AVENTURA DE LOS DECEPLINANTES, A QUIEN DIO FELICE FIN A COSTA DE SU SUDOR*

GENERAL gusto causó el cuento del cabrero a todos los que escuchado le habían; especialmente le recibió el canónigo, que con estraña curiosidad notó la manera con que le había contado, tan lejos de parecer rústico cabrero cuan cerca de mostrarse discreto cortesano; y así, dijo que había dicho muy bien el cura en decir que los montes criaban letrados. Todos se ofrecieron a Euge-

---

* Antes de llegar a la aldea a don Quijote se le ofrece la aventura de los disciplinantes, similar a la del cuerpo muerto o de los encamisados (cap. XIX); y la primera parte de la novela da fin con unas cómicas poesías atribuidas a «los académicos de la Argamasilla, lugar de la Mancha», que han motivado que se suponga que la aldea de don Quijote es Argamasilla, creencia que ya aparece en el *Quijote* apócrifo de Avellaneda. Tal academia es fingida, pues precisamente la comicidad estriba en afirmar que en esta población podía existir una academia literaria como las muchas que había en Madrid y en otras ciudades importantes. Estas poesías, similares a las que hay al principio del *Quijote*, van atribuidas a autores con nombres cómicos, pero que recuerdan los seudónimos poéticos que adoptaban los miembros de las academias auténticas. M. Bataillon sugiere la posibilidad de que esta Academia de Argamasilla sea el disfraz burlesco de un grupo de amigos de Cervantes de Valladolid, que hubieran escrito estas poesías (cfr. M. Bataillon, en *Studia Philologica, homenaje a Dámaso Alonso*, I, Madrid, 1960, pág. 213).

nio; pero el que más se mostró liberal en esto fue don Quijote, que le dijo:

—Por cierto, hermano cabrero, que si yo me hallara posibilitado de poder comenzar alguna aventura, que luego luego me pusiera en camino porque vos la tuviérades buena; que yo sacara del monesterio, donde, sin duda alguna, debe de estar contra su voluntad, a Leandra, a pesar de la abadesa y de cuantos quisieran estorbarlo, y os la pusiera en vuestras manos, para que hiciérades della a toda vuestra voluntad y talante, guardando, pero, las leyes de la caballería, que mandan que a ninguna doncella se le sea fecho desaguisado alguno; aunque yo espero en Dios Nuestro Señor que no ha de poder tanto la fuerza de un encantador malicioso, que no pueda más la de otro encantador mejor intencionado, y para entonces os prometo mi favor y ayuda, como me obliga mi profesión, que no es otra si no es favorecer a los desvalidos y menesterosos.

Miróle el cabrero, y como vio a don Quijote de tan mal pelaje y catadura, admiróse y preguntó al barbero, que cerca de sí tenía:

—Señor, ¿quién es este hombre, que tal talle tiene y de tal manera habla?

—¿Quién ha de ser —respondió el barbero— sino el famoso don Quijote de la Mancha, desfacedor de agravios, enderezador de tuertos, el amparo de las doncellas, el asombro de los gigantes y el vencedor de las batallas?

—Eso me semeja —respondió el cabrero— a lo que se lee en los libros de caballeros andantes, que hacían todo eso que de este hombre vuestra merced dice; puesto que para mí tengo, o que vuestra merced se burla, o que este gentilhombre debe de tener vacíos los aposentos de la cabeza.

—Sois un grandísimo bellaco —dijo a esta sazón don Quijote—, y vos sois el vacío y el menguado; que yo estoy más lleno que jamás lo estuvo la muy hideputa puta que os parió.

Y diciendo y hablando, arrebató de un pan que junto a sí tenía, y dio con él al cabrero en todo el rostro, con tanta furia, que le remachó las narices; mas el cabrero, que no sabía de burlas, viendo con cuántas veras le maltrataban, sin tener respeto a la alhombra, ni a los manteles, ni a todos aquellos que comiendo estaban, saltó sobre don Quijote, y asiéndole del cuello con entrambas manos, no dudara de ahogalle, si Sancho Panza no llegara en aquel punto, y le asiera por las espaldas y diera con él encima de la mesa, quebrando platos, rompiendo tazas y derramando y esparciendo cuanto en ella estaba. Don Quijote, que se vio libre, acudió a subirse sobre el cabrero; el cual, lleno de sangre el rostro, molido a coces de Sancho, andaba buscando a gatas algún cuchillo de la mesa para hacer alguna sanguinolenta venganza, pero estorbábanselo el canónigo y el cura; mas el barbero hizo de suerte que el cabrero cogió debajo de sí a don Quijote, sobre el cual llovió tanto número de mojicones, que del rostro del pobre caballero llovía tanta sangre como del suyo.

Reventaban de risa el canónigo y el cura, saltaban los cuadrilleros de gozo, zuzaban los unos y los otros, como hacen a los perros cuando en pendencia están trabados; sólo Sancho Panza se desesperaba, porque no se podía desasir de un criado del canónigo, que le estorbaba que a su amo no ayudase.

En resolución, estando todos en regocijo y fiesta, sino los dos aporreantes que se carpían[1], oyeron el son de una trompeta, tan triste, que les hizo volver los rostros hacia donde les pareció que sonaba; pero el que más se alborotó de oírle fue don Quijote, el cual, aunque estaba debajo del cabrero, harto contra su voluntad y más que medianamente molido, le dijo:

—Hermano demonio, que no es posible que dejes de serlo, pues has tenido valor y fuerzas para sujetar las mías, ruégote que hagamos treguas, no más de por una hora; porque el doloroso son de aquella trompeta que a nuestros oídos llega me parece que a alguna nueva aventura me llama.

El cabrero, que ya estaba cansado de moler y ser molido, le dejó luego, y don Quijote se puso en pie, volviendo asimismo el rostro adonde el son se oía, y vio a deshora que por un recuesto bajaban muchos hombres vestidos de blanco, a modo de diciplinantes.

---

[1] *carpían*, arañaban, rasgaban.

Era el caso que aquel año habían las nubes negado su rocío a la tierra, y por todos los lugares de aquella comarca se hacían procesiones, rogativas y diciplinas, pidiendo a Dios abriese las manos de su misericordia y les lloviese; y para este efecto la gente de una aldea que allí junto estaba venía en procesión a una devota ermita que en un recuesto de aquel valle había.

Don Quijote, que vio los estraños trajes de los diciplinantes, sin pasarle por la memoria las muchas veces que los había de haber visto, se imaginó que era cosa de aventura, y que a él solo tocaba, como a caballero andante, el acometerla; y confirmóle más esta imaginación pensar que una imagen que traían cubierta de luto fuese alguna principal señora que llevaban por fuerza aquellos follones y descomedidos malandrines; y como esto le cayó en las mientes, con gran ligereza arremetió a Rocinante, que paciendo andaba, quitándole del arzón el freno y el adarga, y en un punto le enfrenó; y pidiendo a Sancho su espada, subió sobre Rocinante y embrazó su adarga, y dijo en alta voz a todos los que presentes estaban:

—Agora, valerosa compañía, veredes cuánto importa que haya en el mundo caballeros que profesen la orden de la andante caballería; agora digo que veredes, en la libertad de aquella buena señora que allí va cautiva, si se han de estimar los caballeros andantes.

Y en diciendo esto, apretó los muslos a Rocinante, porque espuelas no las tenía, y a todo galope, porque carrera tirada no se lee en toda esta verdadera historia que jamás la diese Rocinante, se fue a encontrar con los diciplinantes, bien que fueran el cura y el canónigo y barbero a detenelle; mas no les fue posible, ni menos le detuvieron las voces que Sancho le daba, diciendo:

—¿Adónde va, señor don Quijote? ¿Qué demonios lleva en el pecho, que le incitan a ir contra nuestra fe católica? Advierta, mal haya yo, que aquélla es procesión de diciplinantes, y que aquella señora que llevan sobre la peana es la imagen benditísima de la Virgen sin mancilla; mire, señor, lo que hace; que por esta vez se puede decir que no es lo que sabe.

Fatigóse en vano Sancho; porque su amo iba tan puesto en llegar a los ensabanados y en librar a la señora enlutada, que no oyó palabra; y aunque la oyera, no volviera, si el rey se lo mandara. Llegó, pues, a la procesión, y paró a Rocinante, que ya llevaba deseo de quietarse un poco, y con turbada y ronca voz, dijo:

—Vosotros, que, quizá por no ser buenos, os encubrís los rostros, atended y escuchad lo que deciros quiero.

Los primeros que se detuvieron fueron los que la imagen llevaban; y uno de los cuatro clérigos que cantaban las ledanías, viendo la estraña catadura de don Quijote, la flaqueza de Rocinante y otras circunstancias de risa que notó y descubrió en don Quijote, le respondió diciendo:

—Señor hermano, si nos quiere decir algo, dígalo presto, porque se van estos hermanos abriendo las carnes, y no podemos, ni es razón que nos detengamos a oír cosa alguna, si ya no es tan breve, que en dos palabras se diga.

—En una lo diré —replicó don Quijote—, y es ésta: que luego al punto dejéis libre a esa hermosa señora, cuyas lágrimas y triste semblante dan claras muestras que la lleváis contra su voluntad y que algún notorio desaguisado le habedes fecho; y yo, que nací en el mundo para desfacer semejantes agravios, no consentiré que un solo paso adelante pase sin darle la deseada libertad que merece.

En estas razones, cayeron todos los que las oyeron que don Quijote debía de ser algún hombre loco, y tomáronse a reír muy de gana; cuya risa fue poner pólvora a la cólera de don Quijote, porque sin decir más palabra, sacando la espada, arremetió a las andas. Uno de aquellos que las llevaban, dejando la carga a sus compañeros, salió al encuentro de don Quijote, enarbolando una horquilla o bastón con que sustentaba las andas en tanto que descansaba; y recibiendo en ella una gran cuchillada que le tiró don Quijote, con que se la hizo dos partes, con el último tercio, que le quedó en la mano, dio tal golpe a don Quijote encima de un hombro, por el mismo lado de la espada, que no pudo cubrir el adarga contra villana fuerza, que el pobre don Quijote vino al suelo muy mal parado.

Sancho Panza, que jadeando le iba a los alcances, viéndole caído, dio voces a su moledor que no le diese otro palo, porque era un pobre caballero encantado, que no había hecho mal a nadie en todos los días de su vida. Mas lo que detuvo al villano no fueron las voces de Sancho, sino el ver que don Quijote no bullía[2] pie ni mano; y así, creyendo que le había muerto, con priesa se alzó la túnica a la cinta, y dio a huir por la campaña como un gamo.

Ya en esto llegaron todos los de la compañía de don Quijote adonde él estaba; y más los de la procesión, que los vieron venir corriendo, y con ellos los cuadrilleros con sus ballestas, temieron algún mal suceso, y hiciéronse todos un remolino alrededor de la imagen; y alzados los capirotes[3], empuñando las diciplinas, y los clérigos los ciriales, esperaban el asalto con determinación de defenderse, y aun ofender, si pudiesen, a sus acometedores; pero la fortuna lo hizo mejor que se pensaba, porque Sancho no hizo otra cosa que arrojarse sobre el cuerpo de su señor, haciendo sobre él el más doloroso y risueño[4] llanto del mundo, creyendo que estaba muerto.

El cura fue conocido de otro cura que en la procesión venía; cuyo conocimiento puso en sosiego el concebido temor de los dos escuadrones. El primer cura dio al segundo, en dos razones, cuenta de quién era don Quijote, y así él como toda la turba de los diciplinantes fueron a ver si estaba muerto el pobre caballero, y oyeron que Sancho Panza, con lágrimas en los ojos, decía:

—¡Oh flor de la caballería, que con solo un garrotazo acabaste la carrera de tus bien gastados años! ¡Oh honra de tu linaje, honor y gloria de toda la Mancha, y aun de todo el mundo, el cual faltando tú en él, quedará lleno de malhechores, sin temor de ser castigados de sus malas fechorías! ¡Oh liberal sobre todos los Alejandros, pues por solos ocho meses[5] de servicio me tenías dada la mejor ínsula que el mar ciñe y rodea! ¡Oh hu-

---

[2] *bullía*, movía.
[3] *capirotes*, los cucuruchos con antifaz como los que todavía se usan en las procesiones de Semana Santa.
[4] *risueño*, risible.
[5] Hace diecisiete días que don Quijote salió por segunda vez de su aldea, acompañado de Sancho. Es posible que éste exagere intencionadamente la duración de la salida.

milde con los soberbios y arrogante con los humildes[6],.
acometedor de peligros, sufridor de afrentas, enamorado
sin causa, imitador de los buenos, azote de los malos,.
enemigo de los ruines, en fin, caballero andante, que es
todo lo que decir se puede!

Con las voces y gemidos de Sancho revivió don Quijote, y la primer palabra que dijo fue:

—El que de vos vive ausente, dulcísima Dulcinea, a
mayores miserias que éstas está sujeto. Ayúdame, Sancho
amigo, a ponerme sobre el carro encantado; que ya no
estoy para oprimir la silla de Rocinante, porque tengo
todo este hombro hecho pedazos.

—Eso haré yo de muy buena gana, señor mío —respondió Sancho—, y volvamos a mi aldea en compañía
destos señores, que su bien desean, y allí daremos orden
de hacer otra salida que nos sea de más provecho y
fama.

—Bien dices, Sancho —respondió don Quijote—, y
será gran prudencia dejar pasar el mal influjo de las estrellas que agora corre.

El canónigo y el cura y barbero le dijeron que haría
muy bien en hacer lo que decía; y así, habiendo recebido grande gusto de las simplicidades de Sancho Panza,
pusieron a don Quijote en el carro, como antes venía.
La procesión volvió a ordenarse y a proseguir su camino; el cabrero se despidió de todos; los cuadrilleros no
quisieron pasar adelante, y el cura les pagó lo que se les
debía. El canónigo pidió al cura le avisase el suceso de
don Quijote, si sanaba de su locura o si proseguía en
ella, y con esto tomó licencia para seguir su viaje. En
fin, todos se dividieron y apartaron, quedando solos el
cura y barbero, don Quijote y Panza y el bueno de Rocinante, que a todo lo que había visto estaba con tanta
paciencia como su amo.

El boyero unció sus bueyes y acomodó a don Quijote
sobre un haz de heno, y con su acostumbrada flema siguió el camino que el cura quiso, y a cabo de seis días
llegaron a la aldea de don Quijote, adonde entraron en
la mitad del día, que acertó a ser domingo, y la gente
estaba toda en la plaza, por mitad de la cual atravesó el

---

[6] Sancho dice lo contrario de lo que debiera.

carro de don Quijote. Acudieron todos a ver lo que en el carro venía, y cuando conocieron a su compatrioto, quedaron maravillados, y un muchacho acudió corriendo a dar las nuevas a su ama y a su sobrina de que su tío y su señor venía flaco y amarillo, y tendido sobre un montón de heno y sobre un carro de bueyes. Cosa de lástima fue oír los gritos que las dos buenas señoras alzaron, las bofetadas que se dieron, las maldiciones que de nuevo echaron a los malditos libros de caballerías; todo lo cual se renovó cuando vieron entrar a don Quijote por sus puertas.

A las nuevas desta venida de don Quijote, acudió la mujer de Sancho Panza, que ya había sabido que había ido con él sirviéndole de escudero, y así como vio a Sancho, lo primero que le preguntó fue que si venía bueno el asno. Sancho respondió que venía mejor que su amo.

—Gracias sean dadas a Dios —replicó ella—, que tanto bien me ha hecho; pero contadme agora, amigo: ¿Qué bien habéis sacado de vuestras escuderías? ¿Qué saboyana[7] me traéis a mí? ¿Qué zapaticos a vuestros hijos?

—No traigo nada deso —dijo Sancho—, mujer mía, aunque traigo otras cosas de más momento y consideración.

—Deso recibo yo mucho gusto —respondió la mujer—; mostradme esas cosas de más consideración y más momento, amigo mío; que las quiero ver, para que se me alegre este corazón, que tan triste y descontento ha estado en todos los siglos de vuestra ausencia.

—En casa os las mostraré, mujer —dijo Panza—, y por agora estad contenta; que siendo Dios servido de que otra vez salgamos en viaje a buscar aventuras, vos me veréis presto conde, o gobernador de una ínsula, y no de las de por ahí, sino la mejor que pueda hallarse.

—Quiéralo así el cielo, marido mío; que bien lo habemos menester. Mas decidme: ¿Qué es eso de ínsulas, que no lo entiendo?

—No es la miel para la boca del asno —respondió Sancho—; a su tiempo lo verás, mujer, y aun te admirarás de oírte llamar señoría de todos tus vasallos.

---

[7] *saboyana*, ropa exterior femenina, abierta por delante.

—¿Qué es lo que decís, Sancho, de señorías, ínsulas y vasallos? —respondió Juana Panza, que así se llamaba la mujer de Sancho, aunque no eran parientes, sino porque se usa en la Mancha tomar las mujeres el apellido de sus maridos.

—No te acucies, Juana, por saber todo esto tan apriesa; basta que te digo verdad, y cose la boca. Sólo te sabré decir, así de paso, que no hay cosa más gustosa en el mundo que ser un hombre honrado escudero de un caballero andante buscador de aventuras. Bien es verdad que las más que se hallan no salen tan a gusto como el hombre querría, porque de ciento que se encuentran, las noventa y nueve suelen salir aviesas y torcidas. Sélo yo de expiriencia, porque de algunas he salido manteado, y de otras molido; pero, con todo eso, es linda cosa esperar los sucesos atravesando montes, escudriñando selvas, pisando peñas, visitando castillos, alojando en ventas a toda discreción, sin pagar ofrecido sea al diablo el maravedí[8].

Todas estas pláticas pasaron entre Sancho Panza y Juana Panza, su mujer, en tanto que el ama y sobrina de don Quijote le recibieron, y le desnudaron, y le tendieron en su antiguo lecho. Mirábalas él con ojos atravesados, y no acababa de entender en qué parte estaba. El cura encargó a la sobrina tuviese gran cuenta con regalar a su tío, y que estuviesen alerta de que otra vez no se les escapase, contando lo que había sido menester para traelle a su casa. Aquí alzaron las dos de nuevo los gritos al cielo; allí se renovaron las maldiciones de los libros de caballerías; allí pidieron al cielo que confundiese en el centro del abismo a los autores de tantas mentiras y disparates. Finalmente, ellas quedaron confusas y temerosas de que se habían de ver sin su amo y tío en el mesmo punto que tuviese alguna mejoría, y sí fue como ellas se lo imaginaron.

Pero el autor desta historia, puesto que con curiosidad y diligencia ha buscado los hechos que don Quijote hizo en su tercera salida, no ha podido hallar noticia de ellas, a lo menos por escrituras auténticas; sólo la fama

---

[8] *sin pagar ofrecido sea al diablo el maravedí*, «sin pagar ni un maldito maravedí».

ha guardado, en las memorias de la Mancha, que don
Quijote la tercera vez que salió de su casa fue a Zaragoza, donde se halló en unas famosas justas que en aquella ciudad hicieron, y allí le pasaron cosas dignas de su
valor y buen entendimiento[9]. Ni de su fin y acabamiento pudo alcanzar cosa alguna, ni la alcanzara ni supiera
si la buena suerte no le deparara un antiguo médico que
tenía en su poder una caja de plomo, que, según él dijo,
se había hallado en los cimientos derribados de una antigua ermita que se renovaba; en la cual caja se habían
hallado unos pergaminos escritos con letras góticas, pero
en versos castellanos, que contenían muchas de sus hazañas y daban noticia de la hermosura de Dulcinea del
Toboso, de la figura de Rocinante, de la fidelidad de
Sancho Panza y de la sepultura del mesmo don Quijote,
con diferentes epitafios y elogios de su vida y costumbres.

Y los que se pudieron leer y sacar en limpio fueron
los que aquí pone el fidedigno autor desta nueva y jamás
vista historia. El cual autor no pide a los que la leyeren,
en premio del inmenso trabajo que le costó inquerir y
buscar todos los archivos manchegos, por sacarla a luz,
sino que le den el mesmo crédito que suelen dar los discretos a los libros de caballerías, que tan validos andan
en el mundo; que con esto se tendrá por bien pagado y
satisfecho, y se animará a sacar y buscar otras, si no tan
verdaderas, a lo menos de tanta invención y pasatiempo.

Las palabras primeras que estaban escritas en el pergamino que se halló en la caja de plomo eran éstas:

[9] De acuerdo con esta indicación, Avellaneda, en el *Quijote*
apócrifo, lleva al protagonista y a Sancho a Zaragoza; y Cervantes, para desmentirle, evitará en la segunda parte que don Quijote entre en ciudad aragonesa.

LOS ACADÉMICOS DE LA ARGAMASILLA, LUGAR DE LA MANCHA, EN VIDA Y MUERTE DEL VALEROSO DON QUIJOTE DE LA MANCHA,

HOC SCRIPSERUNT[10]

El Monicongo[11], académico de la Argamasilla, a la sepultura de don Quijote

Epitafio

El calvatrueno[12] que adornó a la Mancha
de más despojos que Jasón de Creta,
el jüicio que tuvo la veleta
aguda donde fuera mejor ancha,

el brazo que su fuerza tanto ensancha,
que llegó del Catay hasta Gaeta[13],
la musa más horrenda y más discreta
que grabó versos en broncínea plancha,

el que a cola dejó los Amadises,
y en muy poquito a Galaores[14] tuvo,
estribando en su amor y bizarría,

el que hizo callar los Belianises,
aquel que en Rocinante errando anduvo,
yace debajo desta losa fría.

Del Paniaguado, académico de la Argamasilla,
In Laudem Dulcineæ del Toboso

Soneto

Esta que veis de rostro amondongado,
alta de pechos y ademán brioso,
es Dulcinea, reina del Toboso,
de quien fue el gran Quijote aficionado.

---

[10] Véase la nota preliminar a este capítulo.
[11] *Monicongo*, nombre que se daba a los negros del Congo.
[12] *calvatrueno*, alocado, vocinglero.
[13] *Catay*, China; *Gaeta*, en el golfo de Nápoles.
[14] Galaor, el hermano de Amadís de Gaula.

Pisó por ella el uno y otro lado
de la gran Sierra Negra[15], y el famoso
campo de Montïel, hasta el herboso
llano de Aranjuez[16], a pie y cansado.

Culpa de Rocinante. ¡Oh dura estrella!,
que esta manchega dama, y este invito
andante caballero, en tiernos años,

ella dejó, muriendo, de ser bella;
y él, aunque queda en mármores escrito,
no pudo huir de amor, iras y engaños.

Del Caprichoso, discretísimo académico de la Argamasilla, en loor de Rocinante, caballo de don Quijote de la Mancha

Soneto

En el soberbio trono diamantino
que con sangrientas plantas huella Marte,
frenético el Manchego su estandarte
tremola con esfuerzo peregrino.

Cuelga las armas y el acero fino
con que destroza, asuela, raja y parte:
¡Nuevas proezas!, pero inventa el arte
un nuevo estilo al nuevo paladino.

Y si de su Amadís se precia Gaula,
por cuyos bravos descendientes Grecia
triunfó mil veces y su fama ensancha,

hoy a Quijote le corona el aula
do Belona preside, y dél se precia,
más que Grecia ni Gaula, la alta Mancha.

Nunca sus glorias el olvido mancha,
pues hasta Rocinante, en ser gallardo,
excede a Brilladoro y a Bayardo[17].

---

[15] *Sierra Negra*, Sierra Morena.
[16] Don Quijote no se acerca para nada a Aranjuez ni en la primera ni en la segunda parte. Tal vez Cervantes tenía la idea de llevarlo allí en la tercera salida.
[17] Caballos de Orlando y de Reinaldos de Montalbán. Este soneto lleva un estrambote de tres versos.

Del Burlador, académico argamasillesco, a Sancho Panza

Soneto

Sancho Panza es aquéste, en cuerpo chico,
pero grande en valor, ¡milagro estraño!
Escudero el más simple y sin engaño
que tuvo el mundo, os juro y certifico.
  De ser conde, no estuvo en un tantico,
si no se conjuraran en su daño
insolencias y agravios del tacaño
siglo, que aun no perdonan a un borrico.
  Sobre él anduvo —con perdón se miente—
este manso escudero, tras el manso
caballo Rocinante y tras su dueño.
  ¡Oh vanas esperanzas de la gente!
¡Cómo pasáis con prometer descanso,
y al fin paráis en sombra, en humo, en sueño!

Del Cachidiablo[18], académico de la Argamasilla, en la sepultura de don Quijote

Epitafio

Aquí yace el caballero
bien molido y mal andante
a quien llevó Rocinante
por uno y otro sendero.
  Sancho Panza el majadero
yace también junto a él,
escudero el más fiel
que vio el trato de escudero.

---

[18] *Cachidiablo*, nombre que se daba a un corsario argelino, capitán de la flota de Barbarroja, que en tiempos de Carlos V saqueó algunas zonas del levante español. Pasó a significar el nombre de un diablo.

Del Tiquitoc, académico de la Argamasilla, en la sepultura de Dulcinea del Toboso

Epitafio

Reposa aquí Dulcinea;
y, aunque de carnes rolliza,
la volvió en polvo y ceniza
la muerte espantable y fea.
Fue de castiza ralea,
y tuvo asomos de dama[19];
del gran Quijote fue llama,
y fue gloria de su aldea.

Éstos fueron los versos que se pudieron leer; los demás, por estar carcomida la letra, se entregaron a un académico para que por conjeturas los declarase. Tiénese noticia que lo ha hecho, a costa de muchas vigilias y mucho trabajo, y que tiene intención de sacallos a luz, con esperanza de la tercera salida de don Quijote.

Forsi altro canterà con miglior plectio[20]

Finis

---

[19] Tal vez *dama* está aquí en el sentido de «mujer pública», muy frecuente en los siglos XVI y XVII.
[20] Verso del *Orlando furioso* (*Forse altri canterà con miglior plettro*, XXX, estrofa 16: «quizá otro cantará con mejor pluma»), cuando Ariosto deja de narrar la locura de Orlando para pasar a las aventuras de Mandricardo. Este final de la primera parte del *Quijote* deja abierta la puerta a otro escritor para continuarlo, que es lo que hizo Avellaneda.

SEGVNDA PARTE DEL INGENIOSO CAVALLERO DON QVIXOTE DE LA MANCHA.

Por Miguel de Ceruantes Saauedra, autor de su primera parte.

Dirigida a don Pedro Fernandez de Castro, Conde de Lemos, de Andrade, y de Villalua, Marques de Sarria, Gentilhombre de la Camara de su Magestad, Comendador de la Encomienda de Peñafiel, y la Zarça de la Orden de Alcantara, Virrey, Gouernador, y Capitan General del Reyno de Napoles, y Presidente del supremo Consejo de Italia.

Año 1615

CON PRIVILEGIO.

En Madrid, Por Iuan de la Cuesta.

Vendese en casa de Francisco de Robles, librero del Rey N.S.

TASA

Yo, Hernando de Vallejo, escribano de Cámara del Rey nuestro señor, de los que residen en su Consejo, doy fe que, habiéndose visto por los señores dél un libro que compuso Miguel de Cervantes Saavedra, intitulado *Don Quijote de la Mancha, Segunda parte*, que con licencia de Su Majestad fue impreso, le tasaron a cuatro maravedís cada pliego en papel, el cual tiene setenta y tres pliegos, que al dicho respeto suma y monta doscientos y noventa y dos maravedís[1], y mandaron que esta tasa se ponga al principio de cada volumen del dicho libro, para que se sepa y entienda lo que por él se ha de pedir y llevar, sin que se exceda en ello en manera alguna, como consta y parece por el auto y decreto original sobre ello dado, y que queda en mi poder, a que me refiero, y de mandamiento de los dichos señores del Consejo y de pedimiento de la parte del dicho Miguel de Cervantes, di esta fee en Madrid, a veinte y uno días del mes de otubre del mil y seiscientos y quince años.

HERNANDO DE VALLEJO.

FEE DE ERRATAS

Vi este libro intitulado *Segunda parte de don Quijote de la Mancha*, compuesto por Miguel de Cervantes Saavedra, y no hay en él cosa digna de notar que no corresponda a su original. Dada en Madrid a veinte y uno de otubre, mil y seiscientos y quince.

EL LICENCIADO FRANCISCO MURCIA DE LA LLANA.

---

[1] La segunda parte del *Quijote* es algo más extensa que la primera; pero la primera impresión conocida de ésta da 32 líneas por página; la primera edición de la segunda parte da 34. Ello explica que esta segunda parte apareciera con menos pliegos y que fuera algo más barata que aquélla.

APROBACIÓN

Por comisión y mandado de los señores del Consejo, he hecho ver el libro contenido en este memorial; no contiene cosa contra la fe ni buenas costumbres, antes es libro de mucho entretenimiento lícito, mezclado de mucha filosofía moral; puédesele dar licencia para imprimirle. En Madrid, a cinco de noviembre de mil seiscientos y quince.

DOCTOR GUTIERRE DE CETINA[2].

APROBACIÓN

Por comisión y mandado de los señores del Consejo he visto la *Segunda parte de don Quijote de la Mancha*, por Miguel de Cervantes Saavedra; no contiene cosa contra nuestra santa fe católica, ni buenas costumbres, antes muchas de honesta recreación y apacible divertimiento, que los antiguos juzgaron convenientes a sus repúblicas, pues aun en la severa de los lacedemonios levantaron estatua a la risa y los de Tesalia la dedicaron fiestas, como lo dice Pausanias, referido de Bosio, libro II *De signis Ecclesiae*, cap. 10, alentando ánimos marchitos y espíritus melancólicos, de que se acordó Tulio en el primero *De legibus* y el poeta diciendo:

Interpone tuis interdum gaudia curis[3],

lo cual hace el autor mezclando las veras a las burlas, lo dulce a lo provechoso y lo moral a lo faceto, disimulando en el cebo del donaire el anzuelo de la reprehensión, y cumpliendo con el acertado asunto en que pretende la expulsión de los libros de caballerías, pues con su buena diligencia mañosamente ha limpiado de su contagiosa dolencia a estos reinos. Es obra muy digna de su grande ingenio, honra y lustre de nuestra nación, admiración y invidia de las estra-

[2] Este doctor Gutierre de Cetina, que también firmó las aprobaciones de las *Novelas ejemplares* y del *Viaje del Parnaso* de Cervantes, no debe ser confundido con el poeta del mismo nombre y apellido, autor del famoso madrigal, «Ojos claros, serenos».
[3] Para estas citas, no todas identificadas, véase Schevill, III, 458.

ñas. Éste es mi parecer, salvo etc. En Madrid, a 17 de marzo
de 1615.

EL MAESTRO JOSEF DE VALDIVIELSO[4].

APROBACIÓN

Por comisión del señor Doctor Gutierre de Cetina, vicario
general desta villa de Madrid, corte de Su Majestad, he
visto este libro de la *Segunda parte del ingenioso caballero*[5]
don Quijote de la Mancha, por Miguel de Cervantes Saavedra, y no hallo en él cosa indigna de un cristiano celo ni
que disuene de la decencia debida a buen ejemplo, ni virtudes morales, antes mucha erudición y aprovechamiento,
así en la continencia de su bien seguido asunto para extirpar
los vanos y mentirosos libros de caballerías, cuyo contagio
había cundido más de lo que fuera justo, como en la lisura
del lenguaje castellano, no adulterado con enfadosa y estu-
diada afectación, vicio con razón aborrecido de hombres
cuerdos, y en la correción de vicios que generalmente toca,
ocasionado de sus agudos discursos, guarda con tanta cordura las leyes de reprehensión cristiana, que aquel que fuere
tocado de la enfermedad que pretende curar, en lo dulce y
sabroso de sus medicinas gustosamente habrá bebido, cuando menos lo imagine, sin empacho ni asco alguno, lo provechoso de la detestación de su vicio, con que se hallará,
que es lo más difícil de conseguirse, gustoso y reprehendido.
Ha habido muchos que por no haber sabido templar ni
mezclar a propósito lo útil con lo dulce han dado con todo
su molesto trabajo en tierra, pues no pudiendo imitar a Dió-
genes en lo filósofo y docto, atrevida, por no decir licencio-
sa y desalumbradamente, le pretenden imitar en lo cínico, en-

---

[4] El escritor toledano José de Valdivielso (que murió en 1638),
capellán del cardenal Sandoval y Rojas (véase II, prólogo, nota 12)
y amigo de Lope de Vega, a quien asistió en su lecho de muerte.
De sus varias obras la más interesante es el *Romancero espiritual* (1612).

[5] Como en la portada, aquí en el título de la obra se llama
a don Quijote *caballero*, no *hidalgo*. Este cambio tiene una ligera
justificación en el hecho de que en el capítulo III de la primera
parte quien al principio de la novela sólo era hidalgo fue armado caballero por el ventero. Pero ello no pasó de ser una burla,
y don Quijote, que en realidad era hidalgo, no fue nunca caballero (véase el comentario preliminar a aquel capítulo). La mo-
tivación real de este cambio en el título se debe, sin duda, al
empeño de Cervantes en que su segunda parte auténtica no se
pudiera confundir con la apócrifa de Avellaneda, que se había
publicado un año antes con el título de *Segundo tomo del ingenioso hidalgo don Quijote de la Mancha*.

tregándose a maldicientes, inventando casos que no pasaron para hacer capaz al vicio que tocan de su áspera reprehensión, y por ventura descubren caminos para seguirle hasta entonces ignorados, con que vienen a quedar, si no reprehensores, a lo menos maestros dél. Hácense odiosos a los bien entendidos, con el pueblo pierden el crédito, si alguno tuvieron, para admitir sus escritos y los vicios que arrojada e imprudentemente quisieren corregir en muy peor estado que antes, que no todas las postemas a un mismo tiempo están dispuestas para admitir las recetas o cauterios; antes algunos mucho mejor reciben las blandas y suaves medicinas, con cuya aplicación el atentado y docto médico consigue el fin de resolverlas, término que muchas veces es mejor que no el que se alcanza con el rigor del hierro. Bien diferente han sentido de los escritos de Miguel de Cervantes así nuestra nación como las estrañas, pues como a milagro desean ver el autor de libros que con general aplauso, así por su decoro y decencia como por la suavidad y blandura de sus discursos han recebido España, Francia, Italia, Alemania y Flandes. Certifico con verdad que en veinte y cinco de febrero deste año de seiscientos y quince, habiendo ido el ilustrísimo señor don Bernardo de Sandoval y Rojas, cardenal arzobispo de Toledo, mi señor, a pagar la visita que a Su Ilustrísima hizo el embajador de Francia, que vino a tratar cosas tocantes a los casamientos de sus príncipes y los de España[6], muchos caballeros franceses de los que vinieron acompañando al embajador, tan corteses como entendidos y amigos de buenas letras, se llegaron a mí y a otros capellanes del cardenal mi señor, deseosos de saber qué libros de ingenio andaban más validos, y tocando a caso en este que yo estaba censurando, apenas oyeron el nombre de Miguel de Cervantes, cuando se comenzaron a hacer lenguas, encareciendo la estimación en que, así en Francia como en los reinos sus confinantes, se tenían sus obras: la *Galatea*, que alguno dellos tiene casi de memoria la primera parte désta, y las *Novelas*. Fueron tantos sus encarecimientos, que me ofrecí llevarles que viesen el autor dellas, que estimaron con mil demostraciones de vivos deseos. Preguntáronme muy por menor su edad, su profesión, calidad y cantidad. Halléme obligado a decir que era viejo, soldado, hidalgo y pobre, a que uno respondió estas formales palabras: «Pues ¿a tal hombre no le tiene España muy rico y sustentado del erario pú-

---

[6] El duque de Mayenne quien, en calidad de embajador del rey de Francia, fue a Madrid a tratar de matrimonios reales, entre ellos el de la infanta doña Ana de Austria, hija de Felipe III, con Luis XIII.

blico?» Acudió otro de aquellos caballeros con este pensamiento y con mucha agudeza, y dijo: «Si necesidad le ha de obligar a escribir, plega a Dios que nunca tenga abundancia, para que con sus obras, siendo él pobre, haga rico a todo el mundo». Bien creo que está, para censura, un poco larga: alguno dirá que toca los límites de lisonjero elogio; mas la verdad de lo que cortamente digo deshace en el crítico la sospecha y en mí el cuidado; además que el día de hoy no se lisonjea a quien no tiene con qué cebar el pico del adulador que, aunque afectuosa y falsamente dice de burlas, pretende ser remunerado de veras. En Madrid, a veinte y siete de febrero de mil y seiscientos y quince.

EL LICENCIADO MÁRQUEZ TORRES[7].

PRIVILEGIO

Por cuanto por parte de vos, Miguel de Cervantes Saavedra, nos fue fecha relación que habíades compuesto la *Segunda parte de don Quijote de la Mancha*, de la cual hacíades presentación, y por ser libro de historia agradable y honesta, y haberos costado mucho trabajo y estudio, nos suplicastes os mandásemos dar licencia para le poder imprimir y privilegio por veinte años, o como la nuestra merced fuese; lo cual visto por los del nuestro Consejo, por cuanto en el dicho libro se hizo la diligencia que la premática por nos sobre ello fecha dispone, fue acordado que debíamos mandar dar esta nuestra cédula en la dicha razón, y nos tuvímoslo por bien. Por la cual vos damos licencia y facultad para que por tiempo y espacio de diez años cumplidos primeros siguientes, que corran y se cuenten desde el día de la fecha de esta nuestra cédula en adelante, vos, o la persona que para ello vuestro poder hobiere, y no otra alguna, podáis imprimir y vender el dicho libro que de suso se hace mención, y por la presente damos licencia y facultad a cualquier impresor de nuestros reinos que nombráredes para que durante el dicho tiempo le pueda imprimir por el original que en el nuestro Consejo se

---

[7] El licenciado Francisco Márquez Torres (1574-1656) fue capellán del cardenal Sandoval y Rojas (como Valdivielso), ambiente en el que debió de conocer a Cervantes (véase II, prólogo, nota 12). A la muerte del cardenal escribió unos *Discursos consolatorios* (Madrid, 1616), dedicados a su padre, don Cristóbal de Sandoval y Rojas, duque de Uceda. Para Márquez Torres véase R. Marín, IX, 276-280. La presente aprobación es uno de los documentos más interesantes sobre el éxito del *Quijote* y la gloria de Cervantes en los últimos meses de su vida.

vio, que va rubricado y firmado al fin de Hernando de Vallejo, nuestro escribano de Cámara, y uno de los que en él residen, con que antes y primero que se venda lo traigáis ante ellos, juntamente con el dicho original, para que se vea si la dicha impresión está conforme a él, o traigáis fe en pública forma como por corretor por nos nombrado se vio y corrigió la dicha impresión por el dicho original, y más al dicho impresor que ansí imprimiere el dicho libro no imprima el principio y primer pliego dél, ni entregue más de un solo libro con el original al autor y persona a cuya costa lo imprimiere, ni a otra alguna, para efecto de la dicha corrición y tasa, hasta que antes y primero el dicho libro esté corregido y tasado por los del nuestro Consejo, y estando hecho, y no de otra manera, pueda imprimir el dicho principio y primer pliego, en el cual inmediatamente ponga esta nuestra licencia y la aprobación, tasa y erratas, ni lo podáis vender ni vendáis vos ni otra persona alguna, hasta que esté el dicho libro en la forma susodicha, so pena de caer e incurrir en las penas contenidas en la dicha premática y leyes de nuestros reinos que sobre ello disponen; y más que durante el dicho tiempo persona alguna sin vuestra licencia no le pueda imprimir ni vender, so pena que el que lo imprimiere y vendiere haya perdido y pierda cualesquiera libros, moldes y aparejos que dél tuviere, y más incurra en pena de cincuenta mil maravedís por cada vez que lo contrario hiciere, de la cual dicha pena sea la tercia parte para nuestra Cámara, y la otra tercia parte para el juez que lo sentenciare, y la otra tercia parte para el que lo denunciare; y más a los del nuestro Consejo, presidentes, oidores de las nuestras Audiencias, alcaldes, alguaciles de la nuestra Casa y Corte y Chancillerías, y a otras cualesquiera justicias de todas las ciudades, villas y lugares de los nuestros reinos y señoríos y a cada uno en su juridición, ansí a los que agora son como a los que serán de aquí adelante, que vos guarden y cumplan esta nuestra cédula y merced, que ansí vos hacemos, y contra ella no vayan ni pasen en manera alguna, so pena de la nuestra merced y de diez mil maravedís para la nuestra Cámara. Dada en Madrid, a treinta días del mes de marzo de mil y seiscientos y quince años.

YO EL REY.

Por mandado del Rey nuestro señor:

PEDRO DE CONTRERAS.

AL CONDE DE LEMOS[1]

Enviando a Vuestra Excelencia los días pasados mis comedias, antes impresas que representadas, si bien me acuerdo dije que don Quijote quedaba calzadas las espuelas para ir a besar las manos a Vuestra Excelencia[2]; y ahora digo que se las ha calzado y se ha puesto en camino, y si él allá llega, me parece que habré hecho algún servicio a Vuestra Excelencia, porque es mucha la priesa que de infinitas partes me dan a que le envíe para quitar el hámago[3] y la náusea que ha causado otro don Quijote, que con nombre de segunda parte se ha disfrazado y corrido por el orbe; y el que más ha mostrado desearle ha sido el grande emperador de la China, pues en lengua chinesca habrá un mes que me escribió una carta con un propio, pidiéndome, o, por mejor decir, suplicándome

---

[1] Al conde de Lemos Cervantes dedicó también las *Novelas ejemplares*, las *Comedias y entremeses* y el *Persiles*, éste en la impresionante página escrita cinco días antes de su muerte. Desde 1613 hasta 1616 fue, pues, el conde de Lemos protector de Cervantes. Se llamaba don Pedro Fernández Ruiz de Castro y Osorio y era gallego. Había nacido hacia 1576, y era sobrino del duque de Lerma, con una de cuyas hijas se casó. Protegió a numerosos escritores (entre ellos los Argensola, Lope de Vega, Góngora, Espinel, Villegas, Mira de Amescua) y se tienen noticias de que escribió una comedia, *La casa confusa*, hoy perdida. Fue virrey de Nápoles de 1610 a 1616 (allí estaba cuando Cervantes le dedicó la segunda parte del *Quijote*). Murió en Madrid en 1622.

[2] El tomo de *Ocho comedias y ocho entremeses* de Cervantes había aparecido hacia muy poco (la fe de las erratas va fechada el 13 de septiembre de 1615 y Cervantes firma la presente dedicatoria el 31 de octubre). En la dedicatoria de las *Comedias* dice Cervantes al conde de Lemos: «*Don Quijote de la Mancha* queda calzadas las espuelas en su segunda parte para ir a besar los pies a Vuestra Excelencia. Creo que llegará quejoso, porque en Tarragona le han asendereado y malparado», alusión al *Quijote* de Avellaneda, impreso en Tarragona en 1614.

[3] *hámago*, amargor.

se le enviase, porque quería fundar un colegio donde se leyese la lengua castellana, y quería que el libro que se leyese fuese el de la historia de don Quijote. Juntamente con esto me decía que fuese yo a ser el rector del tal colegio.

Pregúntele al portador si Su Majestad le había dado para mí alguna ayuda de costa. Respondióme que ni por pensamiento.

—Pues, hermano —le respondí yo—, vos os podéis volver a vuestra China a las diez, o a las veinte[4], o a las que venís despachado; porque yo no estoy con salud para ponerme en tan largo viaje; además que, sobre estar enfermo, estoy muy sin dineros, y emperador por emperador, y monarca por monarca, en Nápoles tengo al grande conde de Lemos, que, sin tantos titulillos de colegios ni rectorías, me sustenta, me ampara y hace más merced que la que yo acierto a desear.

Con esto le despedí, y con esto me despido, ofreciendo a Vuestra Excelencia los *Trabajos de Persiles y Sigismunda*, libro a quien daré fin dentro de cuatro meses[5], *Deo volente*; el cual ha de ser o el más malo o el mejor que en nuestra lengua se haya compuesto, quiero decir de los de entretenimiento; y digo que me arrepiento de haber dicho *el más malo*, porque según la opinión de mis amigos, ha de llegar al estremo de bondad posible. Venga Vuestra Excelencia con la salud que es deseado; que ya estará *Persiles* para besarle las manos, y yo los pies, como criado que soy de Vuestra Excelencia. De Madrid, último de otubre de mil seiscientos y quince.

Criado de Vuestra Excelencia,

MIGUEL DE CERVANTES SAAVEDRA[6].

---

[4] *a las diez o a las veinte*, a razón de diez o de veinte leguas diarias.

[5] La dedicatoria del *Persiles* va firmada el 19 de abril de 1616, o sea, casi seis meses después de escritas estas palabras.

[6] En la primera edición esta dedicatoria va a continuación del *Prólogo al lector*.

PRÓLOGO AL LECTOR

¡VÁLAME Dios, y con cuánta gana debes de estar esperando ahora, lector ilustre o quier plebeyo, este prólogo, creyendo hallar en él venganzas, riñas y vituperios del autor del segundo *Don Quijote,* digo, de aquel que dicen que se engendró en Tordesillas y nació en Tarragona! Pues en verdad que no te he dar este contento; que puesto que los agravios despiertan la cólera en los más humildes pechos, en el mío ha de padecer excepción esta regla. Quisieras tú que lo diera del asno[1], del mentecato y del atrevido; pero no me pasa por el pensamiento: castíguele su pecado, con su pan se lo coma y allá se lo haya. Lo que no he podido dejar de sentir es que me note de viejo[2] y de manco[3], como si hubiera sido en mi mano haber detenido el tiempo, que no pasase por mí, o si mi manquedad hubiera nacido en alguna taberna, sino en la más alta ocasión que vieron los siglos pasados, los presentes, ni esperan ver los venideros. Si mis heridas no resplandecen en los ojos de quien las mira, son estimadas, a lo menos, en la estimación de los que saben dónde se cobraron; que el soldado más bien parece muerto en la batalla que libre en la fuga; y es esto en mí de manera, que si ahora me propusieran y facilitaran un imposible, quisiera antes haberme hallado

---

[1] *lo diera del asno,* le llamara asno.

[2] Escribió Avellaneda en su prólogo: «Y pues Miguel de Cervantes es ya de viejo como el castillo de San Cervantes, y por los años tan mal contentadizo que todos le enfadan...». En 1614, cuando apareció el *Quijote* apócrifo, Cervantes tenía 67 años.

[3] Avellaneda: «...fieles relaciones que a su mano llegaron, y digo mano, pues confiesa de sí que tiene sola una, y hablando tanto de todos, hemos de decir dél que, como soldado tan viejo en años cuanto mozo en bríos, tiene más lengua que manos...».

en aquella facción prodigiosa que sano ahora de mis heridas sin haberme hallado en ella. Las que el soldado muestra en el rostro y en los pechos, estrellas son que guían a los demás al cielo de la honra, y al de desear la justa alabanza; y hase de advertir que no se escribe con las canas, sino con el entendimiento, el cual suele mejorarse con los años.

He sentido también que me llame invidioso, y que como a ignorante, me describa qué cosa sea la invidia[4]; que, en realidad de verdad, de dos que hay, yo no conozco sino a la santa, a la noble y bien intencionada; y siendo esto así, como lo es, no tengo yo de perseguir a ningún sacerdote, y más si tiene por añadidura ser familiar del Santo Oficio[5]; y si él lo dijo por quien parece que lo dijo, engañóse de todo en todo; que del tal adoro el ingenio, admiro las obras, y la ocupación continua y virtuosa[6]. Pero, en efecto, le agradezco a este señor autor el decir que mis novelas son más satíricas que ejemplares, pero que son buenas[7]; y no lo pudieran ser si no tuvieran de todo.

---

[4] Avellaneda, al tachar a Cervantes de envidioso, hace reflexiones sobre la envidia apoyadas con citas de Santo Tomás, San Juan Damasceno, San Gregorio y la Biblia.

[5] Alude a Lope de Vega, que a la sazón era sacerdote y familiar del Santo Oficio, o sea, ministro de la Inquisición. Avellaneda se había dado perfecta cuenta de las frases que hay en el prólogo de la primera parte del *Quijote* contra Lope de Vega, que sin duda son más que las que hoy podemos advertir, y replica que Cervantes, en su novela, se propuso «el ofender a mí y particularmente a quien tan justamente celebran las naciones más estranjeras, y la nuestra debe tanto por haber entretenido honestísima y fecundamente tantos años los teatros de España con estupendas e innumerables comedias, con el rigor del arte que pide el mundo [*réplica a las pullas de Cervantes en* I, 48], y con la seguridad y limpieza que de un ministro del Santo Oficio se debe esperar».

[6] Alusión mal intencionada: «Con recordar que el autor del *Quijote* vivía en la esquina de las calles del León y de Francos (hoy Cervantes) y que Lope habitaba en "casas propias", situadas hacia la mitad de esta misma calle, la cual había de seguir el Fénix hasta dicha esquina para internarse en el centro de Madrid, se comprende toda la intención del pasaje. Cervantes, desde su casa, mientras escribía las cuartillas de sus últimas obras, vería pasar a Lope, acaso más acompañado de lo que debiera, y sorprendería sus idas y venidas con los cómicos a horas inusitadas, y a veces, en el coche del duque de Sessa, todo lo cual vendrían a detallárselo las murmuraciones de la vecindad, que llegaran hasta él o los suyos» (J. de Entrambasaguas, *Estudios sobre Lope de Vega*, I, Madrid, 1946, pág. 137).

[7] Escribió Avellaneda: «...sus novelas, más satíricas que ejemplares, si bien no poco ingeniosas».

Paréceme que me dices que ando muy limitado y que me contengo mucho en los términos de mi modestia, sabiendo que no se ha añadir aflicción al afligido, y que la que debe de tener este señor sin duda es grande, pues no osa parecer a campo abierto y al cielo claro, encubriendo su nombre, fingiendo su patria, como si hubiera hecho alguna traición de lesa majestad. Si por ventura llegares a conocerle, dile de mi parte que no me tengo por agraviado; que bien sé lo que son tentaciones del demonio, y que una de las mayores es ponerle a un hombre en el entendimiento que puede componer y imprimir un libro con que gane tanta fama como dineros, y tantos dineros cuanta fama; y para confirmación desto, quiero que en tu buen donaire y gracia le cuentes este cuento:

Había en Sevilla un loco que dio en el más gracioso disparate y tema que dio loco en el mundo. Y fue que hizo un cañuto de caña puntiagudo en el fin, y en cogiendo algún perro en la calle, o en cualquier otra parte, con el un pie le cogía el suyo, y el otro le alzaba con la mano, y como mejor podía le acomodaba el cañuto en la parte que, soplándole, le ponía redondo como una pelota, y en teniéndolo desta suerte, le daba dos palmaditas en la barriga, y le soltaba, diciendo a los circunstantes, que siempre eran muchos:

—¿Pensarán vuestras mercedes ahora que es poco trabajo hinchar un perro? —¿Pensará vuestra merced ahora que es poco trabajo hacer un libro?

Y si este cuento no le cuadrare, dirásle, lector amigo, éste, que también es de loco y de perro:

Había en Córdoba otro loco, que tenía por costumbre de traer encima de la cabeza un pedazo de losa de mármol, o un canto no muy liviano, y en topando algún perro descuidado, se le ponía junto, y a plomo dejaba caer sobre él el peso. Amohinábase el perro, y, dando ladridos y aullidos, no paraba en tres calles. Sucedió, pues, que entre los perros que descargó la carga fue uno un perro de un bonetero, a quien quería mucho su dueño. Bajó el canto, diole en la cabeza, alzó el grito el molido perro, violo y sintiólo su amo, asió de una vara de medir, y salió al loco, y no le dejó hueso sano; y cada palo que le daba decía:

—Perro ladrón, ¿a mi podenco[8]? ¿No viste, cruel, que era podenco mi perro?

Y repitiéndole el nombre de *podenco* muchas veces, envió al loco hecho una alheña. Escarmentó el loco y retiróse, y en más de un mes no salió a la plaza; al cabo del cual tiempo volvió con su invención y con más carga. Llegábase donde estaba el perro, y mirándole muy bien de hito en hito, y sin querer ni atreverse a descargar la piedra, decía:

—Éste es podenco: ¡guarda[9]!

En efeto; todos cuantos perros topaba, aunque fuesen alanos, o gozques, decía que eran podencos; y así, no soltó más el canto. Quizá de esta suerte le podrá acontecer a este historiador, que no se atreverá a soltar más la presa de su ingenio en libros que, en siendo malos, son más duros que las peñas.

Dile también que de la amenaza que me hace, que me ha de quitar la ganancia con su libro[10], no se me da un ardite, que acomodándome al entremés famoso de *La Perendenga*, le respondo que me viva el Veinte y cuatro mi señor, y Cristo con todos[11]. Viva el gran conde de Lemos, cuya cristiandad y liberalidad, bien conocida, contra todos los golpes de mi corta fortuna me tiene en pie, y vívame la suma caridad del ilustrísimo de Toledo, don Bernardo de Sandoval y Rojas[12], y siquiera

---

[8] *podenco*, perro algo menor pero más robusto que el lebrel.

[9] Gonzalo Correas, en su *Vocabulario de refranes*, recoge la expresión *No, que es podenco*, que explica del siguiente modo: «Que no se meta ni haga mal, porque es perro de provecho» (edición de 1924, pág. 619). No parece que Correas la haya tomado de este pasaje del *Quijote*; así, pues, era una expresión ya conocida y cuya explicación aclara el sentido del cuentecillo de Cervantes.

[10] Escribió Avellaneda: «pero quéjese [Cervantes] de mi trabajo por la ganancia que le quito de su segunda parte».

[11] Existe manuscrito autógrafo del entremés de *La Perendeca* de Agustín Moreto (1618-1699): cfr. J. Montaner, *La colección teatral de don Arturo Sedó*, Barcelona, 1951, pág. 226. Naturalmente Cervantes no puede referirse a esta pieza; pero como Moreto suele refundir y modernizar entremeses más antiguos, cabe la posibilidad de que aquí también se dé este caso y que Cervantes aluda al modelo del de Moreto. Las frases que siguen deberían figurar en el entremés, en el que intervendría un veinticuatro (nombre que se daba a los regidores de ciertos ayuntamientos andaluces). *Cristo con todos*, «la paz sea con todos».

[12] Don Bernardo de Sandoval y Rojas, cardenal arzobispo de Toledo, tío del duque de Lerma. Eran capellanes de este cardenal los censores de esta segunda parte del *Quijote* José de Valdivielso y Márquez Torres.

no[13] haya emprentas en el mundo, y siquiera se impriman contra mí más libros que tienen letras las coplas de Mingo Revulgo[14]. Estos dos príncipes, sin que los solicite adulación mía ni otro género de aplauso, por sola su bondad, han tomado a su cargo el hacerme merced y favorecerme; en lo que me tengo más dichoso y más rico que si la fortuna por camino ordinario me hubiera puesto en su cumbre. La honra puédela tener el pobre, pero no el vicioso; la pobreza puede anublar a la nobleza, pero no escurecerla del todo; pero como la virtud dé alguna luz de sí, aunque sea por los inconvenientes y resquicios de la estrecheza, viene a ser estimada de los altos y nobles espíritus, y, por el consiguiente, favorecida.

Y no le digas más, ni yo quiero decirte más a ti, sino advertirte que consideres que esta segunda parte de *Don Quijote* que te ofrezco es cortada del mismo artífice y del mesmo paño que la primera, y que en ella te doy a don Quijote dilatado, y, finalmente, muerto y sepultado, porque ninguno se atreva a levantarle nuevos testimonios, pues bastan los pasados y basta también que un hombre honrado haya dado noticia destas discretas locuras, sin querer de nuevo entrarse en ellas; que la abundancia de las cosas, aunque sean buenas, hace que no se estimen, y la carestía, aun de las malas, se estima en algo. Olvídaseme de decirte que esperes el *Persiles*, que ya estoy acabando, y la segunda parte de *Galatea*[15].

[13] *siquiera no*, aunque no.
[14] Las famosas coplas satíricas del tiempo de Enrique IV.
[15] La segunda parte de la *Galatea* no llegó a publicarse. Cervantes también la anunció en la dedicatoria de *Comedias y entremeses*; y en la del *Persiles* dice que todavía le quedan en «el alma ciertas reliquias», y que «si a dicha, por buena ventura mía, que ya no sería ventura, sino milagro, me diese el cielo vida, las verá [el conde de Lemos], y con ellas fin de la *Galatea*, de quien sé está aficionado Vuesa Excelencia».

CAPÍTULO PRIMERO

De lo que el cura y el barbero pasaron con don Quijote cerca de su enfermedad*

Cuenta Cide Hamete Benengeli en la segunda parte desta historia, y tercera salida de don Quijote, que el cura y el barbero se estuvieron casi un mes sin verle, por no renovarle y traerle a la memoria las cosas pasadas; pero no por esto dejaron de visitar a su sobrina y a su ama, encargándolas tuviesen cuenta con regalarle, dándole a comer cosas confortativas y apropiadas para el corazón y el celebro, de donde procedía, según buen discurso, toda su mala ventura. Las cuales dijeron que así lo hacían, y lo harían, con la voluntad y cuidado posible, porque echaban de ver que su señor por momentos iba dando muestras de estar en su entero juicio; de lo cual recibieron los dos gran contento, por parecerles que habían acertado en haberle traído encantado en el carro de los bueyes, como se contó en la primera parte desta tan grande como puntual historia, en su último capítulo. Y así, determinaron de visitarle y hacer esperiencia de su mejoría, aunque tenían casi por imposible que la tuviese, y acordaron de no tocarle en ningún punto de la andante caballería, por no ponerse a peligro de descoser los de la herida, que tan tiernos estaban.

Visitáronle, en fin, y halláronle sentado en la cama, vestida una almilla[1] de bayeta verde, con un bonete co-

---

* La acción de la segunda parte del *Quijote* da comienzo un mes después de los últimos episodios narrados en la primera, como bien claro se expresa en la frase inicial de este capítulo, dato que producirá luego un grave contrasentido cronológico en la novela (véase el comentario preliminar a II, 36).

[1] *almilla,* especie de jubón muy ajustado al cuerpo, como un chaleco.

lorado toledano; y estaba tan seco y amojamado, que no parecía sino hecho de carnemomia. Fueron dél muy bien recebidos, preguntáronle por su salud, y él dio cuenta de sí y de ella con mucho juicio y con muy elegantes palabras; y en el discurso de su plática vinieron a tratar en esto que llaman razón de estado y modos de gobierno, enmendando este abuso y condenando aquél, reformando una costumbre y desterrando otra, haciéndose cada uno de los tres un nuevo legislador, un Licurgo moderno, o un Solón flamante; y de tal manera renovaron la república, que no pareció sino que la habían puesto en una fragua, y sacado otra de la que pusieron; y habló don Quijote con tanta discreción en todas las materias que se tocaron, que los dos esaminadores creyeron indubitadamente que estaba del todo bueno y en su entero juicio.

Halláronse presentes a la plática la sobrina y ama, y no se hartaban de dar gracias a Dios de ver a su señor con tan buen entendimiento; pero el cura, mudando el propósito primero, que era de no tocarle en cosa de caballerías, quiso hacer de todo en todo esperiencia si la sanidad de don Quijote era falsa o verdadera, y así, de lance en lance, vino a contar algunas nuevas que habían venido de la corte, y, entre otras, dijo que se tenía por cierto que el Turco bajaba con una poderosa armada[2], y que no se sabía su designio, ni adónde había de descargar tan gran nublado; y con este temor, con que casi cada año nos toca arma[3], estaba puesta en ella toda la cristiandad, y Su Majestad había hecho proveer las costas de Nápoles y Sicilia y la isla de Malta. A esto respondió don Quijote:

—Su Majestad ha hecho como prudentísimo guerrero en proveer sus estados con tiempo, porque no le halle desapercebido el enemigo; pero si se tomara mi consejo, aconsejárale yo que usara de una prevención, de la cual Su Majestad la hora de agora debe estar muy ajeno de pensar en ella.

---

[2] Era constante el temor de que la escuadra turca atacase las costas españolas, de hecho muy castigadas por expediciones de saqueo de corsarios argelinos. Constantemente circulaban rumores alarmantes como el que aquí se recoge.

[3] *tocar arma*, o al arma, dar señal de que se acerca el enemigo.

Apenas oyó esto el cura, cuando dijo entre sí:

—¡Dios te tenga de su mano, pobre don Quijote; que me parece que te despeñas de la alta cumbre de tu locura hasta el profundo abismo de tu simplicidad!

Mas el barbero, que ya había dado en el mesmo pensamiento que el cura, preguntó a don Quijote cuál era la advertencia de la prevención que decía era bien se hiciese; quizá podría ser tal, que se pusiese en la lista de los muchos advertimientos impertinentes que se suelen dar a los príncipes.

—El mío, señor rapador —dijo don Quijote—, no será impertinente, sino perteneciente.

—No lo digo por tanto —replicó el barbero—, sino porque tiene mostrado la esperiencia que todos o los más arbitrios[4] que se dan a Su Majestad, o son imposibles, o disparatados, o en daño del rey o del reino.

—Pues el mío —respondió don Quijote— ni es imposible ni disparatado, sino el más fácil, el más justo y el más mañero[5] y breve que puede caber en pensamiento de arbitrante alguno.

—Ya tarda en decirle vuestra merced, señor don Quijote[6] —dijo el cura.

—No querría —dijo don Quijote— que le dijese yo aquí agora, y amaneciese mañana en los oídos de los señores consejeros, y se llevase otro las gracias y el premio de mi trabajo.

—Por mí —dijo el barbero—, doy la palabra, para aquí y para delante de Dios, de no decir lo que vuestra merced dijere a rey ni a roque[7], ni a hombre terrenal, juramento que aprendí del romance del cura que en el prefacio avisó al rey del ladrón que le había robado las cien doblas y la su mula la andariega[8].

---

[4] *arbitrios*, proyectos, por lo general fantásticos y utópicos, que muchos fantasistas (llamados *arbitristas*) presentaban al gobierno proponiendo soluciones a males públicos.
[5] *mañero*, hacedero.
[6] Si realmente el cura y el barbero deseaban el bien del hidalgo, no deberían llamarle «don Quijote», que era el nombre fingido en su locura caballeresca.
[7] *roque* va con minúscula porque no es el nombre propio sino el de la pieza del ajedrez que llamamos *torre* (por lo que se dice *enrocar*); rey está también en el sentido de pieza de este juego.
[8] Alusión a un cuento popular, extendido por todo el folklore hispánico, del cura que al volverse para el *Orate fratres* ve entre los fieles al ladrón que le ha robado y al cantar el prefacio lo

—No sé historias —dijo don Quijote—; pero sé que
es bueno ese juramento, en fee de que sé que es hombre
de bien el señor barbero.

—Cuando no lo fuera —dijo el cura—, yo le abono
y salgo por él, que en este caso no hablará más que un
mudo, so pena de pagar lo juzgado y sentenciado.

—Y a vuestra merced, ¿quién le fía, señor cura?
—dijo don Quijote.

—Mi profesión —respondió el cura—, que es de guardar secreto.

—¡Cuerpo de tal! —dijo a esta sazón don Quijote—.
¿Hay más sino mandar Su Majestad por público pregón
que se junten en la corte para un día señalado todos los
caballeros andantes que vagan por España, que aunque
no viniesen sino media docena, tal podría venir entre
ellos, que solo bastase a destruir toda la potestad del
Turco? Esténme vuestras mercedes atentos, y vayan conmigo. ¿Por ventura es cosa nueva deshacer un solo
caballero andante un ejército de docientos mil hombres,
como si todos juntos tuvieran una sola garganta, o fueran hechos de alfeñique? Si no, díganme: ¿cuántas historias están llenas destas maravillas? ¡Había, en hora
mala para mí, que no quiero decir para otro, de vivir hoy
el famoso don Belianís, o alguno de los del innumerable
linaje de Amadís de Gaula; que si alguno déstos hoy viviera y con el Turco se afrontara, a fee que no le arren-
dara la ganancia! Pero Dios mirará por su pueblo, y de-
parará alguno que, si no tan bravo como los pasados
andantes caballeros, a lo menos no les será inferior en el
ánimo; y Dios me entiende, y no digo más.

—¡Ay! —dijo a este punto la sobrina—. ¡Que me
maten si no quiere mi señor volver a ser caballero andante!

A lo que dijo don Quijote:

—Caballero andante he de morir, y baje o suba el
Turco cuando él quisiere y cuan poderosamente pudiere; que otra vez digo que Dios me entiende.

A esta sazón dijo el barbero:

—Suplico a vuestras mercedes que se me dé licencia

<hr>

delata en tales términos que no quebranta el juramento que ha
hecho de no comunicar el robo a hombre ni a mujer (cfr. R. Marín, IX, 281-295).

para contar un cuento breve que sucedió en Sevilla; que, por venir aquí como de molde, me da gana de contarle.

Dio la licencia don Quijote, y el cura y los demás le prestaron atención, y él comenzó desta manera:

—En la casa de los locos de Sevilla estaba un hombre a quien sus parientes habían puesto allí por falto de juicio. Era graduado en cánones por Osuna[9]; pero aunque lo fuera por Salamanca, según opinión de muchos, no dejara de ser loco. Este tal graduado, al cabo de algunos años de recogimiento, se dio a entender que estaba cuerdo y en su entero juicio, y con esta imaginación escribió al arzobispo suplicándole encarecidamente y con muy concertadas razones le mandase sacar de aquella miseria en que vivía, pues por la misericordia de Dios había ya cobrado el juicio perdido; pero que sus parientes, por gozar de la parte de su hacienda, le tenían allí, y a pesar de la verdad, querían que fuese loco hasta la muerte. El arzobispo, persuadido de muchos billetes concertados y discretos, mandó a un capellán suyo se informase del retor de la casa si era verdad lo que aquel licenciado le escribía, y que asimesmo hablase con el loco, y que si le pareciese que tenía juicio, le sacase y pusiese en libertad. Hízolo así el capellán, y el retor le dijo que aquel hombre aún se estaba loco; que puesto que hablaba muchas veces como persona de grande entendimiento, al cabo disparaba con tantas necedades, que en muchas y en grandes igualaban a sus primeras discreciones, como se podía hacer la esperiencia hablándole. Quiso hacerla el capellán, y, poniéndole con el loco, habló con él una hora, y más, y en todo aquel tiempo jamás el loco dijo razón torcida ni disparatada; antes habló tan atentadamente, que el capellán fue forzado a creer que el loco estaba cuerdo; y entre otras cosas que el loco le dijo fue que el retor le tenía ojeriza, por no perder los regalos que sus parientes le hacían porque dijese que aún estaba loco, y con lúcidos intervalos; y que el mayor contrario que en su desgracia tenía era su mucha hacienda, pues por gozar della sus enemigos, ponían dolo y dudaban de la merced que Nuestro Señor le había hecho en

[9] Osuna, universidad menor, de las que se hablaba con ironía.

volverle de bestia en hombre. Finalmente, él habló de
manera que hizo sospechoso al retor, codiciosos y desalmados a sus parientes, y a él tan discreto, que el capellán se determinó a llevársele consigo a que el arzobispo
le viese y tocase con la mano la verdad de aquel negocio.
Con esta buena fee, el buen capellán pidió al retor
mandase dar los vestidos con que allí había entrado el
licenciado; volvió a decir el retor que mirase lo que hacía,
porque, sin duda alguna, el licenciado aún se estaba loco.
No sirvieron de nada para con el capellán las prevenciones
y advertimientos del retor para que dejase de llevarle;
obedeció el retor viendo ser orden del arzobispo, pusieron al licenciado sus vestidos, que eran nuevos y de-
centes, y como él se vio vestido de cuerdo y desnudo de
loco, suplicó al capellán que por caridad le diese licencia para ir a despedirse de sus compañeros los locos. El
capellán dijo que él le quería acompañar y ver los locos
que en la casa había. Subieron, en efeto, y con ellos algunos que se hallaron presentes; y llegado el licenciado
a una jaula adonde estaba un loco furioso, aunque entonces sosegado y quieto, le dijo: «Hermano mío, mire si
»me manda algo, que me voy a mi casa; que ya Dios
»ha sido servido, por su infinita bondad y misericordia,
»sin yo merecerlo, de volverme mi juicio: ya estoy sano
»y cuerdo; que acerca del poder de Dios ninguna cosa
»es imposible. Tenga grande esperanza y confianza en
»Él, que pues a mí me ha vuelto a mi primero estado,
»también le volverá a él, si en Él confía. Yo tendré cui-
»dado de enviarle algunos regalos que coma, y cómalos
»en todo caso; que le hago saber que imagino, como
»quien ha pasado por ello, que todas nuestras locuras
»proceden de tener los estómagos vacíos y los celebros
»llenos de aire. Esfuércese, esfuércese; que el descaeci-
»miento en los infortunios apoca la salud y acarrea la
»muerte». Todas estas razones del licenciado escuchó otro
loco que estaba en otra jaula, frontero de la del furioso,
y levantándose de una estera vieja donde estaba echado y
desnudo en cueros, preguntó a grandes voces quién era
el que se iba sano y cuerdo. El licenciado respondió: «Yo
»soy, hermano, el que me voy; que ya no tengo necesi-
»dad de estar más aquí, por lo que doy infinitas gracias
»a los cielos, que tan grande merced me han hecho».

«Mirad lo que decís, licenciado, no os engañe el diablo»,
replicó el loco; «sosegad el pie, y estaos quedito en vues-
»tra casa, y ahorraréis la vuelta». «Yo sé que estoy bue-
»no», replicó el licenciado, «y no habrá para qué tornar
»a andar estaciones[10]». «¿Vos bueno?», dijo el loco.
«Agora bien, ello dirá; andad con Dios; pero yo os voto
»a Júpiter, cuya majestad yo represento en la tierra, que
»por solo este pecado que hoy comete Sevilla en sacaros
»desta casa y en teneros por cuerdo, tengo de hacer un
»tal castigo en ella, que quede memoria dél por todos
»los siglos de los siglos, amén. ¿No sabes tú, licenciadillo
»menguado, que lo podré hacer, pues, como digo, soy
»Júpiter Tonante, que tengo en mis manos los rayos
»abrasadores con que puedo y suelo amenazar y destruir
»el mundo? Pero con sola una cosa quiero castigar a
»este ignorante pueblo; y es con no llover en él ni en
»todo su distrito y contorno por tres enteros años, que
»se han de contar desde el día y punto en que ha sido
»hecha esta amenaza en adelante. ¿Tú libre, tú sano, tú
»cuerdo, y yo loco, y yo enfermo, y yo atado…? Así pien-
»so llover como pensar ahorcarme.» A las voces y a las
razones del loco estuvieron los circunstantes atentos; pero
nuestro licenciado, volviéndose a nuestro capellán y asiéndole de las manos, le dijo: «No tenga vuestra merced
»pena, señor mío, ni haga caso de lo que este loco ha
»dicho; que si él es Júpiter y no quisiere llover, yo, que
»soy Neptuno, el padre y el dios de las aguas, lloveré
»todas las veces que se me antojare y fuere menester».
A lo que respondió el capellán: «Con todo eso, señor
»Neptuno, no será bien enojar al señor Júpiter: vuestra
»merced se quede en su casa; que otro día, cuando haya
»más comodidad y más espacio, volveremos por vuestra
»merced». Rióse el retor y los presentes, por cuya risa
se medio corrió el capellán; desnudaron al licenciado,
quedóse en casa, y acabóse el cuento.

—Pues ¿éste es el cuento, señor barbero —dijo don
Quijote—, que por venir aquí como de molde, no podía
dejar de contarle? ¡Ah, señor rapista, señor rapista, y cuán
ciego es aquel que no vee por tela de cedazo[11]! Y ¿es po-

[10] *andar estaciones,* hacer algo penosamente y con cierta solemnidad.
[11] *no ver por tela de cedazo* significa ser poco perspicaz, no
darse cuenta de cosas que son muy claras.

sible que vuestra merced no sabe que las comparaciones
que se hacen de ingenio a ingenio, de valor a valor, de
hermosura a hermosura y de linaje a linaje son siempre
odiosas y mal recebidas? Yo, señor barbero, no soy Neptuno, el dios de las aguas, ni procuro que nadie me tenga
por discreto no lo siendo; sólo me fatigo por dar a entender al mundo en el error en que está en no renovar en sí
el felicísimo tiempo donde campeaba la orden de la andante caballería. Pero no es merecedora la depravada edad
nuestra de gozar tanto bien como el que gozaron las edades donde los andantes caballeros tomaron a su cargo y
echaron sobre sus espaldas la defensa de los reinos, el
amparo de las doncellas, el socorro de los huérfanos y
pupilos, el castigo de los soberbios y el premio de los humildes. Los más de los caballeros que agora se usan, antes les crujen los damascos, los brocados y otras ricas telas de que se visten, que la malla con que se arman; ya
no hay caballero que duerma en los campos, sujeto al
rigor del cielo, armado de todas armas desde los pies a
la cabeza; y ya no hay quien, sin sacar los pies de los
estribos, arrimado a su lanza, sólo procure descabezar,
como dicen, el sueño, como lo hacían los caballeros andantes. Ya no hay ninguno que saliendo deste bosque entre en aquella montaña, y de allí pise una estéril y desierta playa del mar, las más veces proceloso y alterado, y
hallando en ella y en su orilla un pequeño batel sin remos, vela, mástil ni jarcia alguna, con intrépido corazón
se arroje en él, entregándose a las implacables olas del
mar profundo, que ya le suben al cielo y ya le bajan al
abismo; y él, puesto el pecho a la incontrastable borrasca, cuando menos se cata, se halla tres mil y más leguas
distante del lugar donde se embarcó, y saltando en tierra remota y no conocida, le suceden cosas dignas de estar escritas, no en pergaminos, sino en bronces. Mas agora ya triunfa la pereza de la diligencia, la ociosidad del
trabajo, el vicio de la virtud, la arrogancia de la valentía, y la teórica de la práctica de las armas, que sólo vivieron y resplandecieron en las edades del oro y en los
andantes caballeros. Si no, díganme: ¿quién más honesto
y más valiente que el famoso Amadís de Gaula? ¿Quién
más discreto que Palmerín de Inglaterra? ¿Quién más

acomodado y manual[12] que Tirante el Blanco? ¿Quién
más galán que Lisuarte de Grecia? ¿Quién más acuchillado ni acuchillador que don Belianís? ¿Quién más intrépido que Perión de Gaula, o quién más acometedor de
peligros que Felixmarte de Hircania, o quién más sincero que Esplandián? ¿Quién más arrojado que don Cirongilio de Tracia? ¿Quién más bravo que Rodamonte?
¿Quién más prudente que el rey Sobrino? ¿Quién más
atrevido que Reinaldos? ¿Quién más invencible que Roldán? Y ¿quién más gallardo y más cortés que Rugero,
de quien decienden hoy los duques de Ferrara, según
Turpín en su *Cosmografía*[13]? Todos estos caballeros, y
otros muchos que pudiera decir, señor cura, fueron caballeros andantes, luz y gloria de la caballería. Déstos, o
tales como éstos, quisiera yo que fueran los de mi arbitrio[14]; que a serlo, Su Majestad se hallara bien servido
y ahorrara de mucho gasto, y el Turco se quedara pelan-
do las barbas, y, con esto, no quiero quedar en mi casa,
pues no me saca el capellán della; y si su Júpiter, como
ha dicho el barbero, no lloviere, aquí estoy yo, que lloveré cuando se me antojare. Digo esto porque sepa el
señor Bacía que le entiendo.

—En verdad, señor don Quijote —dijo el barbero—,
que no lo dije por tanto, y así me ayude Dios como fue
buena mi intención, y que no debe vuestra merced sen-
tirse.

—Si puedo sentirme o no —respondió don Quijote—, yo me lo sé.

A esto dijo el cura:

—Aun bien que yo casi no he hablado palabra hasta
ahora, y no quisiera quedar con un escrúpulo que me
roe y escarba la conciencia, nacido de lo que aquí el
señor don Quijote ha dicho.

—Para otras cosas más —respondió don Quijote—
tiene licencia el señor cura, y así, puede decir su escrú-

---

[12] *acomodado y manual*, contentadizo y dócil.
[13] Al arzobispo Turpín de Reims se atribuyó falsamente una
fantástica historia de las expediciones de Carlomagno en España
(véase I, 6, nota 13), pero nadie le adscribe ningún libro de este
título; se trata de una ironía de Cervantes, tal vez aludiendo a la
descripción geográfica de España que se hace en un capítulo de
la citada falsa crónica. Es Ariosto, en el *Orlando furioso*, quien
hace a Ruggiero antepasado de los duques de Ferrara.
[14] Réplica a lo que ha dicho antes el barbero (véase nota 4).

pulo, porque no es de gusto andar con la conciencia escrupulosa.

—Pues con ese beneplácito —respondió el cura—, digo que mi escrúpulo es que no me puedo persuadir en ninguna manera a que toda la caterva de caballeros andantes que vuestra merced, señor don Quijote, ha referido, hayan sido real y verdaderamente personas de carne y hueso en el mundo; antes imagino que todo es ficción, fábula y mentira, y sueños contados por hombres despiertos, o, por mejor decir, medio dormidos.

—Ése es otro error —respondió don Quijote— en que han caído muchos, que no creen que haya habido tales caballeros en el mundo; y yo muchas veces, con diversas gentes y ocasiones, he procurado sacar a la luz de la verdad este casi común engaño; pero algunas veces no he salido con mi intención, y otras sí, sustentándola sobre los hombros de la verdad; la cual verdad es tan cierta, que estoy por decir que con mis propios ojos vi a Amadís de Gaula, que era un hombre alto de cuerpo, blanco de rostro, bien puesto de barba, aunque negra, de vista entre blanda y rigurosa, corto de razones, tardo en airarse y presto en deponer la ira; y del modo que he delineado a Amadís pudiera, a mi parecer, pintar y describir todos cuantos caballeros andantes andan en las historias en el orbe, que por la aprehensión que tengo de que fueron como sus historias cuentan, y por las hazañas que hicieron y condiciones que tuvieron, se pueden sacar por buena filosofía sus faciones, sus colores y estaturas.

—¿Qué tan grande le parece a vuestra merced, mi señor don Quijote —preguntó el barbero—, debía de ser el gigante Morgante?

—En esto de gigantes —respondió don Quijote— hay diferentes opiniones, si los ha habido o no en el mundo; pero la Santa Escritura, que no puede faltar un átomo en la verdad, nos muestra que los hubo, contándonos la historia de aquel filisteazo de Golías, que tenía siete codos y medio de altura, que es una desmesurada grandeza. También en la isla de Sicilia se han hallado canillas y espaldas tan grandes[15], que su grandeza manifiesta que

---

[15] Sobre estos «hallazgos arqueológicos» en Sicilia, véase Schevill, III, 464.

fueron gigantes sus dueños, y tan grandes como grandes torres; que la geometría saca esta verdad de duda. Pero, con todo esto, no sabré decir con certidumbre qué tamaño tuviese Morgante, aunque imagino que no debió de ser muy alto; y muéveme a ser deste parecer hallar en la historia donde se hace mención particular de sus hazañas[16] que muchas veces dormía debajo de techado; y pues hallaba casa donde cupiese, claro está que no era desmesurada su grandeza.

—Así es —dijo el cura.

El cual, gustando de oírle decir tan grandes disparates, le preguntó que qué sentía acerca de los rostros de Reinaldos de Montalbán y de don Roldán, y de los demás doce Pares de Francia, pues todos habían sido caballeros andantes.

—De Reinaldos —respondió don Quijote— me atrevo a decir que era ancho de rostro, de color bermejo, los ojos bailadores y algo saltados, puntoso y colérico en demasía, amigo de ladrones y de gente perdida. De Roldán, o Rotolando, o Orlando, que con todos estos nombres le nombran las historias, soy de parecer y me afirmo que fue de mediana estatura, ancho de espaldas, algo estevado, moreno de rostro y barbitaheño[17], velloso en el cuerpo y de vista amenazadora, corto de razones, pero muy comedido y bien criado.

—Si no fue Roldán más gentilhombre que vuestra merced ha dicho —replicó el cura—, no fue maravilla que la señora Angélica la Bella le desdeñase y dejase por la gala, brío y donaire que debía de tener el morillo barbiponiente[18] a quien ella se entregó; y anduvo discreta de adamar[19] antes la blandura de Medoro que la aspereza de Roldán.

—Esa Angélica —respondió don Quijote—, señor cura, fue una doncella destraída, andariega y algo antojadiza, y tan lleno dejó el mundo de sus impertinencias como de la fama de su hermosura: despreció mil señores, mil valientes y mil discretos, y contentóse con un pajecillo barbilucio[20], sin otra hacienda ni nombre que

[16] En el *Morgante* de Luigi Pulci (1432-1484).
[17] *barbitaheño*, de barbas rubias.
[18] *barbiponiente*, de barba incipiente.
[19] *adamar*, amar con pasión.
[20] *barbilucio*, de barba incipiente, como *barbiponiente*.

el que le pudo dar de agradecido la amistad que guardó a su amigo. El gran cantor de su belleza, el famoso Ariosto, por no atreverse, o por no querer cantar lo que a esta señora le sucedió después de su ruin entrego[21], que no debieron ser cosas demasiadamente honestas, la dejó donde dijo:

> Y cómo del Catay recibió el cetro,
> quizá otro cantará con mejor plectro[22].

Y sin duda que esto fue como profecía; que los poetas también se llaman *vates*, que quiere decir *adivinos*. Véese esta verdad clara, porque después acá un famoso poeta andaluz lloró y cantó sus lágrimas[23], y otro famoso y único poeta castellano cantó su hermosura[24].

—Dígame, señor don Quijote —dijo a esta sazón el barbero—, ¿no ha habido algún poeta que haya hecho alguna sátira a esa señora Angélica, entre tantos como la han alabado?

—Bien creo yo —respondió don Quijote— que si Sacripante o Roldán fueran poetas, que ya me hubieran jabonado[25] a la doncella; porque es propio y natural de los poetas desdeñados y no admitidos de sus damas fingidas —o fingidas, en efeto, de aquéllos— a quien ellos escogieron por señoras de sus pensamientos, vengarse con sátiras y libelos[26], venganza, por cierto, indigna de pechos generosos; pero hasta agora no ha llegado a mi noticia ningún verso infamatorio contra la señora Angélica, que trujo revuelto el mundo.

—¡Milagro! —dijo el cura.

---

[21] *entrego,* entrega.

[22] El segundo de estos versos es el que, en italiano, cierra la primera parte del *Quijote* (véase I, 52, nota 20).

[23] *Las lágrimas de Angélica,* de Luis Barahona de Soto.

[24] *La hermosura de Angélica,* de Lope de Vega. Lo de «único poeta» está dicho con ironía, pues Lope decía de sí mismo, en algunas de sus obras, que era *unicus aut peregrinus.*

[25] *jabonar,* reprender o criticar agriamente con palabras ofensivas.

[26] Conservo el texto de la primera edición, variando únicamente la puntuación. Hay que confesar que estas frases no se entienden, seguramente debido a un error de imprenta. Todas las enmiendas que se han propuesto son ineficaces. El sentido quedaría claro si admitiéramos que sobran las palabras *o fingidas, en efeto, de aquéllos,* que cierro entre guiones como si fuera un inciso.

Y en esto oyeron que la ama y la sobrina, que ya habían dejado la conversación, daban grandes voces en el patio, y acudieron todos al ruido.

CAPÍTULO II

QUE TRATA DE LA NOTABLE PENDENCIA QUE SANCHO PANZA TUVO CON LA SOBRINA Y AMA DE DON QUIJOTE, CON OTROS SUJETOS GRACIOSOS

CUENTA la historia que las voces que oyeron don Quijote, el cura y el barbero eran de la sobrina y ama, que las daban diciendo a Sancho Panza, que pugnaba por entrar a ver a don Quijote, y ellas le defendían[1] la puerta:

—¿Qué quiere este mostrenco en esta casa? Idos a la vuestra, hermano, que vos sois, y no otro, el que destrae y sonsaca a mi señor, y le lleva por esos andurriales.

A lo que Sancho respondió:

—Ama de Satanás, el sonsacado, y el destraído, y el llevado por esos andurriales soy yo, que no tu amo; él me llevó por esos mundos, y vosotras os engañáis en la mitad del justo precio; él me sacó de mi casa con engañifas, prometiéndome una ínsula, que hasta agora la espero.

—Malas ínsulas te ahoguen —respondió la sobrina—, Sancho maldito. Y ¿qué son ínsulas? ¿Es alguna cosa de comer, golosazo, comilón que tú eres?

—No es de comer —replicó Sancho—, sino de gobernar y regir mejor que cuatro ciudades y que cuatro alcaldes de corte[2].

—Con todo eso —dijo el ama—, no entraréis acá, saco de maldades y costal de malicias. Id a gobernar

---

[1] *defender,* vedar, prohibir.

[2] Creo que se impone volver a la interpretación de este pasaje dada por Clemencín: «Lo que Sancho quiso decir fue que el gobierno de la ínsula era preferible al de cuatro ciudades, y el oficio de gobernante de ella al de cuatro alcaldes de corte juntos» (p. 1508). Las otras explicaciones que se han dado a estas palabras (cfr. R. Marín, IV, 67) son forzadas.

vuestra casa y a labrar vuestros pegujares[3], y dejaos de
pretender ínsulas ni ínsulos.

Grande gusto recebían el cura y el barbero de oír el
coloquio de los tres; pero don Quijote, temeroso que
Sancho se descosiese y desbuchase algún montón de ma-
liciosas necedades, y tocase en puntos que no le estarían
bien a su crédito, le llamó, y hizo a las dos que callasen
y le dejasen entrar. Entró Sancho, y el cura y el barbero
se despidieron de don Quijote, de cuya salud desespera-
ron, viendo cuán puesto estaba en sus desvariados pensamientos, y cuán embebido en la simplicidad de sus
malandantes caballerías; y así, dijo el cura al barbero:

—Vos veréis, compadre, cómo, cuando menos lo pensemos, nuestro hidalgo sale otra vez a volar la ribera[4].

—No pongo yo duda en eso —respondió el barbero—; pero no me maravillo tanto de la locura del caballero como de la simplicidad del escudero, que tan
creído tiene aquello de la ínsula, que creo que no se lo
sacarán del casco cuantos desengaños pueden imaginarse.

—Dios los remedie —dijo el cura—, y estemos a la
mira: veremos en lo que para esta máquina de disparates
de tal caballero y de tal escudero, que parece que los
forjaron a los dos en una mesma turquesa[5], y que las
locuras del señor sin las necedades del criado no valían
un ardite.

—Así es —dijo el barbero—, y holgara mucho saber
qué tratarán ahora los dos.

—Yo seguro[6] —respondió el cura— que la sobrina o
el ama nos lo cuenta después; que no son de condición
que dejarán de escucharlo.

En tanto, don Quijote se encerró con Sancho en su
aposento, y estando solos, le dijo:

—Mucho me pesa, Sancho, que hayas dicho y digas
que yo fui el que te saqué de tus casillas, sabiendo que
yo no me quedé en mis casas; juntos salimos, juntos fuimos y juntos peregrinamos; una misma fortuna y una
misma suerte ha corrido por los dos: si a ti te mantearon
una vez, a mí me han molido ciento, y esto es lo que te
llevo de ventaja.

[3] *pegujares*, pequeñas parcelas de siembra.
[4] *volar la ribera*, entregarse a vida aventurera.
[5] *turquesa*, molde.
[6] *Yo seguro*, yo estoy seguro.

—Eso estaba puesto en razón —respondió Sancho—, porque, según vuestra merced dice, más anejas son a los caballeros andantes las desgracias que a sus escuderos.

—Engáñaste, Sancho —dijo don Quijote—; según aquello, *quando caput dolet...*, etcétera[7].

—No entiendo otra lengua que la mía —respondió Sancho.

—Quiero decir —dijo don Quijote— que cuando la cabeza duele, todos los miembros duelen; y así, siendo yo tu amo y señor, soy tu cabeza, y tú mi parte, pues eres mi criado; y por esta razón el mal que a mí me toca, o tocare, a ti te ha de doler, y a mí el tuyo.

—Así había de ser —dijo Sancho—; pero cuando a mí me manteaban como a miembro, se estaba mi cabeza detrás de las bardas, mirándome volar por los aires, sin sentir dolor alguno; y pues los miembros están obligados a dolerse del mal de la cabeza, había de estar obligada ella a dolerse dellos.

—¿Querrás tú decir agora, Sancho —respondió don Quijote—, que no me dolía yo cuando a ti te manteaban? Y si lo dices, no lo digas, ni lo pienses; pues más dolor sentía yo entonces en mi espíritu que tú en tu cuerpo. Pero dejemos esto aparte por agora, que tiempo habrá donde lo ponderemos y pongamos en su punto, y dime, Sancho amigo: ¿qué es lo que dicen de mí por ese lugar? ¿En qué opinión me tiene el vulgo, en qué los hidalgos y en qué los caballeros? ¿Qué dicen de mi valentía, qué de mis hazañas y qué de mi cortesía? ¿Qué se platica del asumpto que he tomado de resucitar y volver al mundo la ya olvidada orden caballeresca? Finalmente, quiero, Sancho, me digas lo que acerca desto ha llegado a tus oídos: y esto me has de decir sin añadir al bien ni quitar al mal cosa alguna; que de los vasallos leales es decir la verdad a sus señores en su ser y figura propia, sin que la adulación la acreciente o otro vano respeto la disminuya; y quiero que sepas, Sancho, que si a los oídos de los príncipes llegase la verdad desnuda, sin los vestidos de la lisonja, otros siglos correrían, otras edades serían tenidas por más de hierro que la nuestra, que entiendo que de las que ahora se usan es la dorada. Sír-

---

[7] *...caetera membra dolent,* «cuando duele la cabeza, duelen los demás miembros», aforismo latino.

vate este advertimiento, Sancho, para que discreta y bien-intencionadamente pongas en mis oídos la verdad de las cosas que supieres de lo que te he preguntado.

—Eso haré yo de muy buena gana, señor mío —respondió Sancho—, con condición que vuestra merced no se ha de enojar de lo que dijere, pues quiere que lo diga en cueros, sin vestirlo de otras ropas de aquellas con que llegaron a mi noticia.

—En ninguna manera me enojaré —respondió don Quijote—. Bien puedes, Sancho, hablar libremente y sin rodeo alguno.

—Pues lo primero que digo —dijo—, es que el vulgo tiene a vuestra merced por grandísimo loco, y a mí por no menos mentecato. Los hidalgos dicen que no conteniéndose vuestra merced en los límites de la hidalguía, se ha puesto *don* y se ha arremetido a caballero con cuatro cepas y dos yugadas de tierra y con un trapo atrás y otro adelante[8]. Dicen los caballeros que no querrían que los hidalgos se opusiesen a ellos, especialmente aquellos hidalgos escuderiles que dan humo a los zapatos[9] y toman los puntos de las medias negras con seda verde.

—Eso —dijo don Quijote— no tiene que ver conmigo, pues ando siempre bien vestido, y jamás remendado; roto, bien podría ser; y el roto, más de las armas que del tiempo[10].

—En lo que toca —prosiguió Sancho— a la valentía, cortesía, hazañas y asumpto de vuestra merced, hay diferentes opiniones: unos dicen: «Loco, pero gracioso»; otros, «Valiente, pero desgraciado»; otros, «Cortés, pero impertinente»; y por aquí van discurriendo en tantas cosas, que ni a vuestra merced ni a mí nos dejan hueso sano.

—Mira, Sancho —dijo don Quijote—: donde quiera que está la virtud en eminente grado, es perseguida. Pocos, o ninguno de los famosos varones que pasaron dejó de ser calumniado de la malicia. Julio César, animosí-

---

[8] Bien claro queda que, para los demás, don Quijote no fue nunca caballero.

[9] Se daba lustre a los zapatos con humo desleído en agua.

[10] Seguramente hay que entender: «y el ir yo roto, se debe más al roce de las armas con la ropa a que ésta sea vieja». Adviértase que se consideraba más vergonzoso ir con remiendos que con rotos.

simo, prudentísimo y valentísimo capitán, fue notado de
ambicioso y algún tanto no limpio, ni en sus vestidos ni
en sus costumbres. Alejandro, a quien sus hazañas le alcanzaron el renombre de Magno, dicen dél que tuvo sus
ciertos puntos de borracho. De Hércules, el de los muchos trabajos, se cuenta que fue lascivo y muelle. De don
Galaor, hermano de Amadís de Gaula, se murmura que
fue más que demasiadamente rijoso[11]; y de su hermano,
que fue llorón. Así que, ¡oh Sancho!, entre las tantas
calumnias de buenos bien pueden pasar las mías, como
no sean más de las que has dicho.

—¡Ahí está el toque, cuerpo de mi padre! —replicó
Sancho.

—Pues ¿hay más? —preguntó don Quijote.

—Aún la cola falta por desollar —dijo Sancho—. Lo
de hasta aquí son tortas y pan pintado, mas si vuestra
merced quiere saber todo lo que hay acerca de las caloñas[12] que le ponen, yo le traeré aquí luego al momento
quien se las diga todas, sin que les falte una meaja; que
anoche llegó el hijo de Bartolomé Carrasco, que viene de
estudiar de Salamanca, hecho bachiller, y yéndole yo a
dar la bienvenida, me dijo que andaba ya en libros la
historia de vuestra merced, con nombre de *El Ingenioso
Hidalgo don Quijote de la Mancha*; y dice que me mien-
tan a mí en ella con mi mesmo nombre de Sancho Panza, y a la señora Dulcinea del Toboso, con otras cosas
que pasamos nosotros a solas, que me hice cruces de
espantado cómo las pudo saber el historiador que las escribió.

—Yo te aseguro, Sancho —dijo don Quijote—, que
debe de ser algún sabio encantador el autor de nuestra
historia; que a los tales no se les encubre nada de lo que
quieren escribir.

—Y ¡cómo —dijo Sancho— si era sabio y encantador, pues (según dice el bachiller Sansón Carrasco, que
así se llama el que dicho tengo) que el autor de la historia
se llama Cide Hamete Berenjena[13]!

[11] *rijoso*, fácilmente irritable.
[12] *caloñas*, calumnias.
[13] Benengeli significa «berenjena», como ya se dijo (I, 9, nota 11), pero como Sancho no sabía árabe, aquí se trata de una
de sus frecuentes equivocaciones al emplear palabras que no conoce o conoce poco.

—Ese nombre es de moro —respondió don Quijote.

—Así será —respondió Sancho—; porque por la mayor parte he oído decir que los moros son amigos de berenjenas.

—Tú debes, Sancho —dijo don Quijote—, errarte en el sobrenombre de ese Cide, que en arábigo quiere decir *señor*.

—Bien podría ser —replicó Sancho—; mas si vuestra merced gusta que yo le haga venir aquí, iré por él en volandas.

—Harásme mucho placer, amigo —dijo don Quijote—; que me tiene suspenso lo que me has dicho, y no comeré bocado que bien me sepa hasta ser informado de todo.

—Pues yo voy por él —respondió Sancho.

Y dejando a su señor, se fue a buscar al bachiller, con el cual volvió de allí a poco espacio, y entre los tres pasaron un graciosísimo coloquio.

CAPÍTULO III

DEL RIDÍCULO RAZONAMIENTO QUE PASÓ ENTRE DON QUIJOTE, SANCHO PANZA Y EL BACHILLER SANSÓN CARRASCO

PENSATIVO además[1] quedó don Quijote, esperando al bachiller Carrasco, de quien esperaba oír las nuevas de sí mismo puestas en libro, como había dicho Sancho, y no se podía persuadir a que tal historia hubiese, pues aún no estaba enjuta en la cuchilla de su espada la sangre de los enemigos que había muerto, y ya querían que anduviesen en estampa sus altas caballerías. Con todo eso, imaginó que algún sabio, o ya amigo o enemigo, por arte de encantamento las habrá dado a la estampa: si amigo, para engrandecerlas y levantarlas sobre las más señaladas de caballero andante; si enemigo, para aniquilarlas y ponerlas debajo de las más viles que de algún vil escudero se hubiesen escrito, puesto —decía entre sí—

---

[1] *Pensativo además,* muy pensativo.

que nunca hazañas de escuderos se escribieron; y cuando fuese verdad que la tal historia hubiese, siendo de caballero andante, por fuerza había de ser grandílocua, alta, insigne, magnífica y verdadera.

Con esto se consoló algún tanto; pero desconsolóle pensar que su autor era moro, según aquel nombre de Cide; y de los moros no se podía esperar verdad alguna, porque todos son embelecadores, falsarios y quimeristas. Temíase no hubiese tratado sus amores con alguna indecencia, que redundase en menoscabo y perjuicio de la honestidad de su señora Dulcinea del Toboso; deseaba que hubiese declarado su fidelidad y el decoro que siempre la había guardado, menospreciando reinas, emperatrices y doncellas de todas calidades, teniendo a raya los ímpetus de los naturales movimientos; y así, envuelto y revuelto en estas y otras muchas imaginaciones, le hallaron Sancho y Carrasco, a quien don Quijote recibió con mucha cortesía.

Era el bachiller, aunque se llamaba Sansón, no muy grande de cuerpo, aunque muy gran socarrón; de color macilenta, pero de muy buen entendimiento; tendría hasta veinte y cuatro años, carirredondo, de nariz chata y de boca grande, señales todas de ser de condición maliciosa y amigo de donaires y de burlas, como lo mostró en viendo a don Quijote, poniéndose delante dél de rodillas, diciéndole:

—Deme vuestra grandeza las manos, señor don Quijote de la Mancha; que por el hábito de San Pedro[2] que visto, aunque no tengo otras órdenes que las cuatro primeras, que es vuestra merced uno de los más famosos caballeros andantes que ha habido, ni aun habrá, en toda la redondez de la tierra. Bien haya Cide Hamete Benengeli, que la historia de vuestras grandezas dejó escrita, y rebién haya el curioso que tuvo cuidado de hacerlas traducir de arábigo en nuestro vulgar castellano, para universal entretenimiento de las gentes.

Hízole levantar don Quijote, y dijo:

—Desa manera, ¿verdad es que hay historia mía, y que fue moro y sabio el que la compuso?

—Es tan verdad, señor —dijo Sansón—, que tengo

---

[2] *hábito de San Pedro,* el vestido de eclesiásticos y estudiantes (sotana, manteo y bonete negros).

para mí que el día de hoy están impresos más de doce
mil libros de la tal historia; si no, dígalo Portugal, Barcelona y Valencia, donde se han impreso; y aun hay
fama que se está imprimiendo en Amberes, y a mí se me
trasluce que no ha de haber nación ni lengua donde no
se traduzga[3].

—Una de las cosas —dijo a esta sazón don Quijote—
que más debe de dar contento a un hombre virtuoso y
eminente es verse, viviendo, andar con buen nombre por
las lenguas de las gentes, impreso y en estampa. Dije *con
buen nombre*, porque siendo al contrario, ninguna muerte se le igualara.

—Si por buena fama y si por buen nombre va
—dijo el bachiller—, solo vuestra merced lleva la palma
a todos los caballeros andantes; porque el moro en su lengua y el cristiano en la suya[4] tuvieron cuidado de pintarnos muy al vivo la gallardía de vuestra merced, el
ánimo grande en acometer los peligros, la paciencia en
las adversidades y el sufrimiento así en las desgracias
como en las heridas, la honestidad y continencia en los
amores tan platónicos de vuestra merced y de mi señora
doña Dulcinea del Toboso.

—Nunca —dijo a este punto Sancho Panza— he oído
llamar con *don* a mi señora Dulcinea, sino solamente *la
señora Dulcinea del Toboso*, y ya en esto anda errada la
historia.

—No es objeción de importancia ésa —respondió Carrasco.

—No, por cierto —respondió don Quijote—; pero
dígame vuestra merced, señor bachiller: ¿qué hazañas
mías son las que más se ponderan en esa historia?

[3] Al aparecer, en 1615, la segunda parte del *Quijote*, la primera contaba con las siguientes ediciones hoy conocidas: en 1605,
dos en Madrid, por Juan de la Cuesta; dos en Lisboa (furtivas),
y dos en Valencia; 1607, una en Bruselas; 1608, una en Madrid,
por Juan de la Cuesta; 1610, una en Milán; 1611, una en Bruselas.
Respecto a Amberes, no se tiene noticia de ninguna edición anterior a 1673. Tampoco se conoce ninguna de Barcelona antes de
1617. Es posible que existieran y que no se haya encontrado ningún ejemplar. Se habían publicado también la traducción inglesa
de Thomas Shelton (Londres, 1612) y la francesa de César Oudin
(París, 1614). Cervantes sin duda ignoraba la aparición de estas
dos versiones, pues hace hablar al bachiller de las traducciones
del libro como de cosa futura.
[4] El *cristiano* es Cervantes, que finge traducir al *moro* Cide
Hamete Benengeli.

—En eso —respondió el bachiller—, hay diferentes opiniones, como hay diferentes gustos: unos se atienen a la aventura de los molinos de viento, que a vuestra merced le parecieron Briareos y gigantes; otros, a la de los batanes; éste, a la descripción de los dos ejércitos, que después parecieron ser dos manadas de carneros; aquél encarece la del muerto que llevaban a enterrar a Segovia; uno dice que a todas se aventaja la de la libertad de los galeotes; otro, que ninguna iguala a la de los dos gigantes benitos, con la pendencia del valeroso vizcaíno.

—Dígame, señor bachiller —dijo a esta sazón Sancho—: ¿entra ahí la aventura de los yangüeses[5], cuando a nuestro buen Rocinante se le antojó pedir cotufas en el golfo[6]?

—No se le quedó nada —respondió Sansón— al sabio en el tintero; todo lo dice y todo lo apunta: hasta lo de las cabriolas que el buen Sancho hizo en la manta.

—En la manta no hice yo cabriolas —respondió Sancho—; en el aire sí, y aun más de las que yo quisiera.

—A lo que yo imagino —dijo don Quijote—, no hay historia humana en el mundo que no tenga sus altibajos, especialmente las que tratan de caballerías; las cuales nunca pueden estar llenas de prósperos sucesos.

—Con todo eso —respondió el bachiller—, dicen algunos que han leído la historia que se holgaran se les hubiera olvidado a los autores della algunos de los infinitos palos que en diferentes encuentros dieron al señor don Quijote.

—Ahí entra la verdad de la historia —dijo Sancho.

—También pudieran callarlos por equidad —dijo don Quijote—, pues las acciones que ni mudan ni alteran la verdad de la historia no hay para qué escribirlas, si han de redundar en menosprecio del señor de la historia. A fee que no fue tan piadoso Eneas como Virgilio le pinta, ni tan prudente Ulises como le describe Homero.

—Así es —replicó Sansón—; pero uno es escribir como poeta y otro como historiador: el poeta puede contar o cantar las cosas, no como fueron, sino como debían ser; y el historiador las ha de escribir, no como de-

---

[5] *yangüeses* o *gallegos*; véase el comentario preliminar a I, 15.
[6] *pedir cotufas en el golfo,* pedir cosas imposibles.

bían ser, sino como fueron, sin añadir ni quitar a la verdad cosa alguna.

—Pues si es que se anda a decir verdades ese señor moro —dijo Sancho—, a buen seguro que entre los palos de mi señor se hallen los míos; porque nunca a su merced le tomaron la medida de las espaldas que no me la tomasen a mí de todo el cuerpo; pero no hay de qué maravillarme, pues como dice el mismo señor mío, del dolor de la cabeza han de participar los miembros.

—Socarrón sois, Sancho —respondió don Quijote—. A fee que no os falta memoria cuando vos queréis tenerla.

—Cuando yo quisiese olvidarme de los garrotazos que me han dado —dijo Sancho—, no lo consentirán los cardenales, que aún se están frescos en las costillas.

—Callad, Sancho —dijo don Quijote—, y no interrumpáis al señor bachiller, a quien suplico pase adelante en decirme lo que se dice de mí en la referida historia.

—Y de mí —dijo Sancho—; que también dicen que soy yo uno de los principales presonajes della.

—*Personajes*, que no *presonajes*, Sancho amigo —dijo Sansón.

—¿Otro reprochador de voquibles tenemos? —dijo Sancho—. Pues ándense a eso, y no acabaremos en toda la vida.

—Mala me la dé Dios, Sancho —respondió el bachiller—, si no sois vos la segunda persona de la historia; y que hay tal que precia más oíros hablar a vos que al más pintado de toda ella, puesto que también hay quien diga que anduvistes demasiadamente de crédulo en creer que podía ser verdad el gobierno de aquella ínsula ofrecida por el señor don Quijote, que está presente.

—Aún hay sol en las bardas[1] —dijo don Quijote—; y mientras más fuere entrando en edad Sancho, con la esperiencia que dan los años, estará más idóneo y más hábil para ser gobernador que no está agora.

—Por Dios, señor —dijo Sancho—; la isla que yo no gobernase con los años que tengo, no la gobernaré con los años de Matusalén. El daño está en que la dicha ínsu-

---

[1] *Aún hay sol en las bardas*, «todavía no ha anochecido». O sea, aún tenemos tiempo para hacer algo.

la se entretiene, no sé dónde, y no en faltarme a mí el caletre para gobernarla.

—Encomendadlo a Dios, Sancho —dijo don Quijote—; que todo se hará bien, y quizá mejor de lo que vos pensáis; que no se mueve la hoja en el árbol sin la voluntad de Dios.

—Así es verdad —dijo Sansón—; que si Dios quiere, no le faltarán a Sancho mil islas que gobernar, cuanto más una.

—Gobernador he visto por ahí —dijo Sancho— que, a mi parecer, no llegan a la suela de mi zapato, y, con todo eso, los llaman señoría, y se sirven con plata.

—Ésos no son gobernadores de ínsulas —replicó Sansón—, sino de otros gobiernos más manuales; que los que gobiernan ínsulas, por lo menos han de saber gramática.

—Con la *grama*[8] bien me avendría yo —dijo Sancho—; pero con la *tica,* ni me tiro ni me pago[9], porque no la entiendo. Pero dejando esto del gobierno en las manos de Dios, que me eche a las partes donde más de mí se sirva, digo, señor bachiller Sansón Carrasco, que infinitamente me ha dado gusto que el autor de la historia haya hablado de mí de manera que no enfadan las cosas que de mí se cuentan; que a fe de buen escudero que si hubiera dicho de mí cosas que no fueran muy de cristiano viejo, como soy, que nos habían de oír los sordos.

—Eso fuera hacer milagros —respondió Sansón.

—Milagros o no milagros —dijo Sancho—, cada uno mire cómo habla o cómo escribe de las presonas, y no ponga a trochemoche lo primero que le viene al magín.

—Una de las tachas que ponen a la tal historia —dijo el bachiller— es que su autor puso en ella una novela intitulada *El Curioso impertinente*; no por mala ni por mal razonada, sino por no ser de aquel lugar, ni tiene que ver con la historia de su merced del señor don Quijote.

---

[8] *grama,* cierta planta medicinal.
[9] *ni me tiro ni me pago,* expresión de jugadores cuando no quieren jugar; aquí tiene el sentido de «no entro en ese asunto», «no me meto».

—Yo apostaré —replicó Sancho— que ha mezclado el hi de perro berzas con capachos[10].

—Ahora digo —dijo don Quijote— que no ha sido sabio el autor de mi historia, sino algún ignorante hablador, que a tiento y sin algún discurso se puso a escribirla, salga lo que saliere, como hacía Orbaneja, el pintor de Úbeda, al cual preguntándole qué pintaba, respondió: «Lo que saliere». Tal vez[11] pintaba un gallo, de tal suerte y tan mal parecido, que era menester que con letras góticas[12] escribiese junto a él: «Éste es gallo». Y así debe de ser mi historia, que tendrá necesidad de comento para entenderla.

—Eso no —respondió Sansón—; porque es tan clara, que no hay cosa que dificultar en ella: los niños la manosean, los mozos la leen, los hombres la entienden y los viejos la celebran; y, finalmente, es tan trillada y tan leída y tan sabida de todo género de gentes, que apenas han visto algún rocín flaco, cuando dicen: «Allí va Rocinante». Y los que más se han dado a su letura son los pajes: no hay antecámara de señor donde no se halle un *Don Quijote*: unos le toman si otros le dejan; éstos le embisten y aquéllos le piden. Finalmente, la tal historia es del más gustoso y menos perjudicial entretenimiento que hasta agora se haya visto, porque en toda ella no se descubre, ni por semejas, una palabra deshonesta ni un pensamiento menos que católico.

—A escribir de otra suerte —dijo don Quijote—, no fuera escribir verdades, sino mentiras; y los historiadores que de mentiras se valen habían de ser quemados, como los que hacen moneda falsa; y no sé yo qué le movió al autor a valerse de novelas y cuentos ajenos, habiendo tanto que escribir en los míos: sin duda se debió de atener al refrán: «De paja y de heno...»[13], etcétera. Pues en verdad que en solo manifestar mis pensamientos, mis sospiros, mis lágrimas, mis buenos deseos y mis acometimientos pudiera hacer un volumen mayor, o tan

[10] *capacho*, espuerta. Sancho quiere decir: ha mezclado cosas heterogéneas, disparatadas.
[11] *Tal vez*, alguna vez.
[12] *letras góticas*, nombre que se daba a las mayúsculas romanas (cfr. H. Thomas, «The Modern Language Review», XXXIII, 1938).
[13] ...el vientre lleno»

grande, que el que pueden hacer todas las obras del Tostado[14]. En efeto, lo que yo alcanzo, señor bachiller, es que para componer historias y libros, de cualquier suerte que sean, es menester un gran juicio y un maduro entendimiento. Decir gracias y escribir donaires es de grandes ingenios: la más discreta figura de la comedia es la del bobo, porque no lo ha de ser el que quiere dar a entender que es simple. La historia es como cosa sagrada; porque ha de ser verdadera, y donde está la verdad, está Dios, en cuanto a verdad; pero no obstante esto, hay algunos que así componen y arrojan libros de sí como si fuesen buñuelos.

—No hay libro tan malo —dijo el bachiller—, que no tenga algo bueno[15].

—No hay duda en eso —replicó don Quijote—; pero muchas veces acontece que los que tenían méritamente granjeada y alcanzada gran fama por sus escritos, en dándolos a la estampa la perdieron del todo, o la menoscabaron en algo

—La causa deso es —dijo Sansón— que como las obras impresas se miran despacio, fácilmente se veen sus faltas, y tanto más se escudriñan cuanto es mayor la fama del que las compuso. Los hombres famosos por sus ingenios, los grandes poetas, los ilustres historiadores, siempre, o las más veces, son envidiados de aquellos que tienen por gusto y por particular entretenimiento juzgar los escritos ajenos, sin haber dado algunos propios a la luz del mundo.

—Eso no es de maravillar —dijo don Quijote—; porque muchos teólogos hay que no son buenos para el púlpito, y son bonísimos para conocer las faltas o sobras de los que predican.

—Todo eso es así, señor don Quijote —dijo Carrasco—; pero quisiera yo que los tales censuradores fueran más misericordiosos y menos escrupulosos, sin atenerse a los átomos del sol clarísimo de la obra de que murmu-

---

[14] Alfonso Tostado Ribera, de Madrigal (muerto en 1450), obispo de Ávila, de obra tan copiosa que su nombre ha quedado como proverbial.
[15] Plinio el Joven (Epístola 5, libro III) atribuye este pensamiento a su tío Plinio el Viejo. Se citaba con frecuencia (por ejemplo en el prólogo del *Lazarillo de Tormes*).

ran; que si *aliquando bonus dormitat Homerus*[16], consideren lo mucho que estuvo despierto, por dar la luz de su obra con la menos sombra que pudiese; y quizá podría ser que lo que a ellos les parece mal fuesen lunares, que a las veces acrecientan la hermosura del rostro que los tiene; y así, digo que es grandísimo el riesgo a que se pone el que imprime un libro, siendo de toda imposibilidad imposible componerle tal, que satisfaga y contente a todos los que le leyeren.

—El que de mí trata —dijo don Quijote—, a pocos habrá contentado.

—Antes es al revés; que como de *stultorum infinitus est numerus*[17], infinitos son los que han gustado de la tal historia; y algunos han puesto falta y dolo en la memoria del autor, pues se le olvida de contar quién fue el ladrón que hurtó el rucio a Sancho, que allí no se declara[18] y sólo se infiere de lo escrito que se le hurtaron, y de allí a poco le vemos a caballo sobre el mesmo jumento, sin haber parecido. También dicen que se le olvidó poner lo que Sancho hizo de aquellos cien escudos que halló en la maleta en Sierra Morena, que nunca más los nombra, y hay muchos que desean saber qué hizo dellos, o en qué los gastó, que es uno de los puntos sustanciales que faltan en la obra.

Sancho respondió:

—Yo, señor Sansón, no estoy ahora para ponerme en cuentas ni cuentos; que me ha tomado un desmayo de estómago, que si no le reparo con dos tragos de lo añejo, me pondrá en la espina de Santa Lucía[19]. En casa lo tengo; mi oíslo[20] me aguarda; en acabando de comer daré la vuelta, y satisfaré a vuestra merced y a todo el mundo de lo que preguntar quisieren, así de la pérdida del jumento como del gasto de los cien escudos.

---

[16] Parte de un conocidísimo verso de la Epístola a los Pisones o *Arte Poética* de Horacio: «de cuando en cuando dormita el buen Homero». El texto latino es *quandoque bonus...*, pero algunas veces se cita cambiando la primera palabra por *aliquando,* como hizo Salcedo Coronel en sus comentarios a Góngora (véase A. Marasso, *Cervantes,* Buenos Aires, 1949, págs. 145-146).

[17] «Es infinito el número de los necios», *Eclesiastés,* I, 15.

[18] Véase I, 23, nota 1.

[19] *ponerse,* o quedarse, *en la espina de Santa Lucía,* estar muy flaco y extenuado.

[20] *mi oíslo,* mi mujer.

Y sin esperar respuesta ni decir otra palabra, se fue a su casa.

Don Quijote pidió y rogó al bachiller se quedase a hacer penitencia con él[21]. Tuvo el bachiller el envite: quedóse, añadióse al ordinario un par de pichones, tratóse en la mesa de caballerías, siguióle el humor Carrasco, acabóse el banquete, durmieron la siesta, volvió Sancho, y renovóse la plática pasada.

CAPÍTULO IV

DONDE SANCHO PANZA SATISFACE AL BACHILLER SANSÓN CARRASCO DE SUS DUDAS Y PREGUNTAS, CON OTROS SUCESOS DIGNOS DE SABERSE Y DE CONTARSE

VOLVIÓ Sancho a casa de don Quijote, y volviendo al pasado razonamiento, dijo:

—A lo que el señor Sansón dijo que se deseaba saber quién, o cómo, o cuándo se me hurtó el jumento, respondiendo digo, que la noche misma que huyendo de la Santa Hermandad nos entramos en Sierra Morena, después de la aventura sin ventura de los galeotes, y de la del difunto que llevaban a Segovia, mi señor y yo nos metimos entre una espesura, adonde mi señor arrimado a su lanza, y yo sobre mi rucio, molidos y cansados de las pasadas refriegas, nos pusimos a dormir como si fuera sobre cuatro colchones de pluma; especialmente yo dormí con tan pesado sueño, que quienquiera que fue tuvo lugar de llegar y suspenderme sobre cuatro estacas que puso a los cuatro lados de la albarda, de manera que me dejó a caballo sobre ella, y me sacó debajo de mí al rucio, sin que yo lo sintiese.

—Eso es cosa fácil[1], y no acontecimiento nuevo; que lo mesmo le sucedió a Sacripante cuando, estando en el cerco de Albraca, con esa misma invención le sacó el caballo de entre las piernas aquel famoso ladrón llamado Brunelo[2].

---

[21] Fórmula de humilde cortesía para invitar a comer.
[1] Cervantes no aclara si estas palabras las dice don Quijote o el bachiller.
[2] Alusión a un episodio que narran Boiardo en el *Orlando innamorato*, y Ariosto en el *Orlando furioso*.

—Amaneció —prosiguió Sancho—, y apenas me hube estremecido, cuando, faltando las estacas, di conmigo en el suelo una gran caída; miré por el jumento, y no le vi; acudiéronme lágrimas a los ojos, y hice una lamentación, que si no la puso el autor de nuestra historia, puede hacer cuenta que no puso cosa buena[3]. Al cabo de no sé cuántos días, viniendo con la señora princesa Micomicona, conocí mi asno, y que venía sobre él en hábito de gitano aquel Ginés de Pasamonte, aquel embustero y grandísimo maleador que quitamos mi señor y yo de la cadena.

—No está en eso el yerro —replicó Sansón—, sino en que antes de haber parecido el jumento, dice el autor que iba a caballo Sancho en el mesmo rucio.

—A eso —dijo Sancho—, no sé qué responder, sino que el historiador se engañó, o ya sería descuido del impresor.

—Así es, sin duda —dijo Sansón—; pero ¿qué se hicieron los cien escudos? ¿Deshiciéronse?

Respondió Sancho:

—Yo los gasté en pro de mi persona y de la de mi mujer, y de mis hijos, y ellos han sido causa de que mi mujer lleve en paciencia los caminos y carreras que he andado sirviendo a mi señor don Quijote; que si al cabo de tanto tiempo volviera sin blanca y sin el jumento a mi casa, negra ventura me esperaba; y si hay más que saber de mí, aquí estoy, que responderé al mesmo rey en presona, y nadie tiene para qué meterse en si truje o no truje, si gasté o no gasté; que si los palos que me dieron en estos viajes se hubieran de pagar a dinero, aunque no se tasaran sino a cuatro maravedís cada uno, en otros cien escudos no había para pagarme la mitad; y cada uno meta la mano en su pecho, y no se ponga a juzgar lo blanco por negro y lo negro por blanco; que cada uno es como Dios le hizo, y aun peor muchas veces.

—Yo tendré cuidado —dijo Carrasco— de acusar[4] al autor de la historia que si otra vez la imprimiere, no se le olvide esto que el buen Sancho ha dicho; que

---

[3] Es la que figura en la segunda edición de Juan de la Cuesta (véase I, 23, nota 1).
[4] *acusar*, reconvenir.

será realzarla un buen coto[5] más de lo que ella se está.

—¿Hay otra cosa que enmendar en esa leyenda, señor bachiller? —preguntó don Quijote.

—Sí debe de haber —respondió él—; pero ninguna debe de ser de la importancia de las ya referidas.

—Y por ventura —dijo don Quijote—, ¿promete el autor segunda parte?

—Sí promete —respondió Sansón—; pero dice que no ha hallado ni sabe quién la tiene, y así, estamos en duda si saldrá o no; y así por esto como porque algunos dicen: «Nunca segundas partes fueron buenas», y otros: «De las cosas de don Quijote bastan las escritas», se duda que no ha de haber segunda parte; aunque algunos que son más joviales que saturninos[6] dicen: «Vengan más quijotadas: embista don Quijote y hable Sancho Panza, y sea lo que fuere; que con eso nos contentamos».

—Y ¿a qué se atiene el autor?

—A que —respondió Sansón— en hallando que halle la historia, que él va buscando con extraordinarias diligencias, la dará luego a la estampa, llevado más del interés que de darla se le sigue que de otra alabanza alguna.

A lo que dijo Sancho:

—¿Al dinero y al interés mira el autor? Maravilla será que acierte; porque no hará sino harbar, harbar[7], como sastre en vísperas de pascuas, y las obras que se hacen apriesa nunca se acaban con la perfeción que requieren. Atienda ese señor moro, o lo que es, a mirar lo que hace; que yo y mi señor le daremos tanto ripio a la mano[8] en materia de aventuras y de sucesos diferentes, que pueda componer no sólo segunda parte, sino ciento. Debe de pensar el buen hombre, sin duda, que nos dormimos aquí en las pajas; pues ténganos el pie al herrar, y verá del que cosqueamos[9]. Lo que yo sé decir

---

[5] *coto,* medida que se establece con los cuatro dedos de la mano cerrada y sobre ella el pulgar levantado.

[6] Términos de astrología: el *jovial,* nacido bajo Jove, o Júpiter, era «alegre»; el *saturnino,* nacido bajo Saturno, «melancólico».

[7] *harbar,* hacer una cosa de prisa y mal.

[8] *dar ripio a la mano,* dar con facilidad y abundancia una cosa, como el albañil que da el *ripio,* o cascote, a otro.

[9] *ténganos el pie al herrar, y verá del que cosqueamos,* o cojeamos, o sea: «que se entere de nuestros defectos antes de elogiarnos y verá qué tal somos».

es que si mi señor tomase mi consejo, ya habíamos de estar en esas campañas deshaciendo agravios y enderezando tuertos, como es uso y costumbre de los buenos andantes caballeros.

No había bien acabado de decir estas razones Sancho,
cuando llegaron a sus oídos relinchos de Rocinante; los
cuales relinchos tomó don Quijote por felicísimo agüero, y
determinó de hacer de allí a tres o cuatro días otra salida;
y declarando su intento al bachiller, le pidió consejo por
qué parte comenzaría su jornada; el cual le respondió que
era su parecer que fuese al reino de Aragón y a la
ciudad de Zaragoza, adonde de allí a pocos días se habían de hacer unas solenísimas justas por la fiesta de San
Jorge, en las cuales podría ganar fama sobre todos los caballeros aragoneses, que sería ganarla sobre todos los
del mundo. Alabóle ser honradísima y valentísima su
determinación, y advirtióle que anduviese más atentado
en acometer los peligros, a causa que su vida no era suya,
sino de todos aquellos que le habían de menester para
que los amparase y socorriese en sus desventuras.

—Deso es lo que yo reniego, señor Sansón —dijo a
este punto Sancho—; que así acomete mi señor a cien
hombres armados como un muchacho goloso a media docena de badeas[10]. ¡Cuerpo del mundo, señor bachiller!
Sí, que tiempos hay de acometer y tiempos de retirar;
sí, no ha de ser todo «¡Santiago, y cierra, España!»
Y más, que yo he oído decir, y creo que a mi señor mismo,
si mal no me acuerdo, que en los estremos de cobarde y
de temerario está el medio de la valentía; y si esto es
así, no quiero que huya sin tener para qué, ni que acometa cuando la demasía pide otra cosa. Pero, sobre todo,
aviso a mi señor que si me ha de llevar consigo, ha de
ser con condición que él se lo ha de batallar todo, y que
yo no he de estar obligado a otra cosa que a mirar por
su persona en lo que tocare a su limpieza y a su regalo; que en esto yo le bailaré el agua delante; pero pensar
que tengo de poner mano a la espada, aunque sea contra villanos malandrines de hacha y capellina[11], es pensar en lo escusado. Yo, señor Sansón, no pienso granjear

---

[10] *badea*, sandía o melón de mala calidad.
[11] *de hacha y capellina*, ésta, especie de yelmo, armas de gente
baja.

fama de valiente, sino del mejor y más leal escudero que
jamás sirvió a caballero andante; y si mi señor don Quijote, obligado de mis muchos y buenos servicios, quisiere darme alguna ínsula de las muchas que su merced
dice que se ha de topar por ahí, recibiré mucha merced en
ello; y cuando no me la diere, nacido soy[12], y no ha de
vivir el hombre en hoto de otro[13] sino de Dios; y más,
que tan bien, y aun quizá mejor, me sabrá el pan desgobernado que siendo gobernador; y ¿sé yo por ventura
si en esos gobiernos me tiene aparejada el diablo alguna
zancadilla donde tropiece y caiga y me haga[14] las muelas? Sancho nací, y Sancho pienso morir; pero si, con
todo esto, de buenas a buenas, sin mucha solicitud y sin
mucho riesgo, me deparase el cielo alguna ínsula, o otra
cosa semejante, no soy tan necio, que la desechase; que
también se dice: «Cuando te dieren la vaquilla, corre
con la soguilla»; y «Cuando viene el bien, métdolo en tu
casa».

—Vos, hermano Sancho —dijo Carrasco—, habéis
hablado como un catedrático; pero, con todo eso, con-
fiad en Dios y en el señor don Quijote, que os ha de dar
un reino, no que una ínsula.

—Tanto es lo de más como lo de menos —respondió
Sancho—; aunque sé decir al señor Carrasco que no
echara mi señor el reino que me diera en saco roto; que
yo he tomado el pulso a mí mismo, y me hallo con salud
para regir reinos y gobernar ínsulas, y esto ya otras veces
lo he dicho a mi señor.

—Mirad, Sancho —dijo Sansón—, que los oficios mudan las costumbres, y podría ser que viéndoos gobernador no conociésedes a la madre que os parió.

—Eso allá se ha de entender —respondió Sancho—
con los que nacieron en las malvas, y no con los que
tienen sobre el alma cuatro dedos de enjundia de cristianos viejos como yo los tengo. ¡No, sino llegaos a mi
condición, que sabrá usar de desagradecimiento con alguno!

—Dios lo haga —dijo don Quijote—, y ello dirá

[12] O sea: «he nacido, luego Dios no me desamparará» (cfr. R. Marín, IV, 114).
[13] *vivir en hoto de otro,* vivir fiado en otro.
[14] *me haga,* me rompa.

cuando el gobierno venga; que ya me parece que le trayo entre los ojos.

Dicho esto, rogó al bachiller que, si era poeta, le hiciese merced de componerle unos versos que tratasen de
la despedida que pensaba hacer de su señora Dulcinea
del Toboso, y que advirtiese que en el principio de cada
verso había de poner una letra de su nombre, de manera que al fin de los versos, juntando las primeras letras,
se leyese: *Dulcinea del Toboso.*

El bachiller respondió que puesto que él no era de
los famosos poetas que había en España, que decían que
no eran sino tres y medio, que no dejaría de componer
los tales metros, aunque hallaba una dificultad grande en
su composición, a causa que las letras que contenían el
nombre eran diez y siete; y que si hacía cuatro castellanas de a cuatro versos, sobrara una letra; y si de a cinco,
a quien llaman décimas o redondillas[15], faltaban tres letras; pero, con todo eso, procuraría embeber una letra
lo mejor que pudiese, de manera que en las cuatro castellanas se incluyese el nombre de Dulcinea del Toboso.

—Ha de ser así en todo caso —dijo don Quijote—;
que si allí no va el nombre patente y de manifiesto, no
hay mujer que crea que para ella se hicieron los metros[16].

Quedaron en esto y en que la partida sería de allí a
ocho días. Encargó don Quijote al bachiller la tuviese
secreta, especialmente al cura y a maese Nicolás, y a su
sobrina y al ama, porque no estorbasen su honrada y valerosa determinación. Todo lo prometió Carrasco. Con
esto se despidió, encargando a don Quijote que de todos
sus buenos o malos sucesos le avisase, habiendo comodidad; y así se despidieron, y Sancho fue a poner en orden
lo necesario para su jornada.

---

[15] Las coplas *castellanas* son las de versos cortos (octosílabos);
las *redondillas* son las que hoy se llaman *quintillas* (de cinco
versos) que, por ir de dos en dos, recibían el nombre de *décimas*.
Téngase en cuenta que hoy sólo se llama décima a cierta estrofa
inventada por Espinel y que se da el nombre de *redondillas* a
las de cuatro versos, no de cinco.

[16] *metros,* versos.

CAPÍTULO V

DE LA DISCRETA Y GRACIOSA PLÁTICA QUE PASÓ ENTRE SANCHO PANZA Y SU MUJER TERESA PANZA, Y OTROS SUCESOS DIGNOS DE FELICE RECORDACIÓN

(LLEGANDO a escribir el traductor desta historia este quinto capítulo, dice que le tiene por apócrifo, porque en él habla Sancho Panza con otro estilo del que se podía prometer de su corto ingenio, y dice cosas tan sutiles, que no tiene por posible que él las supiese; pero que no quiso dejar de traducirlo, por cumplir con lo que a su oficio debía, y así, prosiguió diciendo:)

Llegó Sancho a su casa tan regocijado y alegre, que su mujer conoció su alegría a tiro de ballesta; tanto, que la obligó a preguntarle:

—¿Qué traés[1], Sancho amigo, que tan alegre venís?

A lo que él respondió:

—Mujer mía, si Dios quisiera, bien me holgara yo de no estar tan contento como muestro.

—No os entiendo, marido —replicó ella—, y no sé qué queréis decir en eso de que os holgáredes, si Dios quisiera, de no estar contento; que, maguer[2] tonta, no sé yo quién recibe gusto de no tenerle.

—Mirad, Teresa —respondió Sancho—: yo estoy alegre porque tengo determinado de volver a servir a mi amo don Quijote, el cual quiere la vez tercera salir a buscar las aventuras; y yo vuelvo a salir con él, porque lo quiere así mi necesidad, junto con la esperanza, que me alegra, de pensar si podré hallar otros cien escudos como los ya gastados, puesto que me entristece el haberme de apartar de ti y de mis hijos; y si Dios quisiera darme de comer a pie enjuto y en mi casa, sin traerme por vericuetos y encrucijadas, pues lo podía hacer a poca costa y no más de quererlo, claro está que mi alegría fuera más firme y valedera, pues que la que tengo va mezclada con la tristeza del dejarte; así, que dije bien que holgara, si Dios quisiere, de no estar contento.

[1] *traés*, traéis.
[2] *maguer*, aunque.

—Mirad, Sancho —replicó Teresa—: después que os hicistes miembro de caballero andante habláis de tan rodeada manera, que no hay quien os entienda.

—Basta que me entienda Dios, mujer —respondió Sancho—, que Él es el entendedor de todas las cosas, y quédese esto aquí; y advertid, hermana, que os conviene tener cuenta estos tres días con el rucio, de manera que esté para armas tomar: dobladle los piensos, requerid la albarda y las demás jarcias; porque no vamos a bodas, sino a rodear el mundo, y a tener dares y tomares con gigantes, con endriagos y con vestiglos, y a oír silbos, rugidos, bramidos y baladros; y aun todo esto fuera flores de cantueso[3] si no tuviéramos que entender con yangüeses y con moros encantados.

—Bien creo yo, marido —replicó Teresa—, que los escuderos andantes no comen el pan de balde; y así, quedaré rogando a Nuestro Señor os saque presto de tanta mala ventura.

—Yo os digo, mujer —respondió Sancho—, que si no pensase antes de mucho tiempo verme gobernador de una ínsula, aquí me caería muerto.

—Eso no, marido mío —dijo Teresa—: viva la gallina, aunque sea con su pepita[4]; vivid vos, y llévese el diablo cuantos gobiernos hay en el mundo; sin gobierno salistes del vientre de vuestra madre, sin gobierno habéis vivido hasta ahora, y sin gobierno os iréis, o os llevarán, a la sepultura cuando Dios fuere servido. Como ésos hay en el mundo que viven sin gobierno, y no por eso dejan de vivir y de ser contados en el número de las gentes. La mejor salsa del mundo es la hambre; y como ésta no falta a los pobres, siempre comen con gusto. Pero mirad, Sancho: si por ventura os viéredes con algún gobierno, no os olvidéis de mí y de vuestros hijos. Advertid que Sanchico tiene ya quince años cabales, y es razón que vaya a la escuela, si es que su tío el abad le ha de dejar hecho de la Iglesia. Mirad también que Mari Sancha, vuestra hija, no se morirá si la casamos; que me va dando barruntos que desea tanto tener marido como vos de-

---

[3] *ser flores de cantueso*, ser cosa insignificante, nimia.
[4] *pepita*, tumorcillo que se produce en la lengua de las gallinas y no las deja cacarear.

seáis veros con gobierno; y, en fin en fin, mejor parece
la hija mal casada que bien abarraganada.

—A buena fe —respondió Sancho— que si Dios me
llega a tener algo qué[5] de gobierno, que tengo de casar,
mujer mía, a Mari Sancha tan altamente, que no la al-
cancen sino con llamarla señora.

—Eso no, Sancho —respondió Teresa—; casadla con
su igual, que es lo más acertado; que si de los zuecos la
sacáis a chapines[6], y de saya parda de catorceno a verdugado y saboyanas de seda[7], y de una *Marica* y un *tú*
a una *doña tal* y *señoría,* no se ha de hallar la mochacha,
y a cada paso ha de caer en mil faltas, descubriendo la hilaza de su tela basta y grosera.

—Calla, boba —dijo Sancho—; que todo será usarlo
dos o tres años; que después, le vendrá el señorío y la
gravedad como de molde; y cuando no, ¿qué importa?
Séase ella *señoría,* y venga lo que viniere.

—Medíos, Sancho, con vuestro estado —respondió
Teresa—; no os queráis alzar a mayores, y advertid al
refrán que dice: «Al hijo de tu vecino, límpiale las narices y métele en tu casa». ¡Por cierto que sería gentil
cosa casar a nuestra María con un condazo, o con un ca-
ballerote que cuando se le antojase la pusiese como nueva,
llamándola de villana, hija del destripaterrones y de la
pelarruecas! ¡No en mis días, marido! ¡Para eso, por
cierto, he criado yo a mi hija! Traed vos dinero, Sancho,
y el casarla dejadlo a mi cargo; que ahí está Lope Tocho, el hijo de Juan Tocho, mozo rollizo y sano, y que
le conocemos, y sé que no mira de mal ojo a la mochacha; y con éste, que es nuestro igual, estará bien casada,
y le tendremos siempre a nuestros ojos, y seremos todos
unos, padres y hijos, nietos y yernos, y andará la paz y
la bendición de Dios entre todos nosotros; y no casár-
mela vos ahora en esas cortes y en esos palacios grandes,
adonde ni a ella la entiendan, ni ella se entienda.

—Ven acá, bestia y mujer de Barrabás —replicó
Sancho—: ¿por qué quieres tú ahora, sin qué ni para
qué, estorbarme que no case a mi hija con quien me dé
nietos que se llamen *señoría*? Mira, Teresa: siempre he

---

[5] *algo qué,* un poco.
[6] El *zueco* es calzado campesino y el *chapín*, elegante.
[7] Dos tipos de prendas de vestir de damas de calidad.

oído decir a mis mayores que el que no sabe gozar de la
ventura cuando le viene, que no se debe quejar si se le
pasa. Y no sería bien que ahora, que está llamando a
nuestra puerta, se la cerremos; dejémonos llevar deste
viento favorable que nos sopla.

(Por este modo de hablar, y por lo que más abajo dice
Sancho, dijo el tradutor desta historia que tenía por apócrifo este capítulo.)

—¿No te parece, animalia[8] —prosiguió Sancho—, que
será bien dar con mi cuerpo en algún gobierno provechoso que nos saque el pie del lodo[9]? Y cásese a Mari Sancha con quien yo quisiere, y verás cómo te llaman a ti
doña Teresa Panza, y te sientas en la iglesia sobre alcatifa[10], almohadas y arambeles[11], a pesar y despecho de
las hidalgas del pueblo. ¡No, sino estaos siempre en un
ser, sin crecer ni menguar, como figura de paramento[12]!
Y en esto no hablemos más; que Sanchica ha de ser condesa, aunque tú más me digas.

—¿Veis cuanto decís, marido? —respondió Teresa—.
Pues con todo eso, temo que este condado de mi hija ha
de ser su perdición. Vos haced lo que quisiéredes, ora la
hagáis duquesa, o princesa; pero séos decir que no será
ello con voluntad ni consentimiento mío. Siempre, hermano, fui amiga de la igualdad, y no puedo ver entonos
sin fundamentos. Teresa me pusieron en el bautismo,
nombre mondo y escueto, sin añadiduras ni cortapisas,
ni arrequives[13], de *dones* ni *donas*; Cascajo se llamó mi
padre; y a mí, por ser vuestra mujer, me llaman Teresa Panza, que a buena razón me habían de llamar Teresa Cascajo. Pero allá van reyes do quieren leyes[14], y con
este nombre me contento, sin que me le pongan un *don*
encima, que pese tanto, que no le pueda llevar, y no
quiero dar que decir a los que me vieren andar vestida a
lo condesil o a lo de gobernadora, que luego dirán: «¡Mirad qué entonada va la pazpuerca[15]! Ayer no se hartaba

[8] *animalia,* animal.
[9] *sacar el pie del lodo,* sacar a alguien de un mal trance o de
la miseria.
[10] *alcatifa,* alfombra.
[11] *arambel,* colgadura.
[12] *figura de paramento,* figura de mero adorno.
[13] *arrequives,* atavíos.
[14] La mujer de Sancho dice el refrán al revés.
[15] *pazpuerca,* mujer sucia y grosera.

de estirar de un copo de estopa, y iba a misa cubierta la cabeza con la falda de la saya, en lugar de manto, y ya hoy va con verdugado, con broches y con entono, como si no la conociésemos». Si Dios me guarda mis siete, o mis cinco sentidos, o los que tengo, no pienso dar ocasión de verme en tal aprieto. Vos, hermano, idos a ser gobierno o ínsulo, y entonaos a vuestro gusto; que mi hija ni yo, por el siglo de mi madre que no nos hemos de mudar un paso de nuestra aldea: la mujer honrada, la pierna quebrada, y en casa; y la doncella honesta, el hacer algo es su fiesta. Idos con vuestro don Quijote a vuestras aventuras, y dejadnos a nosotras con nuestras malas venturas; que Dios nos las mejorará como seamos buenas; y yo no sé, por cierto, quién le puso a él *don*, que no tuvieron sus padres ni sus agüelos.

—Ahora digo —replicó Sancho— que tienes algún familiar[16] en ese cuerpo. ¡Válate Dios, la mujer, y qué de cosas has ensartado unas en otras, sin tener pies ni cabeza! ¿Qué tiene que ver el Cascajo, los broches, los refranes y el entono con lo que yo digo? Ven acá, mentecata e ignorante, que así te puedo llamar, pues no entiendes mis razones y vas huyendo de la dicha. Si yo dijera que mi hija se arrojara de una torre abajo, o que se fuera por esos mundos, como se quiso ir la infanta doña Urraca[17], tenías razón de no venir con mi gusto; pero si en dos paletas, y en menos de un abrir y cerrar de ojos, te la chanto[18] un *don* y una *señoría* a cuestas, y te la saco de los rastrojos, y te la pongo en toldo y en peana, y en un estrado de más almohadas de velludo que tuvieron moros en su linaje los Almohadas de Marruecos, ¿por qué no has de consentir y querer lo que yo quiero?

—¿Sabéis por qué, marido? —respondió Teresa—. Por el refrán que dice: «¡Quien te cubre, te descubre!» Por el pobre todos pasan los ojos como de corrida, y en el rico los detienen; y si el tal rico fue un tiempo pobre, allí es el murmurar y el maldecir, y el peor

[16] [demonio] *familiar*, el que tiene trato con una persona.
[17] Alusión al romance de doña Urraca, en el que dice: «Irme he por esas tierras   Como una mujer errada,   Y este mi cuerpo daría   A quien bien se le antojara,   A los moros por dineros,   Y a los cristianos de gracia...».
[18] *te la chanto*, «te la planto», o sea te la coloco.

perseverar de los maldicientes, que los hay por esas calles a montones, como enjambres de abejas.

—Mira, Teresa —respondió Sancho—, y escucha lo que agora quiero decirte; quizá no lo habrás oído en todos los días de tu vida, y yo agora no hablo de mío; que todo lo que pienso decir son sentencias del padre predicador que la cuaresma pasada predicó en este pueblo, el cual, si mal no me acuerdo, dijo que todas las cosas presentes que los ojos están mirando se presentan, están y asisten en nuestra memoria mucho mejor y con más vehemencia que las cosas pasadas.

(Todas estas razones que aquí va diciendo Sancho son las segundas por quien dice el tradutor que tiene por apócrifo este capítulo, que exceden a la capacidad de Sancho. El cual prosiguió, diciendo:)

—De donde nace que cuando vemos alguna persona bien aderezada y con ricos vestidos compuesta y con pompa de criados, parece que por fuerza nos mueve y convida a que la tengamos respeto, puesto que la memoria en aquel instante nos represente alguna bajeza en que vimos a la tal persona; la cual inominia, ahora sea de pobreza o de linaje, como ya pasó, no es, y sólo es lo que vemos presente. Y si este a quien la fortuna sacó del borrador de su bajeza (que por estas mesmas razones lo dijo el padre[19]) a la alteza de su prosperidad, fuere bien criado, liberal y cortés con todos, y no se pusiere en cuentos con aquellos que por antigüedad son nobles, ten por cierto, Teresa, que no habrá quien se acuerde de lo que fue, sino que reverencien lo que es, si no fueren los invidiosos, de quien ninguna próspera fortuna está segura.

—Yo no os entiendo, marido —replicó Teresa—; haced lo que quisiéredes, y no me quebréis más la cabeza con vuestras arengas y retóricas. Y si estáis revuelto en hacer lo que decís...

—*Resuelto* has de decir, mujer —dijo Sancho—, y no *revuelto*.

—No os pongáis a disputar, marido, conmigo —respondió Teresa—. Yo hablo como Dios es servido, y no me meto en más dibujos; y digo que si estáis porfiando en tener gobierno, que llevéis con vos a vuestro hijo San-

---

[19] El *predicador* citado antes.

cho, para que desde agora le enseñéis a tener gobierno;
que bien es que los hijos hereden y aprendan los oficios
de sus padres.

—En teniendo gobierno —dijo Sancho—, enviaré por
él por la posta, y te enviaré dineros, que no me faltarán,
pues nunca falta quien se los preste a los gobernadores
cuando no los tienen; y vístele de modo que disimule
lo que es y parezca lo que ha de ser.

—Enviad vos dinero —dijo Teresa—; que yo os lo
vistiré como un palmito.

—En efecto, quedamos de acuerdo —dijo Sancho—
de que ha de ser condesa nuestra hija.

—El día que yo la viere condesa —respondió Teresa—, ése haré cuenta que la entierro; pero otra vez os
digo que hagáis lo que os diere gusto; que con esta carga
nacemos las mujeres, de estar obedientes a sus maridos,
aunque sean unos porros.

Y en esto comenzó a llorar tan de veras como si
ya viera muerta y enterrada a Sanchica. Sancho la consoló diciéndole que ya que la hubiese de hacer condesa,
la haría todo lo más tarde que ser pudiese. Con esto se
acabó su plática, y Sancho volvió a ver a don Quijote
para dar orden en su partida.

CAPÍTULO VI

DE LO QUE LE PASÓ A DON QUIJOTE CON SU SOBRINA Y CON SU AMA, Y ES UNO DE LOS IMPORTANTES CAPÍTULOS DE LA HISTORIA

EN tanto que Sancho Panza y su mujer Teresa Cascajo pasaron la impertinente referida plática, no
estaban ociosas la sobrina y el ama de don Quijote, que
por mil señales iban coligiendo que su tío y señor quería desgarrarse[1] la vez tercera, y volver al ejercicio de su,
para ellas, mal andante caballería: procuraban por todas las vías posibles apartarle de tan mal pensamiento;
pero todo era predicar en desierto y majar en hierro

---

[1] *desgarrarse*, escaparse, huir.

frío. Con todo esto, entre otras muchas razones que con él pasaron, le dijo el ama:

—En verdad, señor mío, que si vuesa merced no afirma el pie llano[2] y se está quedo en su casa, y se deja de andar por los montes y por los valles como ánima en pena, buscando esas que dicen que se llaman aventuras, a quien yo llamo desdichas, que me tengo de quejar en voz y en grita a Dios y al rey, que pongan remedio en ello.

A lo que respondió don Quijote:

—Ama, lo que Dios responderá a tus quejas yo no lo sé, ni lo que ha de responder Su Majestad tampoco; y sólo sé que si yo fuera rey, me escusara de responder a tanta infinidad de memoriales impertinentes como cada día le dan; que uno de los mayores trabajos que los reyes tienen, entre otros muchos, es el estar obligados a escuchar a todos y a responder a todos; y así, no querría yo que cosas mías le diesen pesadumbre.

A lo que dijo el ama:

—Díganos, señor; en la corte de Su Majestad, ¿no hay caballeros?

—Sí —respondió don Quijote—, y muchos; y es razón que los haya, para adorno de la grandeza de los príncipes y para ostentación de la majestad real.

—Pues ¿no sería vuesa merced —replicó ella— uno de los que a pie quedo sirviesen a su rey y señor, estándose en la corte?

—Mira, amiga —respondió don Quijote—: no todos los caballeros pueden ser cortesanos, ni todos los cortesanos pueden ni deben ser caballeros andantes: de todos ha de haber en el mundo; y aunque todos seamos caballeros, va mucha diferencia de los unos a los otros; porque los cortesanos, sin salir de sus aposentos ni de los umbrales de la corte, se pasean por todo el mundo, mirando un mapa, sin costarles blanca, ni padecer calor ni frío, hambre ni sed; pero nosotros, los caballeros andantes verdaderos, al sol, al frío, al aire, a las inclemencias del cielo, de noche y de día, a pie y a caballo, medimos toda la tierra con nuestros mismos pies; y no solamente conocemos los enemigos pintados, sino en su

---

[2] *no afirma el pie llano,* no se conduce sosegadamente.

mismo ser, y en todo trance y en toda ocasión los aco-
metemos, sin mirar en niñerías, ni en las leyes de los
desafíos; si lleva, o no lleva, más corta la lanza, o la
espada; si trae sobre sí reliquias, o algún engaño encubierto; si se ha de partir y hacer tajadas el sol[3], o no,
con otras ceremonias deste jaez, que se usan en los desafíos particulares de persona a persona, que tú no sabes
y yo sí. Y has de saber más: que el buen caballero andante, aunque vea diez gigantes que con las cabezas no
sólo tocan, sino pasan las nubes, y que a cada uno le sirven de piernas dos grandísimas torres, y que los brazos
semejan árboles de gruesos y poderosos navíos, y cada
ojo como una gran rueda de molino y más ardiendo que
un horno de vidrio, no le han de espantar en manera
alguna; antes con gentil continente y con intrépido corazón los ha de acometer y embestir, y, si fuere posible,
vencerlos y desbaratarlos en un pequeño instante, aunque viniesen armados de unas conchas de un cierto
pescado, que dicen que son más duras que si fuesen de
diamantes, y en lugar de espadas trujesen cuchillos ta-
jantes de damasquino acero[4], o porras ferradas con puntas asimismo de acero, como yo las he visto más de dos
veces. Todo esto he dicho, ama mía, porque veas la
diferencia que hay de unos caballeros a otros; y sería razón que no hubiese príncipe que no los estimase en más esta
segunda, o, por mejor decir, primera especie de caballeros andantes, que, según leemos en sus historias, tal ha
habido entre ellos, que ha sido la salud no sólo de un
reino, sino de muchos.

—¡Ah, señor mío! —dijo a esta sazón la sobrina—.
Advierta vuestra merced que todo eso que dice de los
caballeros andantes es fábula y mentira, y sus historias,
ya que no las quemasen, merecían que a cada una se le
echase un sambenito, o alguna señal en que fuese conocida por infame y por gastadora de las buenas costumbres.

---

[3] En la legislación medieval sobre desafíos se precept úa que
los contendientes han de llevar armas iguales y que no pueden
traer consigo reliquias ni talismanes. En el momento de empezar
la lucha los jueces los colocaban de tal modo que el sol no mo-
lestara a uno más que a otro, lo que se llamaba *partir el sol*.
Don Quijote, en tono de burla, añade lo de *hacer tajadas*.

[4] *damasquino acero*, acero de Damasco.

—Por el Dios que me sustenta —dijo don Quijote—, que si no fueras mi sobrina derechamente, como hija de mi misma hermana, que había de hacer un tal castigo en ti, por la blasfemia que has dicho, que sonara por todo el mundo. ¿Cómo que es posible que una rapaza que apenas sabe menear doce palillos de randas se atreva a poner lengua y a censurar las historias de los caballeros andantes? ¿Qué dijera el señor Amadís si lo tal oyera? Pero a buen seguro que él te perdonara, porque fue el más humilde y cortés caballero de su tiempo, y demás, grande amparador de las doncellas; mas tal te pudiera haber oído, que no te fuera bien dello; que no todos son corteses ni bien mirados: algunos hay follones y descomedidos. Ni todos los que se llaman caballeros lo son de todo en todo; que unos son de oro, otros de alquimia, y todos parecen caballeros; pero no todos pueden estar al toque de la piedra de la verdad. Hombres bajos hay que revientan por parecer caballeros, y caballeros altos hay que parece que aposta mueren por parecer hombres bajos; aquéllos se llevantan o con la ambición o con la virtud, éstos se abajan o con la flojedad o con el vicio; y es menester aprovecharnos del conocimiento discreto para distinguir estas dos maneras de caballeros, tan parecidos en los nombres y tan distantes en las acciones.

—¡Válame Dios! —dijo la sobrina—. ¡Que sepa vuestra merced tanto, señor tío, que, si fuese menester en una necesidad, podría subir en un púlpito e irse a predicar por esas calles, y que, con todo esto, dé en una ceguera tan grande y en una sandez tan conocida, que se dé a entender que es valiente. siendo viejo; que tiene fuerzas, estando enfermo, y que endereza tuertos, estando por la edad agobiado, y, sobre todo, que es caballero, no lo siendo, porque aunque lo puedan ser los hidalgos, no lo son los pobres...!

—Tienes mucha razón, sobrina, en lo que dices —respondió don Quijote—, y cosas te pudiera yo decir cerca de los linajes, que te admiraran; pero por no mezclar lo divino con lo humano, no las digo. Mirad, amigas: a cuatro suertes de linajes, y estadme atentas, se pueden reducir todos los que hay en el mundo, que son éstas: unos, que tuvieron principios humildes, y se fueron estendiendo y dilatando hasta llegar a una suma

grandeza; otros, que tuvieron principios grandes, y los
fueron conservando y los conservan y mantienen en el
ser que comenzaron; otros, que aunque tuvieron principios grandes, acabaron en punta, como pirámide, habiendo diminuido y aniquilado su principio hasta parar
en nonada, como lo es la punta de la pirámide, que respeto de su basa o asiento no es nada; otros hay, y éstos
son los más, que ni tuvieron principio bueno ni razonable medio, y así tendrán el fin, sin nombre, como el linaje de la gente plebeya y ordinaria. De los primeros,
que tuvieron principio humilde y subieron a la grandeza que agora conservan, te sirva de ejemplo la Casa
Otomana, que de un humilde y bajo pastor que le dio
principio[5], está en la cumbre que le vemos. Del segundo
linaje, que tuvo principio en grandeza y la conserva
sin aumentarla, serán ejemplo muchos príncipes que por
herencia lo son, y se conservan en ella, sin aumentarla
ni diminuirla, conteniéndose en los límites de sus estados pacíficamente. De los que comenzaron grandes y
acabaron en punta hay millares de ejemplos; porque todos los Faraones y Tolomeos de Egipto, los Césares de
Roma, con toda la caterva, si es que se le puede dar
este nombre, de infinitos príncipes, monarcas, señores,
medos, asirios, persas, griegos y bárbaros, todos estos linajes y señoríos han acabado en punta y en nonada, así
ellos como los que les dieron principio, pues no será
posible hallar agora ninguno de sus decendientes, y si
le hallásemos, sería en bajo y humilde estado. Del linaje
plebeyo no tengo que decir sino que sirve sólo de acrecentar el número de los que viven, sin que merezcan
otra fama ni otro elogio sus grandezas. De todo lo dicho
quiero que infiráis, bobas mías, que es grande la confusión que hay entre los linajes, y que solos aquéllos parecen grandes y ilustres que lo muestran en la virtud, y
en la riqueza y liberalidad de sus dueños. Dije virtudes,
riquezas y liberalidades, porque el grande que fuere vicioso será vicioso grande, y el rico no liberal será un
avaro mendigo, que al poseedor de las riquezas no le
hace dichoso el tenerlas, sino el gastarlas, y no el gastarlas como quiera, sino el saberlas bien gastar. Al caballero

[5] **Esta noticia, respecto a Otmán, fundador de la dinastía otomana, es cierta.**

pobre no le queda otro camino para mostrar que es caballero sino el de la virtud, siendo afable, bien criado,
cortés, y comedido, y oficioso; no soberbio, no arrogante, no murmurador, y, sobre todo, caritativo; que con
dos maravedís que con ánimo alegre dé al pobre se mos-
trará tan liberal como el que a campana herida da limosna, y no habrá quien le vea adornado de las referidas virtudes que, aunque no le conozca, deje de juzgarle
y tenerle por de buena casta, y el no serlo sería milagro; y siempre la alabanza fue premio de la virtud, y los
virtuosos no pueden dejar de ser alabados. Dos caminos
hay, hijas, por donde pueden ir los hombres a llegar a
ser ricos y honrados: el uno es el de las letras; otro, el
de las armas. Yo tengo más armas que letras, y nací,
según me inclino a las armas, debajo de la influencia del
planeta Marte; así, que casi me es forzoso seguir por su
camino, y por él tengo de ir a pesar de todo el mundo,
y será en balde cansaros en persuadirme a que no quiera yo lo que los cielos quieren, la fortuna ordena y la
razón pide, y, sobre todo, mi voluntad desea; pues con
saber, como sé, los innumerables trabajos que son ane-
jos al andante caballería, sé también los infinitos bienes
que se alcanzan con ella; y sé que la senda de la virtud
es muy estrecha, y el camino del vicio, ancho y espacioso; y sé que sus fines y paraderos son diferentes; porque el del vicio, dilatado y espacioso, acaba en muerte,
y el de la virtud, angosto y trabajoso, acaba en vida, y
no en vida que se acaba, sino en la que no tendrá fin,
y sé, como dice el gran poeta castellano[6] nuestro, que

> Por estas asperezas se camina
> de la inmortalidad al alto asiento,
> do nunca arriba quien de allí declina.

—¡Ay, desdichada de mí —dijo la sobrina—; que
también mi señor es poeta! Todo lo sabe, todo lo alcanza; yo apostaré que si quisiera ser albañil, que supiera
fabricar una casa como una jaula.

—Yo te prometo, sobrina —respondió don Quijote—, que si estos pensamientos caballerescos no me llevasen tras sí todos los sentidos, que no habría cosa que

[6] Garcilaso de la Vega, *Elegía I*, versos 202-204.

yo no hiciese, ni curiosidad que no saliese de mis manos, especialmente jaulas y palillos de dientes.

A este tiempo llamaron a la puerta, y preguntando quién llamaba, respondió Sancho Panza que él era; y apenas le hubo conocido el ama, cuando corrió a esconderse, por no verle: tanto le aborrecía. Abrióle la sobrina, salió a recebirle con los brazos abiertos su señor don Quijote, y encerráronse los dos en su aposento, donde tuvieron otro coloquio, que no le hace ventaja el pasado.

CAPÍTULO VII

DE LO QUE PASÓ DON QUIJOTE CON SU ESCUDERO, CON OTROS SUCESOS FAMOSÍSIMOS

Apenas vio el ama que Sancho Panza se encerraba con su señor, cuando dio en la cuenta de sus tratos; y, imaginando que de aquella consulta había de salir la resolución de su tercera salida, y tomando su manto, toda llena de congoja y pesadumbre se fue a buscar al bachiller Sansón Carrasco, pareciéndole que por ser bien hablado y amigo fresco[1] de su señor, le podría persuadir a que dejase tan desvariado propósito.

Hallóle paseándose por el patio de su casa, y viéndole, se dejó caer ante sus pies, trasudando y congojosa. Cuando la vio Carrasco con muestras tan doloridas y sobresaltadas, le dijo:

—¿Qué es esto, señora ama? ¿Qué le ha acontecido, que parece que se le quiere arrancar el alma?

—No es nada, señor Sansón mío, sino que mi amo se sale; ¡sálese, sin duda!

—Y ¿por dónde se sale, señora? —preguntó Sansón—. ¿Hásele roto alguna parte de su cuerpo?

—No se sale —respondió ella— sino por la puerta de su locura. Quiero decir, señor bachiller de mi ánima, que quiere salir otra vez, que con ésta será la tercera, a buscar por ese mundo lo que él llama venturas, que yo no puedo entender cómo les da este nombre. La vez primera nos le volvieron atravesado sobre un jumento, mo-

---

[1] *fresco*, reciente.

lido a palos. La segunda vino en un carro de bueyes, metido y encerrado en una jaula, adonde él se daba a entender que estaba encantado; y venía tal el triste, que no le conociera la madre que le parió: flaco, amarillo, los ojos hundidos en los últimos camaranchones del celebro; que para haberle de volver algún tanto en sí, gasté más de seiscientos huevos, como lo sabe Dios y todo el mundo, y mis gallinas, que no me dejarán mentir.

—Eso creo yo muy bien —respondió el bachiller—; que ellas son tan buenas, tan gordas y tan bien criadas, que no dirán una cosa por otra, si reventasen. En efecto, señora ama: ¿no hay otra cosa, ni ha sucedido otro desmán alguno sino el que se teme que quiere hacer el señor don Quijote?

—No, señor —respondió ella.

—Pues no tenga pena —respondió el bachiller—, sino váyase en hora buena a su casa, y téngame aderezado de almorzar alguna cosa caliente, y, de camino, vaya rezando la oración de Santa Apolonia[2] si es que la sabe; que yo iré luego allá, y verá maravillas.

—¡Cuitada de mí! —replicó el ama—. ¿La oración de Santa Apolonia dice vuestra merced que rece? Eso fuera si mi amo lo hubiera de las muelas; pero no lo ha sino de los cascos.

—Yo sé lo que digo, señora ama; váyase, y no se ponga a disputar conmigo, pues sabe que soy bachiller por Salamanca, que no hay más que bachillear[3] —respondió Carrasco.

Y con esto, se fue el ama, y el bachiller fue luego a buscar al cura, a comunicar con él lo que se dirá a su tiempo.

En el que estuvieron encerrados don Quijote y Sancho pasaron las razones que con mucha puntualidad y verdadera relación cuenta la historia.

Dijo Sancho a su amo:

—Señor, ya yo tengo relucida a mi mujer a que me deje ir con vuestra merced a donde quisiere llevarme.

---

[2] La oración de Santa Apolonia, para impetrar remedio al dolor de muelas, juega un papel importante en *La Celestina*. Véanse algunos textos de esta oración, propia de la piedad popular, en R. Marín, IV, 157.

[3] *bachillear* o bachillerear, hablar mucho y sin fundamento.

—*Reducida*⁴ has de decir, Sancho —dijo don Quijote—; que no *relucida*.

—Una o dos veces —respondió Sancho—, si mal no me acuerdo, he suplicado a vuestra merced que no me emiende los vocablos, si es que entiende lo que quiero decir en ellos, y que cuando no los entienda, diga: «Sancho, o diablo, no te entiendo»; y si yo no me declarare, entonces podrá emendarme; que yo soy tan fócil...

—No te entiendo, Sancho —dijo luego don Quijote—, pues no sé qué quiere decir *soy tan fócil*.

—*Tan fócil* quiere decir —respondió Sancho— *soy tan así*.

—Menos te entiendo agora —replicó don Quijote.

—Pues si no me puede entender —respondió Sancho—, no sé cómo lo diga; no sé más, y Dios sea conmigo.

—Ya, ya caigo —respondió don Quijote— en ello: tú quieres decir que eres *tan dócil*, blando y mañero, que tomarás lo que yo te dijere, y pasarás por lo que te enseñare.

—Apostaré yo —dijo Sancho— que desde el emprincipio me caló y me entendió; sino que quiso turbarme, por oírme decir otras docientas patochadas.

—Podrá ser —replicó don Quijote—. Y en efecto, ¿qué dice Teresa?

—Teresa dice —dijo Sancho— que ate bien mi dedo⁵ con vuestra merced, y que hablen cartas y callen barbas, porque quien destaja no baraja, pues más vale un toma que dos te daré. Y yo digo que el consejo de la mujer es poco, y el que no le toma es loco.

—Y yo lo digo también —respondió don Quijote—. Decid, Sancho amigo; pasá adelante, que habláis hoy de perlas.

—Es el caso —replicó Sancho— que como vuestra merced mejor sabe, todos estamos sujetos a la muerte, y que hoy somos y mañana no, y que tan presto se va el cordero como el carnero, y que nadie puede prometerse en este mundo más horas de vida de las que Dios quisiere darle; porque la muerte es sorda, y cuando llega

---

⁴ *reducida*, convencida.
⁵ *atar bien el dedo*, ser precavido, cauto.

a llamar a las puertas de nuestra vida, siempre va de
priesa y no la harán detener ni ruegos, ni fuerzas, ni
ceptros, ni mitras, según es pública voz y fama, y según
nos lo dicen por esos púlpitos.

—Todo eso es verdad —dijo don Quijote—; pero
no sé dónde vas a parar.

—Voy a parar —dijo Sancho— en que vuesa merced me señale salario conocido de lo que me ha de dar
cada mes el tiempo que le sirviere, y que el tal salario
se me pague de su hacienda; que no quiero estar a mercedes, que llegan tarde, o mal, o nunca; con lo mío me
ayude Dios. En fin, yo quiero saber lo que gano, poco
o mucho que sea; que sobre un huevo pone la gallina,
y muchos pocos hacen un mucho, y mientras se gana
algo no se pierde nada. Verdad sea que si sucediese, lo
cual ni lo creo ni lo espero, que vuesa merced me diese
la ínsula que me tiene prometida, no soy tan ingrato, ni
llevo las cosas tan por los cabos, que no querré que se
aprecie lo que montare la renta de la tal ínsula, y se
descuente de mi salario gata por cantidad.

—Sancho amigo —respondió don Quijote—, a las
veces tan buena suele ser una *gata* como una *rata*.

—Ya entiendo —dijo Sancho—: yo apostaré que
había de decir *rata*, y no *gata*[6]; pero no importa nada,
pues vuesa merced me ha entendido.

—Y tan entendido —respondió don Quijote—, que
he penetrado lo último de tus pensamientos, y sé al blanco que tiras con las inumerables saetas de tus refranes.
Mira, Sancho: yo bien te señalaría salario, si hubiera
hallado en alguna de las historias de los caballeros andantes ejemplo que me descubriese y mostrase por algún pequeño resquicio qué es lo que solían ganar cada mes, o
cada año; pero yo he leído todas o las más de sus historias, y no me acuerdo haber leído que ningún caballero
andante haya señalado conocido salario a su escudero.
Sólo sé que todos servían a merced, y que cuando menos se lo pensaban, si a sus señores les había corrido bien
la suerte, se hallaban premiados con una ínsula, o con
otra cosa equivalente, y, por lo menos, quedaban con título y señoría. Si con estas esperanzas y aditamentos

---

[6] Debía haber dicho, al acabar el anterior parlamento, *rata
por cantidad*, o sea, «a prorrata».

vos, Sancho, gustáis de volver a servirme, sea en buena hora; que pensar que yo he de sacar de sus términos y quicios la antigua usanza de la caballería andante es pensar en lo escusado. Así que, Sancho mío, volveos a vuestra casa, y declarad a vuestra Teresa mi intención; y si ella gustare y vos gustáredes de estar a merced conmigo, *bene quidem*[7]; y si no, tan amigos como de antes; que si al palomar no le falta cebo, no le faltarán palomas. Y advertid, hijo, que vale más buena esperanza que ruin posesión, y buena queja que mala paga. Hablo de esta manera, Sancho, por daros a entender que también como vos sé yo arrojar refranes como llovidos. Y, finalmente, quiero decir, y os digo, que si no queréis venir a merced conmigo y correr la suerte que yo corriere, que Dios quede con vos y os haga un santo; que a mí no me faltarán escuderos más obedientes, más solícitos, y no tan empachados ni tan habladores como vos.

Cuando Sancho oyó la firme resolución de su amo se le anubló el cielo y se le cayeron las alas del corazón, porque tenía creído que su señor no se iría sin él por todos los haberes del mundo; y así, estando suspenso y pensativo, entró Sansón Carrasco y la sobrina[8], deseosos de oír con qué razones persuadía a su señor que no tornase a buscar las aventuras. Llegó Sansón, socarrón famoso, y abrazándole como la vez primera, y con voz levantada le dijo:

—¡Oh flor de la andante caballería! ¡Oh luz resplandeciente de las armas! ¡Oh honor y espejo de la nación española! Plega a Dios todopoderoso, donde más largamente se contiene[9], que la persona o personas que pusieren impedimento y estorbaren tu tercera salida, que no la hallen en el laberinto de sus deseos, ni jamás se les cumpla lo que mal desearen.

Y volviéndose al ama, le dijo:

—Bien puede la señora ama no rezar más la oración de Santa Apolonia; que yo sé que es determinación precisa de las esferas que el señor don Quijote vuelva a ejecutar sus altos y nuevos pensamientos, y yo encargaría mucho mi conciencia si no intimase y persuadiese a este

---

[7] *bene quidem*, «sea en buen hora».
[8] Entró el ama también, que hablará en seguida.
[9] Fórmula de juramento (véase I, 10, nota 14).

caballero que no tenga más tiempo encogida y detenida
la fuerza de su valeroso brazo y la bondad de su ánimo
valentísimo, porque defrauda con su tardanza el derecho de los tuertos, el amparo de los huérfanos, la honra
de las doncellas, el favor de las viudas y el arrimo de
las casadas, y otras cosas deste jaez, que tocan, atañen,
dependen y son anejas a la orden de la caballería andante. ¡Ea, señor don Quijote mío, hermoso y bravo,
antes hoy que mañana se ponga vuestra merced y su
grandeza en camino; y si alguna cosa faltare para ponerle en ejecución, aquí estoy yo para suplirla con mi
persona y hacienda; y si fuere necesidad servir a tu magnificencia de escudero, lo tendré a felicísima ventura!

A esta sazón dijo don Quijote, volviéndose a Sancho:

—¿No te dije yo, Sancho, que me habían de sobrar
escuderos? Mira quién se ofrece a serlo, sino el inaudito
bachiller Sansón Carrasco, perpetuo trastulo[10] y regocijador de los patios de las escuelas salmanticenses, sano
de su persona, ágil de sus miembros, callado, sufridor
así del calor como del frío, así de la hambre como de la
sed, con todas aquellas partes que se requieren para ser
escudero de un caballero andante. Pero no permita el
cielo que por seguir mi gusto desjarrete y quiebre la coluna de las letras y el vaso de las ciencias, y tronque
la palma eminente de las buenas y liberales artes. Quédese el nuevo Sansón en su patria, y honrándola, honre
juntamente las canas de sus ancianos padres; que yo
con cualquier escudero estaré contento, ya que Sancho
no se digna de venir conmigo.

—Sí digno —respondió Sancho, enternecido y llenos
de lágrimas los ojos, y prosiguió—: No se dirá por mí,
señor mío, el pan comido y la compañía deshecha; sí, que
no vengo yo de alguna alcurnia desagradecida; que ya
sabe todo el mundo, y especialmente mi pueblo, quién
fueron los Panzas, de quien yo deciendo, y más, que tengo conocido y calado por muchas buenas obras, y por
más buenas palabras, el deseo que vuestra merced tiene
de hacerme merced; y si me he puesto en cuentas de
tanto más cuanto acerca de mi salario, ha sido por complacer a mi mujer; la cual, cuando toma la mano a per-

[10] *trastulo*, palabra italiana que significa «entretenimiento», aquí
en el sentido de «regocijador, bufón».

suadir una cosa, no hay mazo que tanto apriete los aros
de una cuba como ella aprieta a que se haga lo que quiere; pero, en efeto, el hombre ha de ser hombre, y la
mujer, mujer; y pues yo soy hombre dondequiera, que
no lo puedo negar, también lo quiero ser en mi casa, pese
a quien pesare; y así, no hay más que hacer sino que
vuestra merced ordene su testamento con su codicilo, en
modo que no se pueda revolcar, y pongámonos luego en
camino, porque no padezca el alma del señor Sansón,
que dice que su conciencia le lita[11] que persuada a vuestra merced a salir vez tercera por ese mundo; y yo de
nuevo me ofrezco a servir a vuestra merced fiel y legalmente, tan bien y mejor que cuantos escuderos han servido a caballeros andantes en los pasados y presentes
tiempos.

Admirado quedó el bachiller de oír el término y modo
de hablar de Sancho Panza; que puesto que había leído
la primera historia de su señor, nunca creyó que era tan
gracioso como allí le pintan; pero oyéndole decir ahora
testamento y codicilo que no se pueda *revolcar*, en lugar
de testamento y codicilo que no se pueda *revocar*, creyó
todo lo que dél había leído, y confirmólo por uno de los
más solenes mentecatos de nuestros siglos, y dijo entre
sí que tales dos locos como amo y mozo no se habrían
visto en el mundo.

Finalmente, don Quijote y Sancho se abrazaron y
quedaron amigos, y con parecer y beneplácito del gran
Carrasco, que por entonces era su oráculo, se ordenó
que de allí a tres días fuese su partida; en los cuales habría lugar de aderezar lo necesario para el viaje, y de
buscar una celada de encaje, que en todas maneras dijo
don Quijote que la había de llevar. Ofreciósela Sansón,
porque sabía no se la negaría un amigo suyo que la tenía, puesto que estaba más escura por el orín y el moho
que clara y limpia por el terso acero.

Las maldiciones que las dos, ama y sobrina, echaron
al bachiller, no tuvieron cuento; mesaron sus cabellos,
arañaron sus rostros, y al modo de las endechaderas que
se usaban[12], lamentaban la partida como si fuera la

[11] *lita*, dicta (vulgarismo).
[12] *endechaderas*, o lloronas, mujeres que se alquilaban para
llorar en los entierros.

muerte de su señor. El designo que tuvo Sansón para persuadirle a que otra vez saliese fue hacer lo que adelante cuenta la historia, todo por consejo del cura y del barbero, con quien él antes lo había comunicado.

En resolución, en aquellos tres días don Quijote y Sancho se acomodaron de lo que les pareció convenirles; y habiendo aplacado Sancho a su mujer, y don Quijote a su sobrina y a su ama, al anochecer, sin que nadie lo viese sino el bachiller, que quiso acompañarles media legua del lugar, se pusieron en camino del Toboso, don Quijote sobre su buen Rocinante, y Sancho sobre su antiguo rucio, proveídas las alforjas de cosas tocantes a la bucólica[18], y la bolsa de dineros que le dio don Quijote para lo que se ofreciese. Abrazóle Sansón, y suplicóle le avisase de su buena o mala suerte, para alegrarse con ésta o entristecerse con aquélla, como las leyes de su amistad pedían. Prometióselo don Quijote, dio Sansón la vuelta a su lugar, y los dos tomaron la de la gran ciudad del Toboso.

CAPÍTULO VIII

DONDE SE CUENTA LO QUE LE SUCEDIÓ A DON QUIJOTE YENDO A VER SU SEÑORA DULCINEA DEL TOBOSO

«¡Bendito sea el poderoso Alá! —dice Hamete Benengeli al comienzo deste octavo capítulo—. ¡Bendito sea Alá!», repite tres veces, y dice que da estas bendiciones por ver que tiene ya en campaña a don Quijote y a Sancho, y que los letores de su agradable historia pueden hacer cuenta que desde este punto comienzan las hazañas y donaires de don Quijote y de su escudero; persuádeles que se les olviden las pasadas caballerías del Ingenioso Hidalgo, y pongan los ojos en las que están por venir, que desde agora en el camino del Toboso comienzan, como las otras comenzaron en los campos de Montiel, y no es mucho lo que pide para tanto como él promete; y así prosigue diciendo:

Solos quedaron don Quijote y Sancho, y apenas se

---

[18] *bucólica,* comida (humorísticamente).

cho—; y pienso que en esa leyenda o historia que nos dijo el bachiller Carrasco que de nosotros había visto debe de andar mi honra a coche acá, cinchado[3], y, como dicen, al estricote, aquí y allí, barriendo las calles. Pues a fe de bueno que no he dicho yo mal de ningún encantador, ni tengo tantos bienes, que pueda ser envidiado; bien es verdad que soy algo malicioso, y que tengo mis ciertos asomos de bellaco; pero todo lo cubre y tapa la gran capa de la simpleza mía, siempre natural y nunca artificiosa. Y cuando otra cosa no tuviese sino el creer, como siempre creo, firme y verdaderamente en Dios y en todo aquello que tiene y cree la santa Iglesia Católica Romana, y el ser enemigo mortal, como lo soy, de los judíos, debían los historiadores tener misericordia de mí y tratarme bien en sus escritos. Pero digan lo que quisieren; que desnudo nací, desnudo me hallo: ni pierdo ni gano; aunque por verme puesto en libros y andar por ese mundo de mano en mano, no se me da un higo que digan de mí todo lo que quisieren.

—Eso me parece, Sancho —dijo don Quijote—, a lo que sucedió a un famoso poeta destos tiempos, el cual, habiendo hecho una maliciosa sátira contra todas las damas cortesanas[4], no puso ni nombró en ella a una dama que se podía dudar si lo era o no; la cual, viendo que no estaba en la lista de las demás, se quejó al poeta diciéndole que qué había visto en ella para no ponerla en el número de las otras, y que alargase la sátira, y la pusiese en el ensanche; si no, que mirase para lo que había nacido. Hízolo así el poeta, y púsola cual no digan dueñas, y ella quedó satisfecha, por verse con fama, aunque infame. También viene con esto lo que cuentan de aquel pastor que puso fuego y abrasó el templo famoso de Diana, contado por una de las siete maravillas del mundo, sólo porque quedase vivo su nombre en los siglos venideros; y aunque se mandó que nadie le nombrase, ni hiciese por palabra o por escrito mención de su nombre, porque no consiguiese el fin de su deseo, todavía se supo que se llamaba Eróstrato. También alude

---

[3] *coche acá, cinchado,* modo de llamar a los cerdos. Sancho quiere decir que su honra debe de quedar muy mal parada.
[4] Tal vez alude a la *Sátira contra las damas de Sevilla* que escribió hacia 157? Vicente Espinel.

a esto lo que sucedió al grande emperador Carlo Quinto
con un caballero en Roma. Quiso ver el emperador aquel
famoso templo de la Rotunda[5], que en la antigüedad se
llamó el templo de todos los dioses, y ahora, con mejor
vocación[6], se llama de todos los santos, y es el edificio
que más entero ha quedado de los que alzó la gentilidad
en Roma, y es el que más conserva la fama de la gran-
diosidad y magnificencia de sus fundadores: él es de
hechura de una media naranja, grandísimo en estremo,
y está muy claro, sin entrarle otra luz que la que le
concede una ventana, o, por mejor decir, claraboya redonda que está en su cima, desde la cual mirando el emperador el edificio, estaba con él y a su lado un caballero
romano, declarándole los primores y sutilezas de aquella
gran máquina y memorable arquitectura; y habiéndose
quitado de la claraboya, dijo al emperador: «Mil veces,
»Sacra Majestad, me vino deseo de abrazarme con vues-
»tra majestad y arrojarme de aquella claraboya abajo,
»por dejar de mí fama eterna en el mundo». «Yo os
»agradezco» —respondió el emperador— «el no haber
»puesto tan mal pensamiento en efeto, y de aquí ade-
»lante no os pondré yo en ocasión que volváis a hacer
»prueba de vuestra lealtad; y así, os mando que jamás
»me habléis, ni estéis donde yo estuviere». Y tras estas
palabras le hizo una gran merced. Quiero decir, Sancho, que el deseo de alcanzar fama es activo en gran
manera. ¿Quién piensas tú que arrojó a Horacio[7] del
puente abajo, armado de todas armas, en la profundidad del Tibre[8]? ¿Quién abrasó el brazo y la mano a
Mucio[9]? ¿Quién impelió a Curcio a lanzarse en la profunda sima ardiente que apareció en la mitad de Roma?
¿Quién, contra todos los agüeros que en contra se le
habían mostrado, hizo pasar el Rubicón a César? Y,
con ejemplos más modernos, ¿quién barrenó los navíos
y dejó en seco y aislados los valerosos españoles guiados
por el cortesísimo Cortés en el Nuevo Mundo? Todas
estas y otras grandes y diferentes hazañas son, fueron y
serán obras de la fama, que los mortales desean como pre-

---

[5] La Rotonda de Roma, antiguo Panteón o Templo de Agripa.
[6] *vocación*, advocación.
[7] Horacio Cocles.
[8] *Tibre*, Tíber.
[9] Mucio Escévola.

mios y parte de la inmortalidad que sus famosos hechos
merecen, puesto que los cristianos, católicos y andantes
caballeros más habemos de atender a la gloria de los siglos
venideros, que es eterna en las regiones etéreas y celestes, que a la vanidad de la fama que en este presente
y acabable siglo se alcanza; la cual fama, por mucho que
dure, en fin se ha de acabar con el mesmo mundo,
que tiene su fin señalado. Así, ¡oh Sancho!, que nuestras
obras no han de salir del límite que nos tiene puesto la
religión cristiana, que profesamos. Hemos de matar en
los gigantes a la soberbia; a la envidia, en la generosidad y buen pecho; a la ira, en el reposado continente
y quietud del ánimo; a la gula y al sueño, en el poco
comer que comemos y en el mucho velar que velamos;
a la lujuria y lascivia, en la lealtad que guardamos a las
que hemos hecho señoras de nuestros pensamientos; a
la pereza, con andar por todas las partes del mundo,
buscando las ocasiones que nos puedan hacer y hagan,
sobre cristianos, famosos caballeros. Ves aquí, Sancho,
los medios por donde se alcanzan los estremos de alabanzas que consigo trae la buena fama.

—Todo lo que vuestra merced hasta aquí me ha dicho —dijo Sancho— lo he entendido muy bien; pero,
con todo eso, querría que vuestra merced me sorbiese
una duda que agora en este punto me ha venido a la
memoria.

—*Asolviese* quieres decir, Sancho —dijo don Quijote—. Di en buen hora; que yo responderé lo que supiere.

—Dígame, señor —prosiguió Sancho—: esos Julios
o Agostos, y todos esos caballeros hazañosos que ha dicho, que ya son muertos, ¿dónde están agora?

—Los gentiles —respondió don Quijote— sin duda
están en el infierno; los cristianos, si fueron buenos cristianos, o están en el purgatorio, o en el cielo.

—Está bien —dijo Sancho—; pero sepamos ahora:
esas sepulturas donde están los cuerpos desos señorazos,
¿tienen delante de sí lámparas de plata, o están adornadas las paredes de sus capillas de muletas, de mortajas,
de cabelleras, de piernas y de ojos de cera? Y si desto
no, ¿de qué están adornadas?

A lo que respondió don Quijote:

—Los sepulcros de los gentiles fueron por la mayor

parte suntuosos templos: las cenizas del cuerpo de Julio César se pusieron sobre una pirámide de piedra de desmesurada grandeza, a quien hoy llaman en Roma *la Aguja de San Pedro*; al emperador Adriano le sirvió de sepultura un castillo tan grande como una buena aldea, a quien llamaron *Moles Hadriani*, que agora es el castillo de Santángel en Roma; la reina Artemisa sepultó a su marido Mausoleo en un sepulcro que se tuvo por una de las siete maravillas del mundo; pero ninguna destas sepulturas ni otras muchas que tuvieron los gentiles se adornaron con mortajas ni con otras ofrendas y señales que mostrasen ser santos los que en ellas estaban sepultados.

—A eso voy —replicó Sancho—. Y dígame agora: ¿cuál es más: resucitar a un muerto, o matar a un gigante?

—La respuesta está en la mano —respondió don Quijote—: más es resucitar a un muerto.

—Cogido le tengo —dijo Sancho—. Luego la fama del que resucita muertos, da vista a los ciegos, endereza los cojos y da salud a los enfermos, y delante de sus sepulturas arden lámparas, y están llenas sus capillas de gentes devotas que de rodillas adoran sus reliquias, mejor fama será, para este y para el otro siglo, que la que dejaron y dejaren cuantos emperadores gentiles y caballeros andantes ha habido en el mundo.

—También confieso esa verdad —respondió don Quijote.

—Pues esta fama, estas gracias, estas prerrogativas, como llaman a esto —respondió Sancho—, tienen los cuerpos y las reliquias de los santos que, con aprobación y licencia de nuestra santa madre Iglesia, tienen lámparas, velas, mortajas, muletas, pinturas, cabelleras, ojos, piernas, con que aumentan la devoción y engrandecen su cristiana fama; los cuerpos de los santos o sus reliquias llevan los reyes sobre sus hombros, besan los pedazos de sus huesos, adornan y enriquecen con ellos sus oratorios y sus más preciados altares...

—¿Qué quieres que infiera, Sancho, de todo lo que has dicho? —dijo don Quijote.

—Quiero decir —dijo Sancho— que nos demos a ser santos, y alcanzaremos más brevemente la buena fama que pretendemos; y advierta, señor, que ayer o antes de ayer, que, según ha poco se puede decir desta manera, canonizaron o beatificaron dos frailecitos descalzos, cuyas cadenas de hierro con que ceñían y atormentaban sus cuerpos se tiene ahora a gran ventura el besarlas y tocarlas, y están en más veneración que está, según dije, la espada de Roldán en la armería del rey nuestro señor, que Dios guarde. Así que, señor mío, más vale ser humilde frailecito, de cualquier orden que sea, que valiente y andante caballero; más alcanzan con Dios dos docenas de diciplinas que dos mil lanzadas, ora las den a gigantes, ora a vestiglos o a endrigos[10].

—Todo eso es así —respondió don Quijote—; pero no todos podemos ser frailes, y muchos son los caminos por donde lleva Dios a los suyos al cielo: religión es la caballería; caballeros santos hay en la gloria.

—Sí —respondió Sancho—; pero yo he oído decir que hay más frailes en el cielo que caballeros andantes.

—Eso es —respondió don Quijote— porque es mayor el número de los religiosos que el de los caballeros.

—Muchos son los andantes —dijo Sancho.

—Muchos —respondió don Quijote—; pero pocos los que merecen nombre de caballeros.

En estas y otras semejantes pláticas se les pasó aquella noche y el día siguiente, sin acontecerles cosa que de contar fuese, de que no poco le pesó a don Quijote. En fin, otro día, al anochecer, descubrieron la gran ciudad del Toboso, con cuya vista se le alegraron los espíritus a don Quijote y se le entristecieron a Sancho, porque no sabía la casa de Dulcinea, ni en su vida la había visto, como no la había visto su señor; de modo que el uno por verla, y el otro por no haberla visto, estaban alborotados, y no imaginaba Sancho qué había de hacer cuando su dueño le enviase al Toboso. Finalmente, ordenó don Quijote entrar en la ciudad entrada la noche, y en tanto que la hora se llegaba, se quedaron entre unas encinas que cerca del Toboso estaban, y llegado el determinado punto entraron en la ciudad, donde les sucedió cosas que a cosas llegan.

---

[10] *endrigos*, Sancho quiere decir «endriagos».

CAPÍTULO IX

Donde se cuenta lo que en él se verá

M EDIA noche era por filo[1], poco más a menos, cuando don Quijote y Sancho dejaron el monte y entraron en el Toboso. Estaba el pueblo en un sosegado silencio, porque todos sus vecinos dormían y reposaban a pierna tendida, como suele decirse. Era la noche entreclara, puesto que[2] quisiera Sancho que fuera del todo escura, por hallar en su escuridad disculpa de su sandez. No se oía en todo el lugar sino ladridos de perros, que atronaban los oídos de don Quijote y turbaban el corazón de Sancho. De cuando en cuando rebuznaba un jumento, gruñían puercos, mayaban gatos, cuyas voces, de diferentes sonidos, se aumentaban con el silencio de la noche, todo lo cual tuvo el enamorado caballero a mal agüero; pero, con todo esto, dijo a Sancho:

—Sancho hijo, guía al palacio de Dulcinea; quizá podrá ser que la hallemos despierta.

—¿A qué palacio tengo de guiar, cuerpo del sol —respondió Sancho—, que en el que yo vi a su grandeza no era sino casa muy pequeña?

—Debía de estar retirada entonces —respondió don Quijote— en algún pequeño apartamiento de su alcázar, solazándose a solas con sus doncellas, como es uso y costumbre de las altas señoras y princesas.

—Señor —dijo Sancho—, ya que vuestra merced quiere, a pesar mío, que sea alcázar la casa de mi señora Dulcinea, ¿es hora ésta por ventura de hallar la puerta abierta? Y ¿será bien que demos aldabazos para que nos oyan y nos abran, metiendo en alboroto y rumor toda la gente? ¿Vamos por dicha a llamar a la casa de nuestras mancebas, como hacen los abarraganados, que

---

[1] Estas palabras pertenecen al primer verso del romance del Conde Claros («Media noche era por filo, Los gallos querían cantar...»), pero se habían popularizado tanto que constituían una expresión frecuente. Por esta razón se imprimen aquí como prosa; *por filo*, en punto.

[2] *puesto que,* aunque.

llegan, y llaman, y entran a cualquier hora, por tarde
que sea?

—Hallemos primero una por una[3] el alcázar —replicó don Quijote—; que entonces yo te diré, Sancho, lo
que será bien que hagamos. Y advierte, Sancho, que yo
veo poco, o que aquel bulto grande y sombra que desde
aquí se descubre la debe de hacer el palacio de Dulcinea.

—Pues guíe vuestra merced —respondió Sancho—:
quizá será así; aunque yo lo veré con los ojos y lo tocaré
con las manos, y así lo creeré yo como creer que es ahora de día.

Guió don Quijote, y habiendo andado como docientos pasos, dio con el bulto que hacía la sombra, y vio
una gran torre, y luego conoció que el tal edificio no
era alcázar, sino la iglesia principal del pueblo. Y dijo:

—Con la iglesia hemos dado, Sancho[4].

—Ya lo veo —respondió Sancho—. Y plega a Dios
que no demos con nuestra sepultura; que no es buena
señal andar por los cimenterios[5] a tales horas, y más
habiendo yo dicho a vuestra merced, si mal no acuerdo, que la casa desta señora ha de estar en una callejue-
la sin salida.

—¡Maldito seas de Dios, mentecato! —dijo don Quijote—. ¿Adónde has tú hallado que los alcázares y palacios reales estén edificados en callejuelas sin salida?

—Señor —respondió Sancho—, en cada tierra su
uso: quizá se usa aquí en el Toboso edificar en callejuelas los palacios y edificios grandes; y así, suplico a vuestra merced me deje buscar por estas calles o callejuelas
que se me ofrecen: podría ser que en algún rincón topase con ese alcázar, que le veo yo comido de perros,
que así nos trae corridos y asendereados.

—Habla con respeto, Sancho, de las cosas de mi se-

---

[3] *por una*, en todo caso.
[4] Esta frase no tiene segunda intención y sólo quiere significar
lo que dice: que en vez de dar con el imaginario alcázar de Dulcinea han dado con el edificio de la iglesia, que es lo más fácil
de encontrar en un pueblo pequeño. No obstante, esta frase, desfi-
gurada de como la escribió Cervantes («Con la Iglesia hemos to-
pado») ha venido a significar que no es conveniente que en los
asuntos de uno se interponga la Iglesia o sus ministros, a pesar
que nada de esto estuviera en la intención de Cervantes.
[5] Los cementerios solían estar junto a la iglesia.

ñora —dijo don Quijote—, y tengamos la fiesta en paz,
y no arrojemos la soga tras el caldero[6].

—Yo me reportaré —respondió Sancho—; pero ¿con
qué paciencia podré llevar que quiera vuestra merced que
de sola una vez que vi la casa de nuestra ama, la haya
de saber siempre y hallarla a media noche, no hallándola vuestra merced, que la debe de haber visto millares de veces?

—Tú me harás desesperar, Sancho —dijo don Quijote—. Ven acá, hereje: ¿no te he dicho mil veces que
en todos los días de mi vida no he visto a la sin par
Dulcinea, ni jamás atravesé los umbrales de su palacio,
y que sólo estoy enamorado de oídas y de la gran fama
que tiene de hermosa y discreta?

—Ahora lo oigo —respondió Sancho—; y digo que
pues vuestra merced no la ha visto, ni yo tampoco.

—Eso no puede ser —replicó don Quijote—; que,
por lo menos, ya me has dicho tú que la viste ahechando trigo, cuando me trujiste la respuesta de la carta que
le envié contigo.

—No se atenga a eso, señor —respondió Sancho—;
porque le hago saber que también fue de oídas la vista
y la respuesta que le truje; porque así sé yo quién es la
señora Dulcinea como dar un puño[7] en el cielo.

—Sancho, Sancho —respondió don Quijote—, tiempos hay de burlar, y tiempos donde caen y parecen mal
las burlas. No porque yo diga que ni he visto ni hablado a la señora de mi alma has tú de decir también que
ni la has hablado ni visto, siendo tan al revés como sabes.

Estando los dos en estas pláticas, vieron que venía
a pasar por donde estaban uno con dos mulas, que por
el ruido que hacía el arado, que arrastraba por el suelo,
juzgaron que debía de ser labrador, que habría madrugado antes del día a ir a su labranza, y así fue la verdad.
Venía el labrador cantando aquel romance que dicen:

—Mala la hubistes, franceses,
  en esa de Roncesvalles.

---

[6] *arrojar la soga tras el caldero*, cuando se ha perdido una
cosa se echa a perder todo lo demás.
[7] *puño*, puñada, puñetazo.

—Que me maten, Sancho —dijo en oyéndole don Quijote—, si nos ha de suceder cosa buena esta noche. ¿No oyes lo que viene cantando ese villano?

—Sí oigo —respondió Sancho—; pero ¿qué hace a nuestro propósito la caza de Roncesvalles[8]? Así pudiera cantar el romance de Calaínos, que todo fuera uno para sucedernos bien o mal en nuestro negocio.

Llegó en esto el labrador, a quien don Quijote preguntó:

—¿Sabréisme decir, buen amigo, que buena ventura os dé Dios, dónde son por aquí los palacios de la sin par princesa doña Dulcinea del Toboso?

—Señor —respondió el mozo—, yo soy forastero y ha pocos días que estoy en este pueblo sirviendo a un labrador rico en la labranza del campo; en esa casa frontera viven el cura y el sacristán del lugar; entrambos o cualquier dellos sabrá dar a vuestra merced razón desa señora princesa, porque tienen la lista de todos los vecinos del Toboso; aunque para mí tengo que en todo él no vive princesa alguna; muchas señoras, sí, principales, que cada una en su casa puede ser princesa.

—Pues entre ésas —dijo don Quijote— debe de estar, amigo, esta por quien te pregunto.

—Podría ser —respondió el mozo—; y adiós, que ya viene el alba.

Y dando a sus mulas, no atendió a más preguntas. Sancho, que vio suspenso a su señor y asaz mal contento, le dijo:

—Señor, ya se viene a más andar el día y no será acertado dejar que nos halle el sol en la calle; mejor será que nos salgamos fuera de la ciudad, y que vuestra merced se embosque en alguna floresta aquí cercana, y yo volveré de día, y no dejaré ostugo[9] en todo este lugar donde no busque la casa, alcázar o palacio de mi señora, y asaz sería de desdichado si no le hallase; y hallándole, hablaré con su merced, y le diré dónde y cómo queda vuestra merced esperando que le dé orden y traza para verla, sin menoscabo de su honra y fama.

—Has dicho, Sancho —dijo don Quijote—, mil sen-

[8] En algunas versiones de este romance el segundo verso dice «la caza de Roncesvalles», y ésta es la versión que conoce Sancho.
[9] ostugo, pizca, rincón (del latín festucum, brizna).

tencias encerradas en el círculo de breves palabras: el
consejo que ahora me has dado le apetezco y recibo de
bonísima gana. Ven, hijo, y vamos a buscar donde me
embosque; que tú volverás, como dices, a buscar, a ver
y hablar a mi señora, de cuya discreción y cortesía espero más que milagrosos favores.

Rabiaba Sancho por sacar a su amo del pueblo, porque no averiguase la mentira de la respuesta que de
parte de Dulcinea le había llevado a Sierra Morena, y
así, dio priesa a la salida, que fue luego, y a dos millas
del lugar hallaron una floresta o bosque, donde don Quijote se emboscó en tanto que Sancho volvía a la ciudad
a hablar a Dulcinea; en cuya embajada le sucedieron
cosas que piden nueva atención y nuevo crédito.

CAPÍTULO X

DONDE SE CUENTA LA INDUSTRIA QUE SANCHO TUVO PARA ENCANTAR A LA SEÑORA DULCINEA, Y DE OTROS SUCESOS TAN RIDÍCULOS COMO VERDADEROS*

LLEGANDO el autor desta grande historia a contar lo
que en este capítulo cuenta, dice que quisiera pasarle en silencio, temeroso de que no había de ser creído;

* Por segunda vez Sancho Panza presenta a don Quijote una
ficción de Dulcinea. Primero fue cuando le relató su imaginario
mensaje (I, 31), y amoldó su mentira a una posible Aldonza Lorenzo; ahora, a una labradora francamente fea, la convierte en Dulcinea encantada, auténtica deformación, porque la real Aldonza
Lorenzo era moza «de muy buen parecer» (I, 1). Este episodio
señala decididamente una nueva fase de la locura de don Quijote,
insinuada en algunos episodios de la primera parte. Hasta ahora don Quijote ha sublimado en valores de belleza y heroísmo
lo que es corriente, anodino e incluso vil y bajo, y cuantos le
rodeaban, Sancho en primer lugar, han hecho todo lo posible
para desengañarle de su error y para hacerle ver que aquello que
toma por gigantes, por ejércitos, por castillos o por un rico yelmo,
no son sino molinos, rebaños, ventas y una vulgar bacía de barbero. Ante esta disparidad don Quijote ha respondido que los malignos encantadores, envidiosos de su gloria, le transforman lo
noble y elevado en vulgar y bajo. Ahora en cambio, al iniciarse la
tercera salida, este aspecto se ha invertido: Sancho, que antes se
afanaba en hacerle comprender que no había tales gigantes ni tales
ejércitos, sino molinos y rebaños, lo pone ante tres feas aldeanas y
sostiene que está viendo a tres encumbradas damas; y ahora precisamente, los sentidos no engañan a don Quijote, que ve la

porque las locuras de don Quijote llegaron aquí al término y raya de las mayores que pueden imaginarse, y aun pasaron dos tiros de ballesta más allá de las mayores. Finalmente, aunque con este miedo y recelo, las escribió de la misma manera que él las hizo, sin añadir ni quitar a la historia un átomo de la verdad, sin dársele nada por las objeciones que podían ponerle de mentiroso; y tuvo razón, porque la verdad adelgaza y no quiebra, y siempre anda sobre la mentira, como el aceite sobre el agua.

Y así, prosiguiendo su historia, dice que así como don Quijote se emboscó en la floresta, encinar o selva junto al gran Toboso, mandó a Sancho volver a la ciudad, y que no volviese a su presencia sin haber primero hablado de su parte a su señora, pidiéndola fuese servida de dejarse ver de su cautivo caballero, y se dignase de echarle su bendición, para que pudiese esperar por ella felicísimos sucesos de todos sus acometimientos y dificultosas empresas. Encargóse Sancho de hacerlo así como se le mandaba, y de traer la tan buena respuesta como le trujo la vez primera.

—Anda, hijo —replicó don Quijote—, y no te turbes cuando te vieres ante la luz del sol de hermosura que vas a buscar. ¡Dichoso tú sobre todos los escuderos del mundo! Ten memoria, y no se te pase della cómo te recibe: si muda las colores el tiempo que la estuvieres dando mi embajada; si se desasosiega y turba oyendo mi nombre; si no cabe en la almohada, si acaso la hallas sentada en el estrado rico de su autoridad; y si está en pie, mírala si se pone ahora sobre el uno, ahora sobre el otro pie; si te repite la respuesta que te diere dos o tres veces; si la muda de blanda en áspera, de aceda en amorosa; si levanta la mano al cabello para componerle, aunque no esté desordenado; finalmente, hijo, mira todas sus acciones y movimientos; porque si tú me los relatares como ellos fueron, sacaré yo lo que ella tiene escondido en lo secreto de su corazón acerca de lo que al

realidad tal cual es: tres zafias labradoras. La solución será la misma de antes: los encantadores han mudado la realidad sólo para don Quijote. En esta segunda parte de la novela don Quijote siempre verá la realidad tal cual es (el episodio de la cueva de Montesinos es un sueño), y serán los que le circundan (Sancho, los Duques) quienes le crearán un mundo de fantasía.

fecho de mis amores toca; que has de saber, Sancho, si no lo sabes, que entre los amantes, las acciones y movimientos exteriores que muestran, cuando de sus amores se trata, son certísimos correos que traen las nuevas de lo que allá en lo interior del alma pasa. Ve, amigo, y guíete otra mejor ventura que la mía, y vuélvate otro mejor suceso del que yo quedo temiendo y esperando en esta amarga soledad en que me dejas.

—Yo iré y volveré presto —dijo Sancho—; y ensanche vuestra merced, señor mío, ese corazoncillo, que le debe de tener agora no mayor que una avellana, y considere que se suele decir que buen corazón quebranta mala ventura, y que donde no hay tocinos, no hay estacas[1]; y también se dice: donde no piensa, salta la liebre. Dígolo porque si esta noche no hallamos los palacios o alcázares de mi señora, agora que es de día los pienso hallar, cuando menos los piense, y hallados, déjenme a mí con ella.

—Por cierto, Sancho —dijo don Quijote—, que siempre traes tus refranes tan a pelo de lo que tratamos cuanto me dé Dios mejor ventura en lo que deseo.

Esto dicho, volvió Sancho las espaldas y vareó su rucio, y don Quijote se quedó a caballo, descansando sobre los estribos y sobre el arrimo de su lanza, lleno de tristes y confusas imaginaciones, donde le dejaremos, yéndonos con Sancho Panza, que no menos confuso y pensativo se apartó de su señor que él quedaba; y tanto, que apenas hubo salido del bosque, cuando, volviendo la cabeza y viendo que don Quijote no parecía, se apeó del jumento, y sentándose al pie de un árbol comenzó a hablar consigo mesmo y a decirse:

—Sepamos agora, Sancho hermano, adónde va vuesa merced. ¿Va a buscar algún jumento que se le haya perdido? —No, por cierto. —Pues, ¿qué va a buscar? —Voy a buscar, como quien no dice nada, a una princesa, y en ella al sol de la hermosura y a todo el cielo junto. —Y ¿adónde pensáis hallar eso que decís, Sancho? —¿Adónde? En la gran ciudad del Toboso. —Y bien; ¿y de parte de quién la vais a buscar? —De parte del famoso caballero don Quijote de la Mancha, que

---

[1] Sancho estropea el refrán, que es «donde se piensa que hay tocinos, no hay ni estacas».

desface los tuertos, y da de comer al que ha sed, y de beber al que ha hambre. —Todo eso está muy bien. Y ¿sabéis su casa, Sancho? —Mi amo dice que han de ser unos reales palacios o unos soberbios alcázares. —Y ¿habéisla visto algún día por ventura? —Ni yo ni mi amo la habemos visto jamás. —Y ¿paréceos que fuera acertado y bien hecho que si los del Toboso supiesen que estáis vos aquí con intención de ir a sonsacarles sus princesas y a desasosegarles sus damas, viniesen y os moliesen las costillas a puros palos, y no os dejasen hueso sano? —En verdad que tendrían mucha razón, cuando no considerasen que soy mandado, y que

> Mensajero sois, amigo,
> no merecéis culpa, non[2].

—No os fiéis en eso, Sancho, porque la gente manchega es tan colérica como honrada y no consiente cosquillas de nadie. Vive Dios que si os huele, que os mando[3] mala ventura. —¡Oxte, puto! ¡Allá darás, rayo[4]! ¡No, sino ándeme yo buscando tres pies al gato por el gusto ajeno! Y más, que así será buscar a Dulcinea por el Toboso como a Marica por Ravena[5], o al bachiller en Salamanca. ¡El diablo, el diablo me ha metido a mí en esto; que otro no!

Este soliloquio pasó consigo Sancho, y lo que sacó dél fue que volvió a decirse:

—Ahora bien: todas las cosas tienen remedio, si no es la muerte, debajo de cuyo yugo hemos de pasar todos, mal que nos pese, al acabar de la vida. Este mi amo, por mil señales, he visto que es un loco de atar, y aun

---

[2] Versos de un romance de Bernardo del Carpio, que empieza «Con cartas y mensajeros».

[3] *mandar*, augurar, anunciar.

[4] ...en casa de Tamayo», maldición proverbial.

[5] *buscar a Marica por Ravena*, buscar algo difícil de encontrar. Originariamente la expresión era, en latín, *Ravennae maria quaerere*, «buscar el mar en Ravena», ciudad italiana que está en la costa del Adriático, pero se confundió *maria* con *María*. Así pues, denota buscar algo muy corriente, muy visible, que no necesita de grandes pesquisas, lo mismo que «buscar al bachiller por Salamanca», como dice luego Sancho, ya que Salamanca estaba llena de bachilleres; lo cual hace muy difícil hallar a determinada «Marica» y a determinado «bachiller». Sancho aplica mal estas expresiones, pues está convencido de que en el Toboso no existe ninguna Dulcinea; pero ya hemos visto que suele emplear mal dichos muy comunes.

también yo no le quedo en zaga, pues soy más mentecato que él, pues le sigo y le sirvo, si es verdadero el refrán que dice: «Dime con quién andas, decirte he quién eres», y el otro de «No con quien naces, sino con quien paces». Siendo, pues, loco, como lo es, y de locura que las más veces toma unas cosas por otras, y juzga lo blanco por negro y lo negro por blanco, como se pareció cuando dijo que los molinos de viento eran gigantes, y las mulas de los religiosos dromedarios, y las manadas de carneros ejércitos de enemigos, y otras muchas cosas a este tono, no será muy difícil hacerle creer que una labradora, la primera que me topare por aquí, es la señora Dulcinea; y cuando él no lo crea juraré yo; y si él jurare, tornaré yo a jurar; y si porfiare, porfiaré yo más, y de manera que tengo de tener la mía siempre sobre el hito[6], venga lo que viniere. Quizá con esta porfía acabaré con él[7] que no me envíe otra vez a semejantes mensajerías, viendo cuán mal recado le traigo dellas, o quizá pensará, como yo imagino, que algún mal encantador de estos que él dice que le quieren mal la habrá mudado la figura por hacerle mal y daño.

Con esto que pensó Sancho Panza quedó sosegado su espíritu, y tuvo por bien acabado su negocio, y deteniéndose allí hasta la tarde, por dar lugar a que don Quijote pensase que le había tenido para ir y volver del Toboso; y sucedióle todo tan bien, que cuando se levantó para subir en el rucio vio que del Toboso hacia donde él estaba venían tres labradoras sobre tres pollinos, o pollinas, que el autor no lo declara, aunque más se puede creer que eran borricas, por ser ordinaria caballería de las aldeanas; pero como no va mucho en esto, no hay para qué detenernos en averiguarlo. En resolución: así como Sancho vio a las labradoras, a paso tirado volvió a buscar a su señor don Quijote, y hallóle suspirando y diciendo mil amorosas lamentaciones. Como don Quijote le vio, le dijo:

—¿Qué hay, Sancho amigo? ¿Podré señalar este día con piedra blanca, o con negra?

—Mejor será —respondió Sancho— que vuesa mer-

---

[6] *tener la suya sobre el hito*, empeñarse en que la razón de uno prevalga sobre la de los otros.
[7] *acabaré con él*, le convenceré.

ced la señale con almagre, como rétulos de cátedras[8], porque le echen bien de ver los que le vieren.

—De ese modo —replicó don Quijote—, buenas nuevas traes.

—Tan buenas —respondió Sancho—, que no tiene más que hacer vuesa merced sino picar a Rocinante y salir a lo raso a ver a la señora Dulcinea del Toboso, que con otras dos doncellas suyas viene a ver a vuesa merced.

—¡Santo Dios! ¿Qué es lo que dices, Sancho amigo? —dijo don Quijote—. Mira no me engañes, ni quieras con falsas alegrías alegrar mis verdaderas tristezas.

—¿Qué sacaría yo de engañar a vuesa merced —respondió Sancho—, y más estando tan cerca de descubrir mi verdad? Pique, señor, y venga, y verá venir a la princesa, nuestra ama, vestida y adornada; en fin, como quien ella es. Sus doncellas y ella todas son una ascua de oro, todas mazorcas de perlas, todas son diamantes, todas rubíes, todas telas de brocado de más de diez altos[9]; los cabellos, sueltos por las espaldas, que son otros tantos rayos del sol que andan jugando con el viento; y, sobre todo, vienen a caballo sobre tres cananeas remendadas[10], que no hay más que ver.

—*Hacaneas* querrás decir, Sancho.

—Poca diferencia hay —respondió Sancho— de *cananeas* a *hacaneas*; pero vengan sobre lo que vinieren, ellas vienen las más galanas señoras que se puedan desear, especialmente la princesa Dulcinea, mi señora, que pasma los sentidos.

—Vamos, Sancho hijo —respondió don Quijote—; y en albricias destas no esperadas como buenas nuevas, te mando[11] el mejor despojo que ganare en la primera aventura que tuviere, y si esto no te contenta, te mando las crías que este año me dieren las tres yeguas mías, que tú sabes que quedan para parir en el prado concejil[12] de nuestro pueblo.

[8] Con almagre, o pintura roja, se inscribían por las paredes los nombres de los vencedores en oposiciones a cátedras o recién doctorados. En Salamanca aún se conservan muchas de estas inscripciones.

[9] Cada labor del brocado se llamaba *alto*, y el más preciado era de tres altos. Sancho habla hiperbólicamente.

[10] *hacaneas remendadas*, jacas de piel con manchas.

[11] *te mando*, te prometo.

[12] *concejil*, comunal.

—A las crías me atengo —respondió Sancho—; porque de ser buenos los despojos de la primera aventura no está muy cierto.

Ya en esto salieron de la selva y descubrieron cerca a las tres aldeanas. Tendió don Quijote los ojos por todo el camino del Toboso, y como no vio sino a las tres labradoras, turbóse todo, y preguntó a Sancho si las había dejado fuera de la ciudad.

—¿Cómo fuera de la ciudad? —respondió—. ¿Por ventura tiene vuesa merced los ojos en el colodrillo[13], que no vee que son éstas, las que aquí vienen, resplandecientes como el mismo sol a mediodía?

—Yo no veo, Sancho —dijo don Quijote—, sino a tres labradoras sobre tres borricos[14].

—¡Agora me libre Dios del diablo! —respondió Sancho—. Y ¿es posible que tres hacaneas, o como se llaman, blancas como el ampo[15] de la nieve, le parezcan a vuesa merced borricos? ¡Vive el Señor, que me pele estas barbas si tal fuese verdad!

—Pues yo te digo, Sancho amigo —dijo don Quijote— que es tan verdad que son borricos, o borricas, como yo soy don Quijote y tú Sancho Panza; a lo menos, a mí tales me parecen.

—Calle, señor —dijo Sancho—; no diga la tal palabra, sino despabile esos ojos, y venga a hacer reverencia a la señora de sus pensamientos, que ya llega cerca.

Y diciendo esto, se adelantó a recibir a las tres aldeanas, y apeándose del rucio, tuvo del cabestro al jumento de una de las tres labradoras, y hincando ambas rodillas en el suelo, dijo:

—Reina y princesa y duquesa de la hermosura, vuestra altivez y grandeza sea servida de recebir en su gracia y buen talente al cautivo caballero vuestro, que allí está hecho piedra mármol, todo turbado y sin pulsos de verse ante vuestra magnífica presencia. Yo soy Sancho Panza su escudero, y él es el asendereado caballero don

---

[13] *colodrillo*, parte posterior de la cabeza.
[14] Esta frase es paralela, pero en sentido contrario, a la que dice Sancho cuando don Quijote afirma que ve dos inmensos ejércitos y que oye relinchar los caballos y sonar los clarines: «No oigo otra cosa sino muchos balidos de ovejas y carneros» (I, 18).
[15] *ampo*, copo de nieve.

Quijote de la Mancha, llamado por otro nombre el Caballero de la Triste Figura.

A esta sazón ya se había puesto don Quijote de hinojos junto a Sancho, y miraba con ojos desencajados y vista turbada a la que Sancho llamaba reina y señora, y como no descubría en ella sino una moza aldeana, y no de muy buen rostro, porque era carirredonda y chata, estaba suspenso y admirado, sin osar desplegar los labios. Las labradoras estaban asimismo atónitas, viendo aquellos dos hombres tan diferentes hincados de rodillas, que no dejaban pasar adelante a su compañera; pero rompiendo el silencio la detenida, toda desgraciada[16] y mohína, dijo:

—Apártense nora en tal del camino, y déjenmos pasar; que vamos de priesa.

A lo que respondió Sancho:

—¡Oh princesa y señora universal del Toboso! ¿Cómo vuestro magnánimo corazón no se enternece viendo arrodillado ante vuestra sublimada presencia a la coluna y sustento de la andante caballería?

Oyendo lo cual otra de las dos, dijo:

—Mas ¡jo, que te estrego, burra de mi suegro! ¡Mirad con qué se vienen los señoritos ahora a hacer burla de las aldeanas, como si aquí no supiésemos echar pullas como ellos! Vayan su camino, e déjenmos hacer el nueso, y serles ha sano[17].

—Levántate, Sancho —dijo a este punto don Quijote—; que ya veo que la Fortuna, de mi mal no harta, tiene tomados los caminos todos por donde pueda venir algún contento a esta ánima mezquina que tengo en las carnes. Y tú, ¡oh estremo del valor que puede desearse, término de la humana gentileza, único remedio deste afligido corazón que te adora!, ya que el maligno encantador me persigue, y ha puesto nubes y cataratas en mis ojos, y para sólo ellos y no para otros ha mudado y transformado tu sin igual hermosura y rostro en el de

---

[16] *desgraciada,* sin gracia.
[17] Las aldeanas hablan de modo rústico. Antes la primera ha dicho *déjenmos* por «déjennos»: ahora la segunda no tan sólo emplea la expresión, *¡jo, que te estrego, burra de mi suegro!,* que se decía para azuzar a las caballerías, sino que repite *déjenmos* y usa la copulativa *e* y la forma *nueso,* «nuestro». Más adelante se insiste en este hablar aldeano: *tomá,* tomad, *agüelo, déjenmos, agradecérselo hemos.*

una labradora pobre, si ya también el mío no le ha cambiado en el de algún vestiglo, para hacerle aborrecible a tus ojos, no dejes de mirarme blanda y amorosamente, echando de ver en esta sumisión y arrodillamiento que a tu contrahecha hermosura hago, la humildad con que mi alma te adora.

—¡Tomá que mi agüelo! —respondió la aldeana—. ¡Amiguita soy yo de oír resquebrajos[18]! Apártense y déjenmos ir, y agradecérselo hemos.

Apartóse Sancho y dejóla ir, contentísimo de haber salido bien de su enredo.

Apenas se vio libre la aldeana que había hecho la figura de Dulcinea, cuando, picando a su *cananea* con un aguijón que en un palo traía, dio a correr por el prado adelante. Y como la borrica sentía la punta del aguijón, que le fatigaba más de lo ordinario, comenzó a dar corcovos, de manera que dio con la *señora Dulcinea* en tierra; lo cual visto por don Quijote, acudió a levantarla, y Sancho a componer y cinchar el albarda, que también vino a la barriga de la pollina. Acomodada, pues, la albarda, y quiriendo don Quijote levantar a su encantada señora en los brazos sobre la jumenta, la señora, levantándose del suelo, le quitó de aquel trabajo, porque haciéndose algún tanto atrás, tomó una corridica, y puestas ambas manos sobre las ancas de la pollina, dio con su cuerpo, más ligero que un halcón, sobre la albarda, y quedó a horcajadas, como si fuera hombre; y entonces dijo Sancho:

—¡Vive Roque, que es la señora nuestra ama más ligera que un acotán[19], y que puede enseñar a subir a la jineta al más diestro cordobés o mejicano! El arzón trasero de la silla pasó de un salto, y sin espuelas hace correr la hacanea como una cebra. Y no le van en zaga sus doncellas; que todas corren como el viento.

Y así era la verdad; porque en viéndose a caballo Dulcinea, todas picaron tras ella y dispararon a correr, sin volver la cabeza atrás por espacio de más de media legua. Siguiólas don Quijote con la vista, y cuando vio que no parecían, volviéndose a Sancho, le dijo:

[18] *resquebrajos* son «grietas», pero la aldeana quiere decir *requebrajos* (de *requiebros*).

[19] *acotán*, lo correcto es *alcotán*, ave de rapiña semejante al halcón.

—Sancho, ¿qué te parece cuán mal quisto soy de encantadores? Y mira hasta dónde se estiende su malicia y la ojeriza que me tienen, pues me han querido privar del contento que pudiera darme ver en su ser a mi señora. En efecto, yo nací para ejemplo de desdichados, y para ser blanco y terrero[20] donde tomen la mira y asiesten las flechas de la mala fortuna. Y has también de advertir, Sancho, que no se contentaron estos traidores de haber vuelto y transformado a mi Dulcinea, sino que la transformaron y volvieron en una figura tan baja y tan fea como la de aquella aldeana, y juntamente le quitaron lo que es tan suyo de las principales señoras, que es el buen olor, por andar siempre entre ámbares y entre flores. Porque te hago saber, Sancho, que cuando llegué a subir a Dulcinea sobre su hacanea, según tú dices, que a mí me pareció borrica, me dio un olor de ajos crudos, que me encalabrinó[21] y atosigó el alma.

—¡Oh canalla! —gritó a esta sazón Sancho—. ¡Oh encantadores aciagos y mal intencionados, y quién os viera a todos ensartados por las agallas, como sardinas en lercha[22]! Mucho sabéis, mucho podéis y mucho más hacéis. Bastaros debiera, bellacos, haber mudado las perlas de los ojos de mi señora en agallas alcornoqueñas, y sus cabellos de oro purísimo en cerdas de cola de buey bermejo y, finalmente, todas sus faciones de buenas en malas, sin que le tocárades en el olor; que por él siquiera sacáramos lo que estaba encubierto debajo de aquella fea corteza; aunque, para decir verdad, nunca yo vi su fealdad, sino su hermosura, la cual subía de punto y quilates un lunar que tenía sobre el labio derecho, a manera de bigote, con siete o ocho cabellos rubios como hebras de oro y largos de más de un palmo.

—A ese lunar —dijo don Quijote—, según la correspondencia que tienen entre sí los del rostro con los del cuerpo, ha de tener otro Dulcinea en la tabla del muslo[23] que corresponde al lado donde tiene el del rostro[24]

---

[20] *terrero*, objeto que sirve de blanco de tiro.
[21] *encalabrinarse*, llenarse la cabeza de vapores, atufarse.
[22] *lercha*, junquillo en que los pescadores ensartan los peces por las agallas.
[23] *tabla del muslo*, lo ancho del muslo.
[24] Creencia de la época. Escribe Covarrubias: «los fisionómicos juzgan destos lunares, dándoles correspondencia en las demás partes del cuerpo. Todo es niñería y de poca consideración» (s. v. *lunar*).

pero muy luengos para lunares son pelos de la grandeza que has significado.

—Pues yo sé decir a vuestra merced —respondió Sancho— que le parecían allí como nacidos.

—Yo lo creo, amigo —replicó don Quijote—, porque ninguna cosa puso la naturaleza en Dulcinea que no fuese perfecta y bien acabada; y así, si tuviera cien lunares como el que dices, en ella no fueran lunares, sino lunas y estrellas resplandecientes. Pero dime, Sancho: aquella que a mí me pareció albarda, que tú aderezaste, ¿era silla rasa o sillón[25]?

—No era —respondió Sancho— sino silla a la jineta[26], con una cubierta de campo que vale la mitad de un reino, según es de rica.

—Y ¡que no viese yo todo eso, Sancho! —dijo don Quijote—. Ahora torno a decir, y diré mil veces, que soy el más desdichado de los hombres.

Harto tenía que hacer el socarrón de Sancho en disimular la risa, oyendo las sandeces de su amo, tan delicadamente engañado. Finalmente, después de otras muchas razones que entre los dos pasaron, volvieron a subir en sus bestias, y siguieron el camino de Zaragoza, adonde pensaban llegar a tiempo que pudiesen hallarse en unas solenes fiestas que en aquella insigne ciudad cada año suelen hacerse. Pero antes que allá llegasen, les sucedieron cosas que, por muchas, grandes y nuevas, merecen ser escritas y leídas, como se verá adelante.

[25] *silla rasa*, silla de montar sencilla; *sillón*, silla grande propia para señoras.
[26] *a la jineta*, de arzones altos y estribos cortos.

CAPÍTULO XI

DE LA ESTRAÑA AVENTURA QUE LE SUCEDIÓ AL VALEROSO DON QUIJOTE CON EL CARRO O CARRETA DE LAS CORTES DE LA MUERTE*

Pensativo además[1] iba don Quijote por su camino adelante, considerando la mala burla que le habían hecho los encantadores volviendo a su señora Dulcinea en la mala figura de la aldeana, y no imaginaba qué remedio tendría para volverla a su ser primero; y estos pensamientos le llevaban tan fuera de sí, que, sin sentirlo, soltó las riendas a Rocinante, el cual, sintiendo la libertad que se le daba, a cada paso se detenía a pacer la verde yerba de que aquellos campos abundaban. De su embelesamiento le volvió Sancho Panza, diciéndole:

—Señor, las tristezas no se hicieron para las bestias, sino para los hombres; pero si los hombres las sienten demasiado, se vuelven bestias: vuestra merced se reporte, y vuelva en sí, y coja las riendas a Rocinante, y avive y despierte, y muestre aquella gallardía que conviene que tengan los caballeros andantes. ¿Qué diablos es esto? ¿Qué descaecimiento es éste? ¿Estamos aquí, o en Francia[2]? Mas que se lleve Satanás a cuantas Dulcineas hay en el mundo, pues vale más la salud de un solo caballero andante que todos los encantos y transformaciones de la tierra.

—Calla, Sancho —respondió don Quijote con voz no muy desmayada—. Calla, digo, y no digas blasfemias contra aquella encantada señora; que de su desgracia

---

* En este capítulo don Quijote y Sancho topan con una compañía teatral que dice ser de Angulo el Malo, «autor de comedias», es decir, lo que hoy se llama «empresario», que realmente existió y del que quedan noticias documentales (cfr. R. Marín, IV, 242). La compañía va representando un auto sacramental titulado *Las cortes de la Muerte*, que tal vez haya que identificar con el *Auto sacramental de las Cortes de la Muerte* de Lope de Vega (que va precedido de una *Loa* de Mira de Amescua). Varios de los personajes que figuran en el auto de Lope, así como ciertos detalles de sus disfraces, corresponden con lo que narra Cervantes en este capítulo (cfr. Cortejón, IV, 185).

[1] *Pensativo además*, muy pensativo.

[2] *¿Estamos aquí, o en Francia?*, expresión con que se reprende una acción o un dicho inconveniente o indecoroso.

y desventura yo solo tengo la culpa: de la invidia que me tienen los malos ha nacido su mala andanza.

—Así lo digo yo —respondió Sancho—: quien la vido y la vee ahora, ¿cuál es el corazón que no llora?

—Eso puedes tú decir bien, Sancho —replicó don Quijote—, pues la viste en la entereza cabal de su hermosura; que el encanto no se estendió a turbarte la vista ni a encubrirte su belleza: contra mí solo y contra mis ojos se endereza la fuerza de su veneno. Mas, con todo esto, he caído, Sancho, en una cosa, y es que me pintaste mal su hermosura; porque, si mal no me acuerdo, dijiste que tenía los ojos de perlas, y los ojos que parecen de perlas antes son de besugo que de dama; y a lo que yo creo, los de Dulcinea deben ser de verdes esmeraldas, rasgados, con dos celestiales arcos que les sirven de cejas; y esas perlas quítalas de los ojos y pásalas a los dientes; que sin duda te trocaste, Sancho, tomando los ojos por los dientes.

—Todo puede ser —respondió Sancho—; porque también me turbó a mí su hermosura como a vuesa merced su fealdad. Pero encomendémoslo todo a Dios; que Él es el sabidor de las cosas que han de suceder en este valle de lágrimas, en este mal mundo que tenemos, donde apenas se halla cosa que esté sin mezcla de maldad, embuste y bellaquería. De una cosa me pesa, señor mío, más que de otras; que es pensar qué medio se ha de tener cuando vuesa merced venza a algún gigante o otro caballero, y le mande que se vaya a presentar ante la hermosura de la señora Dulcinea: ¿adónde la ha de hallar este pobre gigante, o este pobre y mísero caballero vencido? Paréceme que los veo andar por el Toboso hechos unos bausanes[3], buscando a mi señora Dulcinea, y aunque la encuentren en mitad de la calle, no la conocerán más que a mi padre.

—Quizá, Sancho —respondió don Quijote—, no se estenderá el encantamento a quitar el conocimiento de Dulcinea a los vencidos y presentados gigantes y caballeros; y en uno o dos de los primeros que yo venza y le envíe haremos la experiencia si la ven o no, mandándoles que vuelvan a darme relación de lo que acerca desto les hubiere sucedido.

---

[3] *bausán*, babieca, tonto.

—Digo, señor —replicó Sancho—, que me ha parecido bien lo que vuesa merced ha dicho, y que con ese artificio vendremos en conocimiento de lo que deseamos; y si es que ella a solo vuesa merced se encubre, la desgracia más será de vuesa merced que suya; pero como la señora Dulcinea tenga salud y contento, nosotros por acá nos avendremos y lo pasaremos lo mejor que pudiéramos, buscando nuestras aventuras y dejando al tiempo que haga de las suyas; que él es el mejor médico destas y de otras mayores enfermedades.

Responder quería don Quijote a Sancho Panza; pero estorbóselo una carreta que salió al través del camino, cargada de los más diversos y estraños personajes y figuras que pudieron imaginarse. El que guiaba las mulas y servía de carretero era un feo demonio. Venía la carreta descubierta al cielo abierto, sin toldo ni zarzo[4]. La primera figura que se ofreció a los ojos de don Quijote fue la de la misma Muerte, con rostro humano; junto a ella venía un ángel con unas grandes y pintadas alas; al un lado estaba un emperador con una corona, al parecer de oro, en la cabeza; a los pies de la Muerte estaba el dios que llaman Cupido, sin venda en los ojos, pero con su arco, carcaj y saetas. Venía también un caballero armado de punta en blanco, excepto que no traía morrión, ni celada, sino un sombrero lleno de plumas de diversas colores; con éstas venían otras personas de diferentes trajes y rostros. Todo lo cual visto de improviso, en alguna manera alborotó a don Quijote y puso miedo en el corazón de Sancho; mas luego se alegró don Quijote, creyendo que se le ofrecía alguna nueva y peligrosa aventura, y con este pensamiento, y con ánimo dispuesto de acometer cualquier peligro, se puso delante de la carreta, y con voz alta y amenazadora, dijo:

—Carretero, cochero, o diablo, o lo que eres, no tardes en decirme quién eres, a dó vas y quién es la gente que llevas en tu carricoche, que más parece la barca de Carón[5] que carreta de las que se usan.

[4] *zarzo*, tejido de mimbres o cañas para cubrir carros.
[5] Barca que, según la mitología, llevaba a los muertos al infierno.

A lo cual, mansamente, deteniendo el Diablo la carreta, respondió:

—Señor, nosotros somos recitantes de la compañía de Angulo el Malo; hemos hecho en un lugar que está detrás de aquella loma, esta mañana, que es la octava del Corpus, el auto de *Las Cortes de la Muerte*, y hémosle de hacer esta tarde en aquel lugar que desde aquí se parece; y por estar tan cerca y escusar el trabajo de desnudarnos y volvernos a vestir, nos vamos vestidos con los mesmos vestidos que representamos. Aquel mancebo va de Muerte; el otro, de Ángel; aquella mujer, que es la del autor[6], va de Reina; el otro, de Soldado; aquél, de Emperador, y yo, de Demonio, y soy una de las principales figuras del auto, porque hago en esta compañía los primeros papeles. Si otra cosa vuestra merced desea saber de nosotros, pregúntemelo; que yo le sabré responder con toda puntualidad; que como soy demonio, todo se me alcanza.

—Por la fe de caballero andante —respondió don Quijote—, que así como vi este carro imaginé que alguna grande aventura se me ofrecía; y ahora digo que es menester tocar las apariencias con la mano para dar lugar al desengaño. Andad con Dios, buena gente, y haced vuestra fiesta, y mirad si mandáis algo en que pueda seros de provecho; que lo haré con buen ánimo y buen talante, porque desde mochacho fui aficionado a la carátula, y en mi mocedad se me iban los ojos tras la farándula.

Estando en estas pláticas, quiso la suerte que llegase uno de la compañía, que venía vestido de bogiganga[7], con muchos cascabeles, y en la punta de un palo traía tres vejigas de vaca hinchadas; el cual moharracho, llegándose a don Quijote, comenzó a esgrimir el palo y a sacudir el suelo con las vejigas, y a dar grandes saltos, sonando los cascabeles; cuya mala visión así alborotó a Rocinante, que, sin ser poderoso a detenerle don Quijote, tomando el freno entre los dientes, dio a correr por el campo con más ligereza que jamás prometieron los huesos de su notomía[8]. Sancho, que consideró el peligro en

---

[6] *autor*, director de la compañía, empresario.
[7] *bogiganga*, persona disfrazada estrafalariamente, mamarracho.
[8] *notomía*, anatomía, esqueleto.

que iba su amo de ser derribado, saltó del rucio, y a toda
priesa fue a valerle; pero cuando a él llegó, ya estaba en
tierra, y junto a él, Rocinante, que, con su amo, vino
al suelo: ordinario fin y paradero de las lozanías de Rocinante y de sus atrevimientos.

Mas apenas hubo dejado su caballería Sancho por
acudir a don Quijote, cuando el demonio bailador de
las vejigas saltó sobre el rucio, y sacudiéndole con ellas,
el miedo y ruido, más que el dolor de los golpes, le
hizo volar por la campaña hacia el lugar donde iban a
hacer la fiesta. Miraba Sancho la carrera de su rucio
y la caída de su amo, y no sabía a cuál de las dos necesidades acudiría primero; pero, en efecto, como buen
escudero y como buen criado, pudo más con él el amor
de su señor que el cariño de su jumento, puesto que cada
vez que veía levantar las vejigas en el aire y caer sobre
las ancas de su rucio eran para él tártagos[9] y sustos de
muerte, y antes quisiera que aquellos golpes se los dieran a él en las niñas de los ojos que en el más mínimo
pelo de la cola de su asno. Con esta perpleja tribulación
llegó donde estaba don Quijote, harto más maltrecho de
lo que él quisiera, y ayudándole a subir sobre Rocinante,
le dijo:

—Señor, el Diablo se ha llevado al rucio.

—¿Qué diablo? —preguntó don Quijote.

—El de las vejigas —respondió Sancho.

—Pues yo le cobraré —replicó don Quijote—, si bien
se encerrase con él en los más hondos y escuros calabo-
zos del infierno. Sígueme, Sancho; que la carreta va despacio, y con las mulas della satisfaré la pérdida del
rucio.

—No hay para qué hacer esa diligencia, señor —respondió Sancho—: vuestra merced temple su cólera;
que, según me parece, ya el Diablo ha dejado el rucio,
y vuelve a la querencia.

Y así era la verdad; porque habiendo caído el Diablo con el rucio, por imitar a don Quijote y a Rocinante, el Diablo se fue a pie al pueblo, y el jumento se volvió a su amo.

—Con todo eso —dijo don Quijote—, será bien cas-

---

[9] *tártagos,* sucesos desdichados, apuros.

tigar el descomedimiento de aquel demonio en alguno
de los de la carreta, aunque sea el mesmo emperador.

—Quítesele a vuestra merced eso de la imaginación
—replicó Sancho—, y tome mi consejo, que es que nunca se tome con farsantes, que es gente favorecida. Re-
citante he visto yo estar preso por dos muertes y salir
libre y sin costas. Sepa vuesa merced que como son gentes alegres y de placer, todos los favorecen, todos los am-
paran, ayudan y estiman, y más siendo de aquellos de
las compañías reales y de título[10], que todos, o los más,
en sus trajes y compostura parecen unos príncipes.

—Pues, con todo —respondió don Quijote—, no se
me ha de ir el demonio farsante alabando, aunque le
favorezca todo el género humano.

Y diciendo esto, volvió a la carreta, que ya estaba
bien cerca del pueblo. Iba dando voces, diciendo:

—Deteneos, esperad, turba alegre y regocijada; que
os quiero dar a entender cómo se han de tratar los jumentos y alimañas que sirven de caballería a los escuderos de los caballeros andantes.

Tan altos eran los gritos de don Quijote, que los oyeron y entendieron los de la carreta; y juzgando por las
palabras la intención del que las decía, en un instante
saltó la Muerte de la carreta, y tras ella, el Emperador,
el Diablo carretero y el Ángel, sin quedarse la Reina ni
el dios Cupido, y todos se cargaron de piedras y se pusieron en ala esperando recibir a don Quijote en las puntas de sus guijarros. Don Quijote, que los vio puestos
en tan gallardo escuadrón, los brazos levantados con
ademán de despedir poderosamente las piedras, detuvo
las riendas a Rocinante y púsose a pensar de qué modo
los acometería con menos peligro de su persona. En esto
que se detuvo, llegó Sancho, y viéndole en talle de acometer al bien formado escuadrón, le dijo:

—Asaz de locura sería intentar tal empresa: considere vuesa merced, señor mío, que para sopa de arroyo
y tente bonete[11], no hay arma defensiva en el mundo,
si no es embutirse y encerrarse en una campana de bronce; y también se ha que considerar que es más temeridad

---

[10] *de título*, tituladas, o sea, autorizadas legalmente.
[11] *sopa de arroyo y tente bonete*, designación humorística de los
guijarros.

que valentía acometer un hombre solo a un ejército donde está la Muerte, y pelean en persona emperadores, y
a quien ayudan los buenos y los malos ángeles; y si esta
consideración no le mueve a estarse quedo, muévale saber de cierto que entre todos los que allí están, aunque
parecen reyes, príncipes y emperadores, no hay ningún
caballero andante.

—Ahora sí —dijo don Quijote— has dado, Sancho,
en el punto que puede y debe mudarme de mi ya determinado intento. Yo no puedo ni debo sacar la espada, como otras veces muchas te he dicho, contra quien
no fuere armado caballero. A ti, Sancho, toca, si quieres tomar la venganza del agravio que a tu rucio se le
ha hecho; que yo desde aquí te ayudaré con voces y advertimientos saludables.

—No hay para qué, señor —respondió Sancho—,
tomar venganza de nadie, pues no es de buenos cristianos tomarla de los agravios; cuanto más que yo acabaré
con[12] mi asno que ponga su ofensa en las manos de mi
voluntad; la cual es de vivir pacíficamente los días que
los cielos me dieren de vida.

—Pues ésa es tu determinación —replicó don Quijote—, Sancho bueno, Sancho discreto, Sancho cristiano
y Sancho sincero, dejemos estas fantasmas y volvamos a
buscar mejores y más calificadas aventuras; que yo veo
esta tierra de talle, que no han de faltar en ella muchas
y muy milagrosas.

Volvió las riendas luego, Sancho fue a tomar su rucio, la Muerte con todo su escuadrón volante[13] volvieron a su carreta y prosiguieron su viaje, y este felice fin
tuvo la temerosa aventura de la carreta de la Muerte,
gracias sean dadas al saludable consejo que Sancho Panza dio a su amo; al cual el día siguiente le sucedió otra
con un enamorado y andante caballero, de no menos
suspensión que la pasada.

[12] *acabaré con*, convenceré a.
[13] *escuadrón volante*, destacamento de infantería.

CAPÍTULO XII

De la estraña aventura que le sucedió al valeroso don Quijote con el bravo Caballero de los Espejos

La noche que siguió al día del rencuentro de la Muerte la pasaron don Quijote y su escudero debajo de unos altos y sombrosos árboles, habiendo, a persuasión de Sancho, comido don Quijote de lo que venía en el repuesto del rucio, y entre la cena dijo Sancho a su señor:

—Señor, ¡qué tonto hubiera andado yo si hubiera escogido en albricias los despojos de la primera aventura que vuestra merced acabara, antes que las crías de las tres yeguas! En efecto en efecto, más vale pájaro en mano que buitre volando.

—Todavía —respondió don Quijote—, si tú, Sancho, me dejaras acometer, como yo quería, te hubieran cabido en despojos, por lo menos, la corona de oro de la Emperatriz y las pintadas alas de Cupido; que yo se las quitara al redropelo[1] y te las pusiera en las manos.

—Nunca los cetros y coronas de los emperadores farsantes —respondió Sancho Panza— fueron de oro puro, sino de oropel o hoja de lata.

—Así es verdad —replicó don Quijote—; porque no fuera acertado que los atavíos de la comedia fueran finos, sino fingidos y aparentes, como lo es la mesma comedia, con la cual quiero, Sancho, que estés bien, teniéndola en tu gracia, y por el mismo consiguiente a los que las representan y a los que las componen, porque todos son instrumentos de hacer un gran bien a la república, poniéndonos un espejo a cada paso delante, donde se veen al vivo las acciones de la vida humana, y ninguna comparación hay que más al vivo nos represente lo que somos y lo que habemos de ser como la comedia y los comediantes. Si no, dime: ¿no has visto tú representar alguna comedia adonde se introducen reyes, emperadores y pontífices, caballeros, damas y otros diversos personajes? Uno hace el rufián, otro el embustero, éste el mercader, aquél el soldado, otro el simple

---

[1] *al redropelo,* a contrapelo.

discreto, otro el enamorado simple; y acabada la comedia y desnudándose de los vestidos della, quedan todos los recitantes iguales.

—Sí he visto —respondió Sancho.

—Pues lo mesmo —dijo don Quijote— acontece en la comedia y trato deste mundo, donde unos hacen los emperadores, otros los pontífices, y, finalmente, todas cuantas figuras se pueden introducir en una comedia; pero en llegando al fin, que es cuando se acaba la vida, a todos les quita la muerte las ropas que los diferenciaban, y quedan iguales en la sepultura.

—Brava comparación —dijo Sancho—, aunque no tan nueva, que yo no la haya oído muchas y diversas veces, como aquella del juego del ajedrez, que mientras dura el juego, cada pieza tiene su particular oficio; y en acabándose el juego, todas se mezclan, juntan y barajan, y dan con ellas en una bolsa, que es como dar con la vida en la sepultura[2].

—Cada día, Sancho —dijo don Quijote—, te vas haciendo menos simple y más discreto.

—Sí, que algo se me ha de pegar de la discreción de vuestra merced —respondió Sancho—; que las tierras que de suyo son estériles y secas, estercolándolas y cultivándolas vienen a dar buenos frutos: quiero decir que la conversación de vuestra merced ha sido el estiércol que sobre la estéril tierra de mi seco ingenio ha caído; la cultivación, el tiempo que ha que le sirvo y comunico; y con esto espero de dar frutos de mí que sean de bendición, tales, que no desdigan ni deslicen de los senderos de la buena crianza que vuesa merced ha hecho en el agostado entendimiento mío.

Rióse don Quijote de las afectadas razones de Sancho, y parecióle ser verdad lo que decía de su emienda, porque de cuando en cuando hablaba de manera que le admiraba; puesto que todas o las más veces que Sancho quería hablar de oposición[3] y a lo cortesano, aca-

[2] No extrañe esta alegoría en boca de Sancho porque se encuentra con mucha frecuencia en escritores de la época y la repetían los predicadores desde el púlpito (por ejemplo, fray Alonso de Cabrera). Es de notar que en la obra de Francisco de Luque Faxardo *Fiel desengaño contra la ociosidad y los juegos* (Madrid, 1603), aparecen los dos símiles de la vida como teatro y como partida de ajedrez (véase el comentario preliminar a II, 22).

[3] *de oposición*, o sea, de un modo docto, como un opositor.

baba su razón con despeñarse del monte de su simplicidad al profundo de su ignorancia; y en lo que él se
mostraba más elegante y memorioso era en traer refranes, viniesen o no viniesen a pelo de lo que trataba, como
se habrá visto y se habrá notado en el discurso desta
historia.

En estas y en otras pláticas se les pasó gran parte
de la noche, y a Sancho le vino en voluntad de dejar
caer las compuertas de los ojos, como él decía cuando
quería dormir, y desaliñando al rucio, le dio pasto abundoso y libre. No quitó la silla a Rocinante, por ser ex-
preso mandamiento de su señor que en el tiempo que
anduviesen en campaña, o no durmiesen debajo de techado, no desaliñase a Rocinante: antigua usanza es-
tablecida y guardada de los andantes caballeros, quitar
el freno y colgarle del arzón de la silla; pero ¿quitar la silla al caballo?, ¡guarda!; y así lo hizo Sancho,
y le dio la misma libertad que al rucio, cuya amistad
dél y de Rocinante fue tan única y tan trabada, que hay
fama, por tradición de padres a hijos, que el autor desta
verdadera historia hizo particulares capítulos della; mas
que, por guardar la decencia y decoro que a tan heroica
historia se debe, no los puso en ella, puesto que algunas
veces se descuida deste su prosupuesto[4], y escribe que
así como las dos bestias se juntaban, acudían a rascarse
el uno al otro, y que, después de cansados y satisfechos,
cruzaba Rocinante el pescuezo sobre el cuello del rucio
—que le sobraba de la otra parte más de media vara—,
y mirando los dos atentamente al suelo, se solían estar de
aquella manera tres días; a lo menos, todo el tiempo
que les dejaban, o no les compelía la hambre a buscar
sustento.

Digo que dicen que dejó el autor escrito que los había comparado en la amistad a la que tuvieron Niso y
Euríalo, y Pílades y Orestes[5]; y si esto es así, se podía
echar de ver, para universal admiración, cuán firme debió ser la amistad destos dos pacíficos animales, y para
confusión de los hombres, que tan mal saben guardarse
amistad los unos a los otros. Por esto se dijo:

---

[4] *prosupuesto,* propósito.
[5] Niso y Euríalo proceden de la *Eneida* de Virgilio; de **Pílades
y Orestes** se trata en multitud de obras clásicas.

No hay amigo para amigo:
las cañas se vuelven lanzas[6];

y el otro que cantó:

De amigo a amigo la chinche[7], etc.

Y no le parezca a alguno que anduvo el autor algo
fuera de camino en haber comparado la amistad destos
animales a la de los hombres; que de las bestias han recebido muchos advertimientos los hombres y aprendido
muchas cosas de importancia, como son: de las cigüe-
ñas, el cristel[8]; de los perros, el vómito y el agradecimiento; de las grullas, la vigilancia; de las hormigas, la
providencia; de los elefantes, la honestidad, y la lealtad,
del caballo.

Finalmente, Sancho se quedó dormido al pie de un
alcornoque, y don Quijote dormitando al de una robus-
ta encina; pero poco espacio de tiempo había pasado
cuando le despertó un ruido que sintió a sus espaldas,
y levantándose con sobresalto, se puso a mirar y a escuchar de dónde el ruido procedía, y vio que eran dos
hombres a caballo, y que el uno, dejándose derribar de
la silla, dijo al otro:

—Apéate, amigo, y quita los frenos a los caballos,
que, a mi parecer, este sitio abunda de yerba para ellos,
y del silencio y soledad que han menester mis amorosos
pensamientos.

El decir esto y el tenderse en el suelo todo fue a un
mesmo tiempo; y al arrojarse hicieron ruido las armas
de que venía armado, manifiesta señal por donde conoció don Quijote que debía de ser caballero andante;
y llegándose a Sancho, que dormía, le trabó del brazo, y
con no pequeño trabajo le volvió en su acuerdo, y con
voz baja le dijo:

—Hermano Sancho, aventura tenemos.

[6] Versos de un romance incluido en las *Guerras civiles de Granada* de Ginés Pérez de Hita.
[7] Sin duda Cervantes cita un romance o una canción, aunque
esta expresión es muy corriente.
[8] *cristel*, lavativa. Ésta y las comparaciones animalísticas que
siguen proceden de la *Historia natural* de Plinio, y las repiten muchos autores de la época de Cervantes (todas ellas se encuentran
en la *Silva de varia lección* de Pero Mexía y en el *Tesoro* de Covarrubias).

—Dios nos la dé buena —respondió Sancho—. Y ¿adónde está, señor mío, su merced de esa señora aventura?

—¿Adónde, Sancho? —replicó don Quijote—. Vuelve los ojos y mira, y verás allí tendido un andante caballero, que, a lo que a mí se me trasluce, no debe de estar demasiadamente alegre, porque le vi arrojar del caballo y tenderse en el suelo con algunas muestras de despecho, y al caer le crujieron las armas.

—Pues ¿en qué halla vuesa merced —dijo Sancho— que ésta sea aventura?

—No quiero yo decir —respondió don Quijote— que ésta sea aventura del todo, sino principio della; que por aquí se comienzan las aventuras. Pero escucha; que, a lo que parece, templando está un laúd o vigüela, y, según escupe y se desembaraza el pecho, debe de prepararse para cantar algo.

—A buena fe que es así —respondió Sancho—, y que debe de ser caballero enamorado.

—No hay ninguno de los andantes que no lo sea —dijo don Quijote—. Y escuchémosle, que por el hilo sacaremos el ovillo de sus pensamientos, si es que canta; que de la abundancia del corazón habla la lengua.

Replicar quería Sancho a su amo; pero la voz del Caballero del Bosque, que no era muy mala ni muy buena, lo estorbó, y estando los dos atónitos, oyeron que lo que cantó fue este soneto:

—Dadme, señora, un término que siga,
conforme a vuestra voluntad cortado;
que será de la mía así estimado,
que por jamás un punto dél desdiga.

Si gustáis que callando mi fatiga
muera, contadme ya por acabado:
si queréis que os la cuente en desusado
modo, haré que el mesmo amor la diga.

A prueba de contrarios estoy hecho,
de blanda cera y de diamante duro,
y a las leyes de amor el alma ajusto.

Blando cual es, o fuerte, ofrezco el pecho;
entallad o imprimid lo que os dé gusto;
que de guardarlo eternamente juro.

Con un ¡ay! arrancado, al parecer, de lo íntimo de su corazón dio fin a su canto el Caballero del Bosque, y de allí a un poco, con voz doliente y lastimada, dijo:

—¡Oh la más hermosa y la más ingrata mujer del orbe[9]! ¿Cómo que será posible, serenísima Casildea de Vandalia, que has de consentir que se consuma y acabe en continuas peregrinaciones y en ásperos y duros trabajos este tu cautivo caballero? ¿No basta ya que he hecho que te confiesen por la más hermosa del mundo todos los caballeros de Navarra, todos los leoneses, todos los tartesios[10], todos los castellanos y, finalmente, todos los caballeros de la Mancha?

—Eso no —dijo a esta sazón don Quijote—, que yo soy de la Mancha, y nunca tal he confesado, ni podía ni debía confesar una cosa tan perjudicial a la belleza de mi señora; y este tal caballero ya veés tú, Sancho, que desvaría. Pero escuchemos: quizá se declarará más.

—Sí hará —replicó Sancho—; que término lleva de quejarse un mes arreo[11].

Pero no fue así; porque habiendo entreoído el Caballero del Bosque que hablaban cerca dél, sin pasar adelante en su lamentación, se puso en pie, y dijo con voz sonora y comedida:

—¿Quién va allá? ¿Qué gente? ¿Es por ventura de la del número de los contentos, o la del de los afligidos?

—De los afligidos —respondió don Quijote.

—Pues lléguese a mí —respondió el del Bosque—, y hará cuenta que se llega a la mesma tristeza y a la aflición mesma.

Don Quijote, que se vio responder tan tierna y comedidamente, se llegó a él, y Sancho ni más ni menos.

El caballero lamentador asió a don Quijote del brazo, diciendo:

---

[9] En el libro de caballerías *Lisuarte de Grecia,* estando el protagonista a medianoche en un bosque, «oyó pisadas de caballo, y estuvo quedo por ver qué sería; y vio que era un caballero armado que, apeándose del caballo, le quitó el freno y le dejó pacer; y no tardó mucho que, dando un suspiro, dijo: —¡Oh, amor, cuán alto me pusiste haciéndome tan bienaventurado que ame a la que en el mundo par no tiene!». También Lisuarte y el desconocido, que resulta ser Perión de Gaula, discuten sobre la hermosura de sus respectivas damas, aunque no llegan a luchar. (Otros episodios similares en R. Marín, IV, 265-266.)

[10] *tartesios,* andaluces.

[11] *arreo,* seguidamente, sin interrupción.

—Sentaos aquí, señor caballero; que para entender que lo sois, y de los que profesan la andante caballería, bástame el haberos hallado en este lugar, donde la soledad y el sereno os hacen compañía, naturales lechos y propias estancias de los caballeros andantes.

A lo que respondió don Quijote:

—Caballero soy, y de la profesión que decís; y aunque en mi alma tienen su propio asiento las tristezas, las desgracias y las desventuras, no por eso se ha ahuyentado della la compasión que tengo de las ajenas desdichas. De lo que contaste poco ha colegí que las vuestras son enamoradas, quiero decir, del amor que tenéis a aquella hermosa ingrata que en vuestras lamentaciones nombrastes.

Ya cuando esto pasaban estaban sentados juntos sobre la dura tierra, en buena paz y compañía, como si al romper del día no se hubieran de romper las cabezas.

—Por ventura, señor caballero —preguntó el del Bosque a don Quijote—, ¿sois enamorado?

—Por desventura lo soy —respondió don Quijote—; aunque los daños que nacen de los bien colocados pensamientos antes se deben tener por gracias que por desdichas.

—Así es la verdad —replicó el del Bosque—, si no nos turbasen la razón y el entendimiento los desdenes, que siendo muchos, parecen venganzas.

—Nunca fui desdeñado de mi señora —respondió don Quijote.

—No, por cierto —dijo Sancho, que allí junto estaba—; porque es mi señora como una borrega mansa: es más blanda que una manteca.

—¿Es vuestro escudero éste? —preguntó el del Bosque.

—Sí es —respondió don Quijote.

—Nunca he visto yo escudero —replicó el del Bosque— que se atreva a hablar donde habla su señor: a lo menos, ahí está ese mío, que es tan grande como su padre, y no se probará que haya desplegado el labio donde yo hablo.

—Pues a fe —dijo Sancho—, que he hablado yo, y puedo hablar delante de otro tan... y aun quédese aquí, que es peor meneallo.

El escudero del Bosque asió por el brazo a Sancho, diciéndole:

—Vámonos los dos donde podamos hablar escuderilmente todo cuanto quisiéremos, y dejemos a estos señores amos nuestros que se den de las astas[12], contándose las historias de sus amores; que a buen seguro que les ha de coger el día en ellas y no las han de haber acabado.

—Sea en buena hora —dijo Sancho—; y yo le diré a vuestra merced quién soy, para que vea si puedo entrar en docena con los más hablantes escuderos.

Con esto se apartaron los dos escuderos, entre los cuales pasó un tan gracioso coloquio como fue grave el que pasó entre sus señores.

CAPÍTULO XIII

Donde se prosigue la aventura del Caballero del Bosque, con el discreto, nuevo y suave coloquio que pasó entre los dos escuderos

Divididos estaban caballeros y escuderos, éstos contándose sus vidas, y aquéllos sus amores; pero la historia cuenta primero el razonamiento de los mozos y luego prosigue el de los amos, y así, dice que, apartándose un poco dellos, el del Bosque dijo a Sancho:

—Trabajosa vida es la que pasamos y vivimos, señor mío, estos que somos escuderos de caballeros andantes: en verdad que comemos el pan en el sudor de nuestros rostros, que es una de las maldiciones que echó Dios a nuestros primeros padres.

—También se puede decir —añadió Sancho— que lo comemos en el hielo de nuestros cuerpos; porque ¿quién más calor y más frío que los miserables escuderos de la andante caballería? Y aun menos mal si comiéramos, pues los duelos, con pan son menos; pero tal vez hay que se nos pasa un día y dos sin desayunarnos, si no es del viento que sopla.

—Todo eso se puede llevar y conllevar —dijo el del Bosque—, con la esperanza que tenemos del premio; por-

---

[12] *darse de las astas,* discutir, pelearse.

que si demasiadamente no es desgraciado el caballero andante a quien un escudero sirve, por lo menos, a pocos
lances se verá premiado con un hermoso gobierno de
cualque ínsula, o con un condado de buen parecer.

—Yo —replicó Sancho— ya he dicho a mi amo que
me contento con el gobierno de alguna ínsula; y él es tan
noble y tan liberal, que me le ha prometido muchas y
diversas veces.

—Yo —dijo el del Bosque—, con un canonicato quedaré satisfecho de mis servicios, y ya me le tiene mandado[1] mi amo, y ¡qué tal!

—Debe de ser —dijo Sancho— su amo de vuesa merced caballero a lo eclesiástico, y podrá hacer esas mercedes a sus buenos escuderos; pero el mío es meramente
lego, aunque yo me acuerdo cuando le querían aconsejar
personas discretas, aunque, a mi parecer mal intencionadas, que procurase ser arzobispo; pero él no quiso sino
ser emperador, y yo estaba entonces temblando si le venía en voluntad de ser de la Iglesia, por no hallarme suficiente de tener beneficios por ella; porque le hago saber
a vuesa merced que, aunque parezco hombre, soy una
bestia para ser de la Iglesia.

—Pues en verdad que lo yerra vuesa merced —dijo
el del Bosque—, a causa que los gobiernos insulanos no
son todos de buena data[2]. Algunos hay torcidos, algunos
pobres, algunos malencónicos, y, finalmente, el más erguido y bien dispuesto trae consigo una pesada carga de
pensamientos y de incomodidades, que pone sobre sus
hombros el desdichado que le cupo en suerte. Harto mejor sería que los que profesamos esta maldita servidumbre
nos retirásemos a nuestras casas, y allí nos entretuviésemos en ejercicios más suaves, como si dijésemos, cazando
o pescando; que ¿qué escudero hay tan pobre en el mundo, a quien le falte un rocín, y un par de galgos, y una
caña de pescar, con que entretenerse en su aldea?

—A mí no me falta nada deso —respondió Sancho—:
verdad es que no tengo rocín; pero tengo un asno que
vale dos veces más que el caballo de mi amo. Mala pascua me dé Dios, y sea la primera que viniere, si le trocara por él aunque me diesen cuatro fanegas de cebada

[1] *mandado*, prometido.
[2] *de buena data*, que promete ser bueno.

encima. A burla tendrá vuesa merced el valor de mi rucio; que rucio es el color de mi jumento[3]. Pues galgos no
me habían de faltar, habiéndolos sobrados en mi pueblo; y más, que entonces es la caza más gustosa cuando
se hace a costa ajena.

—Real y verdaderamente —respondió el del Bosque—, señor escudero, que tengo propuesto y determinado de dejar estas borracherías destos caballeros, y reti-
rarme a mi aldea, y criar mis hijitos, que tengo tres
como tres orientales perlas.

—Dos tengo yo —dijo Sancho—, que se pueden presentar al Papa en persona, especialmente una muchacha
a quien crío para condesa, si Dios fuere servido, aunque a
pesar de su madre.

—Y ¿qué edad tiene esa señora que se cría para condesa? —preguntó el del Bosque.

—Quince años, dos más a menos —respondió Sancho—; pero es tan grande como una lanza, y tan fresca
como una mañana de abril, y tiene una fuerza de un
ganapán.

—Partes son ésas —respondió el del Bosque— no
sólo para ser condesa, sino para ser ninfa del verde bosque. ¡Oh hideputa, puta, y qué rejo[4] debe de tener la
bellaca!

A lo que respondió Sancho, algo mohíno:

—Ni ella es puta, ni lo fue su madre, ni lo será ninguna de las dos, Dios quiriendo, mientras yo viviere.
Y háblese más comedidamente; que para haberse criado
vuesa merced entre caballeros andantes, que son la mesma cortesía, no me parecen muy concertadas esas palabras.

—¡Oh, qué mal se le entiende a vuesa merced —replicó el del Bosque— de achaque de alabanzas, señor escudero! ¿Cómo y no sabe que cuando algún caballero
da una buena lanzada al toro en la plaza, o cuando alguna persona hace alguna cosa bien hecha, suele decir
el vulgo: «¡Oh hideputa, puto, y qué bien que lo ha
hecho!»? Y aquello que parece vituperio, en aquel término es alabanza notable; y renegad vos, señor, de los

[3] *rucio* significa propiamente de color pardo claro.
[4] *rejo*, fuerza.

hijos o hijas que no hacen obras que merezcan se les den a sus padres loores semejantes.

—Sí reniego —respondió Sancho—; y dese modo y por esa misma razón podía echar vuestra merced a mí y hijos y a mi mujer toda una putería encima, porque todo cuanto hacen y dicen son estremos dignos de semejantes alabanzas, y para volverlos a ver ruego yo a Dios me saque de pecado mortal, que lo mesmo será si me saca deste peligroso oficio de escudero, en el cual he incurrido segunda vez, cebado y engañado de una bolsa con cien ducados que me hallé un día en el corazón de Sierra Morena, y el diablo me pone ante los ojos aquí, allí, acá no, sino acullá, un talego lleno de doblones, que me parece que a cada paso le toco con la mano, y me abrazo con él, y lo llevo a mi casa, y echo censos, y fundo rentas, y vivo como un príncipe; y el rato que en esto pienso se me hacen fáciles y llevaderos cuantos trabajos padezco con este mentecato de mi amo, de quien sé que tiene más de loco que de caballero.

—Por eso —respondió el del Bosque— dicen que la codicia rompe el saco; y si va a tratar dellos, no hay otro mayor en el mundo que mi amo, porque es de aquellos que dicen: «Cuidados ajenos matan al asno»; pues porque cobre otro caballero el juicio que ha perdido, se hace el loco, y anda buscando lo que no sé si después de hallado le ha de salir a los hocicos.

—Y ¿es enamorado por dicha?

—Sí —dijo el del Bosque—: de una tal Casildea de Vandalia, la más cruda y la más asada señora que en todo el orbe puede hallarse; pero no cojea del pie de la crudeza; que otros mayores embustes le gruñen en las entrañas, y ello dirá antes de muchas horas.

—No hay camino tan llano —replicó Sancho— que no tenga algún tropezón o barranco; en otras casas cuecen habas, y en la mía, a calderadas; más acompañados y paniaguados debe de tener la locura que la discreción. Mas si es verdad lo que comúnmente se dice, que el tener compañeros en los trabajos suele servir de alivio en ellos, con vuestra merced podré consolarme, pues sirve a otro amo tan tonto como el mío.

—Tonto, pero valiente —respondió el del Bosque—, y más bellaco que tonto y que valiente.

—Eso no es el mío —respondió Sancho—: digo, que no tiene nada de bellaco; antes tiene una alma como un cántaro[5]: no sabe hacer mal a nadie, sino bien a todos, ni tiene malicia alguna: un niño le hará entender que es de noche en la mitad del día, y por esta sencillez le quiero como a las telas de mi corazón, y no me amaño a dejarle, por más disparates que haga.

—Con todo eso, hermano y señor —dijo el del Bosque—, si el ciego guía al ciego, ambos van a peligro de caer en el hoyo. Mejor es retirarnos con buen compás de pies, y volvernos a nuestras querencias; que los que buscan aventuras, no siempre las hallan buenas.

Escupía Sancho a menudo, al parecer, un cierto género de saliva pegajosa y algo seca; lo cual visto y notado por el caritativo bosqueril escudero, dijo:

—Paréceme que de lo que hemos hablado se nos pegan al paladar las lenguas; pero yo traigo un despegador pendiente del arzón de mi caballo, que es tal como bueno.

Y levantándose, volvió desde allí a un poco con una gran bota de vino y una empanada de media vara, y no es encarecimiento; porque era de un conejo albar[6] tan grande, que Sancho, al tocarla, entendió ser de algún cabrón, no que de cabrito; lo cual visto por Sancho, dijo:

—Y ¿esto trae vuestra merced consigo, señor?

—Pues ¿qué se pensaba? —respondió el otro—. ¿Soy yo por ventura algún escudero de agua y lana[7]? Mejor repuesto traigo yo en las ancas de mi caballo que lleva consigo cuando va de camino un general.

Comió Sancho sin hacerse de rogar, y tragaba a escuras bocados de nudos de suelta[8]. Y dijo:

—Vuestra merced sí que es escudero fiel y legal, moliente y corriente, magnífico y grande, como lo muestra este banquete, que si no ha venido aquí por arte de encantamento, parécelo, a lo menos; y no como yo, mezquino y malaventurado, que sólo traigo en mis alforjas un poco de queso, tan duro, que pueden descalabrar con ello a un gigante; a quien hacen compañía cuatro docenas de algarrobas y otras tantas de avellanas y nueces,

---

[5] *tener una alma como un cántaro,* ser sencillo, simple, infeliz.
[6] *albar,* blanco.
[7] *de agua y lana,* de poco valor e importancia.
[8] *nudos de suelta,* nudos de las trabas con que se atan las caballerías; aquí ponderando los bocados de Sancho.

mercedes a[9] la estrecheza de mi dueño, y a la opinión
que tiene y orden que guarda de que los caballeros andantes no se han de mantener y sustentar sino con frutas
secas y con las yerbas del campo.

—Por mi fe, hermano —replicó el del Bosque—, que
yo no tengo hecho el estómago a tagarninas, ni a piruétanos[10], ni a raíces de los montes. Allá se lo hayan con
sus opiniones y leyes caballerescas nuestros amos, y coman lo que ellos mandaren. Fiambreras traigo, y esta
bota colgando del arzón de la silla, por sí o por no; y es
tan devota mía y quiérola tanto, que pocos ratos se pasan sin que la dé mil besos y mil abrazos.

· Y diciendo esto, se la puso en las manos a Sancho;
el cual, empinándola, puesta a la boca, estuvo mirando
las estrellas un cuarto de hora, y en acabando de beber,
dejó caer la cabeza a un lado, y dando un gran suspiro,
dijo:

—¡Oh hideputa, bellaco, y cómo es católico[11]!

—¿Veis ahí —dijo el del Bosque en oyendo el hideputa de Sancho—, cómo habéis alabado este vino lla-
mándole hideputa?

—Digo —respondió Sancho—, que confieso que conozco que no es deshonra llamar hijo de puta a nadie,
cuando cae debajo del entendimiento de alabarle. Pero
dígame, señor, por el siglo de lo que más quiere: ¿este
vino es de Ciudad Real?

—¡Bravo mojón[12]! —respondió el del Bosque—. En
verdad que no es de otra parte, y que tiene algunos años
de ancianidad.

—¡A mí con eso! —dijo Sancho—. No toméis me-
nos sino que[13] se me fuera a mí por alto dar alcance a su
conocimiento. ¿No será bueno, señor escudero, que tenga yo un instinto tan grande y tan natural en esto de conocer vinos, que en dándome a oler cualquiera, acierto
la patria, el linaje, el sabor, y la dura[14], y las vueltas que
ha de dar, con todas las circunstancias al vino atañede-
ras? Pero no hay de qué maravillarse, si tuve en mi li-

---

[9] *mercedes a*, gracias a.
[10] *tagarninas, piruétanos*, cardillos y peras silvestres.
[11] *católico*, superior.
[12] *mojón*, catador de vinos.
[13] *No toméis menos sino que*, no os figuréis que.
[14] *dura*, antigüedad del vino.

naje por parte de mi padre los dos más excelentes mojones que en luengos años conoció la Mancha; para prueba de lo cual les sucedió lo que ahora diré. Diéronles a los dos a probar del vino de una cuba, pidiéndoles su parecer del estado, cualidad, bondad o malicia del vino. El uno lo probó con la punta de la lengua; el otro no hizo más que llegarlo a las narices. El primero dijo que aquel vino sabía a hierro; el segundo dijo que más sabía a cordobán. El dueño dijo que la cuba estaba limpia, y que el tal vino no tenía adobo alguno por donde hubiese tomado sabor de hierro ni de cordobán. Con todo eso, los dos famosos mojones se afirmaron en lo que habían dicho. Anduvo el tiempo, vendióse el vino, y al limpiar de la cuba hallaron en ella una llave pequeña, pendiente de una correa de cordobán. Porque vea vuestra merced si quien viene desta ralea podrá dar su parecer en semejantes causas.

—Por eso digo —dijo el del Bosque— que nos dejemos de andar buscando aventuras; y pues tenemos hogazas, no busquemos tortas, y volvámonos a nuestras chozas; que allí nos hallará Dios, si Él quiere.

—Hasta que mi amo llegue a Zaragoza, le serviré; que después todos nos entenderemos.

Finalmente, tanto hablaron y tanto bebieron los dos buenos escuderos, que tuvo necesidad el sueño de atarles las lenguas y templarles la sed, que quitársela fuera imposible; y así, asidos entrambos de la ya casi vacía bota, con los bocados a medio mascar en la boca, se quedaron dormidos, donde los dejaremos por ahora, por contar lo que el Caballero del Bosque pasó con el de la Triste Figura.

CAPÍTULO XIV

Donde se prosigue la aventura del Caballero del Bosque

Entre muchas razones que pasaron don Quijote y el Caballero de la Selva, dice la historia que el del Bosque dijo a don Quijote:

—Finalmente, señor caballero, quiero que sepáis que

mi destino, o, por mejor decir, mi elección, me trujo a enamorar de la sin par Casildea de Vandalia. Llámola sin par porque no le tiene, así en la grandeza del cuerpo como en el estremo del estado y de la hermosura. Esta tal Casildea, pues, que voy contando, pagó mis buenos pensamientos y comedidos deseos con hacerme ocupar, como su madrina[1] a Hércules, en muchos y diversos peligros, prometiéndome al fin de cada uno que en el fin del otro llegaría el de mi esperanza; pero así se han ido eslabonando mis trabajos, que no tienen cuento, ni yo sé cuál ha de ser el último que dé principio al cumplimiento de mis buenos deseos. Una vez me mandó que fuese a desafiar a aquella famosa giganta de Sevilla llamada la Giralda, que es tan valiente y fuerte como hecha de bronce, y sin mudarse de un lugar, es la más movible y voltaria[2] mujer del mundo. Llegué, vila y vencíla, y hícela estar queda y a raya, porque en más de una semana no soplaron sino vientos nortes. Vez también hubo que me mandó fuese a tomar en peso las antiguas piedras de los valientes[3] Toros de Guisando, empresa más para encomendarse a ganapanes que a caballeros. Otra vez me mandó que me precipitase y sumiese en la sima de Cabra[4], peligro inaudito y temeroso, y que le trujese particular relación de lo que en aquella escura profundidad se encierra. Detuve el movimiento a la Giralda, pesé los Toros de Guisando, despeñéme en la sima y saqué a luz lo escondido de su abismo, y mis esperanzas, muertas que muertas, y sus mandamientos y desdenes, vivos que vivos. En resolución, últimamente me ha mandado que discurra por todas las provincias de España y haga confesar a todos los andantes caballeros que por ellas vagaren que ella sola es la más aventajada en hermosura de cuantas hoy viven, y que yo soy el más valiente y el más bien enamorado caballero del orbe; en cuya demanda he andado ya la mayor parte de España, y en ella he vencido muchos caballeros que se han atrevido a contradecirme. Pero de lo que yo más me precio y ufano es de haber

[1] *madrina* en el sentido de madrastra. Se trata de Juno, esposa de Júpiter, que incitó al hijo de éste y de Alcmena, Hércules, a realizar sus famosos doce trabajos.
[2] *voltaria*, versátil, que da vueltas.
[3] *valientes*, grandes, corpulentos.
[4] Está a una legua de Cabra (provincia de Córdoba).

vencido en singular batalla a aquel tan famoso caballero don Quijote de la Mancha, y héchole confesar que es
más hermosa mi Casildea que su Dulcinea; y en solo este
vencimiento hago cuenta que he vencido todos los caballeros del mundo, porque el tal don Quijote que digo los
ha vencido a todos; y habiéndole yo vencido a él, su gloria, su fama y su honra se ha transferido y pasado a mi
persona.

> Y tanto el vencedor es más honrado,
> cuanto más el vencido es reputado[5];

así, que ya corren por mi cuenta y son mías las inumerables hazañas del ya referido don Quijote.

Admirado quedó don Quijote de oír al Caballero del
Bosque, y estuvo mil veces por decirle que mentía, y ya
tuvo el mentís en el pico de la lengua; pero reportóse lo
mejor que pudo, por hacerle confesar por su propia boca
su mentira, y así, sosegadamente le dijo:

—De que vuesa merced, señor caballero, haya vencido a los más caballeros andantes de España, y aun de
todo el mundo, no digo nada; pero de que haya vencido
a don Quijote de la Mancha, póngolo en duda. Podría
ser que fuese otro que le pareciese, aunque hay pocos
que le parezcan.

—¿Cómo no? —replicó el del Bosque—. Por el cielo
que nos cubre que peleé con don Quijote, y le vencí y
rendí; y es un hombre alto de cuerpo, seco de rostro, estirado y avellanado de miembros, entrecano, la nariz
aguileña y algo corva, de bigotes grandes, negros y caídos. Campea debajo del nombre del *Caballero de la Triste Figura*, y trae por escudero a un labrador llamado
Sancho Panza; oprime el lomo y rige el freno de un famoso caballo llamado Rocinante, y, finalmente, tiene por
señora de su voluntad a una tal Dulcinea del Toboso,
llamada un tiempo Aldonza Lorenzo; como la mía, que,
por llamarse Casilda y ser de la Andalucía, yo la llamo
Casildea de Vandalia. Si todas estas señas no bastan para
acreditar mi verdad, aquí está mi espada, que la hará
dar crédito a la mesma incredulidad.

[5] Versos del canto primero de la *Araucana* de Alonso de Ercilla,
que en su texto original rezan: «Pues no es el vencedor más estimado De aquello en que el vencido es reputado».

—Sosegaos, señor caballero —dijo don Quijote—, y escuchad lo que decir os quiero. Habéis de saber que ese don Quijote que decís es el mayor amigo que en este mundo tengo, y tanto, que podré decir que le tengo en lugar de mi misma persona, y que por las señas que dél me habéis dado, tan puntuales y ciertas, no puedo pensar sino que sea el mismo que habéis vencido. Por otra parte, veo con los ojos y toco con las manos no ser posible ser el mesmo, si ya no fuese que como él tiene muchos enemigos encantadores, especialmente uno que de ordinario le persigue, no haya alguno dellos tomado su figura para dejarse vencer, por defraudarle de la fama que sus altas caballerías le tienen granjeada y adquirida por todo lo descubierto de la tierra. Y para confirmación desto, quiero también que sepáis que los tales encantadores sus contrarios no ha más de dos días que transformaran la figura y persona de la hermosa Dulcinea del Toboso en una aldeana soez y baja, y desta manera habrán transformado a don Quijote; y si todo esto no basta para enteraros en esta verdad que digo, aquí está el mesmo don Quijote, que la sustentará con sus armas a pie, o a caballo, o de cualquiera suerte que os agradare.

Y diciendo esto, se levantó en pie y se empuñó en la espada, esperando qué resolución tomaría el Caballero del Bosque; el cual con voz asimismo sosegada, respondió y dijo:

—Al buen pagador no le duelen prendas: el que una vez, señor don Quijote, pudo venceros transformado, bien podrá tener esperanza de rendiros en vuestro propio ser. Mas porque no es bien que los caballeros hagan sus fechos de armas ascuras, como los salteadores y rufianes, esperemos el día, para que el sol vea nuestras obras. Y ha de ser condición de nuestra batalla que el vencido ha de quedar a la voluntad del vencedor, para que haga dél todo lo que quisiere, con tal que sea decente a caballero lo que se le ordenare.

—Soy más que contento desa condición y convenencia —respondió don Quijote.

Y en diciendo esto, se fueron donde estaban sus escuderos, y los hallaron roncando y en la misma forma que estaban cuando les salteó el sueño. Despertáronlos y mandáronles que tuviesen a punto los caballos, porque en saliendo el sol habían de hacer los dos una sangrienta, singular y desigual[6] batalla; a cuyas nuevas quedó Sancho atónito y pasmado, temeroso de la salud de su amo, por las valentías que había oído decir del suyo al escudero del Bosque; pero, sin hablar palabra, se fueron los dos escuderos a buscar su ganado; que ya todos tres caballos y el rucio se habían olido y estaban todos juntos.

En el camino dijo el del Bosque a Sancho:

—Ha de saber, hermano, que tienen por costumbre los peleantes de la Andalucía, cuando son padrinos de alguna pendencia, no estarse ociosos mano sobre mano en tanto que sus ahijados riñen. Dígolo porque esté advertido que mientras nuestros dueños riñeren, nosotros también hemos de pelear y hacernos astillas.

—Esa costumbre, señor escudero —respondió Sancho—, allá puede correr y pasar con los rufianes y peleantes que dice; pero con los escuderos de los caballeros andantes, ni por pienso. A lo menos, yo no he oído decir a mi amo semejante costumbre, y sabe de memoria todas las ordenanzas de la andante caballería. Cuanto más que yo quiero que sea verdad y ordenanza expresa el pelear los escuderos en tanto que sus señores pelean; pero yo no quiero cumplirla, sino pagar la pena que estuviere puesta a los tales pacíficos escuderos, que yo aseguro que no pase de dos libras de cera[7], y más quiero pagar las tales libras; que sé que me costarán menos que las hilas que podré gastar en curarme la cabeza, que ya me la cuento por partida y dividida en dos partes. Hay más: que me imposibilita el reñir el no tener espada, pues en mi vida me la puse.

—Para eso sé yo un buen remedio —dijo el del Bosque—; yo traigo aquí dos talegas de lienzo, de un mesmo tamaño; tomaréis vos la una, y yo la otra, y riñiremos a talegazos, con armas iguales.

—Desa manera, sea en buena hora —respondió Sancho—; porque antes servirá la tal pelea de despolvorearnos que de herirnos.

—No ha de ser así —replicó el otro—; porque se han

---

[6] *desigual*, ardua, muy dificultuosa.
[7] En las cofradías, a los que no asistían a las funciones les imponían penas en metálico que se empleaban en la compra de cirios.

de echar dentro de las talegas, porque no se las lleve el aire, media docena de guijarros lindos y pelados, que pesen tanto los unos como los otros, y desta manera nos podremos atalegar sin hacernos mal ni daño.

—¡Mirad, cuerpo de mi padre —respondió Sancho—, qué martas cebollinas[8] o qué copos de algodón cardado pone en las talegas, para no quedar molidos los cascos y hechos alheña los huesos! Pero aunque se llenaran de capullos de seda, sepa, señor mío, que no he de pelear; peleen nuestros amos, y allá se lo hayan, y bebamos y vivamos nosotros; que el tiempo tiene cuidado de quitarnos las vidas, sin que andemos buscando apetites[9] para que se acaben antes de llegar su sazón y término y que se cayan de maduras.

—Con todo —replicó el del Bosque—, hemos de pelear siquiera media hora.

—Eso no —respondió Sancho—; no seré yo tan descortés ni tan desagradecido, que con quien he comido y he bebido trabe cuestión alguna, por mínima que sea; cuanto más que estando sin cólera y sin enojo, ¿quién diablos se ha de amañar a reñir a secas?

—Para eso —dijo el del Bosque— yo daré un suficiente remedio: y es que antes que comencemos la pelea, yo me llegaré bonitamente a vuestra merced y le daré tres o cuatro bofetadas, que dé con él a mis pies; con las cuales le haré despertar la cólera, aunque esté con más sueño que un lirón.

—Contra ese corte sé yo otro —respondió Sancho—, que no le va en zaga: cogeré yo un garrote, y antes que vuestra merced llegue a despertarme la cólera haré yo dormir a garrotazos de tal suerte la suya, que no despierte si no fuere en el otro mundo; en el cual se sabe que no soy yo hombre que me dejo manosear el rostro de nadie. Y cada uno mire por el virote[10]; aunque lo más acertado sería dejar dormir su cólera a cada uno: que no sabe nadie el alma de nadie, y tal suele venir por lana que vuelve tresquilado; y Dios bendijo la paz y maldijo las riñas; porque si un gato acosado, encerrado y apre-

---

[8] *cebollinas,* cebellinas.
[9] *apetites,* estimulantes.
[10] *mirar por el virote,* atender con cuidado y vigilancia a lo que importa.

tado se vuelve en león, yo, que soy hombre, Dios sabe en lo que podré volverme, y, así, desde ahora intimo a vuestra merced, señor escudero, que corra por su cuenta todo el mal y daño que de nuestra pendencia resultare.

—Está bien —replicó el del Bosque—. Amanecerá Dios y medraremos.

En esto, ya comenzaban a gorjear en los árboles mil suertes de pintados pajarillos, y en sus diversos y alegres cantos parecía que daban la norabuena y saludaban a la fresca aurora, que ya por las puertas y balcones del Oriente iba descubriendo la hermosura de su rostro, sacudiendo de sus cabellos un número infinito de líquidas perlas, en cuyo suave licor bañándose las yerbas, parecía asimesmo que ellas brotaban y llovían blanco y menudo aljófar; los sauces destilaban maná sabroso, reíanse las fuentes, murmuraban los arroyos, alegrábanse las selvas y enriquecíanse los prados con su venida. Mas apenas dio lugar la claridad del día para ver y diferenciar las cosas, cuando la primera que se ofreció a los ojos de Sancho Panza fue la nariz del escudero del Bosque, que era tan grande, que casi le hacía sombra a todo el cuerpo. Cuéntase, en efecto, que era de demasiada grandeza, corva en la mitad y toda llena de verrugas, de color amoratado, como de berenjena; bajábale sobre los dedos más abajo de la boca; cuya grandeza, color, verrugas y encorvamiento así le afeaban el rostro, que en viéndole Sancho, comenzó a herir[11] de pie y de mano, como niño con alferecía[12], y propuso en su corazón de dejarse dar docientas bofetadas antes que despertar la cólera para reñir con aquel vestiglo.

Don Quijote miró a su contendor y hallóle ya puesta y calada la celada, de modo que no le pudo ver el rostro; pero notó que era hombre membrudo, y no muy alto de cuerpo. Sobre las armas traía una sobrevista o casaca, de una tela, al parecer, de oro finísimo, sembradas por ella muchas lunas pequeñas de resplandecientes espejos, que le hacían en grandísima manera galán y vistoso; volábanle sobre la celada grande cantidad de plumas verdes, amarillas y blancas; la lanza, que tenía arri-

---

[11] *herir*, temblar.
[12] *alferecía*, enfermedad de la infancia caracterizada por convulsiones y pérdida del conocimiento.

mada a un árbol, era grandísima y gruesa, y de un hierro acerado de más de un palmo.

Todo lo miró y todo lo notó don Quijote, y juzgó de lo visto y mirado que el ya dicho caballero debía de ser de grandes fuerzas; pero no por eso temió, como Sancho Panza; antes con gentil denuedo dijo al Caballero de los Espejos:

—Si la mucha gana de pelear, señor caballero, no os gasta la cortesía, por ella os pido que alcéis la visera un poco, porque yo vea si la gallardía de vuestro rostro responde a la de vuestra disposición.

—O vencido o vencedor que salgáis desta empresa, señor caballero —respondió el de los Espejos—, os quedará tiempo y espacio demasiado para verme; y si ahora no satisfago a vuestro deseo, es por parecerme que hago notable agravio a la hermosa Casildea de Vandalia en dilatar el tiempo que tardare en alzarme la visera, sin haceros confesar lo que ya sabéis que pretendo.

—Pues en tanto que subimos a caballo —dijo don Quijote—, bien podéis decirme si soy yo aquel don Quijote que dijistes haber vencido.

—A eso vos respondemos —dijo el de los Espejos— que parecéis, como se parece un huevo a otro, al mismo caballero que yo vencí; pero según vos decís que le persiguen encantadores, no osaré afirmar si sois el contenido[13] o no.

—Eso me basta a mí —respondió don Quijote— para que crea vuestro engaño; empero, para sacaros dél de todo punto, vengan nuestros caballos; que en menos tiempo que el que tardárades en alzaros la visera, si Dios, si mi señora y mi brazo me valen, veré yo vuestro rostro, y vos veréis que no soy yo el vencido don Quijote que pensáis.

Con esto, acortando razones, subieron a caballo, y don Quijote volvió las riendas a Rocinante para tomar lo que convenía del campo, para volver a encontrar a su contrario, y lo mesmo hizo el de los Espejos. Pero no se había apartado don Quijote veinte pasos, cuando se oyó llamar del de los Espejos, y partiendo los dos el camino, el de los Espejos le dijo:

---

[13] *el contenido,* el susodicho, el mencionado.

—Advertid, señor caballero, que la condición de nuestra batalla es que el vencido, como otra vez he dicho, ha de quedar a discreción del vencedor.

—Ya la sé —respondió don Quijote—; con tal que lo que se le impusiere y mandare al vencido han de ser cosas que no salgan de los límites de la caballería.

—Así se entiende —respondió el de los Espejos.

Ofreciéronsele en esto a la vista de don Quijote las estrañas narices del escudero, y no se admiró menos de verlas que Sancho; tanto, que le juzgó por algún monstro, o por hombre nuevo y de aquellos que no se usan en el mundo. Sancho, que vio partir a su amo, para tomar carrera, no quiso quedar solo con el narigudo, temiendo que con solo un pasagonzalo[14] con aquellas narices en las suyas sería acabada la pendencia suya, quedando del golpe, o del miedo, tendido en el suelo, y fuese tras su amo, asido a una acción[15] de Rocinante; y cuando le pareció que ya era tiempo que volviese, le dijo:

—Suplico a vuesa merced, señor mío, que antes que vuelva a encontrarse me ayude a subir sobre aquel alcornoque, de donde podré ver más a mi sabor, mejor que desde el suelo, el gallardo encuentro que vuesa merced ha de hacer con este caballero.

—Antes creo, Sancho —dijo don Quijote—, que te quieres encaramar y subir en andamio por ver sin peligro los toros.

—La verdad que diga —respondió Sancho—, las desaforadas narices de aquel escudero me tienen atónito y lleno de espanto, y no me atrevo a estar junto a él.

—Ellas son tales —dijo don Quijote—, que a no ser yo quien soy, también me asombraran; y así, ven: ayudarte he a subir donde dices.

En lo que se detuvo don Quijote en que Sancho subiese en el alcornoque, tomó el de los Espejos del campo lo que le pareció necesario; y creyendo que lo mismo habría hecho don Quijote, sin esperar son de trompeta ni otra señal que los avisase, volvió las riendas a su caballo —que no era más ligero ni de mejor parecer que Rocinante—, y a todo su correr, que era un mediano

---

[14] *pasagonzalo*, golpe dado con los dedos en la nariz.
[15] *acción*, o ación, correa de la silla de la que pende el estribo.

trote, iba a encontrar a su enemigo; pero viéndole ocupado en la subida de Sancho, detuvo las riendas y paróse
en la mitad de la carrera, de lo que el caballo quedó agra-
decidísimo, a causa que ya no podía moverse. Don Quijote, que le pareció que ya su enemigo venía volando,
arrimó reciamente las espuelas a las trasijadas[16] ijadas de
Rocinante, y le hizo aguijar de manera, que cuenta la
historia que esta sola vez se conoció haber corrido algo;
porque todas las demás siempre fueron trotes declarados,
y con esta no vista furia llegó donde el de los Espejos
estaba hincando a su caballo las espuelas hasta los botones, sin que le pudiese mover un solo dedo del lugar
donde había hecho estanco[17] de su carrera.

En esta buena sazón y coyuntura halló don Quijote
a su contrario embarazado con su caballo y ocupado con
su lanza, que nunca, o no acertó, o no tuvo lugar de ponerla en ristre. Don Quijote, que no miraba en estos inconvenientes, a salvamano y sin peligro alguno encontró
al de los Espejos, con tanta fuerza, que mal de su grado
le hizo venir al suelo por las ancas del caballo, dando
tal caída, que, sin mover pie ni mano, dio señales de que
estaba muerto.

Apenas le vio caído Sancho, cuando se deslizó del alcornoque y a toda priesa vino donde su señor estaba; el
cual, apeándose de Rocinante, fue sobre el de los Espejos, y quitándole las lazadas del yelmo para ver si era
muerto y para que le diese el aire si acaso estaba vivo...
y vio... ¿Quién podrá decir lo que vio, sin causar admiración, maravilla y espanto a los que lo oyeren? Vio, dice
la historia, el rostro mesmo, la misma figura, el mesmo
aspecto, la misma fisonomía, la mesma efigie, la pespe-
tiva mesma del bachiller Sansón Carrasco; y así como
la vio, en altas voces dijo:

—¡Acude, Sancho, y mira lo que has de ver y no lo
has creer! ¡Aguija, hijo, y advierte lo que puede la
magia, lo que pueden los hechiceros y los encantadores!

Llegó Sancho, y como vio el rostro del bachiller Carrasco, comenzó a hacerse mil cruces y a santiguarse
otras tantas. En todo esto no daba muestras de estar vivo
el derribado caballero, y Sancho dijo a don Quijote:

[16] *trasijadas*, escuálidas.
[17] *estanco*, detención, parada.

—Soy de parecer, señor mío, que, por sí o por no, vuesa merced hinque y meta la espada por la boca a este que parece el bachiller Sansón Carrasco; quizá matará en él a alguno de sus enemigos los encantadores.

—No dices mal —dijo don Quijote—; porque de los enemigos, los menos.

Y sacando la espada para poner en efecto el aviso y consejo de Sancho, llegó el escudero del de los Espejos, ya sin las narices que tan feo le habían hecho, y a grandes voces dijo:

—Mire vuesa merced lo que hace, señor don Quijote; que ese que tiene a los pies es el bachiller Sansón Carrasco su amigo, y yo soy su escudero.

Y viéndole Sancho sin aquella fealdad primera, le dijo:

—¿Y las narices?

A lo que él respondió:

—Aquí las tengo, en la faldriquera.

Y echando mano a la derecha, sacó unas narices de pasta y barniz, de máscara, de la manifatura que quedan delineadas. Y mirándole más y más Sancho, con voz admirativa y grande, dijo:

—¡Santa María, y valme! ¿Éste no es Tomé Cecial, mi vecino y mi compadre?

—Y ¡cómo si lo soy! —respondió el ya desnarigado escudero—. Tomé Cecial soy, compadre y amigo Sancho Panza, y luego os diré los arcaduces[18], embustes y enredos por donde soy aquí venido; y en tanto, pedid y suplicad al señor vuestro amo que no toque, maltrate, hiera ni mate al caballero de los Espejos, que a sus pies tiene, porque sin duda alguna es el atrevido y mal aconsejado del bachiller Sansón Carrasco, nuestro compatrioto.

En esto, volvió en sí el de los Espejos; lo cual visto por don Quijote, le puso la punta desnuda de su espada encima del rostro, y le dijo:

—Muerto sois, caballero, si no confesáis que la sin par Dulcinea del Toboso se aventaja en belleza a vuestra Casildea de Vandalia; y demás de esto habéis de prometer, si de esta contienda y caída quedárades con vida, de

---

[18] *arcaduces* en el sentido de «recursos».

ir a la ciudad del Toboso y presentaros en su presencia
de mi parte, para que haga de vos lo que más en voluntad le viniere; y si os dejare en la vuestra, asimismo habéis de volver a buscarme, que el rastro de mis hazañas
os servirá de guía que os traiga donde yo estuviere, y a
decirme lo que con ella hubiéredes pasado; condiciones
que, conforme a las que pusimos antes de nuestra batalla, no salen de los términos de la andante caballería.

—Confieso —dijo el caído caballero— que vale más
el zapato descosido y sucio de la señora Dulcinea del Toboso, que las barbas mal peinadas, aunque limpias, de
Casildea, y prometo de ir v volver de su presencia a la
vuestra, y daros entera y particular cuenta de lo que me
pedís.

—También habéis de confesar y creer —añadió don
Quijote— que aquel caballero que vencistes no fue ni
pudo ser don Quijote de la Mancha, sino otro que se le
parecía, como yo confieso y creo que vos, aunque parecéis el bachiller Sansón Carrasco, no lo sois, sino otro que
le parece, y que en su figura aquí me lo han puesto mis
enemigos, para que detenga y temple el ímpetu de mi
cólera, y para que use blandamente de la gloria del vencimiento.

—Todo lo confieso, juzgo y siento como vos lo creéis,
juzgáis y sentís —respondió el derrengado caballero—.
Dejadme levantar, os ruego, si es que lo permite el golpe de mi caída, que asaz maltrecho me tiene.

Ayudóle a levantar don Quijote y Tomé Cecial su
escudero, del cual no apartaba los ojos Sancho, preguntándole cosas cuyas respuestas le daban manifiestas señales de que verdaderamente era el Tomé Cecial que decía;
mas la aprehensión que en Sancho había hecho lo que
su amo dijo de que los encantadores habían mudado la
figura del Caballero de los Espejos en la del bachiller
Carrasco no le dejaba dar crédito a la verdad que con
los ojos estaba mirando. Finalmente, se quedaron con este
engaño amo y mozo, y el de los Espejos y su escudero, mohínos y malandantes, se apartaron de don Quijote y Sancho, con intención de buscar algún lugar donde bizmarle[19] y entablarle las costillas. Don Quijote y

---

[19] *bizmar*, poner emplastos.

Sancho volvieron a proseguir su camino de Zaragoza, donde los deja la historia, por dar cuenta de quién era el Caballero de los Espejos y su narigante escudero.

CAPÍTULO XV

Donde se cuenta y da noticia de quién era el Caballero de los Espejos y su escudero

EN estremo contento, ufano y vanaglorioso iba don Quijote por haber alcanzado vitoria de tan valiente caballero como él se imaginaba que era el de los Espejos, de cuya caballeresca palabra esperaba saber si el encantamento de su señora pasaba adelante, pues era forzoso que el tal vencido caballero volviese, so pena de no serlo, a darle razón de lo que con ella le hubiese sucedido. Pero uno pensaba don Quijote y otro[1] el de los Espejos, puesto que por entonces no era otro su pensamiento sino buscar donde bizmarse, como se ha dicho.

Dice, pues, la historia que cuando el bachiller Sansón Carrasco aconsejó a don Quijote que volviese a proseguir sus dejadas caballerías, fue por haber entrado primero en bureo con el cura y el barbero sobre qué medio se podría tomar para reducir a don Quijote a que se estuviese en su casa quieto y sosegado, sin que le alborotasen sus mal buscadas aventuras; de cuyo consejo salió, por voto común de todos y parecer particular de Carrasco, que dejasen salir a don Quijote, pues el detenerle parecía imposible, y que Sansón le saliese al camino como caballero andante, y trabase batalla con él, pues no faltaría sobre qué, y le venciese, teniéndolo por cosa fácil, y que fuese pacto y concierto que el vencido quedase a merced del vencedor; y así vencido don Quijote, le había de mandar el bachiller caballero se volviese a su pueblo y casa, y no saliese della en dos años, o hasta tanto que por él le fuese mandado otra cosa; lo cual era claro que don Quijote vencido cumpliría indubitablemente, por no contravenir y faltar a las leyes de la caballería,

---

[1] *Pero uno... y otro*, pero una cosa... y otra.

y podría ser que en el tiempo de su reclusión se le olvidasen sus vanidades, o se diese lugar de buscar a su locura algún conveniente remedio.

Aceptólo Carrasco, y ofreciósele por escudero Tomé Cecial, compadre y vecino de Sancho Panza, hombre alegre y de lucios cascos[2]. Armóse Sansón como queda referido y Tomé Cecial acomodó sobre sus naturales narices las falsas y de máscara ya dichas, porque no fuese conocido de su compadre cuando se viesen, y así siguieron el mismo viaje que llevaba don Quijote, y llegaron casi a hallarse en la aventura del carro de la Muerte. Y, finalmente, dieron con ellos en el bosque, donde les sucedió todo lo que el prudente ha leído; y si no fuera por los pensamientos extraordinarios de don Quijote, que se dio a entender que el bachiller no era el bachiller, el señor bachiller quedara imposibilitado para siempre de graduarse de licenciado, por no haber hallado nidos donde pensó hallar pájaros.

Tomé Cecial, que vio cuán mal había logrado sus deseos y el mal paradero que había tenido su camino, dijo al bachiller:

—Por cierto, señor Sansón Carrasco, que tenemos nuestro merecido: con facilidad se piensa y se acomete una empresa; pero con dificultad las más veces se sale della. Don Quijote loco, nosotros cuerdos, él se va sano y riendo; vuesa merced queda molido y triste. Sepamos, pues, ahora: ¿cuál es más loco: el que lo es por no poder menos, o el que lo es por su voluntad?

A lo que respondió Sansón:

—La diferencia que hay entre esos dos locos es que el que lo es por fuerza lo será siempre, y el que lo es de grado lo dejará de ser cuando quisiere.

—Pues así es —dijo Tomé Cecial—, yo fui por mi voluntad loco cuando quise hacerme escudero de vuestra merced, y por la misma quiero dejar de serlo y volverme a mi casa.

—Eso os cumple —respondió Sansón—; porque pensar que yo he de volver a la mía hasta haber molido a palos a don Quijote es pensar en lo escusado; y no me llevará ahora a buscarle el deseo de que cobre su juicio,

---

[2] *de lucios cascos*, de cabeza alegre, irreflexivo.

sino el de la venganza; que el dolor grande de mis costillas no me deja hacer más piadosos discursos.

En esto fueron razonando los dos, hasta que llegaron
a un pueblo donde fue ventura hallar un algebrista[3], con
quien se curó el Sansón desgraciado. Tomé Cecial se
volvió y le dejó, y él quedó imaginando su venganza, y
la historia vuelve a hablar dél a su tiempo, por no dejar
de regocijarse ahora con don Quijote.

CAPÍTULO XVI

DE LO QUE SUCEDIÓ A DON QUIJOTE CON UN DISCRETO CABALLERO DE LA MANCHA

CON la alegría, contento y ufanidad que se ha dicho
seguía don Quijote su jornada, imaginándose por la
pasada vitoria ser el caballero andante más valiente que
tenía en aquella edad el mundo; daba por acabadas y a
felice fin conducidas cuantas aventuras pudiesen sucederle de allí adelante; tenía en poco a los encantos y a los
encantadores; no se acordaba de los inumerables palos
que en el discurso de sus caballerías le habían dado, ni
de la pedrada que le derribó la mitad de los dientes, ni
del desagradecimiento de los galeotes, ni del atrevimiento y lluvia de estacas de los yangüeses. Finalmente, decía
entre sí que si él hallara arte, modo o manera como desencantar a su señora Dulcinea, no invidiara a la mayor
ventura que alcanzó o pudo alcanzar el más venturoso
caballero andante de los pasados siglos. En estas imaginaciones iba todo ocupado, cuando Sancho le dijo:

—¿No es bueno, señor, que aun todavía traigo entre
los ojos las desaforadas narices, y mayores de marca, de
mi compadre Tomé Cecial?

—Y ¿crees tú, Sancho, por ventura, que el Caballero
de los Espejos era el bachiller Carrasco, y su escudero
Tomé Cecial tu compadre?

—No sé qué me diga a eso —respondió Sancho—;
sólo sé que las señas que me dio de mi casa, mujer y

[3] *algebrista*, médico que encaja los huesos dislocados.

hijos no me las podría dar otro que él mesmo; y la cara, quitadas las narices, era la misma de Tomé Cecial, como yo se la he visto muchas veces en mi pueblo y pared en medio de mi misma casa; y el tono de la habla era todo uno.

—Estemos a razón, Sancho —replicó don Quijote—. Ven acá: ¿en qué consideración puede caber que el bachiller Sansón Carrasco viniese como caballero andante, armado de armas ofensivas y defensivas, a pelear conmigo? ¿He sido yo su enemigo por ventura? ¿Hele dado yo jamás ocasión para tenerme ojeriza? ¿Soy yo su rival, o hace él profesión de las armas, para tener invidia a la fama que yo por ellas he ganado?

—Pues ¿qué diremos, señor —respondió Sancho—, a esto de parecerse tanto aquel caballero, sea el que se fuere, al bachiller Carrasco, y su escudero a Tomé Cecial, mi compadre? Y si ello es encantamento, como vuestra merced ha dicho, ¿no había en el mundo otros dos a quien se parecieran?

—Todo es artificio y traza —respondió don Quijote— de los malignos magos que me persiguen; los cuales, anteviendo que yo había de quedar vencedor en la contienda, se previnieron de que el caballero vencido mostrase el rostro de mi amigo el bachiller, porque la amistad que le tengo se pusiese entre los filos de mi espada y el rigor de mi brazo, y templase la justa ira de mi corazón, y desta manera quedase con vida el que con embelecos y falsías procuraba quitarme la mía. Para prueba de lo cual ya sabes, ¡oh Sancho!, por experiencia que no te dejará mentir ni engañar, cuán fácil sea a los encantadores mudar unos rostros en otros, haciendo de lo hermoso feo y de lo feo hermoso, pues no ha dos días que viste por tus mismos ojos la hermosura y gallardía de la sin par Dulcinea en toda su entereza y natural conformidad, y yo la vi en la fealdad y bajeza de una zafia labradora, con cataratas en los ojos y con mal olor en la boca; y más, que el perverso encantador que se atrevió a hacer una transformación tan mala no es mucho que haya hecho la de Sansón Carasco y la de tu compadre, por quitarme la gloria del vencimiento de las manos. Pero, con todo esto, me consuelo; porque, en fin, en cualquiera figura que haya sido, he quedado vencedor de mi enemigo.

—Dios sabe la verdad de todo —respondió Sancho.

Y como él sabía que la transformación de Dulcinea había sido traza y embeleco suyo, no le satisfacían las quimeras de su amo; pero no le quiso replicar, por no decir alguna palabra que descubriese su embuste.

En estas razones estaban cuando los alcanzó un hombre que detrás dellos por el mismo camino venía sobre una muy hermosa yegua tordilla, vestido un gabán de paño fino verde, jironado de terciopelo leonado[1], con una montera del mismo terciopelo; el aderezo de la yegua era de campo, y de la jineta, asimismo de morado y verde. Traía un alfanje morisco pendiente de un ancho tahalí de verde y oro, y los borceguíes eran de la labor del tahalí; las espuelas no eran doradas, sino dadas con un barniz verde; tan tersas y bruñidas, que, por hacer labor con todo el vestido, parecían mejor que si fuera de oro puro. Cuando llegó a ellos el caminante los saludó cortésmente, y picando a la yegua se pasaba de largo; pero don Quijote le dijo:

—Señor galán, si es que vuestra merced lleva el camino que nosotros y no importa el darse priesa, merced recibiría en que nos fuésemos juntos.

—En verdad —respondió el de la yegua— que no me pasara tan de largo si no fuera por temor que con la compañía de mi yegua no se alborotara ese caballo.

—Bien puede, señor —respondió a esta sazón Sancho—, bien puede tener las riendas a su yegua; porque nuestro caballo es el más honesto y bien mirado del mundo; jamás en semejantes ocasiones ha hecho vileza alguna, y una vez que se desmandó a hacerla la lastamos[2] mi señor y yo con las setenas[3]. Digo otra vez que puede vuestra merced detenerse, si quisiere; que aunque se la den entre dos platos[4], a buen seguro que el caballo no la arrostre.

Detuvo la rienda el caminante, admirándose de la apostura y rostro de don Quijote, el cual iba sin celada, que la llevaba Sancho como maleta en el arzón delantero

---

[1] *jironado de terciopelo leonado*, con jirones de terciopelo rojizo.
[2] *lastar*, pagar por otro.
[3] *con las setenas*, septuplicado.
[4] *entre dos platos*, como los alimentos delicados que se dan a los convalecientes.

de la albarda del rucio; y si mucho miraba el de lo verde
a don Quijote, mucho más miraba don Quijote al de lo
verde, pareciéndole hombre de chapa[5]. La edad mostraba ser de cincuenta años; las canas, pocas, y el rostro,
aguileño; la vista, entre alegre y grave; finalmente, en el
traje y apostura daba a entender ser hombre de buenas
prendas.

Lo que juzgó de don Quijote de la Mancha el de lo
verde fue que semejante manera ni parecer de hombre
no le había visto jamás: admiróle la longura de su caballo, la grandeza de su cuerpo, la flaqueza y amarillez
de su rostro, sus armas, su ademán y compostura: figura
y retrato no visto por luengos tiempos atrás en aquella
tierra. Notó bien don Quijote la atención con que el
caminante le miraba, y leyóle en la suspensión su deseo;
y como era tan cortés y tan amigo de dar gusto a todos,
antes que le preguntase nada le salió al camino, diciéndole:

—Esta figura que vuesa merced en mí ha visto, por
ser tan nueva y tan fuera de las que comúnmente se usan,
no me maravillaría yo de que le hubiese maravillado;
pero dejará vuesa merced de estarlo cuando le diga,
como le digo, que soy caballero

> destos que dicen las gentes
> que a sus aventuras van[6].

Salí de mi patria, empeñé mi hacienda, dejé mi regalo,
y entreguéme en los brazos de la Fortuna, que me llevasen donde más fuese servida. Quise resucitar la ya muerta andante caballería, y ha muchos días que, tropezando
aquí, cayendo allí, despeñándome acá y levantándome
acullá, he cumplido gran parte de mi deseo, socorriendo
viudas, amparando doncellas y favoreciendo casadas,
huérfanos y pupilos, propio y natural oficio de caballeros andantes; y así, por mis valerosas, muchas y cristianas hazañas he merecido andar ya en estampa[7] en casi
todas o las más naciones del mundo. Treinta mil volúmenes se han impreso de mi historia, y lleva camino de im-

---

[5] *de chapa,* honorable.
[6] Para estos versos véase I, 9, nota 3.
[7] *en estampa,* impreso.

primirse treinta mil veces de millares, si el cielo no lo
remedia. Finalmente, por encerrarlo todo en breves palabras, o en una sola, digo que yo soy don Quijote de
la Mancha, por otro nombre llamado el Caballero de la
Triste Figura; y puesto que las propias alabanzas envile-
cen, esme forzoso decir yo tal vez las mías, y esto se entiende cuando no se halla presente quien las diga; así
que, señor gentilhombre, ni este caballo, esta lanza, ni
este escudo ni escudero, ni todas juntas estas armas, ni la
amarillez de mi rostro, ni mi atenuada flaqueza, os podrá
admirar de aquí adelante, habiendo ya sabido quién soy
y la profesión que hago.

Calló en diciendo esto don Quijote, y el de lo verde,
según se tardaba en responderle, parecía que no acertaba a hacerlo; pero de allí a buen espacio le dijo:

—Acertastes, señor caballero, a conocer por mi suspensión mi deseo; pero no habéis acertado a quitarme la
maravilla que en mí causa el haberos visto; que puesto
que, como vos, señor, decís, que el saber ya quién sois
me lo podría quitar, no ha sido así; antes, agora que lo
sé, quedo más suspenso y maravillado. ¿Cómo y es posible que hay hoy caballeros andantes en el mundo, y que
hay historias impresas de verdaderas caballerías? No me
puedo persuadir que haya hoy en la tierra quien favorezca viudas, ampare doncellas, ni honre casadas, ni socorra huérfanos, y no lo creyera si en vuesa merced no lo
hubiera visto con mis ojos. ¡Bendito sea el cielo!, que
con esa historia, que vuesa merced dice que está impresa, de sus altas y verdaderas caballerías, se habrán puesto
en olvido las innumerables de los fingidos caballeros andantes, de que estaba lleno el mundo, tan en daño de
las buenas costumbres y tan en perjuicio y descrédito
de las buenas historias.

—Hay mucho que decir —respondió don Quijote—
en razón de si son fingidas, o no, las historias de los
andantes caballeros.

—Pues ¿hay quien dude —respondió el Verde— que
no son falsas las tales historias?

—Yo lo dudo —respondió don Quijote—, y quédese
esto aquí que si nuestra jornada dura, espero en Dios
de dar a entender a vuesa merced que ha hecho mal en

irse con la corriente de los que tienen por cierto que no son verdaderas.

Desta última razón de don Quijote tomó barruntos el caminante de que don Quijote debía de ser algún mentecato, y aguardaba que con otras lo confirmase; pero antes que se divertiesen en otros razonamientos, don Quijote le rogó le dijese quién era, pues él le había dado parte de su condición y de su vida. A lo que respondió el del Verde Gabán:

—Yo, señor Caballero de la Triste Figura, soy un hidalgo natural de un lugar donde iremos a comer hoy, si Dios fuere servido. Soy más que medianamente rico y es mi nombre don Diego de Miranda; paso la vida con mi mujer, y con mis hijos, y con mis amigos; mis ejercicios son el de la caza y pesca; pero no mantengo ni halcón ni galgos, sino algún perdigón manso, o algún hurón atrevido. Tengo hasta seis docenas de libros, cuáles de romance y cuáles de latín, de historia algunos y de devoción otros; los de caballerías aún no han entrado por los umbrales de mis puertas. Hojeo más los que son profanos que los devotos, como sean de honesto entretenimiento, que deleiten con el lenguaje y admiren y suspendan con la invención, puesto que déstos hay muy pocos en España. Alguna vez como con mis vecinos y amigos, y muchas veces los convido; son mis convites limpios y aseados, y no nada escasos; ni gusto de murmurar, ni consiento que delante de mí se murmure; no escudriño las vidas ajenas, ni soy lince de los hechos de los otros; oigo misa cada día; reparto de mis bienes con los pobres, sin hacer alarde de las buenas obras, por no dar entrada en mi corazón a la hipocresía y vanagloria, enemigos que blandamente se apoderan del corazón más recatado; procuro poner en paz los que sé que están desavenidos; soy devoto de nuestra Señora, y confío siempre en la misericordia infinita de Dios nuestro Señor.

Atentísimo estuvo Sancho a la relación de la vida y entretenimientos del hidalgo; y pareciéndole buena y santa y que quien la hacía debía de hacer milagros, se arrojó del rucio, y con gran priesa le fue a asir del estribo derecho, y con devoto corazón y casi lágrimas le besó los pies una y muchas veces. Visto lo cual por el hidalgo, le preguntó:

—¿Qué hacéis, hermano? ¿Qué besos son éstos?

—Déjenme besar —respondió Sancho—; porque me parece vuesa merced el primer santo a la jineta que he visto en todos los días de mi vida.

—No soy santo —respondió el hidalgo—, sino gran pecador; vos sí, hermano, que debéis de ser bueno, como vuestra simplicidad lo muestra.

Volvió Sancho a cobrar la albarda, habiendo sacado a plaza la risa de la profunda malencolía de su amo y causado nueva admiración a don Diego. Preguntóle don Quijote que cuántos hijos tenía, y díjole que una de las cosas en que ponían el sumo bien los antiguos filósofos, que carecieron del verdadero conocimiento de Dios, fue en los bienes de la naturaleza, en los de la fortuna, en tener muchos amigos y en tener muchos y buenos hijos.

—Yo, señor don Quijote —respondió el hidalgo—, tengo un hijo, que, a no tenerle, quizá me juzgara por más dichoso de lo que soy; y no porque él sea malo, sino porque no es tan bueno como yo quisiera. Será de edad de diez y ocho años: los seis ha estado en Salamanca, aprendiendo las lenguas latina y griega; y cuando quise que pasase a estudiar otras ciencias, halléle tan embebido en la de la poesía, si es que se puede llamar ciencia, que no es posible hacerle arrostrar la de las leyes, que yo quisiera que estudiara, ni de la reina de todas, la teología. Quisiera yo que fuera corona de su linaje, pues vivimos en siglo donde nuestros reyes premian altamente las virtuosas y buenas letras; porque letras sin virtud son perlas en el muladar. Todo el día se le pasa en averiguar si dijo bien o mal Homero en tal verso de la *Ilíada*; si Marcial anduvo deshonesto, o no, en tal epigrama; si se han de entender de una manera o otra tales y tales versos de Virgilio. En fin, todas sus conversaciones son con los libros de los referidos poetas, y con los de Horacio, Persio, Juvenal y Tibulo; que de los modernos romancistas[8] no hace mucha cuenta; y con todo el mal cariño que muestra tener a la poesía de romance, le tiene agora desvanecidos los pensamientos el hacer una glosa a cuatro versos que le han enviado de Salamanca, y pienso que son de justa literaria.

---

[8] *romancistas*, los que escriben en romance (en lengua vulgar, en oposición al latín).

A todo lo cual respondió don Quijote:

—Los hijos, señor, son pedazos de las entrañas de sus padres, y así, se han de querer, o buenos o malos que sean, como se quieren las almas que nos dan vida; a los padres toca el encaminarlos desde pequeños por los pasos de la virtud, de la buena crianza y de las buenas y cristianas costumbres, para que cuando grandes sean báculo de la vejez de sus padres y gloria de su posteridad; y en lo de forzarles que estudien esta o aquella ciencia no lo tengo por acertado, aunque el persuadirles no será dañoso; y cuando no se ha de estudiar para *pane lucrando*[9], siendo tan venturoso el estudiante, que le dio el cielo padres que se lo dejen, sería yo de parecer que le dejen seguir aquella ciencia a que más le vieren inclinado; y aunque la de la poesía es menos útil que deleitable, no es de aquellas que suelen deshonrar a quien las posee. La poesía, señor hidalgo, a mi parecer, es como una doncella tierna y de poca edad, y en todo estremo hermosa, a quien tienen cuidado de enriquecer, pulir y adornar otras muchas doncellas, que son todas las otras ciencias, y ella se ha de servir de todas, y todas se han de autorizar con ella; pero esta tal doncella no quiere ser manoseada, ni traída por las calles, ni publicada por las esquinas de las plazas ni por los rincones de los palacios. Ella es hecha de una alquimia de tal virtud, que quien la sabe tratar la volverá en oro purísimo de inestimable precio; hala de tener, el que la tuviere, a raya, no dejándola correr en torpes sátiras ni en desalmados sonetos; no ha de ser vendible en ninguna manera, si ya no fuere en poemas heroicos, en lamentables tragedias, o en comedias alegres y artificiosas; no se ha de dejar tratar de los truhanes, ni del ignorante vulgo, incapaz de conocer ni estimar los tesoros que en ella se encierran. Y no penséis, señor, que yo llamo aquí vulgo solamente a la gente plebeya y humilde; que todo aquel que no sabe, aunque sea señor y príncipe, puede y debe entrar en número de vulgo. Y así, el que con los requisitos que he dicho tratare y tuviere a la poesía, será famoso y estimado su nombre en todas las naciones políticas[10] del mundo. Y a lo que decís, señor, que vuestro hijo no estima mucho la

<hr>

[9] «ganarse el pan».
[10] *políticas*, cultas, civilizadas.

poesía de romance, doyme a entender que no anda muy acertado en ello, y la razón es ésta: el grande Homero no escribió en latín, porque era griego, ni Virgilio no escribió en griego, porque era latino. En resolución, todos los poetas antiguos escribieron en la lengua que mamaron en la leche, y no fueron a buscar las estranjeras para declarar la alteza de sus conceptos. Y siendo esto así, razón sería se estendiese esta costumbre por todas las naciones, y que no se desestimase el poeta alemán porque escribe en su lengua, ni el castellano, ni aun el vizcaíno, que escribe en la suya. Pero vuestro hijo, a lo que yo, señor, imagino, no debe de estar mal con la poesía de romance, sino con los poetas que son meros romancistas, sin saber otras lenguas ni otras ciencias que adornen y despierten y ayuden a su natural impulso, y aun en esto puede haber yerro; porque, según es opinión verdadera, el poeta nace: quieren decir que del vientre de su madre el poeta natural sale poeta; y con aquella inclinación que le dio el cielo, sin más estudio ni artificio, compone cosas, que hace verdadero al que dijo: *est deus in nobis...*, etcétera[11]. También digo que el natural poeta que se ayudare del arte será mucho mejor y se aventajará al poeta que sólo por saber el arte quisiere serlo; la razón es porque el arte no se aventaja a la naturaleza, sino perficiónala; así que, mezcladas la naturaleza y el arte, y el arte con la naturaleza, sacarán un perfetísimo poeta. Sea, pues, la conclusión de mi plática, señor hidalgo, que vuesa merced deje caminar a su hijo por donde su estrella le llama; que, siendo él tan buen estudiante como debe de ser, y habiendo ya subido felicemente el primer escalón de las esencias[12], que es el de las lenguas, con ellas por sí mesmo subirá a la cumbre de las letras humanas, las cuales tan bien parecen en un caballero de capa y espada, y así le adornan, honran y engrandecen como las mitras a los obispos, o como las garnachas[13] a los peritos jurisconsultos. Riña vuesa merced a su hijo si hiciere sátiras que perjudiquen las honras ajenas, y castíguele, y rómpaselas; pero si hiciere sermones[14] al modo

---

[11] «Hay un dios en nosotros», Ovidio, *Fastos,* VI, 5. Avellaneda hace la misma cita (cap. 27).
[12] *esencias,* así en la primera edición; tal vez error por *ciencias.*
[13] *garnacha,* toga de juristas.
[14] Las *Sátiras* de Horacio, en latín *Sermones.*

de Horacio, donde reprehenda los vicios en general, como tan elegantemente él lo hizo, alábele; porque lícito es al poeta escribir contra la invidia, y decir en sus versos mal de los invidiosos, y así de los otros vicios, con que no señale persona alguna; pero hay poetas que a trueco de decir una malicia, se pondrán a peligro que los destierren a las islas de Ponto[15]. Si el poeta fuere casto en sus costumbres, lo será también en sus versos; la pluma es lengua del alma: cuales fueren los conceptos que en ella se engendraren, tales serán sus escritos; y cuando los reyes y príncipes veen la milagrosa ciencia de la poesía en sujetos prudentes, virtuosos y graves, los honran, los estiman y los enriquecen, y aun los coronan con las hojas del árbol a quien no ofende el rayo[16] como en señal que no han de ser ofendidos de nadie los que con tales coronas se veen honrados y adornadas sus sienes.

Admirado quedó el del Verde Gabán del razonamiento de don Quijote, y tanto, que fue perdiendo de la opinión que con él tenía, de ser mentecato. Pero a la mitad desta plática, Sancho, por no ser muy de su gusto, se había desviado del camino a pedir un poco de leche a unos pastores que allí junto estaban ordeñando unas ovejas, y, en esto, ya volvía a renovar la plática el hidalgo, satisfecho en estremo de la discreción y buen discurso de don Quijote, cuando, alzando don Quijote la cabeza, vio por el camino por donde ellos iban venía un carro lleno de banderas reales; y creyendo que debía de ser alguna nueva aventura, a grandes voces llamó a Sancho que viniese a darle la celada. El cual Sancho, oyéndose llamar, dejó a los pastores, y a toda priesa picó al rucio, y llegó donde su amo estaba, a quien sucedió una espantosa y desatinada aventura.

[15] Ovidio fue desterrado al Ponto Euxino, mar Negro.
[16] Se trata de las hojas del laurel.

CAPÍTULO XVII

DE DONDE SE DECLARÓ EL ÚLTIMO PUNTO Y ESTREMO ADONDE LLEGÓ Y PUDO LLEGAR EL INAUDITO ÁNIMO DE DON QUIJOTE, CON LA FELICEMENTE ACABADA AVENTURA DE LOS LEONES*

CUENTA la historia que cuando don Quijote daba voces a Sancho que le trujese el yelmo, estaba él comprando unos requesones que los pastores le vendían; y acosado de la mucha priesa de su amo, no supo qué hacer dellos, ni en qué traerlos, y, por no perderlos, que ya los tenía pagados, acordó de echarlos en la celada de su señor, y con este buen recado volvió a ver lo que le quería; el cual, en llegando, le dijo:

—Dame, amigo, esa celada; que yo sé poco de aventuras, o lo que allí descubro es alguna que me ha de necesitar[1], y me necesita, a tomar mis armas.

El del Verde Gabán, que esto oyó, tendió la vista por todas partes, y no descubrió otra cosa que un carro que hacia ellos venía, con dos o tres banderas pequeñas, que le dieron a entender que el tal carro debía de traer moneda de Su Majestad, y así se lo dijo a don Quijote; pero él no le dio crédito, siempre creyendo y pensando que todo lo que le sucediese habían de ser aventuras y más aventuras, y así, respondió al hidalgo:

—Hombre apercebido, medio combatido: no se pierde nada en que yo me aperciba; que sé por experiencia

---

* Los leones desempeñan un papel importante en los libros de caballerías, pues vencer a tan feroz animal es una de las mayores victorias que puede alcanzar un caballero. Trances de este tipo se narran en el *Palmerín de Oliva*, el *Primaleón*, el *Belianís de Grecia*, etc. Cervantes da total verosimilitud a este episodio al presentar unos leones que van enjaulados a la corte para ser ofrecidos al rey. Tras esta aventura don Quijote resuelve adoptar el nombre de Caballero de los Leones, de vieja tradición literaria, pues con el de «el caballero del león» se conoce a Yvain en la novela de Chrétien de Troyes titulada, precisamente, *Li chevaliers au lion* (finales siglo XII). El propio Amadís de Gaula es llamado en cierta ocasión «el de los leones» (por la empresa que lleva en el escudo), y con este nombre arma a Galaor (I, 11). En el *Belianís de Grecia* reciben el nombre de Caballero de los Leones Lucidaner de Tesalia y don Claruedo de España.

[1] *necesitar*, forzar, obligar.

que tengo enemigos visibles e invisibles, y no sé cuándo, ni adónde, ni en qué tiempo, ni en qué figuras me han de acometer.

Y volviéndose a Sancho, le pidió la celada; el cual, como no tuvo lugar de sacar los requesones, le fue forzoso dársela como estaba. Tomóla don Quijote, y sin que echase de ver lo que dentro venía, con toda priesa se la encajó en la cabeza; y como los requesones se apretaron y exprimieron, comenzó a correr el suero por todo el rostro y barbas de don Quijote, de lo que recibió tal susto, que dijo a Sancho:

—¿Qué será esto, Sancho, que parece que se me ablandan los cascos, o se me derriten los sesos, o que sudo de los pies a la cabeza? Y si es que sudo, en verdad que no es de miedo; sin duda creo que es terrible la aventura que agora quiere sucederme. Dame, si tienes, con que me limpie; que el copioso sudor me ciega los ojos.

Calló Sancho y diole un paño, y dio con él gracias a Dios de que su señor no hubiese caído en el caso. Limpióse don Quijote, y quitóse la celada por ver qué cosa era la que, a su parecer, le enfriaba la cabeza, y viendo aquellas gachas blancas dentro de la celada, las llegó a las narices, y en oliéndolas dijo:

—Por vida de mi señora Dulcinea del Toboso, que son requesones los que aquí me has puesto, traidor, bergante y mal mirado escudero.

A lo que con gran flema y disimulación respondió Sancho:

—Si son requesones, démelos vuesa merced; que yo me los comeré... Pero cómalos el diablo, que debió de ser el que ahí los puso. ¿Yo había de tener atrevimiento de ensuciar el yelmo de vuesa merced? ¡Hallado le habéis el atrevido! A la fe, señor, a lo que Dios me da a entender, también debo yo de tener encantadores que me persiguen como a hechura y miembro de vuesa merced, y habrán puesto ahí esa inmundicia para mover a cólera su paciencia y hacer que me muela, como suele, las costillas. Pues en verdad que esta vez han dado salto en vago; que yo confío en el buen discurso de mi señor, que habrá considerado que ni yo tengo requesones, ni leche, ni otra cosa que lo valga, y que si la tuviera, antes la pusiera en mi estómago que en la celada.

—Todo puede ser —dijo don Quijote.

Y todo lo miraba el hidalgo, y de todo se admiraba, especialmente cuando, después de haberse limpiado don Quijote cabeza, rostro y barbas y celada, se la encajó, y afirmándose bien en los estribos, requiriendo la espada y asiendo la lanza, dijo:

—Ahora, venga lo que veniere; que aquí estoy con ánimo de tomarme con el mesmo Satanás en persona.

Llegó en esto el carro de las banderas, en el cual no venía otra gente que el carretero, en las mulas, y un hombre sentado en la delantera. Púsose don Quijote delante, y dijo:

—¿Adónde vais, hermanos? ¿Qué carro es éste, qué lleváis en él y qué banderas son aquéstas?

A lo que respondió el carretero:

—El carro es mío; lo que va en él son dos bravos leones enjaulados, que el general de Orán envía a la corte, presentados a Su Majestad; las banderas son del rey nuestro señor, en señal que aquí va cosa suya.

—Y ¿son grandes los leones? —preguntó don Quijote.

—Tan grandes —respondió el hombre que iba a la puerta del carro—, que no han pasado mayores, ni tan grandes, de África a España jamás; y yo soy el leonero, y he pasado otros; pero como éstos, ninguno. Son hembra y macho; el macho va en esta jaula primera, y la hembra en la de atrás; y ahora van hambrientos porque no han comido hoy; y así, vuesa merced se desvíe; que es menester llegar presto donde les demos de comer.

A lo que dijo don Quijote sonriéndose un poco:

—¿Leoncitos a mí? ¿A mí leoncitos, y a tales horas? Pues ¡por Dios que han de ver esos señores que acá los envían si soy yo hombre que se espanta de leones! Apeaos, buen hombre, y pues sois el leonero, abrid esas jaulas y echadme esas bestias fuera; que en mitad desta campaña les daré a conocer quién es don Quijote de la Mancha, a despecho y pesar de los encantadores que a mí los envían.

—¡Ta, ta! —dijo a esta sazón entre sí el hidalgo—. Dado ha señal de quién es nuestro buen caballero: los requesones, sin duda, le han ablandado los cascos y madurado los sesos.

Llegóse en esto a él Sancho, y díjole:

—Señor, por quien Dios es, que vuesa merced haga de manera que mi señor don Quijote no se tome con estos leones; que si se toma, aquí nos han de hacer pedazos a todos.

—Pues ¿tan loco es vuestro amo —respondió el hidalgo—, que teméis, y creéis, que se ha de tomar con tan fieros animales?

—No es loco —respondió Sancho—, sino atrevido.

—Yo haré que no lo sea —replicó el hidalgo.

Y llegándose a don Quijote, que estaba dando priesa al leonero que abriese las jaulas, le dijo:

—Señor caballero, los caballeros andantes han de acometer las aventuras que prometen esperanza de salir bien dellas, y no aquellas que de en todo la quitan; porque la valentía que se entra en la juridición de la temeridad, más tiene de locura que de fortaleza. Cuanto más que estos leones no vienen contra vuesa merced, ni lo sueñan: van presentados a Su Majestad, y no será bien detenerlos ni impedirles su viaje.

—Váyase vuesa merced, señor hidalgo —respondió don Quijote—, a entender con su perdigón manso y con su hurón atrevido, y deje a cada uno hacer su oficio. Éste es el mío, y yo sé si vienen a mí, o no, estos señores leones.

Y volviéndose al leonero, le dijo:

—¡Voto a tal, don bellaco, que si no abrís luego luego las jaulas, que con esta lanza os he de coser con el carro!

El carretero, que vio la determinación de aquella armada fantasía[2], le dijo:

—Señor mío, vuestra merced sea servido, por caridad, dejarme desuncir las mulas y ponerme en salvo con ellas antes que se desenvainen los leones, porque si me las matan, quedaré rematado para toda mi vida; que no tengo otra hacienda sino este carro y estas mulas.

—¡Oh hombre de poca fe! —respondió don Quijote—. Apéate, y desunce, y haz lo que quisieres; que

---

[2] Casi todos los editores enmiendan *fantasía* por *fantasma*. Se puede conservar la lectura de la primera edición porque, según Covarrubias, «*fantasía* comúnmente significa una presunción vana que concibe de sí el vanaglorioso».

presto verás que trabajaste en vano y que pudieras ahorrar desta diligencia.

Apeóse el carretero y desunció a gran priesa, y el leonero dijo a grandes voces:

—Séanme testigos cuantos aquí están como contra mi voluntad y forzado abro las jaulas y suelto los leones, y de que protesto a este señor que todo el mal y daño que estas bestias hicieren corra y vaya por su cuenta, con más mis salarios y derechos. Vuestras mercedes, señores, se pongan en cobro antes que abra; que yo seguro estoy que no me han de hacer daño.

Otra vez le persuadió el hidalgo que no hiciese locura semejante; que era tentar a Dios acometer tal disparate. A lo que respondió don Quijote que él sabía lo que hacía. Respondióle el hidalgo que lo mirase bien: que él entendía que se engañaba.

—Ahora, señor —replicó don Quijote—, si vuesa merced no quiere ser oyente desta que a su parecer ha de ser tragedia, pique la tordilla y póngase en salvo.

Oído lo cual por Sancho, con lágrimas en los ojos le suplicó desistiese de tal empresa, en cuya comparación habían sido tortas y pan pintado la de los molinos de viento y la temerosa de los batanes, y, finalmente, todas las hazañas que había acometido en todo el discurso de su vida.

—Mire, señor —decía Sancho—, que aquí no hay encanto ni cosa que lo valga; que yo he visto por entre las verjas y resquicios de la jaula una uña de león verdadero, y saco por ella que el tal león, cuya debe de ser la tal uña, es mayor que una montaña.

—El miedo, a lo menos —respondió don Quijote—, te le hará parecer mayor que la mitad del mundo. Retírate, Sancho, y déjame; y si aquí muriere, ya sabes nuestro antiguo concierto: acudirás a Dulcinea, y no te digo más.

A éstas añadió otras razones, con que quitó las esperanzas de que no había de dejar de proseguir su desvariado intento. Quisiera el del Verde Gabán oponérsele; pero viose desigual en las armas, y no le pareció cordura tomarse con un loco, que ya se lo había parecido de todo punto don Quijote; el cual, volviendo a dar priesa al leonero y a reiterar las amenazas, dio ocasión al hidalgo a que picase la yegua, y Sancho al rucio, y el carretero a sus mulas, procurando todos apartarse del carro lo más que pudiesen, antes que los leones se desembanastasen.

Lloraba Sancho la muerte de su señor, que aquella vez sin duda creía que llegaba en las garras de los leones; maldecía su ventura, y llamaba menguada la hora en que le vino al pensamiento volver a servirle; pero no por llorar y lamentarse dejaba de aporrear al rucio para que se alejase del carro. Viendo, pues, el leonero que ya los que iban huyendo estaban bien desviados, tornó a requerir y a intimar a don Quijote lo que ya le había requerido e intimado, el cual respondió que lo oía, y que no se curase de más intimaciones y requirimientos, que todo sería de poco fruto, y que se diese priesa.

En el espacio que tardó el leonero en abrir la jaula primera estuvo considerando don Quijote si sería bien hacer la batalla antes a pie que a caballo, y, en fin, se determinó de hacerla a pie, temiendo que Rocinante se espantaría con la vista de los leones. Por esto saltó del caballo, arrojó la lanza y embrazó el escudo, y desenvainando la espada, paso ante paso, con maravilloso denuedo y corazón valiente, se fue a poner delante del carro, encomendándose a Dios de todo corazón, y luego a su señora Dulcinea. Y es de saber que, llegando a este paso, el autor de esta verdadera historia exclama y dice: «¡Oh fuerte y sobre todo encarecimiento animoso don Quijote de la Mancha, espejo donde se pueden mirar todos los valientes del mundo, segundo y nuevo don Manuel de León[3], que fue gloria y honra de los españoles caballeros! ¿Con qué palabras contaré esta tan espantosa hazaña, o con qué razones la haré creíble a los siglos venideros, o qué alabanzas habrá que no te convengan y cuadren, aunque sean hipérboles sobre todos los hipérboles? Tú a pie, tú solo, tú intrépido, tú magnánimo, con sola una espada, y no de las del perrillo[4] cortadoras, con un escudo no de muy luciente y limpio acero, estás aguardando y atendiendo los dos más fieros leones que jamás criaron las africanas selvas. Tus mis-

[3] Para Manuel de León, véase I, 49, nota 2.
[4] Se llamaban así las espadas fabricadas por el armero Julián del Rey, del siglo xv, que llevaban por marca un perro pequeño.

mos hechos sean los que te alaben, valeroso manchego; que yo los dejo aquí en su punto, por faltarme palabras con que encarecerlos».

Aquí cesó la referida exclamación del autor, y pasó adelante, anudando el hilo de la historia, diciendo que visto el leonero ya puesto en postura a don Quijote, y que no podía dejar de soltar al león macho, so pena de caer en la desgracia del indignado y atrevido caballero, abrió de par en par la primera jaula, donde estaba, como se ha dicho, el león, el cual pareció de grandeza extraordinaria y de espantable y fea catadura. Lo primero que hizo fue revolverse en la jaula, donde venía echado, y tender la garra, y desperezarse todo; abrió luego la boca y bostezó muy despacio, y con casi dos palmos de lengua que sacó fuera se despolvoreó los ojos y se lavó el rostro; hecho esto, sacó la cabeza fuera de la jaula y miró a todas partes con los ojos hechos brasas, vista y ademán para poner espanto a la misma temeridad. Sólo don Quijote lo miraba atentamente, deseando que saltase ya del carro y viniese con él a las manos, entre las cuales pensaba hacerle pedazos.

Hasta aquí llegó el estremo de su jamás vista locura. Pero el generoso león, más comedido que arrogante, no haciendo caso de niñerías, ni de bravatas, después de haber mirado a una y otra parte, como se ha dicho, volvió las espaldas y enseñó sus traseras partes a don Quijote, y con gran flema y remanso se volvió a echar en la jaula. Viendo lo cual don Quijote, mandó al leonero que le diese de palos y le irritase para echarle fuera.

—Eso no haré yo —respondió el leonero—; porque si yo le instigo, el primero a quien hará pedazos será a mí mismo. Vuesa merced, señor caballero, se contente con lo hecho, que es todo lo que puede decirse en género de valentía, y no quiera tentar segunda fortuna. El león tiene abierta la puerta: en su mano está salir, o no salir; pero pues no ha salido hasta ahora, no saldrá en todo el día. La grandeza del corazón de vuesa merced ya está bien declarada: ningún bravo peleante, según a mí se me alcanza, está obligado a más que a desafiar a su enemigo y esperarle en campaña; y si el contrario no acude, en él se queda la infamia, y el esperante gana la corona del vencimiento.

—Así es verdad —respondió don Quijote—: cierra, amigo, la puerta, y dame por testimonio en la mejor forma que pudieres lo que aquí me has visto hacer; conviene a saber: como tú abriste al león, yo le esperé, él no salió, volvíle a esperar, volvió a no salir y volvióse a acostar. No debo más, y encantos afuera, y Dios ayude a la razón y a la verdad, y a la verdadera caballería, y cierra, como he dicho, en tanto que hago señas a los huidos y ausentes, para que sepan de tu boca esta hazaña.

Hízolo así el leonero, y don Quijote, poniendo en la punta de la lanza el lienzo con que se había limpiado el rostro de la lluvia de los requesones, comenzó a llamar a los que no dejaban de huir ni de volver la cabeza a cada paso, todos en tropa y antecogidos del hidalgo; pero alcanzando Sancho a ver la señal del blanco paño, dijo:

—Que me maten si mi señor no ha vencido a las fieras bestias, pues nos llama.

Detuviéronse todos, y conocieron que el que hacía las señas era don Quijote; y perdiendo alguna parte del miedo, poco a poco se vinieron acercando hasta donde claramente oyeron las voces de don Quijote, que los llamaba. Finalmente, volvieron al carro, y en llegando, dijo don Quijote al carretero:

—Volved, hermano, a uncir vuestras mulas y a proseguir vuestro viaje; y tú, Sancho, dale dos escudos de oro, para él y para el leonero, en recompensa de lo que por mí se han detenido.

—Ésos daré yo de muy buena gana —respondió Sancho—; pero ¿qué se han hecho los leones? ¿Son muertos, o vivos?

Entonces el leonero, menudamente y por sus pausas, contó el fin de la contienda, exagerando como él mejor pudo y supo el valor de don Quijote, de cuya vista el león, acobardado, no quiso ni osó salir de la jaula, puesto que había tenido un buen espacio abierta la puerta de la jaula; y que por haber él dicho a aquel caballero que era tentar a Dios irritar al león para que por fuerza saliese, como él quería que se irritase, mal de su grado y contra toda su voluntad había permitido que la puerta se cerrase.

—¿Qué te parece desto, Sancho? —dijo don Quijote—. ¿Hay encantos que valgan contra la verdadera valentía? Bien podrán los encantadores quitarme la ventura; pero el esfuerzo y el ánimo, será imposible.

Dio los escudos Sancho, unció el carretero, besó las manos al leonero a don Quijote por la merced recebida, y prometióle de contar aquella valerosa hazaña al mismo rey, cuando en la corte se viese.

—Pues si acaso Su Majestad preguntare quién la hizo, diréisle que *el Caballero de los Leones*; que de aquí adelante quiero que en éste se trueque, cambie, vuelva y mude el que hasta aquí he tenido de *el Caballero de la Triste Figura*; y en esto sigo la antigua usanza de los andantes caballeros, que se mudaban los nombres cuando querían, o cuando les venía a cuento.

Siguió su camino el carro, y don Quijote, Sancho y el del Verde Gabán prosiguieron el suyo.

En todo este tiempo no había hablado palabra don Diego de Miranda, todo atento a mirar y a notar los hechos y palabras de don Quijote, pareciéndole que era un cuerdo loco y un loco que tiraba a cuerdo. No había aún llegado a su noticia la primera parte de su historia; que si la hubiera leído, cesara la admiración en que lo ponían sus hechos y sus palabras, pues ya supiera el género de su locura; pero como no la sabía, ya le tenía por cuerdo y ya por loco, porque lo que hablaba era concertado, elegante y bien dicho, y lo que hacía, disparatado, temerario y tonto. Y decía entre sí:

—¿Qué más locura puede ser que ponerse la celada llena de requesones y darse a entender que le ablandaban los cascos los encantadores? Y ¿qué mayor temeridad y disparate que querer pelear por fuerza con leones?

Destas imaginaciones y deste soliloquio le sacó don Quijote, diciéndole:

—¿Quién duda, señor don Diego de Miranda, que vuestra merced no me tenga en su opinión por un hombre disparatado y loco? Y no sería mucho que así fuese, porque mis obras no pueden dar testimonio de otra cosa. Pues, con todo esto, quiero que vuestra merced advierta que no soy tan loco ni tan menguado como debo de haberle parecido. Bien parece un gallardo caballero, a los ojos de su rey, en la mitad de una gran plaza, dar una lan-

zada con felice suceso a un bravo toro; bien parece un
caballero, armado de resplandecientes armas, pasar la
tela[5] en alegres justas delante de las damas, y bien parecen todos aquellos caballeros que en ejercicios militares,
o que lo parezcan, entretienen y alegran, y, si se puede
decir, honran las cortes de sus príncipes; pero sobre todos éstos parece mejor un caballero andante, que por
los desiertos, por las soledades, por las encrucijadas,
por las selvas y por los montes anda buscando peligrosas
aventuras, con intención de darles dichosa y bien afortunada cima, sólo por alcanzar gloriosa fama y duradera. Mejor parece, digo, un caballero andante socorriendo a una viuda en algún despoblado que un cortesano
caballero requebrando a una doncella en las ciudades.
Todos los caballeros tienen sus particulares ejercicios:
sirva a las damas el cortesano; autorice la corte de su
rey con libreas; sustente los caballeros pobres con el es-
pléndido plato de su mesa; concierte justas, mantenga
torneos, y muéstrese grande, liberal y magnífico, y buen
cristiano, sobre todo, y desta manera cumplirá con sus
precisas obligaciones. Pero el andante caballero busque
los rincones del mundo; éntrese en los más intricados
laberintos; acometa a cada paso lo imposible; resista en
los páramos despoblados los ardientes rayos del sol en la
mitad del verano, y en el invierno la dura inclemencia
de los vientos y de los yelos; no le asombren leones, ni
le espanten vestiglos, ni atemoricen endriagos; que buscar éstos, acometer aquéllos y vencerlos a todos son sus
principales y verdaderos ejercicios. Yo, pues, como me
cupo en suerte ser uno del número de la andante caballería, no puedo dejar de acometer todo aquello que a
mí me pareciere que cae debajo de la juridición de mis
ejercicios; y así, el acometer los leones que ahora aco-
metí derechamente me tocaba, puesto que conocí ser
temeridad esorbitante, porque bien sé lo que es valentía, que es una virtud que está puesta entre dos estremos viciosos, como son la cobardía y la temeridad; pero
menos mal será que el que es valiente toque y suba al
punto de temerario que no que baje y toque en el punto de cobarde; que así como es más fácil venir el pródi-

---

[5] *tela*, liza, campo cerrado dentro del cual se celebraban torneos y otras luchas caballerescas.

go a ser liberal que al avaro, así es más fácil dar el temerario en verdadero valiente que no el cobarde subir
a la verdadera valentía; y en esto de acometer aventuras, créame vuesa merced, señor don Diego, que antes
se ha de perder por carta de más que de menos, porque
mejor suena en las orejas de los que lo oyen «el tal caballero es temerario y atrevido» que no «el tal caballero
es tímido y cobarde».

—Digo, señor don Quijote —respondió don Diego—,
que todo lo que vuesa merced ha dicho y hecho va ni-
velado con el fiel de la misma razón, y que entiendo
que si las ordenanzas y leyes de la caballería andante se
perdiesen, se hallarían en el pecho de vuesa merced
como en su mismo depósito y archivo. Y démonos priesa, que se hace tarde, y lleguemos a mi aldea y casa,
donde descansará vuestra merced del pasado trabajo,
que si no ha sido del cuerpo, ha sido del espíritu, que
suele tal vez redundar en cansancio del cuerpo.

—Tengo el ofrecimiento a gran favor y merced, señor don Diego —respondió don Quijote.

Y picando más de lo que hasta entonces, serían como
las dos de la tarde cuando llegaron a la aldea y a la casa
de don Diego, a quien don Quijote llamaba *el Caballero
del Verde Gabán*.

CAPÍTULO XVIII

DE LO QUE SUCEDIÓ A DON QUIJOTE EN EL CASTILLO
O CASA DEL CABALLERO DEL VERDE GABÁN,
CON OTRAS COSAS EXTRAVAGANTES

HALLÓ don Quijote ser la casa de don Diego de Miranda ancha como de aldea; las armas, empero,
aunque de piedra tosca, encima de la puerta de la calle;
la bodega, en el patio; la cueva, en el portal, y muchas
tinajas a la redonda, que, por ser del Toboso[1], le renovaron las memorias de su encantada y transformada

---

[1] Fue famosa la industria de tinajas en el Toboso, y en documentos del siglo XVI se mencionan con cierta frecuencia las «tinajas toboseñas» (cfr. R. Marín, V, 58).

Dulcinea; y sospirando, y sin mirar lo que decía, ni delante de quién estaba, dijo:

—¡Oh dulces prendas, por mi mal halladas,
dulces y alegres cuando Dios quería[2]!

¡Oh tobosescas tinajas, que me habéis traído a la memoria la dulce prenda de mi mayor amargura!

Oyóle decir esto el estudiante poeta, hijo de don Diego, que con su madre había salido a recebirle, y madre y hijo quedaron suspensos de ver la estraña figura de don Quijote; el cual, apeándose de Rocinante, fue con mucha cortesía a pedirle las manos para besárselas, y don Diego dijo:

—Recebid, señora, con vuestro sólito[3] agrado al señor don Quijote de la Mancha, que es el que tenéis delante, andante caballero y el más valiente y el más discreto que tiene el mundo.

La señora, que doña Cristina se llamaba, le recibió con muestras de mucho amor y de mucha cortesía, y don Quijote se le ofreció con asaz de discretas y comedidas razones. Casi los mismos comedimientos pasó con el estudiante, que en oyéndole hablar don Quijote, le tuvo por discreto y agudo.

Aquí pinta el autor todas las circunstancias de la casa de don Diego, pintándonos en ellas lo que contiene una casa de un caballero labrador y rico; pero al traductor desta historia le pareció pasar estas y otras semejantes menudencias en silencio, porque no venían bien con el propósito principal de la historia; la cual más tiene su fuerza en la verdad que en las frías digresiones.

Entraron a don Quijote en una sala, desarmóle Sancho, quedó en valones[4] y en jubón de camuza, todo bisunto[5] con la mugre de las armas; el cuello era valona[6] a lo estudiantil, sin almidón y sin randas; los borceguíes eran datilados[7], y encerados los zapatos. Ciñóse su buena

---

[2] Famosos versos del soneto X de Garcilaso de la Vega.
[3] *sólito*, acostumbrado.
[4] *valones*, calzones o pantalones al estilo de Valonia, muy usados en España.
[5] *bisunto*, grasiento, mugriento.
[6] *cuello de valona*, cuello de camisa extendido y caído sobre los hombros.
[7] *datilados*, de color de dátil.

espada, que pendía de un tahalí de lobos marinos[8]; que
es opinión que muchos años fue enfermo de los riñones;
cubrióse un herreruelo[9] de buen paño pardo; pero antes
de todo, con cinco calderos, o seis, de agua, que en la
cantidad de los calderos hay alguna diferencia, se lavó la
cabeza y rostro, y todavía se quedó el agua de color de
suero, merced a la golosina de Sancho y a la compra de
sus negros requesones, que tan blanco pusieron a su amo.
Con los referidos atavíos, y con gentil donaire y gallardía, salió don Quijote a otra sala, donde el estudiante le
estaba esperando para entretenerle en tanto que las mesas se ponían; que por la venida de tan noble huésped
quería la señora doña Cristina mostrar que sabía y podía regalar a los que a su casa llegasen.

En tanto que don Quijote se estuvo desarmando,
tuvo lugar don Lorenzo, que así se llamaba el hijo de
don Diego, de decir a su padre:

—¿Quién diremos, señor, que es este caballero que
vuesa merced nos ha traído a casa? Que el nombre, la
figura, y el decir que es caballero andante, a mí y a mi
madre nos tiene suspensos.

—No sé lo que te diga, hijo —respondió don Diego—; sólo te sabré decir que le he visto hacer cosas del
mayor loco del mundo, y decir razones tan discretas,
que borran y deshacen sus hechos: háblale tú, y toma
el pulso a lo que sabe, y, pues eres discreto, juzga de su
discreción o tontería lo que más puesto en razón estuviere; aunque, para decir verdad, antes le tengo por
loco que por cuerdo.

Con esto, se fue don Lorenzo a entretener a don Quijote, como queda dicho, y entre otras pláticas que los
dos pasaron dijo don Quijote a don Lorenzo:

—El señor don Diego de Miranda, padre de vuesa
merced, me ha dado noticia de la rara habilidad y sutil
ingenio que vuestra merced tiene, y, sobre todo, que es
vuesa merced un gran poeta.

—Poeta, bien podrá ser —respondió don Lorenzo—;
pero grande, ni por pensamiento. Verdad es que yo soy
algún tanto aficionado a la poesía y a leer los buenos

---

[8] *lobos marinos,* piel de foca.
[9] *herreruelo,* capa corta con cuello.

poetas; pero no de manera que se me pueda dar el nombre de grande que mi padre dice.

—No me parece mal esa humildad —respondió don Quijote—; porque no hay poeta que no sea arrogante y piense de sí que es el mayor poeta del mundo.

—No hay regla sin excepción —respondió don Lorenzo—, y alguno habrá que lo sea y no lo piense.

—Pocas[10] —respondió don Quijote—; pero dígame vuesa merced: ¿qué versos son los que agora trae entre manos, que me ha dicho el señor su padre que le traen algo inquieto y pensativo? Y si es alguna glosa, a mí se me entiende algo de achaque de glosas, y holgaría saberlos; y si es que son de justa literaria, procure vuestra merced llevar el segundo premio; que el primero siempre se lleva el favor o la gran calidad de la persona, el segundo se le lleva la mera justicia, y el tercero viene a ser el segundo, y el primero, a esta cuenta, será el tercero, al modo de las licencias que se dan en las universidades; pero, con todo esto, gran personaje es el nombre de *primero*.

—Hasta ahora —dijo entre sí don Lorenzo— no os podré yo juzgar por loco; vamos adelante.

Y díjole:

—Paréceme que vuesa merced ha cursado las escuelas: ¿qué ciencias ha oído?

—La de la caballería andante —respondió don Quijote—, que es tan buena como la de la poesía, y aun dos deditos más.

—No sé qué ciencia sea ésa —replicó don Lorenzo—, y hasta ahora no ha llegado a mi noticia.

—Es una ciencia —replicó don Quijote— que encierra en sí todas o las más ciencias del mundo, a causa que el que la profesa ha de ser jurisperito, y saber las leyes de la justicia distributiva y comutativa, para dar a cada uno lo que es suyo y lo que le conviene; ha de ser teólogo, para saber dar razón de la cristiana ley que profesa, clara y distintamente, adondequiera que le fuere pedido; ha de ser médico, y principalmente herbolario, para conocer en mitad de los despoblados y desiertos las yerbas que tienen virtud de sanar las heridas;

---

[10] *pocas* [excepciones].

que no ha de andar el caballero andante a cada triquete[11] buscando quien se las cure; ha de ser astrólogo,
para conocer por las estrellas cuántas horas son pasadas
de la noche, y en qué parte y en qué clima del mundo
se halla; ha de saber las matemáticas, porque a cada paso
se le ofrecerá tener necesidad dellas; y dejando aparte
que ha de estar adornado de todas las virtudes teologa-
les y cardinales, decendiendo a otras menudencias, digo
que ha de saber nadar como dicen que nadaba el peje
Nicolás, o Nicolao[12]; ha de saber herrar un caballo y
aderezar la silla y el freno; y volviendo a lo de arriba,
ha de guardar la fe a Dios y a su dama; ha de ser casto
en los pensamientos, honesto en las palabras, liberal en
las obras, valiente en los hechos, sufrido en los trabajos,
caritativo con los menesterosos, y, finalmente, mantenedor de la verdad, aunque le cueste la vida el defenderla.
De todas estas grandes y mínimas partes se compone un
buen caballero andante; porque vea vuesa merced, señor don Lorenzo, si es ciencia mocosa lo que aprende
el caballero que la estudia y la profesa, y si se puede
igualar a las más estiradas que en los ginasios[13] y escuelas
se enseñan.

—Si eso es así —replicó don Lorenzo—, yo digo que
se aventaja esa ciencia a todas.

—¿Cómo si es así? —respondió don Quijote.

—Lo que yo quiero decir —dijo don Lorenzo— es
que dudo que haya habido, ni que los hay ahora, caballeros andantes y adornados de virtudes tantas.

—Muchas veces he dicho lo que vuelvo a decir aho-

[11] *a cada triquete,* a cada momento.
[12] Personaje legendario que vivía en los mares de Sicilia y era
una especie de anfibio, *Cola pesce* en el folklore italiano. A finales del siglo XII ya hace referencia a este raro ser, identificándolo
con San Nicolás de Bari, el trovador provenzal Raimon Jordan de
Sant Antonin, cuando escribe en una canción: «Tengo la estrella
de Nicolás de Bari, que, de vivir mucho tiempo, hubiera sido un
sabio, y estuvo largo tiempo entre los peces en la mar y sabía que
llegaría un momento que moriría allí; y ni aun así quiso salir a
tierra, y si bien lo hizo, pronto volvió a morir al gran mar, de donde
nunca más pudo salir y donde aceptó la muerte sin excusa» (cfr.
M. de Riquer, *Los trovadores,* I, pág. 578, «Ensayos/Planeta», Barcelona, 1975, y H. Kjellman, *Le troubadour Raimon Jordan,* Uppsa-
la, 1922, pág. 126, nota al verso 9). Esta leyenda adquirió nueva
boga en los siglos XVI y XVII. En 1608 se imprimió en Barcelona cierta *Relación de cómo el pece Nicolao se ha parecido de nuevo en
el mar.*
[13] *ginasios,* colegios.

ra —respondió don Quijote—: que la mayor parte de
la gente del mundo está de parecer de que no ha habido
en él caballeros andantes; y por parecerme a mí que si
el cielo milagrosamente no les da a entender la verdad
de que los hubo y de que los hay, cualquier trabajo que
se tome ha de ser en vano, como muchas veces me lo
ha mostrado la experiencia, no quiero detenerme agora
en sacar a vuesa merced del error que con los muchos
tiene; lo que pienso hacer es el rogar al cielo le saque
dél, y le dé a entender cuán provechosos y cuán necesarios fueron al mundo los caballeros andantes en los
pasados siglos, y cuán útiles fueran en el presente si se
usaran; pero triunfan ahora, por pecados de las gentes,
la pereza, la ociosidad, la gula y el regalo.

—Escapado se nos ha nuestro huésped —dijo a esta
sazón entre sí don Lorenzo—; pero, con todo eso, él es
loco bizarro, y yo sería mentecato flojo si así no lo creyese.

Aquí dieron fin a su plática, porque los llamaron a
comer. Preguntó don Diego a su hijo qué había sacado
en limpio del ingenio del huésped. A lo que él respondió:

—No le sacarán del borrador de su locura cuantos
médicos y buenos escribanos tiene el mundo: él es un
entreverado loco, lleno de lúcidos intervalos.

Fuéronse a comer, y la comida fue tal como don
Diego había dicho en el camino que la solía dar a sus
convidados: limpia, abundante y sabrosa; pero de lo
que más se contentó don Quijote fue del maravilloso
silencio que en toda la casa había, que semejaba un monasterio de cartujos. Levantados, pues, los manteles, y
dadas gracias a Dios y agua a las manos, don Quijote
pidió ahincadamente a don Lorenzo dijese los versos
de la justa literaria; a lo que él respondió que por no
parecer de aquellos poetas que cuando les ruegan digan
sus versos los niegan y cuando no se los piden los vo-
mitan...

—...yo[14] diré mi glosa, de la cual no espero premio
alguno; que sólo por ejercitar el ingenio la he hecho.

—Un amigo y discreto —respondió don Quijote—

[14] Rápido paso del estilo indirecto al directo.

era de parecer que no se había de cansar nadie en
glosar versos; y la razón, decía él, era que jamás la glosa
podía llegar al texto, y que muchas o las más veces iba la glosa fuera de la intención y propósito de lo
que pedía lo que se glosaba; y más, que las leyes de la
glosa eran demasiadamente estrechas: que no sufrían in-
terrogantes, ni *dijo*, ni *diré*, ni hacer nombres de verbos,
ni mudar el sentido, con otras ataduras y estrechezas con
que van atados los que glosan, como vuestra merced
debe de saber.

—Verdaderamente, señor don Quijote —dijo don
Lorenzo—, que deseo coger a vuestra merced en un mal
latín[15] continuado, y no puedo, porque se me desliza de
entre las manos como anguila.

—No entiendo —respondió don Quijote— lo que
vuestra merced dice ni quiere decir en eso del deslizarme.

—Yo me daré a entender —respondió don Lorenzo—; y por ahora esté vuesa merced atento a los versos
glosados y a la glosa, que dicen desta manera:

> ¡Si mi *fue* tornase a *es*,
> sin esperar más *será*,
> o viniese el tiempo ya
> de lo que *será* después...!

GLOSA

> Al fin, como todo pasa,
> se pasó el bien que me dio
> Fortuna, un tiempo no escasa,
> y nunca me le volvió,
> ni abundante, ni por tasa.
> Siglos ha ya que me vees,
> Fortuna, puesto a tus pies;
> vuélveme a ser venturoso;
> que será mi ser dichoso
> *si mi fue tornase a es.*
>
>   No quiero otro gusto o gloria,
> otra palma o vencimiento,
> otro triunfo, otra vitoria,

---

[15] *coger en un mal latín,* coger a uno en falta, sorprenderle
un error.

sino volver al contento
que es pesar en mi memoria.
Si tú me vuelves allá,
Fortuna, templado está
todo el rigor de mi fuego,
y más si este bien es luego,
sin esperar más será.

Cosas imposibles pido,
pues volver el tiempo a ser
después que una vez ha sido,
no hay en la tierra poder
que a tanto se haya estendido.
Corre el tiempo, vuela y va
ligero, y no volverá,
y erraría el que pidiese,
o que el tiempo ya se fuese,
o volviese el tiempo ya.

Vivo en perpleja vida,
ya esperando, ya temiendo:
es muerte muy conocida,
y es mucho mejor muriendo
buscar al dolor salida.
A mí me fuera interés
acabar; mas no lo es,
pues, con discurso mejor,
me da la vida el temor
de lo que será después.

En acabando de decir su glosa don Lorenzo, se levantó en pie don Quijote, y en voz levantada, que parecía grito, asiendo con su mano la derecha de don Lorenzo, dijo:

—¡Viven los cielos donde más altos están, mancebo generoso, que sois el mejor poeta del orbe, y que merecéis estar laureado, no por Chipre ni por Gaeta, como dijo un poeta[16], que Dios perdone, sino por las academias de Atenas, si hoy vivieran, y por las que hoy viven de París, Bolonia y Salamanca! Plega al cielo que los jueces que os quitaren el premio primero, Febo los asaetee y las Musas jamás atraviesen los umbrales de sus

16 Se refiere sin duda al poeta Juan Bautista de Bivar (cfr. R. Marín, V, 74).

casas. Decidme, señor, si sois servido, algunos versos mayores[17]; que quiero tomar de todo en todo el pulso a vuestro admirable ingenio.

¿No es bueno que dicen que se holgó don Lorenzo de verse alabar de don Quijote, aunque le tenía por loco? ¡Oh fuerza de la adulación, a cuánto te estiendes, y cuán dilatados límites son los de tu juridición agradable! Esta verdad acreditó don Lorenzo, pues concedió con la demanda y deseo de don Quijote, diciéndole este soneto a la fábula o historia de Píramo y Tisbe:

SONETO

El muro rompe la doncella hermosa
que de Píramo abrió el gallardo pecho;
parte el Amor de Chipre, y va derecho
a ver la quiebra[18] estrecha y prodigiosa.

Habla el silencio allí, porque no osa
la voz entrar por tan estrecho estrecho;
las almas sí, que amor suele de hecho
facilitar la más difícil cosa.

Salió el deseo de compás, y el paso
de la imprudente virgen solicita
por su gusto su muerte; ved qué historia:

Que a entrambos en un punto, ¡oh estraño caso!,
los mata, los encubre y resucita
una espada, un sepulcro, una memoria.

—¡Bendito sea Dios —dijo don Quijote habiendo oído el soneto a don Lorenzo—, que entre los infinitos poetas consumidos que hay, he visto un consumado poeta, como lo es vuesa merced, señor mío; que así me lo da a entender el artificio deste soneto!

Cuatro días estuvo don Quijote regaladísimo en la casa de don Diego, al cabo de los cuales le pidió licencia para irse, diciéndole que le agradecía la merced y buen tratamiento que en su casa había recebido; pero que por no parecer bien que los caballeros andantes se den muchas horas a ocio y al regalo, se quería ir a cumplir con su oficio, buscando las aventuras, de quien tenía

---

[17] *versos mayores*, de once sílabas.
[18] *quiebra*, grieta.

noticia que aquella tierra abundaba; donde esperaba entretener el tiempo hasta que llegase el día de las justas de Zaragoza, que era el de su derecha derrota; y que primero había de entrar en la cueva de Montesinos, de quien tantas y tan admirables cosas en aquellos contornos se contaban, sabiendo e inquiriendo asimismo el nacimiento y verdaderos manantiales de las siete lagunas llamadas comúnmente de Ruidera.

Don Diego y su hijo le alabaron su honrosa determinación, y le dijeron que tomase de su casa y de su hacienda todo lo que en grado le viniese; que le servirían con la voluntad posible; que a ello les obligaba el valor de su persona y la honrosa profesión suya.

Llegóse, en fin, el día de su partida, tan alegre para don Quijote como triste y aciago para Sancho Panza, que se hallaba muy bien con la abundancia de la casa de don Diego, y rehusaba de volver a la hambre que se usa en las florestas, despoblados y a la estrecheza de sus mal proveídas alforjas. Con todo esto, las llenó y colmó de lo más necesario que le pareció, y al despedirse dijo don Quijote a don Lorenzo:

—No sé si he dicho a vuesa merced otra vez, y si lo he dicho lo vuelvo a decir, que cuando vuesa merced quisiere ahorrar caminos y trabajos para llegar a la inacesible cumbre del templo de la Fama, no tiene que hacer otra cosa sino dejar a una parte la senda de la poesía, algo estrecha, y tomar la estrechísima de la andante caballería, bastante para hacerle emperador en daca las pajas.

Con estas razones acabó don Quijote de cerrar el proceso de su locura, y más con las que añadió, diciendo:

—Sabe Dios si quisiera llevar conmigo al señor don Lorenzo, para enseñarle cómo se han de perdonar los sujetos[19], y supeditar y acocear los soberbios, virtudes anejas a la profesión que yo profeso; pero pues no lo pide su poca edad, ni lo querrán consentir sus loables ejercicios, sólo me contento con advertirle a vuesa merced que siendo poeta, podrá ser famoso si se guía más por el parecer ajeno que por el propio; porque no hay

---

[19] *sujetos,* las personas humildes, sumisas.

padre ni madre a quien sus hijos le parezcan feos, y en los que lo son del entendimiento corre más este engaño.

De nuevo se admiraron padre y hijo de las entremetidas[20] razones de don Quijote, ya discretas y ya disparatadas, y del tema y tesón que llevaba de acudir de todo en todo a la busca de sus desventuradas aventuras, que las tenía por fin y blanco de sus deseos. Reiteráronse los ofrecimientos y comedimientos, y con la buena licencia de la señora del castillo, don Quijote y Sancho, sobre Rocinante y el rucio, se partieron.

CAPÍTULO XIX

Donde se cuenta la aventura del pastor enamorado, con otros en verdad graciosos sucesos

Poco trecho se había alongado don Quijote del lugar de don Diego, cuando encontró con dos como clérigos o como estudiantes y con dos labradores que sobre cuatro bestias asnales venían caballeros. El uno de los estudiantes traía, como en portamanteo[1], en un lienzo de bocací[2] verde envuelto, al parecer[3], un poco de grana[4] blanca y dos pares de medias de cordellate[5]; el otro no traía otra cosa que dos espadas negras de esgrima, nuevas, y con sus zapatillas[6]. Los labradores traían otras cosas, que daban indicio y señal que venían de alguna villa grande, donde las habían comprado, y las llevaban a su aldea; y así estudiantes como labradores cayeron en la misma admiración en que caían todos aquellos que la vez primera veían a don Quijote, y morían por saber qué hombre fuese aquél tan fuera del uso de los otros hombres.

[20] *entremetidas,* entreveradas.
[1] *portamanteo,* maleta cerrada con cordones.
[2] *bocací,* tela de lienzo teñida.
[3] *al parecer,* por lo que se dejaba ver.
[4] La *grana* era un paño que podía ser de color distinto del rojo.
[5] *cordellato,* tejido basto de lana.
[6] *zapatillas,* botones de cuero con que se tapa la punta de las espadas para que éstas no hieran.

Saludóles don Quijote, y después de saber el camino que llevaban, que era el mesmo que él hacía, les ofreció su compañía, y les pidió detuviesen el paso, porque caminaban más sus pollinas que su caballo; y para obligarlos, en breves razones les dijo quién era, y su oficio y profesión, que era de caballero andante que iba a buscar las aventuras por todas las partes del mundo. Díjoles que se llamaba de nombre propio don Quijote de la Mancha, y por el apelativo, *el Caballero de los Leones*. Todo esto para los labradores era hablarles en griego o en jerigonza; pero no para los estudiantes, que luego entendieron la flaqueza del celebro de don Quijote; pero, con todo eso, le miraban con admiración y con respecto, y uno dellos le dijo:

—Si vuestra merced, señor caballero, no lleva camino determinado, como no le suelen llevar los que buscan las aventuras, vuesa merced se venga con nosotros: verá una de las mejores bodas y más ricas que hasta el día de hoy se habrán celebrado en la Mancha, ni en otras muchas leguas a la redonda.

Preguntóle don Quijote si eran de algún príncipe, que así las ponderaba.

—No son —respondió el estudiante— sino de un labrador y una labradora, él, el más rico de toda esta tierra; y ella, la más hermosa que han visto los hombres. El aparato con que se han de hacer es estraordinario y nuevo; porque se han de celebrar en un prado que está junto al pueblo de la novia, a quien por excelencia llaman Quiteria la hermosa, y el desposado se llama Camacho el rico; ella de edad de diez y ocho años, y él de veinte y dos; ambos para en uno[7], aunque algunos curiosos que tienen de memoria los linajes de todo el mundo quieren decir que el de la hermosa Quiteria se aventaja al de Camacho; pero ya no se mira en esto: que las riquezas son poderosas de soldar muchas quiebras. En efecto, el tal Camacho es liberal y hásele antojado de enramar y cubrir todo el prado por arriba, de tal suerte que el sol se ha de ver en trabajo si quiere entrar a visitar las yerbas verdes de que está cubierto el suelo. Tiene asimesmo maheridas[8] danzas, así de espa-

---

[7] *para en uno*, tal para cual, de condición parecida.
[8] *maheridas*, prevenidas, dispuestas.

das como de cascabel menudo, que hay en su pueblo
quien los repique y sacuda por estremo; de zapatea-
dores no digo nada, que es un juicio los que tiene muñidos[9]; pero ninguna de las cosas referidas ni otras
muchas que he dejado de referir ha de hacer más memorables estas bodas, sino las que imagino que hará en
ellas el despechado Basilio. Es este Basilio un zagal vecino del mesmo lugar de Quiteria, el cual tenía su casa
pared y medio de la de los padres de Quiteria, de donde tomó ocasión el amor de renovar al mundo los ya
olvidados amores de Píramo y Tisbe; porque Basilio se
enamoró de Quiteria desde sus tiernos y primeros años,
y ella fue correspondiendo a su deseo con mil honestos favores, tanto, que se contaban por entretenimiento en el pueblo los amores de los dos niños Basilio y
Quiteria. Fue creciendo la edad, y acordó el padre
de Quiteria de estorbar a Basilio la ordinaria entrada que
en su casa tenía; y por quitarse de andar receloso y lleno
de sospechas, ordenó de casar a su hija con el rico Camacho, no pareciéndole ser bien casarla con Basilio, que
no tenía tantos bienes de fortuna como de naturaleza;
pues si va a decir las verdades sin invidia, él es el más
ágil mancebo que conocemos, gran tirador de barra,
luchador, estremado y gran jugador de pelota; corre
como un gamo, salta más que una cabra y birla[10] a los
bolos como por encantamento; canta como una calandria, y toca una guitarra, que la hace hablar, y, sobre
todo, juega una espada como el más pintado.

—Por esa sola gracia —dijo a esta sazón don Quijote— merecía ese mancebo no sólo casarse con la hermosa Quiteria, sino con la mesma reina Ginebra, si fuera
hoy viva, a pesar de Lanzarote y de todos aquellos que
estorbarlo quisieran.

—¡A mi mujer con eso! —dijo Sancho Panza, que
hasta entonces había ido callando y escuchando—; la
cual no quiere sino que cada uno case con su igual,
ateniéndose al refrán que dicen «cada oveja con su pareja». Lo que yo quisiera es que ese buen Basilio, que
ya me le voy aficionando, se casara con esa señora Qui-

---

⁹ *muñidos*, convocados.
¹⁰ *birlar*, jugar a los bolos.

teria; que buen siglo hayan y buen poso[11], iba a decir al revés, los que estorban que se casen los que bien se quieren.

—Si todos los que bien se quieren se hubiesen de casar —dijo don Quijote—, quitaríase la eleción y juridición a los padres de casar sus hijos con quien y cuando deben; y si a la voluntad de las hijas quedase escoger los maridos, tal habría que escogiese al criado de su padre, y tal al que vio pasar por la calle, a su parecer, bizarro y entonado, aunque fuese un desbaratado espadachín; que el amor y la afición con facilidad ciegan los ojos del entendimiento, tan necesarios para escoger estado, y el del matrimonio está muy a peligro de errarse, y es menester gran tiento y particular favor del cielo para acertarle. Quiere hacer uno un viaje largo, y si es prudente, antes de ponerse en camino busca alguna compañía segura y apacible con quien acompañarse: pues ¿por qué no hará lo mesmo el que ha de caminar toda la vida, hasta el paradero de la muerte, y más si la compañía le ha de acompañar en la cama, en la mesa y en todas partes, como es la de la mujer con su marido? La de la propia mujer no es mercaduría que una vez comprada se vuelve, o se trueca o cambia; porque es accidente inseparable, que dura lo que dura la vida: es un lazo que si una vez le echáis al cuello, se vuelve en el nudo gordiano, que si no le corta la guadaña de la muerte, no hay desatarle. Muchas más cosas pudiera decir en esta materia, si no lo estorbara el deseo que tengo de saber si le queda más que decir al señor licenciado acerca de la historia de Basilio.

A lo que respondió el estudiante bachiller, o licenciado, como le llamó don Quijote, que:

—De todo no me queda más que decir sino que desde el punto que Basilio supo que la hermosa Quiteria se casaba con Camacho el rico, nunca más le han visto reír ni hablar razón concertada, y siempre anda pensativo y triste, hablando entre sí mismo, con que da ciertas y claras señales de que se le ha vuelto el juicio: come poco y duerme poco, y lo que come son frutas, y en lo que duerme, si duerme, es en el campo, sobre la dura

[11] *poso*, reposo.

tierra, como animal bruto; mira de cuando en cuando al cielo, y otras veces clava los ojos en la tierra, con tal embelesamiento, que no parece sino estatua vestida que el aire le mueve la ropa. En fin, él da tales muestras de tener apasionado el corazón, que tememos todos los que le conocemos que el dar el sí mañana la hermosa Quiteria ha de ser la sentencia de su muerte.

—Dios lo hará mejor —dijo Sancho—; que Dios, que da la llaga, da la medicina; nadie sabe lo que está por venir: de aquí a mañana muchas horas hay, y en una, y aun en un momento, se cae la casa; yo he visto llover y hacer sol, todo a un mesmo punto; tal se acuesta sano la noche, que no se puede mover otro día. Y díganme, ¿por ventura habrá quien se alabe que tiene echado un clavo a la rodaja de la fortuna[12]? No, por cierto; y entre el sí y el no de la mujer no me atrevería yo a poner una punta de alfiler, porque no cabría. Denme a mí que Quiteria quiera de buen corazón y de buena voluntad a Basilio; que yo le daré a él un saco de buena ventura: que el amor, según yo he oído decir, mira con unos antojos, que hacen parecer oro al cobre, a la pobreza riqueza, y a las lagañas perlas.

—¿Adónde vas a parar, Sancho, que seas maldito? —dijo don Quijote—. Que cuando comienzas a ensartar refranes y cuentos, no te puede esperar sino el mesmo Judas, que te lleve. Dime, animal, ¿qué sabes tú de clavos, ni de rodajas, ni de otra cosa ninguna?

—¡Oh! Pues si no me entienden —respondió Sancho—, no es maravilla que mis sentencias sean tenidas por disparates. Pero no importa: yo me entiendo, y sé que no he dicho muchas necedades en lo que he dicho; sino que vuesa merced, señor mío, siempre es friscal de mis dichos, y aun de mis hechos.

—*Fiscal* has de decir —dijo don Quijote—; que no *friscal,* prevaricador del buen lenguaje, que Dios te confunda.

—No se apunte[13] vuestra merced conmigo —respondió Sancho—, pues sabe que no me he criado en la cor-

---

[12] Alegoría que supone que la Fortuna tiene una rueda (*rodaja*) que da vueltas constantemente, llevando a los hombres de la miseria a la prosperidad y viceversa; el afortunado la detiene interponiendo un clavo en sus radios cuando se halla en la bienandanza.
[13] *No se apunte,* no discuta.

te, ni he estudiado en Salamanca, para saber si añado o
quito alguna letra a mis vocablos. Sí, que ¡válgame
Dios! no hay para qué obligar al sayagués a que hable
como el toledano[14], y toledanos puede haber que no las
corten en el aire[15] en esto del hablar polido.

—Así es —dijo el licenciado—; porque no pueden
hablar tan bien los que se crían en las Tenerías y en
Zocodover como los que se pasean casi todo el día por
el claustro de la Iglesia Mayor, y todos son toledanos.
El lenguaje puro, el propio, el elegante y claro, está en
los discretos cortesanos, aunque hayan nacido en Majalahonda[16]: dije *discretos* porque hay muchos que no lo
son, y la discreción es la gramática del buen lenguaje,
que se acompaña con el uso. Yo, señores, por mis pecados, he estudiado Cánones en Salamanca, y pícome algún tanto de decir mi razón con palabras claras, llanas
y significantes.

—Si no os picáredes más de saber más menear las
negras[17] que lleváis que la lengua —dijo el otro estudiante—, vos llevárades el primero en licencias, como
llevastes cola[18].

—Mirad, bachiller —respondió el licenciado—: vos
estáis en la más errada opinión del mundo acerca de
la destreza de la espada, teniéndola por vana.

—Para mí no es opinión, sino verdad asentada —replicó Corchuelo—; y si queréis que os lo muestre con la
experiencia, espadas traéis, comodidad hay, yo pulsos
y fuerzas tengo, que acompañadas de mi ánimo, que no
es poco, os harán confesar que yo no me engaño. Apeaos,
y usad de vuestro compás de pies, de vuestros círculos y
vuestros ángulos y ciencia[19]; que yo espero de haceros

---

[14] *sayagués*, campesino de Sayago (provincia de Zamora); el rústico hablar de los sayagueses se utilizaba, más o menos arbitrariamente, al reproducir en el teatro el lenguaje de los palurdos.
En cambio, el hablar de los *toledanos* era considerado correcto.
[15] *cortarlas en el aire*, responder con agudeza y prontitud.
[16] *Majalahonda*, o Majadahonda, pueblo cercano a Madrid.
[17] *negras*, espadas.
[18] Es decir: hubierais sido el primero al licenciaros, en vez de
ser el último.
[19] Alude a las obras teóricas sobre la esgrima, que suscitaron
gran número de polémicas y que unos autores critican (como Quevedo en el *Buscón*) y otros defienden (como ahora Cervantes). Las
principales fueron la *Filosofía de las armas*, de Jerónimo de Ca-
rranza (1582), y el *Libro de las grandezas de la espada*, de Luis
Pacheco de Narváez (1600).

ver estrellas a mediodía con mi destreza moderna y zafia, en quien espero, después de Dios, que está por nacer
hombre que me haga volver las espaldas, y que no le
hay en el mundo a quien yo no le haga perder tierra.

—En eso de volver, o no, las espaldas no me meto
—replicó el diestro—; aunque podría ser que en la parte donde la vez primera clavásedes el pie, allí os abrie-
sen la sepultura: quiero decir, que allí quedásedes muerto por la despreciada destreza.

—Ahora se verá —respondió Corchuelo.

Y apeándose con gran destreza de su jumento, tiró
con furia de una de las espadas que llevaba el licenciado
en el suyo.

—No ha de ser así —dijo a este instante don Quijote—; que yo quiero ser el maestro desta esgrima, y
el juez desta muchas veces no averiguada cuestión.

Y apeándose de Rocinante y asiendo de su lanza, se
puso en la mitad del camino, a tiempo que ya el licenciado, con gentil donaire de cuerpo y compás de pies, se
iba contra Corchuelo, que contra él se vino, lanzando,
como decirse suele, fuego por los ojos. Los otros dos labradores del acompañamiento, sin apearse de sus pollinas, sirvieron de aspetatores en la mortal tragedia. Las
cuchilladas, estocadas, altibajos, reveses y mandobles
que tiraba Corchuelo eran sin número, más espesas que
hígado y más menudas que granizo. Arremetía como un
león irritado; pero salíale al encuentro un tapaboca[20]
de la zapatilla de la espada del licenciado, que en mitad de su furia le detenía, y se la hacía besar como si
fuera reliquia, aunque no con tanta devoción como las
reliquias deben y suelen besarse.

Finalmente, el licenciado le contó a estocadas todos
los botones de una media sotanilla que traía vestida, haciéndole tiras los faldamentos, como colas de pulpo;
derribóle el sombrero dos veces, y cansóle de manera
que de despecho, cólera y rabia asió la espada por la
empuñadura, y arrojóla por el aire con tanta fuerza,
que uno de los labradores asistentes, que era escribano, que fue por ella, dio después por testimonio que la
alongó de sí casi tres cuartos de legua; el cual testimonio

---

[20] *tapaboca*, golpe en la boca.

sirve y ha servido para que se conozca y vea con toda verdad cómo la fuerza es vencida del arte.

Sentóse cansado Corchuelo, y llegándose a él Sancho, le dijo:

—Mía fe, señor bachiller, si vuesa merced toma mi consejo, de aquí adelante no ha de desafiar a nadie a esgrimir, sino a luchar o a tirar la barra, pues tiene edad y fuerzas para ello; que destos a quien llaman *diestros* he oído decir que meten una punta de una espada por el ojo de una aguja.

—Yo me contento —respondió Corchuelo— de haber caído de mi burra, y de que me haya mostrado la experiencia la verdad, de quien tan lejos estaba.

Y levantándose, abrazó al licenciado, y quedaron más amigos que de antes, y no queriendo esperar al escribano, que había ido por la espada, por parecerle que tardaría mucho; y así, determinaron seguir, por llegar temprano a la aldea de Quiteria, de donde todos eran.

En lo que faltaba del camino les fue contando el licenciado las excelencias de la espada, con tantas razones demostrativas y con tantas figuras y demostraciones matemáticas, que todos quedaron enterados de la bondad de la ciencia, y Corchuelo, reducido de su pertinacia.

Era anochecido; pero antes que llegasen les pareció a todos que estaba delante del pueblo un cielo lleno de inumerables y resplandecientes estrellas. Oyeron asimismo confusos y suaves sonidos de diversos instrumentos, como de flautas, tamborinos, salterios, albogues, panderos y sonajas; y cuando llegaron cerca vieron que los árboles de una enramada que a mano habían puesto a la entrada del pueblo estaban todos llenos de luminarias, a quien no ofendía el viento, que entonces no soplaba sino tan manso, que no tenía fuerza para mover las hojas de los árboles. Los músicos eran los regocijadores de la boda, que en diversas cuadrillas por aquel agradable sitio andaban, unos bailando, y otros cantando, y otros tocando la diversidad de los referidos instrumentos. En efecto, no parecía sino que por todo aquel prado andaba corriendo la alegría y saltando el contento.

Otros muchos andaban ocupados en levantar andamios, de donde con comodidad pudiesen ver otro día las representaciones y danzas que se habían de hacer en aquel lugar dedicado para solenizar las bodas del rico Camacho y las exequias de Basilio. No quiso entrar en el lugar don Quijote, aunque se lo pidieron así el labrador como el bachiller; pero él dio por disculpa, bastantísima a su parecer, ser costumbre de los caballeros andantes dormir por los campos y florestas antes que en los poblados, aunque fuese debajo de dorados techos; y con esto, se desvió un poco del camino, bien contra la voluntad de Sancho, viniéndosele a la memoria el buen alojamiento que había tenido en el castillo o casa de don Diego.

CAPÍTULO XX

Donde se cuentan las bodas de Camacho el rico cón el suceso de Basilio el pobre

APENAS la blanca aurora había dado lugar a que el luciente Febo con el ardor de sus calientes rayos las líquidas perlas de sus cabellos de oro enjugase, cuando don Quijote, sacudiendo la pereza de sus miembros, se puso en pie y llamó a su escudero Sancho, que aun todavía roncaba; lo cual visto por don Quijote, antes que le despertase, le dijo:

—¡Oh tú, bienaventurado sobre cuantos viven sobre la haz de la tierra, pues sin tener invidia ni ser invidiado, duermes con sosegado espíritu, ni te persiguen encantadores, ni sobresaltan encantamentos! Duerme, digo otra vez, y lo diré otras ciento, sin que te tengan en contina vigilia celos de tu dama, ni te desvelen pensamientos de pagar deudas que debas, ni de lo que has de hacer para comer otro día tú y tu pequeña y angustiada familia. Ni la ambición te inquieta, ni la pompa vana del mundo te fatiga, pues los límites de tus deseos no se estienden a más que a pensar[1] tu jumento; que el de tu persona sobre mis hombros le tienes puesto; contrapeso y carga que puso la naturaleza y la costumbre a los señores. Duerme el criado, y está velando el señor, pen-

---

[1] *pensar*, dar pienso.

sando cómo le ha de sustentar, mejorar y hacer mercedes. La congoja de ver que el cielo se hace de bronce
sin acudir a la tierra con el conveniente rocío no aflige
al criado, sino al señor, que ha de sustentar en la este-
rilidad y hambre al que le sirvió en la fertilidad y abundancia.

A todo esto no respondió Sancho, porque dormía, ni
despertara tan presto si don Quijote con el cuento[2] de
la lanza no le hiciere volver en sí. Despertó, en fin, soño-
liento y perezoso, y volviendo el rostro a todas partes,
dijo:

—De la parte desta enramada, si no me engaño, sale
un tufo y olor harto más de torreznos asados que de juncos y tomillos: bodas que por tales olores comienzan,
para mi santiguada que deben de ser abundantes y ge-
nerosas.

—Acaba, glotón —dijo don Quijote—; ven, iremos
a ver estos desposorios, por ver lo que hace el desdeñado Basilio.

—Mas que haga lo que quisiere —respondió Sancho—: no fuera él pobre y casárase con Quiteria. ¿No
hay más sino no tener un cuarto y querer alzarse[3] por
las nubes? A la fe, señor, yo soy de parecer que el pobre
debe de contentarse con lo que hallare, y no pedir cotufas en el golfo. Yo apostaré un brazo que puede Camacho envolver en reales a Basilio; y si esto es así, como
debe de ser, bien boba fuera Quiteria en desechar las
galas y las joyas que le debe de haber dado, y le puede
dar Camacho, por escoger el tirar de la barra y el jugar
de la negra[4] de Basilio. Sobre un buen tiro de barra o
sobre una gentil treta de espada no dan un cuartillo de
vino en la taberna. Habilidades y gracias que no son
vendibles, mas que las tenga el conde Dirlos[5]; pero cuando las tales gracias caen sobre quien tiene buen dinero,
tal sea mi vida como ellas parecen. Sobre un buen cimiento se puede levantar un buen edificio, y el mejor
cimiento y zanja del mundo es el dinero.

[2] *cuento*, contera, extremo contrario a la punta.
[3] *alzarse*: en la primera edición *carse*, lo que casi todas las ediciones enmiendan en *casarse*. Creo más posible que la lectura ori-
ginaria fuera *alçarse*.
[4] *negra*, espada.
[5] «aunque las tenga el conde Dirlos», personaje del romancero.

—Por quien Dios es, Sancho —dijo a esta sazón don
Quijote—, que concluyas con tu arenga; que tengo para
mí que si te dejasen seguir en las que a cada paso comienzas, no te quedaría tiempo para comer ni para dormir; que todo le gastarías en hablar.

—Si vuestra merced tuviera buena memoria —replicó Sancho—, debiérase acordar de los capítulos de
nuestro concierto antes que esta última vez saliésemos de
casa: uno de ellos fue que me había de dejar hablar todo
aquello que quisiese, con que no fuese contra el prójimo
ni contra la autoridad de vuesa merced; y hasta agora
me parece que no he contravenido contra el tal capítulo.

—Yo no me acuerdo, Sancho —respondió don Quijote—, del tal capítulo; y puesto que sea así, quiero que
calles y vengas; que ya los instrumentos que anoche
oímos vuelven a alegrar los valles y sin duda los desposorios se celebrarán en el frescor de la mañana, y no en
el calor de la tarde.

Hizo Sancho lo que su señor le mandaba, y poniendo la silla a Rocinante y la albarda al rucio, subieron los
dos, y paso ante paso se fueron entrando por la enramada.

Lo primero que se le ofreció a la vista de Sancho
fue, espetado en un asador de un olmo entero, un entero
novillo; y en el fuego donde se había de asar ardía un
mediano monte de leña, y seis ollas que alrededor de la
hoguera estaban no se habían hecho en la común turquesa[6] de las demás ollas; porque eran seis medias tinajas, que cada una cabía un rastro[7] de carne: así embe-
bían y encerraban en sí carneros enteros, sin echarse de
ver, como si fueran palominos; las liebres ya sin pellejo
y las gallinas sin pluma que estaban colgadas por los
árboles para sepultarlas en las ollas no tenían número;
los pájaros y caza de diversos géneros eran infinitos, colgados de los árboles para que el aire los enfriase.

Contó Sancho más de sesenta zaques[8] de más de a dos
arrobas cada uno, y todos llenos, según después pareció, de generosos vinos; así había rimeros de pan blan-

---

[6] *turquesa*, molde.
[7] *rastro*, matadero o lugar donde se vende carne.
[8] *zaques*, odres pequeños.

quísimo, como los suele haber de montones de trigo en las eras; los quesos, puestos como ladrillos enrejados[9], formaban una muralla, y dos calderas de aceite mayores que las de un tinte servían de freír cosas de masa que con dos valientes[10] palas las sacaban fritas y las zabullían en otra caldera de preparada miel que allí junto estaba.

Los cocineros y cocineras pasaban de cincuenta, todos limpios, todos diligentes y todos contentos. En el dilatado vientre del novillo estaban doce tiernos y pequeños lechones, que, cosidos por encima, servían de darle sabor y enternecerle. Las especias de diversas suertes no parecía haberlas comprado por libras, sino por arrobas, y todas estaban de manifiesto en una grande arca. Finalmente, el aparato de la boda era rústico; pero tan abundante, que podía sustentar a un ejército.

Todo lo miraba Sancho Panza, y todo lo contemplaba, y de todo se aficionaba. Primero le cautivaron y rindieron el deseo las ollas, de quien él tomara de bonísima gana un mediano puchero; luego le aficionaron la voluntad los zaques; y últimamente, las frutas de sartén[11], si es que se podían llamar sartenes las tan orondas calderas; y así, sin poderlo sufrir ni ser en su mano hacer otra cosa, se llegó a uno de los solícitos cocineros, y con corteses y hambrientas razones le rogó le dejase mojar un mendrugo de pan en una de aquellas ollas. A lo que el cocinero respondió:

—Hermano, este día no es de aquellos sobre quien tiene juridición la hambre, merced al rico Camacho. Apeaos y mirad si hay por ahí un cucharón, y espumad una gallina o dos, y buen provecho os hagan.

—No veo ninguno —respondió Sancho.

—Esperad —dijo el cocinero—. ¡Pecador de mí, y qué melindroso y para poco debéis de ser!

Y diciendo esto, asió de un caldero, y encajándole en una de las medias tinajas, sacó en él tres gallinas y dos gansos, y dijo a Sancho:

---

[9] Tal vez *enrejelados*, de *relej*, «pared que se va estrechando hacia arriba» (cfr. M. A. Morínigo, «Filología», Buenos Aires, X, 1964, págs. 217-222).

[10] *valientes*, grandes.

[11] *fruta de sartén*, masa frita (como los buñuelos, los churros).

—Comed, amigo, y desayunaos con esta espuma, en tanto que se llega la hora del yantar.

—No tengo en qué echarla —respondió Sancho.

—Pues llevaos —dijo el cocinero— la cuchara y todo; que la riqueza y el contento de Camacho todo lo suple.

En tanto, pues, que esto pasaba Sancho, estaba don Quijote mirando cómo por una parte de la enramada entraban hasta doce labradores sobre doce hermosísimas yeguas, con ricos y vistosos jaeces de campo y con muchos cascabeles en los petrales[12], y todos vestidos de regocijo y fiestas; los cuales, en concertado tropel, corrieron no una, sino muchas carreras por el prado, con regocijada algazara y grita, diciendo:

—¡Vivan Camacho y Quiteria, él tan rico como ella hermosa, y ella la más hermosa del mundo!

Oyendo lo cual don Quijote, dijo entre sí:

—Bien parece que éstos no han visto a mi Dulcinea del Toboso; que si la hubieran visto, ellos se fueran a la mano[13] en las alabanzas desta su Quiteria.

De allí a poco comenzaron a entrar por diversas partes de la enramada muchas y diferentes danzas, entre los[14] cuales venía una de espadas, de hasta veinte y cuatro zagales de gallardo parecer y brío, todos vestidos de delgado y blanquísimo lienzo, con sus paños de tocar, labrados de varias colores de fina seda; y al que los guiaba, que era un ligero mancebo, preguntó uno de los de las yeguas si se había herido alguno de los danzantes.

—Por ahora, bendito sea Dios, no se ha herido nadie: todos vamos sanos.

Y luego comenzó a enredarse con los demás compañeros, con tantas vueltas y con tanta destreza, que aunque don Quijote estaba hecho a ver semejantes danzas, ninguna le había parecido tan bien como aquélla.

También le pareció bien otra que entró de doncellas hermosísimas, tan mozas, que, al parecer, ninguna bajaba de catorce ni llegaba a diez y ocho años, vestidas todas de palmilla[15] verde, los cabellos parte tranzados y

---

[12] *petrales*, correas que rodean el pecho de las caballerías.
[13] *irse a la mano*, contenerse, moderarse.
[14] *los* concuerda con el sujeto mental *bailes*, sinónimo de *danzas*.
[15] *palmilla*, paño muy apreciado que se fabricaba en Cuenca.

parte sueltos; pero todos tan rubios, que con los del sol
podían tener competencia; sobre los cuales traían guirnaldas de jazmines, rosas, amaranto y madreselva compuestas. Guiábalas un venerable viejo y una anciana
matrona; pero más ligeros y sueltos que sus años prometían. Hacíales el son una gaita zamorana, y ellas, llevando en los rostros y en los ojos a la honestidad y en
los pies a la ligereza, se mostraban las mejores bailado-
ras del mundo.

Tras ésta entró otra danza de artificio y de las que
llaman habladas. Era de ocho ninfas, repartidas en dos
hileras: de la una hilera era guía el dios Cupido, y de
la otra, el Interés; aquél, adornado de alas, arco, aljaba
y saetas; éste, vestido de ricas y diversas colores de oro
y seda. Las ninfas que al Amor seguían traían a las espaldas, en pargamino blanco y letras grandes, escritos sus
nombres. *Poesía* era el título de la primera, el de la segunda *Discreción*, el de la tercera *Buen linaje*, el de la
cuarta *Valentía*. Del modo mesmo venían señaladas las
que al Interés seguían: decía *Liberalidad* el título de la
primera, *Dádiva* el de la segunda, *Tesoro* el de la tercera y el de la cuarta *Posesión pacífica*. Delante de todos
venía un castillo de madera, a quien tiraban cuatro salvajes, todos vestidos de yedra y de cáñamo teñido de
verde, tan al natural, que por poco espantaran a Sancho. En la frontera[16] del castillo y en todas cuatro partes
de sus cuadros traía escrito: *Castillo del buen recato*.
Hacíanles el son cuatro diestros tañedores de tamboril
y flauta.

Comenzaba la danza Cupido, y habiendo hecho dos
mudanzas, alzaba los ojos y flechaba el arco contra una
doncella que se ponía entre las almenas del castillo, a la
cual desta suerte dijo:

—Yo soy el dios poderoso
en el aire y en la tierra
y en el ancho mar undoso,
y en cuanto el abismo encierra
en su báratro[17] espantoso.
Nunca conocí qué es miedo;

[16] *frontera*, parte delantera.
[17] *báratro*, infierno mitológico.

> todo cuanto quiero puedo,
> aunque quiera lo imposible,
> y en todo lo que es posible
> mando, quito, pongo y vedo.

Acabó la copla, disparó una flecha por lo alto del castillo y retiróse a su puesto. Salió luego el Interés, y hizo otras dos mudanzas; callaron los tamborinos, y él dijo:

> —Soy quien puede más que Amor,
> y es Amor el que me guía;
> soy de la estirpe mejor
> que el cielo en la tierra cría,
> más conocida y mayor.
> Soy el Interés, en quien
> pocos suelen obrar bien,
> y obrar sin mí es gran milagro;
> y cual soy te me consagro,
> por siempre jamás, amén.

Retiróse el Interés, y hízose adelante la Poesía; la cual, después de haber hecho sus mudanzas como los demás, puestos los ojos en la doncella del castillo, dijo:

> —En dulcísimos conceptos,
> la dulcísima Poesía,
> altos, graves y discretos,
> señora, el alma te envía
> envuelta entre mil sonetos.
> Si acaso no te importuna
> mi porfía, tu fortuna,
> de otras muchas invidiada,
> serás por mí levantada
> sobre el cerco de la luna.

Desvióse la Poesía, y de la parte del Interés salió la Liberalidad, y después de hechas sus mudanzas, dijo:

> —Llaman Liberalidad
> al dar que el estremo huye
> de la prodigalidad,
> y del contrario, que arguye

tibia y floja voluntad.
Mas yo, por te engrandecer,
de hoy más pródiga he de ser;
que aunque es vicio, es vicio honrado
y de pecho enamorado,
que en el dar se echa de ver.

Deste modo salieron y se retiraron todas las dos figuras de las dos escuadras, y cada uno hizo sus mudanzas y dijo sus versos, algunos elegantes y algunos ridículos, y sólo tomó de memoria don Quijote —que la tenía grande— los ya referidos; y luego se mezclaron todos, haciendo y deshaciendo lazos con gentil donaire y desenvoltura; y cuando pasaba el Amor por delante del castillo, disparaba por alto sus flechas; pero el Interés quebraba en él alcancías doradas.

Finalmente, después de haber bailado un buen espacio, el Interés sacó un bolsón, que le formaba el pellejo de un gran gato romano[18], que parecía estar lleno de dineros, y arrojándole al castillo, con el golpe se desencajaron las tablas y se cayeron, dejando a la doncella descubierta y sin defensa alguna. Llegó el Interés con las figuras de su valía[19], y echándola una gran cadena de oro al cuello, mostraron prenderla, rendirla y cautivarla; lo cual visto pcr el Amor y sus valedores, hicieron ademán de quitársela; y todas las demostraciones que hacían eran al son de los tamborinos, bailando y danzando concertadamente. Pusiéronlos en paz los salvajes, los cuales con mucha presteza volvieron a armar y a encajar las tablas del castillo, y la doncella se encerró en él como de nuevo, y con esto se acabó la danza, con gran contento de los que la miraban.

Preguntó don Quijote a una de las ninfas que quién la había compuesto y ordenado. Respondióle que un beneficiado de aquel pueblo, que tenía gentil caletre para semejantes invenciones.

—Yo apostaré —dijo don Quijote—, que debe de ser más amigo de Camacho que de Basilio el tal bachiller o beneficiado, y que debe de tener más de satírico

---

[18] El *gato romano* es el de piel con listas pardas y negras (el más común). Con pellejos de gato se hacían bolsas.
[19] *de su valía,* de su bando (sus partidarios).

que de vísperas[20]: ¡bien ha encajado en la danza las habilidades de Basilio y las riquezas de Camacho!

Sancho Panza, que lo escuchaba todo, dijo:

—El rey es mi gallo[21]: a Camacho me atengo.

—En fin —dijo don Quijote—, bien se parece, Sancho, que eres villano y de aquellos que dicen: «¡Viva quien vence!»

—No sé de los que soy —respondió Sancho—; pero bien sé que nunca de ollas de Basilio sacaré yo tan elegante espuma como es esta que he sacado de las de Camacho.

Y enseñóle el caldero lleno de gansos y de gallinas, y asiendo de una, comenzó a comer con mucho donaire y gana, y dijo:

—¡A la barba de las habilidades de Basilio[22]!; que tanto vales cuanto tienes, y tanto tienes cuanto vales. Dos linajes solos hay en el mundo, como decía una agüela mía, que son el tener y el no tener; aunque ella al del tener se atenía; y el día de hoy, mi señor don Quijote, antes se toma el pulso al haber que al saber: un asno cubierto de oro parece mejor que un caballo enalbardado. Así que vuelvo a decir que a Camacho me atengo, de cuyas ollas son abundantes espumas gansos y gallinas, liebres y conejos; y de las de Basilio serán, si viene a mano, y aunque no venga sino al pie, aguachirle.

—¿Has acabado tu arenga, Sancho? —dijo don Quijote.

—Habréla acabado —respondió Sancho—, porque veo que vuestra merced recibe pesadumbre con ella; que si esto no se pusiera de por medio, obra había cortada para tres días.

—Plega a Dios, Sancho —replicó don Quijote—, que yo te vea mudo antes que me muera.

—Al paso que llevamos —respondió Sancho—, antes que vuestra merced se muera estaré yo mascando barro, y entonces podrá ser que esté tan mudo, que no

[20] *que de vísperas*, que dado a rezos.
[21] *El rey es mi gallo*, frase de las peleas de gallos con la que se indicaba cuál de los contendientes era el favorito de uno.
[22] *A la barba de...* a la cuenta de. La frase de Sancho quiere decir: «Pierda y pague Basilio, ya que es pobre, aunque habiloso, y coma yo de las gallinas de Camacho» (R. Marín, V, 121).

hable palabra hasta la fin del mundo, o, por lo menos, hasta el día del juicio.

—Aunque eso así suceda, ¡oh Sancho! —respondió don Quijote—, nunca llegará tu silencio a do ha llegado lo que has hablado, hablas y tienes de hablar en tu vida; y más, que está muy puesto en razón natural que primero llegue el día de mi muerte que el de la tuya; y así, jamás pienso verte mudo, ni aun cuando estés bebiendo o durmiendo, que es lo que puedo encarecer.

—A buena fe, señor —respondió Sancho—, que no hay que fiar en la descarnada, digo, en la muerte, la cual también[23] come cordero como carnero; y a nuestro cura he oído decir que con igual pie pisaba las altas torres de los reyes como las humildes chozas de los pobres[24]. Tiene esta señora más de poder que de melindre; no es nada asquerosa, de todo come y a todo hace, y de toda suerte de gentes, edades y preeminencias hinche sus alforjas. No es segador que duerme las siestas; que a todas horas siega, y corta así la seca como la verde yerba; y no parece que masca, sino que engulle y traga cuanto se le pone delante, porque tiene hambre canina, que nunca se harta; y aunque no tiene barriga, da a entender que está hidrópica y sedienta de beber solas las vidas de cuantos viven, como quien se bebe un jarro de agua fría.

—No más, Sancho —dijo a este punto don Quijote—. Tente en buenas[25], y no te dejes caer; que en verdad que lo que has dicho de la muerte por tus rústicos términos es lo que pudiera decir un buen predicador. Dígote, Sancho que si como tienes buen natural y discreción, pudieras tomar un púlpito en la mano y irte por ese mundo predicando lindezas.

—Bien predica quien bien vive —respondió Sancho—, y yo no sé otras tologías.

—Ni las has menester —dijo don Quijote—; pero yo no acabo de entender ni alcanzar cómo siendo el principio de la sabiduría el temor de Dios, tú, que temes más a un lagarto que a Él, sabes tanto.

—Juzgue vuesa merced, señor, de sus caballerías

---

[23] *también,* tanto.
[24] Véase I, prólogo, nota 11.
[25] *Tente en buenas,* ve con cuidado.

—respondió Sancho—, y no se meta en juzgar de los temores o valentías ajenas; que tan gentil temeroso soy yo de Dios como cada hijo de vecino. Y déjeme vuestra merced despabilar esta espuma; que lo demás todas son palabras ociosas, de que nos han de pedir cuenta en la otra vida.

Y diciendo esto, comenzó de nuevo a dar asalto a su caldero, con tan buenos alientos, que despertó los de don Quijote, y sin duda le ayudara, si no lo impidiera lo que es fuerza se diga adelante.

CAPÍTULO XXI

DONDE SE PROSIGUEN LAS BODAS DE CAMACHO, CON OTROS GUSTOSOS SUCESOS

CUANDO estaban don Quijote y Sancho en las razones referidas en el capítulo antecedente, se oyeron grandes voces y gran ruido, y dábanlas y causábanle los de las yeguas, que con larga carrera y grita iban a recebir a los novios, que, rodeados de mil géneros de instrumentos y de invenciones, venían acompañados del cura, y de la parentela de entrambos, y de toda la gente más lucida de los lugares circunvecinos, todos vestidos de fiesta. Y como Sancho vio a la novia, dijo:

—A buena fe que no viene vestida de labradora, sino de garrida palaciega. ¡Pardiez, que según diviso, que las patenas[1] que había de traer son ricos corales, y la palmilla[2] verde de Cuenca es terciopelo de treinta pelos[3]! ¡Y montas[4] que la guarnición es de tiras de lienzo, blanca! ¡Voto a mí que es de raso! Pues ¡tomadme las manos, adornadas con sortijas de azabache! No medre yo si no son anillos de oro, y muy de oro, y empedrados con pelras[5] blancas como una cuajada[6], que cada una

[1] *patenas*, adorno que consistía en iáminas anchas que se ponían sobre el pecho las labradoras.
[2] *palmilla*, véase II, 20, nota 15.
[3] Sancho exagera, pues el terciopelo no tenía más de dos pelos en su urdimbre.
[4] *montas*, interjección.
[5] Sancho emplea el vulgarismo *pelras*, por «perlas».
[6] *cuajada*, requesón, leche cuajada.

debe de valer un ojo de la cara. ¡Oh hideputa, y qué
cabellos; que si no son postizos, no los he visto más luengos ni más rubios en toda mi vida! ¡No, sino ponedla
tacha en el brío y en el talle, y no la comparéis a una
palma que se mueve cargada de racimos de dátiles, que
lo mesmo parecen los dijes que trae pendientes de los
cabellos y de la garganta! Juro en mi ánima que ella es
una chapada[7] moza, y que puede pasar por los bancos
de Flandes[8].

Rióse don Quijote de las rústicas alabanzas de Sancho Panza; parecióle que, fuera de su señora Dulcinea
del Toboso, no había visto mujer más hermosa jamás.
Venía la hermosa Quiteria algo descolorida, y debía de
ser de la mala noche que siempre pasan las novias en
componerse para el día venidero de sus bodas. Íbanse
acercando a un teatro que a un lado del prado estaba,
adornado de alfombras y ramos, adonde se habían de
hacer los desposorios, y de donde habían de mirar las
danzas y las invenciones; y a la sazón que llegaban al
puesto, oyeron a sus espaldas grandes voces, y una que
decía:

—Esperaos un poco, gente tan inconsiderada como
presurosa.

A cuyas voces y palabras todos volvieron la cabeza,
y vieron que las daba un hombre vestido, al parecer,
de un sayo negro, jironado de carmesí a llamas. Venía
coronado —como se vio luego— con una corona de fu-
nesto ciprés; en las manos traía un bastón grande. En
llegando más cerca fue conocido de todos por el gallardo Basilio, y todos estuvieron suspensos, esperando en
qué habían de parar sus voces y sus palabras, temiendo
algún mal suceso de su venida en sazón semejante.

Llegó, en fin, cansado y sin aliento, y puesto delante
de los desposados, hincando el bastón en el suelo, que
tenía el cuento[9] de una punta de acero, mudada la color, puestos los ojos en Quiteria, con voz tremente y ronca estas razones dijo:

---

[7] *chapada*, gallarda, hermosa.
[8] *bancos de Flandes*; con madera de árboles de Flandes se hacían unos caballetes que sostenían las camas; equivale, pues, a
tálamo (cfr. R. Marín, XX, 22-29).
[9] *cuento*, extremidad inferior.

—Bien sabes, desconocida[10] Quiteria, que conforme
a la santa ley que profesamos, que viviendo yo, tú no
puedes tomar esposo; y juntamente no ignoras que, por
esperar yo que el tiempo y mi diligencia mejorasen los
bienes de mi fortuna, no he querido dejar de guardar el
decoro que a tu honra convenía; pero tú, echando a las
espaldas todas las obligaciones que debes a mi buen deseo, quieres hacer señor de lo que es mío a otro, cuyas
riquezas le sirven no sólo de buena fortuna, sino de bonísima ventura. Y para que la tenga colmada, y no como
yo pienso que la merece, sino como se la quieren dar los
cielos, yo, por mis manos, desharé el imposible o el inconveniente que puede estorbársela, quitándome a mí
de por medio. ¡Viva, viva el rico Camacho con la ingrata Quiteria largos y felices siglos, y muera, muera el
pobre Basilio, cuya pobreza cortó las alas de su dicha y
le puso en la sepultura!

Y diciendo esto, asió del bastón que tenía hincado
en el suelo, y quedándose la mitad dél en la tierra, mostró que servía de vaina a un mediano estoque que en él
se ocultaba; y puesta la que se podía llamar empuñadura en el suelo, con ligero desenfado y determinado propósito se arrojó sobre él, y en un punto mostró la punta
sangrienta a las espaldas, con la mitad del acerada cuchilla, quedando el triste bañado en su sangre y tendido
en el suelo, de sus mismas armas traspasado.

Acudieron luego sus amigos a favorecerle, condoli-
dos de su miseria y lastimosa desgracia; y dejando don
Quijote a Rocinante, acudió a favorecerle y le tomó en
sus brazos, y halló que aún no había espirado. Quisié-
ronle sacar el estoque; pero el cura, que estaba presente,
fue de parecer que no se le sacasen antes de confesarle,
porque el sacársele y el espirar sería todo a un tiempo.
Pero volviendo un poco en sí Basilio, con voz doliente y
desmayada dijo:

—Si quisieses, cruel Quiteria, darme en este último
y forzoso trance la mano de esposa, aún pensaría que mi
temeridad tendría desculpa, pues en ella alcancé el bien
de ser tuyo.

El cura oyendo lo cual, le dijo que atendiese a la sa-

---

[10] *desconocida,* ingrata.

lud del alma antes que a los gustos del cuerpo, y que pidiese muy de veras a Dios perdón de sus pecados y de su desesperada determinación. A lo cual replicó Basilio que en ninguna manera se confesaría si primero Quiteria no le daba la mano de ser su esposa; que aquel contento le adobaría la voluntad y le daría aliento para confesarse.

En oyendo don Quijote la petición del herido, en altas voces dijo que Basilio pedía una cosa muy justa y puesta en razón, y además, muy hacedera, y que el señor Camacho quedaría tan honrado recibiendo a la señora Quiteria viuda del valeroso Basilio como si la recibiera del lado de su padre:

—Aquí no ha de haber más de un sí, que no tenga otro efecto que el pronunciarle, pues el tálamo de estas bodas ha de ser la sepultura.

Todo lo oía Camacho, y todo le tenía suspenso y confuso, sin saber qué hacer ni qué decir; pero las voces de los amigos de Basilio fueron tantas, pidiéndole que consintiese que Quiteria le diese la mano de esposa, porque su alma no se perdiese, partiendo desesperado desta vida, que le movieron, y aun forzaron, a decir que si Quiteria quería dársela, que él se contentaba, pues todo era dilatar por un momento el cumplimiento de sus deseos.

Luego acudieron todos a Quiteria, y unos con ruegos, y otros con lágrimas, y otros con eficaces razones, la persuadían que diese la mano al pobre Basilio; y ella, más dura que un mármol y más sesga[11] que una estatua, mostraba que ni sabía ni podía, ni quería responder palabra; ni la respondiera si el cura no la dijera que se determinase presto en lo que había de hacer, porque tenía Basilio ya el alma en los dientes, y no daba lugar a esperar inresolutas determinaciones.

Entonces la hermosa Quiteria, sin responder palabra alguna, turbada, al parecer triste y pesarosa, llegó donde Basilio estaba ya los ojos vueltos, el aliento corto y apresurado, murmurando entre los dientes el nombre de Quiteria, dando muestras de morir como gentil, y no como cristiano. Llegó, en fin, Quiteria, y puesta de rodi-

---

[11] *sesga*, sosegada, inmóvil.

llas, le pidió la mano por señas, y no por palabras. Desencajó los ojos Basilio, y mirándola atentamente, le dijo:

—¡Oh Quiteria, que has venido a ser piadosa a tiempo, cuando tu piedad ha de servir de cuchillo que me acabe de quitar la vida, pues ya no tengo fuerzas para llevar la gloria que me das en escogerme por tuyo, ni para suspender el dolor que tan apriesa me va cubriendo los ojos con la espantosa sombra de la muerte! Lo que te suplico es, ¡oh fatal estrella mía!, que la mano que me pides y quieres darme no sea por cumplimiento, ni para engañarme de nuevo, sino que confieses y digas que, sin hacer fuerza a tu voluntad, me la entregas y me la das como a tu legítimo esposo; pues no es razón que en un trance como éste me engañes, ni uses de fingimientos con quien tantas verdades ha tratado contigo.

Entre estas razones, se desmayaba; de modo, que todos los presentes pensaban que cada desmayo se había de llevar el alma consigo. Quiteria, toda honesta y toda vergonzosa, asiendo con su derecha mano la de Basilio, le dijo:

—Ninguna fuerza fuera bastante a torcer mi voluntad; y así, con la más libre que tengo te doy la mano de legítima esposa, y recibo la tuya, si es que me la das de tu libre albedrío, sin que la turbe ni contraste la calamidad en que tu discurso acelerado te ha puesto.

—Sí doy —respondió Basilio—, no turbado ni confuso, sino con el claro entendimiento que el cielo quiso darme, y así me doy y me entrego por tu esposo.

—Y yo por tu esposa —respondió Quiteria—, ahora vivas largos años, ahora te lleven de mis brazos a la sepultura.

—Para estar tan herido este mancebo —dijo a este punto Sancho Panza—, mucho habla; háganle que se deje de requiebros, y que atienda a su alma, que, a mi parecer, más la tiene en la lengua que en los dientes.

Estando, pues, asidos de las manos Basilio y Quiteria, el cura, tierno y lloroso, los echó la bendición y pidió al cielo diese buen poso al alma del nuevo desposado; el cual, así como recibió la bendición, con presta ligereza se levantó en pie, y con no vista desenvoltura se sacó el estoque, a quien servía de vaina su cuerpo.

Quedaron todos los circunstantes admirados, y al-

gunos dellos, más simples que curiosos[12], en altas voces
comenzaron a decir:

—¡Milagro, milagro!

Pero Basilio replicó:

—¡No «milagro, milagro», sino industria, industria[13]!

El cura, desatentado y atónito, acudió con ambas
manos a tentar la herida, y halló que la cuchilla había
pasado, no por la carne y costillas de Basilio, sino por
un cañón[14] hueco de hierro que, lleno de sangre, en
aquel lugar bien acomodado tenía; preparàda la sangre,
según después se supo, de modo que no se helase.

Finalmente, el cura y Camacho con todos los más
circunstantes se tuvieron por burlados y escarnidos. La
esposa no dio muestras de pesarle de la burla; antes
oyendo decir que aquel casamiento, por haber sido engañoso, no había de ser valedero, dijo que ella le confirmaba de nuevo; de lo cual coligieron todos que de consentimiento y sabiduría de los dos se había trazado aquel
caso; de lo que quedó Camacho y sus valedores tan corridos, que remitieron su venganza a las manos, y desenvainando muchas espadas, arremetieron a Basilio, en
cuyo favor en un instante se desenvainaron casi otras
tantas. Y tomando la delantera a caballo don Quijote,
con la lanza sobre el brazo y bien cubierto de su escudo,
se hacía dar lugar de todos. Sancho, a quien jamás plu-
guieron ni solazaron semejantes fechurías, se acogió a
las tinajas, donde había sacado su agradable espuma,
pareciéndole aquel lugar como sagrado, que había de
ser tenido en respeto. Don Quijote a grandes voces decía:

—Teneos, señores, teneos; que no es razón toméis
venganza de los agravios que el amor nos hace; y advertid que el amor y la guerra son una misma cosa, y
así como en la guerra es cosa lícita y acostumbrada usar
de ardides y estratagemas para vencer al enemigo, así en
las contiendas y competencias amorosas se tienen por
buenos los embustes y marañas que se hacen para conseguir el fin que se desea, como no sean en menoscabo y

---

[12] *curiosos,* inteligentes.
[13] *industria,* destreza, artificio, ingenio; aquí llega a tener el
matiz de truco.
[14] *cañón,* canuto.

deshonra de la cosa amada. Quiteria era de Basilio, y Basilio de Quiteria, por justa y favorable disposición de los cielos. Camacho es rico, y podrá comprar su gusto cuando, donde y como quisiere. Basilio no tiene más desta oveja, y no se la ha de quitar alguno, por poderoso que sea; que a los dos que Dios junta no podrá separar el hombre; y el que lo intentare, primero ha de pasar por la punta desta lanza.

Y en esto, la blandió tan fuerte y tan diestramente, que puso pavor en todos los que no le conocían; y tan intensamente se fijó en la imaginación de Camacho el desdén de Quiteria, que se la borró de la memoria en un instante; y así, tuvieron lugar con él las persuasiones del cura, que era varón prudente y bien intencionado, con las cuales quedó Camacho y los de su parcialidad pacíficos y sosegados; en señal de lo cual volvieron las espadas a sus lugares, culpando más a la facilidad de Quiteria que a la industria de Basilio; haciendo discurso Camacho que si Quiteria quería bien a Basilio doncella, también le quisiera casada, y que debía de dar gracias al cielo más por habérsela quitado que por habérsela dado.

Consolado, pues, y pacífico Camacho y los de su mesnada, todos los de la de Basilio se sosegaron, y el rico Camacho, por mostrar que no sentía la burla, ni la estimaba en nada, quiso que las fiestas pasasen adelante como si realmente se desposara; pero no quisieron asistir a ellas Basilio ni su esposa ni secuaces, y así, se fueron a la aldea de Basilio; que también los pobres virtuosos y discretos tienen quien los siga, honre y ampare, como los ricos tienen quien los lisonjee y acompañe.

Lleváronse consigo a don Quijote, estimándole por hombre de valor y de pelo en pecho. A sólo Sancho se le escureció el alma, por verse imposibilitado de aguardar la espléndida comida y fiestas de Camacho, que duraron hasta la noche; y así, asenderado[15] y triste siguió a su señor, que con la cuadrilla de Basilio iba, y así se dejó atrás las ollas de Egipto[16], aunque las llevaba en el

---

[15] *asenderado*: no es necesario enmendar en *asendereado* porque también existe aquella forma (cfr. Covarrubias, s. v. *senda*).
[16] *las ollas de Egipto*, la prosperidad, la felicidad.

alma; cuya ya casi consumida y acabada espuma, que en el caldero llevaba, le representaba la gloria y la abundancia del bien que perdía; y así, congojado y pensativo, aunque sin hambre, sin apearse del rucio, siguió las huellas de Rocinante.

CAPÍTULO XXII

DONDE SE DA CUENTA DE LA GRANDE AVENTURA DE LA CUEVA DE MONTESINOS, QUE ESTÁ EN EL CORAZÓN DE LA MANCHA, A QUIEN DIO FELICE CIMA EL VALEROSO DON QUIJOTE DE LA MANCHA*

GRANDES fueron y muchos los regalos que los desposados hicieron a don Quijote, obligados de las muestras que había dado defendiendo su causa, y al par de la valentía le graduaron la discreción, teniéndole por un Cid en las armas y por un Cicerón en la elocuencia. El buen Sancho se refociló tres días a costa de los novios, de los cuales se supo que no fue traza comunicada con la hermosa Quiteria el herirse fingidamente, sino industria de Basilio, esperando della el mesmo suceso que se había visto; bien es verdad que confesó que había dado parte de su pensamiento a algunos de sus amigos, para que al tiempo necesario favoreciesen su intención y abonasen su engaño.

—No se pueden ni deben llamar engaños —dijo don Quijote— los que ponen la mira en virtuosos fines.

Y que el de casarse los enamorados era el fin de más excelencia, advirtiendo que el mayor contrario que el amor tiene es la hambre y la continua necesidad; porque

* Se introduce en este capítulo un personaje curiosísimo por su chifladura, el Primo, especie de don Quijote de la erudición. Adviértase que jamás se le da nombre propio, sino que se le denomina simplemente «el Primo» porque lo era de uno de los dos estudiantes que han aparecido al principio del capítulo XIX. Lo curioso del Primo es que en ningún momento se plantea que don Quijote pueda estar loco y que se cree a pies juntillas todo lo que él dice. Este pintoresco personaje es posible que sea una caricatura de Francisco de Luque Faxardo, autor de un interesante libro titulado *Fiel desengaño contra la ociosidad y los juegos*, publicado en 1603 y que Cervantes conocía sin duda alguna (véase en la edición de la «Biblioteca Selecta de Clásicos Españoles», Real Academia Española, Madrid, 1955, el prólogo de M. de Riquer, páginas 15-18).

el amor es todo alegría, regocijo y contento, y más cuando el amante está en posesión de la cosa amada, contra quien son enemigos opuestos y declarados la necesidad y la pobreza; y que todo esto decía con intención de que se dejase el señor Basilio de ejercitar las habilidades que sabe, que aunque le daban fama, no le daban dineros, y que atendiese a granjear hacienda por medios lícitos e industriosos, que nunca faltan a los prudentes y aplicados.

—El pobre honrado, si es que puede ser honrado el pobre, tiene prenda en tener mujer hermosa, que cuando se la quitan, le quitan la honra y se la matan. La mujer hermosa y honrada cuyo marido es pobre merece ser coronada con laureles y palmas de vencimiento y triunfo. La hermosura, por sí sola, atrae las voluntades de cuantos la miran y conocen, y como a señuelo gustoso se le abaten las águilas reales y los pájaros altaneros; pero si a la tal hermosura se le junta la necesidad y estrecheza, también la embisten los cuervos, los milanos y las otras aves de rapiña; y la que está a tantos encuentros firme bien merece llamarse corona de su marido. Mirad, discreto Basilio —añadió don Quijote—: opinión fue de no sé qué sabio que no había en todo el mundo sino una sola mujer buena, y daba por consejo que cada uno pensase y creyese que aquella sola buena era la suya, y así viviría contento. Yo no soy casado, ni hasta agora me ha venido en pensamiento serlo; y, con todo esto, me atrevería a dar consejo al que me lo pidiese del modo que había de buscar la mujer con quien se quisiese casar. Lo primero, le aconsejaría que mirase más a la fama que a la hacienda; porque la buena mujer no alcanza la buena fama solamente con ser buena, sino con parecerlo; que mucho más dañan a las honras de las mujeres las desenvolturas y libertades públicas que las maldades secretas. Si traes buena mujer a tu casa, fácil cosa sería conservarla, y aun mejorarla, en aquella bondad; pero si la traes mala, en trabajo te pondrá el enmendarla; que no es muy hacedero pasar de un estremo a otro. Yo no digo que sea imposible; pero téngolo por dificultoso.

Oía todo esto Sancho, y dijo entre sí:

—Este mi amo, cuando yo hablo cosas de meollo y de sustancia suele decir que podría yo tomar un púlpito

en las manos y irme por ese mundo adelante predicando
lindezas; y yo digo dél que cuando comienza a enhilar
sentencias y a dar consejos, no sólo puede tomar púlpito
en las manos, sino dos en cada dedo, y andarse por esas
plazas a ¿qué quieres, boca? ¡Válate el diablo por caballero andante, que tantas cosas sabes! Yo pensaba en mi
ánima que sólo podía saber aquello que tocaba a sus caballerías; pero no hay cosa donde no pique y deje de
meter su cucharada.

Murmuraba esto algo Sancho, y entreoyóle su señor,
y preguntóle:

—¿Qué murmuras, Sancho?

—No digo nada, ni murmuro de nada —respondió
Sancho—; sólo estaba diciendo entre mí que quisiera haber oído lo que vuesa merced aquí ha dicho antes que
me casara; que quizá dijera yo agora: «El buey suelto
bien se lame».

—¿Tan mala es tu Teresa, Sancho? —dijo don Quijote.

—No es muy mala —respondió Sancho—, pero no
es muy buena; a lo menos, no es tan buena como yo quisiera.

—Mal haces, Sancho —dijo don Quijote—, en decir
mal de tu mujer, que, en efecto, es madre de tus hijos.

—No nos debemos nada —respondió Sancho—; que
también ella dice mal de mí cuando se le antoja, especialmente cuando está celosa; que entonces súfrala el mesmo Satanás.

Finalmente, tres días estuvieron con los novios, donde fueron regalados y servidos como cuerpos de rey. Pidió don Quijote al diestro licenciado le diese una guía
que le encaminase a la cueva de Montesinos[1], porque
tenía gran deseo de entrar en ella y ver a ojos vistas si
eran verdaderas las maravillas que de ella se decían por
todos aquellos contornos. El licenciado le dijo que le daría a un primo suyo, famoso estudiante y muy aficionado
a leer libros de caballerías, el cual con mucha voluntad
le pondría a la boca de la mesma cueva, y le enseñaría
las lagunas de Ruidera, famosas ansimismo en toda la
Mancha, y aun en toda España; y díjole que llevaría con

---

[1] La cueva de Montesinos está en Ossa de Montiel, localidad muy
próxima a las lagunas de Ruidera, donde nace el Guadiana.

él gustoso entretenimiento, a causa que era mozo que sabía hacer libros para imprimir y para dirigirlos a príncipes. Finalmente, el primo vino con una pollina preñada, cuya albarda cubría un gayado[2] tapete o arpillera. Ensilló Sancho a Rocinante y aderezó al rucio, proveyó sus alforjas, a las cuales acompañaron las del primo, asimismo bien proveídas, y encomendándose a Dios y despidiéndose de todos, se pusieron en camino, tomando la derrota de la famosa cueva de Montesinos.

En el camino preguntó don Quijote al primo de qué género y calidad eran sus ejercicios, su profesión y estudios; a lo que él respondió que su profesión era ser humanista; sus ejercicios y estudios, componer libros para dar a la estampa, todos de gran provecho y no menos entretenimiento para la república; que el uno se intitulaba *el de las libreas,* donde pinta setecientas y tres libreas, con sus colores, motes y cifras, de donde podían sacar y tomar las que quisiesen en tiempo de fiestas y regocijos los caballeros cortesanos, sin andarlas mendigando de nadie, ni lambicando, como dicen. el cerbelo, por sacarlas conformes a sus deseos e intenciones.

—Porque doy al celoso, al desdeñado, al olvidado y al ausente las que les convienen, que les vendrán más justas que pecadoras. Otro libro tengo también, a quien he de llamar *Metamorfoseos, o Ovidio español,* de invención nueva y rara; porque en él, imitando a Ovidio a lo burlesco, pinto quién fue la Giralda de Sevilla y el Ángel de la Madalena, quién el Caño de Vecinguerra, de Córdoba, quiénes los Toros de Guisando, la Sierra Morena, las fuentes de Leganitos y Lavapiés, en Madrid, no olvidándome de la del Piojo, de la del Caño Dorado y de la Priora[3]; y esto, con sus alegorías, metáforas y translaciones, de modo que alegran, suspenden y enseñan a un mismo punto. Otro libro tengo, que le llamo *Suplemento*

---

[2] *gayado,* de varios colores.
[3] La Giralda de Sevilla es harto conocida. La torre de la iglesia parroquial de la Magdalena de Salamanca tenía un ángel por veleta. El Caño de la Vecinguerra, albañal por donde van al Guadalquivir aguas e inmundicias de Córdoba. Además de las fuentes de Leganitos y de Lavapiés, en los barrios así llamados, había en Madrid la del Piojo, junto a la puerta de Recoletos, la del Caño Dorado, en la alameda del Prado de San Jerónimo, la de la Priora, hacia lo que es hoy Plaza de Oriente.

a Virgilio Polidoro[4], que trata de la invención de las cosas, que es de grande erudición y estudio, a causa que las cosas que se dejó de decir Polidoro de gran sustancia, las averiguo yo, y las declaro por gentil estilo. Olvidósele a Virgilio de declararnos quién fue el primero que tuvo catarro en el mundo, y el primero que tomó las unciones[5] para curarse del morbo gálico[6], y yo lo declaro al pie de la letra, y lo autorizo con más de veinte y cinco autores: porque vea vuesa merced si he trabajado bien, y si ha de ser útil el tal libro a todo el mundo.

Sancho, que había estado muy atento a la narración del primo, le dijo:

—Dígame, señor, así Dios le dé buena manderecha en la impresión de sus libros: ¿sabríame decir, que sí sabrá, pues todo lo sabe, quién fue el primero que se rascó en la cabeza, que yo para mí tengo que debió de ser nuestro padre Adán?

—Sí sería —respondió el primo—; porque Adán no hay duda sino que tuvo cabeza y cabellos; y siendo esto así, y siendo el primer hombre del mundo, alguna vez se rascaría.

—Así lo creo yo —respondió Sancho—; pero dígame ahora: ¿quién fue el primer volteador[7] del mundo?

—En verdad, hermano —respondió el primo—, que no me sabré determinar por ahora, hasta que lo estudie. Yo lo estudiaré en volviendo adonde tengo mis libros, y yo os satisfaré cuando otra vez nos veamos; que no ha de ser ésta la postrera.

—Pues mire, señor —replicó Sancho—, no tome trabajo en esto; que ahora he caído en la cuenta de lo que he preguntado. Sepa que el primer volteador del mundo fue Lucifer, cuando le echaron o arrojaron del cielo, que vino volteando hasta los abismos.

—Tienes razón, amigo —dijo el primo.

Y dijo don Quijote:

---

[4] Fue muy famosa la obra del escritor italiano Polidoro Vergilio *De inventoribus rerum* (Venecia, 1499), donde se explican los orígenes de infinidad de cosas con farragosa erudición, grandes fantasías y enormes puerilidades. Se publicó traducido al español por el bachiller Francisco Thámara, *Libro de Polidoro Virgilio que tracta de la invención y principio de todas las cosas*, Amberes, 1550.

[5] *unciones*, unturas.

[6] *morbo gálico*, enfermedad venérea.

[7] *volteador*, volatinero.

—Esa pregunta y respuesta no es tuya, Sancho: a alguno las has oído decir.

—Calle, señor —replicó Sancho—; que a buena fe que si me doy a preguntar y a responder, que no acabe de aquí a mañana. Sí, que para preguntar necedades y responder disparates no he menester yo andar buscando ayuda de vecinos.

—Más has dicho, Sancho, de lo que sabes —dijo don Quijote—; que hay algunos que se cansan en saber y averiguar cosas que, después de sabidas y averiguadas, no importan un ardite al entendimiento ni a la memoria.

En estas y otras gustosas pláticas se les pasó aquel día, y a la noche se albergaron en una pequeña aldea, adonde el primo dijo a don Quijote que desde allí a la cueva de Montesinos no había más de dos leguas, y que si llevaba determinado de entrar en ella, era menester proverse de sogas, para atarse y descolgarse en su profundidad.

Don Quijote dijo que aunque llegase al abismo, había de ver dónde paraba; y así, compraron casi cien brazas de soga, y otro día, a las dos de la tarde, llegaron a la cueva, cuya boca es espaciosa y ancha; pero llena de cambroneras y cabrahígos[8], de zarzas y malezas, tan espesas y intricadas, que de todo en todo la ciegan y encubren. En viéndola se apearon el primo, Sancho y don Quijote, al cual los dos le ataron luego fortísimamente con las sogas; y en tanto que le fajaban y ceñían, le dijo Sancho:

—Mire vuestra merced, señor mío, lo que hace: no se quiera sepultar en vida, ni se ponga adonde parezca frasco que le ponen a enfriar en algún pozo. Sí, que a vuestra merced no le toca ni atañe ser el escudriñador desta cueva que debe de ser peor que mazmorra.

—Ata y calla —respondió don Quijote—; que tal empresa como aquésta, Sancho amigo, para mí estaba guardada[9].

Y entonces dijo la guía:

—Suplico a vuesa merced, señor don Quijote, que

---

[8] *cabrahígos*, higueras silvestres.
[9] Don Quijote remeda los versos de un romance recogido en las *Guerras civiles de Granada*, de Ginés Pérez de Hita: «Porque esta empresa, buen rey, Para mí estaba guardada».

mire bien y especule con cien ojos lo que hay allá dentro: quizá habrá cosas que las ponga yo en el libro de
mis *Transformaciones.*

—En manos está el pandero que le sabrá bien tañer
—respondió Sancho Panza.

Dicho esto, y acabada la ligadura de don Quijote
—que no fue sobre el arnés, sino sobre el jubón de armar—, dijo don Quijote.

—Inadvertidos hemos andado en no habernos proveído de algún esquilón pequeño, que fuera atado junto a
mí en esta mesma soga, con cuyo sonido se entendiera
que todavía bajaba y estaba vivo; pero pues ya no es
posible, a la mano de Dios, que me guíe.

Y luego se hincó de rodillas y hizo una oración en
voz baja al cielo, pidiendo a Dios le ayudase y le diese
buen suceso en aquella, al parecer, peligrosa y nueva
aventura, y en voz alta dijo luego:

—¡Oh señora de mis acciones y movimientos, clarísima y sin par Dulcinea del Toboso! Si es posible que
lleguen a tus oídos las plegarias y rogaciones deste tu venturoso amante, por tu inaudita belleza te ruego las escuches; que no son otras que rogarte no me niegues tu favor
y amparo, ahora que tanto le he menester. Yo voy a des-
peñarme, a empozarme y a hundirme en el abismo que
aquí se me representa, sólo porque conozca el mundo
que si tú me favoreces, no habrá imposible a quien yo
no acometa y acabe.

Y en diciendo esto, se acercó a la sima; vio no ser
posible descolgarse, ni hacer lugar a la entrada, si no
era a fuerza de brazos, o a cuchilladas, y así, poniendo
mano a la espada, comenzó a derribar y a cortar de aquellas malezas que a la boca de la cueva estaban, por cuyo
ruido y estruendo salieron por ella una infinidad de grandísimos cuervos y grajos, tan espesos y con tanta priesa,
que dieron con don Quijote en el suelo; y si él fuera tan
agorero como católico cristiano, lo tuviera a mala señal
y escusara de encerrarse en lugar semejante.

Finalmente se levantó, y viendo que no salían más
cuervos ni otras aves noturnas, como fueron murciéla-
gos, que asimismo entre los cuervos salieron, dándole soga
el primo y Sancho, y se dejó calar al fondo de la caverna

espantosa; y al entrar, echándole Sancho su bendición y haciendo sobre él mil cruces, dijo:

—¡Dios te guíe y la Peña de Francia, junto con la Trinidad de Gaeta[10], flor, nata y espuma de los caballeros andantes! ¡Allá vas, valentón del mundo, corazón de acero, brazos de bronce! Dios te guíe, otra vez, y te vuelva libre, sano y sin cautela a la luz desta vida, que dejas, por enterrarte en esta escuridad que buscas!

Casi las mismas plegarias y deprecaciones hizo el primo.

Iba don Quijote dando voces que le diesen soga, y más soga, y ellos se la daban poco a poco; y cuando las voces, que acanaladas por la cueva salían, dejaron de oírse, ya ellos tenían descolgadas las cien brazas de soga, y fueron de parecer de volver a subir a don Quijote, pues no le podían dar más cuerda. Con todo eso, se detuvieron como media hora, al cabo del cual espacio volvieron a recoger la soga con mucha facilidad y sin peso alguno, señal que les hizo imaginar que don Quijote se quedaba dentro, y creyéndolo así Sancho, lloraba amargamente y tiraba con mucha priesa por desengañarse; pero llegando, a su parecer, a poco más de las ochenta brazas, sintieron peso, de que en estremo se alegraron. Finalmente, a las diez vieron distintamente a don Quijote, a quien dio voces Sancho, diciéndole:

—Sea vuestra merced muy bien vuelto, señor mío; que ya pensábamos que se quedaba allá para casta.

Pero no respondía palabra don Quijote; y sacándole del todo, vieron que traía cerrados los ojos, con muestras de estar dormido. Tendiéronle en el suelo y desliáronle, y, con todo esto, no despertaba; pero tanto le volvieron y revolvieron, sacudieron y menearon, que al cabo de un buen espacio volvió en sí, desperezándose, bien como si de algún grave y profundo sueño despertara; y mirando a una y otra parte, como espantado, dijo:

—Dios os lo perdone, amigos; que me habéis quitado de la más sabrosa y agradable vida y vista que ningún humano ha visto ni pasado. En efecto: ahora acabo de

---

[10] la *Peña de Francia*, monasterio de dominicos entre Salamanca y Ciudad Rodrigo donde en 1409 se descubrió una imagen de la Virgen; la *Trinidad de Gaeta*, monasterio en el golfo de Nápoles, por el que sentían mucha devoción los navegantes.

conocer que todos los contentos desta vida pasan como sombra y sueño, o se marchitan como la flor del campo. ¡Oh desdichado Montesinos! ¡Oh mal ferido Durandarte! ¡Oh sin ventura Belerma! ¡Oh lloroso Guadiana, y vosotras sin dicha hijas de Ruidera, que mostráis en vuestras aguas las que lloraron vuestros hermosos ojos!

Escuchaban el primo y Sancho las palabras de don Quijote, que las decía como si con dolor inmenso las sacara de las entrañas. Suplicáronle les diese a entender lo que decía, y les dijese lo que en aquel infierno había visto.

—¿Infierno le llamáis? —dijo don Quijote—. Pues no le llaméis ansí, porque no lo merece, como luego veréis.

Pidió que le diesen algo de comer, que traía grandísima hambre. Tendieron la arpillera del primo sobre la verde yerba, acudieron a la despensa de sus alforjas, y sentados todos tres en buen amor y compaña, merendaron y cenaron, todo junto. Levantada la arpillera dijo don Quijote de la Mancha:

—No se levante nadie, y estadme, hijos, todos atentos.

CAPÍTULO XXIII

De las admirables cosas que el estremado don Quijote contó que había visto en la profunda cueva de Montesinos, cuya imposibilidad y grandeza hace que se tenga esta aventura por apócrifa[*]

Las cuatro de la tarde serían, cuando el sol, entre nubes cubierto, con luz escasa y templados rayos, dio lugar a don Quijote para que sin calor y pesadumbre

[*] Aquí don Quijote narra lo que soñó en las profundidades de la cueva de Montesinos, aunque ni él ni el Primo reconocerán que es un sueño —sí, en cambio, Sancho—, magnífica y burlesca ficción completamente de acuerdo con las fantasías caballerescas e inspirada en un episodio similar de *Las sergas de Esplandián* (cfr. María Rosa Lida de Malkiel, «Romance Philology», IX, 1955, páginas 156-162). La constituyen una serie de elementos carolingios y artúricos de acuerdo con las peculiares variantes del romancero castellano. Montesinos es originariamente una derivación del protagonista del cantar de gesta francés de finales del siglo XII *Aiol et Mirabel* del que existían tradiciones orales, en

contase a sus dos clarísimos oyentes lo que en la cueva de Montesinos había visto, y comenzó en el modo siguiente:

—A obra de doce o catorce estados[1] de la profundidad desta mazmorra, a la derecha mano, se hace una concavidad y espacio capaz de poder caber en ella un gran carro con sus mulas. Éntrale una pequeña luz por unos resquicios o agujeros, que lejos le responden, abiertas[2] en la superficie de la tierra. Ésta concavidad y espacio vi yo a tiempo, cuando ya iba cansado y mohíno de verme, pendiente y colgado de la soga, caminar por aquella escura región abajo sin llevar cierto ni determinado camino, y así, determiné entrarme en ella y descansar un poco. Di voces pidiéndoos que no descolgásedes más soga hasta que yo os lo dijese; pero no debistes de oírme. Fui recogiendo la soga que enviábades, y, haciendo della una rosca o rimero, me senté sobre él pensativo además, considerando lo que hacer debía para calar al fondo, no teniendo quién me sustentase; y estando en este pensamiento y confusión, de repente y sin procurarlo, me salteó un sueño profundísimo; y cuando menos lo pensaba, sin saber cómo ni cómo no, desperté dél y me hallé en la mitad del más bello, ameno y deleitoso prado que puede criar la naturaleza ni imaginar la más discreta imaginación humana. Despabilé los ojos, limpiémelos, y vi que no dormía, sino que realmente estaba despierto; con todo esto, me tenté la cabeza y los pechos, por certificarme si era yo mismo el que allí estaba, o alguna fantasma vana y contrahecha; pero el tacto, el sentimiento, los discursos concertados que entre mí hacía, me certificaron que yo era allí entonces el que soy aquí ahora. Ofrecióseme luego a la vista un real y suntuoso palacio o alcázar, cuyos muros y paredes parecían de

el XVI, en la Mancha y la Alcarria y que fue muy celebrado en el romancero; que estaba casado con una dama llamada Rosaflorida, señora del castillo de Rocafrida, que el vulgo identificaba con ciertas ruinas próximas a la cueva de Montesinos. Algunos romances hacen a Montesinos primo de un caballero llamado Durandarte (en su origen era éste el nombre de la espada de Roldán, pero se la creyó una persona en las leyendas castellanas), que se suponía muerto en Roncesvalles.

[1] *estado*, medida equivalente a la estatura del hombre, o sea, unos siete pies.

[2] *abiertas* concuerda con el sujeto mental *grietas*, en vez de *resquicios* o *agujeros*.

transparente y claro cristal fabricados; del cual abrién-
dose dos grandes puertas, vi que por ellas salía y hacia
mí se venía un venerable anciano, vestido con un capuz
de bayeta morada, que por el suelo le arrastraba; ceñía-
le los hombros y los pechos una beca de colegial, de raso
verde; cubríale la cabeza una gorra milanesa[3] negra, y
la barba, canísima, le pasaba de la cintura; no traía arma
ninguna, sino un rosario de cuentas en la mano, mayores
que medianas nueces, y los dieces asimismo como huevos
medianos de avestruz; el continente, el paso, la gravedad
y la anchísima presencia, cada cosa de por sí y todas
juntas, me suspendieron y admiraron. Llegóse a mí, y lo
primero que hizo fue abrazarme estrechamente, y luego
decirme: «Luengos tiempos ha, valeroso caballero don
»Quijote de la Mancha, que los que estamos en estas so-
»ledades encantados esperamos verte, para que des no-
»ticia al mundo de lo que encierra y cubre la profunda
»cueva por donde has entrado, llamada la cueva de Mon-
»tesinos: hazaña sólo guardada para ser acometida de
»tu invencible corazón y de tu ánimo estupendo. Ven
»conmigo, señor clarísimo; que te quiero mostrar las ma-
»ravillas que este transparente alcázar solapa, de quien
»yo soy alcaide y guarda mayor perpetua, porque soy el
»mismo Montesinos, de quien la cueva toma nombre».
Apenas me dijo que era Montesinos, cuando le pregunté
si fue verdad lo que en el mundo de acá arriba se contaba, que él había sacado de la mitad del pecho, con una
pequeña daga, el corazón de su grande amigo Durandarte y llevádole a la señora Belerma, como él se lo mandó al punto de su muerte. Respondióme que en todo
decían verdad, sino en la daga, porque no fue daga, ni
pequeña, sino un puñal buido[4], más agudo que una lezna.

—Debía de ser —dijo a este punto Sancho— el tal
puñal de Ramón de Hoces, el Sevillano.

—No sé —prosiguió don Quijote—; pero no sería dese
puñalero, porque Ramón de Hoces fue ayer, y lo de Roncesvalles, donde aconteció esta desgracia, ha muchos
años; y esta averiguación no es de importancia, ni turba
ni altera la verdad y contesto de la historia.

---

[3] *gorra milanesa*, se sustentaba con un aro de hierro que la
mantenía tiesa.
[4] *buido*, aguzado o estriado.

—Así es —respondió el primo—; prosiga vuestra merced, señor don Quijote; que le escucho con el mayor gusto del mundo.

—No con menor lo cuento yo —respondió don Quijote—; y así, digo que el venerable Montesinos me metió en el cristalino palacio, donde en una sala baja, fresquísima sobremodo y toda de alabastro, estaba un sepulcro de mármol, con gran maestría fabricado, sobre el cual vi a un caballero tendido de largo a largo, no de bronce, ni de mármol, ni de jaspe hecho, como los suele haber en otros sepulcros, sino de pura carne y de puros huesos. Tenía la mano derecha, que, a mi parecer, es algo peluda y nervosa, señal de tener muchas fuerzas su dueño, puesta sobre el lado del corazón; y antes que preguntase nada a Montesinos, viéndome suspenso mirando al del sepulcro, me dijo: «Éste es mi amigo Durandarte, »flor y espejo de los caballeros enamorados y valientes »de su tiempo; tiénele aquí encantado, como me tiene »a mí y a otros muchos y muchas, Merlín, aquel fran- »cés[5] encantador que dicen que fue hijo del diablo; y »lo que yo creo es que no fue hijo del diablo, sino que »supo, como dicen, un punto más que el diablo. El cómo »o para qué nos encantó nadie lo sabe, y ello dirá an- »dando los tiempos, que no están muy lejos, según ima- »gino. Lo que a mí me admira es que sé, tan cierto como »ahora es de día, que Durandarte acabó los de su vida en »mis brazos, y que después de muerto le saqué el cora- »zón con mis propias manos; y en verdad que debía de »pesar dos libras, porque según los naturales[6], el que tie- »ne mayor corazón es dotado de mayor valentía del que »le tiene pequeño. Pues siendo esto así, y que realmente »murió este caballero, ¿cómo ahora se queja y sospira »de cuando en cuando, como si estuviese vivo?» Esto dicho, el mísero Durandarte, dando una gran voz, dijo:

«¡Oh, mi primo Montesinos!
»Lo postrero que os rogaba,
»que cuando yo fuere muerto,
»y mi ánima arrancada,

[5] Merlín, el sabio encantador de las leyendas artúricas, era bretón o galés, no francés.
[6] *naturales*, naturalistas.

»que llevéis mi corazón
»adonde Belerma estaba,
»sacándomele del pecho,
»ya con puñal, ya con daga[7].»

Oyendo lo cual el venerable Montesinos, se puso de rodillas ante el lastimado caballero, y, con lágrimas en los ojos, le dijo: «Ya, señor Durandarte, carísimo primo »mío, ya hice lo que me mandastes en el aciago día de »nuestra pérdida: yo os saqué el corazón lo mejor que »pude, sin que os dejase una mínima parte en el pecho; »yo le limpié con un pañizuelo de puntas; yo partí con »él de carrera para Francia, habiéndoos primero puesto »en el seno de la tierra, con tantas lágrimas, que fueron »bastantes a lavarme las manos y limpiarme con ellas la »sangre que tenían, de haberos andado en las entrañas; »y, por más señas, primo de mi alma, en el primero lugar »que topé saliendo de Roncesvalles eché un poco de sal »en vuestro corazón, porque no oliese mal, y fuese, si no »fresco, a lo menos amojamado, a la presencia de la se-»ñora Belerma; la cual, con vos, y conmigo, y con Gua-»diana, vuestro escudero, y con la dueña Ruidera y sus »siete hijas y dos sobrinas, y con otros muchos de vuestros »conocidos y amigos, nos tiene aquí encantados el sabio »Merlín ha muchos años; y aunque pasan de quinientos, »no se ha muerto ninguno de nosotros: solamente faltan »Ruidera y sus hijas y sobrinas, las cuales llorando, por »compasión que debió de tener Merlín dellas, las con-»virtió en otras tantas lagunas, que ahora, en el mundo »de los vivos y en la provincia de la Mancha, las llaman »las lagunas de Ruidera; las siete son de los reyes de Es-»paña, y las dos sobrinas, de los caballeros de una orden »santísima, que llaman de San Juan. Guadiana, vuestro »escudero, plañendo asimesmo vuestra desgracia, fue »convertido en un río llamado de su mesmo nombre; el »cual cuando llegó a la superficie de la tierra y vio el sol »del otro cielo, fue tanto el pesar que sintió de ver que os »dejaba, que se sumergió en las entrañas de la tierra; »pero como no es posible dejar de acudir a su natural

---

[7] Se mezclan aquí versos de varios romances sobre la muerte de Durandarte, aunque es posible que Cervantes ya los recogiera en una versión contaminada.

»corriente, de cuando en cuando sale y se muestra don-
»de el sol y las gentes le vean. Vanle administrando de
»sus aguas las referidas lagunas, con las cuales, y con
»otras muchas que se llegan, entra pomposo y grande en
»Portugal. Pero, con todo esto, por dondequiera que va
»muestra su tristeza y melancolía, y no se precia de criar
»en sus aguas peces regalados y de estima, sino burdos y
»desabridos, bien diferentes de los del Tajo dorado; y
»esto que agora os digo, ¡oh primo mío!, os lo he dicho
»muchas veces; y como no me respondéis, imagino que
»no me dais crédito, o no me oís, de lo que yo recibo
»tanta pena cual Dios lo sabe. Unas nuevas os quiero
»dar ahora, las cuales, ya que no sirvan de alivio a vues-
»tro dolor, no os le aumentarán en ninguna manera. Sa-
»bed que tenéis aquí en vuestra presencia, y abrid los
»ojos y veréislo, aquel gran caballero de quien tantas
»cosas tiene profetizadas el sabio Merlín: aquel don Qui-
»jote de la Mancha, digo, que de nuevo y con mayores
»ventajas que en los pasados siglos ha resucitado en los
»presentes la ya olvidada andante caballería, por cuyo
»medio y favor podría ser que nosotros fuésemos desen-
»cantados; que las grandes hazañas para los grandes
»hombres están guardadas.» «Y cuando así no sea», respondió el lastimado Durandarte con voz desmayada y
baja, «cuando así no sea, ¡oh primo!, digo, paciencia y
»barajar». Y volviéndose de lado, tornó a su acostumbrado
silencio, sin hablar más palabra. Oyéronse en esto grandes alaridos y llantos, acompañados de profundos gemidos y angustiados sollozos; volví la cabeza, y vi por las
paredes de cristal que por otra sala pasaba una procesión
de dos hileras de hermosísimas doncellas, todas vestidas
de luto, con turbantes blancos sobre las cabezas, al modo
turquesco. Al cabo y fin de las hileras venía una señora,
que en la gravedad lo parecía, asimismo vestida de negro, con tocas blancas tan tendidas y largas, que besaban
la tierra. Su turbante era mayor dos veces que el mayor
de alguna de las otras; era cejijunta y la nariz algo chata; la boca grande, pero colorados los labios; los dientes,
que tal vez los descubría, mostraban ser ralos y no bien
puestos, aunque eran blancos como unas peladas almen-
dras; traía en las manos un lienzo delgado, y entre él, a
lo que pude divisar, un corazón de carnemomia, según

venía seco y amojamado. Díjome Montesinos como toda
aquella gente de la procesión eran sirvientes de Durandarte y de Belerma, que allí con sus dos señores estaban
encantados, y que la última, que traía el corazón entre
el lienzo y en las manos, era la señora Belerma, la cual
con sus doncellas cuatro días en la semana hacían aquella procesión y cantaban, o, por mejor decir, lloraban endechas sobre el cuerpo y sobre el lastimado corazón de
su primo; y que si me había parecido algo fea, o no tan
hermosa como tenía la fama, era la causa las malas noches y peores días que en aquel encantamiento pasaba,
como lo podía ver en sus grandes ojeras y en su color
quebradiza. «Y no toma ocasión su amarillez y sus oje-
»ras de estar con el mal mensil, ordinario en las muje-
»res, porque ha muchos meses, y aun años, que no le tie-
»ne ni asoma por sus puertas, sino del dolor que siente
»su corazón por el que de contino tiene en las manos,
»que le renueva y trae a la memoria la desgracia de su
»mal logrado amante; que si esto no fuera, apenas la
»igualara en hermosura, donaire y brío la gran Dulci-
»nea del Toboso, tan celebrada en todos estos contornos,
»y aun en todo el mundo.» «Cepos quedos[8]», dije yo entonces, «señor don Montesinos: cuente vuesa merced su
»historia como debe; que ya sabe que toda comparación
»es odiosa, y así, no hay para qué comparar a nadie con
»nadie. La sin par Dulcinea del Toboso es quien es, y la
»señora doña Belerma es quien es, y quien ha sido, y qué-
»dese aquí.» A lo que él me respondió: «Señor don Qui-
»jote, perdóneme vuesa merced, que yo confieso que
»anduve mal, y no dije bien en decir que apenas igualara
»la señora Dulcinea a la señora Belerma, pues me bastaba
»a mí haber entendido, por no sé qué barruntos, que
»vuesa merced es su caballero, para que me mordiera la
»lengua antes de compararla sino con el mismo cielo».
Con esta satisfación que me dio el gran Montesinos se
quietó mi corazón del sobresalto que recebí en oír que
a mi señora la comparaban con Belerma.

—Y aun me maravillo yo —dijo Sancho— de cómo
vuestra merced no se subió sobre el vejote, y le molió a

---

[8] *¡Cepos quedos!*, exclamación para sosegar o detener a una
persona.

coces todos los huesos, y le peló las barbas, sin dejarle pelo en ellas.

—No, Sancho amigo —respondió don Quijote—; no me estaba a mí bien hacer eso, porque estamos todos obligados a tener respeto a los ancianos, aunque no sean caballeros, y principalmente a los que lo son y están encantados; yo sé bien que no nos quedamos a deber nada en otras muchas demandas y respuestas que entre los dos pasamos.

A esta sazón dijo el primo:

—Yo no sé, señor don Quijote, cómo vuestra merced en tan poco espacio de tiempo como ha que está allá bajo, haya visto tantas cosas y hablado y respondido tanto.

—¿Cuánto ha que bajé? —preguntó don Quijote.

—Poco más de una hora —respondió Sancho.

—Eso no puede ser —replicó don Quijote—, porque allá me anocheció y amaneció, y tornó a anochecer y a amanecer tres veces; de modo que, a mi cuenta, tres días he estado en aquellas partes remotas y escondidas a la vista nuestra.

—Verdad debe de decir mi señor —dijo Sancho—; que como todas las cosas que le han sucedido son por encantamento, quizá lo que a nosotros nos parece un hora, debe de parecer allá tres días con sus noches.

—Así será —respondió don Quijote.

—Y ¿ha comido vuestra merced en todo este tiempo, señor mío? —preguntó el primo.

—No me he desayunado de bocado —respondió don Quijote—, ni aun he tenido hambre, ni por pensamiento.

—Y los encantados, ¿comen? —dijo el primo.

—No comen —respondió don Quijote—, ni tienen escrementos mayores; aunque es opinión que les crecen las uñas, las barbas y los cabellos.

—Y ¿duermen por ventura los encantados, señor? —preguntó Sancho.

—No, por cierto —respondió don Quijote—; a lo menos, en estos tres días que yo he estado con ellos, ninguno ha pegado el ojo, ni yo tampoco.

—Aquí encaja bien el refrán —dijo Sancho— de dime con quién andas, decirte he quién eres: ándase vuestra merced con encantados ayunos y vigilantes: mirad si es mucho que ni coma ni duerma mientras con ellos anduviere. Pero perdóneme vuestra merced, señor mío, si le digo que de todo cuanto aquí ha dicho, lléveme Dios, que iba a decir el diablo, si le creo cosa alguna.

—¿Cómo no? —dijo el primo—. Pues ¿había de mentir el señor don Quijote, que, aunque quisiera, no ha tenido lugar para componer e imaginar tanto millón de mentiras?

—Yo no creo que mi señor miente —respondió Sancho.

—Si no, ¿qué crees? —le preguntó don Quijote.

—Creo —respondió Sancho— que aquel Merlín o aquellos encantadores que encantaron a toda la chusma que vuestra merced dice que ha visto y comunicado allá bajo, le encajaron en el magín o la memoria toda esa máquina que nos ha contado, y todo aquello que por contar le queda.

—Todo eso pudiera ser, Sancho —replicó don Quijote—, pero no es así; porque lo que he contado lo vi por mis propios ojos y lo toqué con mis mismas manos. Pero ¿qué dirás cuando te diga yo ahora cómo, entre otras infinitas cosas y maravillas que me mostró Montesinos, las cuales despacio y a sus tiempos te las iré contando en el discurso de nuestro viaje, por no ser todas deste lugar, me mostró tres labradoras que por aquellos amenísimos campos iban saltando y brincando como cabras, y apenas las hube visto, cuando conocí ser la una la sin par Dulcinea del Toboso, y las otras dos aquellas mismas labradoras que venían con ella, que hablamos a la salida del Toboso? Pregunté a Montesinos si las conocía; respondióme que no; pero que él imaginaba que debían de ser algunas señoras principales encantadas, que pocos días había que en aquellos prados habían parecido; y que no me maravillase desto, porque allí estaban otras muchas señoras de los pasados y presentes siglos, encantadas en diferentes y estrañas figuras, entre las cuales conocía él a la reina Ginebra y su dueña Quintañona, escanciando el vino a Lanzarote,

cuando de Bretaña vino[9].

[9] Véase I, 2, nota 15.

Cuando Sancho Panza oyó decir esto a su amo, pensó perder el juicio, o morirse de risa; que como él sabía la verdad del fingido encanto de Dulcinea, de quien él había sido el encantador y el levantador de tal testimonio, acabó de conocer indubitablemente que su señor estaba fuera de juicio y loco de todo punto, y así le dijo:

—En mala coyuntura y en peor sazón y en aciago día bajó vuestra merced, caro patrón mío, al otro mundo, y en mal punto se encontró con el señor Montesinos, que tal nos le ha vuelto. Bien se estaba vuestra merced acá arriba con su entero juicio, tal cual Dios se le había dado, hablando sentencias y dando consejos a cada paso, y no agora, contando los mayores disparates que pueden imaginarse.

—Como te conozco, Sancho —respondió don Quijote—, no hago caso de tus palabras.

—Ni yo tampoco de las de vuestra merced —replicó Sancho—, siquiera me hiera, siquiera me mate por las que le he dicho, o por las que le pienso decir si en las suyas no se corrige y enmienda. Pero dígame vuestra merced, ahora que estamos en paz: ¿cómo o en qué conoció a la señora nuestra ama? Y si la habló, ¿qué dijo, y qué le respondió?

—Conocíla —respondió don Quijote— en que trae los mesmos vestidos que traía cuando tú me le mostraste. Habléla, pero no me respondió palabra; antes me volvió las espaldas, y se fue huyendo con tanta priesa, que no la alcanzara una jara[10]. Quise seguirla, y lo hiciera, si no me aconsejara Montesinos que no me cansase en ello, porque sería en balde, y más porque se llegaba la hora donde me convenía volver a salir de la sima. Díjome asimesmo que, andando el tiempo, se me daría aviso cómo habían de ser desencantados él, y Belerma, y Durandarte, con todos los que allí estaban; pero lo que más pena me dio de las que allí vi y noté, fue que estándome diciendo Montesinos estas razones, se llegó a mí por un lado, sin que yo la viese venir, una de las dos compañeras de la sin ventura Dulcinea, y llenos los ojos de lágrimas, con turbada y baja voz, me dijo: «Mi señora Dulcinea del »Toboso besa a vuestra merced las manos, y suplica a

---

[10] *jara*, palo de punta aguzada y endurecida al fuego que se emplea como arma arrojadiza.

»vuestra merced se la haga de hacerla saber cómo está;
»y que, por estar en una gran necesidad, asimismo su-
»plica a vuestra merced cuan encarecidamente puede sea
»servido de prestarle sobre este faldellín que aquí traigo,
»de cotonía[11], nuevo, media docena de reales, o los que
»vuestra merced tuviere; que ella da su palabra de vol-
»vérselos con mucha brevedad». Suspendióme y admiró-
me el tal recado, y volviéndome al señor Montesinos, le
pregunté: «¿Es posible, señor Montesinos, que los en-
»cantados principales padecen necesidad?» A lo que él me
respondió: «Créame vuestra merced, señor don Quijote
»de la Mancha, que esta que llaman necesidad adonde-
»quiera se usa, y por todo se estiende, y a todos alcanza,
»y aun hasta los encantados no perdona; y pues la señora
»Dulcinea del Toboso envía a pedir esos seis reales, y la
»prenda es buena, según parece, no hay sino dárselos;
»que sin duda debe de estar puesta en algún grande
»aprieto». «Prenda, no la tomaré yo», le respondí, «ni
»menos le daré lo que pide, porque no tengo sino solos
»cuatro reales». Los cuales le di (que fueron los que tú,
Sancho, me diste el otro día para dar limosna a los pobres que topase por los caminos), y le dije: «Decid, ami-
»ga mía, a vuesa señora que a mí me pesa en el alma
»de sus trabajos, y que quisiera ser un Fúcar[12] para re-
»mediarlos; y que le hago saber que yo no puedo ni debo
»tener salud careciendo de su agradable vista y discreta
»conversación, y que le suplico cuan encarecidamente
»puedo sea servida su merced de dejarse ver y tratar
»deste su cautivo servidor y asendereado caballero. Diréis-
»le también que cuando menos se lo piense oirá decir
»cómo yo he hecho un juramento y voto, a modo de
»aquel que hizo el marqués de Mantua, de vengar a su
»sobrino Baldovinos, cuando le halló para espirar en mi-
»tad de la montiña[13], que fue de no comer pan a man-
»teles, con las otras zarandajas que allí añadió, hasta ven-
»garle; y así le haré yo de no sosegar, y de andar las sie-
»te partidas del mundo, con más puntualidad que las

[11] *cotonía*, algodón.
[12] *Fúcar* (Fugger), apellido de unos famosos banqueros suizos y
alemanes que tuvieron mucha relación con España, desde tiempos
de Carlos I; se hizo proverbial decir «es un Fúcar» en el sentido de
«es muy rico».
[13] Véase I, 5.

»anduvo el infante don Pedro de Portugal[14], hasta de-
»sencantarla». «Todo eso, y más, debe vuestra merced a
»mi señora», me respondió la doncella. Y tomando los
cuatro reales, en lugar de hacerme una reverencia, hizo
una cabriola, que se levantó dos varas de medir en el
aire.

—¡Oh santo Dios! —dijo a este tiempo dando una
gran voz Sancho—. ¿Es posible que tal hay en el mundo, y que tengan en él tanta fuerza los encantadores y
encantamentos, que hayan trocado el buen juicio de mi
señor en una tan disparatada locura? ¡Oh señor, señor,
por quien Dios es que vuestra merced mire por sí, y vuelva por su honra, y no dé crédito a esas vaciedades que
le tienen menguado y descabalado el sentido!

—Como me quieres bien, Sancho, hablas desa manera —dijo don Quijote—; y como no estás experimentado
en las cosas del mundo, todas las cosas que tienen algo
de dificultad te parecen imposibles; pero andará el tiempo, como otra vez he dicho, y yo te contaré algunas de
las que allá abajo he visto, que te harán creer las que
aquí he contado, cuya verdad ni admite réplica ni
disputa.

CAPÍTULO XXIV

DONDE SE CUENTAN MIL ZARANDAJAS TAN IMPERTINENTES
COMO NECESARIAS AL VERDADERO ENTENDIMIENTO
DESTA GRANDE HISTORIA

DICE el que tradujo esta grande historia del original,
de la que escribió su primer autor Cide Hamete Benengeli, que llegando al capítulo de la aventura de la
cueva de Montesinos, en el margen dél estaban escritas
de mano del mesmo Hamete estas mismas razones:

---

[14] Los viajes del infante don Pedro de Portugal se narran en
el *Libro del infante don Pedro de Portugal, que anduvo las cuatro
partidas del mundo,* Salamanca, 1547. Aunque lo de *siete*, que aquí
dice Cervantes y repiten otros escritores de la época, pueda deberse
a una contaminación con el título de la famosa obra jurídica de
Alfonso el Sabio, lo cierto es que éste, en su *General estoria,* afirma que existen «siete partes del mundo» (cfr. Schevill, III, 495).
No obstante, antes ha mencionado Cervantes las cuatro partes del
mundo (I, 48).

«No me puedo dar a entender, ni me puedo persuadir, que al valeroso don Quijote le pasase puntualmente todo lo que en el antecedente capítulo queda escrito: la razón es que todas las aventuras hasta aquí sucedidas han sido contingibles[1] y verisímiles; pero ésta desta cueva no le hallo entrada alguna para tenerla por verdadera, por ir tan fuera de los términos razonables. Pues pensar yo que don Quijote mintiese, siendo el más verdadero hidalgo y el más noble caballero de sus tiempos, no es posible; que no dijera él una mentira si le asaetearan. Por otra parte, considero que él la contó y la dijo con todas las circunstancias dichas, y que no pudo fabricar en tan breve espacio tan gran máquina de disparates; y si esta aventura parece apócrifa, yo no tengo la culpa; y así, sin afirmarla por falsa o verdadera, la escribo. Tú, letor, pues eres prudente, juzga lo que te pareciere, que yo no debo ni puedo más; puesto que se tiene por cierto que al tiempo de su fin y muerte dicen que se retrató[2] della, y dijo que él la había inventado, por parecerle que convenía y cuadraba bien con las aventuras que había leído en sus historias.»

Y luego prosigue, diciendo:

Espantóse el primo así del atrevimiento de Sancho Panza como de la paciencia de su amo, y juzgó que del contento que tenía de haber visto a su señora Dulcinea del Toboso, aunque encantada, le nacía aquella condición blanda que entonces mostraba; porque si así no fuera, palabras y razones le dijo Sancho, que merecían molerle a palos; porque realmente le pareció que había andado atrevidillo con su señor, a quien le dijo:

—Yo, señor don Quijote de la Mancha, doy por bien empleadísima la jornada que con vuestra merced he hecho, porque en ella he granjeado cuatro cosas. La primera, haber conocido a vuestra merced, que lo tengo a gran felicidad. La segunda, haber sabido lo que se encierra en esta cueva de Montesinos, con las mutaciones de Guadiana y de las lagunas de Ruidera, que me servirán para el *Ovidio español* que traigo entre manos. La tercera, entender la antigüedad de los naipes, que, por lo menos, ya se usaban en tiempo del emperador Carlomagno, se-

[1] *contingibles*, que pueden suceder.
[2] *retrató*, retractó.

gún puede colegirse de las palabras que vuesa merced dice que dijo Durandarte, cuando al cabo de aquel grande espacio que estuvo hablando con él Montesinos, él despertó diciendo: «Paciencia y barajar». Y esta razón y modo de hablar no la pudo aprender encantado, sino cuando no lo estaba, en Francia y en tiempo del referido emperador Carlomagno. Y esta averiguación me viene pintiparada para el otro libro que voy componiendo, que es *Suplemento de Virgilio Polidoro, en la invención de las antigüedades*; y creo que en el suyo no se acordó de poner la de los naipes, como la pondré yo ahora, que será de mucha importancia, y más alegando autor tan grave y tan verdadero como es el señor Durandarte. La cuarta es haber sabido con certidumbre el nacimiento del río Guadiana, hasta ahora ignorado de las gentes.

—Vuestra merced tiene razón —dijo don Quijote—; pero querría yo saber, ya que Dios le haga merced de que se le dé licencia para imprimir esos sus libros, que lo dudo, a quién piensa dirigirlos.

—Señores y grandes hay en España a quien puedan dirigirse —dijo el primo.

—No muchos —respondió don Quijote—; y no porque no lo merezcan, sino que no quieren admitirlos, por no obligarse a la satisfacción que parece se debe al trabajo y cortesía de sus autores. Un príncipe[3] conozco yo que puede suplir la falta de los demás, con tantas ventajas, que si me atreviere a decirlas, quizá despertara la invidia en más de cuatro generosos pechos; pero quédese esto aquí para otro tiempo más cómodo, y vamos a buscar adonde recogernos esta noche.

—No lejos de aquí —respondió el primo— está una ermita, donde hace su habitación un ermitaño, que dicen ha sido soldado, y está en opinión de ser un buen cristiano, y muy discreto, y caritativo además. Junto con la ermita tiene una pequeña casa, que él ha labrado a su costa; pero, con todo, aunque chica, es capaz de recibir huéspedes.

—¿Tiene por ventura gallinas el tal ermitaño? —preguntó Sancho.

—Pocos ermitaños están sin ellas —respondió don

---

[3] Alude al Conde de Lemos, a quien va dedicada esta segunda parte del *Quijote*.

Quijote—; porque no son los que agora se usan como aquéllos de los desiertos de Egipto, que se vestían de hojas de palma y comían raíces de la tierra. Y no se entienda que por decir bien de aquéllos no lo digo de aquéstos, sino que quiero decir que al rigor y estrecheza de entonces no llegan las penitencias de los de agora; pero no por esto dejan de ser todos buenos: a lo menos, yo por buenos los juzgo; y cuando todo corra turbio, menos mal hace el hipócrita que se finge bueno que el público pecador.

Estando en esto, vieron que hacia donde ellos estaban venía un hombre a pie, caminando apriesa, y dando varazos a un macho que venía cargado de lanzas y de alabardas. Cuando llegó a ellos, los saludó y pasó de largo. Don Quijote le dijo:

—Buen hombre, deteneos; que parece que vais con más diligencia que ese macho ha menester.

—No me puedo detener, señor —respondió el hombre—, porque las armas que veis que aquí llevo han de servir mañana, y así, me es forzoso el no detenerme, y a Dios. Pero si quisiéredes saber para qué las llevo, en la venta que está más arriba de la ermita pienso alojar esta noche; y si es que hacéis este mesmo camino, allí me hallaréis, donde os contaré maravillas. Y a Dios otra vez.

Y de tal manera aguijó el macho, que no tuvo lugar don Quijote de preguntarle qué maravillas eran las que pensaba decirles; y como él era algo curioso y siempre le fatigaban deseos de saber cosas nuevas, ordenó que al momento se partiesen y fuesen a pasar la noche en la venta, sin tocar en la ermita, donde quisiera el primo que se quedaran.

Hízose así, subieron a caballo, y siguieron todos tres el derecho camino de la venta (a la cual llegaron un poco antes de anochecer). Dijo el primo a don Quijote que llegasen a ella[4] a beber un trago. Apenas oyó esto

[4] Así en la primera edición, lo que queda muy confuso; *a ella* se refiere a la *ermita,* no a la *venta,* lo que aclara un poco el paréntesis que ponen algunos editores modernos. Otros, como la Real Academia Española y R. Marín, enmiendan el texto así: «...camino de la venta, a la cual llegaron poco antes de anochecer. Dijo el primo a don Quijote que llegasen a la ermita, a beber un trago. Apenas oyó esto Sancho Panza, cuando encaminó el rucio a ella...» Como la confusión podría deberse al propio Cervantes, es mejor dejar el texto tal como aparece en la primera edición.

Sancho Panza, cuando encaminó el rucio a la ermita, y
lo mismo hicieron don Quijote y el primo; pero la mala
suerte de Sancho parece que ordenó que el ermitaño no
estuviese en casa; que así se lo dijo una sotaermitaño que
en la ermita hallaron. Pidiéronle de lo caro[5]; respondió
que su señor no lo tenía; pero que si querían agua barata, que se la daría de muy buena gana.

—Si yo la tuviera[6] de agua —respondió Sancho—,
pozos hay en el camino, donde la hubiera satisfecho. ¡Ah
bodas de Camacho y abundancia de la casa de don Diego, y cuántas veces os tengo de echar menos!

Con esto, dejaron la ermita y picaron hacia la venta;
y a poco trecho toparon un mancebito, que delante
dellos iba caminando no con mucha priesa, y así le alcanzaron. Llevaba la espada sobre el hombro, y en ella puesto un bulto o envoltorio, al parecer, de sus vestidos, que,
al parecer, debían de ser los calzones o greguescos, y
herreruelo, y alguna camisa; porque traía puesta una ropilla de terciopelo, con algunas vislumbres de raso, y la camisa, de fuera; las medias eran de seda, y los zapatos
cuadrados, a uso de corte; la edad llegaría a diez y ocho
o diez y nueve años; alegre de rostro, y, al parecer, ágil
de su persona. Iba cantando seguidillas, para entretener
el trabajo del camino. Cuando llegaron a él acababa de
cantar una, que el primo tomó de memoria, que dicen
que decía:

> A la guerra me lleva
> mi necesidad;
> si tuviera dineros,
> no fuera, en verdad.

El primero que le habló fue don Quijote, diciéndole:

—Muy a la ligera camina vuesa merced, señor galán.
Y ¿adónde bueno? Sepamos, si es que gusta decirlo.

A lo que el mozo respondió:

—El caminar tan a la ligera lo causa el calor y la pobreza; y el adónde voy es a la guerra.

—¿Cómo la pobreza? —preguntó don Quijote—.
Que por el calor bien puede ser.

---

[5] *de lo caro*, vino bueno.
[6] *la tuviera*, se refiere a un sobreentendido «sed».

—Señor —replicó el mancebo—, yo llevo en este envoltorio unos greguescos de terciopelo, compañeros desta ropilla; si los gasto en el camino, no me podré honrar con ellos en la ciudad, y no tengo con que comprar otros; y así por esto como por orearme voy desta manera, hasta alcanzar unas compañías de infantería que no están doce leguas de aquí, donde asentaré mi plaza, y no faltarán bagajes en que caminar de allí adelante hasta el embarcadero, que dicen ha de ser en Cartagena. Y más quiero tener por amo y por señor al rey, y servirle en la guerra, que no a un pelón en la corte.

—Y ¿lleva vuesa merced alguna ventaja[7] por ventura? —preguntó el primo.

—Si yo hubiera servido a algún grande de España, o algún principal personaje —respondió el mozo—, a buen seguro que yo la llevara; que eso tiene el servir a los buenos: que del tinelo[8] suelen salir a ser alférez[9] o capitanes, o con algún buen entretenimiento[10]; pero yo, desventurado, serví siempre a catarriberas[11] y a gente advenediza, de ración y quitación tan mísera y atenuada, que en pagar el almidonar un cuello se consumía la mitad della; y sería tenido a milagro que un paje aventurero alcanzase alguna siquiera razonable ventura.

—Y dígame por su vida, amigo —preguntó don Quijote—: ¿es posible que en los años que sirvió no ha podido alcanzar alguna librea?

—Dos me han dado —respondió el paje—; pero así como el que se sale de alguna religión antes de profesar le quitan el hábito y le vuelven sus vestidos, así me volvían a mí los míos mis amos, que, acabados los negocios a que venían a la corte, se volvían a sus casas y recogían las libreas que por sola ostentación habían dado.

—Notable espilorchería[12], como dice el italiano —dijo don Quijote—; pero, con todo eso, tenga a felice ventura el haber salido de la corte con tan buena intención como lleva; porque no hay otra cosa en la tierra más

---

[7] *ventaja,* sobresueldo o ayuda de costa.
[8] *tinelo,* comedor grande para la servidumbre.
[9] *alférez* tenía la misma forma en plural que en singular.
[10] *entretenimiento,* pensión, asignación para el mantenimiento.
[11] *catarriberas,* persona que solicita empleo sin conseguirlo, cesante.
[12] *espilorchería,* palabra tomada del italiano *spilorcería,* mezquindad, miseria, tacañería.

honrada ni de más provecho que servir a Dios, primeramente, y luego, a su rey y señor natural, especialmente
en el ejercicio de las armas, por las cuales se alcanzan,
si no más riquezas, a lo menos, más honra que por las
letras, como yo tengo dicho muchas veces; que puesto
que han fundado más mayorazgos las letras que las armas, todavía llevan un no sé qué los de las armas a los
de las letras, con un sí sé qué de esplendor que se halla
en ellos, que los aventaja a todos. Y esto que ahora le
quiero decir llévelo en la memoria; que le será de mucho provecho y alivio en sus trabajos: y es que aparte la
imaginación de los sucesos adversos que le podrán venir; que el peor de todos es la muerte, y como ésta sea
buena, el mejor de todos es el morir. Preguntáronle a
Julio César, aquel valeroso emperador[13] romano, cuál era
la mejor muerte; respondió que la impensada, la de repente y no prevista; y aunque respondió como gentil y
ajeno del conocimiento del verdadero Dios, con todo eso,
dijo bien, para ahorrarse del sentimiento humano; que
puesto caso que os maten en la primera facción y refriega, o ya de un tiro de artillería, o volado de una mina,
¿qué importa? Todo es morir, y acabóse la obra; y según Terencio[14], más bien parece el soldado muerto en la
batalla que vivo y salvo en la huida; y tanto alcanza de
fama el buen soldado cuanto tiene de obediencia a sus
capitanes y a los que mandar le pueden. Y advertid,
hijo, que al soldado mejor le está el oler a pólvora que
a algalia, y que si la vejez os coge en este honroso ejercicio, aunque sea lleno de heridas y estropeado o cojo,
a lo menos no os podrá coger sin honra, y tal, que no os
la podrá menoscabar la pobreza; cuanto más que ya se
va dando orden como se entretengan y remedien los soldados viejos y estropeados; porque no es bien que se haga
con ellos lo que suelen hacer los que ahorran[15] y dan libertad a sus negros cuando ya son viejos y no pueden
servir, y echándolos de casa con título de libres, los ha-

---

[13] *emperador* está aquí, sin duda, en el sentido de «general».
[14] Esta máxima no se encuentra en Terencio. A. Marasso (*Cervantes*, Buenos Aires, 1949, pág. 142) sospecha que hay un error de
impresión, por Tirteo. Este poeta griego escribió: «Porque es hermoso que un valiente muera, caído en las primeras filas, luchando
por su patria» (elegía VI, versos 1 y 2).
[15] *ahorrar*, libertar.

cen esclavos de la hambre, de quien no piensan ahorrarse sino con la muerte. Y por ahora no os quiero decir más, sino que subáis a las ancas deste mi caballo hasta la venta, y allí cenaréis conmigo, y por la mañana seguiréis el camino, que os le dé Dios tan bueno como vuestros deseos merecen.

El paje no aceptó el convite de las ancas, aunque sí el de cenar con él en la venta, y a esta sazón dicen que dijo Sancho entre sí:

—¡Válate Dios por señor! Y ¿es posible que hombre que sabe decir tales, tantas y tan buenas cosas como aquí ha dicho, diga que ha visto los disparates imposibles que cuenta de la cueva de Montesinos? Ahora bien, ello dirá.

Y en esto, llegaron a la venta, a tiempo que anochecía, y no sin gusto de Sancho, por ver que su señor la juzgó por verdadera venta, y no por castillo, como solía. No hubieron bien entrado, cuando don Quijote preguntó al ventero por el hombre de las lanzas y alabardas; el cual le respondió que en la caballeriza estaba acomodando el macho. Lo mismo hicieron de sus jumentos el primo y Sancho, dando a Rocinante el mejor pesebre y el mejor lugar de la caballeriza.

CAPÍTULO XXV

DONDE SE APUNTA LA AVENTURA DEL REBUZNO Y LA GRACIOSA DEL TITERERO, CON LAS MEMORABLES ADIVINANZAS DEL MONO ADIVINO

No se le cocía el pan[1] a don Quijote, como suele decirse, hasta oír y saber las maravillas prometidas del hombre condutor de las armas. Fuele a buscar donde el ventero le había dicho que estaba, y hallóle, y díjole que en todo caso le dijese luego lo que le había de decir después, acerca de lo que le había preguntado en el camino. El hombre le respondió:

—Más despacio, y no en pie, se ha de tomar el cuento de mis maravillas: déjeme vuestra merced, señor bue-

---

[1] *No cocérsele a uno el pan,* estar lleno de impaciencia.

no, acabar de dar recado a mi bestia; que yo le diré cosas que le admiren.

—No quede por eso —respondió don Quijote—; que yo os ayudaré a todo.

Y así lo hizo, ahechándole la cebada y limpiando el pesebre, humildad que obligó al hombre a contarle con buena voluntad lo que le pedía; y sentándose en un poyo y don Quijote junto a él, teniendo por senado y auditorio al primo, al paje, a Sancho Panza y al ventero, comenzó a decir desta manera:

—Sabrán vuesas mercedes que en un lugar que está cuatro leguas y media desta venta sucedió que a un regidor dél, por industria y engaño de una muchacha criada suya, y esto es largo de contar, le faltó un asno, y aunque el tal regidor hizo las diligencias posibles por hallarle, no fue posible. Quince días serían pasados, según es pública voz y fama, que el asno faltaba, cuando, estando en la plaza el regidor perdidoso, otro regidor del mismo pueblo le dijo: «Dadme albricias, compadre; que »vuestro jumento ha parecido». «Yo os las mando[2] y bue»nas, compadre», respondió el otro, «pero sepamos dón»de ha parecido». «En el monte», respondió el hallador, «le vi esta mañana, sin albarda y sin aparejo alguno, y »tan flaco, que era una compasión miralle. Quísele an»tecoger delante de mí y traérosle; pero está ya tan mon»taraz y tan huraño, que cuando llegué a él, se fue hu»yendo y se entró en lo más escondido del monte. Si »queréis que volvamos los dos a buscarle, dejadme poner »esta borrica en mi casa; que luego vuelvo». «Mucho »placer me haréis», dijo el del jumento, «e yo procuraré »pagároslo en la mesma moneda». Con estas circunstancias todas, y de la mesma manera que yo lo voy contando, lo cuentan todos aquellos que están enterados en la verdad deste caso. En resolución, los dos regidores, a pie y mano a mano, se fueron al monte, y llegando al lugar y sitio donde pensaron hallar el asno, no le hallaron, ni pareció por todos aquellos contornos, aunque más le buscaron. Viendo, pues, que no parecía, dijo el regidor que le había visto al otro: «Mirad, compadre: una traza »me ha venido al pensamiento, con la cual sin duda al-

---

[2] *mando*, prometo. Téngase en cuenta que las *albricias* son el regalo que se hace al que trae una buena noticia.

»guna podremos descubrir este animal, aunque esté me-
»tido en las entrañas de la tierra, no que del monte; y
»es que yo sé rebuznar maravillosamente; y si vos sabéis
»algún tanto, dad el hecho por concluido». «¿Algún tan-
»to decís, compadre?», dijo el otro. «Por Dios, que no
»dé la ventaja a nadie, ni aun a los mesmos asnos.» «Aho-
»ra lo veremos», respondió el regidor segundo; «porque
»tengo determinado que os vais vos por una parte del
»monte y yo por otra, de modo que le rodeemos y an-
»demos todo, y de trecho en trecho rebuznaréis vos y
»rebuznaré yo, y no podrá ser menos sino que el asno
»nos oya y nos responda, si es que está en el monte».
A lo que respondió el dueño del jumento: «Digo, com-
»padre, que la traza es excelente y digna de vuestro gran
»ingenio». Y dividiéndose los dos según el acuerdo, sucedió que casi a un mesmo tiempo rebuznaron, y cada
uno engañado del rebuzno del otro, acudieron a buscar-
se, pensando que ya el jumento había parecido; y en
viéndose, dijo el perdidoso: «¿Es posible, compadre, que
»no fue mi asno el que rebuznó?» «No fue sino yo», respondió el otro. «Ahora digo», dijo el dueño, «que de vos
»a un asno, compadre, no hay alguna diferencia, en cuan-
»to toca al rebuznar; porque en mi vida he visto ni oído
»cosa más propia». «Esas alabanzas y encarecimiento»,
respondió el de la traza, «mejor os atañen y tocan a vos
»que a mí, compadre; que por el Dios que me crió que
»podéis dar dos rebuznos de ventaja al mayor y más pe-
»rito rebuznador del mundo; porque el sonido que te-
»néis es alto; lo sostenido de la voz, a su tiempo y com-
»pás; los dejos, muchos y apresurados, y, en resolución,
»yo me doy por vencido y os rindo la palma y doy la
»bandera desta rara habilidad». «Ahora digo», respondió
el dueño, «que me tendré y estimaré en más de aquí ade-
»lante, y pensaré que sé alguna cosa, pues tengo alguna
»gracia; que puesto que pensara que rebuznaba bien,
»nunca entendí que llegaba al estremo que decís». «Tam-
»bién diré yo ahora», respondió el segundo, «que hay
»raras habilidades perdidas en el mundo, y que son mal
»empleadas en aquellos que no saben aprovecharse de-
»llas». «Las nuestras», respondió el dueño, «si no es en
»casos semejantes como el que traemos entre manos, no
»nos pueden servir en otros, y aun en éste plega a Dios

»que nos sean de provecho». Esto dicho, se tornaron a
dividir y a volver a sus rebuznos, y a cada paso se enga-
ñaban y volvían a juntarse, hasta que se dieron por con-
traseño que para entender que eran ellos, y no el asno,
rebuznasen dos veces, una tras otra. Con esto, doblando
a cada paso los rebuznos, rodearon todo el monte sin que
el perdido jumento respondiese, ni aun por señas. Mas
¿cómo había de responder el pobre y mal logrado, si le
hallaron en lo más escondido del bosque, comido de lobos? Y en viéndole, dijo su dueño: «Ya me maravillaba
»yo de que él no respondía, pues a no estar muerto, él
»rebuznara si nos oyera, o no fuera asno; pero a trueco
»de haberos oído rebuznar con tanta gracia, compadre,
»doy por bien empleado el trabajo que he tenido en bus-
»carle, aunque le he hallado muerto». «En buena mano
»está, compadre», respondió el otro, «pues si bien canta
»el abad, no le va en zaga el monacillo». Con esto, desconsolados y roncos, se volvieron a su aldea, adonde contaron a sus amigos, vecinos y conocidos cuanto les había
acontecido en la busca del asno, exagerando el uno la
gracia del otro en el rebuznar, todo lo cual se supo y se
estendió por los lugares circunvecinos. Y el diablo, que
no duerme, como es amigo de sembrar y derramar rencillas y discordia por doquiera, levantando caramillos[5]
en el viento y grandes quimeras de no nada, ordenó e
hizo que las gentes de los otros pueblos, en viendo a alguno de nuestra aldea, rebuznase, como dándoles en rostro
con el rebuzno de nuestros regidores. Dieron en ello los
muchachos, que fue dar en manos y en bocas de todos
los demonios del infierno, y fue cundiendo el rebuzno de
en uno en otro pueblo, de manera que son conocidos los
naturales del pueblo del rebuzno como son conocidos y
diferenciados los negros de los blancos; y ha llegado a
tanto la desgracia desta burla, que muchas veces con
mano armada y formado escuadrón han salido contra los
burladores los burlados a darse la batalla, sin poderlo remediar rey ni roque, ni temor ni vergüenza. Yo creo que
mañana o esotro día han de salir en campaña los de mi
pueblo, que son los del rebuzno, contra otro lugar que
está a dos leguas del nuestro, que es uno de los que más

---

[5] *caramillos*, chismes, embustes.

nos persiguen: y por salir bien apercebidos, llevo compradas estas lanzas y alabardas que habéis visto. Y éstas son las maravillas que dije que os había de contar, y si no os lo han parecido, no sé otras.

Y con esto dio fin a su plática el buen hombre, y en esto, entró por la puerta de la venta un hombre todo vestido de camuza, medias, greguescos y jubón, y con voz levantada dijo:

—Señor huésped, ¿hay posada? Que viene aquí el mono adivino y el retablo de la libertad de Melisendra.

—¡Cuerpo de tal —dijo el ventero—, que aquí está el señor mase⁴ Pedro! Buena noche se nos apareja.

Olvidábaseme de decir como el tal mase Pedro traía cubierto el ojo izquierdo y casi medio carrillo con un parche de tafetán verde, señal que todo aquel lado debía de estar enfermo; y el ventero prosiguió, diciendo:

—Sea bien venido vuestra merced, señor mase Pedro. ¿Adónde está el mono y el retablo, que no los veo?

—Ya llegan cerca —respondió el todo camuza—; sino que yo me he adelantado, a saber si hay posada.

—Al mismo duque de Alba se la quitara para dársela al señor mase Pedro —respondió el ventero—; llegue el mono y el retablo, que gente hay esta noche en la venta que pagará el verle, y las habilidades del mono.

—Sea en buen hora —respondió el del parche—; que yo moderaré el precio, y con sola la costa me daré por bien pagado; y yo vuelvo a hacer que camine la carreta donde viene el mono y el retablo.

Y luego se volvió a salir de la venta.

Preguntó luego don Quijote al ventero qué mase Pedro era aquél y qué retablo y qué mono traía. A lo que respondió el ventero:

—Éste es un famoso titerero, que ha muchos días que anda por esta Mancha de Aragón enseñando un retablo⁵ de Melisendra, libertada por el famoso don Gaiferos, que es una de las mejores y más bien representadas historias que de muchos años a esta parte en este reino se han visto. Trae asimismo consigo un mono de la más rara habilidad que se vio entre monos, ni se imaginó entre hom-

---

⁴ En la primera edición alternan las formas *maese* y *mase*, lo que se sigue en ésta.

⁵ *retablo*, teatrillo portátil.

bres; porque si le preguntan algo, está atento a lo que le preguntan y luego salta sobre los hombros de su amo, y, llegándosele al oído, le dice la respuesta de lo que le preguntan, y maese Pedro la declara luego; y de las cosas pasadas dice mucho más que de las que están por venir; y aunque no todas veces acierta en todas, en las más no yerra; de modo que nos hace creer que tiene el diablo en el cuerpo. Dos reales lleva por cada pregunta, si es que el mono responde, quiero decir, si responde el amo por él, después de haberle hablado al oído; y así, se cree que el tal maese Pedro está riquísimo; y es *hombre galante*, como dicen en Italia, y *bon compaño*, y dase la mejor vida del mundo; habla más que seis y bebe más que doce, todo a costa de su lengua y de su mono y de su retablo.

En esto, volvió maese Pedro, y en una carreta venía el retablo, y el mono, grande y sin cola, con las posaderas de fieltro, pero no de mala cara; y apenas le vio don Quijote, cuando le preguntó:

—Dígame vuestra merced, señor adivino: *¿qué peje pillamo*⁶*?* ¿Qué ha de ser de nosotros? Y vea aquí mis dos reales.

Y mandó a Sancho que se los diese a maese Pedro, el cual respondió por el mono, y dijo:

—Señor, este animal no responde ni da noticia de las cosas que están por venir; de las pasadas sabe algo, y de las presentes, algún tanto.

—¡Voto a Rus⁷ —dijo Sancho—, no dé yo un ardite porque me digan lo que por mí ha pasado!; porque ¿quién lo puede saber mejor que yo mesmo? Y pagar yo porque me digan lo que sé, sería una gran necedad; pero pues sabe las cosas presentes, he aquí mis dos reales, y dígame el señor monísimo qué hace ahora mi mujer Teresa Panza, y en qué se entretiene.

No quiso tomar maese Pedro el dinero, diciendo:

—No quiero recebir adelantados los premios, sin que hayan precedido los servicios.

Y dando con la mano derecha dos golpes sobre el

---

⁶ Locución italiana, *Che pesce pigliamo?* (¿Qué pez cogemos?); tiene el sentido de «¿En qué nos vamos a ocupar?». Don Quijote pregunta qué le va a ocurrir.
⁷ *¡Voto a Rus!*, ¡Voto a Dios! (en forma eufemística).

hombro izquierdo, en un brinco se le puso el mono en
él, y llegando la boca al oído, daba diente con diente
muy apriesa; y habiendo hecho este ademán por espacio
de un credo, de otro brinco se puso en el suelo, y al punto, con grandísima priesa, se fue maese Pedro a poner de
rodillas ante don Quijote, y abrazándole las piernas,
dijo:

—Estas piernas abrazo, bien así como si abrazara las
dos colunas de Hércules, ¡oh resucitador insigne de la ya
puesta en olvido andante caballería! ¡Oh no jamás como
se debe alabado caballero don Quijote de la Mancha,
ánimo de los desmayados, arrimo de los que van a caer,
brazo de los caídos, báculo y consuelo de todos los desdichados!

Quedó pasmado don Quijote, absorto Sancho, suspenso el primo, atónito el paje, abobado el del rebuzno, confuso el ventero, y, finalmente, espantados todos los que
oyeron las razones del titerero, el cual prosiguió diciendo:

—Y tú, ¡oh buen Sancho Panza!, el mejor escudero
y del mejor caballero del mundo, alégrate; que tu buena
mujer Teresa está buena, y ésta es la hora en que ella
está rastrillando una libra de lino, y, por más señas, tiene
a su lado izquierdo un jarro desbocado que cabe un buen
porqué de vino, con que se entretiene en su trabajo.

—Eso creo yo muy bien —respondió Sancho—; porque es ella una bienaventurada, y a no ser celosa, no la
trocara yo por la giganta Andandona[8], que, según mi señor, fue una mujer muy cabal y muy de pro; y es mi
Teresa de aquellas que no se dejan mal pasar, aunque
sea a costa de sus herederos.

—Ahora digo —dijo a esta sazón don Quijote—, que
el que lee mucho y anda mucho, vee mucho y sabe mucho. Digo esto porque ¿qué persuasión fuera bastante para
persuadirme que hay monos en el mundo que adivinen,
como lo he visto ahora por mis propios ojos? Porque yo
soy el mesmo don Quijote de la Mancha que este buen
animal ha dicho, puesto que se ha estendido algún tanto en mis alabanzas; pero como quiera que yo me sea,
doy gracias al cielo, que me dotó de un ánimo blando y

---

[8] Fea y desmesurada giganta que figura en el *Amadís de Gaula*.

compasivo, inclinado siempre a hacer bien a todos, y mal a ninguno.

—Si yo tuviera dineros —dijo el paje—, preguntara al señor mono qué me ha de suceder en la peregrinación que llevo.

A lo que respondió maese Pedro, que ya se había levantado de los pies de don Quijote:

—Ya he dicho que esta bestezuela no responde a lo por venir; que si respondiera, no importara no haber dineros; que por servicio del señor don Quijote, que está presente, dejara yo todos los intereses del mundo. Y agora, porque se lo debo, y por darle gusto, quiero armar mi retablo y dar placer a cuantos están en la venta, sin paga alguna.

Oyendo lo cual el ventero, alegre sobremanera, señaló el lugar donde se podía poner el retablo, que en un punto fue hecho.

Don Quijote no estaba muy contento con las adivinanzas del mono, por parecerle no ser a propósito que un mono adivinase, ni las de por venir, ni las pasadas cosas; y así, en tanto que maese Pedro acomodaba el retablo, se retiró don Quijote con Sancho a un rincón de la caballeriza, donde, sin ser oídos de nadie, le dijo:

—Mira, Sancho, yo he considerado bien la estraña habilidad deste mono, y hallo por mi cuenta que sin duda este maese Pedro, su amo, debe de tener hecho pacto, tácito o espreso, con el demonio.

—Si el patio es espeso y del demonio —dijo Sancho—, sin duda debe de ser muy sucio patio; pero ¿de qué provecho le es al tal maese Pedro tener esos patios?

—No me entiendes, Sancho: no quiero decir sino que debe de tener hecho algún concierto con el demonio, de que infunda esa habilidad en el mono, con que gane de comer, y después que esté rico le dará su alma, que es lo que este universal enemigo pretende. Y háceme creer esto el ver que el mono no responde sino a las cosas pasadas o presentes, y la sabiduría del diablo no se puede estender a más; que las por venir no las sabe si no es por conjeturas, y no todas veces; que a solo Dios está reservado conocer los tiempos y los momentos, y para Él no hay pasado ni porvenir; que todo es presente. Y siendo esto así, como lo es, está claro que este mono habla

con el estilo del diablo; y estoy maravillado cómo no le
han acusado al Santo Oficio, y examinádole, y sacádole
de cuajo en virtud de quién adivina; porque cierto está
que este mono no es astrólogo, ni su amo ni él alzan, ni
saben alzar, estas figuras que llaman judiciarias[9], que
tanto ahora se usan en España, que no hay mujercilla,
ni paje, ni zapatero de viejo que no presuma de alzar
una figura, como si fuera una sota de naipes del suelo,
echando a perder con sus mentiras e ignorancias la verdad maravillosa de la ciencia. De una señora sé yo que
preguntó a uno destos figureros que si una perrilla de
falda, pequeña, que tenía, si se empreñaría y pariría, y
cuántos y de qué color serían los perros que pariese.
A lo que el señor judiciario, después de haber alzado la figura, respondió que la perrica se empreñaría, y pariría
tres perricos, el uno verde, el otro encarnado y el otro
de mezcla, con tal condición que la tal perra se cubriese
entre las once y doce del día, o de la noche, y que fuese
en lunes, o en sábado; y lo que sucedió fue que de allí
a dos días se murió la perra de ahíta, y el señor levantador quedó acreditado en el lugar por acertadísimo
judiciario, como lo quedan todos o los más levanta-
dores.

—Con todo eso, querría —dijo Sancho— que vuestra merced dijese a maese Pedro preguntase a su mono
si es verdad lo que a vuestra merced le pasó en la cueva
de Montesinos; que yo para mí tengo, con perdón de
vuestra merced, que todo fue embeleco y mentira, o por
lo menos, cosas soñadas.

—Todo podría ser —respondió don Quijote—; pero
yo haré lo que me aconsejas, puesto que me ha de quedar un no sé qué de escrúpulo.

Estando en esto, llegó maese Pedro a buscar a don
Quijote y decirle que ya estaba en orden el retablo; que
su merced viniese a verle, porque lo merecía. Don Quijote le comunicó su pensamiento, y le rogó preguntase
luego a su mono le dijese si ciertas cosas que había pasado en la cueva de Montesinos habían sido soñadas o
verdaderas; porque a él le parecía que tenían de todo.
A lo que maese Pedro, sin responder palabra, volvió a

⁹ En astrología se decía *alzar figuras* relacionar los signos del
zodíaco, planetas y estrellas.

traer el mono, y puesto delante de don Quijote y de Sancho, dijo:

—Mirad, señor mono, que este caballero quiere saber si ciertas cosas que le pasaron en una cueva llamada de Montesinos, si fueron falsas o verdaderas.

Y haciéndole la acostumbrada señal, el mono se le subió en el hombro izquierdo, y hablándole, al parecer, en el oído, dijo luego maese Pedro:

—El mono dice que parte de las cosas que vuesa merced vio, o pasó, en la dicha cueva son falsas, y parte verisímiles; y que esto es lo que sabe, y no otra cosa, en cuanto a esta pregunta; y que si vuesa merced quisiere saber más, que el viernes venidero responderá a todo lo que se le preguntare; que por ahora se le ha acabado la virtud, que no le vendrá hasta el viernes, como dicho tiene.

—¿No lo decía yo —dijo Sancho—, que no se me podía asentar que todo lo que vuesa merced, señor mío, ha dicho de los acontecimientos de la cueva era verdad, ni aun la mitad?

—Los sucesos lo dirán, Sancho —respondió don Quijote—; que el tiempo, descubridor de todas las cosas, no se deja ninguna que no la saque a la luz del sol, aunque esté escondida en los senos de la tierra. Y por ahora, baste esto, y vámonos a ver el retablo del buen maese Pedro, que para mí tengo que debe de tener alguna novedad.

—¿Cómo alguna? —respondió maese Pedro—. Sesenta mil encierra en sí este mi retablo; dígole a vuesa merced, mi señor don Quijote, que es una de las cosas más de ver que hoy tiene el mundo, y *operibus credite, et non verbis*[10], y manos a labor; que se hace tarde y tenemos mucho que hacer y que decir y que mostrar.

Obedeciéronle don Quijote y Sancho, y vinieron donde ya estaba el retablo puesto y descubierto, lleno por todas partes de candelillas de cera encendidas, que le hacían vistoso y resplandeciente. En llegando, se metió maese Pedro dentro dél, que era el que había de manejar las figuras del artificio, y fuera se puso un muchacho, criado del maese Pedro, para servir de intérprete y de-

---

[10] «Dad crédito a las obras, y no a las palabras»; *operibus credite*, pero no el resto, es del Evangelio de San Juan, X, 38.

clarador de los misterios del tal retablo: tenía una varilla en la mano, con que señalaba las figuras que salían.

Puestos, pues, todos cuantos había en la venta, y algunos en pie, frontero del[11] retablo, y acomodados don Quijote, Sancho, el paje y el primo en los mejores lugares, el trujamán[12] comenzó a decir lo que oirá y verá el que le oyere o viere el capítulo siguiente.

CAPÍTULO XXVI

DONDE SE PROSIGUE LA GRACIOSA AVENTURA DEL TITERERO, CON OTRAS COSAS EN VERDAD HARTO BUENAS[*]

CALLARON todos, tirios y troyanos[1], quiero decir, pendientes estaban todos los que el retablo miraban de la boca del declarador de sus maravillas, cuando se oye-

---

[11] *frontero del*, frente al.

[12] *trujamán*, intérprete.

[*] El retablo de maese Pedro es un teatro de marionetas portátil muy similar al de los *pupi*, que todavía se conservan en Sicilia y en cuyo repertorio aún hoy figuran temas carolingios. Aquí maese Pedro escenifica lo narrado en romances juglarescos, muy populares en el siglo XVI, de Gaiferos y Melisendra. Gaiferos, sobrino de Carlomagno, estaba a punto de casarse con la hija de éste, Melisendra cuando fue robada por los moros. Siete años pasó Gaiferos en París, sin preocuparse de la suerte de su novia, hasta que Carlomagno le indujo a que la libertara. Roldán le prestó las armas y el caballo, y Gaiferos llegó a Sansueña, en España, donde Melisendra estaba prisionera del rey moro, y la reconoció en una ventana. Huyen los dos de Sansueña, perseguidos por los moros tan de cerca, que a Gaiferos le es preciso apearse para luchar con ellos. Los vence, reemprenden su camino y la pareja regresa triunfalmente a París. Es posible que este romance recoja una leyenda anterior que podría remontarse a las germánicas de Walter de España (cfr. Menéndez Pidal, *La epopeya castellana a través de la literatura española*, Madrid, 1945, 24-27). La historia de Gaiferos y Melisendra se representaba con frecuencia en teatros de verdad, y se tienen noticias de que ello ocurrió en Madrid para Corpus de 1609; y este mismo año se publicó en Valladolid un *Entremés de Melisendra* (cfr. R. Marín, V, 235-236). Es muy curioso observar que en el *Quijote* de Avellaneda (capítulo XXVII) se narra una aventura muy similar a la presente. Don Quijote y Sancho presencian, también en una venta, cómo unos cómicos ensayan la comedia de Lope de Vega *El testimonio vengado*, y al llegar a cierta escena y ver que nadie defiende a la calumniada, don Quijote interrumpe el ensayo con las siguientes palabras: «Esto es una grandísima maldad, traición y alevosía, que contra Dios y toda ley se hace a la inocentísima y castísima señora reina; y aquel caballero que tal testimonio le levanta, es traidor, fementido y alevoso, y por tal le desafío y reto luego aquí a singular batalla, sin otras armas más de las con que ahora me

ron sonar en el retablo cantidad de atabales y trompetas, y dispararse mucha artillería, cuyo rumor pasó en tiempo breve, y luego alzó la voz el muchacho, y dijo:

—Esta verdadera historia que aquí a vuesas mercedes se representa es sacada al pie de la letra de las corónicas francesas y de los romances españoles que andan en boca de las gentes, y de los muchachos, por esas calles. Trata de la libertad que dio el señor don Gaiferos a su esposa Melisendra, que estaba cautiva en España, en poder de moros, en la ciudad de Sansueña, que así se llamaba entonces la que hoy se llama Zaragoza; y vean vuesas mercedes allí como está jugando a las tablas[2] don Gaiferos, según aquello que se canta:

> Jugando está a las tablas don Gaiferos,
> que ya de Melisendra está olvidado[3].

Y aquel personaje que allí asoma con corona en la cabeza y ceptro en las manos es el emperador Carlomagno, padre putativo de la tal Melisendra, el cual, mohíno de ver el ocio y descuido de su yerno, le sale a reñir; y adviertan con la vehemencia y ahínco que le riñe, que no parece sino que le quiere dar con el ceptro media docena de coscorrones, y aun hay autores que dicen que se los dio, y muy bien dados; y después de haberle dicho muchas cosas acerca del peligro que corría su honra en no procurar la libertad de su esposa, dicen que le dijo:

«Harto os he dicho: miradlo[4]».

_____

hallo, que son sola espada. Y diciendo esto, metió mano con increíble furia, y comenzó a llamar al que levantaba el testimonio, que era un buen representante...» (véase la nota 13 al presente capítulo). La similitud entre este episodio del *Quijote* apócrifo y el del auténtico es tal, que forzosamente ha de haber relación entre ambos. Nada impide creer que Cervantes quisiera enmendar la plana a Avellaneda, relatando un trance muy similar con un arte infinitamente superior.

[1] Verso del canto segundo de la *Eneida* de Virgilio, según la traducción de Gregorio Hernández de Velasco, publicada por vez primera en Amberes en 1555.

[2] *tablas*, juego parecido al del ajedrez, pero de azar, ya que las piezas se movían según lo que señalaban los dados (ya Covarrubias, en 1611, lo consideraba «juego antiguo»).

[3] Versos procedentes de unas octavas reales anónimas, publicadas en el Cancionero de Amberes de 1573, que tratan de la leyenda de Gaiferos y Melisendra.

[4] Este verso, como otros dos que se recitan más adelante, pertenece a los romances de Gaiferos.

Miren vuestras mercedes también como el emperador
vuelve las espaldas y deja despechado a don Gaiferos, el
cual ya ven como arroja, impaciente de la cólera, lejos de
sí el tablero y las tablas, y pide apriesa las armas, y a don
Roldán su primo pide prestada su espada Durindana, y
como don Roldán no se la quiere prestar, ofreciéndole su
compañía en la difícil empresa en que se pone; pero el
valeroso enojado no lo quiere aceptar; antes dice que él
solo es bastante para sacar a su esposa, si bien estuviese
metida en el más hondo centro de la tierra; y con esto,
se entra a armar, para ponerse luego en camino. Vuelvan
vuestras mercedes los ojos a aquella torre que allí parece,
que se presupone que es una de las torres del alcázar de
Zaragoza, que ahora llaman la Aljafería[5]; y aquella
dama que en aquel balcón parece, vestida a lo moro, es
la sin par Melisendra, que desde allí muchas veces se
ponía a mirar el camino de Francia, y puesta la imaginación en París y en su esposo, se consolaba en su cautiverio. Miren también un nuevo caso que ahora sucede,
quizá no visto jamás. ¿No veen aquel moro que callandico
y pasito a paso, puesto el dedo en la boca, se llega por
las espaldas de Melisendra? Pues miren cómo la da un
beso en mitad de los labios, y la priesa que ella se da a es-
cupir, y a limpiárselos con la blanca manga de su camisa,
y cómo se lamenta, y se arranca de pesar sus hermosos
cabellos, como si ellos tuvieran la culpa del maleficio.
Miren también cómo aquel grave moro que está en aquellos corredores es el rey Marsilio de Sansueña; el cual,
por haber visto la insolencia del moro, puesto que era
un pariente y gran privado suyo, le mandó luego prender,
y que le den docientos azotes, llevándole por las calles
acostumbradas[6] de la ciudad,

                     con chilladores delante
                     y envaramiento detrás[7];

y veis aquí donde salen a ejecutar la sentencia, aun bien
apenas no habiendo sido puesta en ejecución la culpa;

[5] El palacio de la *Aljafería,* en Zaragoza, todavía bien conservado.
[6] *calles acostumbradas,* por las que se paseaba a los condenados a la vergüenza.
[7] *chilladores,* pregoneros; *envaramiento,* alguaciles con su vara.
Estos versos proceden del romance de *Escamarrán a la Méndez,* de
Francisco de Quevedo.

porque entre moros no hay «traslado a la parte», ni «a prueba y estése»[8], como entre nosotros.

—Niño, niño —dijo con voz alta a esta sazón don Quijote—, seguid vuestra historia línea recta, y no os metáis en las curvas o transversales; que para sacar una verdad en limpio menester son muchas pruebas y repruebas.

También dijo maese Pedro desde dentro:

—Muchacho, no te metas en dibujos, sino haz lo que ese señor te manda, que será lo más acertado; sigue tu canto llano, y no te metas en contrapuntos, que se suelen quebrar de sotiles.

—Yo lo haré así —respondió el muchacho, y prosiguió, diciendo—: Esta figura que aquí parece a caballo, cubierta con una capa gascona, es la mesma de don Gaiferos, a quien[9] su esposa, ya vengada del atrevimiento del enamorado moro, con mejor y más sosegado semblante, se ha puesto a los miradores de la torre, y habla con su esposo creyendo que es algún pasajero, con quien pasó todas aquellas razones y coloquios de aquel romance que dicen:

Caballero, si a Francia ides,
por Gaiferos preguntad[10];

las cuales no digo yo ahora, porque de la prolijidad se suele engendrar el fastidio; basta ver cómo don Gaiferos se descubre, y que por los ademanes alegres que Melisendra hace se nos da a entender que ella le ha conocido, y más ahora que veemos se descuelga del balcón, para ponerse en las ancas del caballo de su buen esposo. Mas, ¡ay, sin ventura!, que se le ha asido una punta del faldellín de uno de los hierros del balcón, y está pendiente en el aire, sin poder llegar al suelo. Pero veis cómo el piadoso cielo socorre en las mayores necesidades; pues llega don Gaiferos, y sin mirar si se rasgará o no el rico faldellín, ase della, y mal su grado la hace bajar al suelo, y luego, de un brinco, la pone sobre las ancas de su caballo, a

---

[8] Burla de los trámites administrativos de la justicia.
[9] *a quien su esposa*, cuya esposa. R. Marín enmienda *aquí su esposa*.
[10] Versos de un romance de Gaiferos.

horcajadas como hombre, y la manda que se tenga fuertemente y le eche los brazos por las espaldas, de modo
que los cruce en el pecho, porque no se caiga, a causa que no estaba la señora Melisendra acostumbrada a semejantes caballerías. Veis también cómo los relinchos del
caballo dan señales que va contento con la valiente y
hermosa carga que lleva en su señor y en su señora. Veis
cómo vuelven las espaldas y salen de la ciudad, y alegres y regocijados toman de París la vía. ¡Vais en paz, oh
par sin par de verdaderos amantes! ¡Lleguéis a salvamen-
to a vuestra deseada patria, sin que la fortuna ponga estorbo en vuestro felice viaje! ¡Los ojos de vuestros amigos
y parientes os vean gozar en paz tranquila los días, que
los de Néstor[11] sean, que os quedan de la vida!
    Aquí alzó otra vez la voz maese Pedro, y dijo:
    —Llaneza, muchacho; no te encumbres, que toda
afectación es mala.
    No respondió nada el intérprete; antes prosiguió, di-
ciendo:
    —No faltaron algunos ociosos ojos, que lo suelen ver
todo, que no viesen la bajada y la subida de Melisendra,
de quien dieron noticia al rey Marsilio, el cual mandó
luego tocar al arma; y miren con qué priesa; que ya la
ciudad se hunde con el son de las campanas, que en
todas las torres de las mezquitas suenan.
    —¡Eso no! —dijo a esta sazón don Quijote—. En esto
de las campanas anda muy impropio maese Pedro, porque entre moros no se usan campanas, sino atabales, y
un género de dulzainas que parecen nuestras chirimías;
y esto de sonar campanas en Sansueña sin duda que es
un gran disparate.
    Lo cual oído por maese Pedro, cesó el tocar, y
dijo:
    —No mire vuesa merced en niñerías, señor don
Quijote, ni quiera llevar las cosas tan por el cabo, que
no se le halle. ¿No se representan por ahí, casi de ordinario, mil comedias llenas de mil impropiedades y
disparates, y, con todo eso, corren felicísimamente su carrera, y se escuchan no sólo con aplauso, sino con admiración y todo? Prosigue, muchacho, y deja decir; que

---

[11] *Néstor*, el sentencioso anciano de los poemas homéricos.

como yo llene mi talego, siquiere represente más impropiedades que tiene átomos el sol.

—Así es la verdad —replicó don Quijote.

Y el muchacho dijo:

—Miren cuánta y cuán lucida caballería sale de la ciudad en siguimiento de los dos católicos amantes; cuántas trompetas que suenan, cuántas dulzainas que tocan y cuántos atabales y atambores que retumban. Témome que los han de alcanzar, y los han de volver atados a la cola de su mismo caballo, que sería un horrendo espetáculo.

Viendo y oyendo, pues, tanta morisma y tanto estruendo don Quijote, parecióle ser bien dar ayuda a los que huían, y levantándose en pie, en voz alta dijo:

—No consentiré yo que en mis días y en mi presencia se le haga superchería[12] a tan famoso caballero y a tan atrevido enamorado como don Gaiferos. ¡Deteneos, mal nacida canalla; no le sigáis ni persigáis; si no, conmigo sois en la batalla![13].

Y diciendo y haciendo, desenvainó la espada, y de un brinco se puso junto al retablo, y con acelerada y nunca vista furia comenzó a llover cuchilladas sobre la titerera morisma, derribando a unos, descabezando a otros, estropeando a éste, destrozando a aquél, y, entre otros muchos, tiró un altibajo tal que si maese Pedro no se abaja, se encoge y agazapa, le cercenara la cabeza con más facilidad que si fuera hecha de masa de mazapán. Daba voces maese Pedro, diciendo:

—Deténgase vuesa merced, señor don Quijote, y advierta que estos que derriba, destroza y mata no son verdaderos moros, sino unas figurillas de pasta. ¡Mire, pecador de mí, que me destruye y echa a perder toda mi hacienda!

Mas no por esto dejaba de menudear don Quijote cuchilladas, mandobles, tajos y reveses como llovidos. Finalmente, en menos de dos credos dio con todo el retablo en el suelo, hechas pedazos y desmenuzadas todas sus jarcias[14] y figuras: el rey Marsilio, mal herido, y el

---

[12] *superchería*, injuria, violencia hecha con abuso manifiesto o alevoso de fuerza.
[13] Véase el comentario preliminar a este capítulo.
[14] *jarcias*, aparejos, útiles, instrumentos.

emperador Carlomagno, partida la corona y la cabeza en dos partes. Alborotóse el senado de los oyentes, huyóse el mono por los tejados, de la venta[15], temió el primo, acobardóse el paje, y hasta el mesmo Sancho Panza tuvo pavor grandísimo, porque, como él juró después de pasada la borrasca, jamás había visto a su señor con tan desatinada cólera. Hecho, pues, el general destrozo del retablo, sosegóse un poco don Quijote, y dijo:

—Quisiera yo tener aquí delante en este punto todos aquellos que no creen, ni quieren creer, de cuánto provecho sean en el mundo los caballeros andantes: miren, si no me hallara yo aquí presente, qué fuera del buen don Gaiferos y de la hermosa Melisendra; a buen seguro que ésta fuera ya la hora que los hubieran alcanzado estos canes, y les hubieran hecho algún desaguisado. En resolución, ¡viva la andante caballería sobre cuantas cosas hoy viven en la tierra!

—¡Viva en hora buena —dijo a esta sazón con voz enfermiza maese Pedro—, y muera yo, pues soy tan desdichado, que puedo decir con el rey don Rodrigo:

> Ayer fui señor de España...
> y hoy no tengo una almena
> que pueda decir que es mía![16]

No ha media hora, ni aun un mediano momento, que me vi señor de reyes y de emperadores, llenas mis caballerizas y mis cofres y sacos de infinitos caballos y de innumerables galas, y agora me veo desolado y abatido, pobre y mendigo, y, sobre todo, sin mi mono, que a fe que primero que le vuelva a mi poder me han de sudar los dientes; y todo por la furia mal considerada deste señor caballero, de quien se dice que ampara pupilos, y endereza tuertos, y hace otras obras caritativas, y en mí solo ha venido a faltar su intención generosa, que sean benditos y alabados los cielos, allá donde tienen más levantados sus asientos. En fin, el Caballero de la Triste Figura había de ser aquel que había de desfigurar las mías.

[15] Frase mal ordenada; léase: «huyóse el mono de la venta por los tejados».
[16] Versos de un muy conocido romance sobre la leyenda de don Rodrigo, el último rey godo, y la pérdida de España.

Enternecióse Sancho Panza con las razones de maese Pedro, y díjole:

—No llores, maese Pedro, ni te lamentes, que me quiebras el corazón, porque te hago saber que es mi señor don Quijote tan católico y escrupuloso cristiano, que si él cae en la cuenta de que te ha hecho algún agravio, te lo sabrá y te lo querrá pagar y satisfacer con muchas ventajas.

—Con que me pagase el señor don Quijote alguna parte de las hechuras[17] que me ha deshecho quedaría contento, y su merced aseguraría su conciencia; porque no se puede salvar quien tiene lo ajeno contra la voluntad de su dueño y no lo restituye.

—Así es —dijo don Quijote—; pero hasta ahora yo no sé que tenga nada vuestro, maese Pedro.

—¿Cómo no? —respondió maese Pedro—. Y estas reliquias que están por este duro y estéril suelo, ¿quién las esparció y aniquiló sino la fuerza invencible dese poderoso brazo? Y ¿cúyos eran sus cuerpos sino míos? Y ¿con quién me sustentaba yo sino con ellos?

—Ahora acabo de creer —dijo a este punto don Quijote— lo que otras muchas veces he creído: que estos encantadores que me persiguen no hacen sino ponerme las figuras como ellas son delante de los ojos, y luego me las mudan y truecan en las que ellos quieren. Real y verdaderamente os digo, señores que me oís, que a mí me pareció todo lo que aquí ha pasado que pasaba al pie de la letra: que Melisendra era Melisendra, don Gaiferos don Gaiferos, Marsilio Marsilio, y Carlomagno Carlomagno: por eso se me alteró la cólera, y por cumplir con mi profesión de caballero andante, quise dar ayuda y favor a los que huían, y con este buen propósito hice lo que habéis visto; si me ha salido al revés, no es culpa mía, sino de los malos que me persiguen; y, con todo esto, deste mi yerro, aunque no ha procedido de malicia, quiero yo mismo condenarme en costas: vea maese Pedro lo que quiere por las figuras deshechas, que yo me ofrezco a pagárselo luego, en buena y corriente moneda castellana.

Inclinósele maese Pedro, diciéndole:

---

[17] *hechuras,* imágenes, figurillas de madera, barro o pasta.

—No esperaba yo menos de la inaudita cristiandad del valeroso don Quijote de la Mancha, verdadero socorredor y amparo de todos los necesitados y menesterosos vagamundos; y aquí el señor ventero y el gran Sancho serán medianeros y apreciadores entre vuesa merced y mí de lo que valen o podían valer las ya deshechas figuras.

El ventero y Sancho dijeron que así lo harían, y luego maese Pedro alzó del suelo, con la cabeza menos, al rey Marsilio de Zaragoza, y dijo:

—Ya se vee cuán imposible es volver a este rey a su ser primero; y así, me parece, salvo mejor juicio, que se me dé por su muerte, fin y acabamiento cuatro reales y medio.

—¡Adelante! —dijo don Quijote.

—Pues por esta abertura de arriba abajo —prosiguió maese Pedro, tomando en las manos al partido emperador Carlomagno—, no sería mucho que pidiese yo cinco reales y un cuartillo.

—No es poco —dijo Sancho.

—Ni mucho —replicó el ventero—; médiese la partida y señálensele cinco reales.

—Dénsele todos cinco y cuartillo —dijo don Quijote—; que no está en un cuartillo más a menos la monta desta notable desgracia; y acabe presto maese Pedro; que se hace hora de cenar, y yo tengo ciertos barruntos de hambre.

—Por esta figura —dijo maese Pedro— que está sin narices y un ojo menos, que es de la hermosa Melisendra, quiero, y me pongo en lo justo, dos reales y doce maravedís.

—Aun ahí sería el diablo[18] —dijo don Quijote—, si ya no estuviese Melisendra con su esposo, por lo menos, en la raya de Francia; porque el caballo en que iban, a mí me pareció que antes volaba que corría; y así no hay para qué venderme a mí el gato por liebre, presentándome aquí a Melisendra desnarigada, estando la otra, si viene a mano, ahora holgándose en Francia con su esposo a pierna tendida. Ayude Dios con lo suyo a cada uno, señor

---

[18] *Aun ahí sería el diablo*, hasta este extremo podría llegar la desgracia.

maese Pedro, y caminemos todos con pie llano y con intención sana. Y prosiga.

Maese Pedro, que vio que don Quijote izquierdeaba[19] y que volvía a su primer tema, no quiso que se le escapase, y así, le dijo:

—Ésta no debe de ser Melisendra, sino alguna de las doncellas que la servían; y así, con sesenta maravedís que me den por ella quedaré contento y bien pagado.

Desta manera fue poniendo precio a otras muchas destrozadas figuras, que después los moderaron los dos jueces árbitros, con satisfacción de las partes, que llegaron a cuarenta reales y tres cuartillos; y además desto, que luego lo desembolsó Sancho, pidió maese Pedro dos reales por el trabajo de tomar el mono.

—Dáselos, Sancho —dijo don Quijote—, no para tomar el mono, sino la mona; y docientos diera yo ahora en albricias a quien me dijera con certidumbre que la señora doña Melisendra y el señor don Gaiferos estaban ya en Francia y entre los suyos.

—Ninguno nos lo podrá decir mejor que mi mono —dijo maese Pedro—; pero no habrá diablo que ahora le tome; aunque imagino que el cariño y la hambre le han de forzar a que me busque esta noche, y amanecerá Dios y verémonos.

En resolución, la borrasca del retablo se acabó y todos cenaron en paz y en buena compañía, a costa de don Quijote, que era liberal en todo estremo.

Antes que amaneciese, se fue el que llevaba las lanzas y las alabardas, y ya después de amanecido, se vinieron a despedir de don Quijote el primo y el paje: el uno, para volverse a su tierra; y el otro, a proseguir su camino, para ayuda del cual le dio don Quijote una docena de reales. Maese Pedro no quiso volver a entrar en más dimes ni diretes con don Quijote, a quien él conocía muy bien, y así, madrugó antes que el sol, y cogiendo las reliquias de su retablo, y a su mono, se fue también a buscar sus aventuras. El ventero, que no conocía a don Quijote, tan admirado le tenían sus locuras como su liberalidad. Finalmente, Sancho le pagó muy bien, por orden de su señor, y despidiéndose dél, casi a las

---

[19] *izquierdear*, apartarse de lo que dictan la razón y el juicio.

ocho del día dejaron la venta y se pusieron en camino,
donde los dejaremos ir; que así conviene para dar lugar
a contar otras cosas pertenecientes a la declaración desta famosa historia.

CAPÍTULO XXVII

DONDE SE DA CUENTA QUIÉNES ERAN MAESE PEDRO Y SU MONO, CON EL MAL SUCESO QUE DON QUIJOTE TUVO EN LA AVENTURA DEL REBUZNO, QUE NO LA ACABÓ COMO ÉL QUISIERA Y COMO LO TENÍA PENSADO

E NTRA Cide Hamete, coronista desta grande historia,
con estas palabras en este capítulo: «Juro como
católico cristiano...»; a lo que su traductor dice que el
jurar Cide Hamete como católico cristiano siendo él
moro, como sin duda lo era, no quiso decir otra cosa
sino que así como el católico cristiano cuando jura, jura,
o debe jurar, verdad, y decirla en lo que dijere, así él la
decía, como si jurara como cristiano católico, en lo que
quería escribir de don Quijote, especialmente en decir
quién era maese Pedro, y quién el mono adivino que
traía admirados todos aquellos pueblos con sus adivinanzas.

Dice, pues, que bien se acordará el que hubiere leído
la primera parte desta historia, de aquel Ginés de Pasamonte a quien, entre otros galeotes, dio libertad don
Quijote en Sierra Morena, beneficio que después le fue
mal agradecido y peor pagado de aquella gente maligna
y mal acostumbrada. Este Ginés de Pasamonte, a quien
don Quijote llamaba Ginesillo de Parapilla, fue el que
hurtó a Sancho Panza el rucio; que por no haberse
puesto el cómo ni el cuándo en la primera parte, por
culpa de los impresores, ha dado en qué entender a muchos, que atribuían a poca memoria del autor la falta
de emprenta. Pero, en resolución, Ginés le hurtó estando
sobre él durmiendo Sancho Panza, usando de la traza y
modo que usó Brunelo cuando, estando Sacripante sobre
Albraca, le sacó el caballo de entre las piernas, y después
le cobró Sancho como se ha contado[1]. Este Ginés, pues,

---

[1] Véase II, 4, nota 2.

temeroso de no ser hallado de la justicia, que le buscaba
para castigarle de sus infinitas bellaquerías y delitos, que
fueron tantos y tales, que él mismo compuso un gran
volumen contándolos, determinó pasarse al reino de
Aragón y cubrirse el ojo izquierdo, acomodándose al oficio de titerero; que esto y el jugar de manos[2] lo sabía
hacer por estremo.

Sucedió, pues, que de unos cristianos ya libres que
venían de Berbería compró aquel mono, a quien enseñó
que en haciéndole cierta señal, se le subiese en el hombro, y le murmurase, o lo pareciese, al oído. Hecho esto,
antes que entrase en el lugar donde entraba con su retablo y mono, se informaba en el lugar más cercano, o
de quien él mejor podía, qué cosas particulares hubiesen
sucedido en el tal lugar, y a qué personas; y llevándolas
bien en la memoria, lo primero que hacía era mostrar
su retablo, el cual una veces era de una historia, y otras
de otra; pero todas alegres y regocijadas y conocidas.
Acabada la muestra, proponía las habilidades de su
mono, diciendo al pueblo que adivinaba todo lo pasado
y lo presente; pero que en lo de por venir no se daba
maña. Por la respuesta de cada pregunta pedía dos reales, y de algunas hacía barato[3], según tomaba el pulso a
los preguntantes; y como tal vez llegaba a las casas de
quien él sabía los sucesos de los que en ella moraban,
aunque no le preguntasen nada por no pagarle, él hacía
la seña al mono, y luego decía que le había dicho tal
y tal cosa, que venía de molde con lo sucedido. Con esto
cobraba crédito inefable, y andábanse todos tras él. Otras
veces, como era tan discreto, respondía de manera que
las respuestas venían bien con las preguntas; y como
nadie le apuraba ni apretaba a que dijese cómo adevinaba su mono, a todos hacía monas[4], y llenaba sus esqueros[5].

Así como entró en la venta conoció a don Quijote
y a Sancho, por cuyo conocimiento le fue fácil poner en
admiración a don Quijote y a Sancho Panza, y a todos
los que en ella estaban; pero hubiérale de costar caro

---

[2] *jugar de manos,* en el doble sentido de «hacer juegos de manos» y de «robar».
[3] *hacer barato,* dar algo a menos precio.
[4] *hacer monas,* dejar chasqueado a uno, engañarle.
[5] *esqueros,* bolsas.

si don Quijote bajara un poco más la mano cuando
cortó la cabeza al rey Marsilio y destruyó toda su caballería, como queda dicho en el antecedente capítulo.

Esto es lo que hay que decir de maese Pedro y de
su mono.

Y volviendo a don Quijote de la Mancha, digo que
después de haber salido de la venta, determinó de ver
primero las riberas del río Ebro y todos aquellos contornos, antes de entrar en la ciudad de Zaragoza, pues
le daba tiempo para todo el mucho que faltaba desde
allí a las justas. Con esta intención siguió su camino, por
el cual anduvo dos días sin acontecerle cosa digna de
ponerse en escritura, hasta que al tercero, al subir de
una loma, oyó un gran rumor de atambores, de trompetas y arcabuces. Al principio pensó que algún tercio de
soldados pasaba por aquella parte, y por verlos picó a
Rocinante y subió la loma arriba; y cuando estuvo en la
cumbre, vio al pie della, a su parecer, más de docientos
hombres armados de diferentes suertes de armas, como
si dijésemos lanzones, ballestas, partesanas, alabardas y
picas, y algunos arcabuces, y muchas rodelas. Bajó del
recuesto y acercóse al escuadrón, tanto, que distintamente vio las banderas, juzgó de las colores y notó las empresas que en ellas traían, especialmente una que en un
estandarte o jirón de raso blanco venía, en el cual estaba pintado muy al vivo un asno como un pequeño
sardesco[6], la cabeza levantada, la boca abierta y la lengua de fuera, en acto y postura como si estuviera rebuznando; alrededor dél estaban escritos de letras grandes
estos dos versos:

> No rebuznaron en balde
> el uno y el otro alcalde.

Por esta insignia sacó don Quijote que aquella gente
debía de ser del pueblo del rebuzno, y así se lo dijo a
Sancho, declarándole lo que en el estandarte venía escrito. Díjole también que el que les había dado noticia
de aquel caso se había errado en decir que dos regidores habían sido los que rebuznaron; pero que[7], según los

<hr/>

[6] *asno sardesco*, asno pequeño, de raza procedente de Cerdeña.
[7] *pero que*, sin embargo.

versos del estandarte, no habían sido sino alcaldes. A lo
que respondió Sancho Panza:

—Señor, en eso no hay que reparar; que bien puede
ser que los regidores que entonces rebuznaron viniesen
con el tiempo a ser alcaldes de su pueblo, y así, se pueden llamar con entrambos títulos; cuanto más que no
hace al caso a la verdad de la historia ser los rebuzna-
dores alcaldes o regidores, como ellos una por una[8] hayan rebuznado; porque tan a pique está de rebuznar un
alcalde como un regidor.

Finalmente, conocieron y supieron como el pueblo
corrido salía a pelear con otro que le corría[9] más de lo
justo y de lo que se debía a la buena vecindad.

Fuese llegando a ellos don Quijote, no con poca pesadumbre de Sancho, que nunca fue amigo de hallarse
en semejantes jornadas. Los del escuadrón le recogieron
en medio, creyendo que era alguno de los de su parcialidad. Don Quijote, alzando la visera, con gentil brío y
continente, llegó hasta el estandarte del asno, y allí se le
pusieron alrededor todos los más principales del ejército, por verle, admirados con la admiración acostumbrada, en que caían todos aquellos que la vez primera
le miraban. Don Quijote, que los vio tan atentos a mirarle, sin que ninguno le hablase ni le preguntase nada,
quiso aprovecharse de aquel silencio, y rompiendo el
suyo, alzó la voz y dijo:

—Buenos señores, cuan encarecidamente puedo, os
suplico que no interrumpáis un razonamiento que quiero haceros, hasta que veáis que os disgusta y enfada;
que si esto sucede, con la más mínima señal que me hagáis pondré un sello en mi boca y echaré una mordaza
a mi lengua.

Todos le dijeron que dijese lo que quisiese; que de
buena gana le escucharían. Don Quijote, con esta licencia, prosiguió diciendo:

—Yo, señores míos, soy caballero andante, cuyo ejercicio es el de las armas, y cuya profesión la de favorecer
a los necesitados de favor y acudir a los menesterosos.
Días ha que he sabido vuestra desgracia y la causa que
os mueve a tomar las armas a cada paso, para vengaros

---

[8] *una por una*, efectivamente.
[9] *correr*, burlarse de alguien, ofenderlo.

de vuestros enemigos; y habiendo discurrido una y muchas veces en mi entendimiento sobre vuestro negocio, hallo, según las leyes del duelo, que estáis engañados en teneros por afrentados, porque ningún particular puede afrentar a un pueblo entero, si no es retándole de traidor por junto, porque no sabe en particular quién cometió la traición por que le reta. Ejemplo desto tenemos en don Diego Ordóñez de Lara, que retó a todo el pueblo zamorano, porque ignoraba que solo Vellido Dolfos había cometido la traición de matar a su rey, y así, retó a todos, y a todos tocaba la venganza y la respuesta; aunque bien es verdad que el señor don Diego anduvo algo demasiado, y aun pasó muy adelante de los límites del reto, porque no tenía para qué retar a los muertos, a las aguas, ni a los panes[10], ni a los que estaban por nacer, ni a las otras menudencias que allí se declaran[11]; pero ¡vaya!, pues cuando la cólera sale de madre, no tiene la lengua padre, ayo ni freno que la corrija. Siendo, pues, esto así, que uno solo no puede afrentar a reino, provincia, ciudad, república ni pueblo entero, queda en limpio que no hay para qué salir a la venganza del reto de la tal afrenta, pues no lo es; porque ¡bueno sería que se matasen a cada paso los del pueblo de la Reloja con quien se lo llama, ni los cazoleros, berenjeneros, ballenatos, jaboneros[12], ni los de otros nombres y apellidos que andan por ahí en boca de los muchachos y de gente de poco más a menos! ¡Bueno sería, por cierto, que todos estos insignes pueblos se corriesen y vengasen, y anduviesen contino hechas las espadas sacabuches[13] a cualquier pendencia, por pequeña que fuese! No, no, ni Dios lo permita o quiera. Los varones prudentes, las repúblicas bien concertadas, por cuatro cosas han de tomar las armas y desenvainar las espadas, y poner a riesgo sus personas, vidas y haciendas: la primera, por defender

---

[10] *panes,* trigos.

[11] Este famoso reto de Diego Ordóñez a los zamoranos se hizo muy popular gracias al romancero.

[12] Motes que los habitantes de una población ponen a los de otra, por rivalidades y para burlarse. Los de la Reloja —que preferían tener una reloja que un reloj, para que criara—, pueden ser los de Espartinas; los cazoleros son los de Valladolid, los berenjeneros los de Toledo, los ballenatos los de Madrid y los jaboneros los de Sevilla o los de Torrijos (cfr. R. Marín, X, 49-56).

[13] *sacabuche,* especie de trompeta que se alarga y acorta según las distintas voces.

la fe católica; la segunda, por defender su vida, que es de ley natural y divina; la tercera, en defensa de su honra, de su familia y hacienda; la cuarta, en servicio de su rey, en la guerra justa; y si le quisiéremos añadir la quinta, que se puede contar por segunda, es en defensa de su patria. A estas cinco causas, como capitales, se pueden agregar algunas otras que sean justas y razonables, y que obliguen a tomar las armas; pero tomarlas por niñerías y por cosas que antes son de risa y pasatiempo que de afrenta, parece que quien las toma carece de todo razonable discurso; cuanto más que el tomar venganza injusta, que justa no puede haber alguna que lo sea, va derechamente contra la santa ley que profesamos, en la cual se nos manda que hagamos bien a nuestros enemigos y que amemos a los que nos aborrecen; mandamiento que, aunque parece algo dificultoso de cumplir, no lo es sino para aquellos que tienen menos de Dios que del mundo, y más de carne que de espíritu, porque Jesucristo, Dios y hombre verdadero, que nunca mintió, ni pudo ni puede mentir, siendo legislador nuestro dijo que su yugo era suave y su carga liviana; y así, no nos había de mandar cosa que fuese imposible el cumplirla. Así que, mis señores, vuesas mercedes están obligados por leyes divinas y humanas a sosegarse.

—El diablo me lleve —dijo a esta sazón Sancho entre sí— si este mi amo no es tólogo[14]; y si no lo es, que lo parece como un güevo a otro.

Tomó un poco de aliento don Quijote, y viendo que todavía le prestaban silencio, quiso pasar adelante en su plática, como pasara ni no se pusiere en medio la agudeza de Sancho, el cual, viendo que su amo se detenía, tomó la mano por él, diciendo:

—Mi señor don Quijote de la Mancha, que un tiempo se llamó el Caballero de la Triste Figura y ahora se llama el Caballero de los Leones, es un hidalgo muy atentado[15], que sabe latín y romance como un bachiller, y en todo cuanto trata y aconseja procede como muy buen soldado, y tiene todas las leyes y ordenanzas de lo que llaman el duelo, en la uña; y así, no hay más que hacer sino dejarse llevar por lo que él dijere, y sobre mí

---

[14] *tólogo,* teólogo (vulgarismo).
[15] *atentado,* que va con tiento, prudente.

si lo erraren; cuanto más que ello se está dicho que es
necedad correrse por sólo oír un rebuzno; que yo me
acuerdo, cuando muchacho, que rebuznaba cada y cuando que se me antojaba, sin que nadie me fuese a la mano,
y con tanta gracia y propiedad, que en rebuznando yo,
rebuznaban todos los asnos del pueblo, y no por eso dejaba de ser hijo de mis padres, que eran honradísimos;
y aunque por esta habilidad era invidiado de más de
cuatro de los estirados de mi pueblo, no se me daba dos
ardites. Y porque se vea que digo verdad, esperen y
escuchen, que esta ciencia es como la del nadar: que
una vez aprendida, nunca se olvida.

Y luego, puesta la mano en las narices, comenzó a
rebuznar tan reciamente, que todos los cercanos valles
retumbaron. Pero uno de los que estaban junto a él,
creyendo que hacía burla dellos, alzó un varapalo que
en la mano tenía, y diole tal golpe con él, que, sin ser poderoso a otra cosa, dio con Sancho Panza en el suelo.
Don Quijote, que vio tan mal parado a Sancho, arremetió al que le había dado, con la lanza sobre mano;
pero fueron tantos los que se pusieron en medio, que no
fue posible vengarle; antes, viendo que llovía sobre él
un nublado de piedras, y que le amenazaban mil enca-
radas ballestas y no menos cantidad de arcabuces, volvió
las riendas a Rocinante, y a todo lo que su galope pudo,
se salió de entre ellos, encomendándose de todo corazón
a Dios, que de aquel peligro le librase, temiendo a cada
paso no le entrase alguna bala por las espaldas y le saliese al pecho; y a cada punto recogía el aliento, por ver
si le faltaba.

Pero los del escuadrón se contentaron con verle huir,
sin tirarle. A Sancho le pusieron sobre su jumento, apenas vuelto en sí, y le dejaron ir tras su amo, no porque
él tuviese sentido para regirle; pero el rucio siguió las
huellas de Rocinante, sin el cual no se hallaba un punto.
Alongado, pues, don Quijote buen trecho, volvió la cabeza y vio que Sancho venía, y atendióle[16], viendo que
ninguno le seguía.

Los del escuadrón se estuvieron allí hasta la noche,
y por no haber salido a la batalla sus contrarios, se vol-

---

[16] *atender,* esperar.

vieron a su pueblo, regocijados y alegres; y si ellos supieran la costumbre antigua de los griegos, levantaran en aquel lugar y sitio un trofeo.

CAPÍTULO XXVIII

De cosas que dice Benengeli que las sabrá quien le leyere, si las lee con atención

Cuando el valiente huye, la superchería está descubierta; y es de varones prudentes guardarse para mejor ocasión. Esta verdad se verificó en don Quijote, el cual, dando lugar a la furia del pueblo y a las malas intenciones de aquel indignado escuadrón, puso pies en polvorosa, y sin acordarse de Sancho ni del peligro en que le dejaba, se apartó tanto cuanto le pareció que bastaba para estar seguro. Seguíale Sancho, atravesado en su jumento, como queda referido. Llegó, en fin, ya vuelto en su acuerdo, y al llegar, se dejó caer del rucio a los pies de Rocinante, todo ansioso, todo molido y todo apaleado. Apeóse don Quijote para catarle las feridas; pero como le hallase sano de los pies a la cabeza, con asaz cólera le dijo:

—¡Tan en hora mala supistes vos rebuznar, Sancho! Y ¿dónde hallastes vos ser bueno el nombrar la soga en casa del ahorcado? A música de rebuznos, ¿qué contrapunto se había de llevar sino de varapalos? Y dad gracias a Dios, Sancho, que ya que os santiguaron con un palo, no os hicieron el *per signum crucis*[1] con un alfanje.

—No estoy para responder —respondió Sancho—, porque me parece que hablo por las espaldas. Subamos y apartémonos de aquí, que yo pondré silencio en mis rebuznos; pero no en dejar de decir que los caballeros andantes huyen, y dejan a sus buenos escuderos molidos como alheña, o como cibera, en poder de sus enemigos.

—No huye el que se retira —respondió don Quijote—; porque has de saber, Sancho, que la valentía que no se funda sobre la basa de la prudencia se llama te-

---

[1] *per signum crucis,* designa humorísticamente una cuchillada en la cara.

meridad, y las hazañas del temerario más se atribuyen a la buena fortuna que a su ánimo. Y así, yo confieso que me he retirado, pero no huido; y en esto he imitado a muchos valientes, que se han guardado para tiempos mejores, y desto están las historias llenas; las cuales, por no serte a ti de provecho ni a mí de gusto, no te las refiero ahora.

En esto, ya estaba a caballo Sancho, ayudado de don Quijote, el cual asimismo subió en Rocinante, y poco a poco se fueron a emboscar en una alameda que hasta un cuarto de legua de allí se parecía. De cuando en cuando daba Sancho unos ayes profundísimos y unos gemidos dolorosos; y preguntándole don Quijote la causa de tan amargo sentimiento, respondió que desde la punta del espinazo hasta la nuca del celebro le dolía de manera, que le sacaba de sentido.

—La causa dese dolor debe de ser, sin duda —dijo don Quijote—, que como era el palo con que te dieron largo y tendido, te cogió todas las espaldas, donde entran todas esas partes que te duelen; y si más te cogiera, más te doliera.

—¡Por Dios —dijo Sancho—, que vuesa merced me ha sacado de una gran duda, y que me la ha declarado por lindos términos! ¡Cuerpo de mí! ¿Tan encubierta estaba la causa de mi dolor, que ha sido menester decirme que me duele todo todo aquello que alcanzó el palo? Si me dolieran los tobillos, aún pudiera ser que se anduviera adivinando el por qué me dolían; pero dolerme lo que me molieron, no es mucho adivinar. A la fe, señor nuestro amo, el mal ajeno de pelo cuelga, y cada día voy descubriendo tierra[2] de lo poco que puedo esperar de la compañía que con vuestra merced tengo; porque si esta vez me ha dejado apalear, otra y otras ciento volveremos a los manteamientos de marras y a otras muchacherías, que si ahora me han salido a las espaldas, después me saldrán a los ojos. Harto mejor haría yo, sino que soy un bárbaro, y no haré nada que bueno sea en toda mi vida; harto mejor haría yo, vuelvo a decir, en volverme a mi casa, y a mi mujer, y a mis hijos, y sustentarla y criarlos con lo que Dios fue servido

---

[1] *descubrir tierra*, enterarse de algo hasta entonces desconocido.

de darme, y no andarme tras vuesa merced por caminos
sin camino y por sendas y carreras que no las tienen, bebiendo mal y comiendo peor. Pues ¡tomadme el dormir!
Contad, hermano escudero, siete pies de tierra, y si quisiéredes más, tomad otros tantos, que en vuestra mano
está escudillar, y tendeos a todo vuestro buen talante;
que quemado vea yo y hecho polvos al primero que dio
puntada en la andante caballería, o, a lo menos, al primero que quiso ser escudero de tales tontos como debieron ser todos los caballeros andantes pasados. De los
presentes no digo nada; que por ser vuestra merced uno
dellos, los tengo respeto, y porque sé que sabe vuesa
merced un punto más que el diablo en cuanto habla y
en cuanto piensa.

—Haría yo una buena apuesta con vos, Sancho
—dijo don Quijote—: que ahora que vais hablando sin
que nadje os vaya a la mano, que no os duele nada en
todo vuestro cuerpo. Hablad, hijo mío, todo aquello
que os viniere al pensamiento y a la boca; que a trueco
de que a vos no os duela nada, tendré yo por gusto el
enfado que me dan vuestras impertinencias. Y si tanto
deseáis volveros a vuestra casa con vuestra mujer y hijos, no permita Dios que yo os lo impida; dineros tenéis
míos; mirad cuánto ha que esta tercera vez salimos de
nuestro pueblo, y mirad lo que podéis y debéis ganar
cada mes, y pagaos de vuestra mano.

—Cuando yo servía —respondió Sancho— a Tomé
Carrasco, el padre del bachiller Sansón Carrasco, que
vuestra merced bien conoce, dos ducados ganaba cada
mes, amén de la comida; con vuestra merced no sé lo
que puedo ganar, puesto que sé que tiene más trabajo
el escudero del caballero andante que el que sirve a un
labrador; que, en resolución, los que servimos a labradores, por mucho que trabajemos de día, por mal que
suceda, a la noche cenamos olla y dormimos en cama;
en la cual no he dormido después que ha que sirvo a
vuestra merced. Si no ha sido el tiempo breve que estuvimos en casa de don Diego de Miranda, y la jira que
tuve con la espuma que saqué de las ollas de Camacho, y lo que comí y bebí y dormí en casa de Basilio,
todo el otro tiempo he dormido en la dura tierra, al
cielo abierto, sujeto a lo que dicen inclemencias del cie-

lo, sustentándome con rajas de queso y mendrugos de
pan, y bebiendo aguas, ya de arroyos, ya de fuentes:
de las que encontramos por esos andurriales, donde andamos.

—Confieso —dijo don Quijote— que todo lo que dices, Sancho, sea verdad. ¿Cuánto parece que os debo
dar más de lo que os daba Tomé Carrasco?

—A mi parecer —dijo Sancho—, con dos reales más
que vuestra merced añadiese cada mes me tendría por
bien pagado. Esto es cuanto al salario de mi trabajo; pero
en cuanto a satisfacerme a la palabra y promesa que
vuestra merced me tiene hecha de darme el gobierno
de una ínsula, sería justo que se me añadiesen otros seis
reales, que por todos serían treinta.

—Está muy bien —replicó don Quijote—; y conforme al salario que vos os habéis señalado, veinte y cinco
días ha que salimos de nuestro pueblo: contad, Sancho,
rata por cantidad[3], y mirad lo que os debo, y pagaos,
como os tengo dicho, de vuestra mano.

—¡Oh, cuerpo de mí! —dijo Sancho—, que va vuestra merced muy errado en esta cuenta; porque en lo de
la promesa de la ínsula se ha de contar desde el día
que vuestra merced me la prometió hasta la presente
hora en que estamos.

—Pues ¿qué tanto ha[4], Sancho, que os la prometí?
—dijo don Quijote.

—Si yo mal no me acuerdo —respondió Sancho—,
debe de haber más de veinte años, tres días más a menos.

Diose don Quijote una gran palmada en la frente,
y comenzó a reír muy de gana, y dijo:

—Pues no anduve yo en Sierra Morena, ni en todo
el discurso de nuestras salidas, sino dos meses apenas, y
¿dices, Sancho, que ha veinte años que te prometí la ínsula? Ahora digo que quieres que se consuman en tus
salarios el dinero que tienes mío; y si esto es así, y tú
gustas dello, desde aquí te lo doy, y buen provecho te
haga; que a trueco de verme sin tan mal escudero, hol-
gáreme de quedarme pobre y sin blanca. Pero dime,
prevaricador de las ordenanzas escuderiles de la andante
caballería, ¿dónde has visto tú, o leído, que ningún es-

---

[3] *rata por cantidad*, a prorrata.
[4] *¿qué tanto ha?* ¿cuánto tiempo hace?

cudero de caballero andante se haya puesto con su señor
en tanto más cuánto me habéis de dar cada mes porque
os sirva? Éntrate, éntrate, malandrín, follón y vestiglo,
que todo lo pareces, éntrate, digo, por el *mare magnum*
de sus historias; y si hallares que algún escudero haya
dicho, ni pensado, lo que aquí has dicho, quiero que me
le claves en la frente, y, por añadidura, me hagas cuatro
mamonas selladas[5] en mi rostro. Vuelve las riendas, o el
cabestro, al rucio, y vuélvete a tu casa; porque un solo
paso desde aquí no has de pasar más adelante conmigo.
¡Oh pan mal conocido[6]! ¡Oh promesas mal colocadas!
¡Oh hombre que tiene más de bestia que de persona!
¿Ahora, cuando yo pensaba ponerte en estado, y tal, que
a pesar de tu mujer te llamaran señoría, te despides?
¿Ahora te vas, cuando yo venía con intención firme y
valedera de hacerte señor de la mejor ínsula del mundo?
En fin, como tú has dicho otras veces, no es la miel...,
etcétera. Asno eres, y asno has de ser, y en asno has de
parar cuando se te acabe el curso de la vida; que para
mí tengo que antes llegará ella a su último término que
tú caigas y des en la cuenta de que eres bestia.

Miraba Sancho a don Quijote de en hito en hito, en
tanto que los tales vituperios le decía, y compungióse
de manera que le vinieron las lágrimas a los ojos, y con
voz dolorida y enferma le dijo:

—Señor mío, yo confieso que para ser del todo asno
no me falta más de la cola; si vuestra merced quiere
ponérmela, yo la daré por bien puesta, y le serviré como
jumento todos los días que me quedan de mi vida. Vuestra merced me perdone, y se duela de mi mocedad[7], y
advierta que sé poco, y que si hablo mucho, más procede de enfermedad que de malicia; mas quien yerra y
se enmienda, a Dios se encomienda.

—Maravillárame yo, Sancho, si no mezclaras algún
refrancico en tu coloquio. Ahora bien, yo te perdono,
con que te emiendes, y con que no te muestres de aquí
adelante tan amigo de tu interés, sino que procures en-
sanchar el corazón, y te alientes y animes a esperar el

---

[5] Juego o afrenta que se hacía disparando con fuerza un dedo
contra la nariz de otra persona.
[6] *mal conocido*, desagradecido, ingrato.
[7] *mocedad*, inexperiencia (sin referencia en la edad, en este
caso).

cumplimiento de mis promesas, que, aunque se tarda, no se imposibilita.

Sancho respondió que sí haría, aunque sacase fuerzas de flaqueza.

Con esto, se metieron en la alameda, y don Quijote se acomodó al pie de un olmo, y Sancho al de una haya; que estos tales árboles y otros sus semejantes siempre tienen pies, y no manos. Sancho pasó la noche penosamente, porque el varapalo se hacía más sentir con el sereno. Don Quijote la pasó en sus continuas memorias; pero, con todo eso, dieron los ojos al sueño, y al salir del alba siguieron su camino buscando las riberas del famoso Ebro, donde les sucedió lo que se contará en el capítulo venidero.

CAPÍTULO XXIX

DE LA FAMOSA AVENTURA DEL BARCO ENCANTADO*

POR sus pasos contados y por contar, dos días después que salieron de la alameda llegaron don Quijote y Sancho al río Ebro, y el verle fue de gran gusto a don Quijote, porque contempló y miró en él la amenidad de sus riberas, la claridad de sus aguas, el sosiego de su curso y la abundancia de sus líquidos cristales, cuya alegre vista renovó en su memoria mil amorosos pensamientos. Especialmente fue y vino en lo que había visto en la cueva de Montesinos; que, puesto que el mono de maese Pedro le había dicho que parte de aquellas cosas eran verdad y parte mentira, él se atenía más a las verdaderas que a las mentirosas, bien al revés de Sancho, que todas las tenía por la mesma mentira.

Yendo, pues, desta manera, se le ofreció a la vista

---

* Lo narrado en este capítulo es parodia de un motivo que aparece con cierta frecuencia en los libros de caballería. En el de *Palmerín de Ingalaterra*, el protagonista «andando por una ribera del agua... y mirando a todas partes, vio entre dos peñas, adonde el agua hacía un remanso, un batel muy grande atado con una cuerda a un álamo... y mirando por todas partes, por ver si quien allí el barco había traído eran salidos a tomar algún refresco, no solamente no vio la gente mas ni aun rumor della, y viendo esto mandó a Selvián que le tuviese el caballo, porque quería entrar dentro en el batel» (II, 56).

un pequeño barco sin remos ni otras jarcias algunas, que
estaba atado en la orilla a un tronco de un árbol que
en la ribera estaba. Miró don Quijote a todas partes, y no vio persona alguna; y luego, sin más ni más,
se apeó de Rocinante y mandó a Sancho que lo mesmo
hiciese del rucio, y que a entrambas bestias las atase muy
bien, juntas, al tronco de un álamo o sauce que allí estaba. Preguntóle Sancho la causa de aquel súbito apea-
miento y de aquel ligamiento. Respondió don Quijote:

—Has de saber, Sancho, que este barco que aquí está,
derechamente y sin poder ser otra cosa en contrario,
me está llamando y convidando a que entre en él, y
vaya en él a dar socorro a algún caballero, o a otra necesitada y principal persona, que debe de estar puesta
en alguna grande cuita; porque éste es estilo de los libros de las historias caballerescas y de los encantadores
que en ellas se entremeten y platican: cuando algún
caballero está puesto en algún trabajo, que no puede
ser librado dél sino por la mano de otro caballero, puesto que estén distantes el uno del otro dos o tres mil leguas, y aun más, o le arrebatan en una nube o le depa-
ran un barco donde se entre, y en menos de un abrir
y cerrar de ojos le llevan, o por los aires, o por la mar,
donde quieren y adonde es menester su ayuda; así que,
¡oh Sancho!, este barco está puesto aquí para el mesmo
efecto; y esto es tan verdad como es ahora de día; y antes que éste se pase, ata juntos al rucio y a Rocinante,
y a la mano de Dios, que nos guíe; que no dejaré de
embarcarme si me lo pidiesen frailes descalzos.

—Pues así es —respondió Sancho— y vuestra merced quiere dar a cada paso en estos que no sé si los llame
disparates, no hay sino obedecer y bajar la cabeza, atendiendo al refrán «haz lo que tu amo te manda, y sién-
tate con él a la mesa»; pero, con todo esto, por lo que
toca al descargo de mi conciencia, quiero advertir a vuestra merced que a mí me parece que este tal barco no es
de los encantados, sino de algunos pescadores deste río,
porque en él se pescan las mejores sabogas del mundo.

Esto decía, mientras ataba las bestias, Sancho, deján-
dolas a la proteción y amparo de los encantadores, con
harto dolor de su ánima. Don Quijote le dijo que no tuviese pena del desamparo de aquellos animales; que el

que los llevaría a ellos por tan longincuos caminos y regiones tendría cuenta de sustentarlos.

—No entiendo esto de *logicuos* —dijo Sancho—, ni he oído tal vocablo en todos los días de mi vida.

—*Longincuos* —respondió don Quijote— quiere decir *apartados*, y no es maravilla que no lo entiendas; que no estás tú obligado a saber latín, como algunos que presumen que lo saben, y lo ignoran.

—Ya están atados —replicó Sancho—. ¿Qué hemos de hacer ahora?

—¿Qué? —respondió don Quijote—. Santiguarnos y levar ferro[1]; quiero decir, embarcarnos y cortar la amarra con que este barco está atado.

Y dando un salto en él, siguiéndole Sancho, cortó el cordel, y el barco se fue apartando poco a poco de la ribera; y cuando Sancho se vio obra de dos varas dentro del río, comenzó a temblar, temiendo su perdición; pero ninguna cosa le dio más pena que el oír roznar[2] al rucio y el ver que Rocinante pugnaba por desatarse, y díjole a su señor:

—El rucio rebuzna, condolido de nuestra ausencia, y Rocinante procura ponerse en libertad para arrojarse tras nosotros. ¡Oh carísimos amigos, quedaos en paz, y la locura que nos aparta de vosotros, convertida en desengaño, nos vuelva a vuestra presencia!

Y en esto, comenzó a llorar tan amargamente, que don Quijote, mohíno y colérico, le dijo:

—¿De qué temes, cobarde criatura? ¿De qué lloras, corazón de mantequillas? ¿Quién te persigue, o quién te acosa, ánimo de ratón casero, o qué te falta, menesteroso en la mitad de las entrañas de la abundancia? ¿Por dicha vas caminando a pie y descalzo por las montañas rifeas[3], sino sentado en una tabla, como un archiduque, por el sesgo curso deste agradable río, de donde en breve espacio saldremos al mar dilatado? Pero ya habemos de haber salido, y caminado, por lo menos, setecientas o ochocientas leguas; y si yo tuviera aquí un astrolabio con que tomar la altura del polo, yo te dijera las que hemos

---

[1] *levar ferro*, levar el ancla.
[2] *roznar*, rebuznar.
[3] *montañas rifeas*, los *Rhipaei montes* de los antiguos, que dan origen al río Don.

caminado; aunque, o yo sé poco, o ya hemos pasado, o pasaremos presto, por la línea equinocial, que divide y corta los dos contrapuestos polos en igual distancia.

—Y cuando lleguemos a esa leña que vuestra merced dice —preguntó Sancho—, ¿cuánto habremos caminado?

—Mucho —replicó don Quijote—; porque de trecientos y sesenta grados que contiene el globo, del agua y de la tierra, según el cómputo de Ptolomeo, que fue el mayor cosmógrafo que se sabe, la mitad habremos caminado, llegando a la línea que he dicho.

—Por Dios —dijo Sancho—, que vuesa merced me trae por testigo de lo que dice a una gentil persona, puto y gafo[4], con la añadidura de meón, o meo, o no sé cómo.

Rióse don Quijote de la interpretación que Sancho había dado al nombre y al cómputo y cuenta del cosmógrafo Ptolomeo, y díjole:

—Sabrás, Sancho, que los españoles y los que se embarcan en Cádiz para ir a las Indias Orientales, una de las señales que tienen para entender que han pasado la línea equinocial que te he dicho es que a todos los que van en el navío se les mueren los piojos[5], sin que les quede ninguno, ni en todo el bajel le hallarán, si le pesan a oro; y así, puedes, Sancho, pasear una mano por un muslo, y si topares cosa viva, saldremos desta duda; y si no, pasado habemos.

—Yo no creo nada deso —respondió Sancho—; pero, con todo, haré lo que vuesa merced me manda, aunque no sé para qué hay necesidad de hacer esas experiencias, pues yo veo con mis mismos ojos que no nos habemos apartado de la ribera cinco varas, ni hemos decantado de donde están las alemañas dos varas, porque allí están Rocinante y el rucio en el propio lugar do los dejamos; y tomada la mira, como yo la tomo ahora, voto a tal que no nos movemos ni andamos al paso de una hormiga.

—Haz, Sancho, la averiguación que te he dicho, y no te cures de otra; que tú no sabes qué cosa sean coluros, líneas, paralelos, zodíacos, clíticas, polos, solsticios, equinocios, planetas, signos, puntos, medidas, de que se compone la esfera celeste y terrestre; que si todas estas

---

[4] *gafo,* leproso.
[5] Sobre esta creencia popular, véase R. Marín, V, 298.

cosas supieras, o parte dellas, vieras claramente qué de paralelos hemos cortado, qué de signos visto y qué de imágines hemos dejado atrás, y vamos dejando ahora. Y tórnote a decir que te tientes y pesques; que yo para mí tengo que estás más limpio que un pliego de papel liso y blanco.

Tentóse Sancho, y llegando con la mano bonitamente y con tiento hacia la corva izquierda, alzó la cabeza, y miró a su amo, y dijo:

—O la experiencia es falsa, o no hemos llegado adonde vuesa merced dice, ni con muchas leguas.

—Pues ¿qué? —preguntó don Quijote—. ¿Has topado algo?

—¡Y aun algos! —respondió Sancho.

Y sacudiéndose los dedos, se lavó toda la mano en el río, por el cual sosegadamente se deslizaba el barco por mitad de la corriente, sin que le moviese alguna inteligencia secreta, ni algún encantador escondido, sino el mismo curso del agua, blando entonces y suave.

En esto, descubrieron unas grandes aceñas que en la mitad del río estaban; y apenas las hubo visto don Quijote, cuando con voz alta dijo a Sancho:

—¿Vees? Allí, ¡oh amigo!, se descubre la ciudad, castillo o fortaleza donde debe de estar algún caballero oprimido, o alguna reina, infanta o princesa malparada, para cuyo socorro soy aquí traído.

—¿Qué diablos de ciudad, fortaleza o castillo dice vuesa merced, señor? —dijo Sancho—. ¿No echa de ver que aquéllas son aceñas que están en el río, donde se muele el trigo?

—Calla, Sancho —dijo don Quijote—; que aunque parecen aceñas, no lo son; y ya te he dicho que todas las cosas trastruecan y mudan de su ser natural los encantos. No quiero decir que las mudan de en uno en otro ser realmente, sino que lo parece, como lo mostró la experiencia en la transformación de Dulcinea, único refugio de mis esperanzas.

En esto, el barco, entrado en la mitad de la corriente del río, comenzó a caminar no tan lentamente como hasta allí. Los molineros de las aceñas, que vieron venir aquel barco por el río, y que se iba a embocar por el raudal de las ruedas, salieron con presteza muchos dellos

con varas largas, a detenerle; y como salían enharina-
dos, y cubiertos los rostros y los vestidos del polvo de
la harina, representaban una mala vista. Daban voces
grandes, diciendo:

—¡Demonios de hombres! ¿Dónde vais? ¿Venís desesperados? ¿Qué queréis? ¿Ahogaros y haceros pedazos en estas ruedas?

—¿No te dije yo, Sancho —dijo a esta sazón don
Quijote—, que habíamos llegado donde he de mostrar
a dó llega el valor de mi brazo? Mira qué de malandrines y follones me salen al encuentro; mira cuántos vestiglos se me oponen; mira cuántas feas cataduras nos
hacen cocos… Pues ¡ahora lo veréis, bellacos!

Y puesto en pie en el barco, con grandes voces comenzó a amenazar a los molineros, diciéndoles:

—Canalla malvada y peor aconsejada, dejad en su
libertad y libre albedrío a la persona que en esa vuestra
fortaleza o prisión tenéis oprimida, alta o baja, de cualquiera suerte o calidad que sea; que yo soy don Quijote
de la Mancha, llamado el Caballero de los Leones por
otro nombre, a quien está reservada por orden de los altos cielos el dar fin felice a esta aventura.

Y diciendo esto, echó mano a su espada y comenzó
a esgrimirla en el aire contra los molineros; los cuales,
oyendo, y no entendiendo, aquellas sandeces, se pusieron con sus varas a detener el barco, que ya iba entrando en el raudal y canal de las ruedas.

Púsose Sancho de rodillas, pidiendo devotamente al
cielo le librase de tan manifiesto peligro, como lo hizo,
por la industria y presteza de los molineros, que oponiéndose con sus palos al barco, le detuvieron; pero no de
manera que dejasen de trastornar el barco y dar con
don Quijote y con Sancho al través en el agua; pero
vínole bien a don Quijote, que sabía nadar como un
ganso, aunque el peso de las armas le llevó al fondo dos
veces; y si no fuera por los molineros, que se arrojaron
al agua, y los sacaron como en peso a entrambos, allí
había sido Troya para los dos.

Puestos, pues, en tierra, más mojados que muertos
de sed, Sancho, puesto de rodillas, las manos juntas y los
ojos clavados al cielo, pidió a Dios con una larga y de-

vota plegaria le librase de allí adelante de los atrevidos deseos y acometimientos de su señor.

Llegaron en esto los pescadores dueños del barco, a quien habían hecho pedazos las ruedas de las aceñas; y viéndole roto, acometieron a desnudar a Sancho, y a pedir a don Quijote se lo pagase; el cual, con gran sosiego, como si no hubiera pasado nada por él, dijo a los molineros y pescadores que él pagaría el barco de bonísima gana, con condición que le diesen libre y sin cautela a la persona o personas que en aquel su castillo estaban oprimidas.

—¿Qué personas o qué castillo dices —respondió uno de los molineros—, hombre sin juicio? ¿Quiéreste llevar por ventura las que vienen a moler trigo a estas aceñas?

—¡Basta! —dijo entre sí don Quijote—. Aquí será predicar en desierto querer reducir[6] a esta canalla a que por ruegos haga virtud alguna. Y en esta aventura se deben de haber encontrado dos valientes encantadores, y el uno estorba lo que el otro intenta: el uno me deparó el barco, y el otro dio conmigo al través. Dios lo remedie; que todo este mundo es máquinas y trazas, contrarias unas de otras. Yo no puedo más.

Y alzando la voz, prosiguió diciendo, y mirando a las aceñas:

—Amigos, cualesquiera que seáis, que en esa prisión quedáis encerrados, perdonadme; que, por mi desgracia y por la vuestra, yo no os puedo sacar de vuestra cuita. Para otro caballero debe de estar guardada y reservada esta aventura.

En diciendo esto, se concertó con los pescadores, y pagó por el barco cincuenta reales, que los dio Sancho de muy mala gana, diciendo:

—A dos barcadas como éstas, daremos con todo el caudal al fondo.

Los pescadores y molineros estaban admirados, mirando aquellas dos figuras tan fuera del uso, al parecer, de los otros hombres, y no acababan de entender a dó se encaminaban las razones y preguntas que don Quijote les decía; y teniéndolos por locos, les dejaron y se recogieron a sus aceñas, y los pescadores a sus ranchos.

---

[6] *reducir,* convencer.

Volvieron a sus bestias[7], y a ser bestias, don Quijote y Sancho, y este fin tuvo la aventura del encantado barco.

CAPÍTULO XXX

DE LO QUE LE AVINO A DON QUIJOTE
CON UNA BELLA CAZADORA*

A SAZ melancólicos y·de mal talante llegaron a sus animales caballero y escudero, especialmente Sancho, a quien llegaba al alma llegar al caudal del dinero, pareciéndole que todo lo que dél se quitaba era quitárselo a él de las niñas de sus ojos. Finalmente, sin hablarse palabra, se pusieron a caballo y se apartaron del famoso río, don Quijote, sepultado en los pensamientos de sus amores, y Sancho, en los de su acrecentamiento, que por entonces le parecía que estaba bien lejos de tenerle; porque maguer[1] era tonto, bien se le alcanzaba que las acciones de su amo, todas o las más, eran disparates, y buscaba ocasión de que, sin entrar en cuentas ni en despedimientos con su señor, un día se desgarrase y se fuese a su casa; pero la fortuna ordenó las cosas muy al revés de lo que él temía.

Sucedió, pues, que otro día, al poner del sol y al salir de una selva, tendió don Quijote la vista por un verde prado, y en lo último dél vio gente, y llegándose cerca, conoció que eran cazadores de altanería. Llegóse más, y entre ellos vio una gallarda señora sobre un palafrén o hacanea blanquísima, adornada de guarniciones

---

[7] No se dice que Rocinante ni el asno atravesaron el río; don Quijote y Sancho tomaron tierra en la misma orilla de donde habían partido, o sea la derecha del Ebro.

* Los duques que a partir de este capítulo van a tener gran importancia en la novela parecen inspirados en las figuras reales de don Carlos de Borja y doña María Luisa de Aragón, duques de Luna y de Villahermosa, que tenían una residencia en el palacio de Buenavía, en las inmediaciones de la villa de Pedrola, que en este caso sería el famoso palacio en el que tantas aventuras ocurrirán a don Quijote y a Sancho. Téngase en cuenta, no obstante, que no hay identificación total entre los duques de la novela y los históricos de Luna, pues Cervantes ni menciona jamás su título ni da el nombre de la residencia en donde viven.

[1] *maguer,* aunque.

verdes y con un sillón[2] de plata. Venía la señora asimismo vestida de verde, tan bizarra y ricamente, que la misma bizarría venía transformada en ella. En la mano izquierda traía un azor, señal que dio a entender a don Quijote ser aquélla alguna gran señora, que debía serlo de todos aquellos cazadores, como era la verdad; y así, dijo a Sancho:

—Corre, hijo Sancho, y di a aquella señora del palafrén y del azor que yo, el Caballero de los Leones, besa las manos a su gran fermosura, y que si su grandeza me da licencia, se las iré a besar, y a servirla en cuanto mis fuerzas pudieren y su alteza me mandare. Y mira, Sancho, cómo hablas, y ten cuenta de no encajar algún refrán de los tuyos en tu embajada.

—¡Hallado os le habéis el encajador! —respondió Sancho—. ¡A mí con eso! ¡Sí, que no es ésta la vez primera que he llevado embajadas a altas y crecidas señoras en esta vida!

—Si no fue la que llevaste a la señora Dulcinea —replicó don Quijote—, yo no sé que hayas llevado otra, a lo menos, en mi poder[3].

—Así es verdad —respondió Sancho—; pero al buen pagador no le duelen prendas, y en casa llena presto se guisa la cena: quiero decir que a mí no hay que decirme ni advertirme de nada: que para todo tengo, y de todo se me alcanza un poco.

—Yo lo creo, Sancho —dijo don Quijote—: ve en buena hora, y Dios te guíe.

Partió Sancho de carrera, sacando de su paso al rucio, y llegó donde la bella cazadora estaba; y apeándose, puesto ante ella de hinojos, le dijo:

—Hermosa señora, aquel caballero que allí se parece llamado el Caballero de los Leones, es mi amo, y yo soy un escudero suyo, a quien llaman en su casa Sancho Panza. Este tal Caballero de los Leones, que no ha mucho que se llamaba el de la Triste Figura, envía por mí a decir a vuestra grandeza sea servida de darle licencia para que, con su propósito y beneplácito y consentimiento, él venga a poner en obra su deseo, que no es otro, según él dice y yo pienso, que de servir a vuestra en-

---

[2] *sillón*, silla de montar para damas.
[3] *en mi poder*, desde que me sirves.

cumbrada altanería y fermosura; que en dársela vuestra
señoría hará cosa que redunde en su pro, y él recibirá
señaladísima merced y contento.

—Por cierto, buen escudero —respondió la señora—,
vos habéis dado la embajada vuestra con todas aquellas
circunstancias que las tales embajadas piden. Levantaos
del suelo; que escudero de tan gran caballero como es
el de la Triste Figura, de quien ya tenemos acá mucha
noticia, no es justo que esté de hinojos: levantaos, amigo, y decid a vuestro señor que venga mucho en hora
buena a servirse de mí y del duque mi marido, en una
casa de placer que aquí tenemos.

Levantóse Sancho, admirado así de la hermosura de
la buena señora como de su mucha crianza y cortesía, y
más de lo que le había dicho que tenía noticia de su señor el Caballero de la Triste Figura, y que si no le había
llamado el de los Leones, debía de ser por habérsele
puesto tan nuevamente. Preguntóle la duquesa, cuyo título aún no se sabe:

—Decidme, hermano escudero: este vuestro señor,
¿no es uno de quien anda impresa una *historia* que se
llama *del Ingenioso Hidalgo don Quijote de la Mancha*,
que tiene por señora de su alma a una tal Dulcinea del
Toboso?

—El mesmo es, señora —respondió Sancho—; y
aquel escudero suyo que anda, o debe de andar, en la
tal historia, a quien llaman Sancho Panza, soy yo, si no
es que me trocaron en la cuna; quiero decir, que me trocaron en la estampa.

—De todo eso me huelgo yo mucho —dijo la duquesa—. Id, hermano Panza, y decid a vuestro señor
que él sea el bien llegado y el bien venido a mis estados,
y que ninguna cosa me pudiera venir que más contento
me diera.

Sancho, con esta tan agradable respuesta, con grandísimo gusto volvió a su amo, a quien contó todo lo que
la gran señora le había dicho, levantando con sus rústicos términos a los cielos su mucha fermosura, su gran donaire y cortesía. Don Quijote se gallardeó en la silla,
púsose bien en los estribos, acomodóse la visera, arremetió a Rocinante, y con gentil denuedo fue a besar las
manos a la duquesa; la cual, haciendo llamar al duque,

su marido, le contó, en tanto que don Quijote llegaba, toda la embajada suya; y los dos, por haber leído la primera parte desta historia y haber entendido por ella el disparatado humor de don Quijote, con grandísimo gusto y con deseo de conocerle le atendían, con prosupuesto de seguirle el humor y conceder con él en cuanto les dijese[4], tratándole como a caballero andante los días que con ellos se detuviese, con todas las ceremonias acostumbradas en los libros de caballerías, que ellos habían leído, y aun les eran muy aficionados.

En esto llegó don Quijote, alzada la visera; y dando muestras de apearse, acudió Sancho a tenerle el estribo; pero fue tan desgraciado, que al apearse del rucio se le asió un pie en una soga del albarda, de tal modo, que no fue posible desenredarle; antes quedó colgado dél, con la boca y los pechos en el suelo. Don Quijote, que no tenía en costumbre apearse sin que le tuviesen el estribo, pensando que ya Sancho había llegado a tenérsele, descargó de golpe el cuerpo, y llevóse tras sí la silla de Rocinante, que debió de estar mal cinchado, y la silla y él vinieron al suelo, no sin vergüenza suya, y de muchas maldiciones que entre dientes echó al desdichado de Sancho, que aun todavía tenía el pie en la corma[5].

El duque mandó a sus cazadores que acudiesen al caballero y al escudero, los cuales levantaron a don Quijote maltrecho de la caída, y, renqueando y como pudo, fue a hincar las rodillas ante los dos señores; pero el duque no lo consintió en ninguna manera; antes, apeándose de su caballo, fue a abrazar a don Quijote, diciéndole:

—A mí me pesa, señor Caballero de la Triste Figura, que la primera que vuesa merced ha hecho en mi tierra haya sido tan mala como se ha visto; pero descuidos de escuderos suelen ser causa de otros peores sucesos.

—El que[6] yo he tenido en veros, valeroso príncipe —respondió don Quijote—, es imposible ser malo, aun-

---

[4] «...le esperaban, con intención de seguirle el humor y condescender con cuanto él les dijese...»

[5] *corma*, pedazos de madera adaptados al pie para impedir que se ande libremente, que se ponían a los esclavos que se temía que huyeran.

[6] *El* [suceso] *que*. Aquí *suceso* está en el sentido de «acontecimiento feliz».

que mi caída no parara hasta el profundo de los abismos, pues de allí me levantara y me sacara la gloria de haberos visto. Mi escudero, que Dios maldiga, mejor desata la lengua para decir malicias que ata y cincha una silla para que esté firme; pero como quiera que yo me halle, caído o levantado, a pie o a caballo, siempre estaré al servicio vuestro y al de mi señora la duquesa, digna consorte vuestra, y digna señora de la hermosura, y universal princesa de la cortesía.

—¡Pasito, mi señor don Quijote de la Mancha! —dijo el duque—; que adonde está mi señora doña Dulcinea del Toboso no es razón que se alaben otras fermosuras.

Ya estaba a esta sazón libre Sancho Panza del lazo, y hallándose allí cerca, antes que su amo respondiese, dijo:

—No se puede negar, sino afirmar, que es muy hermosa mi señora Dulcinea del Toboso, pero donde menos se piensa se levanta la liebre; que yo he oído decir que esto que llaman naturaleza es como un alcaller[7] que hace vasos de barro, y el que hace un vaso hermoso también puede hacer dos, y tres, y ciento: dígolo, porque mi señora la duquesa a fee que no va en zaga a mi ama la señora Dulcinea del Toboso.

Volvióse don Quijote a la duquesa, y dijo:

—Vuestra grandeza imagine que no tuvo caballero andante en el mundo escudero más hablador ni más gracioso del que yo tengo; y él me sacará verdadero, si algunos días quisiere vuestra gran celsitud servirse de mí.

A lo que respondió la duquesa:

—De que Sancho el bueno sea gracioso lo estimo yo en mucho, porque es señal que es discreto; que las gracias y los donaires, señor don Quijote, como vuesa merced bien sabe, no asientan sobre ingenios torpes; y pues el buen Sancho es gracioso y donairoso, desde aquí le confirmo por discreto.

—Y hablador —añadió don Quijote.

—Tanto que mejor —dijo el duque—; porque muchas gracias no se pueden decir con pocas palabras. Y porque no se nos vaya el tiempo en ellas, venga el gran Caballero de la Triste Figura...

[7] *alcaller*, alfarero.

—De los Leones ha de decir vuestra alteza —dijo
Sancho—, que ya no hay Triste Figura, ni figuro.

—Sea el de los Leones[8] —prosiguió el duque—: Digo
que venga el señor Caballero de los Leones a un castillo
mío que está aquí cerca, donde se le hará el acogimiento
que a tan alta persona se debe justamente, y el que yo y
la duquesa solemos hacer a todos los caballeros andantes que a él llegan.

Ya en esto, Sancho había aderezado y cinchado bien
la silla a Rocinante; y subiendo en él don Quijote, y el
duque en un hermoso caballo, pusieron a la duquesa en
medio, y encaminaron al castillo. Mandó la duquesa a
Sancho que fuese junto a ella, porque gustaba infinito de
oír sus discreciones. No se hizo de rogar Sancho, y en-
tretejióse entre los tres, y hizo cuarto en la conversación,
con gran gusto de la duquesa y del duque, que tuvieron
a gran ventura acoger en su castillo tal caballero andante y tal escudero andado.

CAPÍTULO XXXI

Que trata de muchas y grandes cosas

Suma era la alegría que llevaba consigo Sancho viéndose, a su parecer, en privanza con la duquesa,
porque se le figuraba que había de hallar en su castillo lo
que en la casa de don Diego y en la de Basilio, siempre
aficionado a la buena vida; y así, tomaba la ocasión por
la melena en esto del regalarse cada y cuando que se le
ofrecía.

Cuenta, pues, la historia, que antes que a la casa de
placer o castillo llegasen, se adelantó el duque y dio orden a todos sus criados del modo que habían de tratar
a don Quijote; el cual, como llegó con la duquesa a las
puertas del castillo, al instante salieron dél dos lacayos
o palafreneros, vestidos hasta en pies de unas ropas que

---

[8] En la primera edición «ya no hay triste figura. El figuro sea
el de los leones. Prosiguió el duque...» Acepto la enmienda de
Schevill, que R. Marín incorporó en su última edición.

llaman de levantar[1], de finísimo raso carmesí, y cogiendo a don Quijote en brazos, sin ser oído ni visto[2], le dijeron:

—Vaya la vuestra grandeza a apear a mi señora la duquesa.

Don Quijote lo hizo, y hubo grandes comedimientos entre los dos sobre el caso; pero, en efecto, venció la porfía de la duquesa, y no quiso decender o bajar del palafrén sino en los brazos del duque, diciendo que no se hallaba digna de dar a tan gran caballero tan inútil carga. En fin, salió el duque a apearla; y al entrar en un gran patio, llegaron dos hermosas doncellas y echaron sobre los hombros a don Quijote un gran manto de finísima escarlata[3], y en un instante se coronaron todos los corredores del patio de criados y criadas de aquellos señores, diciendo a grandes voces:

—¡Bien sea venido la flor y la nata de los caballeros andantes!

Y todos, o los más, derramaban pomos de aguas olorosas sobre don Quijote y sobre los duques, de todo lo cual se admiraba don Quijote; y aquél fue el primer día que de todo en todo conoció y creyó ser caballero andante verdadero, y no fantástico, viéndose tratar del mesmo modo que él había leído se trataban los tales caballeros en los pasados siglos.

Sancho, desamparando al rucio, se cosió con la duquesa y se entró en el castillo; y remordiéndole la conciencia de que dejaba al jumento solo, se llegó a una reverenda dueña[4], que con otras a recebir a la duquesa había salido, y con voz baja le dijo:

—Señora González, o como es su gracia de vuesa merced...

—Doña Rodríguez de Grijalba me llamo —respondió la dueña—. ¿Qué es lo que mandáis, hermano?

---

[1] *ropas de levantar*, batas, tanto de hombres como de mujeres, para andar por casa.

[2] *sin ser oído ni visto*, sin que llegara a darse cuenta, con mucha presteza.

[3] En los libros de caballerías, cuando un caballero entra en un castillo, inmediatamente acuden doncellas y pajes con un manto para cubrirle. Los servidores del duque conocen a la perfección la literatura caballeresca.

[4] «En palacio llaman dueñas de honor, personas principales que han enviudado, y las reinas y princesas las tienen cerca de sus personas en sus palacios» (Covarrubias).

A lo que respondió Sancho:

—Querría que vuesa merced me la hiciese de salir a la puerta del castillo, donde hallará un asno rucio mío; vuesa merced sea servida de mandarle poner, o ponerle, en la caballeriza; porque el pobrecito es un poco medroso, y no se hallará a estar solo, en ninguna de las maneras.

—Si tan discreto es el amo como el mozo —respondió la dueña—, ¡medradas estamos! Andad, hermano, mucho de enhoramala para vos y para quien acá os trujo, y tened cuenta con vuestro jumento; que las dueñas desta casa no estamos acostumbradas a semejantes haciendas.

—Pues en verdad —respondió Sancho— que he oído yo decir a mi señor, que es zahorí de las historias, contando aquella de Lanzarote,

cuando de Bretaña vino,
que damas curaban dél,
y dueñas del su rocino[5];

y que en el particular de mi asno, que no le trocara yo con el rocín del señor Lanzarote.

—Hermano, si sois juglar[6] —replicó la dueña—, guardad vuestras gracias para donde lo parezcan y se os paguen; que de mí no podréis llevar sino una higa[7].

—¡Aun bien —respondió Sancho— que será bien madura, pues no perderá vuesa merced la quínola[8] de sus años por punto menos!

—Hijo de puta —dijo la dueña, toda ya encendida en cólera—, si soy vieja o no, a Dios daré la cuenta; que no a vos, bellaco, harto de ajos.

Y esto dijo en voz tan alta, que lo oyó la duquesa; y volviendo y viendo a la dueña tan alborotada y tan encarnizados los ojos, le preguntó con quién las había.

—Aquí las he —respondió la dueña— con este buen

---

[5] Véase I, 2, nota 15.
[6] *juglar* en el sentido de chocarrero, del que hace chistes inconvenientes u ofensivos.
[7] *higa*, gesto de desprecio.
[8] Sancho, al decirle que la *higa* será bien madura, alude con ordinariez a que la dueña es vieja; la *quínola* era una jugada de ciertos juegos de naipes que hacía el que reunía más puntos, con lo que remacha su intención de echarle en cara sus muchos años.

hombre, que me ha pedido encarecidamente que vaya a poner en la caballeriza a un asno suyo que está a la puerta del castillo, trayéndome por ejemplo que así lo hicieron no sé dónde, que unas damas curaron a un tal Lanzarote, y unas dueñas a su rocino, y, sobre todo, por buen término me ha llamado vieja.

—Eso tuviera yo por afrenta —respondió la duquesa—, más que cuantas pudieran decirme.

Y hablando con Sancho, le dijo:

—Advertid, Sancho amigo, que doña Rodríguez es muy moza, y que aquellas tocas más las trae por autoridad y por la usanza que por los años.

—Malos sean los que me quedan por vivir —respondió Sancho—, si lo dije por tanto; sólo lo dije porque es tan grande el cariño que tengo a mi jumento, que me pareció que no podía encomendarle a persona más caritativa que a la señora doña Rodríguez.

Don Quijote, que todo lo oía, le dijo:

—¿Pláticas son éstas, Sancho, para este lugar?

—Señor —respondió Sancho—, cada uno ha de hablar de su menester dondequiera que estuviere; aquí se me acordó del rucio, y aquí hablé dél; y si en la caballeriza se me acordara, allí hablara.

A lo que dijo el duque:

—Sancho está muy en lo cierto, y no hay que culparle en nada; al rucio se le dará recado a pedir de boca, y descuide Sancho, que se le tratará como a su mesma persona.

Con estos razonamientos, gustosos a todos sino a don Quijote, llegaron a lo alto, y entraron a don Quijote en una sala adornada de telas riquísimas de oro y de brocado; seis doncellas le desarmaron y sirvieron de pajes, todas industriadas y advertidas del duque. y de la duquesa de lo que habían de hacer, y de cómo habían de tratar a don Quijote, para que imaginase y viese que le trataban como caballero andante. Quedó don Quijote, después de desarmado, en sus estrechos greguescos y en su jubón de camuza, seco, alto, tendido, con las quijadas, que por de dentro se besaba la una con la otra; figura que, a no tener cuenta las doncellas que le servían con disimular la risa —que fue una de las precisas órdenes que sus señores les habían dado—, reventaran riendo.

Pidiéronle que se dejase desnudar para una camisa; pero nunca lo consintió, diciendo que la honestidad parecía tan bien en los caballeros andantes como la valentía. Con todo, dijo que diesen la camisa a Sancho; y encerrándose con él en una cuadra[9] donde estaba un rico lecho, se desnudó y vistió la camisa, y, viéndose solo con Sancho, le dijo:

—Dime, truhán moderno y majadero antiguo: ¿parécete bien deshonrar y afrentar a una dueña tan veneranda y tan digna de respeto como aquélla? ¿Tiempos eran aquéllos para acordarte del rucio, o señores son éstos para dejar mal pasar a las bestias, tratando tan elegantemente a sus dueños? Por quien Dios es, Sancho, que te reportes, y que no descubras la hilaza de manera que caigan en la cuenta de que eres de villana y grosera tela tejido. Mira, pecador de ti, que en tanto más es tenido el señor cuanto tiene más honrados y bien nacidos criados, y que una de las ventajas mayores que llevan los príncipes a los demás hombres es que se sirven de criados tan buenos como ellos. ¿No adviertes, angustiado de ti, y malaventurado de mí, que si veen que tú eres un grosero villano, o un mentecato gracioso, pensarán que yo soy algún echacuervos[10], o algún caballero de mohatra[11]? No, no, Sancho amigo, huye, huye destos inconvenientes; que quien tropieza en hablador y en gracioso, al primer puntapié[12] cae y da en truhán desgraciado. Enfrena la lengua; considera y rumia las palabras antes que te salgan de la boca, y advierte que hemos llegado a parte donde, con el favor de Dios y valor de mi brazo, hemos de salir mejorados en tercio y quinto en fama y en hacienda.

Sancho le prometió con muchas veras de coserse la boca o morderse la lengua antes de hablar palabra que no fuese muy a propósito y bien considerada, como él se lo mandaba, y que descuidase acerca de lo tal; que nunca por él se descubriría quién ellos eran.

Vistióse don Quijote, púsose su tahalí con su espada, echóse el mantón de escarlata a cuestas, púsose una mon-

---

[9] *cuadra,* sala cuadrada en el interior de una casa.
[10] *echacuervos,* charlatán mentiroso.
[11] *de mohatra,* que hace trampas, falso.
[12] *puntapié,* traspiés, tropezón.

tera de raso verde que las doncellas le dieron, y con este adorno salió a la gran sala, adonde halló a las doncellas puestas en ala, tantas a una parte como a otra, y todas con aderezo de darle agua a las manos; la cual le dieron con muchas reverencias y ceremonias.

Luego llegaron doce pajes con el maestresala, para llevarle a comer, que ya los señores le aguardaban. Cogiéronle en medio, y lleno de pompa y majestad le llevaron a otra sala, donde estaba puesta una rica mesa con solos cuatro servicios. La duquesa y el duque salieron a la puerta de la sala a recebirle, y con ellos un grave eclesiástico destos que gobiernan las casas de los príncipes; destos que, como no nacen príncipes, no aciertan a enseñar cómo lo han de ser los que lo son; destos que quieren que la grandeza de los grandes se mida con la estrecheza de sus ánimos; destos que, queriendo mostrar a los que ellos gobiernan a ser limitados, les hacen ser miserables; destos tales, digo, que debía de ser el grave religioso que con los duques salió a recebir a don Quijote. Hiciéronse mil corteses comedimientos, y, finalmente, cogiendo a don Quijote en medio, se fueron a sentar a la mesa.

Convidó el duque a don Quijote con la cabecera de la mesa, y aunque él lo rehusó, las importunaciones del duque fueron tantas, que la hubo de tomar. El eclesiástico se sentó frontero, y el duque y la duquesa a los dos lados.

A todo estaba presente Sancho, embobado y atónito de ver la honra que a su señor aquellos príncipes le hacían; y viendo las muchas ceremonias y ruegos que pasaron entre el duque y don Quijote para hacerle sentar a la cabecera de la mesa, dijo:

—Si sus mercedes me dan licencia, les contaré un cuento que pasó en mi pueblo acerca desto de los asientos.

Apenas hubo dicho esto Sancho, cuando don Quijote tembló, creyendo sin duda alguna que había de decir alguna necedad. Miróle Sancho, y entendióle, y dijo:

—No tema vuesa merced, señor mío, que yo me desmande, ni que diga cosa que no venga muy a pelo; que no se me han olvidado los consejos que poco ha vuesa merced me dio sobre el hablar mucho o poco, o bien o mal.

—Yo no me acuerdo de nada, Sancho —respondió don Quijote—; di lo que quisieres, como lo digas presto.

—Pues lo que quiero decir —dijo Sancho— es tan verdad, que mi señor don Quijote, que está presente, no me dejará mentir.

—Por mí —replicó don Quijote—, miente tú, Sancho, cuanto quisieres, que yo no te iré a la mano; pero mira lo que vas a decir.

—Tan mirado y remirado lo tengo, que a buen salvo está el que repica, como se verá por la obra.

—Bien será —dijo don Quijote— que vuestras grandezas manden echar de aquí a este tonto, que dirá mil patochadas.

—Por vida del duque —dijo la duquesa—, que no se ha de apartar de mí Sancho un punto: quiérole yo mucho, porque sé que es muy discreto.

—Discretos días —dijo Sancho— viva vuestra santidad[13], por el buen crédito que de mí tiene, aunque en mí no lo haya. Y el cuento que quiero decir es éste: Convidó un hidalgo de mi pueblo, muy rico y principal, porque venía de los Álamos de Medina del Campo, que casó con doña Mencía de Quiñones, que fue hija de don Alonso de Marañón, caballero del Hábito de Santiago, que se ahogó en la Herradura[14], por quien hubo aquella pendencia años ha en nuestro lugar, que, a lo que entiendo, mi señor don Quijote se halló en ella, de donde salió herido Tomasillo el Travieso, el hijo de Balbastro el herrero... ¿No es verdad todo esto, señor nuestro amo? Dígalo, por su vida, porque estos señores no me tengan por algún hablador mentiroso.

—Hasta ahora —dijo el eclesiástico—, más os tengo por hablador que por mentiroso; pero de aquí adelante no sé por lo que os tendré.

—Tú das tantos testigos, Sancho, y tantas señas, que no puedo dejar de decir que debes de decir verdad. Pasa adelante y acorta el cuento, porque llevas camino de no acabar en dos días.

—No ha de acortar tal —dijo la duquesa—, por ha-

---

[13] *vuestra santidad*: Sancho emplea tratamientos inadecuados o insólitos cuando habla con los duques.

[14] En el puerto de la Herradura, próximo a Vélez Málaga, naufragó una galera el 19 de octubre de 1562, en la que perecieron más de cuatro mil personas y su capitán Juan de Mendoza.

cerme a mí placer; antes le ha de contar de la manera
que le sabe, aunque no le acabe en seis días; que si tantos fuesen, serían para mí los mejores que hubiese llevado en mi vida.

—Digo, pues, señores míos —prosiguió Sancho—,
que este tal hidalgo, que yo conozco como a mis manos,
porque no hay de mi casa a la suya un tiro de ballesta,
convidó[15] un labrador pobre, pero honrado

—Adelante, hermano —dijo a esta sazón el religioso—; que camino lleváis de no parar con vuestro cuento
hasta el otro mundo.

—A menos de la mitad pararé, si Dios fuere servido
—respondió Sancho—. Y así, digo que, llegando el tal
labrador a casa del dicho hidalgo convidador, que buen
poso haya su ánima, que ya es muerto, y por más señas dicen que hizo una muerte de un ángel, que yo
no me hallé presente, que había ido por aquel tiempo
a segar a Tembleque...

—Por vida vuestra, hijo, que volváis presto de Tembleque, y que, sin enterrar al hidalgo, si no queréis hacer más exequias, acabéis vuestro cuento.

—Es, pues, el caso —replicó Sancho— que, estando
los dos para asentarse a la mesa, que parece que ahora los veo más que nunca...

Gran gusto recebían los duques del disgusto que mostraba tomar el buen religioso de la dilación y pausas con
que Sancho contaba su cuento, y don Quijote se estaba
consumiendo en cólera y en rabia.

—Digo, así —dijo Sancho—, que estando, como he dicho, los dos para sentarse a la mesa, el labrador porfiaba
con el hidalgo que tomase la cabecera de la mesa, y el
hidalgo porfiaba también que el labrador la tomase, porque en su casa se había de hacer lo que él mandase;
pero el labrador, que presumía de cortés y bien criado,
jamás quiso, hasta que el hidalgo, mohíno, poniéndole
ambas manos sobre los hombros, le hizo sentar por fuerza, diciéndole: «Sentaos, majagranzas[16]; que adondequiera que yo me siente será vuestra cabecera». Y éste
es el cuento, y en verdad que creo que no ha sido aquí
traído fuera de propósito.

---

[15] *convidó* [a].
[16] *majagranzas*, majadero, ignorante, idiota.

Púsose don Quijote de mil colores, que sobre lo moreno le jaspeaban y se le parecían, los señores disimularon la risa, porque don Quijote no acabase de correrse, habiendo entendido la malicia de Sancho, y por mudar de plática y hacer que Sancho no prosiguiese con otros disparates, preguntó la duquesa a don Quijote que qué nuevas tenía de la señora Dulcinea, y que si le había enviado aquellos días algunos presentes de gigantes o malandrines, pues no podía dejar de haber vencido muchos. A lo que don Quijote respondió:

—Señora mía, mis desgracias, aunque tuvieron principio, nunca tendrán fin. Gigantes he vencido, y follones y malandrines le he enviado; pero ¿adónde la habían de hallar, si está encantada, y vuelta en la más fea labradora que imaginar se puede?

—No sé —dijo Sancho Panza—; a mí me parece la más hermosa criatura del mundo; a lo menos, en la ligereza y en el brincar bien sé yo que no dará ella la ventaja a un volteador; a buena fe, señora duquesa, así salta desde el suelo sobre una borrica como si fuera un gato.

—¿Habéisla visto vos encantada, Sancho? —preguntó el duque.

—Y ¡cómo si la he visto! —respondió Sancho—. Pues ¿quién diablos sino yo fue el primero que cayó en el achaque del encantorio? ¡Tan encantada está como mi padre!

El eclesiástico, que oyó decir de gigantes, de follones y de encantos, cayó en la cuenta de que aquel debía de ser don Quijote de la Mancha, cuya historia leía el duque de ordinario, y él se lo había reprehendido muchas veces, diciéndole que era disparate leer tales disparates; y enterándose ser verdad lo que sospechaba, con mucha cólera, hablando con el duque, le dijo:

—Vuestra Excelencia, señor mío, tiene que dar cuenta a nuestro Señor de lo que hace este buen hombre. Este don Quijote, o don Tonto, o como se llama, imagino yo que no debe de ser tan mentecato como Vuestra Excelencia quiere que sea, dándole ocasiones a la mano para que lleve adelante sus sandeces y vaciedades.

Y volviendo la plática a don Quijote, le dijo:

—Y a vos, alma de cántaro, ¿quién os ha encajado en el celebro que sois caballero andante y que vencéis

gigantes y prendéis malandrines? Andad enhorabuena,
y en tal se os diga: volveos a vuestra casa, y criad vuestros hijos, si los tenéis, y curad de vuestra hacienda, y
dejad de andar vagando por el mundo, papando viento[17]
y dando que reír a cuantos os conocen y no conocen.
¿En dónde, nora tal, habéis vos hallado que hubo ni hay
ahora caballeros andantes? ¿Dónde hay gigantes en España, o malandrines en la Mancha, ni Dulcineas encantadas, ni toda la caterva de las simplicidades que de vos
se cuentan?

Atento estuvo don Quijote a las razones de aquel
venerable varón, y viendo que ya callaba, sin guardar
respeto a los duques, con semblante airado y alborotado
rostro, se puso en pie y dijo…

Pero esta respuesta capítulo por sí merece.

CAPÍTULO XXXII

De la respuesta que dio don Quijote
a su reprehensor, con otros graves
y graciosos sucesos

L EVANTADO, pues, en pie don Quijote, temblando de
los pies a la cabeza como azogado, con presurosa y
turbada lengua, dijo:

—El lugar donde estoy, y la presencia ante quien me
hallo, y el respeto que siempre tuve y tengo al estado
que vuesa merced profesa, tienen y atan las manos de
mi justo enojo; y así por lo que he dicho como por saber
que saben todos que las armas de los togados son las mesmas que las de la mujer, que son la lengua, entraré con
la mía en igual batalla con vuesa merced, de quien se
debía esperar antes buenos consejos que infames vituperios. Las reprehensiones santas y bien intencionadas otras
circunstancias requieren y otros puntos piden: a lo menos, el haberme reprehendido en público y tan áspera-
mente ha pasado todos los límites de la buena reprehensión, pues las primeras mejor asientan sobre la blandura

---

[17] *papar viento*, perder el tiempo en tonterías.

que sobre la aspereza, y no es bien, que sin tener conocimiento del pecado que se reprehende, llamar al pecador,
sin más ni más, mentecato y tonto. Si no, dígame vuesa merced: ¿por cuál de las mentecaterías que en mí
ha visto me condena y vitupera, y me manda que me
vaya a mi casa a tener cuenta en el gobierno della y de
mi mujer y de mis hijos, sin saber si la tengo o los tengo?
¿No hay más sino a trochemoche entrarse por las casas
ajenas a gobernar sus dueños, y habiéndose criado algunos en la estrecheza de algún pupilaje, sin haber visto
más mundo que el que puede contenerse en veinte o
treinta leguas de distrito, meterse de rondón a dar leyes
a la caballería y a juzgar de los caballeros andantes?
¿Por ventura es asumpto vano o es tiempo mal gastado
el que se gasta en vagar por el mundo, no buscando los
regalos dél, sino las asperezas por donde los buenos suben al asiento de la inmortalidad? Si me tuvieran por
tonto los caballeros, los magníficos, los generosos, los altamente nacidos, tuviéralo por afrenta inreparable; pero
de que me tengan por sandio los estudiantes, que nunca
entraron ni pisaron las sendas de la caballería, no se me
da un ardite: caballero soy y caballero he de morir, si
place al Altísimo. Unos van por el ancho campo de la
ambición soberbia; otros, por el de la adulación servil y
baja; otros, por el de la hipocresía engañosa, y algunos,
por el de la verdadera religión; pero yo, inclinado de mi
estrella, voy por la angosta senda de la caballería andante, por cuyo ejercicio desprecio la hacienda, pero no
la honra. Yo he satisfecho agravios, enderezado tuertos,
castigado insolencias, vencido gigantes y atropellado vestiglos; yo soy enamorado, no más de porque es forzoso
que los caballeros andantes lo sean; y siéndolo, no soy
de los enamorados viciosos, sino de los platónicos conti-
nentes. Mis intenciones siempre las enderezo a buenos
fines, que son de hacer bien a todos y mal a ninguno;
si el que esto entiende, si el que esto obra, si el que desto
trata merece ser llamado bobo, díganlo vuestras grandezas, duque y duquesa excelentes.

—¡Bien, por Dios! —dijo Sancho—. No diga más
vuestra merced, señor y amo mío, en su abono; porque
no hay más que decir, ni más que pensar, ni más que
perseverar en el mundo. Y más, que negando este señor,

como ha negado, que no ha habido en el mundo, ni los hay, caballeros andantes, ¿qué mucho que no sepa ninguna de las cosas que ha dicho?

—¿Por ventura —dijo el eclesiástico— sois vos, hermano, aquel Sancho Panza que dicen, a quien vuestro amo tiene prometida una ínsula?

—Sí soy —respondió Sancho—; y soy quien la merece tan bien como otro cualquiera; soy quien «júntate a los buenos, y serás uno dellos»; y soy yo de aquellos «no con quien naces, sino con quien paces»; y de los «quien a buen árbol se arrima, buena sombra le cobija». Yo me he arrimado a buen señor, y ha muchos meses que ando en su compañía, y he de ser otro como él, Dios queriendo; y viva él y viva yo: que ni a él le faltarán imperios que mandar, ni a mí ínsulas que gobernar.

—No, por cierto, Sancho amigo —dijo a esta sazón el duque—; que yo, en nombre del señor don Quijote, os mando el gobierno de una que tengo de nones[1], de no pequeña calidad.

—Híncate de rodillas, Sancho —dijo don Quijote—, y besa los pies a Su Excelencia por la merced que te ha hecho.

Hízolo así Sancho; lo cual visto por el eclesiástico, se levantó de la mesa, mohíno además, diciendo:

—Por el hábito que tengo, que estoy por decir que es tan sandio Vuestra Excelencia como estos pecadores. ¡Mirad si no han de ser ellos locos, pues los cuerdos canonizan sus locuras! Quédese Vuestra Excelencia con ellos; que en tanto que estuvieren en casa, me estaré yo en la mía, y me escusaré de reprehender lo que no puedo remediar.

Y sin decir más ni comer más, se fue, sin que fuesen parte a detenerle los ruegos de los duques; aunque el duque no le dijo mucho, impedido de la risa que su impertinente cólera le había causado. Acabó de reír, y dijo a don Quijote:

—Vuesa merced, señor Caballero de los Leones, ha respondido por sí tan altamente, que no le queda cosa por satisfacer deste que aunque parece agravio, no lo es en ninguna manera; porque así como no agravian las

[1] «os prometo el gobierno de una ínsula que tengo sobrante, desparejada».

mujeres, no agravian los eclesiásticos, como vuesa merced mejor sabe.

—Así es —respondió don Quijote—; y la causa es que el que no puede ser agraviado no puede agraviar a nadie. Las mujeres, los niños y los eclesiásticos, como no pueden defenderse aunque sean ofendidos, no pueden ser afrentados. Porque entre el agravio y la afrenta hay esta diferencia, como mejor Vuestra Excelencia sabe: la afrenta viene de parte de quien la puede hacer, y la hace, y la sustenta; el agravio puede venir de cualquier parte, sin que afrente. Sea ejemplo: está uno en la calle descuidado; llegan diez con mano armada, y dándole de palos, pone mano a la espada y hace su deber; pero la muchedumbre de los contrarios se le opone, y no le deja salir con su intención, que es de vengarse; este tal queda agraviado, pero no afrentado. Y lo mesmo confirmará otro ejemplo: está uno vuelto de espaldas; llega otro y dale de palos, y en dándoselos, huye y no espera, y el otro le sigue y no alcanza; este que recibió los palos, recibió agravio, mas no afrenta; porque la afrenta ha de ser sustentada. Si el que le dio los palos, aunque se los dio a hurtacordel², pusiera mano a su espada, y se estuviera quedo, haciendo rostro a su enemigo, quedara el apaleado agraviado y afrentado juntamente: agraviado, porque le dieron a traición; afrentado, porque el que le dio sustentó lo que había hecho, sin volver las espaldas y a pie quedo. Y así, según las leyes del maldito duelo, yo puedo estar agraviado, mas no afrentado; porque los niños no sienten, ni las mujeres, ni pueden huir, ni tienen para qué esperar, y lo mesmo los constituidos en la sacra religión, porque estos tres géneros de gente carecen de armas ofensivas y defensivas; y así, aunque naturalmente estén obligados a defenderse, no lo están para ofender a nadie. Y aunque poco ha dije que yo podía estar agraviado, agora digo que no, en ninguna manera, porque quien no puede recebir afrenta, menos la puede dar; por las cuales razones yo no debo sentir, ni siento, las que aquel buen hombre me ha dicho; sólo quisiera que esperara algún poco, para darle a entender en el error en que está en pensar y decir que no ha habido, ni los hay,

----

² *a hurtacordel*, por sorpresa.

caballeros andantes en el mundo; que si lo tal oyera Amadís, o uno de los infinitos de su linaje, yo sé que no le fuera bien a su merced.

—Eso juro yo bien —dijo Sancho—: cuchillada le hubieran dado, que le abrieran de arriba abajo como una granada, o como a un melón muy maduro. ¡Bonitos eran ellos para sufrir semejantes cosquillas! Para mi santiguada que tengo por cierto que si Reinaldos de Montalbán hubiera oído esas razones al hombrecito, tapaboca[3] le hubiera dado, que no hablara más en tres años. ¡No, sino tomárase con ellos, y viera cómo escapaba de sus manos!

Perecía de risa la duquesa en oyendo hablar a Sancho, y en su opinión le tenía por más gracioso y por más loco que a su amo; y muchos hubo en aquel tiempo que fueron deste mismo parecer. Finalmente, don Quijote se sosegó, y la comida se acabó, y en levantando los manteles, llegaron cuatro doncellas, la una con una fuente de plata, y la otra con un aguamanil, asimismo de plata, y la otra con dos blanquísimas y riquísimas toallas al hombro, y la cuarta descubiertos los brazos hasta la mitad, y en sus blancas manos —que sin duda eran blancas—, una redonda pella[4] de jabón napolitano. Llegó la de la fuente, y con gentil donaire y desenvoltura encajó la fuente debajo de la barba de don Quijote; el cual, sin hablar palabra, admirado de semejante ceremonia, creyendo que debía ser usanza de aquella tierra, en lugar de las manos, lavar las barbas, así tendió la suya todo cuanto pudo, y al mismo punto comenzó a llover el aguamanil, y la doncella del jabón le manoseó las barbas con mucha priesa, levantando copos de nieve, que no eran menos blancas las jabonaduras, no sólo por las barbas, mas por todo el rostro y por los ojos del obediente caballero; tanto, que se los hicieron cerrar por fuerza.

El duque y la duquesa, que de nada desto eran sabidores, estaban esperando en qué había de parar tan extraordinario lavatorio. La doncella barbera, cuando le tuvo con un palmo de jabonadura, fingió que se le había acabado el agua, y mandó a la del aguamanil fuese por ella; que el señor don Quijote esperaría. Hízolo así, y quedó don Quijote con la más estraña figura y más para hacer reír que se pudiera imaginar.

Mirábanle todos los que presentes estaban, que eran muchos, y como le veían con media vara de cuello, más que medianamente moreno, los ojos cerrados y las barbas llenas de jabón, fue gran maravilla y mucha discreción poder disimular la risa; las doncellas de la burla tenían los ojos bajos, sin osar mirar a sus señores; a ellos les retozaba la cólera y la risa en el cuerpo, y no sabían a qué acudir: o a castigar el atrevimiento de las muchachas, o darles premio por el gusto que recibían de ver a don Quijote de aquella suerte.

Finalmente, la doncella del aguamanil vino, y acabaron de lavar a don Quijote, y luego la que traía las toallas le limpió y le enjugó muy reposadamente; y haciéndole todas cuatro a la par una grande y profunda inclinación y reverencia, se querían ir; pero el duque, porque don Quijote no cayese en la burla, llamó a la doncella de la fuente, diciéndole:

—Venid y lavadme a mí, y mirad que no se os acabe el agua.

La muchacha, aguda y diligente, llegó y puso la fuente al duque como a don Quijote, y dándose prisa, le lavaron y jabonaron muy bien, y dejándole enjuto y limpio, haciendo reverencias se fueron. Después se supo que había jurado el duque que si a él no le lavaran como a don Quijote, había de castigar su desenvoltura; lo cual habían enmendado discretamente con haberle a él jabonado.

Estaba atento Sancho a las ceremonias de aquel lavatorio, y dijo entre sí:

—¡Válame Dios! ¿Si será también usanza en esta tierra lavar las barbas a los escuderos como a los caballeros? Porque en Dios y en mi ánima que lo he bien menester, y aun que si me las rapasen a navaja, lo tendría a más beneficio.

—¿Qué decís entre vos, Sancho? —preguntó la duquesa.

—Digo, señora —respondió él—, que en las cortes de los otros príncipes siempre he oído decir que en levantando los manteles dan agua a las manos, pero no lejía a las barbas; y que por eso es bueno vivir mucho:

por ver mucho; aunque también dicen que el que larga
vida vive, mucho mal ha de pasar, puesto que pasar por
un lavatorio de éstos antes es gusto que trabajo.

—No tengáis pena, amigo Sancho —dijo la duquesa—; que yo haré que mis doncellas os laven, y aun os
metan en colada, si fuere menester.

—Con las barbas me contento —respondió Sancho—
por ahora, a lo menos; que andando el tiempo, Dios dijo
lo que será.

—Mirad, maestresala —dijo la duquesa—, lo que el
buen Sancho pide, y cumplidle su voluntad al pie de la
letra.

El maestresala respondió que en todo sería servido
el señor Sancho, y con esto se fue a comer, y llevó consigo a Sancho, quedándose a la mesa los duques y don
Quijote, hablando en muchas y diversas cosas; pero todas tocantes al ejercicio de las armas y de la andante
caballería.

La duquesa rogó a don Quijote que le delinease y
describiese, pues parecía tener felice memoria, la hermosura y facciones de la señora Dulcinea del Toboso,
que, según lo que la fama pregonaba de su belleza, tenía
por entendido que debía de ser la más bella criatura del
orbe, y aun de toda la Mancha. Sospiró don Quijote
oyendo lo que la duquesa le mandaba, y dijo:

—Si yo pudiera sacar mi corazón y ponerle ante los
ojos de vuestra grandeza, aquí, sobre esta mesa y en un
plato, quitara el trabajo a mi lengua de decir lo que apenas se puede pensar, porque Vuestra Excelencia la viera
en él toda retratada; pero ¿para qué es ponerme yo ahora a delinear y describir punto por punto y parte por
parte la hermosura de la sin par Dulcinea, siendo carga
digna de otros hombros que de los míos, empresa en quien
se debían ocupar los pinceles de Parrasio, de Timantes
y de Apeles, y los buriles de Lisipo[5], para pintarla y gra-
barla en tablas, en mármoles y en bronces, y la retórica
ciceroniana y demostina para alabarla?

—¿Qué quiere decir *demostina*, señor don Quijote
—preguntó la duquesa—, que es vocablo que no le he
oído en todos los días de mi vida?

---

[5] Los tres primeros famosos pintores griegos, y Lisipo escultor.

—*Retórica demostina* —respondió don Quijote— es lo mismo que decir *retórica de Demóstenes,* como *ciceroniana,* de Cicerón, que fueron los dos mayores retóricos del mundo.

—Así es —dijo el duque—, y habéis andado deslumbrada[6] en la tal pregunta. Pero, con todo eso, nos daría gran gusto el señor don Quijote si nos la pintase; que a buen seguro que aunque sea en rasguño[7] y bosquejo, que ella salga tal, que la tengan invidia las más hermosas.

—Sí hiciera, por cierto —respondió don Quijote—, si no me la hubiera borrado de la idea la desgracia que poco ha que le sucedió, que es tal, que más estoy para llorarla que para describirla; porque habrán de saber vuestras grandezas que yendo los días pasados a besarle las manos, y a recebir su bendición, beneplácito y licencia para esta tercera salida, hallé otra de la que buscaba: halléla encantada y convertida de princesa en labradora, de hermosa en fea, de ángel en diablo, de olorosa en pestífera, de bien hablada en rústica, de reposada en brincadora, de luz en tinieblas, y, finalmente, de Dulcinea del Toboso en una villana de Sayago.

—¡Válame Dios! —dando una gran voz, dijo a este instante el duque—. ¿Quién ha sido el que tanto mal ha hecho al mundo? ¿Quién ha quitado dél la belleza que le alegraba, el donaire que le entretenía y la honestidad que le acreditaba?

—¿Quién? —respondió don Quijote—. ¿Quién puede ser sino algún maligno encantador de los muchos invidiosos que me persiguen? Esta raza maldita, nacida en el mundo para escurecer y aniquilar las hazañas de los buenos, y para dar luz y levantar los fechos de los malos. Perseguido me han encantadores, encantadores me persiguen, y encantadores me perseguirán hasta dar conmigo y con mis altas caballerías en el profundo abismo del olvido, y en aquella parte me dañan y hieren donde veen que más lo siento; porque quitarle a un caballero andante su dama es quitarle los ojos con que mira, y el sol con que se alumbra, y el sustento con que se mantiene. Otras muchas veces lo he dicho, y ahora lo vuelvo a

---

[6] *deslumbrada,* ofuscada.
[7] *rasguño,* apunte para un dibujo.

decir: que el caballero andante sin dama es como el árbol sin hojas, el edificio sin cimiento, y la sombra sin cuerpo de quien se cause.

—No hay más que decir —dijo la duquesa—; pero si, con todo eso, hemos de dar crédito a la historia que del señor don Quijote de pocos días a esta parte ha salido a la luz del mundo, con general aplauso de las gentes, della se colige, si mal no me acuerdo, que nunca vuesa merced ha visto a la señora Dulcinea, y que esta tal señora no es en el mundo, sino que es dama fantástica, que vuesa merced la engendró y parió en su entendimiento, y la pintó con todas aquellas gracias y perfeciones que quiso.

—En eso hay mucho que decir —respondió don Quijote—. Dios sabe si hay Dulcinea o no en el mundo, o si es fantástica, o no es fantástica; y éstas no son de las cosas cuya averiguación se ha de llevar hasta el cabo. Ni yo engendré ni parí a mi señora, puesto que la contemplo como conviene que sea una dama que contenga en sí las partes que puedan hacerla famosa en todas las del mundo, como son: hermosa sin tacha, grave sin soberbia, amorosa con honestidad, agradecida por cortés, cortés por bien criada y, finalmente, alta por linaje, a causa que sobre la buena sangre resplandece y campea la hermosura con más grados de perfeción que en las hermosas humildemente nacidas.

—Así es —dijo el duque—; pero hame de dar licencia el señor don Quijote para que diga lo que me fuerza a decir la historia que de sus hazañas he leído, de donde se infiere que, puesto que se conceda que hay Dulcinea, en el Toboso o fuera dél, y que sea hermosa en el sumo grado que vuesa merced nos la pinta, en lo de la alteza del linaje no corre parejas con las Orianas, con las Alastrajareas, con las Madásimas[8], ni con otras deste jaez, de quien están llenas las historias que vuesa merced bien sabe.

—A eso puedo decir —respondió don Quijote— que Dulcinea es hija de sus obras, y que las virtudes adoban

---

[8] *Oriana*, la amada de Amadís de Gaula; *Alastrajarea*, esposa de don Falanges de Astra en el libro *Don Florisel de Niquea*; *Madásima*, varias damas de este nombre aparecen en el *Amadís de Gaula*.

la sangre, y que en más se ha de estimar y tener un humilde virtuoso que un vicioso levantado; cuanto más que Dulcinea tiene un jirón⁹ que la puede llevar a ser reina de corona y ceptro; que el merecimiento de una mujer hermosa y virtuosa a hacer mayores milagros se estiende, y, aunque no formalmente, virtualmente tiene en sí encerradas mayores venturas.

—Digo, señor don Quijote —dijo la duquesa—, que en todo cuanto vuestra merced dice va con pie de plomo, y, como suele decirse, con la sonda en la mano; y que yo desde aquí adelante creeré y haré creer a todos los de mi casa, y aun al duque mi señor, si fuere menester, que hay Dulcinea en el Toboso, y que vive hoy día, y es hermosa, y principalmente nacida, y merecedora que un tal caballero como es el señor don Quijote la sirva; que es lo más que puedo ni sé encarecer. Pero no puedo dejar de formar un escrúpulo, y tener algún no sé qué de ojeriza contra Sancho Panza: el escrúpulo es que dice la historia referida que el tal Sancho Panza halló a la tal señora Dulcinea, cuando de parte de vuestra merced le llevó una epístola, ahechando un costal de trigo, y, por más señas, dice que era rubión: cosa que me hace dudar en la alteza de su linaje.

A lo que respondió don Quijote:

—Señora mía, sabrá la vuestra grandeza que todas o las más cosas que a mí me suceden van fuera de los términos ordinarios de las que a los otros caballeros andantes acontecen, o ya sean encaminadas por el querer inescrutable de los hados, o ya vengan encaminadas por la malicia de algún encantador invidioso; y como es cosa ya averiguada que todos o los más caballeros andantes y famosos, uno tenga gracia de no poder ser encantado, otro de ser de tan impenetrables carnes, que no pueda ser herido, como lo fue el famoso Roldán, uno de los doce Pares de Francia, de quien se cuenta que no podía ser ferido sino por la planta del pie izquierdo, y que esto había de ser con la punta de un alfiler gordo, y no con otra suerte de arma alguna; y así, cuando Bernardo del Carpio le mató en Roncesvalles, viendo que no le podía llagar con fierro, le levantó del suelo entre los

---

⁹ *jirón*, aquí en el sentido de figura heráldica.

brazos, y le ahogó, acordándose entonces de la muerte
que dio Hércules a Anteón, aquel feroz gigante que decían ser hijo de la Tierra. Quiero inferir de lo dicho, que
podría ser que yo tuviese alguna gracia déstas, no del no
poder ser ferido, porque muchas veces la experiencia me
ha mostrado que soy de carnes blandas y no nada impenetrables, ni la de no poder ser encantado, que ya me
he visto metido en una jaula, donde todo el mundo no
fuera poderoso a encerrarme, si no fuera a fuerzas de encantamentos; pero pues de aquél me libré, quiero creer
que no ha de haber otro alguno que me empezca; y así,
viendo estos encantadores que con mi persona no pueden
usar de sus malas mañas, vénganse en las cosas que más
quiero, y quieren quitarme la vida maltratando la de
Dulcinea, por quien yo vivo; y así, creo que cuando mi
escudero le llevó mi embajada, se la convirtieron en villana y ocupada en tan bajo ejercicio como es el de ahe-
char trigo; pero ya tengo yo dicho que aquel trigo ni era
rubión ni trigo, sino granos de perlas orientales; y para
prueba desta verdad quiero decir a vuestras magnitudes
como viniendo poco ha por el Toboso, jamás pude hallar
los palacios de Dulcinea; y que otro día, habiéndola visto Sancho, mi escudero, en su mesma figura, que es la
más bella del orbe, a mí me pareció una labradora tosca
y fea, y no nada bien razonada, siendo la discreción del
mundo; y pues yo no estoy encantado, ni lo puedo estar,
según buen discurso, ella es la encantada, la ofendida y la
mudada, trocada y trastrocada, y en ella se han vengado
de mí mis enemigos, y por ella viviré yo en perpetuas
lágrimas, hasta verla en su prístino estado. Todo esto he
dicho para que nadie repare en lo que Sancho dijo del cernido ni del ahecho de Dulcinea; que pues a mí me la mudaron, no es maravilla que a él se la cambiasen. Dulcinea
es principal y bien nacida, y de los hidalgos linajes que
hay en el Toboso, que son muchos, antiguos y muy buenos, a buen seguro que no le cabe poca parte a la sin
par Dulcinea, por quien su lugar será famoso y nombrado en los venideros siglos, como lo ha sido Troya por
Elena, y España por la Cava, aunque con mejor título y
fama. Por otra parte, quiero que entiendan vuestras señorías que Sancho Panza es uno de los más graciosos
escuderos que jamás sirvió a caballero andante; tiene a

veces unas simplicidades tan agudas, que el pensar si es
simple o agudo causa no pequeño contento; tiene malicias que le condenan por bellaco, y descuidos que le confirman por bobo; duda de todo, y créele todo; cuando
pienso que se va a despeñar de tonto, sale con unas discreciones, que le levantan al cielo. Finalmente, yo no le
trocaría con otro escudero, aunque me diesen de añadidura una ciudad; y así, estoy en duda si será bien enviarle al gobierno de quien vuestra grandeza le ha hecho
merced; aunque veo en él una cierta aptitud para esto
de gobernar, que atusándole tantico el entendimiento, se
saldría con cualquiera gobierno, como el rey con sus alcabalas; y más que ya por muchas experiencias sabemos
que no es menester ni mucha habilidad ni muchas letras
para ser uno gobernador, pues hay por ahí ciento que
apenas saben leer, y gobiernan como unos girifaltes[10]; el
toque está en que tengan buena intención y deseen acertar en todo; que nunca les faltará quien les aconseje y
encamine en lo que han de hacer, como los gobernadores caballeros y no letrados, que sentencian con asesor.
Aconsejaríale yo que ni tome cohecho, ni pierda derecho, y otras cosillas que me quedan en el estómago, que
saldrán a su tiempo, para utilidad de Sancho y provecho
de la ínsula que gobernare.

A este punto llegaban de su coloquio el duque, la duquesa y don Quijote, cuando oyeron muchas voces y gran
rumor de gente en el palacio, y a deshora[11] entró Sancho
en la sala, todo asustado, con un cernadero[12] por babador, y tras él muchos mozos, o, por mejor decir, pícaros
de cocina y otra gente menuda, y uno venía con un ar-
tesoncillo de agua, que en la color y poca limpieza mostraba ser de fregar; seguíale y perseguíale el de la artesa, y
procuraba con toda solicitud ponérsela y encajársela debajo de las barbas, y otro pícaro mostraba querérselas
lavar.

—¿Qué es esto, hermanos? —preguntó la duquesa—.
¿Qué es esto? ¿Qué queréis a ese buen hombre? ¿Cómo
y no consideráis que está electo gobernador?

---

[10] *girifalte,* halcón mayor. Sin duda quiere decir que gobiernan
con agudeza («como un águila»).
[11] *a deshora,* de improviso.
[12] *cernadero,* lienzo gordo y basto que se emplea para colar lejía.

A lo que respondió el pícaro barbero:

—No quiere este señor dejarse lavar, como es usanza, y como se la lavó el duque mi señor y el señor su amo.

—Sí quiero —respondió Sancho con mucha cólera—; pero querría que fuese con toallas más limpias, con lejía más clara y con manos no tan sucias; que no hay tanta diferencia de mí a mi amo, que a él le laven con agua de ángeles y a mí con lejía de diablos. Las usanzas de las tierras y de los palacios de los príncipes tanto son buenas cuanto no dan pesadumbre; pero la costumbre del lavatorio que aquí se usa, peor es que de diciplinantes. Yo estoy limpio de barbas y no tengo necesidad de semejantes refrigerios; y el que se llegare a lavarme ni a tocarme a un pelo de la cabeza, digo, de mi barba, hablando con el debido acatamiento, le daré tal puñada, que le deje el puño engastado en los cascos; que estas tales cirimonias y jabonaduras más parecen burlas que gasajos de huéspedes.

Perecida de risa estaba la duquesa viendo la cólera y oyendo las razones de Sancho; pero no dio mucho gusto a don Quijote verle tan mal adeliñado con la jaspeada toalla, y tan rodeado de tantos entretenidos de cocina; y así, haciendo una profunda reverencia a los duques, como que les pedía licencia para hablar, con voz reposada dijo a la canalla:

—¡Hola, señores caballeros! Vuesas mercedes dejen al mancebo, y vuélvanse por donde vinieron, o por otra parte si se les antojare; que mi escudero es limpio tanto como otro, y esas artesillas son para él estrechas, y penantes[13] búcaros. Tomen mi consejo y déjenle; porque ni él ni yo sabemos de achaque de burlas.

Cogióle la razón de la boca Sancho, y prosiguió diciendo:

—¡No, sino lléguense a hacer burla del mostrenco; que así lo sufriré como ahora es de noche! Traigan aquí un peine, o lo que quisieren, y almohácenme[14] estas barbas; y si sacaren dellas cosa que ofenda a la limpieza, que me trasquilen a cruces[15].

---

[13] *penantes*, vasijas de boca estrecha.
[14] *almohazar*, cepillar una caballería.
[15] *trasquilar a cruces*, cortar el pelo de modo desigual y grosero, como se hacía a los tontos.

A esta sazón, sin dejar la risa, dijo la duquesa:

—Sancho Panza tiene razón en todo cuanto ha dicho, y la tendrá en todo cuanto dijere: él es limpio, y, como él dice, no tiene necesidad de lavarse; y si nuestra usanza no le contenta, su alma es su palma[16], cuanto más que vosotros, ministros de la limpieza, habéis andado demasiadamente de remisos y descuidados, y no sé si diga atrevidos, a traer a tal personaje y a tales barbas, en lugar de fuentes y aguamaniles de oro puro y de alemanas toallas, artesillas y dornajos de palo y rodillas de aparadores[17]. Pero, en fin, sois malos y mal nacidos, y no podéis dejar, como malandrines que sois, de mostrar la ojeriza que tenéis con los escuderos de los andantes caballeros.

Creyeron los apicarados ministros, y aun el maestresala, que venía con ellos, que la duquesa hablaba de veras, y así, quitaron el cernadero del pecho de Sancho, y todos confusos y casi corridos se fueron y le dejaron; el cual, viéndose fuera de aquel, a su parecer, sumo peligro, se fue a hincar de rodillas ante la duquesa, y dijo:

—De grandes señoras, grandes mercedes se esperan; esta que la vuestra merced hoy me ha fecho no puede pagarse con menos si no es con desear verme armado caballero andante, para ocuparme todos los días de mi vida en servir a tan alta señora. Labrador soy, Sancho Panza me llamo, casado soy, hijos tengo y de escudero sirvo; si con alguna destas cosas puedo servir a vuestra grandeza, menos tardaré yo en obedecer que vuestra señoría en mandar.

—Bien parece, Sancho —respondió la duquesa—, que habéis aprendido a ser cortés en la escuela de la misma cortesía; bien parece, quiero decir, que os habéis criado a los pechos del señor don Quijote, que debe de ser la nata de los comedimientos y la flor de las ceremonias, o *cirimonias,* como vos decís. Bien haya tal señor y tal criado, el uno, por norte de la andante caballería, y el otro, por estrella de la escuderil fidelidad. Levantaos, Sancho amigo; que yo satisfaré vuestras cortesías con hacer que el

---

[16] *su alma es su palma,* allá se las haya.
[17] *rodillas,* paños bastos de limpieza; *aparadores,* anaqueles de cocina.

duque mi señor, lo más presto que pudiere, os cumpla la merced prometida del gobierno.

Con esto cesó la plática, y don Quijote se fue a reposar la siesta, y la duquesa pidió a Sancho que, si no tenía mucha gana de dormir, viniese a pasar la tarde con ella y con sus doncellas en una muy fresca sala. Sancho respondió que, aunque era verdad que tenía por costumbre dormir cuatro o cinco horas las siestas del verano, que, por servir a su bondad, él procuraría con todas sus fuerzas no dormir aquel día ninguna, y vendría obediente a su mandado, y fuese. El duque dio nuevas órdenes como se tratase a don Quijote como a caballero andante, sin salir un punto del estilo como cuentan que se trataban los antiguos caballeros.

CAPÍTULO XXXIII

De la sabrosa plática que la duquesa y sus doncellas pasaron con Sancho Panza, digna de que se lea y de que se note

CUENTA, pues, la historia, que Sancho no durmió aquella siesta, sino que, por cumplir su palabra, vino en comiendo a ver a la duquesa; la cual, con el gusto que tenía de oírle, le hizo sentar junto a sí en una silla baja, aunque Sancho, de puro bien criado, no quería sentarse; pero la duquesa le dijo que se sentase como gobernador y hablase como escudero, puesto que por entrambas cosas merecía el mismo escaño del Cid Ruy Díaz Campeador[1].

Encogió Sancho los hombros, obedeció y sentóse, y todas las doncellas y dueñas de la duquesa la rodearon atentas, con grandísimo silencio, a escuchar lo que diría; pero la duquesa fue la que habló primero, diciendo:

—Ahora que estamos solos, y que aquí no nos oye nadie, querría yo que el señor gobernador me asolviese

---

[1] Según los romances y las crónicas el Cid regaló al rey Alfonso un rico escaño que había ganado al rey moro Búcar, o Yúsuf. Cuando el Cid visitó a su rey, éste le invitó a sentarse en el escaño (cfr. *Cantar del Cid*, versos 3114-3119).

ciertas dudas que tengo, nacidas de la historia que del
gran don Quijote anda ya impresa; una de las cuales
dudas es que, pues el buen Sancho nunca vio a Dulcinea,
digo, a la señora Dulcinea del Toboso, ni le llevó la carta
del señor don Quijote, porque se quedó en el libro de
memoria en Sierra Morena, cómo se atrevió a fingir la
respuesta, y aquello de que la halló ahechando trigo,
siendo todo burla y mentira, y tan en daño de la buena
opinión de la sin par Dulcinea, y todas[2] que no vienen
bien con la calidad y fidelidad de los buenos escuderos.

A estas razones, sin responder con alguna se levantó
Sancho de la silla, y con pasos quedos, el cuerpo agobiado y el dedo puesto sobre los labios, anduvo por toda la
sala levantando los doseles; y luego, esto hecho, se volvió
a sentar y dijo:

—Ahora, señora mía, que he visto que no nos escucha nadie de solapa, fuera de los circunstantes, sin temor
ni sobresalto responderé a lo que se me ha preguntado, y
a todo aquello que se me preguntare; y lo primero que
digo es que yo tengo a mi señor don Quijote por loco
rematado, puesto que algunas veces dice cosas que, a mi
parecer, y aun de todos aquellos que le escuchan, son tan
discretas y por tan buen carril encaminadas, que el mesmo Satanás no las podría decir mejores; pero, con todo
esto, verdaderamente y sin escrúpulo, a mí se me ha
asentado que es un mentecato. Pues como yo tengo esto
en el magín, me atrevo a hacerle creer lo que no lleva
pies ni cabeza, como fue aquello de la respuesta de la
carta, y lo de habrá seis o ocho· días, que aún no está en
historia, conviene a saber: lo del encanto de mi señora
doña Dulcinea, que le he dado a entender que está encantada, no siendo más verdad que por los cerros de
Úbeda.

Rogóle la duquesa que le contase aquel encantamento o burla, y Sancho se lo contó todo del mesmo modo
que había pasado, de que no poco gusto recibieron los
oyentes; y prosiguiendo en su plática, dijo la duquesa:

—De lo que el buen Sancho me ha contado me anda
brincando un escrúpulo en el alma y un cierto susurro
llega a mis oídos, que me dice: «Pues don Quijote de la

---

[2] *y todas*, se refiere a *burla y mentira*; algunos editores modernos enmiendan en *y cosas*.

Mancha es loco, menguado y mentecato, y Sancho Panza su escudero lo conoce, y, con todo eso, le sirve y le sigue y va atenido a las vanas promesas suyas, sin duda alguna debe de ser él más loco y tonto que su amo; y siendo esto así, como lo es, mal contado te será[3], señora duquesa, si al tal Sancho Panza le das ínsula que gobierne; porque el que no sabe gobernarse a sí, ¿cómo sabrá gobernar a otros?»

—Par Dios, señora —dijo Sancho—, que ese escrúpulo viene con parto derecho; pero dígale vuesa merced que hable claro, o como quisiere; que yo conozco que dice verdad: que si yo fuera discreto, días ha que había de haber dejado a mi amo. Pero ésta fue mi suerte, y ésta mi malandanza; no puedo más; seguirle tengo: somos de un mismo lugar, he comido su pan, quiérole bien, es agradecido, diome sus pollinos y, sobre todo, yo soy fiel; y así, es imposible que nos pueda apartar otro suceso que el de la pala y azadón. Y si vuestra altanería no quisiere que se me dé el prometido gobierno, de menos me hizo Dios, y podría ser que el no dármele redundase en pro de mi conciencia; que maguera[4] tonto, se me entiende aquel refrán de «por su mal le nacieron alas a la hormiga»; y aun podría ser que se fuese más aína[5] Sancho escudero al cielo, que no Sancho gobernador. Tan buen pan hacen aquí como en Francia; y de noche todos los gatos son pardos; y asaz de desdichada es la persona que a las dos de la tarde no se ha desayunado; y no hay estómago que sea un palmo mayor que otro; el cual se puede llenar, como suele decirse, de paja y de heno[6]; y las avecitas del campo tienen a Dios por su proveedor y despensero; y más calientan cuatro varas de paño de Cuenca que otras cuatro de limiste[7] de Segovia; y al dejar este mundo y meternos la tierra adentro, por tan estrecha senda va el príncipe como el jornalero, y no ocupa más pies de tierra el cuerpo del Papa que el del sacristán, aunque sea más alto el uno que el otro; que al entrar en el hoyo todos nos ajustamos y encogemos, o nos hacen ajustar y encoger, mal que nos pese y a buenas no-

---

[3] *mal contado te será*, no se te tendrá en cuenta.
[4] *maguera*, aún más rústico que *maguer*, aunque.
[5] *más aína*, más fácilmente.
[6] ...el vientre lleno», refrán.
[7] *limiste*, paño muy fino.

ches. Y torno a decir que si vuestra señoría no me quisiere dar la ínsula por tonto, yo sabré no dárseme nada
por discreto; y yo he oído decir que detrás de la cruz
está el diablo, y que no es oro todo lo que reluce, y que
de entre los bueyes, arados y coyundas sacaron al labrador Wamba para ser rey de España, y de entre los brocados, pasatiempos y riquezas sacaron a Rodrigo para
ser comido de culebras, si es que las trovas de los romances antiguos no mienten.

—Y ¡cómo que no mienten! —dijo a esta sazón doña
Rodríguez la dueña, que era una de las escuchantes—:
que un romance hay que dice que metieron al rey Rodrigo, vivo vivo, en una tumba llena de sapos, culebras y
lagartos, y que de allí a dos días dijo el rey desde dentro
de la tumba, con voz doliente y baja:

Ya me comen, ya me comen
por do más pecado había[8];

y según esto, mucha razón tiene este señor en decir que
quiere más ser más labrador que rey, si le han de comer
sabandijas.

No pudo la duquesa tener la risa oyendo la simplicidad de su dueña, ni dejó de admirarse en oír las razones y refranes de Sancho, a quien dijo:

—Ya sabe el buen Sancho que lo que una vez promete un caballero procura cumplirlo, aunque le cueste
la vida. El duque, mi señor y marido, aunque no es de
los andantes, no por eso deja de ser caballero; y así,
cumplirá la palabra de la prometida ínsula, a pesar de la
invidia y de la malicia del mundo. Esté Sancho de buen
ánimo; que cuando menos lo piense se verá sentado en
la silla de su ínsula y en la de su estado, y empuñará su
gobierno, que con otro de brocado de tres altos lo dese-
che[9]. Lo que yo le encargo es que mire cómo gobierna
sus vasallos, advirtiendo que todos son leales y bien nacidos.

—Eso de gobernarlos bien —respondió Sancho— no

---

[8] Versos de un romance sobre la muerte del rey don Rodrigo,
el último godo.
[9] «que no lo cambiaría por otro de más valor» (el *brocado de
tres altos* era el más rico; cfr. II, 10, nota 9).

hay para qué encargármelo, porque yo soy caritativo de
mío y tengo compasión de los pobres; y a quien cuece
y amasa, no le hurtes hogaza; y para mi santiguada que
no me han de echar dado falso; soy perro viejo, y entiendo todo tus, tus[10], y sé despabilarme a sus tiempos, y no
consiento que me anden musarañas ante los ojos, porque
sé dónde me aprieta el zapato: dígolo porque los buenos
tendrán conmigo mano y concavidad[11], y los malos, ni pie
ni entrada. Y paréceme a mí que en esto de los gobiernos
todo es comenzar, y podría ser que a quince días de gobernador me comiese las manos tras[12] el oficio; y supiese
más dél que de la labor del campo, en que me he criado.

—Vos tenéis razón, Sancho —dijo la duquesa—; que
nadie nace enseñado, y de los hombres se hacen los obispos, que no de las piedras. Pero volviendo a la plática
que poco ha tratábamos del encanto de la señora Dulcinea, tengo por cosa cierta y más que averiguada que
aquella imaginación que Sancho tuvo de burlar a su señor, y darle a entender que la labradora era Dulcinea,
y que si su señor no la conocía debía de ser por estar encantada, toda fue invención de alguno de los encantadores que al señor don Quijote persiguen; porque real y
verdaderamente yo sé de buena parte que la villana que
dio el brinco sobre la pollina era y es Dulcinea del Toboso, y que el buen Sancho, pensando ser el engañador, es
el engañado; y no hay poner más duda en esta verdad
que en las cosas que nunca vimos; y sepa el señor Sancho
Panza que también tenemos acá encantadores que nos
quieren bien, y nos dicen lo que pasa por el mundo, pura
y sencillamente, sin enredos ni máquinas; y créame Sancho que la villana brincadora era y es Dulcinea del Toboso, que está encantada como la madre que la parió; y
cuando menos nos pensemos, la habemos de ver en su
propia figura, y entonces saldrá Sancho del engaño en
que vive.

—Bien puede ser todo eso —dijo Sancho Panza—; y
agora quiero creer lo que mi amo cuenta de lo que vio
en la cueva de Montesinos, donde dice que vio a la seño-

---

[10] Alusión al refrán: «a perro viejo no hay tus, tus»; *tus tus* se
empleaba para llamar a los perros.
[11] «tendrán conmigo valimiento y cabida».
[12] *comerse las manos tras una cosa*, desearla ardientemente.

ra Dulcinea del Toboso en el mesmo traje y hábito que
yo dije que la había visto cuando la encanté por solo mi
gusto; y todo debió de ser al revés, como vuesa merced,
señora mía, dice, porque de mi ruin ingenio no se puede
ni debe presumir que fabricase en un instante tan agudo
embuste, ni creo yo que mi amo es tan loco, que con tan
flaca y magra persuasión como la mía creyese una cosa
tan fuera de todo término. Pero, señora, no por esto será
bien que vuestra bondad me tenga por malévolo, pues
no está obligado un porro como yo a taladrar los pensamientos y malicias de los pésimos encantadores: yo fingí
aquello por escaparme de las riñas de mi señor don Quijote, y no con intención de ofenderle; y si ha salido al
revés, Dios está en el cielo, que juzga los corazones.

—Así es la verdad —dijo la duquesa—; pero dígame
agora, Sancho, qué es esto que dice de la cueva de Montesinos; que gustaría saberlo.

Entonces Sancho Panza le contó punto por punto lo
que queda dicho acerca de la tal aventura. Oyendo lo cual
la duquesa, dijo:

—Deste suceso se puede inferir que pues el gran don
Quijote dice que vio allí a la mesma labradora que Sancho vio a la salida del Toboso, sin duda es Dulcinea, y
que andan por aquí los encantadores muy listos y demasiadamente curiosos.

—Eso digo yo —dijo Sancho Panza—; que si mi señora Dulcinea del Toboso está encantada, su daño[13]; que
yo no me tengo de tomar, yo, con los enemigos de mi
amo, que deben de ser muchos y malos. Verdad sea que
la que yo vi fue una labradora, y por labradora la tuve,
y por tal labradora la juzgué; y si aquélla era Dulcinea,
no ha de estar a mi cuenta, ni ha de correr por mí, o sobre ello, morena[14]. No, sino ándense a cada triquete[15] conmigo a dime y direte, «Sancho lo dijo, Sancho lo hizo,
Sancho tornó y Sancho volvió», como si Sancho fuese
algún quienquiera, y no fuese el mismo Sancho Panza, el
que anda ya en libros por ese mundo adelante, según me
dijo Sansón Carrasco, que, por lo menos, es persona ba-
chillerada por Salamanca, y los tales no pueden mentir

[13] *su daño*, peor para ella.
[14] *o sobre ello, morena*, amenaza en tono de burla.
[15] *a cada triquete*, a cada momento.

si no es cuando se les antoja o les viene muy a cuento;
así, que no hay para qué nadie se tome conmigo, y pues
que tengo buena fama, y, según oí decir a mi señor, que
más vale el buen nombre que las muchas riquezas, encá-
jenme ese gobierno, y verán maravillas; que quien ha
sido buen escudero será buen gobernador.

—Todo cuanto aquí ha dicho el buen Sancho —dijo
la duquesa— son sentencias catonianas, o, por lo menos,
sacadas de las mesmas entrañas del mismo Micael Verino, *florentibus occidit annis*[16]. En fin en fin, hablando a
su modo, debajo de mala capa suele haber buen bebedor.

—En verdad, señora —respondió Sancho—, que en
mi vida he bebido de malicia; con sed bien podría ser,
porque no tengo nada de hipócrita; bebo cuando tengo
gana, y cuando no la tengo, y cuando me lo dan, por
no parecer o melindroso o malcriado; que a un brindis
de un amigo, ¿qué corazón ha de haber tan de mármol,
que no haga la razón? Pero aunque las calzo, no las
ensucio; cuanto más que los escuderos de los caballeros
andantes, casi de ordinario beben agua, porque siempre
andan por florestas, selvas y prados, montañas y riscos,
sin hallar una misericordia[17] de vino, si dan[18] por ella
un ojo.

—Yo lo creo así —respondió la duquesa—. Y por
ahora, váyase Sancho a reposar; que después hablare-
mos más largo, y daremos orden como vaya presto a en-
cajarse, como él dice, aquel gobierno.

De nuevo le besó las manos Sancho a la duquesa, y
le suplicó le hiciese merced de que se tuviese buena cuenta con su rucio, porque era la lumbre de sus ojos.

—¿Qué rucio es éste? —preguntó la duquesa.

—Mi asno —respondió Sancho—, que por no nom-
brarle con este nombre, le suelo llamar el rucio; y a esta
señora dueña le rogué, cuando entré en este castillo, tuviese cuenta con él, y azoróse de manera como si la hubiera dicho que era fea o vieja, debiendo ser más propio

---

[16] «muerto en la flor de sus años», parte de un verso de Angelo
Poliziano en honor del poeta Miguel Verino y puesto al frente de la
edición de sus Dísticos morales, también en latín, libro que tuvo
bastante éxito en España (la edición de Barcelona, 1512, lleva comentarios de Martín Ivarra). Murió Verino a los diecinueve años y
en modo alguno era balear, como algunos suponen.
[17] *misericordia*, limosna.
[18] *si dan*, aunque den.

y natural de las dueñas pensar[19] jumentos que autorizar[20] las salas. ¡Oh, válame Dios, y cuán mal estaba con estas señoras un hidalgo de mi lugar!

—Sería algún villano —dijo doña Rodríguez la dueña—; que si él fuera hidalgo y bien nacido, él las pusiera sobre el cuerno de la luna.

—Agora bien —dijo la duquesa—, no haya más: calle doña Rodríguez, y sosiéguese el señor Panza, y quédese a mi cargo el regalo del rucio; que por ser alhaja de Sancho, le pondré yo sobre las niñas de mis ojos.

—En la caballeriza basta que esté —respondió Sancho—; que sobre las niñas de los ojos de vuestra grandeza ni él ni yo somos dignos de estar sólo un momento, y así lo consentiría yo como darme de puñaladas; que aunque dice mi señor que en las cortesías antes se ha de perder por carta de más que de menos, en las jumentiles y así niñas[21] se ha de ir con el compás en la mano y con medido término.

—Llévele —dijo la duquesa— Sancho al gobierno, y allá le podrá regalar como quisiere, y aun jubilarle del trabajo.

—No piense vuesa merced, señora duquesa, que ha dicho mucho —dijo Sancho—; que yo he visto ir más de dos asnos a los gobiernos, y que llevase yo el mío no sería cosa nueva.

Las razones de Sancho renovaron en la duquesa la risa y el contento; y enviándole a reposar, ella fue a dar cuenta al duque de lo que con él había pasado, y entre los dos dieron traza y orden de hacer una burla a don Quijote, que fuese famosa y viniese bien con el estilo caballeresco; en el cual le hicieron muchas, tan propias y discretas, que son las mejores aventuras que en esta grande historia se contienen.

---

[19] *pensar*, dar pienso.
[20] *autorizar*, dar prestancia con la autoridad o importancia de una persona.
[21] *así niñas*, o sea, tan insignificantes; es lo que se lee en la primera edición. Muchas ediciones enmiendan en *asininas*, asnales.

CAPÍTULO XXXIV

QUE CUENTA DE LA NOTICIA QUE SE TUVO DE CÓMO SE
HABÍA DE DESENCANTAR LA SIN PAR DULCINEA DEL TOBOSO,
QUE ES UNA DE LAS AVENTURAS MÁS FAMOSAS DESTE LIBRO

GRANDE era el gusto que recebían el duque y la duquesa de la conversación de don Quijote y de la de
Sancho Panza; y confirmándose en la intención que tenían de hacerles algunas burlas que llevasen vislumbres
y apariencias de aventuras, tomaron motivo de la que
don Quijote ya les había contado de la cueva de Montesinos, para hacerle una que fuese famosa —pero de lo
que más la duquesa se admiraba era que la simplicidad
de Sancho fuese tanta, que hubiese venido a creer ser
verdad infalible que Dulcinea del Toboso estuviese encantada, habiendo sido él mesmo el encantador y el embustero de aquel negocio—; y así, habiendo dado orden a
sus criados de todo lo que habían de hacer, de allí a seis
días le llevaron a caza de montería, con tanto aparato de
monteros y cazadores como pudiera llevar un rey coronado. Diéronle a don Quijote un vestido de monte y a
Sancho otro verde, de finísimo paño; pero don Quijote
no se le quiso poner, diciendo que otro día había de volver al duro ejercicio de las armas y que no podía llevar
consigo guardarropas ni reposterías[1]. Sancho sí tomó el
que le dieron, con intención de venderle en la primera
ocasión que pudiese.

Llegado, pues, el esperado día, armóse don Quijote,
vistióse Sancho, y encima de su rucio, que no le quiso
dejar, aunque le daban un caballo, se metió entre la tropa de los monteros. La duquesa salió bizarramente aderezada, y don Quijote, de puro cortés y comedido, tomó la
rienda de su palafrén, aunque el duque no quería consen-
tirlo, y, finalmente, llegaron a un bosque que entre dos
altísimas montañas estaba, donde tomados los puestos, paranzas[2] y veredas, y repartida la gente por diferentes

[1] *repostería,* conjunto de provisiones y ropas que se necesitan
en un palacio.
[2] *paranza,* trampa o puesto desde donde se oculta el cazador
para sorprender la caza.

puestos, se comenzó la caza con grande estruendo, grita y vocería, de manera que unos a otros no podían oírse, así por el ladrido de los perros como por el son de las bocinas.

Apeóse la duquesa, y, con un agudo venablo en las manos, se puso en un puesto por donde ella sabía que solían venir algunos jabalíes. Apeóse asimismo el duque, y don Quijote, y pusiéronse a sus lados; Sancho se puso detrás de todos, sin apearse del rucio, a quien no osara desamparar, porque no le sucediese algún desmán. Y apenas habían sentado el pie y puesto en ala con otros muchos criados suyos, cuando, acosado de los perros y seguido de los cazadores, vieron que hacia ellos venía un desmesurado jabalí, crujiendo dientes y colmillos y arrojando espuma por la boca; y en viéndole, embrazando su escudo y puesta mano a su espada, se adelantó a recebirle don Quijote. Lo mesmo hizo el duque con su venablo; pero a todos se adelantara la duquesa, si el duque no se lo estorbara. Sólo Sancho, en viendo al valiente animal, desamparó al rucio y dio a correr cuanto pudo, y procurando subirse sobre una alta encina, no fue posible; antes, estando ya a la mitad dél[3], asido de una rama, pugnando subir a la cima, fue tan corto de ventura y tan desgraciado, que se desgajó la rama, y al venir al suelo, se quedó en el aire, asido de un gancho de la encina, sin poder llegar al suelo. Y viéndose así, y que el sayo verde se le rasgaba, y pareciéndole que si aquel fiero animal allí allegaba le podía alcanzar, comenzó a dar tantos gritos y a pedir socorro con tanto ahínco, que todos los que le oían y no le veían creyeron que estaba entre los dientes de alguna fiera.

Finalmente, el colmilludo jabalí quedó atravesado de las cuchillas de muchos venablos, que se le pusieron delante; y volviendo la cabeza don Quijote a los gritos de Sancho, que ya por ellos le había conocido, vióle pendiente de la encina y la cabeza abajo, y al rucio junto a él, que no le desamparó en su calamidad; y dice Cide Hamete que pocas veces vio a Sancho Panza sin ver al rucio, ni al rucio sin ver a Sancho: tal era la amistad y buena fe que entre los dos se guardaban.

---

[3] *dél* concuerda con el sujeto mental *árbol*, en vez de *encina*.

Llegó don Quijote y descolgó a Sancho; el cual, viéndose libre y en el suelo, miró lo desgarrado del sayo de monte, y pesóle en el alma; que pensó que tenía en el vestido un mayorazgo. En esto, atravesaron al jabalí poderoso sobre una acémila, y cubriéndole con matas de romero y con ramas de mirto, le llevaron, como en señal de vitoriosos despojos, a unas grandes tiendas de campaña que en la mitad del bosque estaban puestas, donde hallaron las mesas en orden y la comida aderezada, tan sumptuosa y grande, que se echaba bien de ver en ella la grandeza y magnificencia de quien la daba. Sancho, mostrando las llagas a la duquesa de su roto vestido, dijo:

—Si esta caza fuera de liebres o de pajarillos, seguro estuviera mi sayo de verse en este estremo. Yo no sé qué gusto se recibe de esperar a un animal que, si os alcanza con un colmillo, os puede quitar la vida; yo me acuerdo haber oído cantar un romance antiguo que dice:

De los osos seas comido,
como Favila el nombrado[4].

—Ése fue un rey godo —dijo don Quijote—, que yendo a caza de montería, le comió un oso.

—Eso es lo que yo digo —respondió Sancho—: que no querría yo que los príncipes y los reyes se pusiesen en semejantes peligros, a trueco de un gusto que parece que no le había de ser, pues consiste en matar a un animal que no ha cometido delito alguno.

—Antes os engañáis, Sancho —respondió el duque—; porque el ejercicio de la caza de monte es el más conveniente y necesario para los reyes y príncipes que otro alguno. La caza es una imagen de la guerra: hay en ella estratagemas, astucias, insidias para vencer a su salvo al enemigo; padécense en ella fríos grandísimos y calores intolerables; menoscábase el ocio y el sueño, corrobóranse las fuerzas, agilítanse los miembros del que la usa, y, en resolución, es ejercicio que se puede hacer sin perjuicio

[4] Versos de un romance publicado en un pliego suelto del siglo XVI, titulado *Maldiciones de Salaya, hechas a un criado suyo que se llamaba Misanco, sobre una capa que le hurtó* (cfr. R. Marín, VI, 96).

de nadie y con gusto de muchos; y lo mejor que él tiene
es que no es para todos, como lo es el de los otros géneros
de caza, excepto el de la volatería[5], que también es sólo
para reyes y grandes señores. Así que, ¡oh Sancho!, mudad de opinión, y cuando seáis gobernador, ocupaos en
la caza y veréis cómo os vale un pan por ciento[6].

—Eso no —respondió Sancho—: el buen gobernador,
la pierna quebrada, y en casa. ¡Bueno sería que viniesen
los negociantes a buscarle fatigados, y él estuviese en el
monte holgándose! ¡Así enhoramala andaría el gobierno!
Mía fe, señor, la caza y los pasatiempos más han de ser
para los holgazanes que para los gobernadores. En lo que
yo pienso entretenerme es en jugar al triunfo envidado[7]
las pascuas, y a los bolos los domingos y fiestas; que esas
cazas ni cazos no dicen con mi condición, ni hacen con
mi conciencia.

—Plega a Dios, Sancho, que así sea; porque del dicho al hecho hay gran trecho.

—Haya lo que hubiere —replicó Sancho—; que al
buen pagador no le duelen prendas, y más vale al que
Dios ayuda que al que mucho madruga, y tripas llevan
pies, que no pies a tripas; quiero decir que si Dios me
ayuda, y yo hago lo que debo con buena intención, sin
duda que gobernaré mejor que un gerifalte. ¡No, sino
pónganme el dedo en la boca, y verán si aprieto o no!

—¡Maldito seas de Dios y de todos sus santos, Sancho
maldito —dijo don Quijote—, y cuándo será el día,
como otras muchas veces he dicho, donde yo te vea hablar sin refranes una razón corriente y concertada! Vuestras grandezas dejen a este tonto, señores míos; que les
molerá las almas, no sólo puestas entre dos, sino entre
dos mil refranes, traídos tan a sazón y tan a tiempo cuanto le dé Dios a él la salud, o a mí si los quería escuchar.

—Los refranes de Sancho Panza —dijo la duquesa—,
puesto que son más que los del comendador Griego[8], no
por eso son en menos de estimar, por la brevedad de las

---

[5] *volatería*, caza de aves con aves de presa.
[6] *valer un pan por ciento*, hacer un buen negocio.
[7] *triunfo envidado*, cierto juego de naipes.
[8] *comendador Griego*, nombre que se daba al sabio helenista
Hernán Núñez de Guzmán, el Pinciano, que formó una extensa
colección de *Refranes o proverbios en romance*, que se publicó en
Salamanca en 1555.

sentencias. De mí sé decir que me dan más gusto que
otros, aunque sean mejor traídos y con más sazón acomodados.

Con estos y otros entretenidos razonamientos, salieron
de la tienda al bosque, y en requerir algunas paranzas[9],
presto se les pasó el día y se les vino la noche, y no tan
clara ni tan sesga[10] como la sazón del tiempo pedía, que
era en la mitad del verano; pero un cierto claroescuro
que trujo consigo ayudó mucho a la intención de los duques, y así, como comenzó a anochecer, un poco más adelante del crepúsculo, a deshora pareció que todo el bosque
por todas cuatro partes se ardía, y luego se oyeron por aquí
y por allí, y por acá y por acullá, infinitas cornetas y
otros instrumentos de guerra, como de muchas tropas de
caballería que por el bosque pasaba. La luz del fuego,
el son de los bélicos instrumentos, casi cegaron y atrona-
ron los ojos y los oídos de los circunstantes, y aun de todos los que en el bosque estaban.

Luego se oyeron infinitos lelilíes[11], al uso de moros
cuando entran en las batallas; sonaron trompetas y clarines, retumbaron tambores, resonaron pífaros, casi todos a un tiempo, tan contino y tan apriesa, que no tuviera sentido el que no quedara sin él al son confuso de
tantos instrumentos. Pasmóse el duque, suspendióse la duquesa, admiróse don Quijote, tembló Sancho Panza, y,
finalmente, aun hasta los mesmos sabidores de la causa
se espantaron. Con el temor les cogió el silencio, y un
postillón que en traje de demonio les pasó por delante,
tocando en vez de corneta un hueco y desmesurado cuerno, que un ronco y espantoso son despedía.

—¡Hola, hermano correo! —dijo el duque—; ¿quién
sois, adónde vais, y qué gente de guerra es la que por
este bosque parece que atraviesa?

A lo que respondió el correo con voz horrísona y desenfadada:

—Yo soy el Diablo; voy a buscar a don Quijote de
la Mancha; la gente que por aquí viene son seis tropas
de encantadores, que sobre un carro triunfante traen a la
sin par Dulcinea del Toboso. Encantada viene con el ga-

---

[9] *paranzas*, trampas.
[10] *sesga*, sosegada.
[11] *lelilíes*, grito de los moros al entrar en combate.

llardo francés Montesinos, a dar orden a don Quijote de cómo ha de ser desencantada la tal señora.

—Si vos fuérades diablo, como decís y como vuestra figura muestra, ya hubiérades conocido al tal caballero don Quijote de la Mancha, pues le tenéis delante.

—En Dios y en mi conciencia —respondió el Diablo— que no miraba en ello; porque traigo en tantas cosas divertidos los pensamientos, que de la principal a que venía se me olvidaba.

—Sin duda —dijo Sancho— que este demonio debe de ser hombre de bien y buen cristiano; porque, a no serlo, no jurara *en Dios y en mi conciencia*. Ahora yo tengo para mí que aun en el mesmo infierno debe de haber buena gente.

Luego el Demonio, sin apearse, encaminando la vista a don Quijote, dijo:

—A ti, el Caballero de los Leones (que entre las garras dellos te vea yo), me envía el desgraciado pero valiente caballero Montesinos, mandándome que de su parte te diga que le esperes en el mismo lugar que te topare, a causa que trae consigo a la que llaman Dulcinea del Toboso, con orden de darte la que es menester para desencantarla. Y por no ser para más mi venida, no ha de ser más mi estada: los demonios como yo queden contigo, y los ángeles buenos con estos señores.

Y en diciendo esto, tocó el desaforado cuerno, y volvió las espaldas y fuese, sin esperar respuesta de ninguno.

Renovóse la admiración en todos, especialmente en Sancho y don Quijote: en Sancho, en ver que, a despecho de la verdad, querían que estuviese encantada Dulcinea; en don Quijote, por no poder asegurarse si era verdad o no lo que le había pasado en la cueva de Montesinos. Y estando elevado en estos pensamientos, el duque le dijo:

—¿Piensa vuestra merced esperar, señor don Quijote?

—Pues ¿no? —respondió él—. Aquí esperaré intrépido y fuerte, si me viniese a embestir todo el infierno.

—Pues si yo veo otro diablo y oigo otro cuerno como el pasado, así esperaré yo aquí como en Flandes —dijo Sancho.

En esto, se cerró más la noche, y comenzaron a dis-

currir muchas luces por el bosque, bien así como discu-
rren por el cielo las exhalaciones secas de la tierra, que
parecen a nuestra vista estrellas que corren. Oyóse asimismo un espantoso ruido, al modo de aquel que se causa de las ruedas macizas que suelen traer los carros de
bueyes, de cuyo chirrío áspero y continuado se dice que
huyen los lobos y los osos, si los hay por donde pasan.
Añadióse a toda esta tempestad otra que las aumentó todas, que fue que parecía verdaderamente que a las cuatro partes del bosque se estaban dando a un mismo tiempo cuatro rencuentros o batallas, porque allí sonaba el
duro estruendo de espantosa artillería; acullá se disparaban infinitas escopetas, cerca casi sonaban las voces
de los combatientes, lejos se reiteraban los lililíes agarenos.

Finalmente, las cornetas, los cuernos, las bocinas,
los clarines, las trompetas, los tambores, la artillería, los
arcabuces, y, sobre todo, el temeroso ruido de los carros,
formaban todos juntos un son tan confuso y tan horrendo,
que fue menester que don Quijote se valiese de todo su
corazón para sufrirle; pero el de Sancho vino a tierra, y
dio con él desmayado en las faldas de la duquesa, la cual
le recibió en ellas, y a gran priesa mandó que le echasen
agua en el rostro. Hízose así, y él volvió en su acuerdo, a
tiempo que ya un carro de las rechinantes ruedas llegaba
a aquel puesto.

Tirábanle cuatro perezosos bueyes, todos cubiertos de
paramentos negros; en cada cuerno traían atada y encendida una grande hacha de cera, y encima del carro venía
hecho un asiento alto, sobre el cual venía sentado un venerable viejo, con una barba más blanca que la mesma
nieve, y tan luenga, que le pasaba de la cintura; su vestidura era una ropa larga de negro bocací[12], que por venir el carro lleno de infinitas luces, se podía bien divisar
y discernir todo lo que en él venía. Guiábanle dos feos
demonios vestidos del mesmo bocací, con tan feos rostros, que Sancho, habiéndolos visto una vez, cerró los ojos
por no verlos otra. Llegando, pues, el carro a igualar al
puesto, se levantó de su alto asiento el viejo venerable,
y puesto en pie, dando una gran voz, dijo:

---

[12] *bocací*, tela gruesa y basta.

—Yo soy el sabio Lirgandeo[13].

Y pasó el carro adelante, sin hablar más palabra. Tras éste pasó otro carro de la misma manera, con otro viejo entronizado; el cual, haciendo que el carro se detuviese, con voz no menos grave que el otro, dijo:

—Yo soy el sabio Alquife[14]: el grande amigo de Urganda la Desconocida.

Y pasó adelante.

Luego, por el mismo continente, llegó otro carro; pero el que venía sentado en el trono no era viejo como los demás, sino hombrón robusto y de mala catadura; el cual, al llegar, levantándose en pie, como los otros, dijo con voz más ronca y más endiablada:

—Yo soy Arcalaus[15], el encantador, enemigo mortal de Amadís de Gaula y de toda su parentela.

Y pasó adelante. Poco desviados de allí hicieron alto estos tres carros, y cesó el enfadoso ruido de sus ruedas, y luego se oyó otro, no ruido, sino un son de una suave y concertada música formado, con que Sancho se alegró, y lo tuvo a buena señal; y así, dijo a la duquesa, de quien un punto ni un paso se apartaba:

—Señora, donde hay música no puede haber cosa mala.

—Tampoco donde hay luces y claridad —respondió la duquesa.

A lo que replicó Sancho:

—Luz da el fuego, y claridad las hogueras, como lo vemos en las que nos cercan, y bien podría ser que nos abrasasen; pero la música siempre es indicio de regocijos y de fiestas.

—Ello dirá —dijo don Quijote, que todo lo escuchaba.

Y dijo bien, como se muestra en el capítulo siguiente.

---

[13] *Lirgandeo*, fingido cronista del libro de caballerías *El Caballero del Febo*
[14] *Alquife*, mago que casó con Urganda la Desconocida.
[15] *Arcalaus*, encantador que tiene gran papel en el *Amadís de Gaula*.

CAPÍTULO XXXV

Donde se prosigue la noticia que tuvo don Quijote del desencanto de Dulcinea, con otros admirables sucesos*

Al compás de la agradable música vieron que hacia
ellos venía un carro de los que llaman triunfales. tirado de seis mulas pardas, encubertadas, empero, de lienzo blanco, y sobre cada una venía un diciplinante de luz[1],
asimesmo vestido de blanco, con una hacha de cera grande, encendida, en la mano. Era el carro dos veces, y aun
tres, mayor que los pasados, v los lados, y encima dél, ocu-
paban doce otros diciplinantes albos como la nieve, todos
con sus hachas encendidas, vista que admiraba y es-
pantaba juntamente; v en un levantado trono venía sentada una ninfa, vestida de mil velos de tela de plata,
brillando por todos ellos infinitas hojas de argentería de
oro[2], que la hacían, si no rica, a lo menos vistosamente
vestida. Traía el rostro cubierto con un transparente y
delicado cendal, de modo que, sin impedirlo sus lizos[3],
por entre ellos se descubría un hermosísimo rostro de
doncella. y las muchas luces daban lugar para distinguir
la belleza y los años, que, al parecer, no llegaban a veinte, ni bajaban de diez y siete.

Junto a ella venía una figura vestida de una ropa de
las que llaman rozagantes[4], hasta los pies, cubierta la ca-

---

* La figura de Merlín aparece ya formada en el siglo XII en
las obras latinas del fabuloso cronista Godofredo de Monmouth
y muy pronto prolifera en las novelas caballerescas escritas en
francés, sobre todo en las que tratan del rey Artús, de los caballeros de la Tabla Redonda y de la demanda del Grial. Además
de su raro nacimiento, más o menos demoníaco, Merlín se caracteriza por sus dotes adivinatorias y proféticas, que muy pronto se
conocieron por España. A Merlín se atribuían toda suerte de profecías, las más de las veces en verso, que no raramente tenían intención política: v hasta en el siglo XVI se inventaron unas pinto-
rescas profecías sobre los papas, que se atribuyeron a San Mala-
quías. pero que caen dentro del estilo merlinesco.

[1] *diciplinantes de luz*, los hermanos de una cofradía que en las
procesiones llevan cirios, en oposición a los *diciplinantes de carne*,
que son los que se azotan.

[2] *argentería de oro*, lentejuelas.

[3] *lizos*, hilos fuertes que sirven de urdimbre para ciertos tejidos.

[4] *rozagantes*, que arrastran por el suelo.

beza con un velo negro; pero al punto que llegó el carro
a estar frente a frente de los duques y de don Quijote,
cesó la música de las chirimías, y luego la de las arpas y
laúdes que en el carro sonaban; y levantándose en pie la
figura de la ropa, la apartó a entrambos lados, y quitándose el velo del rostro, descubrió patentemente ser la
mesma figura de la muerte, descarnada y fea, de que don
Quijote recibió pesadumbre, y Sancho miedo, y los duques hicieron algún sentimiento temeroso. Alzada y puesta en pie esta muerte viva, con voz algo dormida y con
lengua no muy despierta, comenzó a decir desta manera:

    —Yo soy Merlín, aquel que las historias
dicen que tuve por mi padre al diablo
(mentira autorizada de los tiempos),
príncipe de la Mágica y monarca
y archivo de la ciencia zoroástrica[5],
émulo a las edades y a los siglos,
que solapar pretenden las hazañas
de los andantes bravos caballeros
a quien yo tuve y tengo gran cariño.
Y puesto que es de los encantadores,
de los magos o mágicos contino
dura la condición, áspera y fuerte,
la mía es tierna, blanda y amorosa,
y amiga de hacer bien a todas gentes.
    En las cavernas lóbregas de Dite[6],
donde estaba mi alma entretenida
en formar ciertos rombos y caráteres[7],
llegó la voz doliente de la bella
y sin par Dulcinea del Toboso.
Supe su encantamento y su desgracia,
y su transformación de gentil dama
en rústica aldeana; condolíme,
y encerrando mi espíritu en el hueco
desta espantosa y fiera notomía[8],
después de haber revuelto cien mil libros

[5] *zoroástrica*, de Zoroastro, que era tenido por el inventor de
la magia.
[6] *Dite*, o sea, Dis, Plutón, rey del infierno mitológico.
[7] *caráteres*, caracteres (conservaba la acentuación del singular).
[8] *notomía*, anatomía, esqueleto.

desta mi ciencia endemoniada y torpe,
vengo a dar el remedio que conviene
a tamaño dolor, a mal tamaño.

        ¡Oh tú, gloria y honor de cuantos visten
las túnicas de acero y de diamante,
luz y farol, sendero, norte y guía
de aquellos que, dejando el torpe sueño
y las ociosas plumas, se acomodan
a usar el ejercicio intolerable
de las sangrientas y pesadas armas!
A ti digo, ¡oh varón como se debe
por jamás alabado!; a ti, valiente
juntamente y discreto don Quijote,
de la Mancha esplendor, de España estrella,
que para recobrar su estado primo
la sin par Dulcinea del Toboso,
es menester que Sancho, tu escudero,
se dé tres mil azotes y trecientos
en ambas sus valientes[9] posaderas,
al aire descubiertas, y de modo
que le escuezan, le amarguen y le enfaden.
Y en esto se resuelven todos cuantos
de su desgracia han sido los autores,
y a esto es mi venida, mis señores.

—¡Voto a tal! —dijo a esta sazón Sancho—. No digo
yo tres mil azotes; pero así me daré yo tres como tres puñaladas. ¡Válate el diablo por modo de desencantar! ¡Yo
no sé qué tienen que ver mis posas con los encantos!
¡Par Dios que si el señor Merlín no ha hallado otra manera como desencantar a la señora Dulcinea del Toboso,
encantada se podrá ir a la sepultura!

—Tomaros he yo —dijo don Quijote—, don villano, harto de ajos, y amarraros he a un árbol, desnudo
como vuestra madre os parió, y no digo yo tres mil y
trecientos, sino seis mil y seiscientos azotes os daré, tan
bien pegados, que no se os caigan a tres mil y trecientos tirones. Y no me repliquéis palabra, que os arrancaré el
alma.

Oyendo lo cual Merlín, dijo:

_____

⁹ *valientes*, grandes.

—No ha de ser así; porque los azotes que ha de recibir el buen Sancho han de ser por su voluntad, y no por fuerza, y en el tiempo que él quisiere; que no se le pone término señalado; pero permítesele que si él quisiere redimir su vejación por la mitad de este vapulamiento, puede dejar que se los dé ajena mano, aunque sea algo pesada.

—Ni ajena, ni propia, ni pesada, ni por pesar —replicó Sancho—: a mí no me ha de tocar alguna mano. ¿Parí yo, por ventura, a la señora Dulcinea del Toboso, para que paguen mis posas lo que pecaron sus ojos? El señor mi amo sí que es parte suya; pues la llama a cada paso *mi vida, mi alma*, sustento y arrimo suyo, se puede y debe azotar por ella y hacer todas las diligencias necesarias para su desencanto; pero ¿azotarme yo...? Abernuncio[10].

Apenas acabó de decir esto Sancho, cuando, levantándose en pie la argentada ninfa que junto al espíritu de Merlín venía, quitándose el sutil velo del rostro, le descubrió tal, que a todos pareció más que demasiadamente hermoso, y con un desenfado varonil y con una voz no muy adamada[11], hablando derechamente con Sancho Panza, dijo:

—¡Oh malaventurado escudero, alma de cántaro, corazón de alcornoque, de entrañas guijeñas y apedernaladas! Si te mandaran, ladrón desuellacaras, que te arrojaras de una alta torre al suelo; si te pidieran, enemigo del género humano, que te comieras una docena de sapos, dos de lagartos y tres de culebras; si te persuadieran a que mataras a tu mujer y a tus hijos con algún truculento y agudo alfanje, no fuera maravilla que te mostraras melindroso y esquivo; pero hacer caso de tres mil y trecientos azotes, que no hay niño de la doctrina, por ruin que sea, que no se los lleve cada mes, admira, adarva[12], espanta a todas las entrañas piadosas de los que lo escuchan, y aun las de todos aquellos que lo vinieren a saber con el discurso del tiempo. Pon, ¡oh miserable y endurecido animal!, pon, digo, esos tus ojos de mochuelo espan-

---

[10] *abernuncio*, vulgarismo por *abrenuncio*, palabra que entra en la fórmula litúrgica del bautizo o de su renovación, al rechazar a Satanás.

[11] *adamada*, de dama, femenina.

[12] *adarvar*, quedarse estupefacto.

tadizo en las niñas destos míos, comparados a rutilantes estrellas, y veráslos llorar hilo a hilo y madeja a madeja, haciendo surcos, carreras y sendas por los hermosos campos de mis mejillas. Muévate, socarrón y malintencionado monstro, que la edad tan florida mía, que aún se está todavía en el diez y … de los años, pues tengo diez y nueve, y no llego a veinte, se consume y marchita debajo de la corteza de una rústica labradora; y si ahora no lo parezco, es merced particular que me ha hecho el señor Merlín, que está presente, sólo porque te enternezca mi belleza; que las lágrimas de una afligida hermosura vuelven en algodón los riscos, y los tigres en ovejas. Date, date en esas carnazas, bestión indómito, y saca de harón[13] ese brío, que a sólo comer y más comer te inclina, y pon en libertad la lisura de mis carnes, la mansedumbre de mi condición y la belleza de mi faz, y si por mí no quieres ablandarte ni reducirte a algún razonable término, hazlo por ese pobre caballero que a tu lado tienes: por tu amo, digo, de quien estoy viendo el alma, que la tiene atravesada en la garganta, no diez dedos de los labios, que no espera sino tu rígida o blanda respuesta, o para salirse por la boca, o para volverse al estómago.

Tentóse, oyendo esto, la garganta don Quijote, y dijo, volviéndose al duque:

—Por Dios, señor, que Dulcinea ha dicho la verdad: que aquí tengo el alma atravesada en la garganta, como una nuez de ballesta.

—¿Qué decís vos a esto, Sancho? —preguntó la duquesa.

—Digo, señora —respondió Sancho—, lo que tengo dicho: que de los azotes, abernuncio.

—*Abrenuncio* habréis de decir, Sancho, y no como decís —dijo el duque.

—Déjeme vuestra grandeza —respondió Sancho—; que no estoy agora para mirar en sotilezas ni en letras más a menos; porque me tienen tan turbado estos azotes que me han de dar, o me tengo de dar, que no sé lo que me digo, ni lo que me hago. Pero querría yo saber de la señora mi señora doña Dulcinea del Toboso adónde aprendió el modo de rogar que tiene: viene a pedirme

---

[13] *sacar de harón*, sacar de la pereza.

que me abra las carnes a azotes, y llámame alma de cántaro y bestión indómito, con una tiramira[14] de malos
nombres, que el diablo los sufra. ¿Por ventura son mis
carnes de bronce, o vame a mí algo en que se desencante
o no? ¿Qué canasta de ropa blanca, de camisas, de tocadores y de escarpines[15], anque[16] no los gasto, trae delante
de sí para ablandarme, sino un vituperio y otro, sabiendo aquel refrán que dicen por ahí, que un asno cargado
de oro sube ligero por una montaña, y que dádivas que-
brantan peñas, y a Dios rogando y con el mazo dando, y
que más vale un «toma» que dos «te daré»? Pues el señor mi amo, que había de traerme la mano por el cerro[17]
y halagarme para que yo me hiciese de lana y de algodón
cardado, dice que si me coge me amarrará desnudo a un
árbol y me doblará la parada de los azotes; y habían de
considerar estos lastimados señores que no solamente piden que se azote un escudero, sino un gobernador; como
quien dice: «bebe con guindas»[18]. Aprendan, aprendan mucho
mucho de enhoramala a saber rogar, y a saber pedir, y
a tener crianza; que no son todos los tiempos unos, ni
están los hombres siempre de un buen humor. Estoy yo
ahora reventando de pena por ver mi sayo verde roto, y
vienen a pedirme que me azote de mi voluntad, estando
ella tan ajena dello como de volverme cacique.

—Pues en verdad, amigo Sancho —dijo el duque—,
que si no os ablandáis más que una breva madura, que
no habéis de empuñar el gobierno. ¡Bueno sería que yo
enviase a mis insulanos un gobernador cruel, de entrañas
pedernalinas, que no se dobrega a las lágrimas de las afli-
gidas doncellas, ni a los ruegos de discretos, imperiosos y
antiguos encantadores y sabios! En resolución, Sancho, o
vos habéis de ser azotado, o os han de azotar, o no habéis de ser gobernador.

—Señor —respondió Sancho—, ¿no se me darían dos
días de término para pensar lo que me está mejor?

—No, en ninguna manera —dijo Merlín—. Aquí, en

[14] *tiramira*, retahíla, serie.
[15] *escarpines*, calcetines.
[16] *anque*, vulgarismo por «aunque».
[17] *traer la mano por el cerro*, o sea, por el espinazo, halagar para amansar.
[18] *beber con guindas*, expresión con la que se encarece el refina-
miento de lo que se dice.

este instante y en este lugar, ha de quedar asentado lo que ha de ser deste negocio: o Dulcinea volverá a la cueva de Montesinos y a su prístino estado de labradora, o ya, en el ser que está, será llevada a los elíseos campos, donde estará esperando se cumpla el número del vápulo.

—Ea, buen Sancho —dijo la duquesa—, buen ánimo y buena correspondencia al pan que habéis comido del señor don Quijote, a quien todos debemos servir y agradar, por su buena condición y por sus altas caballerías. Dad el sí, hijo, desta azotaina, y váyase el diablo para diablo y el temor para mezquino; que un buen corazón quebranta mala ventura, como vos bien sabéis.

A estas razones respondió con estas disparatadas Sancho, que, hablando con Merlín, le preguntó:

—Dígame vuesa merced, señor Merlín: cuando llegó aquí el diablo correo y dio a mi amo un recado del señor Montesinos, mandándole de su parte que le esperase aquí, porque venía a dar orden de que la señora doña Dulcinea del Toboso se desencantase, y hasta agora no hemos visto a Montesinos, ni a sus semejas.

A lo cual respondió Merlín:

—El Diablo, amigo Sancho, es un ignorante y un grandísimo bellaco: yo le envié en busca de vuestro amo, pero no con recado de Montesinos, sino mío; porque Montesinos se está en su cueva entendiendo, o, por mejor decir, esperando su desencanto, que aún le falta la cola por desollar. Si os debe algo, o tenéis alguna cosa que negociar con él, yo os le traeré y pondré donde vos más quisiéredes. Y por agora, acabad de dar el sí desta diciplina, y creedme que os será de mucho provecho, así para el alma como para el cuerpo: para el alma, por la caridad con que la haréis; para el cuerpo, porque yo sé que sois de complexión sanguínea, y nos os podrá hacer daño sacaros un poco de sangre.

—Muchos médicos hay en el mundo: hasta los encantadores son médicos —replicó Sancho—; pero pues todos me lo dicen, aunque yo no me lo veo, digo que soy contento de darme los tres mil y trecientos azotes, con condición que me los tengo de dar cada y cuando que yo quisiere, sin que se me ponga tasa en los días ni en el tiempo; y yo procuraré salir de la deuda lo más presto que sea posible, porque goce el mundo de la hermosura de la señora doña Dulcinea del Toboso, pues, según parece, al revés de lo que yo pensaba, en efecto es hermosa. Ha de ser también condición que no he de estar obligado a sacarme sangre con la diciplina y que si algunos azotes fueren de mosqueo[19], se me han de tomar en cuenta. Ítem, que si me errare en el número, el señor Merlín, pues lo sabe todo, ha de tener cuidado de contarlos y de avisarme los que me faltan o los que me sobran.

—De las sobras no habrá que avisar —respondió Merlín—; porque llegando al cabal número, luego quedará de improviso desencantada la señora Dulcinea, y vendrá a buscar, como agradecida, al buen Sancho, y a darle gracias, y aun premios, por la buena obra. Así que no hay de qué tener escrúpulo de las sobras ni de las faltas, ni el cielo permita que yo engañe a nadie, aunque sea en un pelo de la cabeza.

—¡Ea, pues, a la mano de Dios! —dijo Sancho—. Yo consiento en mi mala ventura; digo que yo acepto la penitencia, con las condiciones apuntadas.

Apenas dijo estas últimas palabras Sancho, cuando volvió a sonar la música de las chirimías y se volvieron a disparar infinitos arcabuces, y don Quijote se colgó del cuello de Sancho, dándole mil besos en la frente y en las mejillas. La duquesa y el duque y todos los circunstantes dieron muestras de haber recebido grandísimo contento, y el carro comenzó a caminar; y al pasar la hermosa Dulcinea inclinó la cabeza a los duques y hizo una gran reverencia a Sancho.

Y ya, en esto, se venía a más andar el alba, alegre y risueña; las florecillas de los campos se descollaban y erguían, y los líquidos cristales de los arroyuelos, murmurando por entre blancas y pardas guijas, iban a dar tributo a los ríos que los esperaban. La tierra alegre, el cielo claro, el aire limpio, la luz serena, cada uno por sí y todos juntos daban manifiestas señales que el día que al aurora venía pisando las faldas había de ser sereno y claro. Y satisfechos los duques de la caza, y de haber conseguido su intención tan discreta y felicemente, se volvie-

---

[19] *de mosqueo*, para espantar las moscas.

ron a su castillo, con prosupuesto[20] de segundar en sus burlas; que para ellos no había veras que más gusto les diesen.

CAPÍTULO XXXVI

Donde se cuenta la estraña y jamás imaginada aventura de la dueña Dolorida, alias de la condesa Trifaldi, con una carta que Sancho Panza escribió a su mujer Teresa Panza[*]

TENÍA un mayordomo el duque, de muy burlesco y desenfadado ingenio, el cual hizo la figura de Merlín y acomodó todo el aparato de la aventura pasada, compuso los versos y hizo que un paje hiciese a Dulcinea. Finalmente, con intervención de sus señores ordenó otra, del más gracioso y estraño artificio que puede imaginarse.

Preguntó la duquesa a Sancho otro día si había comenzado la tarea de la penitencia que había de hacer por el desencanto de Dulcinea. Dijo que sí, y que aquella noche se había dado cinco azotes. Preguntóle la duquesa que con qué se los había dado. Respondió que con la mano.

—Eso —replicó la duquesa— más es darse de palmadas que de azotes. Yo tengo para mí que el sabio Merlín no estará contento con tanta blandura; menester será que el buen Sancho haga alguna disciplina de abrojos, o de las de canelones[1], que se dejen sentir; porque la letra con sangre entra, y no se ha de dar tan barata la libertad de una tan gran señora como lo es Dulcinea por tan poco precio; y advierta Sancho que las obras de

---

[20] *prosupuesto*, intención, propósito.

[*] La acción de este capítulo ocurre el 20 de julio de 1614, fecha que va al pie de la carta de Sancho a su mujer (sin duda la del día en que la escribía Cervantes). Ello supone un grave error cronológico, pues la acción de la segunda parte se inicia un mes después de acabada la de la primera, que se publicó en 1605. Esto podría deberse al interés de Cervantes en tratar, en esta segunda parte, acontecimientos inmediatos, como el bandolerismo catalán y la expulsión de los moriscos.

[1] *canelones*, disciplinas de extremos gruesos y retorcidos.

caridad que se hacen tibia y flojamente no tienen mérito ni valen nada[2].

A lo que respondió Sancho:

—Deme vuestra señoría alguna diciplina o ramal conveniente, que yo me daré con él como no me duela demasiado; porque hago saber a vuesa merced que, aunque
soy rústico, mis carnes tienen más de algodón que de esparto, y no será bien que yo me descríe por el provecho
ajeno.

—Sea en buena hora —respondió la duquesa—; yo
os daré mañana una diciplina que os venga muy al justo
y se acomode con la ternura de vuestras carnes, como si
fueran sus hermanas propias.

A lo que dijo Sancho:

—Sepa vuestra alteza, señora mía de mi ánima, que
yo tengo escrita una carta a mi mujer Teresa Panza,
dándole cuenta de todo lo que me ha sucedido después
que me aparté della; aquí la tengo en el seno, que no le
falta más de ponerle el sobreescrito; querría que vuestra
discreción la leyese, porque me parece que va conforme
a lo de gobernador, digo, al modo que deben de escribir
los gobernadores.

—¿Y quién la notó[3]? —preguntó la duquesa.

—¿Quién la había de notar sino yo, pecador de mí?
—respondió Sancho.

—¿Y escribístesla vos? —dijo la duquesa.

—Ni por pienso —respondió Sancho—, porque yo no
sé leer ni escribir, puesto que sé firmar[4].

—Veámosla —dijo la duquesa—; que a buen seguro
que vos mostréis en ella la calidad y suficiencia de vuestro ingenio.

Sacó Sancho una carta abierta del seno, y tomándola
la duquesa, vio que decía desta manera:

---

[2] Las palabras *las obras de caridad que se hacen tibia y flojamente no tienen mérito ni valen nada* fueron censuradas en el
Índice expurgatorio del cardenal Zapata (Sevilla, 1632), si bien
antes ya se habían suprimido en algunas ediciones. Para este
punto, véase R. Marín, X, 57-62; y Américo Castro, «Cervantes y
la Inquisición», en *Hacia Cervantes*, Madrid, 1957, 159-166.

[3] *notar*, dictar.

[4] *puesto que sé firmar*, aunque sé firmar.

Carta de Sancho Panza a Teresa Panza, su mujer

*Si buenos azotes me daban, bien caballero me iba[5];
si buen gobierno me tengo, buenos azotes me cuesta. Esto
no lo entenderás tú, Teresa mía, por ahora; otra vez lo
sabrás. Has de saber, Teresa, que tengo determinado que
andes en coche, que es lo que hace el caso; porque todo
otro andar es andar a gatas. Mujer de un gobernador
eres; ¡mira si te roerá nadie los zancajos! Ahí te envío
un vestido verde de cazador, que me dio mi señora la
duquesa; acomódale en modo que sirva de saya y cuerpos a nuestra hija. Don Quijote, mi amo, según he oído
decir en esta tierra, es un loco cuerdo y un mentecato
gracioso, y que yo no le voy en zaga. Hemos estado en
la cueva de Montesinos, y el sabio Merlín ha echado
mano de mí para el desencanto de Dulcinea del Toboso,
que por allá se llama Aldonza Lorenzo; con tres mil y
trecientos azotes, menos cinco, que me he de dar, quedará desencantada como la madre que la parió. No dirás
desto nada a nadie, porque pon lo tuyo en concejo, y
unos dirán que es blanco y otros que es negro. De aquí
a pocos días me partiré al gobierno, adonde voy con grandísimo deseo de hacer dineros porque me han dicho que
todos los gobernadores nuevos van con este mesmo deseo;
tomaréle el pulso, y avisaréte si has de venir a estar conmigo, o no. El rucio está bueno, y se te encomienda mucho; y no le pienso dejar, aunque me llevaran a ser Gran
Turco. La duquesa mi señora te besa mil veces las manos; vuélvele el retorno con dos mil; que no hay cosa que
menos cueste ni valga más barata, según dice mi amo,
que los buenos comedimientos. No ha sido Dios servido de
depararme otra maleta con otros cien escudos, como la
de marras; pero no te dé pena, Teresa mía; que en salvo
está el que repica, y todo saldrá en la colada del gobierno; sino que me ha dado gran pena que me dicen que
si una vez le pruebo, que me tengo de comer las manos
tras él, y si así fuese, no me costaría muy barato; aunque
los estropeados y mancos ya se tienen su calonjía en la
limosna que piden; así que, por una vía o por otra, tú*

---

[5] Esta frase revela, sin duda, algún dicho popular referente a
cierto individuo que era azotado por las calles montado en un asno.

has de ser rica, de buena ventura. Dios te la dé, como puede, y a mí me guarde para servirte. Deste castillo, a veinte de julio 1614.

Tu marido el gobernador,
SANCHO PANZA.

En acabando la duquesa de leer la carta, dijo a Sancho:

—En dos cosas anda un poco descaminado el buen gobernador: la una, en decir o dar a entender que este gobierno se le han dado por los azotes que se ha de dar, sabiendo él, que no lo puede negar, que cuando el duque, mi señor, se le prometió, no se soñaba haber azotes en el mundo; la otra es que se muestra en ella muy codicioso, y no querría que orégano fuese[6]; porque la codicia rompe el saco, y el gobernador codicioso hace la justicia desgobernada.

—Yo no lo digo por tanto, señora —respondió Sancho—; y si a vuesa merced le parece que la tal carta no va como ha de ir, no hay sino rasgarla y hacer otra nueva, y podría ser que fuese peor si me lo dejan a mi caletre.

—No, no —replicó la duquesa—: buena está ésta, y quiero que el duque la vea.

Con esto se fueron a un jardín, donde habían de comer aquel día. Mostró la duquesa la carta de Sancho al duque, de que recibió grandísimo contento. Comieron, y después de alzado[7] los manteles, y después de haberse entretenido un buen espacio con la sabrosa conversación de Sancho, a deshora se oyó el son tristísimo de un pífaro y el de un ronco y destemplado tambor. Todos mostraron alborotarse con la confusa, marcial y triste armonía, especialmente don Quijote, que no cabía en su asiento de puro alborotado; de Sancho no hay que decir sino que el miedo le llevó a su acostumbrado refugio, que era el lado o faldas de la duquesa, porque real y verdaderamente el son que se escuchaba era tristísimo y malencólico.

---

[6] *que orégano fuese,* que fuese verdad; expresión **tomada del refrán** «Quiera Dios que orégano sea y no se nos vuelva alcaravea» (véase I, 21, nota 2).
[7] *de* [haber] *alzado.*

Y estando todos así suspensos, vieron entrar por el jardín adelante dos hombres vestidos de luto, tan luengo y tendido, que les arrastraba por el suelo; éstos venían tocando dos grandes tambores, asimismo cubiertos de negro. A su lado venía el pífaro, negro y pizmiento[8] como los demás. Seguía a los tres un personaje de cuerpo agigantado, amantado, no que vestido, con una negrísima loba[9], cuya falda era asimismo desaforada de grande. Por encima de la loba le ceñía y atravesaba un ancho tahelí, también negro, de quien pendía un desmesurado alfanje de guarniciones y vaina negra. Venía cubierto el rostro con un trasparente velo negro, por quien se entreparecía una longísima barba, blanca como la nieve. Movía el paso al son de los tambores con mucha gravedad y reposo. En fin, su grandeza, su contoneo, su negrura y su acompañamiento pudiera y pudo suspender a todos aquellos que sin conocerle le miraron.

Llegó, pues, con el espacio y prosopopeya referida a hincarse de rodillas ante el duque, que en pie, con los demás que allí estaban, le atendía; pero el duque en ninguna manera le consintió hablar hasta que se levantase. Hízolo así el espantajo prodigioso, y puesto en pie, alzó el antifaz del rostro y hizo patente la más horrenda, la más larga, la más blanca y más poblada barba que hasta entonces humanos ojos habían visto, y luego desencajó y arrancó del ancho y dilatado pecho una voz grave y sonora, y poniendo los ojos en el duque, dijo:

—Altísimo y poderoso señor, a mí me llaman Trifaldín el de la Barba Blanca; soy escudero de la condesa Trifaldi, por otro nombre llamada la dueña Dolorida, de parte de la cual traigo a vuestra grandeza una embajada, y es que la vuestra magnificencia sea servida de darla facultad y licencia para entrar a decirle su cuita, que es una de las más nuevas y más admirables que el más cuitado pensamiento del orbe pueda haber pensado. Y primero quiere saber si está en este vuestro castillo el valeroso y jamás vencido caballero don Quijote de la Mancha, en cuya busca viene a pie y sin desayunarse desde el reino de Candaya hasta este vuestro estado, cosa que se puede y debe tener a milagro o a fuerza de encanta-

---

[8] *pizmiento*, negro como la pez.
[9] *loba*, vestidura talar, especie de sotana.

mento. Ella queda a la puerta desta fortaleza o casa de campo, y no aguarda para entrar sino vuestro beneplácito. Dije.

Y tosió luego y manoseóse la barba de arriba abajo con entrambas manos, y con mucho sosiego estuvo atendiendo la respuesta del duque, que fue:

—Ya, buen escudero Trifaldín de la Blanca Barba, ha muchos días que tenemos noticia de la desgracia de mi señora la condesa Trifaldi, a quien los encantadores la hacen llamar la dueña Dolorida; bien podéis, estupendo escudero, decirle que entre y que aquí está el valiente caballero don Quijote de la Mancha, de cuya condición generosa puede prometerse con seguridad todo amparo y toda ayuda; y asimismo le podréis decir de mi parte que si mi favor le fuere necesario, no le ha de faltar, pues ya me tiene obligado a dársele el ser caballero, a quien es anejo y concerniente favorecer a toda suerte de mujeres, en especial a las dueñas viudas, menoscabadas y doloridas, cual lo debe estar su señoría.

Oyendo lo cual Trifaldín, inclinó la rodilla hasta el suelo, y haciendo al pífaro y tambores señal que tocasen, al mismo son y al mismo paso que había entrado, se volvió a salir del jardín, dejando a todos admirados de su presencia y compostura. Y volviéndose el duque a don Quijote, le dijo:

—En fin, famoso caballero, no pueden las tinieblas de la malicia ni de la ignorancia encubrir y escurecer la luz del valor y de la virtud. Digo esto porque apenas ha seis días que la vuestra bondad está en este castillo, cuando ya os vienen a buscar de lueñas y apartadas tierras, y no en carrozas ni en dromedarios, sino a pie y en ayunas, los tristes, los afligidos, confiados que han de hallar en ese fortísimo brazo el remedio de sus cuitas y trabajos, merced a vuestras grandes hazañas, que corren y rodean todo lo descubierto de la tierra.

—Quisiera yo, señor duque —respondió don Quijote—, que estuviera aquí presente aquel bendito religioso que a la mesa el otro día mostró tener tan mal talante y tan mala ojeriza contra los caballeros andantes, para que viera por vista de ojos si los tales caballeros son necesarios en el mundo: tocara, por lo menos, con la mano que los extraordinariamente afligidos y desconsolados, en ca-

sos grandes y en desdichas inormes no van a buscar su
remedio a las casas de los letrados, ni a la de los sacris-
tanes de las aldeas, ni al caballero que nunca ha acertado a salir de los términos de su lugar, ni al perezoso
cortesano que antes busca nuevas para referirlas y con-
tarlas, que procura hacer obras y hazañas para que otros
las cuenten y las escriban; el remedio de las cuitas, el socorro de las necesidades, el amparo de las doncellas, el
consuelo de las viudas, en ninguna suerte de personas se
halla mejor que en los caballeros andantes, y de serlo yo
doy infinitas gracias al cielo, y doy por muy bien empleado cualquer desmán y trabajo que en este tan honroso ejercicio pueda sucederme. Venga esta dueña, y
pida lo que quisiere; que yo le libraré[10] su remedio en la
fuerza de mi brazo y en la intrépida resolución de mi
animoso espíritu.

CAPÍTULO XXXVII

DONDE SE PROSIGUE LA FAMOSA AVENTURA
DE LA DUEÑA DOLORIDA

E N estremo se holgaron el duque y la duquesa de ver
cuán bien iba respondiendo a su intención don Quijote, y a esta sazón dijo Sancho:

—No querría yo que esta señora dueña pusiese algún
tropiezo a la promesa de mi gobierno; porque yo he
oído decir a un boticario toledano que hablaba como un
silguero[1] que donde interviniesen dueñas no podía suceder cosa buena. ¡Válame Dios, y qué mal estaba con ellas
el tal boticario! De lo que yo saco que, pues todas las
dueñas son enfadosas e impertinentes, de cualquier calidad y condición que sean, ¿qué serán las que son doloridas, como han dicho que es esta condesa Tres Faldas,
o Tres Colas? Que en mi tierra faldas y colas, colas y
faldas, todo es uno.

—Calla, Sancho amigo —dijo don Quijote—; que

---

[10] *libraré*, daré.
[1] *silguero*, jilguero.

pues esta señora dueña de tan lueñes tierras viene a buscarme, no debe ser de aquellas que el boticario tenía en su número, cuanto más que ésta es condesa, y cuando las condesas sirven de dueñas, será sirviendo a reinas y a emperatrices, que en sus casas son señorísimas que se sirven de otras dueñas.

A esto respondió doña Rodríguez, que se halló presente:

—Dueñas tiene mi señora la duquesa en su servicio, que pudieran ser condesas si la fortuna quisiera; pero allá van leyes do quieren reyes, y nadie diga mal de las dueñas, y más de las antiguas y doncellas; que aunque yo no lo soy, bien se me alcanza y se me trasluce la ventaja que hace una dueña doncella a una dueña viuda; y quien a nosotras trasquiló, las tijeras le quedaron en la mano.

—Con todo eso —replicó Sancho—, hay tanto que trasquilar en las dueñas, según mi barbero, cuanto será mejor no menear el arroz, aunque se pegue.

—Siempre los escuderos —respondió doña Rodríguez— son enemigos nuestros; que como son duendes de las antesalas y nos veen a cada paso, los ratos que no rezan, que son muchos, los gastan en murmurar de nosotras, desenterrándonos los huesos y enterrándonos la fama. Pues mándoles yo a los leños movibles[2] que, mal que les pese, hemos de vivir en el mundo, y en las casas principales, aunque muramos de hambre y cubramos con un negro monjil[3] nuestras delicadas o no delicadas carnes, como quien cubre o tapa un muladar con un tapiz en día de procesión. A fe que si me fuera dado, y el tiempo lo pidiera, que yo diera a entender, no sólo a los presentes, sino a todo el mundo, como no hay virtud que no se encierre en una dueña.

—Yo creo —dijo la duquesa— que mi buena doña Rodríguez tiene razón, y muy grande; pero conviene que aguarde tiempo para volver por sí y por las demás dueñas, para confundir la mala opinión de aquel mal boti-

---

[2] *leños movibles*, sin duda significa las galeras, a donde doña Rodríguez envía a los escuderos como forzados (cfr. «En lengua toscana *leño* suele significar el navío o galera», Covarrubias, s. v. *leño*).

[3] *monjil*, túnica o velo de monja, que también se usaba cuando se llevaba luto.

cario, y desarraigar la que tiene en su pecho el gran Sancho Panza.

A lo que Sancho respondió:

—Después que[4] tengo humos de gobernador se me han quitado los vaguidos de escudero, y no se me da por cuantas dueñas hay un cabrahígo[5].

Adelante pasaran con el coloquio dueñesco, si no oyeran que el pífaro y los tambores volvían a sonar, por donde entendieron que la dueña Dolorida entraba. Preguntó la duquesa al duque si sería bien ir a recebirla, pues era condesa y persona principal.

—Por lo que tiene de condesa —respondió Sancho, antes que el duque respondiese—, bien estoy en que vuestras grandezas salgan a recebirla; pero por lo de dueña, soy de parecer que no se muevan un paso.

—¿Quién te mete a ti en esto, Sancho? —dijo don Quijote.

—¿Quién, señor? —respondió Sancho—. Yo me meto, que puedo meterme, como escudero que ha aprendido los términos de la cortesía en la escuela de vuesa merced, que es el más cortés y bien criado caballero que hay en toda la cortesanía; y en estas cosas, según he oído decir a vuesa merced, tanto se pierde por carta de más como por carta de menos; y al buen entendedor, pocas palabras.

—Así es, como Sancho dice —dijo el duque—; veremos el talle de la condesa, y por él tantearemos la cortesía que se le debe.

En esto, entraron los tambores y el pífaro, como la vez primera.

Y aquí, con este breve capítulo dio fin el autor, y comenzó el otro, siguiendo la mesma aventura, que es una de las más notables de la historia.

[4] *Después que,* desde que.
[5] *cabrahígo,* higo silvestre, en el sentido de una insignificancia.

CAPÍTULO XXXVIII

Donde se cuenta la que[1] dio de su mala andanza la dueña Dolorida

Detrás de los tristes músicos comenzaron a entrar por el jardín adelante hasta cantidad de doce dueñas, repartidas en dos hileras, todas vestidas de unos monjiles anchos, al parecer, de anascote[2] batanado, con unas tocas blancas de delgado canequí[3], tan luengas, que sólo el ribete del monjil descubrían. Tras ellas venía la condesa Trifaldi, a quien traía de la mano el escudero Trifaldín de la Blanca Barba, vestida de finísima y negra bayeta por frisar[4], que a venir frisada, descubriera cada grano del grandor de un garbanzo de los buenos de Martos. La cola, o falda, o como llamarla quisieren, era de tres puntas, las cuales se sustentaban en las manos de tres pajes, asimesmo vestidos de luto, haciendo una vistosa y matemática figura con aquellos tres ángulos acutos que las tres puntas formaban; por lo cual cayeron todos los que la falda puntiaguda miraron que por ella se debía llamar *la condesa Trifaldi*, como si dijésemos *la condesa de las Tres Faldas;* y así dice Benengeli que fue verdad, y que de su propio apellido se llama *la condesa Lobuna*, a causa que se criaban en su condado muchos lobos, y que si como eran lobos fueran zorras, la llamaran *la condesa Zorruna*, por ser costumbre en aquellas partes tomar los señores la denominación de sus nombres de la cosa o cosas en que más sus estados abundan; empero esta condesa, por favorecer la novedad de su falda, dejó el *Lobuna* y tomó el *Trifaldi*[5].

Venían las doce dueñas y la señora a paso de proce-

---

[1] *la* [cuenta] *que.*
[2] anascote, tela de lana propia para hábitos de religiosas.
[3] *canequí*, tela de algodón que venía de la India.
[4] *frisar*, retorcer los pelos del paño.
[5] Dado que el escudo de la casa ducal de Osuna trae tres jirones, y la semejanza de este título con Lobuna y Zorruna, R. Marín argumenta que aquí hay una malévola alusión de Cervantes y llega a proponer la identificación de la infanta Antonomasia con Magdalena Girón, y de don Clavijo con el escritor Luis Gálvez de Montalvo (X, 71-72).

sión, cubiertos los rostros con unos velos negros y no trasparentes como el de Trifaldín, sino tan apretados, que ninguna cosa se traslucían.

Así como acabó de parecer el dueñesco escuadrón, el duque, la duquesa y don Quijote se pusieron en pie, y todos aquellos que la espaciosa⁶ procesión miraban. Pararon las doce dueñas, y hicieron calle, por medio de la cual la Dolorida se adelantó, sin dejarla de la mano Trifaldín; viendo lo cual el duque, la duquesa y don Quijote, se adelantaron obra de doce pasos a recibirla. Ella, puesta las rodillas en el suelo, con voz antes basta y ronca que sutil y dilicada, dijo:

—Vuestras grandezas sean servidas de no hacer tanta cortesía a este su criado, digo, a esta su criada; porque según soy de dolorida, no acertaré a responder a lo que debo, a causa que mi estraña y jamás vista desdicha me ha llevado el entendimiento no sé adónde, y debe de ser muy lejos, pues cuanto más le busco, menos le hallo.

—Sin él estaría —respondió el duque—, señora condesa, el que no descubriese por vuestra persona vuestro valor, el cual, sin más ver, es merecedor de toda la nata de la cortesía y de toda la flor de las bien criadas ceremonias.

Y levantándola de la mano, la llevó a asentar en una silla junto a la duquesa, la cual la recibió asimismo con mucho comedimiento.

Don Quijote callaba, y Sancho andaba muerto por ver el rostro de la Trifaldi y de alguna de sus muchas dueñas; pero no fue posible, hasta que ellas de su agrado y voluntad se descubrieron.

Sosegados todos y puestos en silencio, estaban esperando quién le había de romper, y fue la dueña Dolorida, con estas palabras:

—Confiada estoy, señor poderosísimo, hermosísima señora y discretísimos circunstantes, que ha de hallar mi cuitísima en vuestros valerosísimos pechos acogimiento, no menos plácido que generoso y doloroso; porque ella es tal, que es bastante a enternecer los mármoles, y a ablandar los diamantes, y a molificar⁷ los aceros de los más endurecidos corazones del mundo; pero antes que

---

⁶ *espaciosa*, que va despacio, lenta.
⁷ *molificar*, ablandar.

salga a la plaza de vuestros oídos, por no decir orejas, quisiera que me hicieran sabidora si está en este gremio, corro y compañía, el acendradísimo caballero don Quijote de la Manchísima, y su escuderísimo Panza.

—El Panza —antes que otro respondiese, dijo Sancho— aquí está, y el don Quijotísimo asimismo; y así podréis, dolorosísima dueñísima, decir lo que quisieridísimis; que todos estamos prontos y aparejadísimos a ser vuestros servidorísimos.

En esto se levantó don Quijote, y encaminando sus razones a la Dolorida dueña, dijo:

—Si vuestras cuitas, angustiada señora, se pueden prometer alguna esperanza de remedio por algún valor o fuerzas de algún andante caballero, aquí están las mías que, aunque flacas y breves, todas se emplearán en vuestro servicio. Yo soy don Quijote de la Mancha, cuyo asumpto[8] es acudir a toda suerte de menesterosos, y siendo esto así, como lo es, no habéis menester, señora, captar benevolencias ni buscar preámbulos, sino a la llana y sin rodeos, decir vuestros males; que oídos os escuchan que sabrán, si no remediarlos, dolerse dellos.

Oyendo lo cual, la Dolorida dueña hizo señal de querer arrojarse a los pies de don Quijote, y aun se arrojó, y pugnando por abrazárselos, decía:

—Ante estos pies y piernas me arrojo, ¡oh caballero invicto!, por ser los que son basas y colunas de la andante caballería; estos pies quiero besar, de cuyos pasos pende y cuelga todo el remedio de mi desgracia, ¡oh valeroso andante, cuyas verdaderas fazañas dejan atrás y escurecen las fabulosas de los Amadises, Esplandianes y Belianises!

Y dejando a don Quijote, se volvió a Sancho Panza y asiéndole de las manos, le dijo:

—¡Oh tú, el más leal escudero que jamás sirvió a caballero andante en los presentes ni en los pasados siglos, más luengo en bondad que la barba de Trifaldín, mi acompañador, que está presente! Bien puedes preciarte que en servir al gran don Quijote sirves en cifra a toda la caterva de caballeros que han tratado las armas en el mundo. Conjúrote, por lo que debes a tu bondad fidelí-

---

[8] *asumpto*, profesión, empresa.

sima, me seas buen intercesor con tu dueño, para que luego favorezca a esta humilísima y desdichadísima condesa.

A lo que respondió Sancho:

—De que sea mi bondad, señora mía, tan larga y grande como la barba de vuestro escudero, a mí me hace muy poco al caso; barbada y con bigotes tenga yo mi alma[9] cuando desta vida vaya, que es lo que importa; que de las barbas de acá poco o nada me curo; pero sin esas socaliñas ni plegarias, yo rogaré a mi amo, que sé que me quiere bien, y más agora que me ha menester para cierto negocio, que favorezca y ayude a vuesa merced en todo lo que pudiere. Vuesa merced desembaúle su cuita, y cuéntenosla, y deje hacer; que todos nos entenderemos.

Reventaban de risa con estas cosas los duques, como aquellos que habían tomado el pulso a la tal aventura, y alababan entre sí la agudeza y disimulación de la Trifaldi, la cual, volviéndose a sentar, dijo:

—Del famoso reino de Candaya, que cae entre la gran Trapobana y el mar del Sur, dos leguas más allá del cabo Comorín[10], fue señora la reina doña Maguncia, viuda del rey Archipiela, su señor y marido, de cuyo matrimonio tuvieron y procrearon a la infanta Antonomasia, heredera del reino; la cual dicha infanta Antonomasia se crió y creció debajo de mi tutela y doctrina, por ser yo la más antigua y la más principal dueña de su madre. Sucedió, pues, que yendo días y viniendo días, la niña Antonomasia llegó a edad de catorce años, con tan gran perfeción de hermosura, que no la pudo subir más de punto la naturaleza. ¡Pues digamos agora que la discreción era mocosa! Así era discreta como bella, y era la más bella del mundo, y lo es si ya los hados invidiosos y las parcas endurecidas no la han cortado la estambre de la

---

[9] Esta frase procede de una anécdota: es la respuesta que daba cierto barbilampiño a los que se burlaban de su falta de pelo.

[10] El cabo *Comorín*, al sur de la península del Indostán, tiene al este la isla de Ceilán, llamada en los textos antiguos *Trapobana*. *Candaya* parece inspirado en el nombre de *Candu*, que es el que se da en los famosos viajes de Marco Polo a la región de Kien-Chang, en el norte de la parte central del río Yangtzé, en la China. Pero téngase en cuenta que todo esto es una burla que hace Cervantes, quien, con estos nombres orientales, da cierto colorido al pintoresco relato.

vida. Pero no habrán; que no han de permitir los cielos
que se haga tanto mal a la tierra como sería llevarse en
agraz el racimo del más hermoso veduño del suelo. De
esta hermosura, y no como se debe encarecida de mi
torpe lengua, se enamoró un número infinito de príncipes, así naturales como estranjeros, entre los cuales osó
levantar los pensamientos al cielo de tanta belleza un caballero particular que en la corte estaba, confiado en su
mocedad y en su bizarría, y en sus muchas habilidades y
gracias, y facilidad y felicidad de ingenio; porque hago
saber a vuestras grandezas, si no lo tienen por enojo, que
tocaba una guitarra que la hacía hablar; y más que era
poeta, y gran bailarín, y sabía hacer una jaula de pájaros, que solamente a hacerlas pudiera ganar la vida cuando se viera en estrema necesidad; que todas estas partes
y gracias son bastantes a derribar una montaña, no que
una delicada doncella. Pero toda su gentileza y buen donaire y todas sus gracias y habilidades fueran poca o ninguna parte para rendir la fortaleza de mi niña, si el ladrón desuellacaras no usara del remedio de rendirme a
mí primero. Primero quiso el malandrín y desalmado vagamundo granjearme la voluntad y cohecharme el gusto, para que yo, mal alcaide, le entregase las llaves de la
fortaleza que guardaba. En resolución, él me aduló el entendimiento y me rindió la voluntad con no sé qué dijes
y brincos[11] que me dio; pero lo que más me hizo postrar
y dar conmigo por el suelo fueron unas coplas que le oí
cantar una noche desde una reja que caía a una calle-
juela donde él estaba, que si mal no me acuerdo decían:

> De la dulce mi enemiga
> nace un mal que al alma hiere,
> y por más tormento, quiere
> que se sienta y no se diga[12].

Parecióme la trova de perlas, y su voz, de almíbar, y después acá, digo, desde entonces, viendo el mal en que caí
por estos y otros semejantes versos, he considerado que de
las buenas y concertadas repúblicas se habían de deste-

[11] *brinco*, joya pequeña colgante.
[12] Traducción de unos versos escritos por el poeta italiano Se-
rafino dell'Aquila (1466-1500).

rrar los poetas, como aconsejaba Platón, a lo menos, los
lascivos, porque escriben unas coplas, no como las del
marqués de Mantua, que entretienen y hacen llorar los
niños y a las mujeres, sino unas agudezas, que a modo
de blandas espinas os atraviesan el alma, y como rayos
os hieren en ella, dejando sano el vestido. Y otra vez
cantó:

Ven, muerte, tan escondida,
que no te sienta venir,
porque el placer del morir
no me torne a dar la vida[18].

Y deste jaez otras coplitas y estrambotes[14], que cantados
encantan y escritos suspenden. Pues ¿qué cuando se hu-
millan a componer un género de verso que en Candaya
se usaba entonces, a quien ellos llamaban seguidillas? Allí
era el brincar de las almas, el retozar de la risa, el desasosiego de los cuerpos y, finalmente, el azogue de todos
los sentidos. Y así, digo, señores míos, que los tales trovadores con justo título los debían desterrar a las islas de
los Lagartos[15]. Pero no tienen ellos la culpa, sino los simples que los alaban y las bobas que los creen; y si yo fuera la buena dueña que debía, no me habían de mover
sus trasnochados conceptos, ni había de creer ser verdad
aquel decir: «Vivo muriendo, ardo en el yelo, tiemblo
en el fuego, espero sin esperanza, pártome y quédome»,
con otros imposibles desta ralea, de que están sus escritos
llenos. Pues ¿qué cuando prometen el fénix de Arabia,
la corona de Aridiana[16], los caballos del Sol, del Sur las
perlas, de Tíbar el oro y de Pancaya el bálsamo? Aquí es
donde ellos alargan más la pluma, como les cuesta poco
prometer lo que jamás piensan ni pueden cumplir. Pero
¿dónde me divierto[17]? ¡Ay de mí, desdichada! ¿Qué

[18] Copla famosa del poeta valenciano del siglo xv el comendador
Escrivá, publicada en el *Cancionero general,* de Hernando del Castillo (1511), con el siguiente texto: «Ven, muerte, tan escondida,
Que no te sienta conmigo, Porque el gozo de contigo No me
torne a dar la vida». Cervantes da una versión modernizada.
[14] *estrambotes,* en el sentido antiguo de poesías burlescas.
[15] Según Fernández de Oviedo estaban al oeste de Jamaica.
[16] *Aridiana,* en realidad se trata de *Ariadna,* cuyo nombre tal
vez está corrompido adrede.
[17] *divertirse,* distraerse, apartarse del principal propósito.

locura o qué desatino me lleva a contar las ajenas faltas,
teniendo tanto que decir de las mías? ¡Ay de mí, otra vez,
sin ventura!, que no me rindieron los versos, sino mi
simplicidad; no me ablandaron las músicas, sino mi liviandad: mi mucha ignorancia y mi poco advertimiento
abrieron el camino y desembarazaron la senda a los pasos de don Clavijo, que éste es el nombre del referido caballero; y así, siendo yo la medianera, él se halló una y
muy muchas veces en la estancia de la por mí, y no por
él, engañada Antonomasia, debajo del título de verdadero esposo; que, aunque pecadora, no consintiera que sin
ser su marido la llegara a la vira[18] de la suela de sus
zapatillas. ¡No, no, eso no: el matrimonio ha de ir adelante en cualquier negocio destos que por mí se tratare!
Solamente hubo un daño en este negocio, que fue el de
la desigualdad, por ser don Clavijo un caballero particular, y la infanta Antonomasia heredera, como ya he dicho, del reino. Algunos días estuvo encubierta y solapada
en la sagacidad de mi recato esta maraña, hasta que me
pareció que la iba descubriendo a más andar no sé qué
hinchazón del vientre de Antonomasia, cuyo temor nos
hizo entrar en bureo a los tres, y salió dél que antes que
se saliese a luz el mal recado, don Clavijo pidiese ante el
vicario por su mujer a Antonomasia, en fe de una cédula
que de ser su esposa la infanta le había hecho, notada[19]
por mi ingenio, con tanta fuerza, que las de Sansón no
pudieran romperla. Hiciéronse las diligencias, vio el vicario la cédula, tomó el tal vicario la confesión a la señora,
confesó de plano, mandóla depositar en casa de un alguacil de corte muy honrado...

A esta sazón dijo Sancho:

—También en Candaya hay alguaciles de corte, poetas y seguidillas, por lo que puedo jurar que imagino que
todo el mundo es uno. Pero dése vuesa merced priesa,
señora Trifaldi; que es tarde, y ya me muero por saber
el fin desta tan larga historia.

—Sí haré —respondió la condesa.

[18] *vira*, badana que se cose entre la suela y la pala del calzado.
[19] *notada*, dictada.

CAPÍTULO XXXIX

Donde la Trifaldi prosigue su estupenda y memorable historia

De cualquiera palabra que Sancho decía, la duquesa gustaba tanto como se desesperaba don Quijote; y mandándole que callase, la Dolorida prosiguió diciendo:

—En fin, al cabo de muchas demandas y respuestas, como la ınfanta se estaba siempre en sus trece, sin salir ni variar de la primera declaración, el vicario sentenció en favor de don Clavijo, y se la entregó por su legítima esposa, de lo que recibió tanto enojo la reina doña Maguncia, madre de la infanta Antonomasia, que dentro de tres días la enterramos.

—Debió de morir, sin duda —dijo Sancho.

—¡Claro está! —respondió Trifaldín—; que en Candaya no se entierran las personas vivas, sino las muertas.

—Ya se ha visto, señor escudero —replicó Sancho—, enterrar un desmayado creyendo ser muerto, y parecíame a mí que estaba la reina Maguncia obligada a desmayarse antes que a morirse; que con la vida muchas cosas se remedian, y no fue tan grande el disparate de la infanta, que obligase a sentirle tanto. Cuando se hubiera casado esa señora con algún paje suyo, o con otro criado de su casa, como han hecho otras muchas, según he oído decir, fuera el daño sin remedio; pero el haberse casado con un caballero tan gentilhombre y tan entendido como aquí nos le han pintado, en verdad en verdad que, aunque fue necedad, no fue tan grande como se piensa; porque según las reglas de mi señor, que está presente y no me dejará mentir, así como se hacen de los hombres letrados los obispos, se pueden hacer de los caballeros, y más si son andantes, los reyes y los emperadores.

—Razón tienes, Sancho —dijo don Quijote—; porque un caballero andante, como tenga dos dedos de ventura, está en potencia propincua de[1] ser el mayor señor del mundo. Pero pase adelante la señora Dolorida, que

---

[1] *estar en potencia propincua de,* estar en posibilidad inmediata o próxima de.

a mí se me trasluce que le falta por contar lo amargo
desta hasta aquí dulce historia.

—Y ¡cómo si queda lo amargo! —respondió la condesa—. Y tan amargo, que en su comparación son dulces las tueras[2] y sabrosas las adelfas. Muerta, pues, la
reina, y no desmayada, la enterramos; y apenas la cubri-
mos con la tierra y apenas le dimos el último *vale*[3],
cuando

quis talia fando temperet a lacrymis?[4],

puesto sobre un caballo de madera, pareció encima de la
sepultura de la reina el gigante Malambruno, primo cormano[5] de Maguncia, que junto con ser cruel era encantador, el cual con sus artes, en venganza de la muerte de
su cormana, y por castigo del atrevimiento de don Clavijo, y por despecho de la demasía de Antonomasia, los
dejó encantados sobre la mesma sepultura, a ella, convertida en una jimia[6] de bronce, y a él, en un espantoso co-
codrilo de un metal no conocido, y entre los dos está un
padrón[7], asimismo de metal, y en él escritas en lengua si-
ríaca unas letras, que habiéndose declarado en la canda-
yesca, y ahora en la castellana, encierran esta sentencia:
*No cobrarán su primera forma estos dos atrevidos aman-
tes hasta que el valeroso manchego venga conmigo a las
manos en singular batalla; que para solo su gran valor
guardan los hados esta nunca vista aventura.* Hecho esto,
sacó de la vaina un ancho y desmesurado alfanje, y
asiéndome a mí por los cabellos, hizo finta[8] de querer se-
garme la gola y cortarme cercen la cabeza. Turbéme;
pegóseme la voz a la garganta; quedé mohína en todo
estremo; pero, con todo, me esforcé lo más que pude, y,
con voz tembladora y doliente, le dije tantas y tales cosas, que le hicieron suspender la ejecución de tan riguroso castigo. Finalmente, hizo traer ante sí todas las dueñas

---

[2] *tuera,* fruto del color y tamaño de la naranja, pero muy áspero, que se emplea como purgante.
[3] *vale,* adiós (en latín).
[4] «¿Quién, oyendo esto, contendrá las lágrimas?», cita abreviada
de Virgilio (*Eneida*, II, versos 6-8).
[5] *cormano,* cohermano, medio hermano.
[6] *jimia,* simia, mona.
[7] *padrón,* columna en la que hay una inscripción.
[8] *finta,* ademán hecho con intención de engañar, amago.

de palacio, que fueron estas que están presentes, y después de haber exagerado nuestra culpa y vituperado las condiciones de las dueñas, sus malas mañas y peores trazas, y cargando a todas la culpa que yo sola tenía, dijo que no quería con pena capital castigarnos, sino con otras penas dilatadas, que nos diesen una muerte civil y continua; y en aquel mismo momento y punto que acabó de decir esto, sentimos todas que se nos abrían los poros de la cara, y que por toda ella nos punzaban como con puntas de agujas. Acudimos luego con las manos a los rostros, y hallámonos de la manera que ahora veréis.

Y luego la Dolorida y las demás dueñas alzaron los antifaces con que cubiertas venían, y descubrieron los rostros, todos poblados de barbas, cuáles rubias, cuáles negras, cuáles blancas y cuáles albarrazadas[9], de cuya vista mostraron quedar admirados el duque y la duquesa, pasmados don Quijote y Sancho, y atónitos todos los presentes.

Y la Trifaldi prosiguió:

—Desta manera nos castigó aquel follón y malintencionado de Malambruno, cubriendo la blandura y morbidez de nuestros rostros con la aspereza destas cerdas; que pluguiera al cielo que antes con su desmesurado alfanje nos hubiera derribado las testas, que no que nos asombrara la luz de nuestras caras con esta borra que nos cubre; porque si entramos en cuenta, señores míos (y esto que voy a decir agora lo quisiera decir hechos mis ojos fuentes; pero la consideración de nuestra desgracia, y los mares que hasta aquí han llovido, los tienen sin humor y secos como aristas, y así, lo diré sin lágrimas), digo, pues, que ¿adónde podrá ir una dueña con barbas? ¿Qué padre o qué madre se dolerá della? ¿Quién la dará ayuda? Pues aun cuando tiene la tez lisa y el rostro martirizado con mil suertes de menjurjes y mudas[10] apenas halla quien bien la quiera, ¿qué hará cuando descubra hecho un bosque su rostro? ¡Oh dueñas y compañeras mías, en desdichado punto nacimos; en hora menguada nuestros padres nos engendraron!

Y diciendo esto, dio muestras de desmayarse.

---

[9] *albarrazadas*, de color mezclado de negro y rojo, abigarrado.
[10] *mudas*, afeites o pinturas para la cara.

CAPÍTULO XL

DE COSAS QUE ATAÑEN Y TOCAN A ESTA AVENTURA
Y A ESTA MEMORABLE HISTORIA

REAL y verdaderamente, todos los que gustan de semejantes historias como ésta deben de mostrarse agradecidos a Cide Hamete, su autor primero, por la curiosidad que tuvo en contarnos las semínimas[1] della, sin dejar cosa, por menuda que fuese, que no la sacase a luz distintamente. Pinta los pensamientos, descubre las imaginaciones, responde a las tácitas[2], aclara las dudas, resuelve los argumentos; finalmente, los átomos del más curioso deseo manifiesta. ¡Oh autor celebérrimo! ¡Oh don Quijote dichoso! ¡Oh Dulcinea famosa! ¡Oh Sancho Panza gracioso! Todos juntos y cada uno de por sí viváis siglos infinitos, para gusto y general pasatiempo de los vivientes.

Dice, pues, la historia que así como Sancho vio desmayada a la Dolorida, dijo:

—Por la fe de hombre de bien juro, y por el siglo de todos mis pasados los Panzas, que jamás he oído ni visto, ni mi amo me ha contado, ni en su pensamiento ha cabido, semejante aventura como ésta. Válgate mil satanases, por no maldecirte, por encantador y gigante, Malambruno, y ¿no hallaste otro género de castigo que dar a estas pecadoras sino el de barbarlas? ¿Cómo y no fuera mejor, y a ellas les estuviera más a cuento, quitarles la mitad de las narices de medio arriba, aunque hablaran gangoso, que no ponerles barbas? Apostaré yo que no tienen hacienda para pagar a quien las rape.

—Así es la verdad, señor —respondió una de las doce—: que no tenemos hacienda para mondarnos; y así, hemos tomado algunas de nosotras por remedio ahorrativo de usar de unos pegotes o parches pegajosos, y aplicándolos a los rostros, y tirando de golpe, quedamos rasas y lisas como fondo de mortero de piedra; que pues-

---

[1] *semínimas,* menudencias, minucias (propiamente una breve nota musical).
[2] *a las tácitas* [preguntas].

to que hay en Candaya mujeres que andan de casa en casa a quitar el vello y a pulir las cejas, y hacer otros menjurjes tocantes a mujeres, nosotras las dueñas de mi señora por jamás quisimos admitirlas, porque las más oliscan a terceras, habiendo dejado de ser primas[3]; y si por el señor don Quijote no somos remediadas, con barbas nos llevarán a la sepultura.

—Yo me pelaría las mías —dijo don Quijote— en tierra de moros, si no remediase las vuestras.

A este punto volvió de su desmayo la Trifaldi, y dijo:

—El retintín desa promesa, valeroso caballero, en medio de mi desmayo llegó a mis oídos, y ha sido parte para que yo dél vuelva y cobre todos mis sentidos; y así, de nuevo os suplico, andante ínclito y señor indomable, vuestra graciosa promesa se convierta en obra.

—Por mí no quedará —respondió don Quijote—: ved, señora, qué es lo que tengo de hacer; que el ánimo está muy pronto para serviros.

—Es el caso —respondió la Dolorida —que desde aquí al reino de Candaya, si se va por tierra, hay cinco mil leguas, dos más a menos; pero si se va por el aire y por la línea recta, hay tres mil y docientas y veinte y siete. Es también de saber que Malambruno me dijo que cuando la suerte me deparase al caballero nuestro libertador, que él le enviaría una cabalgadura harto mejor y con menos malicias que las que son de retorno[4], porque ha de ser aquel mesmo caballo de madera sobre quien llevó el valeroso Pierres robada a la linda Magalona[5], el cual caballo se rige por una clavija que tiene en la frente, que le sirve de freno, y vuela por el aire con tanta ligereza, que parece que los mesmos diablos le llevan. Este tal caballo, según es tradición antigua, fue compuesto por aquel sabio Merlín; prestósele a Pierres, que era su

---

[3] Juego de palabras: habiendo dejado de ser la persona primera (*prima*) en unos amores, han pasado a ser la *tercera* (intermediaria, celestina).

[4] *cabalgadura... de retorno*, la de alquiler, que ha de volver al sitio donde se contrató.

[5] Sobre el tema del caballo volador, véase el comentario preliminar al próximo capítulo. Adviértase ahora que este motivo no aparece en la novela que aquí se menciona, que es la *Historia de la linda Magalona, hija del rey de Nápoles, y de Pierres, hijo del conde de Provenza* (Burgos, 1519), narración de origen provenzal.

amigo, con el cual hizo grandes viajes, y robó, como se ha dicho, a la linda Magalona, llevándola a las ancas por el aire, dejando embobados a cuantos desde la tierra los miraban; y no le prestaba sino a quien él quería o mejor se lo pagaba; y desde el gran Pierres hasta ahora no sabemos que haya subido alguno en él. De allí le ha sacado Malambruno con sus artes, y le tiene en su poder, y se sirve dél en sus viajes, que los hace por momentos, por diversas partes del mundo, y hoy está aquí, y mañana en Francia, y otro día en Potosí; y es lo bueno que el tal caballo ni come, ni duerme, ni gasta herraduras, y lleva un portante por los aires, sin tener alas, que el que lleva encima puede llevar una taza llena de agua en la mano sin que se le derrame gota, según camina llano y reposado[6]; por lo cual la linda Magalona se holgaba mucho de andar caballera en él.

A esto dijo Sancho:

—Para andar reposado y llano, mi rucio, puesto que no anda por los aires; pero por la tierra, yo le cutiré[7] con cuantos portantes hay en el mundo.

Riéronse todos, y la Dolorida prosiguió:

—Y este tal caballo, si es que Malambruno quiere dar fin a nuestra desgracia, antes que sea media hora entrada la noche estará en nuestra presencia; porque él me significó que la señal que me daría por donde yo entendiese que había hallado el caballero que buscaba, sería enviarme el caballo, donde fuese con comodidad y presteza.

—Y ¿cuántos caben en ese caballo? —preguntó Sancho.

La Dolorida respondió:

—Dos personas: la una en la silla y la otra en las ancas; y por la mayor parte, estas tales dos personas son caballero y escudero, cuando falta alguna robada doncella.

—Querría yo saber, señora Dolorida —dijo Sancho—, qué nombre tiene ese caballo.

—El nombre —respondió la Dolorida— no es como el caballo de Belorofonte, que se llamaba Pegaso, ni

---

[6] Aquí Cervantes tal vez imita un pasaje del *Quijote* de Avellaneda (cap. 9).
[7] *cutir,* poner en competencia.

como el del Magno Alejandro, llamado Bucéfalo, ni como el del furioso Orlando, cuyo nombre fue Brilladoro, ni menos Bayarte, que fue el de Reinaldos de Montalbán, ni Frontino, como el de Rugero, ni Bootes ni Peritoa, como dicen que se llaman los del Sol, ni tampoco se llama Orelia, como el caballo en que el desdichado Rodrigo, último rey de los godos, entró en la batalla donde perdió la vida y el reino.

—Yo apostaré —dijo Sancho— que pues no le han dado ninguno desos famosos nombres de caballos tan conocidos, que tampoco le habrán dado el de mi amo, Rocinante, que en ser propio excede a todos los que se han nombrado.

—Así es —respondió la barbada condesa—; pero todavía le cuadra mucho, porque se llama Clavileño el Alígero, cuyo nombre conviene con el ser de leño, y con la clavija que trae en la frente, y con la ligereza con que camina; y así, en cuanto al nombre, bien puede competir con el famoso Rocinante.

—No me descontenta el nombre —replicó Sancho—; ¿pero con qué freno o con qué jáquima se gobierna?

—Ya he dicho —respondió la Trifaldi— que con la clavija, que volviéndola a una parte o a otra, el caballero que va encima le hace caminar como quiere, o ya por los aires, o ya rastreando y casi barriendo la tierra, o por el medio, que es el que se busca y se ha de tener en todas las acciones bien ordenadas.

—Ya lo querría ver —respondió Sancho—; pero pensar que tengo de subir en él, ni en la silla ni en las ancas, es pedir peras al olmo. ¡Bueno es que apenas puedo tenerme en mi rucio, y sobre un albarda más blanda que la mesma seda, y querrían ahora que me tuviese en unas ancas de tabla, sin cojín ni almohada alguna! Pardiez, yo no me pienso moler por quitar las barbas a nadie: cada cual se rape como más le viniere a cuento; que yo no pienso acompañar a mi señor en tan largo viaje. Cuanto más que yo no debo de hacer al caso para el rapamiento destas barbas como lo soy para el desencanto de mi señora Dulcinea.

—Sí sois, amigo —respondió la Trifaldi—; y tanto, que sin vuestra presencia entiendo que no haremos nada.

—¡Aquí del rey[8]! —dijo Sancho—. ¿Qué tienen que
ver los escuderos con las aventuras de sus señores? ¿Hanse de llevar ellos la fama de las que acaban, y hemos de
llevar nosotros el trabajo? ¡Cuerpo de mí! Aun si dijesen los historiadores: «El tal caballero acabó la tal y tal
aventura; pero con ayuda de fulano su escudero, sin el
cual fuera imposible el acabarla...» Pero ¡que escriban
a secas: «Don Paralipomenón de las Tres Estrellas acabó la aventura de los seis vestiglos», sin nombrar la persona de su escudero, que se halló presente a todo, como
si no fuera en el mundo! Ahora, señores, vuelvo a decir
que mi señor se puede ir solo, y buen provecho le haga; que yo me quedaré aquí, en compañía de la duquesa mi señora, y podría ser que cuando volviese hallase
mejorada la causa de la señora Dulcinea en tercio y quinto; porque pienso, en los ratos ociosos y desocupados,
darme una tanda de azotes, que no me la cubra pelo.

—Con todo eso, le habéis de acompañar si fuere necesario, buen Sancho, porque os lo rogarán buenos; que
no han de quedar por vuestro inútil temor tan poblados
los rostros destas señoras, que cierto sería mal caso[9].

—¡Aquí del rey otra vez! —replicó Sancho—. Cuando esta caridad se hiciera por algunas doncellas recogidas, o por algunas niñas de la doctrina, pudiera el hombre
aventurarse a cualquier trabajo; pero que lo sufra por
quitar las barbas a dueñas, ¡mal año! Mas que las viese
yo a todas con barbas, desde la mayor hasta la menor,
y de la más melindrosa hasta la más repulgada.

—Mal estáis con las dueñas, Sancho amigo —dijo la
duquesa—: mucho os vais tras la opinión del boticario
toledano. Pues a fe que no tenéis razón: que dueñas hay
en mi casa que pueden ser ejemplo de dueñas; que aquí
está mi doña Rodríguez, que no me dejará decir otra
cosa.

—Mas que la diga Vuestra Excelencia —dijo Rodríguez—; que Dios sabe la verdad de todo, y buenas
o malas, barbadas o lampiñas que seamos las dueñas,
también nos parió nuestra madre como a las otras mujeres; y pues Dios nos echó en el mundo, Él sabe para qué,

y a su misericordia me atengo, y no a las barbas de
nadie.

—Ahora bien, señora Rodríguez —dijo don Quijote—, y señora Trifaldi y compañía, yo espero en el cielo
que mirará con buenos ojos vuestras cuitas; que Sancho hará lo que yo le mandare, ya viniese Clavileño, y
ya me viese con Malambruno; que yo sé que no habría
navaja que con más facilidad rapase a vuestras mercedes como mi espada raparía de los hombros la cabeza
de Malambruno; que Dios sufre a los malos, pero no
para siempre.

—¡Ay! —dijo a esta sazón la Dolorida—. Con benignos ojos miren a vuestra grandeza, valeroso caballero, todas las estrellas de las regiones celestes, e infundan
en vuestro ánimo toda prosperidad v valentía para ser
escudo y amparo del vituperoso y abatido género dueñesco, abominado de boticarios, murmurado de escuderos y socaliñado de pajes[10]; que mal haya la bellaca que
en la flor de su edad no se metió primero a ser monja
que a dueña. ¡Desdichadas de nosotras las dueñas; que
aunque vengamos por línea recta, de varón en varón,
del mismo Héctor el troyano, no dejaran de echarnos un
vos[11] nuestras señoras, si pensasen por ello ser reinas!
¡Oh gigante Malambruno, que, aunque eres encantador,
eres certísimo en tus promesas!, envíanos ya al sin par
Clavileño, para que nuestra desdicha se acabe; que si
entra el calor y estas nuestras barbas duran, ¡guay de
nuestra aventura!

Dijo esto con tanto sentimiento la Trifaldi, que sacó
las lágrimas de los ojos de todos los circunstantes, y aun
arrasó los de Sancho, y propuso en su corazón de acompañar a su señor hasta las últimas partes del mundo, si
es que en ello consistiese quitar la lana de aquellos venerables rostros.

---

[10] *socaliñar*, sacar a uno con ardid o engaño alguna cosa.
[11] El tratamiento de *vos* se consideraba ofensivo, pues suponía
que se hablaba con un inferior.

CAPÍTULO XLI

DE LA VENIDA DE CLAVILEÑO, CON EL FIN DESTA DILATADA AVENTURA*

Llegó en esto la noche, y con ella el punto determinado en que el famoso caballo Clavileño viniese, cuya tardanza fatigaba ya a don Quijote, pareciéndole que, pues Malambruno se detenía en enviarle, o que él no era el caballero para quien estaba guardada aquella aventura, o que Malambruno no osaba venir con él a singular batalla. Pero veis aquí cuando a deshora entraron por el jardín cuatro salvajes, vestidos todos de verde yedra, que sobre sus hombros traían un gran caballo de madera. Pusiéronle de pies en el suelo, y uno de los salvajes dijo:

—Suba sobre esta máquina el que tuviere ánimo para ello.

—Aquí —dijo Sancho— yo no subo, porque ni tengo ánimo ni soy caballero.

* La aventura del Clavileño, una de las más famosas del *Quijote,* desarrolla paródicamente un tema propio de novelas medievales. Adenet li Rois, poeta de la corte de los duques de Brabante, había escrito, entre 1280 y 1294, una novela en verso francés titulada *Cléomadés,* cuyo protagonista, Marcadigás, hijo del rey de Castilla, se lanza en plena aventura montado en un caballo de madera que vuela por los aires, fabricado por el arte mágico del rey moro Compras de Bujía. Este motivo parece tener sus orígenes en un relato de las *Mil y unas noches,* y no deja de ser significativo que Adenet li Rois confiese haber escuchado el asunto de su novela de boca de la princesa Blanca de Francia, viuda del príncipe don Fernando de la Cerda, heredero de la corona de Castilla. Es de sospechar que el tema se divulgara por Europa a través de España. De prosificaciones francesas del texto del *Cléomadés* deriva el libro español *Historia del muy valeroso y esforzado caballero Clamades, hijo de Marcaditas, rey de Castilla, y de la linda Clarmonda, hija del rey de Toscana* (Burgos, 1521), del que hubo reimpresiones hasta el siglo XIX. Cervantes conoció seguramente este libro, que poco antes ha confundido con el de *París y Viana* a causa, sin duda, de la similitud de los títulos (véase II, 40, nota 5). Véase el estudio de P. Aebischer, *Paléozoologie de l'Equus clavileñus, Cervant.,* «Etudes de Lettres», Lausana, II, 1962, págs. 93-130. No parece tan probable que Cervantes pudiera tener noticia del caballo volador por las traducciones italianas de la novela francesa del siglo XV *Valentin et Orson,* que inspiró una comedia de Lope de Vega, *Nacimiento de Ursón y Valentín* (para esto último, véase J. E. Gillet en «Anales Cervantinos», VI, 1957, 251-255).

Y el salvaje prosiguió, diciendo:

—Y ocupe las ancas el escudero, si es que lo tiene, y fíese del valeroso Malambruno, que si no fuere de su espada, de ninguna otra, ni de otra malicia, será ofendido; y no hay más que torcer esta clavija que sobre el cuello trae puesta, que él los llevará por los aires, adonde los atiende Malambruno; pero porque la alteza y sublimidad del camino no les cause vaguidos, se han de cubrir los ojos hasta que el caballo relinche, que será señal de haber dado fin a su viaje.

Esto dicho, dejando a Clavileño, con gentil continente se volvieron por donde habían venido. La Dolorida, así como vio al caballo, casi con lágrimas dijo a don Quijote:

—Valeroso caballero, las promesas de Malambruno han sido ciertas: el caballo está en casa, nuestras barbas crecen, y cada una de nosotras y con cada pelo dellas te suplicamos nos rapes y tundas, pues no está en más sino en que subas en él con tu escudero y des felice principio a vuestro nuevo viaje.

—Eso haré yo, señora condesa Trifaldi, de muy buen grado y de mejor talante, sin ponerme a tomar cojín[1], ni calzarme espuelas, por no detenerme; tanta es la gana que tengo de veros a vos, señora, y a todas estas dueñas rasas y mondas.

—Eso no haré yo —dijo Sancho—, ni de malo ni de buen talante, en ninguna manera; y si es que este rapamiento no se puede hacer sin que yo suba a las ancas, bien puede buscar mi señor otro escudero que le acompañe, y estas señoras otro modo de alisarse los rostros; que yo no soy brujo para gustar de andar por los aires. Y ¿qué dirán mis insulanos cuando sepan que su gobernador se anda paseando por los vientos? Y otra cosa más: que habiendo tres mil y tantas leguas de aquí a Candaya, si el caballo se cansa o el gigante se enoja, tardaremos en dar la vuelta media docena de años, y ya ni habrá ínsula, ni ínsulos en el mundo que me conozcan; y pues se dice comúnmente que en la tardanza va el peligro, y que cuando te dieren la vaquilla acudas con la soguilla, perdónenme las barbas destas señoras,

[1] *cojín*, maleta de mano.

que bien se está San Pedro en Roma; quiero decir que
bien me estoy en esta casa, donde tanta merced se me
hace y de cuyo dueño tan gran bien espero como es
verme gobernador.

A lo que el duque dijo:

—Sancho amigo, la ínsula que yo os he prometido
no es movible ni fugitiva: raíces tiene tan hondas, echa-
das en los abismos de la tierra, que no la arrancarán ni
mudarán de donde está a tres tirones; y pues vos sabéis
que sé yo que no hay ninguno género de oficio destos
de mayor cantía que no se granjee con alguna suerte de
cohecho, cuál más, cuál menos, el que yo quiero llevar
por este gobierno es que vais con vuestro señor don Quijote a dar cima y cabo a esta memorable aventura; que
ahora volváis sobre Clavileño con la brevedad que su
ligereza promete, ora la contraria fortuna os traiga y
vuelva a pie, hecho romero, de mesón en mesón y de
venta en venta, siempre que volviéredes hallaréis vuestra
ínsula donde la dejáis, y a vuestros insulanos con el mesmo deseo de recebiros por su gobernador que siempre
han tenido, y mi voluntad será la mesma; y no pongáis
duda en esta verdad, señor Sancho; que sería hacer notorio agravio al deseo que de serviros tengo.

—No más, señor —dijo Sancho—: yo soy un pobre
escudero y no puedo llevar a cuestas tantas cortesías;
suba mi amo, tápenme estos ojos y encomiéndenme a
Dios, y avísenme si cuando vamos por esas altanerías
podré encomendarme a nuestro Señor o invocar los ángeles que me favorezcan.

A lo que respondió Trifaldi:

—Sancho, bien podéis encomendaros a Dios o a
quien quisiéredes, que Malambruno, aunque es encantador, es cristiano, y hace sus encantamentos con mucha
sagacidad y con mucho tiento, sin meterse con nadie.

—¡Ea, pues —dijo Sancho—, Dios me ayude y la
Santísima Trinidad de Gaeta[2]!

—Desde la memorable aventura de los batanes —dijo
don Quijote—, nunca he visto a Sancho con tanto temor
como ahora, y si yo fuera tan agorero como otros, su
pusilanimidad me hiciera algunas cosquillas en el ánimo.

[2] Monasterio en el golfo de Nápoles, al que tenían devoción los
navegantes.

Pero llegaos aquí, Sancho; que con licencia destos señores os quiero hablar aparte dos palabras.

Y apartando a Sancho entre unos árboles del jardín
y asiéndole ambas las manos le dijo:

—Ya vees, Sancho hermano, el largo viaje que nos
espera, y que sabe Dios cuándo volveremos dél, ni la comodidad y espacio que nos darán los negocios; y así querría que ahora te retirases en tu aposento, como que vas
a buscar alguna cosa necesaria para el camino, y en un
daca las pajas, te dieses a buena cuenta de los tres mil
y trecientos azotes a que estás obligado, siquiera quinientos, que dados te los tendrás, que el comenzar las
cosas es tenerlas medio acabadas.

—¡Par Dios —dijo Sancho—, que vuestra merced
debe de ser menguado³! Esto es como aquello que dicen: «¡en priesa me vees y doncellez me demandas!»
¿Ahora que tengo de ir sentado en una tabla rasa, quiere
vuestra merced que me lastime las posas? En verdad en
verdad que no tiene vuestra merced razón. Vamos ahora
a rapar estas dueñas, que a la vuelta yo le prometo a
vuestra merced, como quien soy, de darme tanta priesa
a salir de mi obligación, que vuestra merced se contente,
y no le digo más.

Y don Quijote respondió:

—Pues con esa promesa, buen Sancho, voy consolado, y creo que la cumplirás, porque en efecto, aunque
tonto, eres hombre verídico.

—No soy verde⁴, sino moreno —dijo Sancho—, pero
aunque fuera de mezcla, cumpliera mi palabra.

Y con esto se volvieron a⁵ subir en Clavileño, y al
subir dijo don Quijote:

—Tapaos, Sancho, y subid, Sancho; que quien de
tan lueñes tierras envía por nosotros no será para enga-
ñarnos por la poca gloria que le puede redundar de engañar a quien dél se fía; y puesto que todo sucediese al
revés de lo que imagino, la gloria de haber emprendido
esta hazaña no la podrá escurecer malicia alguna.

—Vamos, señor —dijo Sancho—, que las barbas y
lágrimas destas señoras las tengo clavadas en el cora-

³ *menguado*, de escaso juicio.
⁴ *verde*: Sancho ha entendido mal *verídico*.
⁵ *se volvieron a*, dieron la vuelta para.

zón, y no comeré bocado que bien me sepa hasta verlas
en su primera lisura. Suba vuesa merced y tápese primero, que si yo tengo de ir a las ancas, claro está que primero sube el de la silla.

—Así es la verdad —replicó don Quijote.

Y sacando un pañuelo de la faldriquera, pidió a la
Dolorida que le cubriese muy bien los ojos, y habiéndo-
selos cubierto, se volvió a descubrir y dijo:

—Si mal no me acuerdo, yo he leído en Virgilio
aquello del Paladión de Troya, que fue un caballo de
madera que los griegos presentaron a la diosa Palas, el
cual iba preñado de caballeros armados, que después
fueron la total ruina de Troya; y así, será bien ver primero lo que Clavileño trae en su estómago.

—No hay para qué —dijo la Dolorida—; que yo le
fío y sé que Malambruno no tiene nada de malicioso ni
de traidor; vuesa merced, señor don Quijote, suba sin
pavor alguno, y a mi daño si alguno le sucediere.

Parecióle a don Quijote que cualquiera cosa que re-
plicase acerca de su seguridad sería poner en detrimento
su valentía, y así, sin más altercar, subió sobre Clavileño
y le tentó la clavija, que fácilmente se rodeaba; y como
no tenía estribos, y le colgaban las piernas, no parecía
sino figura de tapiz flamenco, pintada o tejida en algún
romano triunfo. De mal talante y poco a poco llegó a
subir Sancho, y acomodándose lo mejor que pudo en
las ancas, las halló algo duras y no nada blandas, y pidió
al duque que, si fuese posible, le acomodasen de algún
cojín o de alguna almohada, aunque fuese del estrado
de su señora la duquesa, o del lecho de algún paje; porque las ancas de aquel caballo más parecían de mármol que de leño.

A esto dijo la Trifaldi que ningún jaez ni ningún
género de adorno sufría sobre sí Clavileño; que lo que
podía hacer era ponerse a mujeriegas, y que así no sen-
tiría tanto la dureza. Hízolo así Sancho, y diciendo «a
Dios», se dejó vendar los ojos, y ya después de vendados
se volvió a descubrir, y mirando a todos los del jardín
tiernamente y con lágrimas, dijo que le ayudasen en aquel
trance con sendos paternostres y sendas avemarías, porque
Dios deparase quien por ellos los dijese cuando en semejantes trances se viesen. A lo que dijo don Quijote:

—Ladrón, ¿estás puesto en la horca por ventura, o en el último término de la vida, para usar de semejantes plegarias? ¿No estás, desalmada y cobarde criatura, en el mismo lugar que ocupó la linda Magalona, del cual decendió, no a la sepultura, sino a ser reina de Francia, si no mienten las historias? Y yo, que voy a tu lado, ¿no puedo ponerme al del valeroso Pierres, que oprimió este mismo lugar que yo ahora oprimo? Cúbrete, cúbrete, animal descorazonado, y no te salga a la boca el temor que tienes, a lo menos en presencia mía.

—Tápenme —respondió Sancho—; y pues no quieren que me encomiende a Dios ni que sea encomendado, ¿qué mucho que tema no ande por aquí alguna región[6] de diablos, que den con nosotros en Peralvillo[7]?

Cubriéronse, y sintiendo don Quijote que estaba como había de estar, tentó la clavija, y apenas hubo puesto los dedos en ella cuando todas las dueñas y cuantos estaban presentes levantaron las voces, diciendo:

—¡Dios te guíe, valeroso caballero!

—¡Dios sea contigo, escudero intrépido!

—¡Ya, ya vais por esos aires, rompiéndolos con más velocidad que una saeta!

—¡Ya comenzáis a suspender y admirar a cuantos desde la tierra os están mirando!

—¡Tente, valeroso Sancho, que te bamboleas! ¡Mira no cayas; que será peor tu caída que la del atrevido mozo que quiso regir el carro del Sol, su padre[8]!

Oyó Sancho las voces, y apretándose con su amo y ciñéndole con los brazos, le dijo:

—Señor, ¿cómo dicen éstos que vamos tan altos, si alcanzan acá sus voces, y no parecen sino que están aquí hablando, junto a nosotros?

—No repares en eso, Sancho; que como estas cosas y estas volaterías van fuera de los cursos ordinarios, de mil leguas verás y oirás lo que quisieres. Y no me aprietes tanto, que me derribas; y en verdad que no sé de qué te turbas ni te espantas; que osaré jurar que en to-

---

[6] *región*, legión (vulgarismo).

[7] En Peralvillo (lugar cercano a Ciudad Real), la Santa Hermandad ajusticiaba a los malhechores asaeteándolos.

[8] Se trata de Faetonte, que logró que su padre, el Sol, le dejara conducir su carro, y lo hizo con tan poco acierto que cayó en el río Po.

dos los días de mi vida he subido en cabalgadura de paso
más llano: no parece sino que no nos movemos de un
lugar. Destierra, amigo, el miedo; que, en efecto, la cosa
va como ha de ir, y el viento llevamos en popa.

—Así es la verdad —respondió Sancho—; que por
este lado me da un viento tan recio, que parece que con
mil fuelles me están soplando.

Y así era ello; que unos grandes fuelles le estaban haciendo aire: tan bien trazada estaba la tal aventura por
el duque y la duquesa y su mayordomo, que no le faltó
requisito que la dejase de hacer perfecta.

Sintiéndose, pues, soplar don Quijote, dijo:

—Sin duda alguna, Sancho, que ya debemos de llegar a la segunda región del aire, adonde se engendra el
granizo, las nieves; los truenos, los relámpagos y los rayos se engendran en la tercera región, y si es que desta
manera vamos subiendo, presto daremos en la región del
fuego, y no sé yo cómo templar esta clavija para que no
subamos donde nos abrasemos.

En esto, con unas estopas ligeras de encenderse y
apagarse, desde lejos, pendientes de una caña, les calen-
taban los rostros. Sancho, que sintió el calor, dijo:

—Que me maten si no estamos ya en el lugar del
fuego, o bien cerca; porque una gran parte de mi barba
se me ha chamuscado, y estoy, señor, por descubrirme y
ver en qué parte estamos.

—No hagas tal —respondió don Quijote—, y acuér-
date del verdadero cuento del licenciado Torralba, a
quien llevaron los diablos en volandas por el aire, caballero en una caña, cerrados los ojos, y en doce horas
llegó a Roma, y se apeó en Torre de Nona, que es una
calle de la ciudad, y vio todo el fracaso[9] y asalto y muerte de Borbón, y por la mañana ya estaba de vuelta en
Madrid, donde dio cuenta de todo lo que había visto[10];

---

[9] *fracaso*, destrozo.

[10] Se trata del doctor don Eugenio Torralba, procesado por la
Inquisición de Cuenca entre 1528 y 1531, y al que, entre otras cosas,
se acusaba de hacer largos viajes en una noche, montado en una
escoba, gracias a lo cual se enteraba de los acontecimientos antes
de que llegara noticia de ellos. En su proceso confesó que desde
Valladolid se trasladó una noche a Roma, en la Torre de Nona
(cárcel romana) oyó el reloj del castillo de Sant Angelo que daba
la una, presenció el saco, de la ciudad por Carlos, duque
de Borbón, y hora y media después volvía a estar en Valladolid
relatando lo que había visto.

el cual asimismo dijo que cuando iba por el aire le mandó el diablo que abriese los ojos y los abrió, y se vio tan
cerca, a su parecer, del cuerpo de la luna, que la pudiera asir con la mano, y que no osó mirar a la tierra por
no desvanecerse. Así que, Sancho, no hay para qué des-
cubrirnos; que el que nos lleva a cargo, él dará cuenta
de nosotros, y quizá vamos tomando puntas[11] y subiendo
en alto para dejarnos caer una sobre el reino de Candaya, como hace el sacre o neblí sobre la garza para
cogerla, por más que se remonte; y aunque nos parece
que no ha media hora que nos partimos del jardín, créeme que debemos de haber hecho gran camino.

—No sé lo que es —respondió Sancho Panza—; sólo
sé decir que si la señora Magallanes o Magalona se contentó destas ancas, que no debía de ser muy tierna de
carnes.

Todas estas pláticas de los dos valientes oían el duque y la duquesa y los del jardín, de que recibían estraordinario contento; y queriendo dar remate a la estraña y bien fabricada aventura, por la cola de Clavileño
le pegaron fuego con unas estopas, y al punto, por estar
el caballo lleno de cohetes tronadores, voló por los aires,
con estraño ruido, y dio con don Quijote y con Sancho
Panza en el suelo, medio chamuscados.

En este tiempo ya se habían desparecido del jardín
todo el barbado escuadrón de las dueñas, y la Trifaldi
y todo, y los del jardín quedaron como desmayados, tendidos por el suelo. Don Quijote y Sancho se levantaron
maltrechos, y mirando a todas partes quedaron atónitos
de verse en el mesmo jardín de donde habían partido,
y de ver tendido por tierra tanto número de gente; y creció más su admiración cuando a un lado del jardín vieron hincada una gran lanza en el suelo, y pendiente
della y de dos cordones de seda verde un pergamino liso
y blanco, en el cual, con grandes letras de oro, estaba
escrito lo siguiente:

*El ínclito caballero don Quijote de la Mancha fene-
ció y acabó la aventura de la condesa Trifaldi, por otro*

---

[11] *tomar puntas*, dar vueltas el ave de caza antes de caer sobre
la presa.

nombre llamada la dueña Dolorida, y compañía, con
sólo intentarla.

Malambruno se da por contento y satisfecho a toda
su voluntad, y las barbas de las dueñas ya quedan lisas
y mondas, y los reyes don Clavijo y Antonomasia, en su
prístino estado. Y cuando se cumpliere el escuderil vá-
pulo, la blanca paloma se verá libre de los pestíferos gi-
rifaltes que la persiguen, y en brazos de su querido
arrullador; que así está ordenado por el sabio Merlín,
protoencantador de los encantadores.

Habiendo, pues, don Quijote leído las letras del pergamino, claro entendió que del desencanto de Dulcinea
hablaban; y dando muchas gracias al cielo de que con
tan poco peligro hubiese acabado tan gran fecho, redu-
ciendo a su pasada tez los rostros de las venerables dueñas, que ya no parecían, se fue adonde el duque y la
duquesa aún no habían vuelto en sí, y trabando de
la mano al duque, le dijo:

—¡Ea, buen señor, buen ánimo; buen ánimo, que
todo es nada! La aventura es ya acabada, sin daño de
barras[12], como lo muestra claro el escrito que en aquel
padrón está puesto.

El duque, poco a poco, y como quien de un pesado
sueño recuerda[13], fue volviendo en sí, y por el mismo tenor la duquesa y todos los que por el jardín estaban caídos, con tales muestras de maravilla y espanto, que casi
se podían dar a entender haberles acontecido de veras lo
que tan bien sabían fingir de burlas. Leyó el duque el
cartel con los ojos medio cerrados, y luego, con los brazos abiertos, fue a abrazar a don Quijote, diciéndole ser
el más buen caballero que en ningún siglo se hubiese
visto.

Sancho andaba mirando por la Dolorida, por ver qué
rostro tenía sin las barbas, y si era tan hermosa sin ellas
como su gallarda disposición prometía; pero dijéronle
que así como Clavileño bajó ardiendo por los aires y dio
en el suelo, todo el escuadrón de las dueñas, con la Trifaldi, había desaparecido, y que ya iban rapadas y sin

[12] *sin daño de barras,* sin perjuicio de tercero.
[13] *recordar,* despertar.

cañones[14]. Preguntó la duquesa a Sancho que cómo le
había ido en aquel largo viaje. A lo cual Sancho respondió:

—Yo, señora, sentí que íbamos, según mi señor me
dijo, volando por la región del fuego, y quise descubrirme un poco los ojos; pero mi amo, a quien pedí licencia para descubrirme, no la consintió; mas yo, que tengo
no sé qué briznas de curioso y de desear saber lo que se
me estorba y impide, bonitamente y sin que nadie lo
viese, por junto a las narices aparté tanto cuanto el pañizuelo que me tapaba los ojos, y por allí miré hacia la
tierra, y parecióme que toda ella no era mayor que un
grano de mostaza, y los hombres que andaban sobre ella,
poco mayores que avellanas; porque se vea cuán altos debíamos de ir entonces.

A esto dijo la duquesa:

—Sancho amigo, mirad lo que decís; que, a lo que
parece, vos no vistes la tierra, sino los hombres que andaban sobre ella; y está claro que si la tierra os pareció
como un grano de mostaza, y cada hombre como una
avellana, un hombre solo había de cubrir toda la tierra.

—Así es verdad —respondió Sancho—; pero, con
todo eso, la descubrí por un ladito, y la vi toda.

—Mirad, Sancho —dijo la duquesa—, que por un
ladito no se vee el todo de lo que se mira.

—Yo no sé esas miradas —replicó Sancho—; sólo sé
que será bien que vuestra señoría entienda que, pues vo-
lábamos por encantamento, por encantamento podía yo
ver toda la tierra y todos los hombres por doquiera que
los mirara; y si esto no se me cree, tampoco creerá vuestra
merced cómo, descubriéndome por junto a las cejas, me
vi tan junto al cielo, que no había de mí a él palmo y
medio, y por lo que puedo jurar, señora mía, que es
muy grande además. Y sucedió que íbamos por parte
donde están las siete cabrillas[15], y en Dios y en mi ánima que como yo en mi niñez fui en mi tierra cabrerizo,
que así como las vi, ¡me dio una gana de entretenerme
con ellas un rato...! Y si no le cumpliera me parece
que reventara. Vengo, pues, y tomo, y ¿qué hago? Sin

[14] *cañones,* la parte inferior de los pelos de la barba.
[15] *las siete cabrillas,* nombre popular de la constelación de las
Pléyades.

decir nada a nadie, ni a mi señor tampoco, bonita y pa-
sitamente me apeé de Clavileño, y me entretuve con las
cabrillas, que son como unos alhelíes y como unas flores,
casi tres cuartos de hora, y Clavileño no se movió de un
lugar, ni pasó adelante.

—Y en tanto que el buen Sancho se entretenía con
las cabras —preguntó el duque—, ¿en qué se entretenía
el señor don Quijote?

A lo que don Quijote respondió:

—Como todas estas cosas y estos tales sucesos van
fuera del orden natural, no es mucho que Sancho diga
lo que dice. De mí sé decir que ni me descubrí por alto
ni por bajo, ni vi el cielo, ni la tierra, ni la mar, ni las
arenas. Bien es verdad que sentí que pasaba por la región del aire, y aun que tocaba a la del fuego, pero que
pasásemos de allí no lo puedo creer, pues estando la región del fuego entre el cielo de la luna y la última
región del aire, no podíamos llegar al cielo donde están
las siete cabrillas que Sancho dice, sin abrasarnos; y
pues no nos asuramos[16], o Sancho miente, o Sancho
sueña.

—Ni miento ni sueño —respondió Sancho—; si no,
pregúntenme las señas de las tales cabras, y por ellas verán si digo verdad o no.

—Dígalas, pues, Sancho —dijo la duquesa.

—Son —respondió Sancho— las dos verdes, las dos
encarnadas, las dos azules, y la una de mezcla.

—Nueva manera de cabras es ésa —dijo el duque—,
y por esta nuestra región del suelo no se usan tales colores; digo, cabras de tales colores.

—Bien claro está eso —dijo Sancho—; sí, que diferencia ha de haber de las cabras del cielo a las del suelo.

—Decidme, Sancho —preguntó el duque—: ¿vistes
allá en entre esas cabras algún cabrón?

—No, señor —respondió Sancho—; pero oí decir
que ninguno pasaba de los cuernos de la luna.

No quisieron preguntarle más de su viaje, porque
les pareció que llevaba Sancho hilo de pasearse por todos los cielos, y dar nuevas de cuanto allá pasaba sin
haberse movido del jardín.

---

[16] *asurarse*, requemarse.

En resolución, éste fue el fin de la aventura de la dueña Dolorida, que dio que reír a los duques, no sólo aquel tiempo, sino el de toda su vida, y que contar a Sancho siglos, si los viviera; y llegándose don Quijote a Sancho, al oído le dijo:

—Sancho, pues vos queréis que se os crea lo que habéis visto en el cielo, yo quiero que vos me creáis a mí lo que vi en la cueva de Montesinos. Y no os digo más.

CAPÍTULO XLII

DE LOS CONSEJOS QUE DIO DON QUIJOTE A SANCHO PANZA ANTES QUE FUESE A GOBERNAR LA ÍNSULA, CON OTRAS COSAS BIEN CONSIDERADAS*

CON el felice y gracioso suceso de la aventura de la Dolorida quedaron tan contentos los duques, que determinaron pasar con las burlas adelante, viendo el acomodado sujeto que tenían para que se tuviesen por veras; y así habiendo dado la traza y órdenes que sus criados y sus vasallos habían de guardar con Sancho en el gobierno de la ínsula prometida, otro día, que fue el que sucedió al vuelo de Clavileño, dijo el duque a Sancho que se adeliñase[1] y compusiese para ir a ser gobernador, que ya sus insulanos le estaban esperando como el agua de mayo. Sancho se le humilló, y le dijo:

—Después que bajé del cielo, y después que desde su alta cumbre miré la tierra y la vi tan pequeña, se templó en parte en mí la gana que tenía tan grande de ser gobernador; porque ¿qué grandeza es mandar en un grano de mostaza, o qué dignidad o imperio el gobernar a

---

* Los consejos que don Quijote da a Sancho proceden de un fondo muy común y extendido de moral, que aparece en muchos autores de la época. Es de creer que Cervantes tuviera presentes los de la *Parénesis o exhortación a la virtud* del griego Isócrates, del que existían por lo menos dos traducciones castellanas (de Diego Gracián y de Pero Mexía), y también, obras como *El perfecto regidor* de Juan de Castilla y Aguayo (Salamanca, 1587), el *Galateo español*, de Gracián Dantisco (Barcelona, 1593) y tal vez el *Galateo* de Giovanni della Casa, que se publicó en español en 1585 traducido por el doctor Domingo Becerra, que era cautivo en Argel por los mismos años que lo fue Cervantes.

[1] *adeliñase*, aliñase.

media docena de hombres tamaños como avellanas que, a mi parecer, no había más en toda la tierra? Si vuestra señoría fuese servido de darme una tantica parte del cielo, aunque no fuese más de media legua, la tomaría de mejor gana que la mayor ínsula del mundo.

—Mirad, amigo Sancho —respondió el duque—: yo no puedo dar parte del cielo a nadie, aunque no sea mayor que una uña; que a solo Dios están reservadas esas mercedes y gracias. Lo que puedo dar os doy, que es una ínsula hecha y derecha, redonda y bien proporcionada, y sobremanera fértil y abundosa, donde si vos os sabéis dar maña podéis con las riquezas de la tierra granjear las del cielo.

—Ahora bien —respondió Sancho—, venga esa ínsula; que yo pugnaré por ser tal gobernador que a pesar de bellacos me vaya al cielo; y esto no es por codicia que yo tenga de salir de mis casillas ni de levantarme a mayores, sino por el deseo que tengo de probar a qué sabe el ser gobernador.

—Si una vez lo probáis, Sancho —dijo el duque—, comeros heis las manos tras el gobierno, por ser dulcísima cosa el mandar y ser obedecido. A buen seguro que cuando vuestro dueño llegue a ser emperador, que lo será sin duda, según van encaminadas sus cosas, que no se lo arranquen como quiera, y que le duela y le pese en la mitad del alma del tiempo que hubiere dejado de serlo.

—Señor —replicó Sancho—, yo imagino que es bueno mandar, aunque sea a un hato de ganado.

—Con vos me entierren[2], Sancho, que sabéis de todo —respondió el duque—, y yo espero que seréis tal gobernador como vuestro juicio promete, y quédese esto aquí y advertid que mañana en ese mesmo día habéis de ir al gobierno de la ínsula, y esta tarde os acomodarán del traje conveniente que habéis de llevar y de todas las cosas necesarias a vuestra partida.

—Vístanme —dijo Sancho— como quisieren; que de cualquier manera que vaya vestido seré Sancho Panza.

—Así es verdad —dijo el duque—, pero los trajes se

---

[2] *con vos me entierren,* expresión con la que uno da a entender que es del mismo gusto u opinión que otra persona.

han de acomodar con el oficio o dignidad que se profesa, que no sería bien que un jurisperito se vistiese como soldado, ni un soldado como un sacerdote. Vos, Sancho, iréis vestido parte de letrado y parte de capitán, porque en la ínsula que os doy tanto son menester las armas como las letras; y las letras como las armas.

—Letras —respondió Sancho—, pocas tengo, porque aún no sé el abecé; pero bástame tener el *Christus*[3] en la memoria para ser buen gobernador. De las armas manejaré las que me dieren, hasta caer, y Dios delante.

—Con tan buena memoria —dijo el duque—, no podrá Sancho errar en nada.

En esto llegó don Quijote, y sabiendo lo que pasaba y la celeridad con que Sancho se había de partir a su gobierno, con licencia del duque le tomó por la mano y se fue con él a su estancia, con intención de aconsejarle cómo se había de haber en su oficio.

Entrados, pues, en su aposento, cerró tras sí la puerta, y hizo casi por fuerza que Sancho se sentase junto a él, y con reposada voz le dijo:

—Infinitas gracias doy al cielo, Sancho amigo, de que antes y primero que yo haya encontrado con alguna buena dicha, te haya salido a ti a recebir y a encontrar la buena ventura. Yo, que en mi buena suerte te tenía librada la paga de tus servicios, me veo en los principios de aventajarme, y tú, antes de tiempo, contra la ley del razonable discurso, te vees premiado de tus deseos. Otros cohechan, importunan, solicitan, madrugan, ruegan, porfían, y no alcanzan lo que pretenden; y llega otro, y sin saber cómo ni cómo no, se halla con el cargo y oficio que otros muchos pretendieron; y aquí entra y encaja bien el decir que hay buena y mala fortuna en las pretensiones. Tú, que para mí, sin duda alguna, eres un porro, sin madrugar ni trasnochar, y sin hacer diligencia alguna, con solo el aliento que te ha tocado de la andante caballería, sin más ni más te vees gobernador de una ínsula como quien no dice nada. Todo esto digo, ¡oh Sancho!, para que no atribuyas a tus merecimientos la merced recebida, sino que des gracias al cielo, que dispone suavemente las cosas, y después las darás a la

---

[3] el *Christus*, la cruz que encabeza los abecedarios o cartillas.

grandeza que en sí encierra la profesión de la caballería andante. Dispuesto, pues, el corazón a creer lo que te he dicho, está, ¡oh hijo!, atento a este tu Catón[4], que quiere aconsejarte y ser norte y guía que te encamine y saque a seguro puerto deste mar proceloso donde vas a engolfarte; que los oficios y grandes cargos no son otra cosa sino un golfo profundo de confusiones. Primeramente, ¡oh hijo!, has de temer a Dios; porque en el temerle está la sabiduría, y siendo sabio no podrás errar en nada. Lo segundo, has de poner los ojos en quien eres, procurando conocerte a ti mismo, que es el más difícil conocimiento que puede imaginarse. Del conocerte saldrá el no hincharte como la rana que quiso igualarse con el buey[5], que si esto haces, vendrá a ser feos pies de la rueda[6] de tu locura la consideración de haber guardado puercos en tu tierra.

—Así es la verdad —respondió Sancho—, pero fue cuando muchacho; pero después, algo hombrecillo, gansos fueron los que guardé, que no puercos. Pero esto paréceme a mí que no hace al caso; que no todos los que gobiernan vienen de casta de reyes.

—Así es verdad —replicó don Quijote—; por lo cual los no de principios nobles deben acompañar la gravedad del cargo que ejercitan con una blanda suavidad que, guiada por la prudencia, los libre de la murmuración maliciosa, de quien no hay estado que se escape. Haz gala, Sancho, de la humildad de tu linaje, y no te desprecies de decir que vienes de labradores; porque viendo que no te corres, ninguno se pondrá a correrte; y préciate más de ser humilde virtuoso que pecador soberbio. Inumerables son aquellos que de baja estirpe nacidos, han subido a la suma dignidad pontificia e imperatoria; y desta verdad te pudiera traer tantos ejemplos, que te cansaran. Mira, Sancho: si tomas por medio la virtud, y te precias de hacer hechos virtuosos, no hay para qué tener envidia a los que los tienen príncipes y se-

---

[4] Catón el Censor, convertido entre el pueblo en autor de máximas y refranes por atribuírsele una obra tardía llamada *Dichos de Catón* (*Dicta Catonis*), y popularizado extraordinariamente por haberse dado el nombre de *el Catón* a libros de lectura para las escuelas.

[5] Alusión a la conocida fábula moral.

[6] Alusión al pavo real, que tiene una hermosa cola, con la que hace la *rueda*, y los pies feos.

ñores[7]; porque la sangre se hereda, y la virtud se aquis-
ta[8], y la virtud vale por sí sola lo que la sangre no vale.
Siendo esto así, como lo es, que si acaso viniere a verte
cuando estés en tu ínsula alguno de tus parientes, no le
deseches ni le afrentes; antes le has de acoger, agasajar
y regalar; que con esto satisfarás al cielo, que gusta que
nadie se desprecie de lo que él hizo, y corresponderás a
lo que debes a la naturaleza bien concertada. Si trujeres
a tu mujer contigo (porque no es bien que los que asisten a gobiernos de mucho tiempo estén sin las propias),
enséñala, doctrínala, y desbástala de su natural rudeza;
porque todo lo que suele adquirir un gobernador discreto suele perder y derramar una mujer rústica y tonta.
Si acaso enviudares, cosa que puede suceder, y con el
cargo mejorares de consorte, no la tomes tal que te sirva
de anzuelo y de caña de pescar, y del no quiero de tu
capilla[9]; porque en verdad te digo que de todo aquello
que la mujer del juez recibiere ha de dar cuenta el marido en la residencia[10] universal, donde pagará con el
cuatro tanto[11] en la muerte las partidas de que no se
hubiere hecho cargo en la vida. Nunca te guíes por la
ley del encaje[12], que suele tener mucha cabida con los
ignorantes que presumen de agudos. Hallen en ti más
compasión las lágrimas del pobre, pero no más justicia,
que las informaciones del rico. Procura descubrir la verdad por entre las promesas y dádivas del rico como por
entre los sollozos e importunidades del pobre. Cuando
pudiere y debiere tener lugar la equidad, no cargues
todo el rigor de la ley al delincuente; que no es mejor la
fama del juez riguroso que la del compasivo. Si acaso do-
blares la vara de la justicia, no sea con el peso de la dádiva, sino con el de la misericordia. Cuando te sucediere juzgar algún pleito de algún tu enemigo, aparta las mientes
de tu injuria y ponlos en la verdad del caso. No te cie-
gue la pasión propia en la causa ajena; que los yerros

---

[7] *príncipes y señores,* principescos y señoriles (según R. Marín, VI, 232).
[8] *aquistar,* adquirir.
[9] Alude al refrán: «No quiero, no quiero, pero echámelo en la
capilla» o sea, en la capucha.
[10] *residencia,* cuenta que dan, ante juez, los que acaban el ejercicio de un cargo (virreyes, gobernadores, etc.).
[11] *el cuatro tanto,* el cuádruplo.
[12] *ley del encaje,* resolución arbitraria de un juez.

que en ella hicieres, las más veces serán sin remedio; y si le tuvieren, será a costa de tu crédito, y aun de tu hacienda. Si alguna mujer hermosa viniere a pedirte justicia, quita los ojos de sus lágrimas y tus oídos de sus gemidos, y considera de espacio la sustancia de lo que pide, si no quieres que se anegue tu razón en su llanto y tu bondad en sus suspiros. Al que has de castigar con obras no trates mal con palabras, pues le basta al desdichado la pena del suplicio, sin la añadidura de las malas razones. Al culpado que cayere debajo de tu juridición considérale hombre miserable, sujeto a las condiciones de la depravada naturaleza nuestra, y en todo cuanto fuere de tu parte, sin hacer agravio a la contraria, muéstratele piadoso y clemente; porque aunque los atributos de Dios todos son iguales, más resplandece y campea a nuestro ver el de la misericordia, que el de la justicia. Si estos preceptos y estas reglas sigues, Sancho, serán luengos tus días, tu fama será eterna, tus premios colmados, tu felicidad indecible, casarás tus hijos como quisieres, títulos tendrán ellos y tus nietos, vivirás en paz y beneplácito de las gentes, y en los últimos pasos de la vida te alcanzará el de la muerte, en vejez suave y madura, y cerrarán tus ojos las tiernas y delicadas manos de tus terceros netezuelos. Esto que hasta aquí te he dicho son documentos[13] que han de adornar tu alma; escucha ahora los que han de servir para adorno del cuerpo.

CAPÍTULO XLIII

DE LOS CONSEJOS SEGUNDOS QUE DIO DON QUIJOTE A SANCHO PANZA

¿QUIÉN oyera el pasado razonamiento de don Quijote que no le tuviera por persona muy cuerda y mejor intencionada? Pero, como muchas veces en el progreso desta grande historia queda dicho, solamente disparaba en tocándole en la caballería, y en los demás discursos mostraba tener claro y desenfadado entendi-

---

[13] *documentos*, enseñanzas.

miento, de manera que a cada paso desacreditaban sus obras su juicio, y su juicio sus obras; pero en ésta destos segundos documentos que dio a Sancho, mostró tener gran donaire, y puso su discreción y su locura en un levantado punto.

Atentísimamente le escuchaba Sancho, y procuraba conservar en la memoria sus consejos, como quien pensaba guardarlos y salir por ellos a buen parto de la preñez de su gobierno. Prosiguió, pues, don Quijote, y dijo:

—En lo que toca a cómo has de gobernar tu persona y casa, Sancho, lo primero que te encargo es que seas limpio, y que te cortes las uñas, sin dejarlas crecer, como algunos hacen, a quien su ignorancia les ha dado a entender que las uñas largas les hermosean las manos, como si aquel escremento y añadidura que se dejan de cortar fuese uña, siendo antes garras de cernícalo lagartijero: puerco y extraordinario abuso. No andes, Sancho, desceñido y flojo; que el vestido descompuesto da indicios de ánimo desmazalado, si ya la descompostura y flojedad no cae debajo de socarronería, como se juzgó en la de Julio César. Toma con discreción el pulso a lo que pudiere valer tu oficio, y si sufriere que des librea a tus criados, dásela honesta y provechosa más que vistosa y bizarra, y repártela entre tus criados y los pobres: quiero decir que si has de vestir seis pajes, viste tres y otros tres pobres, y así tendrás pajes para el cielo y para el suelo; y este nuevo modo de dar librea no la alcanzan los vanagloriosos. No comas ajos ni cebollas, porque no saquen por el olor tu villanería. Anda despacio; habla con reposo; pero no de manera que parezca que te escuchas a ti mismo; que toda afectación es mala. Come poco y cena más poco; que la salud de todo el cuerpo se fragua en la oficina del estómago. Sé templado en el beber, considerando que el vino demasiado ni guarda secreto, ni cumple palabra. Ten cuenta, Sancho, de no mascar a dos carrillos, ni de erutar delante de nadie.

—Eso de *erutar* no entiendo —dijo Sancho.

Y don Quijote le dijo:

—*Erutar*, Sancho, quiere decir *regoldar*, y éste es uno de los más torpes vocablos que tiene la lengua castellana, aunque es muy sinificativo; y así, la gente curiosa[1]

---

[1] *curiosa*, delicada, cuidadosa.

se ha acogido al latín, y al *regoldar* dice *erutar,* y a los *regüeldos, erutaciones*; y cuando algunos no entienden estos términos, importa poco; que el uso los irá introduciendo con el tiempo, que con facilidad se entiendan; y esto es enriquecer la lengua, sobre quien tiene poder el vulgo y el uso.

—En verdad, señor —dijo Sancho—, que uno de los consejos y avisos que pienso llevar en la memoria ha de ser el de no regoldar, porque lo suelo hacer muy a menudo.

—*Erutar*, Sancho, que no *regoldar* —dijo don Quijote.

—*Erutar* diré de aquí adelante —respondió Sancho—, y a fee que no se me olvide.

—También, Sancho, no has de mezclar en tus pláticas la muchedumbre de refranes que sueles; que puesto que los refranes son sentencias breves, muchas veces los traes tan por los cabellos, que más parecen disparates que sentencias.

—Eso Dios lo puede remediar —respondió Sancho—; porque sé más refranes que un libro, y viénenseme tantos juntos a la boca cuando hablo, que riñen, por salir, unos con otros; pero la lengua va arrojando los primeros que encuentra, aunque no vengan a pelo. Mas yo tendré cuenta de aquí adelante de decir los que convengan a la gravedad de mi cargo; que en casa llena, presto se guisa la cena; y quien destaja, no baraja; y a buen salvo está el que repica; y el dar y el tener, seso ha menester.

—¡Eso sí, Sancho! —dijo don Quijote—. ¡Encaja, ensarta, enhila refranes; que nadie te va a la mano! ¡Castígame mi madre, y yo trómpogelas[2]! Estoyte diciendo que escuses refranes, y en un instante has echado aquí una letanía dellos, que así cuadran con lo que vamos tratando como por los cerros de Úbeda. Mira, Sancho, no te digo yo que parece mal un refrán traído a propósito; pero cargar y ensartar refranes a troche moche hace la plática desmayada y baja. Cuando subieres a caballo, no vayas echando el cuerpo sobre el arzón postrero, ni lleves las piernas tiesas y tiradas y desviadas de

[2] Refrán muy corriente entonces; *trompar,* engañar, y *ge* la antigua forma de *se*; así *trómpogelas,* trómposelas, «se las engaño».

la barriga del caballo, ni tampoco vayas tan flojo, que
parezca que vas sobre el rucio; que el andar a caballo a
unos hace caballeros; a otros, caballerizos. Sea mode-
rado tu sueño; que el que no madruga con el sol, no
goza del día; y advierte, ¡oh Sancho!, que la diligencia
es madre de la buena ventura; y la pereza, su contraria,
jamás llegó al término que pide un buen deseo. Este último consejo que ahora darte quiero, puesto que no sirva
para adorno del cuerpo, quiero que le lleves muy en la
memoria, que creo que no te será de menos provecho
que los que hasta aquí te he dado; y es que jamás te
pongas a disputar de linajes, a lo menos, comparándolos
entre sí, pues, por fuerza, en los que se comparan uno
ha de ser el mejor, y del que abatieres serás aborrecido,
y del que levantares, en ninguna manera premiado. Tu
vestido será calza entera[3], ropilla larga, herreruelo un
poco más largo; greguescos[4], ni por pienso; que no les
están bien ni a los caballeros ni a los gobernadores. Por
ahora, esto se me ha ofrecido, Sancho, que aconsejarte;
andará el tiempo, y según las ocasiones, así serán mis
documentos, como tú tengas cuidado de avisarme el estado en que te hallares.

—Señor —respondió Sancho—, bien veo que todo
cuanto vuestra merced me ha dicho son cosas buenas,
santas y provechosas; pero ¿de qué han de servir, si de
ninguna me acuerdo? Verdad sea que aquello de no
dejarme crecer las uñas y de casarme otra vez, si se ofreciere, no se me pasará del magín; pero esotros badula-
ques y enredos y revoltillos, no se me acuerda ni acordará más dellos que de las nubes de antaño, y así, será
menester que se me den por escrito; que puesto que no
sé leer ni escribir, yo se los daré a mi confesor para que
me los encaje y recapacite cuando fuere menester.

—¡Ah, pecador de mí —respondió don Quijote—, y
qué mal parece en los gobernadores el no saber leer ni
escribir! Porque has de saber, ¡oh Sancho!, que no saber un hombre leer, o ser zurdo, arguye una de dos cosas: o que fue hijo de padres demasiado de humildes y
bajos, o él tan travieso y malo, que no pudo entrar en

---

[3] *calza entera*, la que cubría muslos y piernas.
[4] *greguescos* (más tarde corrompido en *gregüescos*), calzones
muy anchos.

él buen uso ni la buena doctrina. Gran falta es la que llevas contigo, y así, querría que aprendieses a firmar siquiera.

—Bien sé firmar mi nombre —respondió Sancho—; que cuando fui prioste[5] en mi lugar, aprendí a hacer unas letras como de marca de fardo, que decían que decía mi nombre; cuanto más que fingiré que tengo tullida la mano derecha, y haré que firme otro por mí; que para todo hay remedio, si no es para la muerte; y teniendo yo el mando y el palo, haré lo que quisiere; cuanto más que el que tiene el padre alcalde[6]... Y siendo yo gobernador, que es más que ser alcalde, ¡llegaos, que la dejan ver! No, sino popen y calóñenme[7]; que vendrán por lana, y volverán trasquilados; y a quien Dios quiere bien, la casa le sabe; y las necedades del rico por sentencias pasan en el mundo; y siéndolo yo, siendo gobernador y juntamente liberal, como lo pienso ser, no habrá falta que se me parezca[8]. No, sino haceos miel, y paparos han moscas; tanto vales cuanto tienes, decía una mi agüela; y del hombre arraigado no te verás vengado.

—¡Oh, maldito seas de Dios, Sancho! —dijo a esta sazón don Quijote—. ¡Sesenta mil satanases te lleven a ti y a tus refranes! Una hora ha que los estás ensartando y dándome con cada uno tragos de tormento. Yo te aseguro que estos refranes te han de llevar un día a la horca; por ellos te han de quitar el gobierno tus vasallos, o ha de haber entre ellos comunidades[9]. Dime, ¿dónde los hallas, ignorante, o cómo los aplicas, mentecato, que para decir yo uno y aplicarle bien, sudo y trabajo como si cavase?

—Por Dios, señor nuestro amo —replicó Sancho—, que vuesa merced se queja de bien pocas cosas. ¿A qué diablos se pudre de que yo me sirva de mi hacienda, que ninguna otra tengo, ni otro caudal alguno, sino refranes y más refranes? Y ahora se me ofrecen cuatro que venían aquí pintiparados, o como peras en tabaque[10];

---

[5] *prioste*, mayordomo de una cofradía.
[6] «...seguro va a juicio», refrán.
[7] *popen[me] y calóñenme*, menosprécienme y calúmnienme.
[8] *se me parezca*, se me note.
[9] *comunidades*, levantamientos populares.
[10] *tabaque*, cesta para llevar fruta.

pero no los diré, porque al buen callar llaman Sancho.

—Ese Sancho no eres tú —dijo don Quijote—; porque no sólo no eres buen callar, sino mal hablar y mal porfiar; y con todo eso querría saber qué cuatro refranes te ocurrían ahora a la memoria que venían aquí a propósito, que yo ando recorriendo la mía, que la tengo buena, y ninguno se me ofrece.

—¿Qué mejores —dijo Sancho— que «entre dos muelas cordales[11] nunca pongas tus pulgares», y «a idos de mi casa y qué queréis con mi mujer, no hay responder», y «si da el cántaro en la piedra o la piedra en el cántaro, mal para el cántaro», todos los cuales vienen a pelo? Que nadie se tome con su gobernador ni con el que le manda, porque saldrá lastimado, como el que pone el dedo entre dos muelas cordales, y aunque no sean cordales, como sean muelas, no importa; y a lo que dijere el gobernador no hay que replicar, como al «salíos de mi casa y qué queréis con mi mujer». Pues lo de la piedra en el cántaro un ciego lo verá. Así, que es menester que el que vee la mota en el ojo ajeno, vea la viga en el suyo, porque no se diga por él: «espantóse la muerta de la degollada», y vuestra merced sabe bien que más sabe el necio en su casa que el cuerdo en la ajena.

—Eso no, Sancho —respondió don Quijote—; que el necio en su casa ni en la ajena sabe nada, a causa que sobre el aumento[12] de la necedad no asienta ningún discreto edificio. Y dejemos esto aquí, Sancho; que si mal gobernares, tuya será la culpa, y mía la vergüenza; mas consuélome que he hecho lo que debía en aconsejarte con las veras y con la discreción a mí posible: con esto salgo de mi obligación y de mi promesa. Dios te guíe, Sancho, y te gobierne en tu gobierno, y a mí me saque del escrúpulo que me queda que has de dar con toda la ínsula patas arriba, cosa que pudiera yo escusar con descubrir al duque quién eres, diciéndole que toda esa gordura y esa personilla que tienes no es otra cosa que un costal lleno de refranes y de malicias.

—Señor —replicó Sancho—, si a vuestra merced le parece que no soy de pro para este gobierno, desde aquí

---

[11] *muela cordal*, muela del juicio.
[12] *aumento*, así en la primera edición; tal vez errata por *cimiento*.

le suelto; que más quiero un solo negro de la uña de mi alma, que a todo mi cuerpo; y así me sustentaré Sancho a secas con pan y cebolla, como gobernador con perdices y capones; y más, que mientras se duerme, todos son iguales, los grandes y los menores, los pobres y los ricos; y si vuestra merced mira en ello, verá que sólo vuestra merced me ha puesto en esto de gobernar: que yo no sé más de gobiernos de ínsulas que un buitre; y si se imagina que por ser gobernador me ha de llevar el diablo, más me quiero ir Sancho al cielo que gobernador al infierno.

—Por Dios, Sancho —dijo don Quijote—, que por solas estas últimas razones que has dicho juzgo que mereces ser gobernador de mil ínsulas: buen natural tienes, sin el cual no hay ciencia que valga; encomiéndate a Dios, y procura no errar en la primera intención; quiero decir que siempre tengas intento y firme propósito de acertar en cuantos negocios te ocurrieren, porque siempre favorece el cielo los buenos deseos. Y vámonos a comer; que creo que ya estos señores nos aguardan.

CAPÍTULO XLIV

Cómo Sancho Panza fue llevado al gobierno, y de la estraña aventura que en el castillo sucedió a don Quijote

DICEN que en el propio original desta historia se lee que llegando Cide Hamete a escribir este capítulo, no le tradujo su intérprete como él le había escrito, que fue un modo de queja que tuvo el moro de sí mismo, por haber tomado entre manos una historia tan seca y tan limitada, como esta de don Quijote, por parecerle que siempre había de hablar dél y de Sancho, sin osar estenderse a otras digresiones y episodios más graves y más entretenidos; y decía que el ir siempre atenido el entendimiento, la mano y la pluma a escribir de un solo sujeto y hablar por las bocas de pocas personas era un trabajo incomportable, cuyo fruto no redundaba en el de su autor, y que por huir deste inconveniente había usado en la primera parte del artificio de algunas novelas, como fueron la del *Curioso impertinente* y la del *Capitán cautivo,* que están como separadas de la historia, puesto que las demás que allí se cuentan son casos sucedidos al mismo don Quijote, que no podían dejar de escribirse. También pensó, como él dice, que muchos, llevados de la atención que piden las hazañas de don Quijote, no la darían a las novelas, y pasarían por ellas, o con priesa, o con enfado, sin advertir la gala y artificio que en sí contienen, el cual se mostrara bien al descubierto cuando por sí solas, sin arrimarse a las locuras de don Quijote ni a las sandeces de Sancho, salieran a luz. Y así, en esta segunda parte no quiso ingerir novelas sueltas ni pegadizas, sino algunos episodios que lo pareciesen, nacidos de los mesmos sucesos que la verdad ofrece, y aun éstos, limitadamente y con solas las palabras que bastan a declararlos; y pues se contiene y cierra en los estrechos límites de la narración, teniendo habilidad, suficiencia y entendimiento para tratar del universo todo, pide no se desprecie su trabajo, y se le den alabanzas, no por lo que escribe, sino por lo que ha dejado de escribir.

Y luego prosigue la historia diciendo que, en acabando de comer don Quijote, el día que dio los consejos a Sancho, aquella tarde se los dio escritos, para que él buscase quien se los leyese; pero apenas se los hubo dado, cuando se le cayeron y vinieron a manos del duque, que los comunicó con la duquesa, y los dos se admiraron de nuevo de la locura y del ingenio de don Quijote; y así, llevando adelante sus burlas, aquella tarde enviaron a Sancho con mucho acompañamiento al lugar que para él había de ser ínsula.

Acaeció, pues, que el que le llevaba a cargo era un mayordomo del duque, muy discreto y muy gracioso —que no puede haber gracia donde no hay discreción—, el cual había hecho la persona de la condesa Trifaldi, con el donaire que queda referido; y con esto, y con ir industriado de sus señores de cómo se había de haber con Sancho, salió con su intento maravillosamente. Digo, pues, que acaeció que así como Sancho vio al tal mayordomo, se le figuró en su rostro el mesmo de la Trifaldi, y volviéndose a su señor, le dijo:

—Señor, o a mí me ha de llevar el diablo de aquí de donde estoy, en justo y en creyente[1], o vuestra merced me ha de confesar que el rostro deste mayordomo del duque, que aquí está, es el mesmo de la Dolorida.

Miró don Quijote atentamente al mayordomo, y habiéndole mirado, dijo a Sancho:

—No hay para qué te lleve el diablo, Sancho, ni en justo ni en creyente, que no sé lo que quieres decir; que el rostro de la Dolorida es el del mayordomo, pero no por eso el mayordomo es la Dolorida; que a serlo, implicaría contradición muy grande, y no es tiempo ahora de hacer estas averiguaciones, que sería entrarnos en intricados laberintos. Créeme, amigo, que es menester rogar a Nuestro Señor muy de veras que nos libre a los dos de malos hechiceros y de malos encantadores.

—No es burla, señor —replicó Sancho—, sino que denantes le oí hablar, y no pareció sino que la voz de la Trifaldi me sonaba en los oídos. Ahora bien: yo callaré; pero no dejaré de andar advertido de aquí adelante, a ver si descubre otra señal que confirme o desfaga mi sospecha.

—Así lo has de hacer, Sancho —dijo don Quijote—, y darásme aviso de todo lo que en este caso descubrieres y de todo aquello que en el gobierno te sucediere.

Salió, en fin, Sancho, acompañado de mucha gente, vestido a lo letrado, y encima un gabán muy ancho de chamelote de aguas leonado[2], con una montera de lo mesmo, sobre un macho a la jineta, y detrás dél, por orden del duque, iba el rucio con jaeces y ornamentos jumentiles de seda y flamantes. Volvía Sancho la cabeza de cuando en cuando a mirar a su asno, con cuya compañía iba tan contento, que no se trocara con el emperador de Alemaña.

Al despedirse de los duques, les besó las manos, y tomó la bendición de su señor, que se la dio con lágrimas, y Sancho la recibió con pucheritos.

Deja, lector amable, ir en paz y en hora buena al buen Sancho, y espera dos fanegas de risa, que te ha de causar el saber cómo se portó en su cargo, y en tanto,

---

[1] *en justo y en creyente*, repentinamente.
[2] *chamelote*, tela de piel de camello o cabra, propia para prendas de verano; *de aguas*, con visos ondulados; *leonado*, rojizo.

atiende a saber lo que le pasó a su amo aquella noche; que si con ello no rieres, por lo menos desplegarás los labios con risa de jimia[3], porque los sucesos de don Quijote, o se han de celebrar con admiración, o con risa.

Cuéntase, pues, que apenas se hubo partido Sancho, cuando don Quijote sintió su soledad[4]; y si le fuera posible revocarle la comisión y quitarle el gobierno, lo hiciera. Conoció la duquesa su melancolía, y preguntóle que de qué estaba triste; que si era por la ausencia de Sancho, que escuderos, dueñas y doncellas había en su casa, que le servirían muy a satisfación de su deseo.

—Verdad es, señora mía —respondió don Quijote—, que siento la ausencia de Sancho; pero no es ésa la causa principal que me hace parecer que estoy triste, y de los muchos ofrecimientos que Vuestra Excelencia me hace solamente acepto y escojo el de la voluntad con que se me hacen, y en lo demás, suplico a Vuestra Excelencia que dentro de mi aposento consienta y permita que yo solo sea el que me sirva.

—En verdad —dijo la duquesa—, señor don Quijote, que no ha de ser así: que le han de servir cuatro doncellas de las mías, hermosas como unas flores.

—Para mí —respondió don Quijote —no serán ellas como flores, sino como espinas que me puncen el alma. Así entrarán ellas en mi aposento, ni cosa que lo parezca, como volar. Si es que vuestra grandeza quiere llevar adelante el hacerme merced sin yo merecerla, déjeme que yo me las haya conmigo, y que yo me sirva de mis puertas adentro; que yo ponga una muralla en medio de mis deseos y de mi honestidad; y no quiero perder esta costumbre por la liberalidad que vuestra alteza quiere mostrar conmigo. Y, en resolución, antes dormiré vestido que consentir que nadie me desnude.

—No más, no más, señor don Quijote —replicó la duquesa—. Por mí digo que daré orden que ni aun una mosca entre en su estancia, no que una doncella; no soy yo persona, que por mí se ha de descabalar la decencia del señor don Quijote; que, según se me ha traslucido, la que más campea entre sus muchas virtudes es la de la honestidad. Desnúdese vuesa merced y vístase a sus

[3] *jimia*, simia, mona.
[4] *soledad*, nostalgia.

solas y a su modo, como y cuando quisiere; que no habrá quien lo impida, pues dentro de su aposento hallará los vasos necesarios al menester del que duerme a puerta cerrada, porque ninguna natural necesidad le obligue a que la abra. Viva mil siglos la gran Dulcinea del Toboso, y sea su nombre estendido por toda la redondez de la tierra, pues mereció ser amada de tan valiente y tan honesto caballero, y los benignos cielos infundan en el corazón de Sancho Panza, nuestro gobernador, un deseo de acabar presto sus diciplinas, para que vuelva a gozar el mundo de la belleza de tan gran señora.

A lo cual dijo don Quijote:

—Vuestra altitud ha hablado como quien es; que en la boca de las buenas señoras no ha de haber ninguna[5] que sea mala; y más venturosa y más conocida será en el mundo Dulcinea por haberla alabado vuestra grandeza que por todas las alabanzas que puedan darle los más elocuentes de la tierra.

—Agora bien, señor don Quijote —replicó la duquesa—, la hora de cenar se llega, y el duque debe de esperar: venga vuesa merced, y cenemos, y acostaráse temprano; que el viaje que ayer hizo de Candaya no fue tan corto que no haya causado algún molimiento.

—No siento ninguno, señora —respondió don Quijote—; porque osaré jurar a Vuestra Excelencia que en mi vida he subido sobre bestia más reposada ni de mejor paso que Clavileño, y no sé yo qué le pudo mover a Malambruno para deshacerse de tan ligera y tan gentil cabalgadura, y abrasarla así, sin más ni más.

—A eso se puede imaginar —respondió la duquesa— que arrepentido del mal que había hecho a la Trifaldi, y compañía, y a otras personas, y de las maldades que como hechicero y encantador debía de haber cometido, quiso concluir con todos los instrumentos de su oficio, y como a principal y que más le traía desasosegado, vagando de tierra en tierra, abrasó a Clavileño; que con sus abrasadas cenizas y con el trofeo del cartel queda eterno el valor del gran don Quijote de la Mancha.

De nuevo nuevas gracias dio don Quijote a la duquesa, y en cenando, don Quijote se retiró en su apo-

---

[5] *ninguna* [habla].

sento solo, sin consentir que nadie entrase con él a servirle: tanto se temía de encontrar ocasiones que le
moviesen o forzasen a perder el honesto decoro que a
su señora Dulcinea guardaba, siempre puesta en la imaginación la bondad de Amadís, flor y espejo de los andantes caballeros. Cerró tras sí la puerta, y a la luz de
dos velas de cera se desnudó, y al descalzarse —¡oh desgracia indigna de tal persona!— se le soltaron, no suspiros, ni otra cosa, que desacreditasen la limpieza de su
policía, sino hasta dos docenas de puntos de una media,
que quedó hecha celosía. Afligióse en estremo el buen
señor, y diera él por tener allí un adarme de seda verde
una onza de plata; digo seda verde porque las medias
eran verdes.

Aquí exclamó Benengeli, y escribiendo, dijo: «¡Oh
pobreza, pobreza! ¡No sé yo con qué razón se movió
aquel gran poeta cordobés[6] a llamarte

Dádiva santa desagradecida!

Yo, aunque moro, bien sé, por la comunicación que he
tenido con cristianos, que la santidad consiste en la caridad, humildad, fee, obediencia y pobreza; pero, con todo
eso, digo que ha de tener mucho de Dios el que se viniere a contentar con ser pobre, si no es de aquel modo de
pobreza de quien dice uno de sus mayores santos: "Te-
"ned todas las cosas como si no las tuviésedes[7]"; y a esto
llaman pobreza de espíritu; pero tú, segunda pobreza,
que eres de la que yo hablo, ¿por qué quieres estrellarte
con los hidalgos y bien nacidos más que con la otra gente? ¿Por qué los obligas a dar pantalia[8] a los zapatos,
y a que los botones de sus ropillas unos sean de seda,
otros de cerdas, y otros de vidro? ¿Por qué sus cuellos,
por la mayor parte, han de ser siempre escarolados, y
no abiertos con molde?» Y en esto se echará de ver que
es antiguo el uso del almidón y de los cuellos abiertos.

---

[6] Juan de Mena, en la estrofa 227 del *Laberinto de Fortuna*, o las *Trescientas*.

[7] San Pablo, I, *Corintios*, VII, 31.

[8] *pantalia*, pantalla; porque del hollín recogido en las pantallas de linternas y candeleros se hacía una pasta que servía para dar lustre a los zapatos (cfr. J. Corominas, *Diccionario crítico etimológico de la lengua castellana*, III, Madrid, 1954, pág. 640).

Y prosiguió: «¡Miserable del bien nacido que va dando pistos[9] a su honra, comiendo mal y a puerta cerrada, haciendo hipócrita al palillo de dientes con que sale a la calle después de no haber comido cosa que le obligue a limpiárselos! ¡Miserable de aquel, digo, que tiene la honra espantadiza, y piensa que desde una legua se le descubre el remiendo del zapato, el trasudor del sombrero, la hilaza del herreruelo y la hambre de su estómago!»

Todo esto se le renovó a don Quijote en la soltura de sus puntos; pero consolóse con ver que Sancho le había dejado unas botas de camino, que pensó ponerse otro día. Finalmente, él se recostó pensativo y pesaroso, así de la falta que Sancho le hacía como de la inreparable desgracia de sus medias, a quien tomara los puntos, aunque fuera con seda de otra color, que es una de las mayores señales de miseria que un hidalgo puede dar en el discurso de su prolija estrecheza. Mató las velas, hacía calor y no podía dormir, levantóse del lecho y abrió un poco la ventana de una reja que daba sobre un hermoso jardín, y al abrirla, sintió y oyó que andaba y hablaba gente en el jardín. Púsose a escuchar atentamente. Levantaron la voz los de abajo, tanto, que pudo oír estas razones:

—No me porfíes, ¡oh Emerencia!, que cante, pues sabes que desde el punto que este forastero entró en este castillo y mis ojos le miraron, yo no sé cantar, sino llorar, cuanto más que el sueño de mi señora tiene más de ligero que de pesado, y no querría que nos hallase aquí por todo el tesoro del mundo. Y puesto caso que durmiese y no despertase, en vano sería mi canto si duerme y no despierta para oírle este nuevo Eneas, que ha llegado a mis regiones para dejarme escarnida.

—No des en eso, Altisidora amiga —respondieron—, que sin duda la duquesa y cuantos hay en esa casa duermen, si no es el señor de tu corazón y el despertador de tu alma, porque ahora sentí que abría la ventana de la reja de su estancia, y sin duda debe de estar despierto; canta, lastimada mía, en tono bajo y suave al son de tu arpa, y cuando la duquesa nos sienta le echaremos la culpa al calor que hace.

---

[9] *dar pistos*, alimentar.

—No está en eso el punto, ¡oh Emerencia! —respondió la Altisidora—, sino en que no querría que mi canto descubriese mi corazón y fuese juzgada de los que no tienen noticia de las fuerzas poderosas de amor por doncella antojadiza y liviana. Pero venga lo que viniere, que más vale vergüenza en cara que mancilla en corazón.

Y en esto, sintió tocar una arpa suavísimamente. Oyendo lo cual quedó don Quijote pasmado, porque en aquel instante se le vinieron a la memoria las infinitas aventuras semejantes a aquélla, de ventanas, rejas y jardines, músicas, requiebros y desvanecimientos que en los sus desvanecidos libros de caballerías había leído. Luego imaginó que alguna doncella de la duquesa estaba dél enamorada, y que la honestidad la forzaba a tener secreta su voluntad; temió no le rindiese, y propuso en su pensamiento el no dejarse vencer, y encomendándose de todo buen ánimo y buen talante a su señora Dulcinea del Toboso, determinó de escuchar la música, y para dar a entender que allí estaba, dio un fingido estornudo, de que no poco se alegraron las doncellas, que otra cosa no deseaban sino que don Quijote las oyese. Recorrida, pues, y afinada la arpa, Altisidora dio principio a este romance:

—¡Oh, tú, que estás en tu lecho,
entre sábanas de holanda,
durmiendo a pierna tendida
de la noche a la mañana,
   caballero el más valiente
que ha producido la Mancha,
más honesto y más bendito
que el oro fino de Arabia!
   Oye a una triste doncella,
bien crecida y mal lograda,
que en la luz de tus dos soles
se siente abrasar el alma.
   Tú buscas tus aventuras,
y ajenas desdichas hallas;
das las feridas, y niegas
el remedio de sanarlas.
   Dime, valeroso joven,
que Dios prospere tus ansias,

si te criaste en la Libia,
o en las montañas de Jaca;
si sierpes te dieron leche;
si a dicha fueron tus amas
la aspereza de las selvas
y el horror de las montañas.

Muy bien puede Dulcinea,
doncella rolliza y sana,
preciarse de que ha rendido
a una tigre y fiera brava.

Por esto será famosa
desde Henares a Jarama,
desde el Tajo a Manzanares,
desde Pisuerga hasta Arlanza.

Trocáreme yo por ella,
y diera encima una saya
de las más gayadas[10] mías;
que de oro le adornan franjas.

¡Oh, quién se viera en tus brazos,
o si no, junto a tu cama,
rascándote la cabeza
y matándote la caspa!

Mucho pido, y no soy digna
de merced tan señalada:
los pies quisiera traerte[11];
que a una humilde esto le basta.

¡Oh, qué de cofias te diera,
qué de escarpines de plata,
qué de calzas de damasco,
qué de herreruelos de holanda!

¡Qué de finísimas perlas,
cada cual como una agalla,
que a no tener compañeras,
Las solas[12] fueran llamadas!

No mires de tu Tarpeya[13]
este incendio que me abrasa,

---

[10] gayadas, de muchos colores, abigarradas.
[11] traer en el sentido de dar friegas, masaje.
[12] Tal vez alusión a cierta perla de la casa real española, llamada la Peregrina o la Huérfana o la Sola porque se creía que no había otra semejante.
[13] Tarpeya, roca del Capitolio romano desde la cual, según un muy conocido romance, Nerón contempló el incendio de Roma.

Nerón manchego del mundo,
ni le avives con tu saña.
    Niña soy, pulcela[14] tierna;
mi edad de quince no pasa:
catorce tengo y tres meses,
te juro en Dios y en mi ánima.
    No soy renca[15], ni soy coja,
ni tengo nada de manca;
los cabellos, como lirios,
que, en pie, por el suelo arrastran.
    Y aunque es mi boca aguileña
y la nariz algo chata,
ser mis dientes de topacios
mi belleza al cielo ensalza.
    Mi voz, ya ves, si me escuchas,
que a la que es más dulce iguala,
y soy de disposición
algo menos que mediana.
    Estas y otras gracias miras:
son despojos de tu aljaba;
desta casa soy doncella,
y Altisidora me llaman.

Aquí dio fin el canto de la malferida Altisidora, y comenzó el asombro del requerido don Quijote, el cual,
dando un gran suspiro, dijo entre sí:
    —¡Que tengo de ser tan desdichado andante, que no
ha de haber doncella que me mire que de mí no se ena-
more…! ¡Que tenga de ser tan corta de ventura la sin
par Dulcinea del Toboso, que no la han de dejar a solas
gozar de la incomparable firmeza mía…! ¿Qué la queréis, reinas? ¿A qué la perseguís, emperatrices? ¿Para
qué la acosáis, doncellas de a catorce a quince años?
Dejad, dejad a la miserable que triunfe, se goce y ufane
con la suerte que Amor quiso darle en rendirle mi corazón y entregarle mi alma. Mirad, caterva enamorada,
que para sola Dulcinea soy de masa y de alfenique, y
para todas las demás soy de pedernal; para ella soy miel,
y para vosotras acíbar; para mí sola Dulcinea es la hermosa, la discreta, la honesta, la gallarda y la bien nacida,

---

[14] *pulcela*, doncella.
[15] *renca*, coja por lesión en las caderas.

y las demás, las feas, las necias, las livianas y las de peor linaje; para ser yo suyo, y no de otra alguna, me arrojó la naturaleza al mundo. Llore, o cante, Altisidora; desespérese Madama[16] por quien me aporrearon en el castillo del moro encantado, que yo tengo de ser de Dulcinea, cocido o asado, limpio, bien criado y honesto, a pesar de todas las potestades hechiceras de la tierra.

Y con esto, cerró de golpe la ventana, y despechado y pesaroso como si le hubiera acontecido alguna gran desgracia, se acostó en su lecho, donde le dejaremos por ahora, porque nos está llamando el gran Sancho Panza, que quiere dar principio a su famoso gobierno.

CAPÍTULO XLV

DE CÓMO EL GRAN SANCHO PANZA TOMÓ LA POSESIÓN DE SU ÍNSULA, Y DEL MODO QUE COMENZÓ A GOBERNAR

¡OH perpetuo descubridor de los antípodas, hacha del mundo, ojo del cielo, meneo dulce de las cantimploras[1], Timbrio aquí, Febo allí, tirador acá, médico acullá, padre de la Poesía, inventor de la Música, tú que siempre sales y, aunque lo parece, nunca te pones! A ti digo, ¡oh sol, con cuya ayuda el hombre engendra al hombre[2]!, a ti digo que me favorezcas, y alumbres la escuridad de mi ingenio, para que pueda discurrir por sus puntos en la narración del gobierno del gran Sancho Panza; que sin ti, yo me siento tibio, desmazalado y confuso.

Digo, pues, que con todo su acompañamiento llegó Sancho a un lugar de hasta mil vecinos, que era de los mejores que el duque tenía. Diéronle a entender que se llamaba la ínsula Barataria, o ya porque el lugar se lla-

---

[16] *Madama,* señora (humorísticamente). Se refiere a Maritornes y a la aventura de I, 16.
[1] Nota cómica en esta solemne invocación a Apolo (el sol), pues era costumbre enterrar o mover las cantimploras llenas de agua en un cubo de nieve a fin de refrescarlas (cfr. Schevill, IV, 424).
[2] Idea tomada de Aristóteles, *Física*, II, 2.

maba Baratario, o ya por el barato[3] con que se le había
dado el gobierno. Al llegar a las puertas de la villa, que
era cercada, salió el regimiento[4] del pueblo a recebirle;
tocaron las campanas, y todos los vecinos dieron muestras de general alegría, y con mucha pompa le llevaron a
la iglesia mayor a dar gracias a Dios, y luego con algunas ridículas ceremonias le entregaron las llaves del pueblo y le admitieron por perpetuo gobernador de la
ínsula Barataria.

El traje, las barbas, la gordura y pequeñez del nuevo
gobernador tenía admirada a toda la gente que el busilis[5] del cuento no sabía, y aun a todos los que lo sabían,
que eran muchos. Finalmente, en sacándole de la iglesia
le llevaron a la silla del juzgado y le sentaron en ella,
y el mayordomo del duque le dijo:

—Es costumbre antigua en esta ínsula, señor gobernador, que el que viene a tomar posesión desta famosa
ínsula está obligado a responder a una pregunta que se
le hiciere, que sea algo intricada y dificultosa; de cuya
respuesta el pueblo toma y toca el pulso del ingenio de
su nuevo gobernador, y así, o se alegra o se entristece
con su venida.

En tanto que el mayordomo decía esto a Sancho, estaba él mirando unas grandes y muchas letras que en la
pared frontera de su silla estaban escritas; y como él no
sabía leer, preguntó que qué eran aquellas pinturas que en
aquella pared estaban. Fuele respondido:

—Señor, allí está escrito y notado el día en que Vuestra Señoría tomó posesión desta ínsula, y dice el epitafio: *Hoy día, a tantos de tal mes y de tal año, tomó la
posesión desta ínsula el señor don Sancho Panza, que
muchos años la goce.*

—Y ¿a quién llaman don Sancho Panza? —preguntó Sancho.

—A Vuestra Señoría —respondió el mayordomo—;
que en esta ínsula no ha entrado otro Panza sino el que
está sentado en esa silla.

—Pues advertid, hermano —dijo Sancho—, que yo

---

[3] *barato*, propina que los jugadores dan a los que les sirven
mientras juegan e incluso a los mirones.
[4] *regimiento*, ayuntamiento, los regidores.
[5] *busilis*, dificultad o secreto de un asunto.

no tengo *don*, ni en todo mi linaje le ha habido: Sancho Panza me llaman a secas, y Sancho se llamó mi padre, y Sancho mi agüelo, y todos fueron Panzas, sin añadiduras de dones ni donas; y yo imagino que en esta ínsula debe de haber más dones que piedras; pero basta: Dios me entiende, y podrá ser que si el gobierno me dura cuatro días, yo escardaré[6] estos dones, que, por la muchedumbre, deben de enfadar como los mosquitos. Pase adelante con su pregunta el señor mayordomo; que yo responderé lo mejor que supiere, ora se entristezca o no se entristezca el pueblo.

A este instante entraron en el juzgado dos hombres, el uno vestido de labrador y el otro de sastre, porque traía unas tijeras en la mano, y el sastre dijo:

—Señor gobernador, yo y este hombre labrador venimos ante vuestra merced en razón que este buen hombre llegó a mi tienda ayer (que yo, con perdón de los presentes[7], soy sastre examinado[8], que Dios sea bendito), y poniéndome un pedazo de paño en las manos, me preguntó: «Señor, ¿habría en esto paño harto para ha-»cerme una caperuza?» Yo, tanteando el paño, le respondí que sí; él debióse de imaginar, a lo que yo imagino, e imaginé bien, que sin duda yo le quería hurtar alguna parte del paño, fundándose en su malicia y en la mala opinión de los sastres, y replicóme que mirase si habría para dos; adivinéle el pensamiento y díjele que sí; y él, caballero en su dañada y primera intención, fue añadiendo caperuzas, y yo añadiendo síes, hasta que llegamos a cinco caperuzas; y ahora en este punto acaba de venir por ellas; yo se las doy, y no me quiere pagar la hechura; antes me pide que le pague o vuelva su paño.

—¿Es todo esto así, hermano? —preguntó Sancho.

—Sí, señor —respondió el hombre—; pero hágale vuestra merced que muestre las cinco caperuzas que me ha hecho.

—De buena gana —respondió el sastre.

Y sacando encontinente la mano de bajo del herre-

---

[6] *escardaré,* arrancaré.

[7] *con perdón de los presentes;* los sastres gozaban de muy mala fama.

[8] *examinado,* que ha sufrido examen en el gremio.

ruelo, mostró en ella cinco caperuzas puestas en las cinco cabezas de los dedos de la mano, y dijo:

—He aquí las cinco caperuzas que este buen hombre me pide, y en Dios y en mi conciencia que no me ha quedado nada del paño, y yo daré la obra a vista de veedores[9] del oficio.

Todos los presentes se rieron de la multitud de las caperuzas y del nuevo pleito. Sancho se puso a considerar un poco, y dijo:

—Paréceme que en este pleito no ha de haber largas dilaciones, sino juzgar luego a juicio de buen varón; y así, yo doy por sentencia que el sastre pierda las hechuras, y el labrador el paño, y las caperuzas se lleven a los presos de la cárcel, y no haya más.

Si la sentencia pasada[10] de la bolsa del ganadero movió a admiración a los circunstantes, ésta les provocó a risa; pero, en fin, se hizo lo que mandó el gobernador. Ante el cual se presentaron dos hombres ancianos; el uno traía una cañaheja[11] por báculo, y el sin báculo dijo:

—Señor, a este buen hombre le presté días ha diez escudos de oro en oro, por hacerle placer y buena obra, con condición que me los volviese cuando se los pidiese; pasáronse muchos días sin pedírselos, por no ponerle en mayor necesidad, de volvérmelos, que la que él tenía cuando yo se los presté; pero por parecerme que se descuidaba en la paga, se los he pedido una y muchas veces, y no solamente no me los vuelve, pero me los niega y dice que nunca tales diez escudos le presté, y que si se los presté, que ya me los ha vuelto. Yo no tengo testigos ni del prestado ni de la vuelta, porque no me los ha vuelto; querría que vuestra merced le tomase juramento, y si jurare que me los ha vuelto, yo se los perdono para aquí y para delante de Dios.

—¿Qué decís vos a esto, buen viejo del báculo? —dijo Sancho.

A lo que dijo el viejo:

—Yo, señor, confieso que me los prestó, y baje vues-

---

[9] *veedores*, inspectores.
[10] Tal vez habría que entender *pasada después* o *que pasó después*. Aunque es más posible que Cervantes hubiese redactado al principio los dos sucesos en diferente orden y al trastrocarlos se olvidara de enmendar esta frase.
[11] *cañaheja*, caña de unos dos metros de altura.

tra merced esa vara[12]; y pues él lo deja en mi juramento, yo juraré como se los he vuelto y pagado real y verdaderamente.

Bajó el gobernador la vara, y en tanto, el viejo del báculo dio el báculo al otro viejo, que se le tuviese en tanto que juraba, como si le embarazara mucho, y luego puso la mano en la cruz de la vara, diciendo que era verdad que se le habían prestado aquellos diez escudos que se le pedían; pero que él se los había vuelto de su mano a la suya, y que por no caer en ello se los volvía a pedir por momentos[13]. Viendo lo cual el gran gobernador, preguntó al acreedor qué respondía a lo que decía su contrario; y dijo que sin duda alguna su deudor debía de decir verdad, porque le tenía por hombre de bien y buen cristiano, y que a él se le debía de haber olvidado el cómo y cuándo se los había vuelto, y que desde allí en adelante jamás le pidiría nada. Tornó a tomar su báculo el deudor, y bajando la cabeza, se salió del juzgado. Visto lo cual Sancho, y que sin más ni más se iba, y viendo también la paciencia del demandante, inclinó la cabeza sobre el pecho, y poniéndose el índice de la mano derecha sobre las cejas y las narices, estuvo como pensativo un pequeño espacio, y luego alzó la cabeza y mandó que le llamasen al viejo del báculo, que ya se había ido. Trujéronsele, y en viéndole Sancho, le dijo:

—Dadme, buen hombre, ese báculo; que le he menester.

—De muy buena gana —respondió el viejo—: hele aquí, señor.

Y púsosele en la mano. Tomóle Sancho, y dándosele al otro viejo, le dijo:

—Andad con Dios, que ya vais pagado.

—¿Yo, señor? —respondió el viejo—. Pues ¿vale esta cañaheja diez escudos de oro?

—Sí —dijo el gobernador—; o si no, yo soy el mayor porro del mundo. Y ahora se verá si tengo yo caletre para gobernar todo un reino.

Y mandó que allí, delante de todos, se rompiese y

[12] Para jurar sobre ella.
[13] O sea: «y que el acreedor, por no acordarse de ello, se los pedía a cada momento».

abriese la caña. Hízose así, y en el corazón della hallaron diez escudos en oro; quedaron todos admirados, y
tuvieron a su gobernador por un nuevo Salomón.

Preguntáronle de dónde había colegido que en aquella cañaheja estaban aquellos diez escudos, y respondió
que de haberle visto dar el viejo que juraba, a su contrario, aquel báculo, en tanto que hacía el juramento,
y jurar que se los había dado real y verdaderamente, y
que en acabando de jurar le tornó a pedir el báculo, le
vino a la imaginación que dentro dél estaba la paga de
lo que pedían. De donde se podía colegir que los que
gobiernan, aunque sean unos tontos, tal vez[14] los encamina Dios en sus juicios; y más que él había oído contar
otro caso como aquél al cura de su lugar[15], y que él tenía tan gran memoria, que a no olvidársele todo aquello
de que quería acordarse, no hubiera tal memoria en toda
la ínsula. Finalmente, el un viejo corrido y el otro pagado, se fueron, y los presentes quedaron admirados, y
el que escribía las palabras, hechos y movimientos de
Sancho no acababa de determinarse si le tendría y pondría por tonto, o por discreto.

Luego, acabado este pleito, entró en el juzgado una
mujer asida fuertemente de un hombre vestido de ganadero rico, la cual venía dando grandes voces, diciendo:

—¡Justicia, señor gobernador, justicia, y si no la hallo en la tierra, la iré a buscar al cielo! Señor gobierna-
dor de mi ánima, este mal hombre me ha cogido en la
mitad dese campo, y se ha aprovechado de mi cuerpo
como si fuera trapo mal lavado, y, ¡desdichada de mí!,
me ha llevado lo que yo tenía guardado más de veinte
y tres años ha, defendiéndolo de moros y cristianos, de
naturales y estranjeros, y yo, siempre dura como un alcornoque, conservándome entera como la salamanquesa[16] en el fuego, o como la lana entre las zarzas, para
que este buen hombre llegase ahora con sus manos limpias
a manosearme.

—Aun eso está por averiguar: si tiene limpias o no
las manos este galán —dijo Sancho.

---

[14] *tal vez*, alguna vez.
[15] Efectivamente, este cuento es muy antiguo y figura en reper-
torios de ejemplos ya en el siglo XV.
[16] *salamanquesa*, salamandra.

Y volviéndose al hombre, le dijo qué decía y respondía a la querella de aquella mujer. El cual, todo turbado, respondió:

—Señores, yo soy un pobre ganadero de ganado de cerda, y esta mañana salía deste lugar de vender, con perdón sea dicho, cuatro puercos, que me llevaron de alcabalas y socaliñas poco menos de lo que ellos valían; volvíame a mi aldea, topé en el camino a esta buena dueña, y el diablo, que todo lo añasca[17] y todo lo cuece, hizo que yogásemos juntos; paguéle lo soficiente, y ella, mal contenta, asió de mí, y no me ha dejado hasta traerme a este puesto. Dice que la forcé, y miente, para el juramento que hago o pienso hacer; y ésta es toda la verdad, sin faltar meaja.

Entonces el gobernador le preguntó si traía consigo algún dinero en plata; él dijo que hasta veinte ducados tenía en el seno, en una bolsa de cuero. Mandó que la sacase y se la entregase, así como estaba, a la querellante; él lo hizo temblando; tomóla la mujer, y haciendo mil zalemas[18] a todos y rogando a Dios por la vida y salud del señor gobernador, que así miraba por las huérfanas menesterosas y doncellas; y con esto se salió del juzgado, llevando la bolsa asida con entrambas manos; aunque primero miró si era de plata la moneda que llevaba dentro.

Apenas salió, cuando Sancho dijo al ganadero, que ya se le saltaban las lágrimas, y los ojos y el corazón se iban tras su bolsa:

—Buen hombre, id tras aquella mujer, y quitadle la bolsa, aunque no quiera, y volved aquí con ella.

Y no lo dijo a tonto ni a sordo; porque luego partió como un rayo y fue a lo que se le mandaba. Todos los presentes estaban suspensos, esperando el fin de aquel pleito, y de allí a poco volvieron el hombre y la mujer más asidos y aferrados que la vez primera, ella la saya levantada y en el regazo puesta la bolsa, y el hombre pugnando por quitársela; mas no era posible, según la mujer la defendía, la cual daba voces diciendo:

—¡Justicia de Dios y del mundo! Mire vuestra merced, señor gobernador, la poca vergüenza y el poco te-

---

[17] *añascar*, enredar.
[18] *zalemas*, reverencias muy **exageradas**.

mor deste desalmado, que en mitad de poblado y en mitad de la calle, me ha querido quitar la bolsa que vuestra merced mandó darme.

—Y ¿háosla quitado? —preguntó el gobernador.

—¿Cómo quitar? —respondió la mujer—. Antes me dejara yo quitar la vida que me quiten la bolsa. ¡Bonita es la niña! ¡Otros gatos me han de echar a las barbas, que no este desventurado y asqueroso! ¡Tenazas y martillos, mazos y escoplos no serán bastantes a sacármela de las uñas, ni aun garras de leones: antes el ánima de en mitad en mitad de las carnes!

—Ella tiene razón —dijo el hombre—, y yo me doy por rendido y sin fuerzas, y confieso que las mías no son bastantes para quitársela, y déjola.

Entonces el gobernador dijo a la mujer:

—Mostrad, honrada y valiente, esa bolsa.

Ella se la dio luego, y el gobernador se la volvió al hombre, y dijo a la esforzada y no forzada:

—Hermana mía, si el mismo aliento y valor que habéis mostrado para defender esta bolsa le mostrárades, y aun la mitad menos, para defender vuestro cuerpo, las fuerzas de Hércules no os hicieran fuerza. Andad con Dios, y mucho de enhoramala, y no paréis en toda esta ínsula ni en seis leguas a la redonda, so pena de docientos azotes. ¡Andad luego digo, churrillera[19], desvergonzada y embaidora[20]!

Espantóse la mujer y fuese cabizbaja y mal contenta, y el gobernador dijo al hombre:

—Buen hombre, andad con Dios a vuestro lugar con vuestro dinero, y de aquí adelante, si no le queréis perder, procurad que no os venga en voluntad de yogar con nadie.

El hombre le dio las gracias lo peor que supo, y fuese, y los circunstantes quedaron admirados de nuevo de los juicios y sentencias de su nuevo gobernador. Todo lo cual, notado de su coronista, fue luego escrito al duque, que con gran deseo lo estaba esperando.

Y quédese aquí el buen Sancho, que es mucha la priesa que nos da su amo, alborozado con la música de Altisidora.

---

[19] *churrillera,* charlatana, embustera.
[20] *embaidora,* engañadora.

CAPÍTULO XLVI

Del temeroso espanto cencerril y gatuno que recibió don Quijote en el discurso de los amores de la enamorada Altisidora

Dejamos al gran don Quijote envuelto en los pensamientos que le habían causado la música de la enamorada doncella Altisidora. Acostóse con ellos y, como si fueran pulgas, no le dejaron dormir ni sosegar un punto, y juntábansele los que le faltaban de sus medias; pero como es ligero el tiempo, y no hay barranco que le detenga, corrió caballero en las horas, y con mucha presteza llegó la de la mañana. Lo cual visto por don Quijote, dejó las blandas plumas, y, no nada perezoso, se vistió su acamuzado vestido y se calzó sus botas de camino, por encubrir la desgracia de sus medias; arrojóse encima su mantón de escarlata y púsose en la cabeza una montera de terciopelo verde, guarnecida de pasamanos[1] de plata; colgó el tahelí de sus hombros con su buena y tajadora espada, asió un gran rosario que consigo contino traía, y con gran prosopopeya y contoneo salió a la antesala, donde el duque y la duquesa estaban ya vestidos y como esperándole. Y al pasar por una galería, estaban aposta esperándole Altisidora y la otra doncella su amiga, y así como Altisidora vio a don Quijote, fingió desmayarse, y su amiga la recogió en sus faldas, y con gran presteza la iba a desabrochar el pecho. Don Quijote, que lo vio, llegándose a ellas, dijo:

—Ya sé yo de qué proceden estos accidentes.

—No sé yo de qué —respondió la amiga—, porque Altisidora es la doncella más sana de toda esta casa, y yo nunca la he sentido un ¡ay! en cuanto ha que la conozco; que mal hayan cuantos caballeros andantes hay en el mundo, si es que todos son desagradecidos. Váyase vuesa merced, señor don Quijote; que no volverá en sí esta pobre niña en tanto que vuesa merced aquí estuviere.

[1] *pasamanos*, galones o trencillas.

A lo que respondió don Quijote:

—Haga vuesa merced, señora, que se me ponga un laúd esta noche en mi aposento; que yo consolaré lo mejor que pudiere a esta lastimada doncella; que en los principios amorosos los desengaños prestos suelen ser remedios calificados.

Y con esto se fue, porque no fuese notado de los que allí le viesen. No se hubo bien apartado, cuando volviendo en sí la desmayada Altisidora, dijo a su compañera:

—Menester será que se le ponga el laúd; que sin duda don Quijote quiere darnos música, y no será mala, siendo suya.

Fueron luego a dar cuenta a la duquesa de lo que pasaba y del laúd que pedía don Quijote, y ella, alegre sobremodo, concertó con el duque y con sus doncellas de hacerle una burla que fuese más risueña que dañosa, y con mucho contento esperaban la noche, que se vino tan apriesa como se había venido el día, el cual pasaron los duques en sabrosas pláticas con don Quijote. Y la duquesa aquel día real y verdaderamente despachó a un paje suyo —que había hecho en la selva la figura encantada de Dulcinea— a Teresa Panza, con la carta de su marido Sancho Panza, y con el lío de ropa que había dejado para que se le enviase, encargándole le trujese buena relación de todo lo que con ella pasase.

Hecho esto, y llegadas las once horas de la noche, halló don Quijote una vihuela en su aposento; templóla, abrió la reja, y sintió que andaba gente en el jardín; y habiendo recorrido los trastes de la vihuela y afinándola lo mejor que supo, escupió y remondóse[2] el pecho, y luego, con una voz ronquilla, aunque entonada, cantó el siguiente romance, que él mismo aquel día había compuesto:

> —Suelen las fuerzas de amor
> sacar de quicio a las almas,
> tomando por instrumento
> la ociosidad descuidada.
> Suele el coser y el labrar[3],
> y el estar siempre ocupada,

---

[2] *remondar*, limpiar, aclarar (carraspeando).
[3] *labrar*, hacer labores femeninas.

ser antídoto al veneno
de las amorosas ansias.

Las doncellas recogidas
que aspiran a ser casadas,
la honestidad es la dote
y voz de sus alabanzas.

Los andantes caballeros
y los que en la corte andan,
requiébranse con las libres;
con las honestas se casan.

Hay amores de levante,
que entre huéspedes se tratan,
que llegan presto al poniente,
porque en el partirse acaban.

El amor recién venido,
que hoy llegó y se va mañana,
las imágines no deja
bien impresas en el alma.

Pintura sobre pintura
ni se muestra ni señala;
y do hay primera belleza,
la segunda no hace baza.

Dulcinea del Toboso
del alma en la tabla rasa
tengo pintada de modo,
que es imposible borrarla.

La firmeza en los amantes
es la parte más preciada,
por quien hace Amor milagros,
y asimesmo[4] los levanta.

Aquí llegaba don Quijote de su canto, a quien estaban escuchando el duque y la duquesa, Altisidora y casi toda la gente del castillo, cuando de improviso, desde encima de un corredor que sobre la reja de don Quijote a plomo caía, descolgaron un cordel donde venían más de cien cencerros asidos, y luego, tras ellos, derramaron un gran saco de gatos, que asimismo traían cencerros menores atados a las colas. Fue tan grande el ruido de los cencerros y el mayar de los gatos, que aunque los duques

---

[4] «y también los eleva»; pero si separamos *a sí mesmo*, el sentido es: «el Amor levanta a los amantes hasta sí mismo».

habían sido inventores de la burla, todavía les sobresaltó; y, temeroso don Quijote, quedó pasmado. Y quiso la suerte que dos o tres gatos se entraron por la reja de su estancia, y dando de una parte a otra,' parecía que una región[5] de diablos andaba en ella. Apagaron las velas que en el aposento ardían, y andaban buscando por do escaparse. El descolgar y subir del cordel de los grandes cencerros no cesaba; la mayor parte de la gente del castillo, que no sabía la verdad del caso, estaba suspensa y admirada.

Levantóse don Quijote en pie, y poniendo mano a la espada comenzó a tirar estocadas por la reja y a decir a grandes voces:

—¡Afuera, malignos encantadores! ¡Afuera, canalla hechiceresca; que yo soy don Quijote de la Mancha, contra quien no valen ni tienen fuerza vuestras malas intenciones!

Y volviéndose a los gatos que andaban por el aposento, les tiró muchas cuchilladas; ellos acudieron a la reja, y por allí se salieron, aunque uno, viéndose tan acosado de las cuchilladas de don Quijote, le saltó al rostro y le asió de las narices con las uñas y los dientes, por cuyo dolor don Quijote comenzó a dar los mayores gritos que pudo. Oyendo lo cual el duque y la duquesa, y considerando lo que podía ser, con mucha presteza acudieron a su estancia, y abriendo con llave maestra vieron al pobre caballero pugnando con todas sus fuerzas por arrancar el gato de su rostro. Entraron con luces y vieron la desigual pelea; acudió el duque a despartirla, y don Quijote dijo a voces:

—¡No me le quite nadie! ¡Déjenme mano a mano con este demonio, con este hechicero, con este encantador, que yo le daré a entender de mí a él quién es don Quijote de la Mancha!

Pero el gato, no curándose destas amenazas, gruñía y apretaba más; en fin, el duque se le desarraigó y le echó por la reja.

Quedó don Quijote acribado el rostro y no muy sanas las narices, aunque muy despechado porque no le habían dejado fenecer la batalla que tan trabada tenía

---

[5] *región*, legión.

con aquel malandrín encantador. Hicieron traer aceite de
Aparicio[6], y la misma Altisidora con sus blanquísimas manos le puso unas vendas por todo lo herido, y al ponérselas, con voz baja le dijo:

—Todas estas malandanzas te suceden, empedernido
caballero, por el pecado de tu dureza y pertinacia; y plega a Dios que se le olvide a Sancho tu escudero el azotarse, porque nunca salga de su encanto esta tan amada
tuya Dulcinea, ni tú lo goces[7], ni llegues a tálamo con
ella, a lo menos viviendo yo, que te adoro.

A todo esto no respondió don Quijote otra palabra
si no fue dar un profundo suspiro, y luego se tendió
en su lecho, agradeciendo a los duques la merced, no
porque él tenía temor de aquella canalla gatesca, encantadora y cencerruna, sino porque había conocido la buena intención con que habían venido a socorrerle. Los
duques le dejaron sosegar, y se fueron, pesarosos del mal
suceso de la burla; que no creyeron que tan pesada y
costosa le saliera a don Quijote aquella aventura, que le
costó cinco días de encerramiento y de cama, donde le
sucedió otra aventura más gustosa que la pasada, la cual
no quiere su historiador contar ahora, por acudir a Sancho Panza, que andaba muy solícito y muy gracioso en
su gobierno.

CAPÍTULO XLVII

Donde se prosigue cómo se portaba Sancho Panza en su gobierno

Cuenta la historia que desde el juzgado llevaron a
Sancho Panza a un suntuoso palacio, adonde en una
gran sala estaba puesta una real y limpísima mesa; y así
como Sancho entró en la sala, sonaron chirimías, y salieron cuatro pajes a darle aguamanos, que Sancho recibió con mucha gravedad.

---

[6] Aceite propio para curar heridas inventado en la primera mitad del siglo xvi por Aparicio de Zubia.
[7] *lo goces,* o sea, el desencanto; en las ediciones modernas se
suele enmendar *la goces,* con referencia a Dulcinea.

Cesó la música, sentóse Sancho a la cabecera de la mesa, porque no había más de aquel asiento, y no otro servicio en toda ella. Púsose a su lado en pie un personaje, que después mostró ser médico, con una varilla de ballena en la mano. Levantaron una riquísima y blanca toalla con que estaban cubiertas las frutas y mucha diversidad de platos de diversos manjares; uno que parecía estudiante echó la bendición, y un paje puso un babador randado[1] a Sancho; otro que hacía el oficio de maestresala, llegó un plato de fruta delante; pero apenas hubo comido un bocado, cuando el de la varilla tocando con ella en el plato, se le quitaron de delante con grandísima celeridad; pero el maestresala le llegó otro de otro manjar. Iba a probarle Sancho; pero antes que llegase a él ni le gustase, ya la varilla había tocado en él, y un paje alzádole con tanta presteza como el de la fruta. Visto lo cual por Sancho, quedó suspenso, y mirando a todos, preguntó si se había de comer aquella comida como juego de maesecoral[2]. A lo cual respondió el de la vara:

—No se ha de comer, señor gobernador, sino como es uso y costumbre en las otras ínsulas donde hay gobernadores. Yo, señor, soy médico, y estoy asalariado en esta ínsula para serlo de los gobernadores della, y miro por su salud mucho más que por la mía, estudiando de noche y de día, y tanteando la complexión del gobernador, para acertar a curarle cuando cayere enfermo; y lo principal que hago es asistir a sus comidas y cenas, y a dejarle comer de lo que me parece que le conviene, y a quitarle lo que imagino que le ha de hacer daño y ser nocivo al estómago; y así, mandé quitar el plato de la fruta, por ser demasiadamente húmeda, y el plato del otro manjar también le mandé quitar, por ser demasiadamente caliente y tener muchas especies, que acrecientan la sed; y el que mucho bebe, mata y consume el húmedo radical[3], donde consiste la vida.

—Desa manera, aquel plato de perdices que están

---

[1] *babador randado*, servilleta con randas o encajes.

[2] *maesecoral*, juego de manos en el que se hacen desaparecer pelotas dentro de vasos y reaparecer luego, etc.

[3] *húmedo radical*, «los médicos de antaño daban este nombre a un cierto humor sutil y balsámico que pretendían que era el que daba vigor y elasticidad a las fibras que forman la textura del cuerpo» (Clemencín, 1798).

allí asadas y, a mi parecer, bien sazonadas, no me harán algún daño.

A lo que el médico respondió:

—Ésas no comerá el señor gobernador en tanto que yo tuviere vida.

—Pues ¿por qué? —dijo Sancho.

Y el médico respondió:

—Porque nuestro maestro Hipócrates, norte y luz de la medicina, en un aforismo suyo, dice: *Omnis saturatio mala, perdices autem pessima*[4]. Quiere decir: «Toda hartazga es mala; pero la de las perdices, malísima».

—Si eso es así —dijo Sancho—, vea el señor doctor de cuantos manjares hay en esta mesa cuál me hará más provecho y cuál menos daño, y déjeme comer dél sin que me le apalee; porque por vida del gobernador, y así Dios me le[5] deje gozar, que me muero de hambre, y el negarme la comida, aunque le pese al señor doctor y él más me diga, antes será quitarme la vida que aumentármela.

—Vuestra merced tiene razón, señor gobernador —respondió el médico—, y así, es mi parecer que vuestra merced no coma de aquellos conejos guisados que allí están, porque es manjar peliagudo. De aquella ternera, si no fuera asada y en adobo, aún se pudiera probar; pero no hay para qué.

Y Sancho dijo:

—Aquel platonazo que está más adelante vahando me parece que es olla podrida, que por la diversidad de cosas que en las tales ollas podridas hay, no podré dejar de topar con alguna que me sea de gusto y de provecho.

—*Absit!*[6] —dijo el médico—. Vaya lejos de nosotros tan mal pensamiento: no hay cosa en el mundo de peor mantenimiento que una olla podrida. Allá las ollas podridas para los canónigos o para los retores de colegios o para las bodas labradorescas, y déjennos libres las mesas de los gobernadores, donde ha de asistir todo primor y toda atildadura; y la razón es porque siempre y a doquiera y de quienquiera son más estimadas las medicinas

[4] Aforismo latino (que nada tiene que ver con Hipócrates), en el que humorísticamente se ha sustituido *panis* por *perdices* (lo correcto sería *perdicis*).

[5] *le*, el *gobierno*, contenido en la palabra *gobernador*.

[6] *Absit!*, ¡lejos de ti!

simples que las compuestas, porque en las simples no se puede errar y en las compuestas sí, alterando la cantidad de las cosas de que son compuestas; mas lo que yo sé que ha de comer el señor gobernador ahora para conservar su salud y corroborarla, es un ciento de cañutillos de suplicaciones⁷ y unas tajadicas subtiles de carne de membrillo, que le asienten el estómago y le ayuden a la digestión.

Oyendo esto Sancho, se arrimó sobre el espaldar de la silla y miró de hito en hito al tal médico, y con voz grave le preguntó cómo se llamaba y dónde había estudiado. A lo que él respondió:

—Yo, señor gobernador, me llamo el doctor Pedro Recio de Agüero, y soy natural de un lugar llamado Tirteafuera, que está entre Caracuel y Almodóvar del Campo, a la mano derecha, y tengo el grado de doctor por la universidad de Osuna.

A lo que respondió Sancho, todo encendido en cólera:

—Pues señor doctor Pedro Recio de Mal Agüero, natural de Tirteafuera, lugar que está a la derecha mano como vamos de Caracuel a Almodóvar del Campo, graduado en Osuna, quíteseme luego delante, si no, voto al sol que tome un garrote y que a garrotazos, comenzando por él, no me ha de quedar médico en toda la ínsula, a lo menos de aquellos que yo entienda que son ignorantes; que a los médicos sabios, prudentes y discretos los pondré sobre mi cabeza⁸ y los honraré como a personas divinas. Y vuelvo a decir que se me vaya, Pedro Recio, de aquí; si no, tomaré esta silla donde estoy sentado y se la estrellaré en la cabeza, y pídanmelo en residencia⁹, que yo me descargaré con decir que hice servicio a Dios en matar a un mal médico, verdugo de la república. Y denme de comer, o si no, tómense su gobierno, que oficio que no da de comer a su dueño no vale dos habas.

Alborotóse el doctor viendo tan colérico al gobernador, y quiso hacer tirteafuera¹⁰ de la sala, sino que en

---

⁷ *cañutillos de suplicaciones,* barquillos.
⁸ *poner sobre la cabeza,* respetar o reverenciar una cosa.
⁹ *residencia,* cuenta que dan, ante el juez, los que acaban de ejercer un cargo (virreyes, gobernadores, etc.).
¹⁰ Se decía ¡*tirte afuera!* o ¡*tírate afuera!* para echar o despedir a alguien.

aquel instante sonó una corneta de posta en la calle, y
asomándose el maestresala a la ventana, volvió diciendo:

—Correo viene del duque mi señor; algún despacho
debe de traer de importancia.

Entró el correo sudando y asustado, y sacando un
pliego del seno, le puso en las manos del gobernador, y
Sancho le puso en las del mayordomo, a quien mandó
leyese el sobreescrito, que decía así: *A don Sancho Panza,
gobernador de la ínsula Barataria, en su propia mano, o
en las de su secretario.* Oyendo lo cual, Sancho dijo:

—¿Quién es aquí mi secretario?

Y uno de los que presentes estaban respondió:

—Yo, señor, porque sé leer y escribir, y soy vizcaíno[11].

—Con esa añadidura —dijo Sancho—, bien podéis
ser secretario del mismo emperador. Abrid ese pliego, y
mirad lo que dice.

Hízolo así el recién nacido secretario, y habiendo leído lo que decía, dijo que era negocio para tratarle a solas. Mandó Sancho despejar la sala, y que no quedasen en
ella sino el mayordomo y el maestresala, y los demás y
el médico se fueron; y luego el secretario leyó la carta,
que así decía:

*A mi noticia ha llegado, señor don Sancho Panza, que
unos enemigos míos y desa ínsula la han de dar un asalto furioso, no sé qué noche; conviene velar y estar alerta,
porque no le tomen desapercebido. Sé también por espías
verdaderas que han entrado en ese lugar cuatro personas
disfrazadas para quitaros la vida, porque se temen de
vuestro ingenio; abrid el ojo, y mirad quién llega a ha-
blaros, y no comáis de cosa que os presentaren. Yo tendré
cuidado de socorreros si os viéredes en trabajo, y en todo
haréis como se espera de vuestro entendimiento. Deste
lugar, a 16 de agosto, a las cuatro de la mañana.*

Vuestro amigo

EL DUQUE.

Quedó atónito Sancho, y mostraron quedarlo asimismo los circunstantes, y volviéndose al mayordomo, le
dijo:

[11] Eran muy apreciados los secretarios *vizcaínos* (o sea, vascos),
por su discreción y lealtad.

—Lo que agora se ha de hacer, y ha de ser luego, es meter en un calabozo al doctor Recio; porque si alguno me ha de matar ha de ser él, y de muerte adminícula[12] y pésima, como es la de la hambre.

—También —dijo el maestresala— me parece a mí que vuesa merced no coma de todo lo que está en esta mesa, porque lo han presentado unas monjas, y como suele decirse, detrás de la cruz está el diablo.

—No lo niego —respondió Sancho—, y por ahora denme un pedazo de pan y obra de cuatro libras de uvas, que en ellas no podrá venir veneno, porque, en efecto, no puedo pasar sin comer, y si es que hemos de estar prontos para estas batallas que nos amenazan, menester será estar bien mantenidos, porque tripas llevan corazón, que no corazón tripas. Y vos, secretario, responded al duque mi señor y decidle que se cumplirá lo que manda como lo manda, sin faltar punto; y daréis de mi parte un besamanos a mi señora la duquesa, y que le suplico no se le olvide de enviar con un propio mi carta y mi lío a mi mujer Teresa Panza, que en ello recibiré mucha merced, y tendré cuidado de servirla con todo lo que mis fuerzas alcanzaren; y de camino podéis encajar un besamanos a mi señor don Quijote de la Mancha, porque vea que soy pan agradecido; y vos, como buen secretario y como buen vizcaíno, podéis añadir todo lo que quisiéredes y más viniere a cuento. Y álcense estos manteles, y denme a mí de comer; que yo me avendré con cuantas espías y matadores y encantadores vinieren sobre mí y sobre mi ínsula.

En esto entró un paje, y dijo:

—Aquí está un labrador negociante que quiere hablar a Vuestra Señoría en un negocio[13], según él dice, de mucha importancia.

—Estraño caso es éste —dijo Sancho—, destos negociantes. ¿Es posible que sean tan necios, que no echen de ver que semejantes horas como éstas no son en las que han de venir a negociar? ¿Por ventura los que gobernamos, los que somos jueces, no somos hombres de carne y

---

[12] *adminícula,* tal vez significa «lenta» (cfr. Schevill, IV, 428).
[13] *negocio* está en el sentido de asunto público o privado que ha de tratarse con la autoridad. Este valor tienen también *negociante y negociar.*

de hueso, y que es menester que nos dejen descansar el
tiempo que la necesidad pide, sino que quieren que seamos hechos de piedra mármol? Por Dios y en mi conciencia que si me dura el gobierno (que no durará, según
se me trasluce), que yo ponga en pretina[14] a más de un
negociante. Agora decid a ese buen hombre que entre;
pero adviértase primero no sea alguno de los espías, o
matador mío.

—No, señor —respondió el paje—, porque parece
una alma de cántaro[15], y yo sé poco, o él es tan bueno
como el buen pan.

—No hay que temer —dijo el mayordomo—; que
aquí estamos todos.

—¿Sería posible —dijo Sancho—, maestresala, que
agora que no está aquí el doctor Pedro Recio, que comiese yo alguna cosa de peso y de sustancia, aunque fuese un pedazo de pan y una cebolla?

—Esta noche, a la cena, se satisfará la falta de la comida, y quedará Vuestra Señoría satisfecho y pagado —dijo
el maestresala.

—Dios lo haga —respondió Sancho.

Y en esto, entró el labrador, que era de muy buena
presencia, y de mil leguas se le echaba de ver que era
bueno y buena alma. Lo primero que dijo fue:

—¿Quién es aquí el señor gobernador?

—¿Quién ha de ser —respondió el secretario—, sino
el que está sentado en la silla?

—Humíllome, pues, a su presencia —dijo el labrador.

Y poniéndose de rodillas, le pidió la mano para be-
sársela. Negósela Sancho, y mandó que se levantase y
dijese lo que quisiese. Hízolo así el labrador, y luego dijo:

—Yo, señor, soy labrador, natural de Miguel Turra,
un lugar que está dos leguas de Ciudad Real.

—¡Otro Tirteafuera tenemos! —dijo Sancho—. Decid, hermano, que lo que yo os sé decir es que sé muy
bien a Miguel Turra, y que no está muy lejos de mi
pueblo.

—Es, pues, el caso, señor —prosiguió el labrador—,
que yo, por la misericordia de Dios, soy casado en paz

---

[14] *poner en pretina* (o en cintura), hacer entrar en razón, obligar
a cumplir algo.
[15] *alma de cántaro*, infeliz, tonto.

y en haz de la santa Iglesia católica romana; tengo dos
hijos estudiantes que el menor estudia para bachiller y
el mayor para licenciado; soy viudo, porque se murió mi
mujer, o, por mejor decir, me la mató un mal médico, que la purgó estando preñada, y si Dios fuera servido
que saliera a luz el parto, y fuera hijo, yo le pusiere a estudiar para doctor, porque no tuviera invidia a sus hermanos el bachiller y el licenciado.

—De modo —dijo Sancho—, que si vuestra mujer
no se hubiera muerto, o la hubieran muerto, vos no fuérades agora viudo.

—No, señor; en ninguna manera —respondió el labrador.

—¡Medrados estamos! —replicó Sancho—. Adelante,
hermano, que es hora de dormir más que de negociar.

—Digo, pues —dijo el labrador—, que este mi hijo
que ha de ser bachiller se enamoró en el mesmo pueblo
de una doncella llamada Clara Perlerina, hija de Andrés
Perlerino, labrador riquísimo; y este nombre de Perlerino no les viene de abolengo ni otra alcurnia, sino porque
todos los deste linaje son perláticos[16], y por mejorar el
nombre los llaman Perlerines; aunque si va decir la verdad, la doncella es como una perla oriental, y mirada por
el lado derecho, parece una flor del campo; por el izquierdo no tanto, porque le falta aquel ojo, que se le saltó de viruelas; y aunque los hoyos del rostro son muchos
y grandes, dicen los que la quieren bien que aquéllos no
son hoyos, sino sepulturas donde se sepultan las almas
de sus amantes. Es tan limpia, que por no ensuciar la
cara, trae las narices, como dicen, arremangadas, que no
parece sino que van huyendo de la boca; y, con todo
esto, parece bien por estremo, porque tiene la boca grande, y a no faltarle diez o doce dientes y muelas, pudiera
pasar y echar raya entre las más bien formadas. De los
labios no tengo que decir, porque son tan sutiles y delicados, que si se usaran aspar[17] labios, pudieran hacer dellos una madeja; pero como tienen diferente color de la
que en los labios se usa comúnmente, parecen milagrosos,
porque son jaspeados de azul y verde y aberenjenado; y
perdóneme el señor gobernador si por tan menudo voy

---

[16] *perláticos*, paralíticos.
[17] *aspar*, poner el hilo en madejas.

pintando las partes de la que al fin al fin ha de ser mi hija, que la quiero bien y no me parece mal.

—Pintad lo que quisiéredes —dijo Sancho—, que yo me voy recreando en la pintura, y si hubiera comido, no hubiera mejor postre para mí que vuestro retrato.

—Eso tengo yo por servir —respondió el labrador—; pero tiempo vendrá en que seamos, si ahora no somos. Y digo, señor, que si pudiera pintar su gentileza y la altura de su cuerpo, fuera cosa de admiración; pero no puede ser, a causa de que ella está agobiada y encogida, y tiene las rodillas con la boca, y, con todo eso, se echa bien de ver que si se pudiera levantar, diera con la cabeza en el techo; y ya ella hubiera dado la mano de esposa a mi bachiller, sino que no la puede estender, que está añudada; y, con todo, en las uñas largas y acanaladas se muestra su bondad y buena hechura.

—Está bien —dijo Sancho—, y haced cuenta, hermano, que ya la habéis pintado de los pies a la cabeza. ¿Qué es lo que queréis ahora? Y venid al punto sin rodeos ni callejuelas, ni retazos ni añadiduras.

—Querría, señor —respondió el labrador—, que vuestra merced me hiciese merced de darme una carta de favor para mi consuegro, suplicándole sea servido de que este casamiento se haga, pues no somos desiguales en los bienes de fortuna, ni en los de la naturaleza; porque, para decir la verdad, señor gobernador, mi hijo es endemoniado, y no hay día que tres o cuatro veces no le atormenten los malignos espíritus; y de haber caído una vez en el fuego, tiene el rostro arrugado como pergamino, y los ojos algo llorosos y manantiales; pero tiene una condición de un ángel, y si no es que se aporrea y se da de puñadas él mesmo a sí mesmo, fuera un bendito.

—¿Queréis otra cosa, buen hombre? —replicó Sancho.

—Otra cosa querría —dijo el labrador—, sino que no me atrevo a decirlo; pero vaya, que, en fin, no se me ha de podrir en el pecho, pegue o no pegue. Digo, señor, que querría que vuesa merced me diese trecientos o seiscientos ducados para ayuda a la dote de mi bachiller; digo para ayuda de poner su casa, porque, en fin, han de vivir por sí, sin estar sujetos a las impertinencias de los suegros.

—Mirad si queréis otra cosa —dijo Sancho—, y no la dejéis de decir por empacho ni por vergüenza.

—No, por cierto —respondió el labrador.

Y apenas dijo esto, cuando levantándose en pie el gobernador, asió de la silla en que estaba sentado, y dijo:

—¡Voto a tal, don patán rústico y mal mirado, que si no os apartáis y ascondéis luego de mi presencia, que con esta silla os rompa y abra la cabeza! Hideputa bellaco, pintor del mesmo demonio, ¿y a estas horas te vienes a pedirme seiscientos ducados? Y ¿dónde los tengo yo, hediondo? Y ¿por qué te los había de dar aunque los tuviera, socarrón y mentecato? Y ¿qué se me da a mí de Miguel Turra, ni de todo el linaje de los Perlerines? ¡Va de mí[18], digo; si no, por vida del duque mi señor que haga lo que tengo dicho! Tú no debes de ser de Miguel Turra, sino algún socarrón que para tentarme te ha enviado aquí el infierno. Dime, desalmado, aún no ha día y medio que tengo el gobierno, y ¿ya quieres que tenga seiscientos ducados?

Hizo de señas el maestresala al labrador que se saliese de la sala, el cual lo hizo cabizbajo y, al parecer, temeroso de que el gobernador no ejecutase su cólera, que el bellacón supo hacer muy bien su oficio[19].

Pero dejemos con su cólera a Sancho, y ándese la paz en el corro, y volvamos a don Quijote, que le dejamos vendado el rostro y curado de las gatescas heridas, de las cuales no sanó en ocho días, en uno de los cuales le sucedió lo que Cide Hamete promete de contar con la puntualidad y verdad que suele contar las cosas desta historia, por mínimas que sean.

---

[18] *Va de mí*, vete de mí, sal de mi presencia.
[19] Esta última frase revela que el labrador ha representado el papel que tenía encomendado en las burlas preparadas para engañar a Sancho.

CAPÍTULO XLVIII

De lo que le sucedió a don Quijote con doña Rodríguez, la dueña de la duquesa, con otros acontecimientos dignos de escritura y de memoria eterna

Además estaba mohíno y malencólico[1] el mal ferido
don Quijote, vendado el rostro y señalado, no por la
mano de Dios, sino por las uñas de un gato, desdichas
anejas a la andante caballería. Seis días estuvo sin salir
en público, en una noche de las cuales, estando despierto
y desvelado, pensando en sus desgracias y en el persegui-
miento de Altisidora, sintió que con una llave abrían la
puerta de su aposento, y luego imaginó que la enamorada doncella venía para sobresaltar su honestidad y ponerle en condición de faltar a la fee que guardar debía a su
señora Dulcinea del Toboso.

—No —dijo creyendo a su imaginación, y esto, con
voz que pudiera ser oída—; no ha de ser parte la mayor
hermosura de la tierra para que yo deje de adorar la que
tengo grabada y estampada en la mitad de mi corazón y
en lo más escondido de mis entrañas, ora estés, señora
mía, transformada en cebolluda labradora, ora en ninfa
del dorado Tajo, tejiendo telas de oro y sirgo[2] compuestas, ora te tenga Merlín, o Montesinos, donde ellos quisieren; que adondequiera eres mía, y adoquiera he sido
yo, y he de ser, tuyo.

El acabar estas razones y el abrir de la puerta fue
todo uno. Púsose en pie sobre la cama, envuelto de arriba abajo en una colcha de raso amarillo, una galocha[3]
en la cabeza, y el rostro y los bigotes vendados: el rostro,
por los aruños; los bigotes, porque no se le desmayasen
y cayesen, en el cual traje parecía la más extraordinaria
fantasma que se pudiera pensar.

Clavó los ojos en la puerta, y cuando esperaba ver
entrar por ella a la rendida y lastimada Altisidora, vio entrar a una reverendísima dueña con unas tocas blan-

[1] «Muy triste y melancólico estaba…».
[2] *sirgo*, seda.
[3] *galocha*, gorra o birrete con dos puntas, que cubre las orejas.

cas repulgadas[4] y luengas, tanto, que la cubrían y en-
mantaban desde los pies a la cabeza. Entre los dedos de
la mano izquierda traía una media vela encendida, y con
la derecha se hacía sombra, porque no le diese la luz
en los ojos, a quien cubrían unos muy grandes antojos.
Venía pisando quedito, y movía los pies blandamente.

Miróla don Quijote desde su atalaya, y cuando vio
su adeliño[5] y notó su silencio, pensó que alguna bruja o
maga venía en aquel traje a hacer en él alguna mala fe-
churía, y comenzó a santiguarse con mucha priesa. Fuese
llegando la visión, y cuando llegó a la mitad del aposento, alzó los ojos y vio la priesa con que se estaba haciendo cruces don Quijote; y si él quedó medroso en ver tal
figura, ella quedó espantada en ver la suya, porque así
como le vio tan alto y tan amarillo, con la colcha y con
las vendas, que le desfiguraban, dio una gran voz, diciendo:

—¡Jesús! ¿Qué es lo que veo?

Y con el sobresalto se le cayó la vela de las manos;
y viéndose a escuras, volvió las espaldas para irse, y con
el miedo tropezó en sus faldas y dio consigo una gran
caída. Don Quijote, temeroso, comenzó a decir:

—Conjúrote, fantasma, o lo que eres, que me digas
quién eres, y que me digas qué es lo que de mí quieres.
Si eres alma en pena, dímelo; que yo haré por ti todo
cuanto mis fuerzas alcanzaren, porque soy católico cristiano y amigo de hacer bien a todo el mundo; que para
esto tomé la orden de la caballería andante que profeso,
cuyo ejercicio aun hasta hacer bien a las ánimas de purgatorio se estiende.

La brumada dueña, que oyó conjurarse, por su temor
coligió el de don Quijote, y con voz afligida y baja le
respondió:

—Señor don Quijote, si es que acaso vuestra merced
es don Quijote, yo no soy fantasma, ni visión, ni alma
de purgatorio, como vuestra merced debe de haber pensado, sino doña Rodríguez, la dueña de honor de mi señora la duquesa, que con una necesidad de aquellas que
vuestra merced suele remediar, a vuestra merced vengo.

—Dígame, señora doña Rodríguez —dijo don Quijo-

---

[4] *repulgadas*, retorcidas en las puntas.
[5] *adeliño*, aliño, aderezo.

te—: ¿por ventura viene vuestra merced a hacer alguna
tercería[6]? Porque le hago saber que no soy de provecho
para nadie, merced a la sin par belleza de mi señora
Dulcinea del Toboso. Digo, en fin, señora doña Rodríguez, que como vuestra merced salve y deje a una parte
todo recado amoroso, puede volver a encender su vela,
y vuelva, y departiremos de todo lo que más mandare y
más en gusto le viniere, salvando, como digo, todo inci-
tativo melindre.

—¿Yo recado de nadie, señor mío? —respondió la
dueña—. Mal me conoce vuestra merced; sí, que aún no
estoy en edad tan prolongada, que me acoja a semejantes niñerías, pues, Dios loado, mi alma me tengo en las
carnes[7], y todos mis dientes y muelas en la boca, amén
de unos pocos que me han usurpado unos catarros, que
en esta tierra de Aragón son tan ordinarios. Pero espé-
reme vuestra merced un poco; saldré a encender mi vela,
y volveré en un instante a contar mis cuitas, como a re-
mediador de todas las del mundo.

Y sin esperar respuesta, se salió del aposento, donde
quedó don Quijote sosegado y pensativo esperándola;
pero luego le sobrevinieron mil pensamientos acerca de
aquella nueva aventura, y parecíale ser mal hecho y peor
pensado ponerse en peligro de romper a su señora la fee
prometida, y decíase a sí mismo:

—¿Quién sabe si el diablo, que es sutil y mañoso, querrá engañarme agora con una dueña, lo que no ha podido con emperatrices, reinas, duquesas, marquesas ni condesas? Que yo he oído decir muchas veces y a muchos
discretos que, si él puede, antes os la dará roma que aguileña[8]. Y ¿quién sabe si esta soledad, esta ocasión y este
silencio despertará mis deseos que duermen, y harán que
al cabo de mis años venga a caer donde nunca he trope-
zado? Y en casos semejantes, mejor es huir que esperar
la batalla. Pero yo no debo de estar en mi juicio, pues
tales disparates digo y pienso, que no es posible que una
dueña toquiblanca, larga y antojuna pueda mover ni levantar pensamiento lascivo en el más desalmado pecho
del mundo. ¿Por ventura hay dueña en la tierra que ten-

---

[6] *tercería*, mediación en amores ilícitos.
[7] *tener el alma en las carnes*, conservar el vigor de la juventud.
[8] O sea: os dará algo inferior a lo esperado; *roma*, chata.

ga buenas carnes? ¿Por ventura hay dueña en el orbe que deje de ser impertinente, fruncida y melindrosa? ¡Afuera, pues, caterva dueñesca, inútil para ningún humano regalo! ¡Oh, cuán bien hacía aquella señora de quien se dice que tenía dos dueñas de bulto[9] con sus antojos y almohadillas al cabo de su estrado, como que estaban labrando[10], y tanto le servían para la autoridad de la sala aquellas estatuas como las dueñas verdaderas!

Y diciendo esto, se arrojó del lecho, con intención de cerrar la puerta y no dejar entrar a la señora Rodríguez; mas cuando la llegó a cerrar, ya la señora Rodríguez volvía, encendida una vela de cera blanca, y cuando ella vio a don Quijote de más cerca, envuelto en la colcha, con las vendas, galocha o becoquín[11], temió de nuevo, y retirándose atrás como dos pasos, dijo:

—¿Estamos seguras, señor caballero? Porque no tengo a muy honesta señal haberse vuesa merced levantado de su lecho.

—Eso mesmo es bien que yo pregunte, señora —respondió don Quijote—; y así, pregunto si estaré yo seguro de ser acometido y forzado.

—¿De quién o a quién pedís, señor caballero, esa seguridad? —respondió la dueña.

—A vos y de vos la pido —replicó don Quijote—; porque ni yo soy de mármol ni vos de bronce, ni ahora son las diez del día, sino media noche, y aun un poco más, según imagino, y en una estancia más cerrada y secreta que lo debió de ser la cueva donde el traidor y atrevido Eneas gozó a la hermosa y piadosa Dido. Pero dadme, señora, la mano, que yo no quiero otra seguridad mayor que la de mi continencia y recato, y la que ofrecen esas reverendísimas tocas.

Y diciendo esto, besó su derecha mano, y le asió de la suya, que ella le dio con las mesmas ceremonias.

Aquí hace Cide Hamete un paréntesis, y dice que por Mahoma que diera, por ver ir a los dos así asidos y trabados desde la puerta al lecho, la mejor almalafa[12] de dos que tenía.

[9] de bulto, de estatua.
[10] labrando, haciendo labor de aguja.
[11] becoquín, sinónimo de galocha (véase la anterior nota 3).
[12] almalafa, vestidura que cubre el cuerpo de los hombros hasta los pies.

Entróse, en fin, don Quijote en su lecho, y quedóse doña Rodríguez sentada en una silla, algo desviada de la cama, no quitándose los antojos ni la vela. Don Quijote se acorrucó y se cubrió todo, no dejando más de el rostro descubierto; y habiéndose los dos sosegado, el primero que rompió el silencio fue don Quijote, diciendo:

—Puede vuesa merced ahora, mi señora doña Rodríguez, descoserse y desbuchar todo aquello que tiene dentro de su cuitado corazón y lastimadas entrañas, que será de mí escuchada con castos oídos, y socorrida con piadosas obras.

—Así lo creo yo —respondió la dueña—, que de la gentil y agradable presencia de vuesa merced no se podía esperar sino tan cristiana respuesta. Es, pues, el caso, señor don Quijote, que aunque vuesa merced me vee sentada en esta silla y en la mitad del reino de Aragón, y en hábito de dueña aniquilada y asendereada, soy natural de las Asturias de Oviedo[13], y de linaje, que atraviesan por él muchos de los mejores de aquella provincia; pero mi corta suerte y el descuido de mis padres, que empobrecieron antes de tiempo, sin saber cómo ni cómo no, me trujeron a la corte, a Madrid, donde, por bien de paz y por escusar mayores desventuras, mis padres me acomodaron a servir de doncella de labor a una principal señora; y quiero hacer sabidor a vuesa merced que en hacer vainillas y labor blanca ninguna me ha echado el pie adelante en toda la vida. Mis padres me dejaron sirviendo y se volvieron a su tierra, y de allí a pocos años se debieron de ir al cielo, porque eran además buenos y católicos cristianos. Quedé huérfana, y atenida al miserable salario y a las angustiadas mercedes que a las tales criadas se suele dar en palacio; y en este tiempo, sin que diese yo ocasión a ello, se enamoró de mi un escudero de casa, hombre ya en días, barbudo y apersonado[14], y, sobre todo, hidalgo como el rey, porque era montañés. No tratamos tan secretamente nuestros amores, que no viniesen a noticia de mi señora, la cual, por escusar dimes y diretes, nos casó en paz y en haz de la santa madre Iglesia católica romana, de cuyo matrimonio nació una hija

---

[13] *las Asturias de Oviedo,* la parte occidental del principado, para distinguirla de la oriental, llamada las Asturias de Santillana.
[14] *apersonado,* de aspecto respetable.

para rematar con mi ventura, si alguna tenía, no porque
yo muriese del parto, que le tuve derecho y en sazón, sino
porque desde allí a poco murió mi esposo de un cierto
espanto que tuvo, que, a tener ahora lugar para contarle, yo sé que vuestra merced se admirara.

Y en esto comenzó a llorar tiernamente, y dijo:

—Perdóneme vuestra merced, señor don Quijote, que
no va más en mi mano, porque todas las veces que me
acuerdo de mi mal logrado se me arrasan los ojos de lágrimas. ¡Válame Dios, y con qué autoridad llevaba a mi
señora a las ancas de una poderosa mula, negra como el
mismo azabache! Que entonces no se usaban coches ni
sillas, como agora dicen que se usan, y las señoras iban
a las ancas de sus escuderos. Esto, a lo menos, no puedo
dejar de contarlo, porque se note la crianza y puntualidad de mi buen marido. Al entrar de la calle de Santiago, en Madrid, que es algo estrecha, venía a salir por ella
un alcalde de corte con dos alguaciles delante, y así como
mi buen escudero le vio, volvió las riendas a la mula,
dando señal de volver a acompañarle[15]. Mi señora, que
iba a las ancas, con voz baja le decía: «—¿Qué hacéis,
»desventurado? ¿No veis que voy aquí?» El alcalde, de
comedido, detuvo la rienda al caballo, y díjole: «—Se-
»guid, señor, vuestro camino: que yo soy el que debo
»acompañar a mi señora doña Casilda», que así era el
nombre de mi ama. Todavía porfiaba mi marido, con la
gorra en la mano, a querer ir acompañando al alcalde;
viendo lo cual mi señora, llena de cólera y enojo, sacó un
alfiler gordo, o creo que un punzón, del estuche, y clavó-
sele por los lomos, de manera que mi marido dio una gran
voz y torció el cuerpo, de suerte que dio con su señora
en el suelo. Acudieron dos lacayos suyos a levantarla, y
lo mismo hizo el alcalde y los alguaciles; alborotóse la
Puerta de Guadalajara, digo, la gente baldía que en ella
estaba; vínose a pie mi ama, y mi marido acudió en casa
de un barbero diciendo que llevaba pasadas de parte a
parte las entrañas. Divulgóse la cortesía de mi esposo,
tanto, que los muchachos le corrían por las calles, y por
esto y porque él era algún tanto corto de vista, mi señora

---

[15] *volver a acompañarle*, «dar la vuelta para acompañarle»; para
halagar a las personas importantes se solía acompañarlas cuando se
las encontraba por la calle.

la duquesa[16] le despidió, de cuyo pesar, sin duda alguna,
tengo para mí que se le causó el mal de la muerte. Quedé
yo viuda y desamparada, y con hija a cuestas, que iba
creciendo en hermosura como la espuma de la mar. Finalmente, como yo tuviese fama de gran labrandera[17], mi
señora la duquesa, que estaba recién casada con el duque
mi señor, quiso traerme consigo a este reino de Aragón y
a mi hija ni más ni menos, adonde yendo días y viniendo
días, creció mi hija, y con ella todo el donaire del mundo: canta como una calandria, danza como el pensamiento, baila como una perdida, lee y escribe como un
maestro de escuela, y cuenta como un avariento. De su
limpieza no digo nada: que el agua que corre no es más
limpia, y debe de tener agora, si mal no me acuerdo, diez
y seis años, cinco meses y tres días, uno más a menos.
En resolución: desta mi muchacha se enamoró un hijo
de un labrador riquísimo que está en una aldea del duque mi señor, no muy lejos de aquí. En efecto, no sé
cómo ni cómo no, ellos se juntaron, y debajo de la palabra de ser su esposo, burló a mi hija, y no se la quiere
cumplir; y aunque el duque mi señor lo sabe, porque yo
me he quejado a él, no una, sino muchas veces, y pedí-
dole mande que el tal labrador se case con mi hija, hace
orejas de mercader y apenas quiere oírme; y es la causa
que como el padre del burlador es tan rico y le presta
dineros, y le sale por fiador de sus trampas por momentos, no le quiere descontentar, ni dar pesadumbre en ningún modo. Querría, pues, señor mío, que vuesa merced
tomase a cargo el deshacer este agravio, o ya por ruegos,
o ya por armas, pues según todo el mundo dice, vuesa
merced nació en él para deshacerlos y para enderezar los
tuertos y amparar los miserables; y póngasele a vuesa
merced por delante la orfandad de mi hija, su gentileza,
su mocedad, con todas las buenas partes que he dicho
que tiene, que en Dios y en mi conciencia que de cuantas doncellas tiene mi señora, que no hay ninguna que
llegue a la suela de su zapato, y que una que llaman Altisidora, que es la que tienen por más desenvuelta y gallarda, puesta en comparación de mi hija, no la llega con

[16] Tal vez las palabras *la duquesa* sobran, pues no consta que lo
fuera esta señora; puede ser una distracción de Cervantes.
[17] *labrandera*, que hace labores de aguja.

dos leguas. Porque quiero que sepa vuesa merced, señor
mío, que no es todo oro lo que reluce; porque esta Altisi-
dorilla tiene más de presunción que de hermosura, y más
de desenvuelta que de recogida, además que no está muy
sana: que tiene un cierto aliento cansado, que no hay sufrir el estar junto a ella un momento. Y aun mi señora
la duquesa... Quiero callar, que se suele decir que las paredes tienen oídos.

—¿Qué tiene mi señora la duquesa, por vida mía, señora doña Rodríguez? —preguntó don Quijote.

—Con ese conjuro —respondió la dueña—, no puedo
dejar de responder a lo que se me pregunta con toda verdad. ¿Vee vuesa merced, señor don Quijote, la hermosura de mi señora la duquesa, aquella tez de rostro, que
no parece sino de una espada acicalada y tersa, aquellas
dos mejillas de leche y de carmín, que en la una tiene el
sol y en la otra la luna, y aquella gallardía con que va
pisando y aun despreciando el suelo, que no parece sino
que va derramando salud donde pasa? Pues sepa vuesa
merced que lo puede agradecer, primero, a Dios, y luego, a dos fuentes[18] que tiene en las dos piernas, por donde se desagua todo el mal humor de quien dicen los médicos que está llena.

—¡Santa María! —dijo don Quijote—. Y ¿es posible que mi señora la duquesa tenga tales desaguaderos?
No lo creyera si me lo dijeran frailes descalzos; pero pues
la señora doña Rodríguez lo dice, debe de ser así. Pero
tales fuentes, y en tales lugares, no deben de manar humor, sino ámbar líquido. Verdaderamente que ahora acabo de creer que esto de hacerse fuentes debe de ser cosa
importante para salud.

Apenas acabó don Quijote de decir esta razón, cuando con un gran golpe abrieron las puertas del aposento,
y del sobresalto del golpe se le cayó a doña Rodríguez la
vela de la mano, y quedó la estancia como boca de lobo,
como suele decirse. Luego sintió la pobre dueña que la
asían de la garganta con dos manos, tan fuertemente, que
no la dejaban gañir[19], y que otra persona, con mucha
presteza, sin hablar palabra, le alzaba las faldas, y con

---

[18] *fuentes,* exutorios, o sea úlceras que se mantienen abiertas
para determinar una supuración permanente con fines curativos.
[19] *gañir,* resollar.

una, al parecer, chinela, le comenzó a dar tantos azotes, que era una compasión; y aunque don Quijote se la tenía, no se meneaba del lecho, y no sabía qué podía ser aquello, y estábase quedo y callando, y aun temiendo no viniese por él la tanda y tunda azotesca. Y no fue vano su temor, porque en dejando molida a la dueña los callados verdugos —la cual no osaba quejarse—, acudieron a don Quijote, y desenvolviéndole de la sábana y de la colcha, le pellizcaron tan a menudo y tan reciamente, que no pudo dejar de defenderse a puñadas, y todo esto en silencio admirable. Duró la batalla casi media hora; saliéronse las fantasmas, recogió doña Rodríguez sus faldas, y gimiendo su desgracia, se salió por la puerta afuera, sin decir palabra a don Quijote, el cual, doloroso y pellizcado, confuso y pensativo, se quedó solo, donde le dejaremos deseoso de saber quién había sido el perverso encantador que tal le había puesto. Pero ello se dirá a su tiempo, que Sancho Panza nos llama, y el buen concierto de la historia lo pide.

CAPÍTULO XLIX

De lo que le sucedió a Sancho Panza
RONDANDO SU ÍNSULA

Dejamos al gran gobernador enojado y mohíno con el labrador pintor y socarrón, el cual industriado del mayordomo, y el mayordomo del duque, se burlaban de Sancho; pero él se las tenía tiesas a todos, maguera[1] tonto, bronco y rollizo, y dijo a los que con él estaban, y al doctor Pedro Recio, que como se acabó el secreto de la carta del duque había vuelto a entrar en la sala:

—Ahora verdaderamente que entiendo que los jueces y gobernadores deben de ser, o han de ser, de bronce, para no sentir las importunidades de los negociantes, que a todas horas y a todos tiempos quieren que los escuchen y despachen, atendiendo sólo a su negocio, venga lo que viniere; y si el pobre del juez no los escucha y despacha, o porque no puede o porque no es aquél el tiem-

[1] *maguera,* aunque.

po diputado para darles audiencia, luego les[2] maldicen y
murmuran, y les roen los huesos, y aun les deslindan los
linajes. Negociante necio, negociante mentecato, no te
apresures; espera sazón y coyuntura para negociar: no
vengas a la hora del comer ni a la del dormir, que los
jueces son de carne y de hueso, y han de dar a la naturaleza lo que naturalmente les pide, si no es yo, que no
le doy de comer a la mía, merced al señor doctor Pedro
Recio Tirteafuera, que está delante, que quiere que muera de hambre, y afirma que esta muerte es vida, que así
se la dé Dios a él y a todos los de su ralea: digo, a la de
los malos médicos, que la de los buenos, palmas y lauros
merecen.

Todos los que conocían a Sancho Panza se admiraban
oyéndole hablar tan elegantemente, y no sabían a qué
atribuirlo, sino a que los oficios y cargos graves, o adoban,
o entorpecen los entendimientos. Finalmente, el doctor
Pedro Recio Agüero de Tirteafuera prometió de darle de
cenar aquella noche, aunque excediese de todos los aforismos de Hipócrates. Con esto quedó contento el gobernador, y esperaba con grande ansia llegase la noche y la
hora de cenar; y aunque el tiempo, al parecer suyo, se
estaba quedo, sin moverse de un lugar, todavía se llegó
por él el tanto deseado, donde le dieron de cenar un salpicón[3] de vaca, con cebolla, y unas manos cocidas de ternera algo entrada en días. Entregóse en todo, con más
gusto que si le hubieran dado francolines de Milán, fai-
sanes de Roma, ternera de Sorrento, perdices de Morón,
o gansos de Lavajos, y entre la cena, volviéndose al doctor, le dijo:

—Mirad, señor doctor: de aquí adelante no os cu-
réis de darme a comer cosas regaladas ni manjares esqui-
sitos, porque será sacar a mi estómago de sus quicios, el
cual está acostumbrado a cabra, a vaca, a tocino, a ceci-
na, a nabos y a cebollas, y si acaso le dan otros manjares
de palacio, los recibe con melindre, y algunas veces con
asco. Lo que el maestresala puede hacer es traerme estas
que llaman ollas podridas, que mientras más podridas

---

[2] *les*, concuerda con *jueces* del principio del parlamento de
Sancho.

[3] *salpicón*, carne picada con sal, que se comía a veces como
fiambre, con aceite y pimienta.

son, mejor huelen, y en ellas puede embaular y encerrar
todo lo que él quisiere, como sea de comer, que yo se lo
agradeceré, y se lo pagaré algún día; y no se burle nadie
conmigo, porque o somos, o no somos: vivamos todos, y
comamos en buena paz compaña[4], pues cuando Dios
amanece, para todos amanece. Yo gobernaré esta ínsula
sin perdonar derecho ni llevar cohecho, y todo el mundo
traiga el ojo alerta y mire por el virote[5], porque les hago
saber que el diablo está en Cantillana[6], y que si me dan
ocasión, han de ver maravillas. No, sino haceos miel, y
comeros han[7] moscas.

—Por cierto, señor gobernador —dijo el maestresala—, que vuesa merced tiene mucha razón en cuanto ha
dicho, y que yo ofrezco en nombre de todos los insulanos
desta ínsula que han de servir a vuestra merced con toda
puntualidad, amor y benevolencia, porque el suave modo
de gobernar que en estos principios vuesa merced ha
dado no les da lugar de hacer, ni de pensar cosa que en
deservicio de vuesa merced redunde.

—Yo lo creo —respondió Sancho—, y serían ellos
unos necios si otra cosa hiciesen o pensasen. Y vuelvo a
decir que se tenga cuenta con mi sustento y con el de
mi rucio, que es lo que en este negocio importa y hace
más al caso; y en siendo hora, vamos a rondar, que es
mi intención limpiar esta ínsula de todo género de inmundicia y de gente vagamunda, holgazanes y mal entretenida; porque quiero que sepáis, amigos, que la gente
baldía y perezosa es en la república lo mesmo que los
zánganos en las colmenas, que se comen la miel que las
trabajadoras abejas hacen. Pienso favorecer a los labradores, guardar sus preeminencias a los hidalgos, premiar
los virtuosos, y, sobre todo, tener respeto a la religión y
a la honra de los religiosos. ¿Qué os parece desto, amigos? ¿Digo algo, o quiébrome la cabeza?

—Dice tanto vuesa merced, señor gobernador —dijo
el mayordomo—, que estoy admirado de ver que un
hombre tan sin letras como vuesa merced, que, a lo que
creo, no tiene ninguna, diga tales y tantas cosas llenas

---

[4] *paz compaña*, en paz y compañía.
[5] *mirar por el virote*, atender a lo que hay que hacer.
[6] *el diablo está en Cantillana*, expresión que denota que en un lugar determinado hay alteraciones.
[7] *comeros han*, os comerán.

de sentencias y de avisos, tan fuera de todo aquello que del ingenio de vuesa merced esperaban los que nos enviaron y los que aquí venimos. Cada día se veen cosas nuevas en el mundo: las burlas se vuelven en veras y los burladores se hallan burlados.

Llegó la noche, y cenó el gobernador, con licencia del señor doctor Recio. Aderezáronse de ronda; salió con el mayordomo, secretario y maestresala, y el coronista que tenía cuidado de poner en memoria sus hechos, y alguaciles y escribanos, tantos, que podían formar un mediano escuadrón. Iba Sancho en medio, con su vara, que no había más que ver, y pocas calles andadas del lugar, sintieron ruido de cuchilladas; acudieron allá, y hallaron que eran dos solos hombres los que reñían, los cuales, viendo venir a la justicia, se estuvieron quedos, y el uno dellos dijo:

—¡Aquí de Dios y del rey! ¿Cómo y qué se ha de sufrir que roben en poblado en este pueblo, y que salga a saltear en él en la mitad de las calles?

—Sosegaos, hombre de bien —dijo Sancho—, y contadme qué es la causa desta pendencia, que yo soy el gobernador.

El otro contrario dijo:

—Señor gobernador, yo la diré con toda brevedad. Vuestra merced sabrá que este gentil hombre acaba de ganar ahora en esta casa de juego que está aquí frontero más de mil reales, y sabe Dios cómo; y hallándome yo presente, juzgué más de una suerte dudosa en su favor, contra todo aquello que me dictaba la conciencia; alzóse con la ganancia, y cuando esperaba que me había de dar algún escudo, por lo menos, de barato[8], como es uso y costumbre darle a los hombres principales como yo, que estamos asistentes para bien y mal pasar, y para apoyar sinrazones y evitar pendencias, él embolsó su dinero y se salió de la casa. Yo vine despechado tras él, y con buenas y corteses palabras le he pedido que me diese siquiera ocho reales, pues sabe que yo soy hombre honrado y que no tengo oficio ni beneficio, porque mis padres no me le enseñaron ni me le dejaron, y el socarrón, que no es más

---

[8] *barato*, propina que los ganadores daban a los que presenciaban el juego.

ladrón que Caco, ni más fullero que Andradilla[9], no quería darme más de cuatro reales; ¡porque vea vuestra
merced, señor gobernador, qué poca vergüenza y qué
poca conciencia! Pero a fee que si vuesa merced no llegara, que yo le hiciera vomitar la ganancia, y que había
de saber con cuántas entraba la romana[10].

—¿Qué decís vos a esto? —preguntó Sancho.

Y el otro respondió que era verdad cuanto su contrario decía, y no había querido darle más de cuatro
reales porque se los daba muchas veces; y los que esperan barato han de ser comedidos y tomar con rostro alegre lo que les dieren, sin ponerse en cuentas con los ga-
nanciosos, si ya no supiesen de cierto que son fulleros y
que lo que ganan es mal ganado; y que para señal que
él era hombre de bien, y no ladrón, como decía, ninguna
había mayor que el no haberle querido dar nada; que
siempre los fulleros son tributarios de los mirones que los
conocen.

—Así es —dijo el mayordomo—. Vea vuestra merced,
señor gobernador, qué es lo que se ha de hacer destos
hombres.

—Lo que se ha de hacer es esto —respondió Sancho—: vos, gananciso, bueno, o malo, o indiferente, dad
luego a este vuestro acuchillador cien reales, y más habéis de desembolsar treinta para los pobres de la cárcel;
y vos, que no tenéis oficio ni beneficio, y andáis de nones[11] en esta ínsula, tomad luego esos cien reales, y mañana en todo el día salid desta ínsula desterrado por diez
años, so pena, si lo quebrantáredes, los cumpláis en la
otra vida, colgándoos yo de una picota, o, a lo menos, el
verdugo por mi mandado; y ninguno me replique, que le
asentaré la mano.

Desembolsó el uno, recibió el otro, éste se salió de la
ínsula, y aquél se fue a su casa, y el gobernador quedó
diciendo:

—Ahora, yo podré poco, o quitaré estas casas de jue-

[9] O sobran los *que* ante Caco y Andradilla (y los suprimen varios editores), o hay que leer *no es menos... ni menos*. Este *Andradilla*, o Andrada, debió de ser un ladrón famoso; lo cita también
Vicente Espinel (cfr. R. Marín, VII, 102).
[10] Hacer saber a uno con cuántas libras entra la romana (cierta
balanza), equivale a ajustarle las cuentas.
[11] *andar de nones*, sobrar.

go, que a mí se me trasluce que son muy perjudiciales.

—Ésta, a lo menos —dijo un escribano—, no la podrá vuesa merced quitar, porque la tiene un gran personaje, y más es, sin comparación, lo que él pierde al año que lo que saca de los naipes. Contra otros garitos de menor cantía podrá vuestra merced mostrar su poder, que son los que más daño hacen y más insolencias encubren; que en las casas de los caballeros principales y de los señores no se atreven los famosos fulleros a usar de sus tretas; y pues el vicio del juego se ha vuelto en ejercicio común, mejor es que se juegue en casas principales que no en la de algún oficial[12], donde cogen a un desdichado de media noche abajo y le desuellan vivo.

—Agora, escribano —dijo Sancho—, yo sé que hay mucho que decir en eso.

Y en esto llegó un corchete[13], que traía asido a un mozo, y dijo:

—Señor gobernador, este mancebo venía hacia nosotros, y así como columbró la justicia, volvió las espaldas y comenzó a correr como un gamo, señal que debe de ser algún delincuente. Yo partí tras él, y si no fuera porque tropezó y cayó no le alcanzara jamás.

—¿Por qué huías, hombre? —preguntó Sancho.

A lo que el mozo respondió:

—Señor, por escusar de responder a las muchas preguntas que las justicias hacen.

—¿Qué oficio tienes?

—Tejedor.

—¿Y qué tejes?

—Hierros de lanzas, con licencia buena de vuestra merced.

—¿Graciosico me sois? ¿De chocarrero os picáis? ¡Está bien! Y ¿adónde íbades ahora?

—Señor, a tomar el aire.

—Y ¿adónde se toma el aire en esta ínsula?

—Adonde sopla.

—¡Bueno: respondéis muy a propósito! Discreto sois, mancebo; pero haced cuenta que yo soy el aire, y que os soplo en popa, y os encamino a la cárcel. ¡Asilde, hola, y

---

[12] *oficial* en el sentido de «artesano».
[13] *corchete*, agente inferior de la justicia encargado de prender los delincuentes.

llevadle; que yo haré que duerma allí sin aire esta
noche!

—¡Par Dios —dijo el mozo—, así me haga vuestra
merced dormir en la cárcel como hacerme rey!

—Pues ¿por qué no te haré yo dormir en la cárcel?
—respondió Sancho—. ¿No tengo yo poder para pren-
derte y soltarte cada y cuando que quisiere?

—Por más poder que vuestra merced tenga —dijo el
mozo—, no será bastante para hacerme dormir en la
cárcel.

—¿Cómo que no? —replicó Sancho—. Llevalde luego donde verá por sus ojos el desengaño, aunque más el
alcaide quiera usar con él de su interesal[14] liberalidad;
que yo le pondré pena de dos mil ducados si te deja salir
un paso de la cárcel.

—Todo eso es cosa de risa —respondió el mozo—. El
caso es que no me harán dormir en la cárcel cuantos hoy
viven.

—Dime, demonio —dijo Sancho—, ¿tienes algún ángel que te saque y que te quite los grillos que te pienso
mandar echar?

—Ahora, señor gobernador —respondió el mozo con
muy buen donaire—, estemos a razón y vengamos al
punto. Prosuponga vuestra merced que me manda llevar
a la cárcel, y que en ella me echan grillos y cadenas, y
que me meten en un calabozo, y se le ponen al alcaide
graves penas si me deja salir, y que él lo cumple como
se le manda; con todo esto, si yo no quiero dormir, y es-
tarme despierto toda la noche, sin pegar pestaña, ¿será
vuestra merced bastante con todo su poder para hacerme
dormir, si yo no quiero?

—No, por cierto —dijo el secretario—, y el hombre
ha salido con su intención.

—De modo —dijo Sancho—, que no dejaréis de dormir por otra cosa que por vuestra voluntad, y no por contravenir a la mía.

—No, señor —dijo el mozo—, ni por pienso.

—Pues andad con Dios —dijo Sancho—; idos a dormir a vuestra casa, y Dios os dé buen sueño, que yo no
quiero quitárosle; pero aconséjoos que de aquí adelante

---

[14] *interesal,* interesada.

no os burléis con la justicia, porque toparéis con alguna que os dé con la burla en los cascos.

Fuese el mozo, y el gobernador prosiguió con su ronda, y de allí a poco vinieron dos corchetes que traían a un hombre asido, y dijeron:

—Señor gobernador, este que parece hombre no lo es, sino mujer, y no fea, que viene vestida en hábito de hombre.

Llegáronle a los ojos dos o tres lanternas, a cuyas luces descubrieron un rostro de una mujer, al parecer, de diez y seis o pocos más años, recogidos los cabellos con una redecilla de oro y seda verde, hermosa como mil perlas. Miráronla de arriba abajo, y vieron que venía con unas medias de seda encarnada, con ligas de tafetán blanco y rapacejos[15] de oro y aljófar; los greguescos eran verdes, de tela de oro, y una saltaembarca[16] o ropilla de lo mesmo, suelta, debajo de la cual traía un jubón de tela finísima de oro y blanco, y los zapatos eran blancos y de hombre. No traía espada ceñida, sino una riquísima daga, y en los dedos, muchos y muy buenos anillos. Finalmente, la moza parecía bien a todos, y ninguno la conoció de cuantos la vieron, y los naturales del lugar dijeron que no podían pensar quién fuese, y los consabidores de las burlas que se habían de hacer a Sancho fueron los que más se admiraron, porque aquel suceso y hallazgo no venía ordenado por ellos, y así, estaban dudosos, esperando en qué pararía el caso.

Sancho quedó pasmado de la hermosura de la moza, y preguntóle quién era, adónde iba y qué ocasión le había movido para vestirse en aquel hábito. Ella, puestos los ojos en tierra con honestísima vergüenza, respondió:

—No puedo, señor, decir tan en público lo que tanto me importaba fuera secreto; una cosa quiero que se entienda: que no soy ladrón ni persona facinorosa, sino una doncella desdichada a quien la fuerza de unos celos ha hecho romper el decoro que a la honestidad se debe.

Oyendo esto el mayordomo, dijo a Sancho:

—Haga, señor gobernador, apartar la gente, porque esta señora con menos empacho pueda decir lo que quisiere.

---

[15] *rapacejos*, flecos lisos.
[16] *saltaembarca*, capotillo o casaca abierta y corta.

Mandólo así el gobernador; apartáronse todos, si no fueron el mayordomo, maestresala y el secretario. Viéndose, pues, solos, la doncella prosiguió diciendo:

—Yo, señores, soy hija de Pedro Pérez Mazorca, arrendador de las lanas[17] deste lugar, el cual suele muchas veces ir en casa de mi padre.

—Eso no lleva camino —dijo el mayordomo—, señora, porque yo conozco muy bien a Pedro Pérez, y sé que no tiene hijo ninguno, ni varón ni hembra; y más, que decís que es vuestro padre, y luego añadís que suele ir muchas veces en casa de vuestro padre.

—Ya yo había dado en ello —dijo Sancho.

—Ahora, señores, yo estoy turbada, y no sé lo que me digo —respondió la doncella—; pero la verdad es que yo soy hija de Diego de la Llana, que todos vuesas mercedes deben de conocer.

—Aún eso[18] lleva camino —respondió el mayordomo—; que yo conozco a Diego de la Llana, y sé que es un hidalgo principal y rico, y que tiene un hijo y una hija, y que después que enviudó no ha habido nadie en todo este lugar que pueda decir que ha visto el rostro de su hija; que la tiene tan encerrada, que no da lugar al sol que la vea; y, con todo esto, la fama dice que es en estremo hermosa.

—Así es la verdad —respondió la doncella—, y esa hija soy yo; si la fama miente o no en mi hermosura, ya os habréis, señores, desengañado, pues me habéis visto.

Y en esto, comenzó a llorar tiernamente; viendo lo cual el secretario, se llegó al oído del maestresala, y le dijo muy paso:

—Sin duda alguna que a esta pobre doncella le debe de haber sucedido algo de importancia, pues en tal traje, y a tales horas, y siendo tan principal, anda fuera de su casa.

—No hay dudar en eso —respondió el maestresala—; y más, que esa sospecha la confirman sus lágrimas.

Sancho la consoló con las mejores razones que él supo, y le pidió que sin temor alguno les dijese lo que le había

---

[17] *arrendador de las lanas*, el que tenía en arriendo el arbitrio sobre las lanas, y por lo tanto cobraba los impuestos sobre esta mercancía.
[18] *Aún eso*, eso ya.

sucedido; que todos procurarían remediarlo con muchas veras y por todas las vías posibles.

—Es el caso, señores —respondió ella—, que mi padre me ha tenido encerrada diez años ha, que son los mismos que a mi madre come la tierra. En casa dicen misa en un rico oratorio, y yo en todo este tiempo no he visto que[19] el sol del cielo de día, y la luna y las estrellas de noche, ni sé qué son calles, plazas, ni templos, ni aun hombres, fuera de mi padre y de un hermano mío, y de Pedro Pérez el arrendador, que por entrar de ordinario en mi casa, se me antojó decir que era mi padre, por no declarar el mío. Este encerramiento y este negarme el salir de casa, siquiera a la iglesia, ha muchos días y meses que me trae muy desconsolada; quisiera yo ver el mundo, o, a lo menos, el pueblo donde nací, pareciéndome que este deseo no iba contra el buen decoro que las doncellas principales deben guardar a sí mesmas. Cuando oía decir que corrían toros y jugaban cañas, y se representaban comedias, preguntaba a mi hermano, que es un año menor que yo, que me dijese qué cosas eran aquéllas y otras muchas que yo no he visto; él me lo declaraba por los mejores modos que sabía; pero todo era encenderme más el deseo de verlo. Finalmente, por abreviar el cuento de mi perdición, digo que yo rogué y pedí a mi hermano, que nunca tal pidiera ni tal rogara...

Y tornó a renovar el llanto. El mayordomo le dijo:

—Prosiga vuestra merced, señora, y acabe de decirnos lo que le ha sucedido, que nos tienen a todos suspensos sus palabras y sus lágrimas.

—Pocas me quedan por decir —respondió la doncella—, aunque muchas lágrimas sí que llorar, porque los mal colocados deseos no pueden traer consigo otros descuentos[20] que los semejantes.

Habíase sentado en el alma del maestresala la belleza de la doncella, y llegó otra vez su lanterna para verla de de nuevo[21], y parecióle que no eran lágrimas las que lloraba, sino aljófar o rocío de los prados, y aun las subía de punto, y las llegaba a perlas orientales, y estaba de-

---

[19] *no he visto que,* sólo he visto.
[20] *descuentos,* compensaciones.
[21] *de de nuevo,* así en la primera edición, y tal vez no es errata (cfr. *por de dentro*).

seando que su desgracia no fuese tanta como daban a entender los indicios de su llanto y de sus suspiros. Desesperábase el gobernador de la tardanza que tenía la moza en dilatar su historia, y díjole que acabase de tenerlos más suspensos, que era tarde y faltaba mucho que andar del pueblo. Ella, entre interrotos sollozos y mal formados suspiros, dijo:

—No es otra mi desgracia, ni mi infortunio es otro sino que yo rogué a mi hermano que me vistiese en hábitos de hombre con uno de sus vestidos y que me sacase una noche a ver todo el pueblo, cuando nuestro padre durmiese; él, importunado de mis ruegos, condecendió con mi deseo, y poniéndome este vestido, y él vistiéndose de otro mío, que le está como nacido, porque él no tiene pelo de barba y no parece sino una doncella hermosísima, esta noche, debe de haber una hora, poco más o menos, nos salimos de casa, y guiados de nuestro mozo y desbaratado discurso, hemos rodeado todo el pueblo, y cuando queríamos volver a casa, vimos venir un gran tropel de gente, y mi hermano me dijo: «Hermana, ésta »debe de ser la ronda: aligera los pies y pon alas en »ellos, y vente tras mí corriendo, porque no nos conoz- »can, que nos será mal contado[22]». Y diciendo esto, volvió las espaldas y comenzó, no digo a correr, sino a volar; yo, a menos de seis pasos, caí, con el sobresalto, y entonces llegó el ministro de la justicia que me trujo ante vuestras mercedes, adonde por mala y antojadiza me veo avergonzada ante tanta gente.

—¿En efecto, señora —dijo Sancho—, no os ha sucedido otro desmán alguno, ni celos, como vos al principio de vuestro cuento dijistes, no os sacaron de vuestra casa?

—No me ha sucedido nada, ni me sacaron celos, sino sólo el deseo de ver. mundo, que no se estendía a más que a ver las calles de este lugar.

Y acabó de confirmar ser verdad lo que la doncella decía llegar los corchetes con su hermano preso, a quien alcanzó uno dellos cuando se huyó de su hermana. No traía sino un faldellín rico y una mantellina de damasco azul con pasamanos de oro fino, la cabeza sin toca ni con

_____

[22] *ser mal contado,* ser perjudicial.

otra cosa adornada que con sus mesmos cabellos, que
eran sortijas de oro, según eran rubios y enrizados. Apartáronse con él gobernador, mayordomo y maestresala, y
sin que lo oyese su hermana, le preguntaron cómo venía
en aquel traje, y él, con no menos vergüenza y empacho,
contó lo mesmo que su hermana había contado, de que
recibió gran gusto el enamorado maestresala. Pero el gobernador les dijo:

—Por cierto, señores, que ésta ha sido una gran rapacería[23], y para contar esta necedad y atrevimiento no eran
menester tantas largas ni tantas lágrimas y suspiros; que
con decir: «Somos fulano y fulana, que nos salimos a es-
paciar de casa de nuestros padres con esta invención, sólo
por curiosidad, sin otro designio alguno», se acabara el
cuento, y no gemidicos, y lloramicos, y darle[24].

—Así es la verdad —respondió la doncella—; pero
sepan vuesas mercedes que la turbación que he tenido ha
sido tanta, que no me ha dejado guardar el término que
debía.

—No se ha perdido nada —respondió Sancho—. Vamos, y dejaremos a vuesas mercedes en casa de su padre;
quizá no los habrá echado menos. Y de aquí adelante no
se muestren tan niños, ni tan deseosos de ver mundo; que
la doncella honrada, la pierna quebrada, y en casa; y la
mujer y la gallina, por andar se pierden aína[25]; y la que
es deseosa de ver, también tiene deseo de ser vista. No
digo más.

El mancebo agradeció al gobernador la merced que
quería hacerles de volverlos a su casa, y así, se encaminaron hacia ella, que no estaba muy lejos de allí. Llegaron, pues, y tirando el hermano una china a una reja, al
momento bajó una criada, que los estaba esperando, y les
abrió la puerta, y ellos se entraron, dejando a todos admirados así de su gentileza y hermosura como del deseo
que tenían de ver mundo, de noche y sin salir del lugar;
pero todo lo atribuyeron a su poca edad.

Quedó el maestresala traspasado su corazón, y propuso de luego otro día pedírsela por mujer a su padre, teniendo por cierto que no se la negaría, por ser él criado

---

[23] *rapacería*, acción de rapaz o chiquillo, niñería.
[24] *darle*, insistir.
[25] Refrán muy corriente; *aína*, fácilmente.

del duque; y aun a Sancho le vinieron deseos y barruntos de casar al mozo con Sanchica su hija, y determinó de ponerlo en plática[26] a su tiempo, dándose a entender que a una hija de un gobernador ningún marido se le podía negar.

Con esto se acabó la ronda de aquella noche, y de allí a dos días el gobierno, con que se destroncaron y borraron todos sus designios, como se verá adelante.

CAPÍTULO L

Donde se declara quién fueron los encantadores y verdugos que azotaron a la dueña y pellizcaron y arañaron a don Quijote, con el suceso que tuvo el paje que llevó la carta a Teresa Sancha[1], mujer de Sancho Panza

Dice Cide Hamete, puntualísimo escudriñador de los átomos desta verdadera historia, que al tiempo que doña Rodríguez salió de su aposento para ir a la estancia de don Quijote, otra dueña que con ella dormía lo sintió, y que como todas las dueñas son amigas de saber, entender y oler, se fue tras ella, con tanto silencio, que la buena Rodríguez no lo echó de ver; y así como la dueña la vio entrar en la estancia de don Quijote, porque no faltase en ella la general costumbre que todas las dueñas tienen de ser chismosas, al momento lo fue a poner en pico a[2] su señora la duquesa, de cómo doña Rodríguez quedaba en el aposento de don Quijote.

La duquesa se lo dijo al duque, y le pidió licencia para que ella y Altisidora viniesen a ver lo que aquella dueña quería con don Quijote; el duque se la dio, y las dos, con gran tiento y sosiego, paso ante paso, llegaron a ponerse junto a la puerta del aposento, y tan cerca, que oían todo lo que dentro hablaban; y cuando oyó la duquesa que Rodríguez había echado en la calle el Aran-

[26] *plática*, práctica.
[1] *Sancha* no es error, pues entre el pueblo era frecuente llamar a la mujer con el nombre de pila del marido en femenino.
[2] *poner en pico a*, poner en conocimiento de alguien algo que valdría más que ignorara.

juez[3] de sus fuentes no lo pudo sufrir, ni menos Altisidora, y así, llenas de cólera y deseosas de venganza, entraron de golpe en el aposento, y acrebillaron a don Quijote y vapularon a la dueña del modo que queda contado; porque las afrentas que van derechas contra la hermosura y presunción de las mujeres, despierta en ellas en gran manera la ira y enciende el deseo de vengarse.

Contó la duquesa al duque lo que le había pasado, de lo que se holgó mucho, y la duquesa, prosiguiendo con su intención de burlarse y recibir pasatiempo con don Quijote, despachó al paje que había hecho la figura de Dulcinea en el concierto de su desencanto —que tenía bien olvidado Sancho Panza con la ocupación de su gobierno— a Teresa Panza, su mujer, con la carta de su marido, y con otra suya, y con una gran sarta de corales ricos presentados.

Dice, pues, la historia, que el paje era muy discreto y agudo, y con deseo de servir a sus señores, partió de muy buena gana al lugar de Sancho; y antes de entrar en él vio en un arroyo estar lavando cantidad de mujeres, a quien preguntó si le sabrían decir si en aquel lugar vivía una mujer llamada Teresa Panza, mujer de un cierto Sancho Panza, escudero de un caballero llamado don Quijote de la Mancha, a cuya pregunta se levantó en pie una mozuela que estaba lavando, y dijo:

—Esa Teresa Panza es mi madre, y ese tal Sancho, mi señor padre, y el tal caballero, nuestro amo.

—Pues venid, doncella —dijo el paje—, y mostradme a vuestra madre, porque le traigo una carta y un presente del tal vuestro padre.

—Eso haré yo de muy buena gana, señor mío —respondió la moza, que mostraba ser de edad de catorce años, poco más a menos.

Y dejando la ropa que lavaba a otra compañera, sin tocarse ni calzarse, que estaba en piernas[4] y desgreñada, saltó delante de la cabalgadura del paje, y dijo:

—Venga vuesa merced; que a la entrada del pueblo está nuestra casa, y mi madre en ella, con harta pena por no haber sabido muchos días ha de mi señor padre.

[3] Juego de palabras con las famosas *fuentes* de Aranjuez.
[4] *en piernas*, descalza.

—Pues yo se las llevo tan buenas —dijo el paje—, que tiene que dar bien gracias a Dios por ellas.

Finalmente, saltando, corriendo y brincando, llegó al pueblo la muchacha, y antes de entrar en su casa dijo a voces desde la puerta:

—Salga, madre Teresa, salga, salga, que viene aquí un señor que trae cartas y otras cosas de mi buen padre.

A cuyas voces salió Teresa Panza, su madre, hilando un copo de estopa, con una saya parda. Parecía, según era de corta, que se la habían cortado por vergonzoso lugar[5], con un corpezuelo asimismo pardo y una camisa de pechos[6]. No era muy vieja, aunque mostraba pasar de los cuarenta, pero fuerte, tiesa, nervuda y avellanada; la cual, viendo a su hija, y al paje a caballo, le dijo:

—¿Qué es esto, niña? ¿Qué señor es éste?

—Es un servidor de mi señora doña Teresa Panza —respondió el paje.

Y diciendo y haciendo, se arrojó del caballo y se fue con mucha humildad a poner de hinojos ante la señora Teresa, diciendo:

—Deme vuestra merced sus manos, mi señora doña Teresa, bien así como mujer legítima y particular del señor don Sancho Panza, gobernador propio de la ínsula Barataria.

—¡Ay, señor mío, quítese de ahí: no haga eso —respondió Teresa—; que yo no soy nada palaciega, sino una pobre labradora, hija de un estripaterrones y mujer de un escudero andante, y no de gobernador alguno!

—Vuesa merced —respondió el paje— es mujer dignísima de un gobernador archidignísimo; y para prueba desta verdad, reciba vuesa merced esta carta y este presente.

Y sacó al instante de la faldriquera una sarta de corales con estremos de oro, y se la echó al cuello, y dijo:

—Esta carta es del señor gobernador, y otra que traigo y estos corales son de mi señora la duquesa, que a vuestra merced me envía.

Quedó pasmada Teresa, y su hija ni más ni menos, y la muchacha dijo:

[5] Alusión a un castigo vergonzoso que se imponía a las malas mujeres.
[6] *camisa de pechos*, camisa escotada de mujer.

—Que me maten si no anda por aquí nuestro señor
amo don Quijote, que debe de haber dado a padre el gobierno o condado que tantas veces le había prometido.

—Así es la verdad —respondió el paje—: que por
respeto del señor don Quijote es ahora el señor Sancho
gobernador de la ínsula Barataria, como se verá por esta
carta.

—Léamela vuesa merced, señor gentilhombre —dijo
Teresa—; porque aunque yo sé hilar, no sé leer migaja.

—Ni yo tampoco —añadió Sanchica—; pero espérenme aquí; que yo iré a llamar quien la lea, ora sea el cura
mesmo, o el bachiller Sansón Carrasco, que vendrán de
muy buena gana, por saber nuevas de mi padre.

—No hay para qué se llame a nadie; que yo no sé
hilar, pero sé leer, y la leeré.

Y así, se la leyó toda, que por quedar ya referida, no
se pone aquí, y luego sacó otra de la duquesa, que decía
desta manera:

*Amiga Teresa: Las buenas partes de la bondad y del
ingenio de vuestro marido Sancho me movieron y obliga-
ron a pedir a mi marido el duque le diese un gobierno
de una ínsula, de muchas que tiene. Tengo noticia que
gobierna como un girifalte, de lo que yo estoy muy contenta, y el duque mi señor, por el consiguiente; por lo
que doy muchas gracias al cielo de no haberme engañado en haberle escogido para el tal gobierno; porque quiero que sepa la señora Teresa que con dificultad se halla
un buen gobernador en el mundo, y tal me haga a mí
Dios como Sancho gobierna.*

*Ahí le envío, querida mía, una sarta de corales con
estremos de oro; yo me holgara que fuera de perlas orientales; pero quien te da el hueso, no te querría ver muerta: tiempo vendrá en que nos conozcamos y nos comu-
niquemos, y Dios sabe lo que será. Encomiéndeme a
Sanchica, su hija, y dígale de mi parte que se apareje,
que la tengo de casar altamente cuando menos lo piense.*

*Dícenme que en ese lugar hay bellotas gordas: envíe-
me hasta dos docenas, que las estimaré en mucho, por
ser de su mano, y escríbame largo, avisándome de su salud y de su bienestar; y si hubiere menester alguna cosa,*

no tiene que hacer más que boquear: que su boca será
medida, y Dios me la guarde. Deste lugar.

Su amiga que bien la quiere,
LA DUQUESA.

—¡Ay —dijo Teresa en oyendo la carta—, y qué buena y qué llana y qué humilde señora! Con estas tales
señoras me entierren a mí, y no las hidalgas que en este
pueblo se usan, que piensan que por ser hidalgas no las
ha de tocar el viento, y van a la iglesia con tanta fantasía[7] como si fuesen las mesmas reinas, que no parece sino
que tienen a deshonra el mirar a una labradora; y veis
aquí donde esta buena señora, con ser duquesa, me
llama amiga, y me trata como si fuera su igual, que igual
la vea yo con el más alto campanario que hay en la Mancha. Y en lo que toca a las bellotas, señor mío, yo le enviaré a su señoría un celemín, que por gordas las pueden
venir a ver a la mira y a la maravilla[8]. Y por ahora, Sanchica, atiende a que se regale este señor: pon en orden
este caballo, y saca de la caballeriza güevos, y corta tocino adunia[9], y démosle de comer como a un príncipe, que
las buenas nuevas que nos ha traído y la buena cara
que él tiene lo merece todo; y en tanto, saldré yo a dar
a mis vecinas las nuevas de nuestro contento, y al padre
cura y a maese Nicolás el barbero, que tan amigos son y
han sido de tu padre.

—Sí haré, madre —respondió Sanchica—; pero mire
que me ha de dar la mitad desa sarta; que no tengo yo
por tan boba a mi señora la duquesa, que se la había de
enviar a ella[10] toda.

—Todo es para ti, hija —respondió Teresa—; pero
déjamela traer algunos días al cuello, que verdaderamente parece que me alegra el corazón.

—También se alegrarán —dijo el paje— cuando vear
el lío que viene en este portamanteo[11], que es un vestido
de paño finísimo que el gobernador sólo un día llevó a
caza, el cual todo le envía para la señora Sanchica.

---

[7] *fantasía,* presunción.
[8] *a la mira y a la maravilla,* locución con la que se pondera
la excelencia de una cosa.
[9] *adunia,* bastante, en abundancia.
[10] *a ella,* a usted; tratamiento respetuoso de Sanchica a su
madre.
[11] *portamanteo,* maleta pequeña cerrada con cordones.

—Que me viva él mil años —respondió Sanchica—, y el que lo trae, ni más ni menos, y aun dos mil, si fuere necesidad.

Salióse en esto Teresa fuera de casa, con las cartas, y con la sarta al cuello, y iba tañendo en las cartas como si fuera un pandero; y encontrándose acaso con el cura y Sansón Carrasco, comenzó a bailar y a decir:

—¡A fee que agora que no hay pariente pobre! ¡Gobiernito tenemos! ¡No, sino tómese conmigo la más pintada hidalga, que yo la pondré como nueva!

—¿Qué es esto, Teresa Panza? ¿Qué locuras son éstas, y qué papeles son ésos?

—No es otra la locura sino que éstas son cartas de duquesas y de gobernadores, y estos que traigo al cuello son corales finos, las avemarías, y los padres nuestros son de oro de martillo[12], y yo soy gobernadora.

—De Dios en ayuso[13], no os entendemos, Teresa, ni sabemos lo que os decís.

—Ahí lo podrán ver ellos[14] —respondió Teresa.

Y dioles las cartas. Leyólas el cura de modo que las oyó Sansón Carrasco, y Sansón y el cura se miraron el uno al otro, como admirados de lo que habían leído, y preguntó el bachiller quién había traído aquellas cartas. Respondió Teresa que se viniesen con ella a su casa y verían el mensajero, que era un mancebo como un pino de oro[15], y que le traía otro presente que valía más de tanto[16]. Quitóle el cura los corales del cuello, y mirólos y remirólos, y certificándose que eran finos, tornó a admirarse de nuevo, y dijo:

—Por el hábito que tengo, que no sé qué me diga ni qué me piense de estas cartas y destos presentes: por una parte, veo y toco la fineza de estos corales, y por otra, leo que una duquesa envía a pedir dos docenas de bellotas.

—¡Aderézame esas medidas[17]! —dijo entonces Carrasco—. Agora bien, vamos a ver al portador deste plie-

---

[12] *oro de martillo,* oro labrado.
[13] *en ayuso,* abajo.
[14] *ellos,* ustedes.
[15] *pino de oro,* pieza dorada que llevaban las mujeres en el tocado.
[16] *más de tanto,* más que eso.
[17] *¡Aderézame esas medidas!,* exclamación que se profiere al oír un disparate.

go; que dél nos informaremos de las dificultades que se nos ofrecen.

Hiciéronlo así, y volvióse Teresa con ellos. Hallaron al paje cribando un poco de cebada para su cabalgadura, y a Sanchica cortando un torrezno para empedrarle con güevos y dar de comer al paje, cuya presencia y buen adorno contentó mucho a los dos; y después de haberle saludado cortésmente, y él a ellos, le preguntó Sansón les dijese nuevas así de don Quijote como de Sancho Panza; que puesto que habían leído las cartas de Sancho y de la señora duquesa, todavía estaban confusos y no acababan de atinar qué sería aquello del gobierno de Sancho, y más de una ínsula, siendo todas o las más que hay en el mar Mediterráneo de Su Majestad. A lo que el paje respondió:

—De que el señor Sancho Panza sea gobernador, no hay que dudar en ello; de que sea ínsula o no la que gobierna, en eso no me entremeto, pero basta que sea un lugar de más de mil vecinos; y en cuanto a lo de las bellotas, digo que mi señora la duquesa es tan llana y tan humilde que no —decía él— enviar a pedir bellotas a una labradora, pero que le acontecía enviar a pedir un peine prestado a una vecina suya[18]. Porque quiero que sepan vuestras mercedes que las señoras de Aragón, aunque son tan principales, no son tan puntuosas y levantadas como las señoras castellanas; con más llaneza tratan con las gentes.

Estando en la mitad destas pláticas saltó Sanchica con un halda de güevos, y preguntó al paje:

—Dígame, señor: ¿mi señor padre trae por ventura calzas atacadas[19] después que es gobernador?

—No he mirado en ello —respondió el paje—; pero sí debe de traer.

—¡Ay Dios mío —replicó Sanchica—, y que será de

[18] Algunos editores (R. Marín, Schevill, etc.) encierran entre guiones desde *que no decía él* hasta *vecina suya,* y suponen que todo ello está en estilo indirecto. Aunque en Cervantes es frecuente pasar del estilo directo al indirecto. o viceversa, aquí parece muy forzado. Considero pues que *decía él* es el verbo *dicendi,* y que todo lo demás está en boca del paje en estilo directo. La construcción *no enviar* puede parecer rara, pero es frecuente en Cervantes el infinitivo histórico (cfr. «Y por fin y remate de todo, *romperse* mis cueros y *derramarse* mi vino», I, 35; «y un criado mío *responder*», II, 52).

[19] *calzas atacadas,* las que cubrían muslos y piernas.

ver a mi padre con pedorreras[20]! ¿No es bueno sino que desde que nací tengo deseo de ver a mi padre con calzas atacadas?

—Como con esas cosas le verá vuestra merced si vive —respondió el paje—. Par Dios, términos lleva de caminar con papahígo[21], con solos dos meses que le dure el gobierno.

Bien echaron de ver el cura y el bachiller que el paje hablaba socarronamente; pero la fineza de los corales y el vestido de caza que Sancho enviaba lo deshacía todo; que ya Teresa les había mostrado el vestido. Y no dejaron de reírse del deseo de Sanchica, y más cuando Teresa dijo:

—Señor cura, eche cata por ahí si hay alguien que vaya a Madrid, o a Toledo, para que me compre un verdugado[22] redondo, hecho y derecho, y sea al uso[23] y de los mejores que hubiere; que en verdad en verdad que tengo de honrar el gobierno de mi marido en cuanto yo pudiere, y aun que si me enojo, me tengo de ir a esa corte, y echar un coche, como todas; que la que tiene marido gobernador muy bien le puede traer y sustentar.

—Y ¡cómo, madre! —dijo Sanchica—. Pluguiese a Dios que fuese antes hoy que mañana, aunque dijesen los que me viesen ir sentada con mi señora madre en aquel coche: «¡Mirad la tal por cual, hija del harto de ajos, y cómo va sentada y tendida en el coche, como si fuera una papesa!» Pero pisen ellos los lodos, y ándeme yo en mi coche, levantados los pies del suelo. ¡Mal año y mal mes para cuantos murmuradores hay en el mundo, y ándeme yo caliente, y ríase la gente! ¿Digo bien, madre mía?

—Y ¡cómo que dices bien, hija! —respondió Teresa—. Y todas estas venturas, y aun mayores, me las tiene profetizadas mi buen Sancho, y verás tú, hija, cómo no para hasta hacerme condesa; que todo es comenzar a ser venturosas; y como yo he oído decir muchas veces a tu buen padre, que así como lo es tuyo lo es de los refranes,

---

[20] *pedorreras*, calzas muy ajustadas.
[21] *papahígo*, gorro de paño que cubre el cuello y parte de la cara para resguardar del frío.
[22] *verdugado*, saya acampanada que las mujeres se ponían debajo de las faldas para ahuecarlas.
[23] *sea al uso*, esté de moda.

cuando te dieren la vaquilla, corre con soguilla; cuando te dieren un gobierno, cógele; cuando te dieren un condado, agárrale, y cuando te hicieren tus, tus[24], con alguna buena dádiva, envásala. ¡No, sino dormíos, y no respondáis a las venturas y buenas dichas que están llamando a la puerta de vuestra casa!

—Y ¿qué se me da a mí —añadió Sanchica— que diga el que quisiere cuando me vea entonada y fantasiosa: «—Viose el perro en bragas de cerro...[25]», y lo demás?

Oyendo lo cual el cura, dijo:

—Yo no puedo creer sino que todos los deste linaje de los Panzas nacieron cada uno con un costal de refranes en el cuerpo; ninguno dellos he visto que no los derrame a todas horas y en todas las pláticas que tienen.

—Así es la verdad —dijo el paje—; que el señor gobernador Sancho a cada paso los dice, y aunque muchos no vienen a propósito, todavía dan gusto, y mi señora la duquesa y el duque los celebran mucho.

—¿Que todavía se afirma vuestra merced, señor mío —dijo el bachiller—, ser verdad esto del gobierno de Sancho, y de que hay duquesa en el mundo que le envíe presentes y le escriba? Porque nosotros, aunque tocamos los presentes y hemos leído las cartas, no lo creemos, y pensamos que ésta es una de las cosas de don Quijote nuestro compatrioto, que todas piensa que son hechas por encantamento; y así, estoy por decir que quiero tocar y palpar a vuestra merced, por ver si es embajador fantástico o hombre de carne y hueso.

—Señores, yo no sé más de mí —respondió el paje— sino que soy embajador verdadero, y que el señor Sancho Panza es gobernador efectivo, y que mis señores duque y duquesa pueden dar, y han dado, el tal gobierno, y que he oído decir que en él se porta valentísimamente el tal Sancho Panza; si en esto hay encantamento, o no, vuestras mercedes lo disputen allá entre ellos; que yo no sé otra cosa, para el juramento[26] que hago, que es por vida

---

[24] *tus, tus,* voz para llamar al perro.
[25] ...y él fiero que fiero», refrán, *cerro,* espinazo o cuello; se aplica a los que, habiéndose enriquecido, miran con desprecio a sus antiguos amigos o iguales.
[26] *para el juramento,* por el juramento.

de mis padres, que los tengo vivos y los amo y los quiero mucho.

—Bien podrá ello ser así —replicó el bachiller—; pero *dubitat Augustinus*[27].

—Dude quien dudare —respondió el paje—, la verdad es la que he dicho, y esta que ha de andar siempre sobre la mentira, como el aceite sobre el agua; y si no, *operibus credite, et non verbis*[28]: véngase alguno de vuesas mercedes conmigo, y verán con los ojos lo que no creen por los oídos.

—Esa ida a mí toca —dijo Sanchica—; lléveme vuestra merced, señor, a las ancas de su rocín, que yo iré de muy buena gana a ver a mi señor padre.

—Las hijas de los gobernadores no han de ir solas por los caminos, sino acompañadas de carrozas y literas y de gran número de sirvientes.

—Par Dios —respondió Sancha—, también me vaya yo sobre una pollina como sobre un coche. ¡Hallado la habéis la melindrosa!

—Calla, mochacha —dijo Teresa—; que no sabes lo que te dices, y este señor está en lo cierto; que tal el tiempo, tal el tiento; cuando Sancho, Sancha, y cuando gobernador, señora, y no sé si diga algo.

—Más dice la señora Teresa de lo que piensa —dijo el paje—; y denme de comer y despáchenme luego, porque pienso volverme esta tarde.

A lo que dijo el cura:

—Vuestra merced se vendrá a hacer penitencia conmigo[29]; que la señora Teresa más tiene voluntad que alhajas para servir a tan buen huésped.

Rehusólo el paje; pero, en efecto, lo hubo de conceder por su mejora, y el cura le llevó consigo de buena gana, por tener lugar de preguntarle de espacio por don Quijote y sus hazañas.

El bachiller se ofreció de escribir las cartas a Teresa, de la respuesta; pero ella no quiso que el bachiller se metiese en sus cosas, que le tenía por algo burlón, y así, dio un bollo y dos huevos a un monacillo que sabía escribir,

---

[27] «pero San Agustín lo pone en duda», frase que los estudiantes de teología y filosofía empleaban en sus ejercicios dialécticos.
[28] «Dad crédito a las obras, y no a las palabras» (véase II, 25, nota 10).
[29] Vendrá a comer conmigo; fórmula de invitación.

el cual le escribió dos cartas, una para su marido y otra
para la duquesa, notadas[30] de su mismo caletre, que no
son las peores que en esta grande historia se ponen, como
se verá adelante.

CAPÍTULO LI

DEL PROGRESO DEL GOBIERNO DE SANCHO PANZA,
CON OTROS SUCESOS TALES COMO BUENOS

AMANECIÓ el día que se siguió a la noche de la ronda
del gobernador, la cual el maestresala pasó sin dormir, ocupado el pensamiento en el rostro, brío y belleza
de la disfrazada doncella; y el mayordomo ocupó lo que
della faltaba en escribir a sus señores lo que Sancho Panza hacía y decía, tan admirado de sus hechos como de
sus dichos: porque andaban mezcladas sus palabras y sus
acciones, con asomos discretos y tontos.

Levantóse, en fin, el señor gobernador, y por orden
del doctor Pedro Recio le hicieron desayunar con un poco
de conserva y cuatro tragos de agua fría, cosa que la trocara Sancho con un pedazo de pan y un racimo de uvas;
pero, viendo que aquello era más fuerza que voluntad,
pasó por ello, con harto dolor de su alma y fatiga de su
estómago, haciéndole creer Pedro Recio que los manjares pocos y delicados avivaban el ingenio, que era lo que
más convenía a las personas constituidas en mandos y en
oficios graves, donde se han de aprovechar no tanto de
las fuerzas corporales como de las del entendimiento.

Con esta sofistería padecía hambre Sancho, y tal, que
en su secreto maldecía el gobierno y aun a quien se le
había dado; pero con su hambre y con su conserva se
puso a juzgar aquel día, y lo primero que se le ofreció
fue una pregunta[1] que un forastero le hizo, estando presentes a todo el mayordomo y los demás acólitos, que
fue:

—Señor, un caudaloso río dividía dos términos de un
mismo señorío (y esté vuestra merced atento, porque el
caso es de importancia y algo dificultoso). Digo, pues, que

---
[30] *notadas,* dictadas.
[1] *pregunta,* en el sentido de problema de difícil solución.

sobre este río estaba una puente, y al cabo della, una
horca y una como casa de audiencia, en la cual de ordinario había cuatro jueces que juzgaban la ley que puso
el dueño del río, de la puente y del señorío, que era en
esta forma: «Si alguno pasare por esta puente de una
parte a otra, ha de jurar primero adónde y a qué va; y
si jurare verdad, déjenle pasar; y si dijere mentira, muera por ello ahorcado en la horca que allí se muestra, sin
remisión alguna». Sabida esta ley y la rigurosa condición
della, pasaban muchos, y luego en lo que juraban se echaba de ver que decían verdad, y los jueces los dejaban pasar libremente. Sucedió, pues, que tomando juramento a
un hombre, juró y dijo que para el juramento que hacía,
que iba a morir en aquella horca que allí estaba, y no a
otra cosa. Repararon los jueces en el juramento, y dijeron: «Si a este hombre le dejamos pasar libremente, min-
»tió en su juramento, y, conforme a la ley, debe morir;
»y si le ahorcamos, él juró que iba a morir en aquella
»horca, y, habiendo jurado verdad, por la misma ley
»debe ser libre». Pídese a vuesa merced, señor gobernador, qué harán los jueces del tal hombre; que aun hasta
agora están dudosos y suspensos. Y habiendo tenido noticia del agudo y elevado entendimiento de vuestra merced, me enviaron a mí a que suplicase a vuestra merced
de su parte diese su parecer en tan intricado y dudoso
caso.

A lo que respondió Sancho:

—Por cierto que esos señores jueces que a mí os envían lo pudieran haber escusado, porque yo soy un hombre que tengo más de mostrenco que de agudo; pero, con
todo eso, repetidme otra vez el negocio de modo que yo
le entienda: quizá podría ser que diese en el hito.

Volvió otra y otra vez el preguntante a referir lo que
primero había dicho, y Sancho dijo:

—A mi parecer, este negocio en dos paletas le decla-
raré yo, y es así: el tal hombre jura que va a morir en
la horca, y si muere en ella, juró verdad, y por la ley
puesta merece ser libre y que pase la puente; y si no le
ahorcan, juró mentira, y por la misma ley merece que
le ahorquen.

—Así es como el señor gobernador dice —dijo el

mensajero—; y cuanto a la entereza y entendimiento del caso, no hay más que pedir ni que dudar.

—Digo yo, pues, agora —replicó Sancho— que deste hombre aquella parte que juró verdad la dejen pasar, y la que dijo mentira la ahorquen, y desta manera se cumplirá al pie de la letra la condición del pasaje.

—Pues, señor gobernador —replicó el preguntador—, será necesario que el tal hombre se divida en partes, en mentirosa y verdadera; y si se divide, por fuerza ha de morir, y así no se consigue cosa alguna de lo que la ley pide, y es de necesidad espresa que se cumpla con ella.

—Venid acá, señor buen hombre —respondió Sancho—; este pasajero que decís, o yo soy un porro, o él tiene la misma razón para morir que para vivir y pasar la puente; porque si la verdad le salva, la mentira le condena igualmente; y siendo esto así, como lo es, soy de parecer que digáis a esos señores que a mí os enviaron que, pues están en un fil[2] las razones de condenarle o asolverle, que le dejen pasar libremente, pues siempre es alabado más el hacer bien que mal, y esto lo diera firmado de mi nombre, si supiera firmar; y yo en este caso no he hablado de mío, sino que se me vino a la memoria un precepto, entre otros muchos que me dio mi amo don Quijote la noche antes que viniese a ser gobernador desta ínsula: que fue que cuando la justicia estuviese en duda, me decantase y acogiese a la misericordia; y ha querido Dios que agora se me acordase, por venir en este caso como de molde.

—Así es —respondió el mayordomo—, y tengo para mí que el mismo Licurgo, que dio leyes a los lacedemonios, no pudiera dar mejor sentencia que la que el gran Panza ha dado. Y acábase con esto la audiencia desta mañana, y yo daré orden como el señor gobernador coma muy a su gusto.

—Eso pido, y barras derechas[3] —dijo Sancho—; denme de comer, y lluevan casos y dudas sobre mí, que yo las despabilaré en el aire.

Cumplió su palabra el mayordomo, pareciéndole ser cargo de conciencia matar de hambre a tan discreto gobernador; y más, que pensaba concluir con él aquella

---

[2] *fil*, fiel de la balanza.
[3] *barras derechas*, que no haya trampa, engaño.

misma noche haciéndole la burla última que traía en comisión de hacerle.

Sucedió, pues, que habiendo comido aquel día contra las reglas y aforismos del doctor Tirteafuera, al levantar de los manteles, entró un correo con una carta de don Quijote para el gobernador. Mandó Sancho al secretario que la leyese para sí, y que si no viniese en ella alguna cosa digna de secreto, la leyese en voz alta. Hízolo así el secretario, y, repasándola primero, dijo:

—Bien se puede leer en voz alta; que lo que el señor don Quijote escribe a vuestra merced merece estar estampado y escrito con letras de oro, y dice así:

Carta de don Quijote de la Mancha a Sancho Panza, gobernador de la ínsula Barataria

Cuando esperaba oír nuevas de tus descuidos e impertinencias, Sancho amigo, las oí de tus discreciones, de que di por ello gracias particulares al cielo, el cual del estiércol sabe levantar los pobres, y de los tontos hacer discretos. Dícenme que gobiernas como si fueses hombre, y que eres hombre como si fueses bestia, según es la humildad con que te tratas; y quiero que adviertas, Sancho, que muchas veces conviene y es necesario, por la autoridad del oficio, ir contra la humildad del corazón; porque el buen adorno de la persona que está puesta en graves cargos ha de ser conforme a lo que ellos piden, y no a la medida de lo que su humilde condición le inclina. Vístete bien; que un palo compuesto no parece palo. No digo que traigas dijes ni galas, ni que siendo juez te vistas como soldado, sino que te adornes con el hábito que tu oficio requiere, con tal que sea limpio y bien compuesto.

Para ganar la voluntad del pueblo que gobiernas, entre otras has de hacer dos cosas: la una, ser bien criado con todos, aunque esto ya otra vez te lo he dicho, y la otra, procurar la abundancia de los mantenimientos; que no hay cosa que más fatigue el corazón de los pobres que la hambre y la carestía.

No hagas muchas pragmáticas; y si las hicieres, procura que sean buenas, y, sobre todo, que se guarden y cumplan; que las pragmáticas que no se guardan, lo mismo es que si no lo fuesen; antes dan a entender que el

*príncipe que tuvo discreción y autoridad para hacerlas,
no tuvo valor para hacer que se guardasen; y las leyes que
atemorizan y no se ejecutan, vienen a ser como la viga,
rey de las ranas*[4]*: que al principio las espantó, y con el
tiempo la menospreciaron y se subieron sobre ella.*

*Sé padre de las virtudes y padrastro de los vicios. No
seas siempre riguroso, ni siempre blando, y escoge el medio entre estos dos estremos; que en esto está el punto de
la discreción. Visita las cárceles, las carnicerías y las plazas; que la presencia del gobernador en lugares tales es
de mucha importancia: consuela a los presos, que esperan
la brevedad de su despacho; es coco a los carniceros, que
por entonces igualan los pesos, y es espantajo a las pla-
ceras, por la misma razón. No te muestres, aunque por
ventura lo seas —lo cual yo no creo—, codicioso, muje-
riego ni glotón; porque en sabiendo el pueblo y los que
te tratan tu inclinación determinada, por allí te darán
batería*[5]*, hasta derribarte en el profundo de la perdición.*

*Mira y remira, pasa y repasa los consejos y documen-
tos que te di por escrito antes que de aquí partieses a tu
gobierno, y verás como hallas en ellos, si los guardas, una
ayuda de costa que te sobrelleve los trabajos y dificultades que a cada paso a los gobernadores se les ofrecen. Escribe a tus señores y muéstrateles agradecido; que la ingratitud es hija de la soberbia, y uno de los mayores pecados
que se sabe, y la persona que es agradecida a los que bien
le han hecho, da indicio que también lo será a Dios, que
tantos bienes le hizo y de contino le hace.*

*La señora duquesa despachó un propio con tu vestido
y otro presente a tu mujer Teresa Panza; por momentos
esperamos respuesta.*

*Yo he estado un poco mal dispuesto de un cierto
gateamiento que me sucedió no muy a cuento de mis narices; pero no fue nada; que si hay encantadores que me
maltraten, también los hay que me defiendan.*

*Avísame si el mayordomo que está contigo tuvo que
ver en las acciones de la Trifaldi, como tú sospechaste,
y de todo lo que te sucediere me irás dando aviso, pues*

---

[4] Alusión a la conocida fábula de las ranas pidiendo rey.
[5] *dar batería*, combatir, atacar.

es tan corto el camino; cuanto más, que yo pienso dejar presto esta vida ociosa en que estoy, pues no nací para ella.

Un negocio se me ha ofrecido, que creo que me ha de poner en desgracia destos señores; pero aunque se me da mucho, no se me da nada, pues, en fin en fin, tengo de cumplir antes con mi profesión que con su gusto, conforme a lo que suele decirse: amicus Plato, sed magis amica veritas[6]. *Dígote este latín porque me doy a entender que después que eres gobernador lo habrás aprendido. Y a Dios, el cual te guarde de que ninguno te tenga lástima.*

Tu amigo
DON QUIJOTE DE LA MANCHA.

Oyó Sancho la carta con mucha atención, y fue celebrada y tenida por discreta de los que la oyeron; y luego Sancho se levantó de la mesa, y llamando al secretario, se encerró con él en su estancia, y sin dilatarlo más, quiso responder luego a su señor don Quijote, y dijo al secretario que, sin añadir ni quitar cosa alguna, fuese escribiendo lo que él le dijese, y así lo hizo; y la carta de la respuesta fue del tenor siguiente:

CARTA DE SANCHO PANZA A DON QUIJOTE DE LA MANCHA

La ocupación de mis negocios es tan grande, que no tengo lugar para rascarme la cabeza, ni aun para cortarme las uñas; y así, las traigo tan crecidas cual Dios lo remedie. Digo esto, señor mío de mi alma, porque vuesa merced no se espante si hasta agora no he dado aviso de mi bien o mal estar en este gobierno, en el cual tengo más hambre que cuando andábamos los dos por las selvas y por los despoblados.

Escribióme el duque, mi señor, el otro día, dándome aviso que habían entrado en esta ínsula ciertas espías para matarme, y hasta agora yo no he descubierto otra que un cierto doctor que está en este lugar asalariado para matar a cuantos gobernadores aquí vinieren: llá-

---

[6] «Platón es mi amigo, pero más lo soy de la verdad», famoso adagio latino que se encuentra en esta forma en los *Adagios* de Erasmo. Antes era más frecuente decir *Amicus Socrates...*

mase el doctor Pedro Recio, y es natural de Tirteafuera:
¡porque vea vuesa merced qué nombre para no temer
que he de morir a sus manos! Este tal doctor dice él mismo de sí mismo que él no cura las enfermedades cuando
las hay, sino que las previene, para que no vengan; y las
medecinas que usa son dieta y más dieta, hasta poner la
persona en los huesos mondos, como si no fuese mayor
mal la flaqueza que la calentura. Finalmente, él me va
matando de hambre, y yo me voy muriendo de despecho,
pues cuando pensé venir a este gobierno a comer caliente
y a beber frío, y a recrear el cuerpo entre sábanas de
holanda, sobre colchones de pluma, he venido a hacer
penitencia, como si fuera ermitaño; y como no la hago
de mi voluntad, pienso que al cabo al cabo me ha de
llevar el diablo.

Hasta agora no he tocado derecho ni llevado cohecho, y no puedo pensar en qué va esto; porque aquí me
han dicho que los gobernadores que a esta ínsula suelen
venir, antes de entrar a ella, o les han dado o les han
prestado los del pueblo muchos dineros, y que ésta es
ordinaria usanza en los demás que van a gobiernos, no
solamente en éste.

Anoche, andando de ronda, topé una muy hermosa
doncella en traje de varón y un hermano suyo en hábito
de mujer; de la moza se enamoró mi maestresala, y la
escogió en su imaginación para su mujer, según él ha
dicho, y yo escogí al mozo para mi yerno; hoy los dos
pondremos en plática[1] nuestros pensamientos con el padre de entrambos, que es un tal Diego de la Llana, hidalgo y cristiano viejo cuanto se quiere.

Yo visito las plazas, como vuestra merced me lo aconseja, y ayer hallé una tendera que vendía avellanas nuevas, y averigüéle que había mezclado con una hanega
de avellanas nuevas otra de viejas, vanas y podridas;
apliquélas todas para los niños de la doctrina, que las
sabrían bien distinguir, y sentenciéla que por quince días
no entrase en la plaza. Hanme dicho que lo hice valero-
samente; lo que sé decir a vuestra merced es que es fama
en este pueblo que no hay gente más mala que las pla-
ceras, porque todas son desvergonzadas, desalmadas y

[1] plática, práctica.

atrevidas, y yo así lo creo, por las que he visto en otros pueblos.

De que mi señora la duquesa haya escrito a mi mujer Teresa Panza y enviádole el presente que vuestra merced dice, estoy muy satisfecho, y procuraré de mostrarme agradecido a su tiempo: bésele vuestra merced las manos de mi parte, diciendo que digo yo que no lo ha echado en saco roto, como lo verá por la obra.

No querría que vuestra merced tuviese trabacuentas[8] de disgusto con esos mis señores, porque si vuestra merced se enoja con ellos, claro está que ha de redundar en mi daño, y no será bien que pues se me da a mí por consejo que sea agradecido, que vuestra merced no lo sea con quien tantas mercedes le tiene hechas y con tanto regalo ha sido tratado en su castillo.

Aquello del gateado no entiendo; pero imagino que debe de ser alguna de las malas fechorías que con vuestra merced suelen usar los malos encantadores; yo lo sabré cuando nos veamos.

Quisiera enviarle a vuestra merced alguna cosa; pero no sé qué envíe, si no es algunos cañutos de jeringas, que para con vejigas los hacen en esta ínsula muy curiosos; aunque si me dura el oficio, yo buscaré qué enviar de haldas o de mangas[9].

Si me escribiere mi mujer Teresa Panza, pague vuestra merced el porte, y envíeme la carta, que tengo grandísimo deseo de saber del estado de mi casa, de mi mujer y de mis hijos. Y con esto, Dios libre a vuestra merced de mal intencionados encantadores, y a mí me saque con bien y en paz deste gobierno, que lo dudo, porque le pienso dejar con la vida, según me trata el doctor Pedro Recio.

Criado de vuestra merced
SANCHO PANZA EL GOBERNADOR.

Cerró la carta el secretario y despachó luego al correo, y juntándose los burladores de Sancho, dieron orden entre sí cómo despacharle del gobierno; y aquella tarde la pasó Sancho en hacer algunas ordenanzas to-

---

[8] *trabacuentas*, disputas.
[9] *haldas*, lo que se recibe en calidad de honorarios; *mangas*, propinas.

cantes al buen gobierno de la que él imaginaba ser ínsula, y ordenó que no hubiese regatones[10] de los bastimentos en la república, y que pudiesen meter en ella vino de las partes que quisiesen, con aditamento que declarasen el lugar de donde era, para ponerle el precio según su estimación, bondad y fama, y el que lo aguase o le mudase el nombre, perdiese la vida por ello.

Moderó el precio de todo calzado, principalmente el de los zapatos, por parecerle que corría con exorbitancia; puso tasa en los salarios de los criados, que caminaban a rienda suelta por el camino del interese; puso gravísimas penas a los que cantasen cantares lascivos y descompuestos, ni de noche ni de día. Ordenó que ningún ciego cantase milagro en coplas si no trujese testimonio auténtico de ser verdadero, por parecerle que los más que los ciegos cantan son fingidos, en perjuicio de los verdaderos.

Hizo y creó un alguacil de pobres, no para que los persiguiese, sino para que los examinase si lo eran, porque a la sombra de la manquedad fingida y de la llaga falsa andan los brazos ladrones y la salud borracha. En resolución: él ordenó cosas tan buenas, que hasta hoy se guardan en aquel lugar, y se nombran *Las constituciones del gran gobernador Sancho Panza.*

CAPÍTULO LII

DONDE SE CUENTA LA AVENTURA DE LA SEGUNDA DUEÑA DOLORIDA, O ANGUSTIADA, LLAMADA POR OTRO NOMBRE DOÑA RODRÍGUEZ

CUENTA Cide Hamete que estando ya don Quijote sano de sus aruños, le pareció que la vida que en aquel castillo tenía era contra toda la orden de caballería que profesaba, y así, determinó de pedir licencia a los duques para partirse a Zaragoza, cuyas fiestas llegaban cerca, adonde pensaba ganar el arnés que en las tales fiestas se conquista.

---

[10] *regatones,* los que venden al por menor lo que compran al por mayor.

Y estando un día a la mesa con los duques, y comenzando a poner en obra su intención y pedir la licencia,
veis aquí a deshora entrar por la puerta de la gran sala
dos mujeres, como después pareció, cubiertas de luto de
los pies a la cabeza, y la una dellas, llegándose a don Quijote, se le echó a los pies tendida de largo a largo, la
boca cosida con los pies de don Quijote, y daba unos gemidos tan tristes, tan profundos y tan dolorosos, que
puso en confusión a todos los que la oían y miraban;
y aunque los duques pensaron que sería alguna burla
que sus criados querían hacer a don Quijote, todavía,
viendo con el ahínco que la mujer suspiraba, gemía y
lloraba, los tuvo dudosos y suspensos, hasta que don Quijote, compasivo, la levantó del suelo y hizo que se descubriese y quitase el manto de sobre la faz llorosa.

Ella lo hizo así, y mostró ser lo que jamás se pudiera
pensar, porque descubrió el rostro de doña Rodríguez, la
dueña de casa, y la otra enlutada era su hija, la burlada
del hijo del labrador rico. Admiráronse todos aquellos
que la conocían, y más los duques que ninguno; que
puesto que la tenían por boba y de buena pasta, no por
tanto, que viniese a hacer locuras. Finalmente, doña Rodríguez, volviéndose a los señores, les dijo:

—Vuesas excelencias sean servidos de darme licencia que yo departa un poco con este caballero, porque
así conviene para salir con bien del negocio en que me
ha puesto el atrevimiento de un mal intencionado villano.

El duque dijo que él se la daba, y que departiese
con el señor don Quijote cuanto le viniese en deseo. Ella,
enderezando la voz y el rostro a don Quijote, dijo:

—Días ha, valeroso caballero, que os tengo dada
cuenta de la sinrazón y alevosía que un mal labrador
tiene fecha a mi muy querida y amada fija, que es esta
desdichada que aquí está presente, y vos me habedes
prometido de volver por ella, enderezándole el tuerto
que le tienen fecho, y agora ha llegado a mi noticia que
os queredes partir deste castillo, en busca de las buenas
venturas que Dios os depare; y así, querría que antes
que os escurriésedes por esos caminos, desafiásedes a este
rústico indómito, y le hiciésedes que se casase con mi
hija, en cumplimiento de la palabra que le dio de ser su

esposo, antes y primero que yogase con ella; porque pensar que el duque mi señor me ha de hacer justicia es pedir peras al olmo, por la ocasión que ya a vuesa merced en puridad[1] tengo declarada. Y con esto, nuestro Señor dé a vuesa merced mucha salud, y a nosotras no nos desampare.

A cuyas razones respondió don Quijote, con mucha gravedad y prosopopeya:

—Buena dueña, templad vuestras lágrimas, o, por mejor decir, enjugadlas y ahorrad de vuestros suspiros, que yo tomo a mi cargo el remedio de vuestra hija, a la cual le hubiera estado mejor no haber sido tan fácil en creer promesas de enamorados, las cuales, por la mayor parte, son ligeras de prometer y muy pesadas de cumplir; y así, con licencia del duque mi señor, yo me partiré luego en busca dese desalmado mancebo, y le hallaré, y le desafiaré, y le mataré cada y cuando que[2] se escusare de cumplir la prometida palabra; que el principal asumpto de mi profesión es perdonar a los humildes y castigar a los soberbios; quiero decir: acorrer a los miserables y destruir a los rigurosos.

—No es menester —respondió el duque— que vuesa merced se ponga en trabajo de buscar al rústico de quien esta buena dueña se queja, ni es menester tampoco que vuesa merced me pida a mí licencia para desafiarle; que yo se la doy por desafiado, y tomo a mi cargo de hacerle saber este desafío, y que le acete, y venga a responder por sí a este mi castillo, donde a entrambos daré campo seguro, guardando todas las condiciones que en tales actos suelen y deben guardárse, guardando igualmente su justicia a cada uno, como están obligados a guardarla todos aquellos príncipes que dan campo franco a los que se combaten en los términos de sus señoríos.

—Pues con ese seguro y con buena licencia de vuestra grandeza —replicó don Quijote—, desde aquí digo que por esta vez renuncio mi hidalguía, y me allano y ajusto con la llaneza del dañador, y me hago igual con él, habilitándole para poder combatir conmigo; y así, aunque ausente, le desafío y repto, en razón de que hizo mal en defraudar a esta pobre que fue doncella, y ya

---

[1] *puridad*, secreto.
[2] *cada y cuando que*, siempre y cuando que.

por su culpa no lo es, y que le ha de cumplir la palabra
que le dio de ser su legítimo esposo, o morir en la demanda.

Y luego, descalzándose un guante, le arrojó en mitad
de la sala, y el duque le alzó, diciendo que, como ya había dicho, él acetaba el tal desafío en nombre de su vasallo, y señalaba el plazo de allí a seis días; y el campo, en
la plaza de aquel castillo; y las armas, las acostumbradas de los caballeros: lanza y escudo, y arnés tranzado[3], con todas las demás piezas, sin engaño, superchería o superstición[4] alguna, examinadas y vistas por los
jueces del campo.

—Pero ante todas cosas, es menester que esta buena
dueña y esta mala doncella pongan el derecho de su justicia en manos del señor don Quijote; que de otra manera no se hará nada, ni llegará a debida ejecución el
tal desafío.

—Yo sí pongo —respondió la dueña.

—Y yo también —añadió la hija, toda llorosa y toda
vergonzosa y de mal talante.

Tomado, pues, este apuntamiento, y habiendo imaginado el duque lo que había de hacer en el caso, las
enlutadas se fueron, y ordenó la duquesa que de allí
adelante no las tratasen como a sus criadas, sino como
a señoras aventureras que venían a pedir justicia a su
casa; y así, les dieron cuarto aparte y las sirvieron como
a forasteras, no sin espanto de las demás criadas, que no
sabían en qué había de parar la sandez y desenvoltura
de doña Rodríguez y de su malandante hija.

Estando en esto, para acabar de regocijar la fiesta
y dar buen fin a la comida, veis aquí donde entró por
la sala el paje que llevó las cartas y presentes a Teresa
Panza, mujer del gobernador Sancho Panza, de cuya llegada recibieron gran contento los duques, deseosos de
saber lo que le había sucedido en su viaje; y preguntán-
doselo, respondió el paje que no lo podía decir tan en
público ni con breves palabras: que sus excelencias fuesen servidos de dejarlo para a solas, y que entretanto se

---

[3] *arnés tranzado*, el compuesto de piezas que encajan de tal
modo que es posible hacer toda clase de movimientos cuando se
viste.

[4] *superstición*, o sea, sin llevar amuletos ni objetos mágicos
(ello se prohibía efectivamente en los desafíos medievales).

entretuviesen con aquellas cartas. Y sacando dos cartas las puso en manos de la duquesa. La una decía en el sobreescrito: *Carta para mi señora la duquesa tal, de no sé dónde*, y la otra: *A mi marido Sancho Panza, gobernador de la ínsula Barataria, que Dios prospere más años que a mí*. No se le cocía el pan[5], como suele decirse, a la duquesa hasta leer su carta, y abriéndola y leído para sí, y viendo que la podía leer en voz alta para que el duque y los circunstantes la oyesen, leyó desta manera:

CARTA DE TERESA PANZA A LA DUQUESA

Mucho contento me dio, señora mía, la carta que vuesa grandeza me escribió, que en verdad que la tenía bien deseada. La sarta de corales es muy buena, y el vestido de caza de mi marido no le va en zaga. De que vuestra señoría haya hecho gobernador a Sancho, mi consorte, ha recebido mucho gusto todo este lugar, puesto que[6] no hay quien lo crea, principalmente el cura, y mase Nicolás el barbero, y Sansón Carrasco el bachiller; pero a mí no se me da nada; que como ello sea así, como lo es, diga cada uno lo que quisiere; aunque, si va a decir verdad, a no venir los corales y el vestido, tampoco yo lo creyera, porque en este pueblo todos tienen a mi marido por un porro, y que sacado de gobernar un hato de cabras, no pueden imaginar para qué gobierno pueda ser bueno. Dios lo haga, y lo encamine como vee que lo han menester sus hijos.

Yo, señora de mi alma, estoy determinada, con licencia de vuesa merced, de meter este buen día en mi casa[7], yéndome a la corte a tenderme en un coche, para quebrar los ojos a mil envidiosos que ya tengo; y así, suplico a vuesa excelencia mande a mi marido me envíe algún dinerillo, y que sea algo qué; porque en la corte son los gastos grandes: que el pan vale a real, y la carne, la libra, a treinta maravedís, que es un juicio, y si quisiere que no vaya, que me lo avise con tiempo, porque me están bullendo los pies por ponerme en camino; que

---

[5] *no se le cocía el pan*, estaba muy impaciente.
[6] *puesto que*, aunque.
[7] Alude al refrán «el buen día, métele en casa».

*me dicen mis amigas y mis vecinas que si yo y mi hija
andamos orondas y pomposas en la corte, vendrá a ser
conocido mi marido por mí más que yo por él, siendo
forzoso que pregunten muchos:* «—¿*Quién son estas se-
»ñoras deste coche?*» *Y un criado mío responder[8]:* «—*La
»mujer y la hija de Sancho Panza, gobernador de la ín-
»sula Barataria*»; *y desta manera será conocido Sancho,
y yo seré estimada, y a Roma por todo.*

*Pésame cuanto pesarme puede que este año no se
han cogido bellotas en este pueblo; con todo eso, envío
a vuesa alteza hasta medio celemín, que una a una las
fui yo a coger y a escoger al monte, y no las hallé más
mayores; yo quisiera que fueran como huevos de avestruz.*

*No se le olvide a vuestra pomposidad de escribirme,
que yo tendré cuidado de la respuesta, avisando de mi
salud y de todo lo que hubiere que avisar deste lugar,
donde quedo rogando a Nuestro Señor guarde a vuestra
grandeza, y a mí no olvide. Sancha mi hija y mi hijo
besan a vuestra merced las manos.*

*La que tiene más deseo de ver a vuestra señoría que
de escribirla, su criada*

TERESA PANZA.

Grande fue el gusto que todos recibieron de oír la
carta de Teresa Panza, principalmente los duques, y la
duquesa pidió parecer a don Quijote si sería bien abrir
la carta que venía para el gobernador, que imaginaba
debía de ser bonísima. Don Quijote dijo que él la abri-
ría por darles gusto, y así lo hizo, y vio que decía desta
manera:

CARTA DE TERESA PANZA A SANCHO PANZA SU MARIDO

*Tu carta recibí, Sancho mío de mi alma, y yo te
prometo y juro como católica cristiana que no faltaron
dos dedos para volverme loca de contento. Mira, hermano: cuando yo llegué a oír que eres gobernador, me pensé allí caer muerta de puro gozo, que ya sabes tú que
dicen que así mata la alegría súbita como el dolor gran-*

---

[8] *responder,* es un infinitivo histórico (cfr. II, 50, nota 18); en
la mayoría de las ediciones se enmienda en *responderá.*

de. A Sanchica tu hija se le fueron las aguas sin sentirlo, de puro contento. El vestido que me enviaste tenía delante, y los corales que me envió mi señora la duquesa al cuello, y las cartas en las manos, y el portador dellas allí presente, y, con todo eso, creía y pensaba que era todo sueño lo que veía y lo que tocaba; porque ¿quién podía pensar que un pastor de cabras había de venir a ser gobernador de ínsulas? Ya sabes tú, amigo, que decía mi madre que era menester vivir mucho para ver mucho: dígolo porque pienso ver más si vivo más; porque no pienso parar hasta verte arrendador o alcabalero, que son oficios que aunque lleva el diablo a quien mal los usa, en fin en fin, siempre tienen y manejan dineros. Mi señora la duquesa te dirá el deseo que tengo de ir a la corte; mírate en ello, y avísame de tu gusto, que yo procuraré honrarte en ella andando en coche.

El cura, el barbero, el bachiller y aun el sacristán no pueden creer que eres gobernador, y dicen que todo es embeleco, o cosas de encantamiento, como son todas las de don Quijote tu amo; y dice Sansón que ha de ir a buscarte y a sacarte el gobierno de la cabeza, y a don Quijote la locura de los cascos; yo no hago sino reírme, y mirar mi sarta, y dar traza del vestido que tengo de hacer del tuyo a nuestra hija.

Unas bellotas envié a mi señora la duquesa; yo quisiera que fueran de oro. Envíame tú algunas sartas de perlas, si se usan en esa ínsula.

Las nuevas deste lugar son que la Berrueca casó a su hija con un pintor de mala mano, que llegó a este pueblo a pintar lo que saliese; mandóle el Concejo pintar las armas[9] de Su Majestad sobre las puertas del Ayuntamiento, pidió dos ducados, diéronselos adelantados, trabajó ocho días, al cabo de los cuales no pintó nada, y dijo que no acertaba a pintar tantas baratijas; volvió el dinero, y, con todo eso, se casó a título de buen oficial; verdad es que ya ha dejado el pincel y tomado el azada, y va al campo como gentilhombre. El hijo de Pedro de Lobo se ha ordenado de grados y corona[10], con intención de hacerse clérigo; súpolo Minguilla, la nieta de Mingo Silvato, y hale puesto demanda de que la tiene dada

---

[9] *las armas*, el escudo de armas.
[10] *grados*, órdenes menores; *corona*, tonsura.

palabra de casamiento; malas lenguas quieren decir que
ha estado encinta dél, pero él lo niega a pies juntillas.

Hogaño no hay aceitunas, ni se halla una gota de
vinagre en todo este pueblo. Por aquí pasó una compa-
ñía de soldados; lleváronse de camino tres mozas deste
pueblo; no te quiero decir quién son: quizá volverán,
y no faltará quien las tome por mujeres, con sus tachas
buenas o malas.

Sanchica hace puntas de randas; gana cada día ocho
maravedís horros[11], que los va echando en una alcancía
para ayuda a su ajuar; pero ahora que es hija de un
gobernador, tú le darás la dote sin que ella lo trabaje.
La fuente de la plaza se secó; un rayo cayó en la pico-
ta, y allí me las den todas.

Espero respuesta désta y la resolución de mi ida a la
corte; y con esto, Dios te me guarde más años que a mí o
tantos, porque no querría dejarte sin mí en este mundo.

Tu mujer
TERESA PANZA.

Las cartas fueron solenizadas, reídas, estimadas y ad-
miradas; y para acabar de echar el sello, llegó el correo,
el que traía la que Sancho enviaba a don Quijote, que
asimesmo se leyó públicamente, la cual puso en duda la
sandez del gobernador.

Retiróse la duquesa, para saber del paje lo que le
había sucedido en el lugar de Sancho, el cual se lo contó muy por estenso, sin dejar circunstancia que no refi-
riese; diole las bellotas, y más un queso que Teresa le
dio, por ser muy bueno, que se aventajaba a los de Tronchón[12]. Recibiólo la duquesa con grandísimo gusto, con
el cual la dejaremos, por contar el fin que tuvo el gobierno del gran Sancho Panza, flor y espejo de todos los
insulanos gobernadores.

---

[11] *horros,* limpios.
[12] *Tronchón,* aldea de la diócesis de Zaragoza.

CAPÍTULO LIII

Del fatigado fin y remate que tuvo el gobierno
de Sancho Panza

Pensar que en esta vida las cosas della han de durar
siempre en un estado, es pensar en lo escusado; antes parece que ella anda todo en redondo, digo, a la redonda: la primavera sigue[1] al verano, el verano al estío[2],
el estío al otoño, y el otoño al invierno, y el invierno a la
primavera, y así torna a andarse el tiempo con esta rueda continua; sola la vida humana corre a su fin ligera
más que el tiempo, sin esperar renovarse si no es en la
otra, que no tiene términos que la limiten. Esto dice
Cide Hamete, filósofo mahomético; porque esto de entender la ligereza e instabilidad de la vida presente, y de
la duración de la eterna que se espera, muchos sin lumbre
de fe, sino con la luz natural, lo han entendido; pero
aquí nuestro autor lo dice por la presteza con que se
acabó, se consumió, se deshizo, se fue como en sombra
y humo el gobierno de Sancho.

El cual, estando la séptima noche de los días de su
gobierno en su cama, no harto de pan ni de vino, sino
de juzgar y dar pareceres y de hacer estatutos y pragmáticas, cuando el sueño, a despecho y pesar de la hambre,
le comenzaba a cerrar los párpados, oyó tan gran ruido
de campanas y de voces, que no parecía sino que toda
la ínsula se hundía. Sentóse en la cama, y estuvo atento
y escuchando, por ver si daba en la cuenta de lo que
podía ser la causa de tan grande alboroto; pero no sólo
no lo supo, pero añadiéndose al ruido de voces y campanas el de infinitas trompetas y atambores, quedó más

---

[1] Si no hay intención cómica —lo que es muy posible— *seguir*
tiene aquí el sentido de «perseguir», «ir en seguimiento de».
[2] Obsérvese que se distinguen cinco estaciones, una de las cuales es el *estío*, situada entre verano y otoño. Es posible, como
me sugiere el prof. Juan Vernet, que aquí *estío* equivalga a *sama'un*
(período de veinte días antes del 12 de julio y veinte después, o
sea, más largo que la canícula) que se emplea en el Norte de
África. Cervantes pudo conocer este período en Argel, que debería
hacer creer a algunos cristianos que era una estación más, y así
lo hace decir a Cide Hamete Benengeli.

confuso y lleno de temor y espanto; y levantándose en pie, se puso unas chinelas, por la humedad del suelo, y sin ponerse sobrerropa de levantar, ni cosa que se pareciese, salió a la puerta de su aposento a tiempo cuando vio venir por unos corredores más de veinte personas con hachas encendidas en las manos y con las espadas desenvainadas, gritando todos a grandes voces:

—¡Arma, arma, señor gobernador, arma!; que han entrado infinitos enemigos en la ínsula, y somos perdidos si vuestra industria y valor no nos socorre.

Con este ruido, furia y alboroto llegaron donde Sancho estaba, atónito y embelesado de lo que oía y veía, y cuando llegaron a él, uno le dijo:

—¡Ármese luego vuestra señoría, si no quiere perderse y que toda esta ínsula se pierda!

—¿Qué me tengo de armar —respondió Sancho—, ni qué sé yo de armas ni de socorros? Estas cosas mejor será dejarlas para mi amo don Quijote, que en dos paletas las despachará y pondrá en cobro; que yo, pecador fui a Dios, no se me entiende nada destas priesas.

—¡Ah, señor gobernador! —dijo otro—. ¿Qué relente[3] es ése? Ármese vuesa merced, que aquí le traemos armas ofensivas y defensivas, y salga a esa plaza, y sea nuestra guía y nuestro capitán, pues de derecho le toca el serlo, siendo nuestro gobernador.

—Ármenme norabuena —replicó Sancho.

Y al momento le trujeron dos paveses, que venían proveídos dellos, y le pusieron encima de la camisa, sin dejarle tomar otro vestido, un pavés delante y otro detrás, y por unas concavidades que traían hechas le sacaron los brazos, y le liaron muy bien con unos cordeles, de modo que quedó emparedado y entablado, derecho como un huso, sin poder doblar las rodillas ni menearse un solo paso. Pusiéronle en las manos una lanza, a la cual se arrimó para poder tenerse en pie. Cuando así le tuvieron, le dijeron que caminase, y los guiase, y animase a todos; que siendo él su norte, su lanterna y su lucero, tendrían buen fin sus negocios.

—¿Cómo tengo de caminar, desventurado yo —respondió Sancho—, que no puedo jugar las choquezuelas[4]

[3] *relente*, lentitud, flema.
[4] *choquezuela*, rótula.

de las rodillas, porque me lo impiden estas tablas que tan cosidas tengo con mis carnes? Lo que han de hacer es llevarme en brazos y ponerme, atravesado o en pie, en algún postigo, que yo le guardaré, o con esta lanza o con mi cuerpo.

—Ande, señor gobernador —dijo otro—, que más el miedo que las tablas le impiden el paso; acabe y menéese, que es tarde, y los enemigos crecen, y las voces se aumentan, y el peligro carga.

Por cuyas persuasiones y vituperios probó el pobre gobernador a moverse, y fue dar consigo en el suelo tan gran golpe, que pensó que se había hecho pedazos. Quedó como galápago encerrado y cubierto con sus conchas, o como medio tocino metido entre dos artesas, o bien así como barca que da al través en la arena; y no por verle caído aquella gente burladora le tuvieron compasión alguna; antes, apagando las antorchas, tornaron a reforzar las voces, y a reiterar el ¡arma! con tan gran priesa, pasando por encima del pobre Sancho, dándole infinitas cuchilladas sobre los paveses, que si él no se recogiera y encogiera metiendo la cabeza entre los paveses, lo pasara muy mal el pobre gobernador, el cual, en aquella estrecheza recogido, sudaba y trasudaba, y de todo corazón se encomendaba a Dios que de aquel peligro le sacase.

Unos tropezaban en él, otros caían, y tal hubo que se puso encima un buen espacio, y desde allí, como desde atalaya, gobernaba los ejércitos, y a grandes voces decía:

—¡Aquí de los nuestros, que por esta parte cargan más los enemigos! ¡Aquel portillo se guarde, aquella puerta se cierre, aquellas escalas se tranquen! ¡Vengan alcancías[5], pez y resina en calderas de aceite ardiendo! ¡Trinchéense[6] las calles con colchones!

En fin, él nombraba con todo ahínco todas las baratijas e instrumentos y pertrechos de guerra con que suele defenderse el asalto de una ciudad, y el molido Sancho, que lo escuchaba y sufría todo, decía entre sí:

—¡Oh, si mi Señor fuese servido que se acabase ya

---

[5] *alcancías*, ollas llenas de materia inflamable que se arrojaban sobre el enemigo.
[6] *trinchéense*, atrinchérense.

de perder esta ínsula, y me viese yo o muerto o fuera
desta grande angustia!

Oyó el cielo su petición, y cuando menos lo esperaba,
oyó voces que decían:

—¡Vitoria, vitoria! ¡Los enemigos van de vencida!
¡Ea, señor gobernador, levántese vuesa merced y venga
a gozar del vencimiento y a repartir los despojos que se
han tomado a los enemigos, por el valor dese invencible
brazo!

—Levántenme —dijo con voz doliente el dolorido
Sancho.

Ayudáronle a levantar, y puesto en pie, dijo:

—El enemigo que yo hubiere vencido quiero que me
le claven en la frente[7]. Yo no quiero repartir despojos de
enemigos, sino pedir y suplicar a algún amigo, si es que
lo tengo, que me dé un trago de vino, que me seco, y me
enjugue este sudor, que me hago agua.

Limpiáronle, trujéronle el vino, desliáronle los paveses, sentóse sobre su lecho y desmayóse del temor, del
sobresalto y del trabajo. Ya les pesaba a los de la burla
de habérsela hecho tan pesada; pero el haber vuelto en
sí Sancho les templó la pena que les había dado su desmayo. Preguntó qué hora era; respondiéronle que ya
amanecía. Calló, y sin decir otra cosa, comenzó a vestirse, todo sepultado en silencio, y todos le miraban y
esperaban en qué había de parar la priesa con que se
vestía. Vistióse, en fin, y poco a poco, porque estaba molido y no podía ir mucho a mucho, se fue a la caballeriza, siguiéndole todos los que allí se hallaban, y llegándose al rucio, le abrazó y le dio un beso de paz en la
frente, y no sin lágrimas en los ojos, le dijo:

—Venid vos acá, compañero mío y amigo mío, y
conllevador de mis trabajos y miserias: cuando yo me
avenía con vos y no tenía otros pensamientos que los
que me daban los cuidados de remendar vuestros aparejos y de sustentar vuestro corpezuelo, dichosas eran mis
horas, mis días y mis años; pero después que os dejé y
me subí sobre las torres de la ambición y de la soberbia,

---

[7] Entiéndase: es tan imposible que haya vencido al enemigo,
que estoy dispuesto a que *me lo claven en la frente* (expresión con
la que se da a entender que una cosa es imposible o falsa). Para
esta locución véase R. Marín, V, 287.

se me han entrado por el alma adentro mil miserias, mil trabajos y cuatro mil desasosiegos.

Y en tanto que estas razones iba diciendo, iba asimesmo enalbardando el asno, sin que nadie nada le dijese. Enalbardado, pues, el rucio, con gran pena y pesar subió sobre é', y encaminando sus palabras y razones al mayordomo, al secretario, al maestresala y a Pedro Recio el doctor, y a otros muchos que allí presentes estaban, dijo:

—Abrid camino, señores míos, y dejadme volver a mi antigua libertad; dejadme que vaya a buscar la vida pasada, para que me resucite de esta muerte presente. Yo no nací para ser gobernador, ni para defender ínsulas ni ciudades de los enemigos que quisieren acometerlas. Mejor se me entiende a mí de arar y cavar, podar y ensarmentar las viñas, que de dar leyes ni de defender provincias ni reinos. Bien se está San Pedro en Roma: quiero decir, que bien se está cada uno usando el oficio para que fue nacido. Mejor me está a mí una hoz en la mano que un cetro de gobernador; más quiero hartarme de gazpachos que estar sujeto a la miseria de un médico impertinente que me mate de hambre, y más quiero recostarme a la sombra de una encina en el verano y arroparme con un zamarro de dos pelos en el invierno, en mi libertad, que acostarme con la sujeción del gobierno entre sábanas de holanda y vestirme de martas cebollinas. Vuestras mercedes se queden con Dios, y digan al duque mi señor que, desnudo nací, desnudo me hallo: ni pierdo ni gano; quiero decir, que sin blanca entré en este gobierno, y sin ella salgo, bien al revés de como suelen salir los gobernadores de otras ínsulas. Y apártense: déjenme ir, que me voy a bizmar[8]; que creo que tengo brumadas todas las costillas, merced a los enemigos que esta noche se han paseado sobre mí.

—No ha de ser así, señor gobernador —dijo el doctor Recio—, que yo le daré a vuesa merced una bebida contra caídas y molimientos, que luego le vuelva en su prístina entereza y vigor; y en lo de la comida, yo prometo a vuesa merced de enmendarme, dejándole comer abundantemente de todo aquello que quisiere.

---

[8] *bizmar*, curar con emplastos.

—¡Tarde piache[9]! —respondió Sancho—. Así dejaré de irme como volverme turco. No son estas burlas para dos veces. Por Dios que así me quede en éste, ni admita otro gobierno, aunque me le diesen entre dos platos[10], como volar al cielo sin alas. Yo soy del linaje de los Panzas, que todos son testarudos, y si una vez dicen nones, nones han de ser, aunque sean pares, a pesar de todo el mundo. Quédense en esta caballeriza las alas de la hormiga, que me levantaron en el aire para que me comiesen vencejos y otros pájaros, y volvámonos a andar por el suelo con pie llano, que si no le adornaren zapatos picados[11] de cordobán, no le faltarán alpargatas toscas de cuerda. Cada oveja con su pareja, y nadie tienda más la pierna de cuanto fuere larga la sábana, y déjenme pasar, que se me hace tarde.

A lo que el mayordomo dijo:

—Señor gobernador, de muy buena gana dejáramos ir a vuesa merced, puesto que nos pesará mucho de perderle; que su ingenio y su cristiano proceder obligan a desearle; pero ya se sabe que todo gobernador está obligado, antes que se ausente de la parte donde ha gobernado, dar primero residencia[12]: déla vuesa merced de los diez días que ha que tiene el gobierno, y váyase a la paz de Dios.

—Nadie me la puede pedir —respondió Sancho— si no es quien ordenare el duque mi señor; yo voy a verme con él, y a él se la daré de molde; cuanto más que saliendo yo desnudo, como salgo, no es menester otra señal para dar a entender que he gobernado como un ángel.

—Par Dios que tiene razón el gran Sancho —dijo el doctor Recio—, y que soy de parecer que le dejemos ir, porque el duque ha de gustar infinito de verle.

Todos vinieron en ello, y le dejaron ir, ofreciéndole primero compañía y todo aquello que quisiese para el

---

[9] *Tarde piache*, «tarde piaste», significa hablar o acudir cuando la ocasión ya ha pasado. Según las explicaciones que daban en el siglo XVI aquellas palabras las pronunció cierto individuo que se comió un huevo pollado y oyó piar al polluelo cuando ya se lo había tragado.

[10] *entre dos platos*, con el cuidado con que se presenta la comida a un convaleciente.

[11] *zapatos picados*, zapatos labrados con adornos, propios de gente rica.

[12] *dar residencia*, dar cuenta de la gestión realizada durante el desempeño de un cargo.

regalo de su persona y para la comodidad de su viaje.
Sancho dijo que no quería más de un poco de cebada
para el rucio y medio queso y medio pan para él; que
pues el camino era tan corto, no había menester mayor
ni mejor repostería. Abrazáronle todos, y él, llorando,
abrazó a todos, y los dejó admirados, así de sus razones
como de su determinación tan resoluta y tan discreta.

CAPÍTULO LIV

Que trata de cosas tocantes a esta historia, y no a otra alguna*

Resolviéronse el duque y la duquesa de que el desafío
que don Quijote hizo a su vasallo por la causa ya
referida pasase adelante; y puesto que el mozo estaba en
Flandes, adonde se había ido huyendo, por no tener por
suegra a doña Rodríguez, ordenaron de poner en su lugar a un lacayo gascón, que se llamaba Tosilos, industrián-
dole primero muy bien de todo lo que había de hacer.

* En este capítulo trata Cervantes un asunto de suma actualidad cuando apareció la segunda parte del *Quijote*: la expulsión
de los moriscos. El problema venía desde que los Reyes Católicos
ganaron a Granada, lo que dejó en incómoda situación a los musulmanes de España, minoría difícilmente asimilable, pues per-
sistía en la religión mahometana, en usos y costumbres moros y,
obligada a vivir como los cristianos, sólo lo hacía en apariencia.
Tras muchos intentos de solución, y la sublevación de los moriscos de las Alpujarras en tiempos de Felipe II, el 9 de diciembre
de 1609 se publicó el primer bando de expulsión de los moriscos de
Murcia y parte de Andalucía; el 10 de julio de 1610 el que afectaba a los de Extremadura y las dos Castillas, comprendiendo
la Mancha, y todavía en 1613 aparecieron disposiciones semejantes. La historia de Ricote, que se cuenta en el presente capítulo, es tan verosímil que ofrece grandes similitudes con el hecho
que se narra en cierta *Carta que Antonio de Ocaña, morisco de
los desterrados de España, natural de la villa de Madrid, envió
desde Argel a un su amigo, dándole cuenta del estado de sus
cosas*, que se imprimió en Barcelona, en 1618, en la que se explica que varios moriscos, desterrados en Constantinopla, decidieron
regresar clandestinamente a España para recoger tesoros que habían escondido en su precipitada fuga; y en efecto, así lo hicieron
disfrazados de frailes, y lograron volver a Constantinopla; pero
por disensiones entre ellos, fueron denunciados al Sultán, quien
se vio precisado a utilizar la artillería para combatirlos en la
casa en que se habían refugiado. Se defendieron heroicamente,
varios de ellos murieron luchando y los que fueron apresados con-
fesaron la fe de Cristo al ser ajusticiados por los turcos (cfr.
A. González Palencia, *Cervantes y los moriscos*, «Boletín de la
Real Academia Española», XXVII, 1948, 107-122).

De allí a dos días dijo el duque a don Quijote, como desde allí a cuatro vendría su contrario, y se presentaría en el campo, armado como caballero, y sustentaría como la doncella mentía por mitad de la barba, y aun por toda la barba entera, si se afirmaba que él le hubiese dado palabra de casamiento. Don Quijote recibió mucho gusto con las tales nuevas, y se prometió a sí mismo de hacer maravillas en el caso, y tuvo a gran ventura habérsele ofrecido ocasión donde aquellos señores pudiesen ver hasta dónde se estendía el valor de su poderoso brazo; y así, con alborozo y contento, esperaba los cuatro días, que se le iban haciendo, a la cuenta de su deseo, cuatrocientos siglos.

Dejémoslos pasar nosotros, como dejamos pasar otras cosas, y vamos a acompañar a Sancho, que entre alegre y triste venía caminando sobre el rucio a buscar a su amo, cuya compañía le agradaba más que ser gobernador de todas las ínsulas del mundo.

Sucedió, pues, que no habiéndose alongado mucho de la ínsula del su gobierno —que él nunca se puso a averiguar si era ínsula, ciudad, villa o lugar la que gobernaba—, vio que por el camino por donde él iba venían seis peregrinos con sus bordones, de estos estranjeros que piden la limosna cantando, los cuales, en llegando a él, se pusieron en ala, y levantando las voces todos juntos, comenzaron a cantar en su lengua lo que Sancho no pudo entender, si no fue una palabra que claramente pronunciaba *limosna*, por donde entendió que era limosna la que en su canto pedían; y como él, según dice Cide Hamete, era caritativo además[1], sacó de sus alforjas medio pan y medio queso, de que venía proveído, y dióselo, diciéndoles por señas que no tenía otra cosa que darles. Ellos lo recibieron de muy buena gana, y dijeron:

—¡*Guelte*! ¡*Guelte*[2]!

—No entiendo —respondió Sancho— qué es lo que me pedís, buena gente.

Entonces uno de ellos sacó una bolsa del seno y móstrósela a Sancho, por donde entendió que le pedían dineros; y él, poniéndose el dedo pulgar en la garganta y

---

[1] *caritativo además*, muy caritativo.
[2] *Guelte*, «dinero» en alemán (*Geld*).

estendiendo la mano arriba, les dio a entender que no tenía ostugo[3] de moneda, y picando al rucio, rompió por ellos; y al pasar, habiéndole estado mirando uno dellos con mucha atención, arremetió a él, echándole los brazos por la cintura, en voz alta y muy castellana, dijo:

—¡Válame Dios! ¿Qué es lo que veo? ¿Es posible que tengo en mis brazos al mi caro amigo, al mi buen vecino Sancho Panza? Sí tengo, sin duda, porque yo ni duermo, ni estoy ahora borracho.

Admiróse Sancho de verse nombrar por su nombre y de verse abrazar del estranjero peregrino, y después de haberle estado mirando sin hablar palabra, con mucha atención, nunca pudo conocerle; pero viendo su suspensión el peregrino, le dijo:

—¿Cómo y es posible, Sancho Panza hermano, que no conoces a tu vecino Ricote el morisco, tendero de tu lugar?

Entonces Sancho le miró con más atención y comenzó a rafigurarle[4], y, finalmente, le vino a conocer de todo punto, y sin apearse del jumento, le echó los brazos al cuello, y le dijo:

—¿Quién diablos te había de conocer, Ricote, en ese traje de moharracho[5] que traes? Dime: ¿quién te ha hecho franchote[6], y cómo tienes atrevimiento de volver a España, donde si te cogen y conocen tendrás harta mala ventura?

—Si tú no me descubres, Sancho —respondió el peregrino—, seguro estoy que en este traje no habrá nadie que me conozca; y apartémonos del camino a aquella alameda que allí parece, donde quieren comer y reposar mis compañeros, y allí comerás con ellos, que son muy apacible gente. Yo tendré lugar de contarte lo que me ha sucedido después que me partí de nuestro lugar, por obedecer el bando de Su Majestad, que con tanto rigor a los desdichados de mi nación[7] amenazaba, según oíste.

Hízolo así Sancho, y hablando Ricote a los demás peregrinos, se apartaron a la alameda que se parecía,

---

[3] *ostugo,* pizca, vestigio.
[4] *rafigurar,* refigurar, recordar la imagen de alguien conocido.
[5] *moharracho,* mamarracho.
[6] *franchote,* «francés», pero también extranjero en general, en sentido despectivo.
[7] *nación,* raza.

bien desviados del camino real. Arrojaron los bordones, quitáronse las mucetas o esclavinas y quedaron en pelota[8], y todos ellos eran mozos y muy gentileshombres, excepto Ricote, que ya era hombre entrado en años. Todos traían alforjas, y todas, según pareció, venían bien proveídas, a lo menos, de cosas incitativas y que llaman a la sed de dos leguas.

Tendiéronse en el suelo, y haciendo manteles de las yerbas, pusieron sobre ellas pan, sal, cuchillos, nueces, rajas de queso, huesos mondos de jamón, que si no se dejaban mascar, no defendían el ser chupados. Pusieron asimismo un manjar negro que dicen que se llama *cabial*[9], y es hecho de huevos de pescados, gran despertador de la colambre[10]. No faltaron aceitunas, aunque secas y sin adobo alguno, pero sabrosas y entretenidas. Pero lo que más campeó en el campo de aquel banquete fueron seis botas de vino, que cada uno sacó la suya de su alforja; hasta el buen Ricote, que se había transformado de morisco en alemán o en tudesco, sacó la suya, que en grandeza podía competir con las cinco.

Comenzaron a comer con grandísimo gusto y muy de espacio, saboreándose con cada bocado, que le tomaban con la punta del cuchillo, y muy poquito de cada cosa, y luego al punto, todos a una, levantaron los brazos y las botas en el aire; puestas las bocas en su boca, clavados los ojos en el cielo, no parecía sino que ponían en él la puntería; y desta manera, meneando las cabezas a un lado y a otro, señales que acreditaban el gusto que recebían, se estuvieron un buen espacio, trasegando en sus estómagos las entrañas de las vasijas.

Todo lo miraba Sancho, y de ninguna cosa se dolía[11]; antes, por cumplir con el refrán, que él muy bien sabía, de «cuando a Roma fueres, haz como vieres», pidió a Ricote la bota, y tomó su puntería como los demás, y no con menos gusto que ellos.

Cuatro veces dieron lugar las botas para ser empinadas; pero la quinta no fue posible, porque ya estaban más enjutas y secas que un esparto, cosa que puso mus-

---

[8] *en pelota*, en mangas de camisa.
[9] *cabial*, caviar.
[10] *colambre*, sed.
[11] Alusión humorística a un verso del conocido romance de Nerón: «Gritos dan niños y viejos, Y él de nada se dolía».

tia la alegría que hasta allí habían mostrado. De cuando
en cuando juntaba alguno su mano derecha con la de
Sancho, y decía:

—*Español y tudesqui, tuto uno: bon compaño.*

Y Sancho respondía: *Bon compaño, jura Di!*

Y disparaba con una risa que le duraba un hora, sin
acordarse entonces de nada de lo que le había sucedido
en su gobierno; porque sobre el rato y tiempo cuando se
come y bebe, poca jurisdición suelen tener los cuidados.
Finalmente, el acabársele el vino fue principio de un
sueño que dio a todos, quedándose dormidos sobre las
mismas mesas y manteles; solos Ricote y Sancho quedaron alerta, porque habían comido más y bebido menos;
y apartando Ricote a Sancho, se sentaron al pie de una
haya, dejando a los peregrinos sepultados en dulce sueño, y Ricote, sin tropezar nada en su lengua morisca, en
la pura castellana le dijo las siguientes razones:

—Bien sabes, ¡oh Sancho Panza, vecino y amigo
mío!, como el pregón y bando que Su Majestad mandó
publicar contra los de mi nación puso terror y espanto
en todos nosotros; a lo menos, en mí le puso de suerte,
que me parece que antes del tiempo que se nos concedía
para que hiciésemos ausencia de España, ya tenía el rigor de la pena ejecutado en mi persona y en la de mis
hijos. Ordené, pues, a mi parecer, como prudente, bien
así como el que sabe que para tal tiempo le han de quitar la casa donde vive y se provee de otra donde mudarse; ordené, digo, de salir yo solo, sin mi familia, de
mi pueblo, y ir a buscar donde llevarla con comodidad
y sin la priesa con que los demás salieron; porque bien
vi, y vieron todos nuestros ancianos, que aquellos prego-
nes no eran sólo amenazas, como algunos decían, sino
verdaderas leyes, que se habían de poner en ejecución
a su determinado tiempo; y forzábame a creer esta verdad saber yo los ruines y disparatados intentos que los
nuestros tenían, y tales, que me parece que fue inspira-
ción divina la que movió a Su Majestad a poner en efecto tan gallarda resolución, no porque todos fuésemos
culpados, que algunos había cristianos firmes y verdaderos; pero eran tan pocos, que no se podían oponer a
los que no lo eran, y no era bien criar la sierpe en el
seno, teniendo los enemigos dentro de casa. Finalmente,

con justa razón fuimos castigados con la pena del destierro, blanda y suave al parecer de algunos, pero al
nuestro, la más terrible que se nos podía dar. Doquiera
que estamos lloramos por España; que, en fin, nacimos
en ella y es nuestra patria natural; en ninguna parte
hallamos el acogimiento que nuestra desventura desea,
y en Berbería, y en todas las partes de África donde espe-
rábamos ser recebidos, acogidos y regalados, allí es donde
más nos ofenden y maltratan. No hemos conocido el
bien hasta que le hemos perdido; y es el deseo tan grande que casi todos tenemos de volver a España, que los
más de aquellos, y son muchos, que saben la lengua
como yo, se vuelven a ella, y dejan allá a sus mujeres
y sus hijos desamparados: tanto es el amor que la tienen; y agora conozco y experimento lo que suele decirse: que es dulce el amor de la patria. Salí, como digo,
de nuestro pueblo, entré en Francia, y aunque allí nos
hacían buen acogimiento, quise verlo todo. Pasé a Italia y llegué a Alemania, y allí me pareció que se podía
vivir con más libertad, porque sus habitadores no miran
en muchas delicadezas: cada uno vive como quiere, porque en la mayor parte della se vive con libertad de conciencia[12]. Dejé tomada casa en un pueblo junto a Augusta[13]; juntéme con estos peregrinos, que tienen por
costumbre de venir a España muchos dellos, cada año,
a visitar los santuarios della, que los tienen por sus Indias, y por certísima granjería y conocida ganancia. Án-
danla casi toda, y no hay pueblo ninguno de donde no
salgan comidos y bebidos, como suele decirse, y con un
real, por lo menos, en dineros, y al cabo de su viaje salen con más de cien escudos de sobra que, trocados en
oro, o ya en el hueco de los bordones, o entre los remiendos de las esclavinas, o con la industria que ellos pueden,
los sacan del reino y los pasan a sus tierras, a pesar de
las guardas de los puestos y puertos donde se registran.
Ahora es mi intención, Sancho, sacar el tesoro que dejé
enterrado, que por estar fuera del pueblo lo podré hacer
sin peligro, y escribir o pasar desde Valencia a mi hija

---

[12] *libertad de conciencia* se decía en sentido peyorativo y equi-
valía a «licencia, desenfreno» (cfr. J. Casalduero, *Sentido y forma
del Quijote*, Madrid, 1967, págs. 338-341).
[13] *Augusta,* Augsburgo, en Baviera.

y a mi mujer, que sé que está en Argel, y dar traza como
traerlas a algún puerto de Francia, y desde allí llevarlas
a Alemania, donde esperaremos lo que Dios quisiere hacer de nosotros; que, en resolución, Sancho, yo sé cierto
que la Ricota mi hija y Francisca Ricota mi mujer son
católicas cristianas, y aunque yo no lo soy tanto, todavía
tengo más de cristiano que de moro, y ruego siempre a
Dios me abra los ojos del entendimiento y me dé a conocer cómo le tengo de servir. Y lo que me tiene admirado
es no saber por qué se fue mi mujer y mi hija antes a Berbería que a Francia, adonde podía vivir como cristiana.

A lo que respondió Sancho:

—Mira, Ricote, eso no debió estar en su mano, porque las llevó Juan Tiopieyo, el hermano de tu mujer;
y como debe de ser fino moro, fuese a lo más bien parado, y séte decir otra cosa: que creo que vas en balde
a buscar lo que dejaste encerrado; porque tuvimos nuevas que habían quitado a tu cuñado y tu mujer muchas
perlas y mucho dinero en oro que llevaban por registrar.

—Bien puede ser eso —replicó Ricote—, pero yo sé,
Sancho, que no tocaron a mi encierro, porque yo no les
descubrí dónde estaba, temeroso de algún desmán; y así,
si tú, Sancho, quieres venir conmigo y ayudarme a sa-
carlo y a encubrirlo, yo te daré docientos escudos, con
que podrás remediar tus necesidades, que ya sabes que
sé yo que las tienes muchas.

—Yo lo hiciera —respondió Sancho—; pero no soy
nada codicioso; que, a serlo, un oficio dejé yo esta mañana de las manos, donde pudiera hacer las paredes de
mi casa de oro, y comer antes de seis meses en platos de
plata; y así por esto, como por parecerme haría traición
a mi rey en dar favor a sus enemigos, no fuera contigo,
si como me prometes docientos escudos, me dieras aquí
de contado cuatrocientos.

—Y ¿qué oficio es el que has dejado, Sancho? —preguntó Ricote.

—He dejado de ser gobernador de una ínsula —respondió Sancho—, y tal, que a buena fee que no hallen
otra como ella a tres tirones.

—¿Y dónde está esa ínsula? —preguntó Ricote.

—¿Adónde? —respondió Sancho—. Dos leguas de
aquí, y se llama la ínsula Barataria.

—Calla, Sancho —dijo Ricote—; que las ínsulas están allá dentro de la mar; que no hay ínsulas en la tierra firme.

—¿Cómo no? —replicó Sancho—. Dígote, Ricote amigo, que esta mañana me partí della, y ayer estuve en ella gobernando a mi placer, como un sagitario[14]; pero, con todo eso, la he dejado, por parecerme oficio peligroso el de los gobernadores.

—Y ¿qué has ganado en el gobierno? —preguntó Ricote.

—He ganado —respondió Sancho— el haber conocido que no soy bueno para gobernar, si no es un hato de ganado, y que las riquezas que se ganan en los tales gobiernos son a costa de perder el descanso y el sueño, y aun el sustento; porque en las ínsulas deben de comer poco los gobernadores, especialmente si tienen médicos que miren por su salud.

—Yo no te entiendo, Sancho —dijo Ricote—; pero paréceme que todo lo que dices es disparate; que ¿quién te había de dar a ti ínsulas que gobernases? ¿Faltaban hombres en el mundo más hábiles para gobernadores que tú eres? Calla, Sancho, y vuelve en ti, y mira si quieres venir conmigo, como te he dicho, a ayudarme a sacar el tesoro que dejé escondido; que en verdad que es tanto, que se puede llamar tesoro, y te daré con que vivas, como te he dicho.

—Ya te he dicho, Ricote —replicó Sancho—, que no quiero; conténtate que por mí no serás descubierto, y prosigue en buena hora tu camino, y déjame seguir el mío; que yo sé que lo bien ganado se pierde, y lo malo, ello y su dueño.

—No quiero porfiar, Sancho —dijo Ricote—. Pero dime: ¿hallástete en nuestro lugar cuando se partió dél mi mujer, mi hija y mi cuñado?

—Sí hallé —respondió Sancho—, y séte decir que salió tu hija tan hermosa, que salieron a verla cuantos había en el pueblo, y todos decían que era la más bella criatura del mundo. Iba llorando y abrazaba a todas sus

---

[14] *sagitario* era a veces sinónimo de «centauro»; pero no se comprende bien qué quiere decir Sancho y extraña esta palabra en su boca. ¿Aludirá tal vez a los cuadrilleros de la Santa Hermandad que asaeteaban a los malhechores en Peralvillo?

amigas y conocidas, y a cuantos llegaban a verla, y a
todos pedía la encomendasen a Dios y a Nuestra Señora
su madre; y esto, con tanto sentimiento, que a mí me
hizo llorar, que no suelo ser muy llorón. Y a fee que muchos tuvieron deseo de esconderla y salir a quitársela en
el camino; pero el miedo de ir contra el mandado del
rey los detuvo. Principalmente se mostró más apasionado
don Pedro Gregorio, aquel mancebo mayorazgo rico que
tú conoces, que dicen que la quería mucho, y después
que ella se partió, nunca más él ha parecido en nuestro
lugar, y todos pensamos que iba tras ella para robarla;
pero hasta ahora no se ha sabido nada.

—Siempre tuve yo mala sospecha —dijo Ricote—
de que ese caballero adamaba[15] a mi hija; pero fiado en
el valor de mi Ricota, nunca me dio pesadumbre el saber que la quería bien; que ya habrás oído decir, Sancho, que las moriscas pocas o ninguna vez se mezclaron
por amores con cristianos viejos, y mi hija, que, a lo que
yo creo, atendía a ser más cristiana que enamorada, no
se curaría de las solicitudes de ese señor mayorazgo.

—Dios lo haga —replicó Sancho—; que a entrambos les estaría mal. Y déjame partir de aquí, Ricote amigo; que quiero llegar esta noche adonde está mi señor
don Quijote.

—Dios vaya contigo, Sancho hermano; que ya mis
compañeros se rebullen, y también es hora que prosiga-
mos nuestro camino.

Y luego se abrazaron los dos, y Sancho subió en su
rucio, y Ricote se arrimó a su bordón, y se apartaron.

CAPÍTULO LV

De cosas sucedidas a Sancho en el camino,
y otras, que no hay más que ver

El haberse detenido Sancho con Ricote no le dio lugar
a que aquel día llegase al castillo del duque, puesto
que llegó media legua dél, donde le tomó la noche, algo
escura y cerrada; pero como era verano, no le dio mu-

---

[15] *adamar,* amar apasionadamente.

cha pesadumbre, y así, se apartó del camino con intención de esperar la mañana; y quiso su corta y desventurada suerte que buscando lugar donde mejor acomodarse, cayeron él y el rucio en una honda y escurísima sima
que entre unos edificios muy antiguos estaba, y al tiempo del caer, se encomendó a Dios de todo corazón, pensando que no había de parar hasta el profundo de los
abismos. Y no fue así; porque a poco más de tres estados[1] dio fondo el rucio, y él se halló encima dél, sin haber recebido lisión ni daño alguno.

Tentóse todo el cuerpo, y recogió el aliento, por ver
si estaba sano o agujereado por alguna parte; y viéndose
bueno, entero y católico de salud, no se hartaba de dar
gracias a Dios Nuestro Señor de la merced que le había
hecho; porque sin duda pensó que estaba hecho mil pedazos. Tentó asimismo con las manos por las paredes de la
sima, por ver si sería posible salir della sin ayuda de nadie; pero todas las halló rasas y sin asidero alguno, de
lo que Sancho se congojó mucho, especialmente cuando
oyó que el rucio se quejaba tierna y dolorosamente; y no
era mucho, ni se lamentaba de vicio; que, a la verdad,
no estaba muy bien parado.

—¡Ay —dijo entonces Sancho Panza—, y cuán no
pensados sucesos suelen suceder a cada paso a los que
viven en este miserable mundo! ¿Quién dijera que el
que ayer se vio entronizado gobernador de una ínsula,
mandando a sus sirvientes y a sus vasallos, hoy se había
de ver sepultado en una sima, sin haber persona alguna
que le remedie, ni criado ni vasallo que acuda a su socorro? Aquí habremos de perecer de hambre yo y mi
jumento, si ya no nos morimos antes, él de molido y
quebrantado, y yo de pesaroso. A lo menos, no seré yo
tan venturoso como lo fue mi señor don Quijote de la
Mancha cuando decendió y bajó a la cueva de aquel
encantado Montesinos, donde halló quien le regalase
mejor que en su casa, que no parece sino que se fue a
mesa puesta y a cama hecha. Allí vio él visiones hermosas y apacibles, y yo veré aquí, a lo que creo, sapos
y culebras. ¡Desdichado de mí, y en qué han parado mis
locuras y fantasías! De aquí sacarán mis huesos, cuando

---

[1] *estado*, medida equivalente a la estatura del hombre, o sea
unos siete pies.

el cielo sea servido que me descubran, mondos, blancos y raídos, y los de mi buen rucio con ellos, por donde quizá se echará de ver quién somos, a lo menos, de los que tuvieren noticia que nunca Sancho Panza se apartó de su asno, ni su asno de Sancho Panza. Otra vez digo: ¡miserables de nosotros, que no ha querido nuestra corta suerte que muriésemos en nuestra patria y entre los nuestros, donde ya que no hallara remedio nuestra desgracia, no faltara quien dello se doliera, y en la hora última de nuestro pasamiento nos cerrara los ojos! ¡Oh compañero y amigo mío, qué mal pago te he dado de tus buenos servicios! Perdóname y pide a la fortuna, en el mejor modo que supieres, que nos saque deste miserable trabajo en que estamos puestos los dos; que yo prometo de ponerte una corona de laurel en la cabeza, que no parezcas sino un laureado poeta, y de darte los piensos doblados.

Desta manera se lamentaba Sancho Panza, y su jumento le escuchaba sin responderle palabra alguna: tal era el aprieto y angustia en que el pobre se hallaba. Finalmente, habiendo pasado toda aquella noche en miserables quejas y lamentaciones, vino el día, con cuya claridad y resplandor vio Sancho que era imposible de toda imposibilidad salir de aquel pozo sin ser ayudado, y comenzó a lamentarse y dar voces, por ver si alguno le oía; pero todas sus voces eran dadas en desierto, pues por todos aquellos contornos no había persona que pudiese escucharle, y entonces se acabó de dar por muerto.

Estaba el rucio boca arriba, y Sancho Panza le acomodó de modo que le puso en pie, que apenas se podía tener; y sacando de las alforjas, que también habían corrido la mesma fortuna de la caída, un pedazo de pan, lo dio a su jumento, que no le supo mal, y díjole Sancho, como si lo entendiera:

—Todos los duelos con pan son buenos.

En esto, descubrió a un lado de la sima un agujero, capaz de caber por él una persona, si se agobiaba[2] y encogía. Acudió a él Sancho Panza, y agazapándose se entró por él y vio que por de dentro era espacioso y largo, y púdolo ver porque por lo que se podía llamar techo entraba un rayo de sol que lo descubría todo. Vio

---

[2] *agobiarse*, encorvarse.

también que se dilataba y alargaba por otra concavidad espaciosa; viendo lo cual volvió a salir adonde estaba el jumento, y con una piedra comenzó a desmoronar la tierra del agujero, de modo que en poco espacio hizo lugar donde con facilidad pudiese entrar el asno, como lo hizo; y cogiéndole del cabestro, comenzó a caminar por aquella gruta adelante, por ver si hallaba alguna salida por otra parte. A veces iba a escuras, y a veces sin luz; pero ninguna vez sin miedo.

—¡Válame Dios todopoderoso! —decía entre sí—. Ésta que para mí es desventura, mejor fuera para aventura de mi amo don Quijote. Él sí que tuviera estas profundidades y mazmorras por jardines floridos y por palacios de Galiana[3], y esperara salir de esta escuridad y estrecheza a algún florido prado; pero yo, sin ventura, falto de consejo y menoscabado de ánimo, a cada paso pienso que debajo de los pies de improviso se ha de abrir otra sima más profunda que la otra, que acabe de tragarme. Bien vengas mal, si vienes solo.

Desta manera y con estos pensamientos le pareció que habría caminado poco más de media legua, al cabo de la cual descubrió una confusa claridad, que pareció ser ya de día, y que por alguna parte entraba, que daba indicio de tener fin abierto aquel para él camino de la otra vida.

Aquí le deja Cide Hamete Benengeli, y vuelve a tratar de don Quijote, que, alborozado y contento, esperaba el plazo de la batalla que había de hacer con el robador de la honra de la hija de doña Rodríguez, a quien pensaba enderezar el tuerto y desaguisado que malamente le tenían fecho.

Sucedió, pues, que saliéndose una mañana a imponerse y ensayarse en lo que había de hacer en el trance en que otro día pensaba verse, dando un repelón[4] o arremetida a Rocinante, llegó a poner los pies tan junto a una cueva, que a no tirarle fuertemente las riendas, fuera imposible no caer en ella. En fin, le detuvo, y no cayó,

---

[3] *palacios de Galiana*, ciertos edificios de Toledo que la leyenda supone construidos para la princesa mora Galiana, esposa de Carlomagno, tradición de origen español que se recoge en el cantar de gesta francés *Maynet*, que a su vez se divulgó mucho por España.

[4] *repelón*, carrera pronta e impetuosa que da el caballo.

y llegándose algo más cerca, sin apearse, miró aquella
hondura; y estándola mirando, oyó grandes voces dentro; y escuchando atentamente, pudo percibir y entender que el que las daba decía:

—¡Ah de arriba! ¿Hay algún cristiano que me escuche, o algún caballero caritativo que se duela de un pecador enterrado en vida, o un desdichado desgobernado
gobernador?

Parecióle a don Quijote que oía la voz de Sancho
Panza, de que quedó suspenso y asombrado, y levantando la voz todo lo que pudo, dijo:

—¿Quién está allá abajo? ¿Quién se queja?

—¿Quién puede estar aquí, o quién se ha de quejar
—respondieron—, sino el asendereado de Sancho Panza,
gobernador, por sus pecados y por su mala andanza, de
la ínsula Barataria, escudero que fue del famoso caballero don Quijote de la Mancha?

Oyendo lo cual don Quijote, se le dobló la admiración y se le acrecentó el pasmo, viniéndosele al pensamiento que Sancho Panza debía de ser muerto, y que
estaba allí penando su alma; y llevado desta imaginación, dijo:

—Conjúrote por todo aquello que puedo conjurarte
como católico cristiano, que me digas quién eres; y si
eres alma en pena, dime qué quieres que haga por ti;
que pues es mi profesión favorecer y acorrer a los necesitados deste mundo, también lo seré[5] para acorrer y
ayudar a los menesterosos del otro mundo, que no pueden ayudarse por sí propios.

—Desa manera —respondieron—, vuestra merced que
me habla debe de ser mi señor don Quijote de la Mancha, y aun en el órgano de la voz no es otro, sin duda.

—Don Quijote soy —replicó don Quijote—: el que
profeso socorrer y ayudar en sus necesidades a los vivos
y a los muertos. Por eso dime quién eres, que me tienes
atónito; porque si eres mi escudero Sancho Panza, y te
has muerto, como no te hayan llevado los diablos, y, por
la misericordia de Dios, estés en el purgatorio, sufragios
tiene nuestra santa madre la Iglesia Católica Romana bastantes a sacarte de las penas en que estás, y yo, que lo

---

⁵ *seré* [católico cristiano].

solicitaré con ella, por mi parte, con cuanto mi hacienda
alcanzare; por eso, acaba de declararte y dime quién
eres.

—¡Voto a tal! —respondieron—, y por el nacimiento de quien vuesa merced quisiere, juro, señor don Quijote de la Mancha, que yo soy su escudero Sancho Panza, y que nunca me he muerto en todos los días de mi
vida; sino que habiendo dejado mi gobierno por cosas
y causas que es menester más espacio para decirlas, anoche caí en esta sima donde yago, el rucio conmigo, que
no me dejará mentir, pues, por más señas, está aquí conmigo.

Y hay más: que no parece sino que el jumento entendió lo que Sancho dijo, porque al momento comenzó
a rebuznar, tan recio, que toda la cueva retumbaba.

—¡Famoso testigo! —dijo don Quijote— El rebuzno conozco, como si le pariera, y tu voz oigo, Sancho
mío. Espérame; iré al castillo del duque, que está aquí
cerca, y traeré quien te saque desta sima, donde tus pecados te deben de haber puesto.

—Vaya vuesa merced —dijo Sancho—, y vuelva
presto, por un solo Dios; que ya no lo puedo llevar el
estar aquí sepultado en vida, y me estoy muriendo de
miedo.

Dejóle don Quijote, y fue al castillo a contar a los
duques el suceso de Sancho Panza, de que no poco se
maravillaron, aunque bien entendieron que debía de haber caído por la correspondencia de aquella gruta que de
tiempos inmemoriales estaba allí hecha; pero no podían
pensar cómo había dejado el gobierno sin tener ellos aviso de su venida. Finalmente, como dicen[6], llevaron sogas
y maromas; y a costa de mucha gente y de mucho trabajo, sacaron al rucio y a Sancho Panza de aquellas tinieblas a la luz del sol. Viole un estudiante, y dijo:

—Desta manera habían de salir de sus gobiernos todos los malos gobernadores; como sale este pecador del
profundo del abismo: muerto de hambre, descolorido,
y sin blanca, a lo que yo creo.

Oyólo Sancho, y dijo:

---

[6] *como dicen* en algunas canciones (cfr. R. Marín, VII, 235) o
romances, como el de doña Urraca, en el que se lee: «Toman sogas y maromas Por salvar del muro abajo».

—Ocho días o diez ha, hermano murmurador, que entré a gobernar la ínsula que me dieron, en los cuales no me vi harto de pan siquiera un hora; en ellos me han perseguido médicos, y enemigos me han brumado los güesos; ni he tenido lugar de hacer cohechos, ni de cobrar derechos; y siendo esto así, como lo es, no merecía yo, a mi parecer, salir de esta manera; pero el hombre pone y Dios dispone, y Dios sabe lo mejor y lo que le está bien a cada uno; y cual el tiempo, tal el tiento; y nadie diga «desta agua no beberé»; que adonde se piensa que hay tocinos, no hay estacas; y Dios me entiende, y basta, y no digo más, aunque pudiera.

—No te enojes, Sancho, ni recibas pesadumbre de lo que oyeres, que será nunca acabar: ven tú con segura conciencia, y digan lo que dijeren; y es querer atar las lenguas de los maldicientes lo mesmo que querer poner puertas al campo. Si el gobernador sale rico de su gobierno, dicen dél que ha sido un ladrón, y si sale pobre, que ha sido un parapoco y un mentecato.

—A buen seguro —respondió Sancho— que por esta vez antes me han de tener por tonto que por ladrón.

En estas pláticas llegaron, rodeados de muchachos y de otra mucha gente, al castillo, adonde en unos corredores estaban ya el duque y la duquesa esperando a don Quijote y a Sancho, el cual no quiso subir a ver al duque sin que primero no hubiese acomodado al rucio en la caballeriza, porque decía que había pasado muy mala noche en la posada; y luego subió a ver a sus señores, ante los cuales, puesto de rodillas, dijo:

—Yo, señores, porque lo quiso así vuestra grandeza, sin ningún merecimiento mío, fui a gobernar vuestra ínsula Barataria, en la cual entré desnudo, y desnudo me hallo: ni pierdo, ni gano. Si he gobernado bien o mal, testigos he tenido delante, que dirán lo que quisieren. He declarado dudas, sentenciado pleitos, y siempre muerto de hambre, por haberlo querido así el doctor Pedro Recio, natural de Tirteafuera, médico insulano y gobernadoresco. Acometiéronnos enemigos de noche, y habiéndonos puesto en grande aprieto, dicen los de la ínsula que salieron libres y con vitoria por el valor de mi brazo, que tal salud les dé Dios como ellos dicen verdad. En resolución, en este tiempo yo he tanteado las cargas que trae

consigo, y las obligaciones, el gobernar, y he hallado por
mi cuenta que no las podrán llevar mis hombros, ni son
peso de mis costillas, ni flechas de mi aljaba; y así, antes
que diese conmigo al través el gobierno, he querido yo
dar con el gobierno al través, y ayer de mañana dejé la
ínsula como la hallé: con las mismas calles, casas y tejados
que tenía cuando entré en ella. No he pedido prestado a nadie, ni metídome en granjerías; y aunque pensaba hacer algunas ordenanzas provechosas, no hice ninguna, temeroso que no se habían de guardar: que es lo
mesmo hacerlas que no hacerlas. Salí, como digo, de la
ínsula sin otro acompañamiento que el de mi rucio; caí
en una sima, víneme por ella adelante, hasta que, esta
mañana, con la luz del sol, vi la salida, pero no tan fácil;
que a no depararme el cielo a mi señor don Quijote, allí
me quedara hasta la fin del mundo. Así que, mis señores
duque y duquesa, aquí está vuestro gobernador Sancho
Panza, que ha granjeado en solos diez días que ha tenido el gobierno a conocer que no se le ha de dar nada por
ser gobernador, no que de una ínsula, sino de todo el
mundo; y con este presupuesto, besando a vuestras mercedes los pies, imitando al juego de los muchachos, que
dicen «Salta tú, y dámela tú[7]», doy un salto del gobierno,
y me paso al servicio de mi señor don Quijote; que, en
fin, en él, aunque como el pan con sobresalto, hártome,
a lo menos; y para mí, como yo esté harto, eso me hace
que sea de zanahorias que de perdices.

Con esto dio fin a su larga plática Sancho, temiendo
siempre don Quijote que había de decir en ella millares
de disparates; y cuando le vio acabar con tan pocos, dio
en su corazón gracias al cielo, y el duque abrazó a Sancho, y le dijo que le pesaba en el alma de que hubiese
dejado tan presto el gobierno; pero que él haría de suerte que se le diese en su estado otro oficio de menos carga
y de más provecho. Abrazóle la duquesa asimismo, y
mandó que le regalasen, porque daba señales de venir
mal molido y peor parado.

[7] Juego de niños, tal vez similar al de las cuatro esquinas
(cfr. R. Marín, VII, 238-239).

CAPÍTULO LVI

DE LA DESCOMUNAL Y NUNCA VISTA BATALLA QUE PASÓ
ENTRE DON QUIJOTE DE LA MANCHA Y EL LACAYO TOSILOS,
EN LA DEFENSA DE LA HIJA DE LA DUEÑA DOÑA RODRÍGUEZ

No quedaron arrepentidos los duques de la burla hecha a Sancho Panza del gobierno que le dieron; y
más que aquel mismo día vino su mayordomo, y les
contó punto por punto, todas casi, las palabras y acciones que Sancho había dicho y hecho en aquellos días, y
finalmente les encareció el asalto de la ínsula, y el miedo
de Sancho, y su salida, de que no pequeño gusto recibieron.

Después desto, cuenta la historia que se llegó el día
de la batalla aplazada[1], y habiendo el duque una y muy
muchas veces advertido a su lacayo Tosilos cómo se había de avenir con don Quijote para vencerle sin matarle
ni herirle, ordenó que se quitasen los hierros a las lanzas, diciendo a don Quijote que no permitía la cristiandad, de que él se preciaba, que aquella batalla fuese con
tanto riesgo y peligro de las vidas, y que se contentase
con que le daba campo franco en su tierra, puesto que
iba contra el decreto del Santo Concilio[2], que prohíbe los
tales desafíos, y no quisiese llevar por todo rigor aquel
trance tan fuerte.

Don Quijote dijo que Su Excelencia dispusiese las
cosas de aquel negocio como más fuese servido; que él
le obedecería en todo. Llegado, pues, el temeroso día, y
habiendo mandado el duque que delante de la plaza del
castillo se hiciese un espacioso cadahalso[3], donde estuviesen los jueces del campo y las dueñas, madre y hija, de-
mandantes, había acudido de todos los lugares y aldeas
circunvecinas infinita gente, a ver la novedad de aquella
batalla; que nunca otra tal no habían visto, ni oído decir,
en aquella tierra los que vivían ni los que habían muerto.

[1] *aplazada*, convocada, citada.
[2] Se refiere al canon 19 de la sesión XXV del Concilio de Tren-
to que condena la *monomachia,* o sea, el duelo.
[3] *cadahalso*, tablado.

El primero que entró en el campo y estacada fue el maestro de las ceremonias, que tanteó el campo y le paseó todo, porque en él no hubiese algún engaño, ni cosa encubierta donde se tropezase y cayese; luego entraron las dueñas y se sentaron en sus asientos, cubiertas con los mantos hasta los ojos y aun hasta los pechos, con muestras de no pequeño sentimiento. Presente don Quijote en la estacada, de allí a poco, acompañado de muchas trompetas, asomó por una parte de la plaza, sobre un poderoso caballo, hundiéndola toda, el grande lacayo Tosilos, calada la visera y todo encambronado[4], con unas fuertes y lucientes armas. El caballo mostraba ser frisón, ancho y de color tordillo; de cada mano y pie le pendía una arroba de lana.

Venía el valeroso combatiente bien informado del duque su señor, de cómo se había de portar con el valeroso don Quijote de la Mancha, advertido que en ninguna manera le matase, sino que procurase huir el primer encuentro por escusar el peligro de su muerte, que estaba cierto si de lleno en lleno le encontrase. Paseó la plaza, y llegando donde las dueñas estaban, se puso algún tanto a mirar a la que por esposo le pedía. Llamó el maese de campo a don Quijote, que ya se había presentado en la plaza, y junto con Tosilos habló a las dueñas, preguntándoles si consentían que volviese por su derecho don Quijote de la Mancha. Ellas dijeron que sí, y que todo lo que en aquel caso hiciese lo daban por bien hecho, por firme y por valedero.

Ya en este tiempo estaban el duque y la duquesa puestos en una galería que caía sobre la estacada, toda la cual estaba coronada de infinita gente, que esperaba ver el riguroso trance, nunca visto. Fue condición de los combatientes que si don Quijote vencía, su contrario se había de casar con la hija de doña Rodríguez; y si él fuese vencido, quedaba libre su contendor[5] de la palabra que se le pedía, sin dar otra satisfación alguna.

Partióles el maestro de las ceremonias el sol[6], y puso a los dos cada uno en el puesto donde habían de estar.

4 *encambronado,* erguido, sin volver la cabeza a nadie.
5 *contendor,* enemigo, adversario.
6 Se refiere a la de *partir el sol,* o sea disponer a los dos contendientes de modo que a ninguno moleste más el sol que a otro.

Sonaron los atambores, llenó el aire el son de las trompetas, temblaba debajo de los pies la tierra; estaban suspensos los corazones de la mirante turba, temiendo unos y esperando otros el bueno o el mal suceso de aquel caso. Finalmente, don Quijote, encomendándose de todo su corazón a Dios Nuestro Señor y a la señora Dulcinea del Toboso, estaba aguardando que se le diese señal precisa de la arremetida; empero nuestro lacayo tenía diferentes pensamientos: no pensaba él sino en lo que agora diré:

Parece ser que cuando estuvo mirando a su enemiga le pareció la más hermosa mujer que había visto en toda su vida, y el niño ceguezuelo a quien suelen llamar de ordinario Amor por esas calles, no quiso perder la ocasión que se le ofreció de triunfar de una alma lacayuna y ponerla en la lista de sus trofeos; y así, llegándose a él bonitamente, sin que nadie le viese, le envasó al pobre lacayo una flecha de dos varas por el lado izquierdo, y le pasó el corazón de parte a parte; y púdolo hacer bien al seguro, porque el Amor es invisible, y entra y sale por do quiere, sin que nadie le pida cuenta de sus hechos.

Digo, pues, que cuando dieron la señal de la arremetida estaba nuestro lacayo transportado, pensando en la hermosura de la que ya había hecho señora de su libertad, y así, no atendió al son de la trompeta, como hizo don Quijote, que apenas la hubo oído, cuando arremetió, y a todo el correr que permitía Rocinante, partió contra su enemigo; y viéndole partir su buen escudero Sancho, dijo a grandes voces:

—¡Dios te guíe, nata y flor de los andantes caballeros! ¡Dios te dé la vitoria, pues llevas la razón de tu parte!

Y aunque Tosilos vio venir contra sí a don Quijote, no se movió un paso de su puesto; antes, con grandes voces, llamó al maese de campo, el cual venido a ver lo que quería, le dijo:

—Señor, ¿esta batalla no se hace porque yo me case, o no me case, con aquella señora?

—Así es —le fue respondido.

—Pues yo —dijo el lacayo— soy temeroso de mi conciencia, y pondríala en gran cargo si pasase adelante en esta batalla; y así, digo que yo me doy por vencido y que quiero casarme luego con aquella señora.

Quedó admirado el maese de campo de las razones de Tosilos; y como era uno de los sabidores de la máquina de aquel caso, no le supo responder palabra. Detúvose don Quijote en la mitad de su carrera, viendo que su enemigo no le acometía. El duque no sabía la ocasión por que no se pasaba adelante en la batalla; pero el maese de campo le fue a declarar lo que Tosilos decía, de lo que quedó suspenso y colérico en estremo.

En tanto que esto pasaba, Tosilos se llegó adonde doña Rodríguez estaba, y dijo a grandes voces:

—Yo, señora, quiero casarme con vuestra hija, y no quiero alcanzar por pleitos ni contiendas lo que puedo alcanzar por paz y sin peligro de la muerte.

Oyó esto el valeroso don Quijote, y dijo:

—Pues esto así es, yo quedo libre y suelto de mi promesa: cásense en hora buena, y pues Dios Nuestro Señor se la dio, San Pedro se la bendiga.

El duque había bajado a la plaza del castillo, y llegándose a Tosilos, le dijo:

—¿Es verdad, caballero, que os dais por vencido, y que, instigado de vuestra temerosa conciencia, os queréis casar con esta doncella?

—Sí, señor —respondió Tosilos.

—Él hace muy bien —dijo a esta sazón Sancho Panza—; porque lo que has de dar al mur[7], dalo al gato, y sacarte ha de cuidado.

Íbase Tosilos desenlazando la celada, y rogaba que apriesa le ayudasen, porque le iban faltando los espíritus del aliento, y no podía verse encerrado tanto tiempo en la estrecheza de aquel aposento. Quitáronsela apriesa, y quedó descubierto y patente su rostro de lacayo. Viendo lo cual doña Rodríguez y su hija, dando grandes voces, dijeron:

—¡Éste es engaño; engaño es éste! ¡A Tosilos, el lacayo del duque mi señor, nos han puesto en lugar de mi verdadero esposo! ¡Justicia de Dios y del Rey de tanta malicia, por no decir bellaquería!

—No vos acuitéis, señoras —dijo don Quijote—; que ni ésta es malicia ni es bellaquería; y si la es, y no ha sido la causa el duque, sino los malos encantadores que

---

[7] Refrán; *mur,* ratón.

me persiguen, los cuales, invidiosos de que yo alcanzase la gloria deste vencimiento, han convertido el rostro de vuestro esposo en el de este que decís que es lacayo del duque. Tomad mi consejo, y a pesar de la malicia de mis enemigos, casaos con él; que sin duda es el mismo que vos deseáis alcanzar por esposo.

El duque, que esto oyó, estuvo por romper en risa toda su cólera, y dijo:

—Son tan extraordinarias las cosas que suceden al señor don Quijote, que estoy por creer que este mi lacayo no lo es; pero usemos deste ardid y maña: dilatemos el casamiento quince días, si quieren, y tengamos encerrado a este personaje que nos tiene dudosos, en los cuales podría ser que volviese a su prístina figura; que no ha de durar tanto el rancor que los encantadores tienen al señor don Quijote, y más yéndoles tan poco en usar estos embelecos y transformaciones.

—¡Oh señor! —dijo Sancho—, que ya tienen estos malandrines por uso y costumbre de mudar las cosas, de unas en otras, que tocan a mi amo. Un caballero que venció los días pasados, llamado el de los Espejos, le volvieron en la figura del bachiller Sansón Carrasco, natural de nuestro pueblo y grande amigo nuestro, y a mi señora Dulcinea del Toboso la han vuelto en una rústica labradora; y así, imagino que este lacayo ha de morir y vivir lacayo todos los días de su vida.

A lo que dijo la hija de Rodríguez:

—Séase quien fuere este que me pide por esposa, que yo se lo agradezco; que más quiero ser mujer legítima de un lacayo que no amiga y burlada de un caballero, puesto que el que a mí me burló no lo es.

En resolución, todos estos cuentos y sucesos pararon en que Tosilos se recogiese, hasta ver en qué paraba su transformación; aclamaron todos la vitoria por don Quijote, y los más quedaron tristes y melancólicos, de ver que no se habían hecho pedazos los tan esperados combatientes, bien así como los mochachos quedan tristes cuando no sale el ahorcado que esperan, porque le ha perdonado, o la parte[8], o la justicia. Fuese la gente, volviéronse el duque y don Quijote al castillo, encerraron a Tosi-

---

[8] La *parte interesada,* o sea la agraviada por el que va a ser ahorcado.

los, quedaron doña Rodríguez y su hija contentísimas de
ver que, por una vía o por otra, aquel caso había de
parar en casamiento, y Tosilos no esperaba menos.

CAPÍTULO LVII

QUE TRATA DE CÓMO DON QUIJOTE SE DESPIDIÓ DEL DUQUE Y DE LO QUE LE SUCEDIÓ CON LA DISCRETA Y DESENVUELTA ALTISIDORA, DONCELLA DE LA DUQUESA

Ya le pareció a don Quijote que era bien salir de tanta
ociosidad como la que en aquel castillo tenía; que
se imaginaba ser grande la falta que su persona hacía en
dejarse estar encerrado y perezoso entre los infinitos regalos y deleites que como a caballero andante aquellos
señores le hacían, y parecíale que había de dar cuenta
estrecha al cielo de aquella ociosidad y encerramiento; y
así, pidió un día licencia a los duques para partirse. Dié-
ronsela, con muestras de que en gran manera les pesaba
de que los dejase. Dio la duquesa las cartas de su mujer
a Sancho Panza, el cual lloró con ellas, y dijo:

—¿Quién pensara que esperanzas tan grandes como
las que en el pecho de mi mujer Teresa Panza engendraron las nuevas de mi gobierno habían de parar en volverme yo agora a las arrastradas aventuras de mi amo don
Quijote de la Mancha? Con todo esto, me contento de
ver que mi Teresa correspondió a ser quien es, enviando
las bellotas a la duquesa; que a no habérselas enviado,
quedando yo pesaroso, se mostrara ella desagradecida.
Lo que me consuela es que esta dádiva no se le puede
dar nombre de cohecho, porque ya tenía yo el gobierno
cuando ella las envió, y está puesto en razón que los que
reciben algún beneficio, aunque sea con niñerías, se muestren agradecidos. En efecto, yo entré desnudo en el gobierno y salgo desnudo dél; y así, podré decir con segura conciencia, que no es poco: «Desnudo nací, desnudo
me hallo: ni pierdo ni gano».

Esto pasaba entre sí Sancho el día de la partida; y
saliendo don Quijote, habiéndose despedido la noche antes de los duques, una mañana se presentó armado en la

plaza del castillo. Mirábanle de los corredores toda la gente del castillo, y asimismo los duques salieron a verle. Estaba Sancho sobre su rucio, con sus alforjas, maleta y repuesto, contentísimo, porque el mayordomo del duque, el que fue de la Trifaldi, le había dado un bolsico con docientos escudos de oro, para suplir los menesteres del camino, y esto aún no lo sabía don Quijote.

Estando, como queda dicho, mirándole todos, a deshora, entre las otras dueñas y doncellas de la duquesa, que le miraban, alzó la voz la desenvuelta y discreta Altisidora, y en son lastimero dijo:

—Escucha, mal caballero;
detén un poco las riendas;
no fatigues las ijadas
de tu mal regida bestia.
    Mira, falso, que no huyes
de alguna serpiente fiera,
sino de una corderilla
que está muy lejos de oveja.
    Tú has burlado, monstruo horrendo,
la más hermosa doncella
que Diana vio en sus montes,
que Venus miró en sus selvas.
Cruel Vireno, fugitivo Eneas[1],
Barrabás te acompañe; allá te avengas.

    Tú llevas, ¡llevar impío!,
en las garras de tus cerras[2]
las entrañas de una humilde,
como enamorada, tierna.
    Llévaste tres tocadores[3],
y unas ligas (de unas piernas
que al mármol puro se igualan
en lisas) blancas y negras.
    Llévaste dos mil suspiros,
que, a ser de fuego, pudieran
abrasar a dos mil Troyas,

---

[1] *Vireno*, personaje del *Orlando furioso* de Ariosto, que abandonó a Olimpia; Eneas, según la *Eneida*, huyó de la reina cartaginesa Dido.

[2] *cerras*, manos (en germanía o lenguaje de rufianes).

[3] *tocadores*, paños para cubrirse la cabeza.

si dos mil Troyas hubiera.
  Cruel Vireno, fugitivo Eneas,
  Barrabás te acompañe; allá te avengas.

  De ese Sancho tu escudero
las entrañas sean tan tercas
y tan duras, que no salga
de su encanto Dulcinea.
  De la culpa que tú tienes
lleve la triste la pena;
que justos por pecadores
tal vez pagan en mi tierra.
  Tus más finas aventuras
en desventuras se vuelvan,
en sueños tus pasatiempos,
en olvidos tus firmezas.
  Cruel Vireno, fugitivo Eneas,
  Barrabás te acompañe; allá te avengas.

  Seas tenido por falso
desde Sevilla a Marchena,
desde Granada hasta Loja,
de Londres a Ingalaterra.
  Si jugares al reinado,
los cientos, o la primera,
los reyes huyan de ti;
ases ni sietes no veas[4].
  Si te cortares los callos,
sangre las heridas viertan,
y quédente los raigones
si te sacares las muelas.
  Cruel Vireno, fugitivo Eneas,
  Barrabás te acompañe; allá te avengas.

En tanto que de la suerte que se ha dicho se quejaba
la lastimada Altisidora, la estuvo mirando don Quijote y
sin responderla palabra, volviendo el rostro a Sancho, le
dijo:

—Por el siglo de tus pasados, Sancho mío, te conjuro

---

[4] *reinado, cientos, primera,* tres juegos de naipes, en los que
las cartas que más valen son el rey, el as y el siete.

que me digas una verdad. Dime, ¿llevas por ventura los tres tocadores y las ligas que esta enamorada doncella dice?

A lo que Sancho respondió:

—Los tres tocadores sí llevo; pero las ligas, como por los cerros de Úbeda.

Qüedó la duquesa admirada de la desenvoltura de Altisidora; que aunque la tenía por atrevida, graciosa y desenvuelta, no en grado que se atreviera a semejantes desenvolturas; y como no estaba advertida desta burla, creció más su admiración. El duque quiso reforzar el donaire, y dijo:

—No me parece bien, señor caballero, que habiendo recebido en este mi castillo el buen acogimiento que en él se os ha hecho, os hayáis atrevido a llevaros tres tocadores, por lo menos, si por lo más las ligas de mi doncella; indicios son de mal pecho y muestras que no corresponden a vuestra fama. Volvedle las ligas; si no, yo os desafío a mortal batalla, sin tener temor que malandrines encantadores me vuelvan ni muden el rostro, como han hecho en el de Tosilos mi lacayo, el que entró con vos en batalla.

—No quiera Dios —respondió don Quijote— que yo desenvaine mi espada contra vuestra ilustrísima persona, de quien tantas mercedes he recebido; los tocadores volveré, porque dice Sancho que los tiene; las ligas es imposible, porque ni yo las he recebido ni él tampoco; y si esta vuestra doncella quisiere mirar sus escondrijos, a buen seguro que las halle. Yo, señor duque, jamás he sido ladrón, ni lo pienso ser en toda mi vida, como Dios no me deje de su mano. Esta doncella habla, como ella dice, como enamorada, de lo que yo no le tengo culpa; y así, no tengo de qué pedirle perdón ni a ella ni a Vuestra Excelencia, a quien suplico me tenga en mejor opinión, y me dé de nuevo licencia para seguir mi camino.

—Déosle Dios tan bueno —dijo la duquesa—, señor don Quijote, que siempre oigamos buenas nuevas de vuestras fechurías[5]. Y andad con Dios; que mientras más os detenéis, más aumentáis el fuego en los pechos de las doncellas que os miran; y a la mía yo la castigaré de modo,

---

[5] *fechurías*, fechorías (la duquesa emplea esta palabra en son de burla, en vez de *fechos*).

que de aquí adelante no se desmande con la vista ni con las palabras.

—Una no más quiero que me escuches, ¡oh valeroso don Quijote! —dijo entonces Altisidora—; y es que te pido perdón del latrocinio de las ligas, porque en Dios y en mi ánima que las tengo puestas, y he caído en el descuido del que yendo sobre el asno, le buscaba.

—¿No lo dije yo? —dijo Sancho—. ¡Bonico soy yo para encubrir hurtos! Pues, a quererlos hacer, de paleta[6] me había venido la ocasión en mi gobierno.

Abajó la cabeza don Quijote y hizo reverencia a los duques y a todos los circunstantes, y volviendo las riendas a Rocinante, siguiéndole Sancho sobre el rucio, se salió del castillo, enderezando su camino a Zaragoza.

CAPÍTULO LVIII

QUE TRATA DE CÓMO MENUDEARON SOBRE DON QUIJOTE AVENTURAS TANTAS, QUE NO SE DABAN VAGAR UNAS Y OTRAS

CUANDO don Quijote se vio en la campaña rasa, libre y desembarazado de los requiebros de Altisidora, le pareció que estaba en su centro, y que los espíritus se le renovaban para proseguir de nuevo el asumpto de sus caballerías, y volviéndose a Sancho, le dijo:

—La libertad, Sancho, es uno de los más preciosos dones que a los hombres dieron los cielos; con ella no pueden igualarse los tesoros que encierra la tierra ni el mar encubre; por la libertad, así como por la honra, se puede y debe aventurar la vida, y, por el contrario, el cautiverio es el mayor mal que puede venir a los hombres. Digo esto, Sancho, porque bien has visto el regalo, la abundancia que en este castillo que dejamos hemos tenido; pues en metad de aquellos banquetes sazonados y de aquellas bebidas de nieve, me parecía a mí que estaba metido entre las estrechezas de la hambre, porque no lo gozaba con la libertad que lo gozara si fueran míos; que las obligaciones de las recompensas de los beneficios

---

[6] *de paleta*, oportunamente (de perilla).

y mercedes recebidas son ataduras que no dejan campear al ánimo libre. ¡Venturoso aquel a quien el cielo dio un pedazo de pan, sin que le quede obligación de agradecerlo a otro que al mismo cielo!

—Con todo eso —dijo Sancho— que vuesa merced me ha dicho, no es bien que se quede sin agradecimiento de nuestra parte docientos escudos de oro que en una bolsilla me dio el mayordomo del duque, que como píctima[1] y confortativo la llevo puesta sobre el corazón, para lo que se ofreciere; que no siempre hemos de hallar castillos donde nos regalen: que tal vez toparemos con algunas ventas donde nos apaleen.

En estos y otros razonamientos iban los andantes, caballero y escudero, cuando vieron, habiendo andado poco más de una legua, que encima de la yerba de un pradillo verde, encima de sus capas, estaban comiendo hasta una docena de hombres, vestidos de labradores. Junto a sí tenían unas como sábanas blancas, con que cubrían alguna cosa que debajo estaba; estaban empinadas y tendidas, y de trecho a trecho puestas. Llegó don Quijote a los que comían, y saludándolos primero cortésmente, les preguntó que qué era lo que aquellos lienzos cubrían. Uno dellos le respondió:

—Señor, debajo destos lienzos están unas imágines de relieve y entabladuras[2] que han de servir en un retablo que hacemos en nuestra aldea; llevámoslas cubiertas, porque no se desfloren, y en hombros, porque no se quieren.

—Si sois servidos —respondió don Quijote—, holgaría de verlas; pues imágines que con tanto recato se llevan, sin duda deben de ser buenas.

—Y ¡cómo si lo son! —dijo otro—. Si no, dígalo lo que cuesta: que en verdad que no hay ninguna que no esté en más de cincuenta ducados; y porque vea vuestra merced esta verdad, espere vuestra merced, y verla ha por vista de ojos.

Y levantándose, dejó de comer y fue a quitar la cu-

[1] *píctima*, emplasto.
[2] *entabladuras* son, tal vez, los andamios que han de servir para montar las imágenes en un altar, o las coberturas de madera en que se transportan. Algunos editores enmiendan en *entalladura*, así en singular, o sea «de talla». En la primera edición *entabladura*.

bierta de la primera imagen, que mostró ser la de San Jorge puesto a caballo, con una serpiente enroscada a los pies y la lanza atravesada por la boca, con la fiereza que suele pintarse. Toda la imagen parecía una ascua de oro, como suele decirse. Viéndola don Quijote, dijo:

—Este caballero fue uno de los mejores andantes que tuvo la milicia divina: llamóse don[3] San Jorge, y fue además defendedor de doncellas. Veamos esta otra.

Descubrióla el hombre, y pareció ser la de San Martín puesto a caballo, que partía la capa con el pobre; y apenas la hubo visto don Quijote, cuando dijo:

—Este caballero también fue de los aventureros cristianos, y creo que fue más liberal que valiente, como lo puedes echar de ver, Sancho, en que está partiendo la capa con el pobre y le da la mitad, y sin duda debía de ser entonces invierno; que si no, él se la diera toda, según era de caritativo.

—No debió de ser eso —dijo Sancho—, sino que se debió de atener al refrán que dicen: que para dar y tener, seso es menester.

Rióse don Quijote y pidió que quitasen otro lienzo, debajo del cual se descubrió la imagen del Patrón de las Españas a caballo, la espada ensangrentada, atropellando moros y pisando cabezas; y en viéndola, dijo don Quijote:

—Éste sí que es caballero, y de las escuadras de Cristo; éste se llama don San Diego Matamoros, uno de los más valientes santos y caballeros que tuvo el mundo y tiene agora el cielo.

Luego descubrieron otro lienzo, y pareció que encubría la caída de San Pablo del caballo abajo, con todas las circunstancias que en el retablo de su conversión suelen pintarse. Cuando le vido tan al vivo, que dijeran que Cristo le hablaba y Pablo respondía.

—Éste —dijo don Quijote— fue el mayor enemigo que tuvo la Iglesia de Dios Nuestro Señor en su tiempo, y el mayor defensor suyo que tendrá jamás; caballero andante por la vida, y santo a pie quedo por la muerte,

[3] En la Edad Media se hizo frecuente dar a determinados santos el *don,* principalmente a los que se consideraban «caballeros», como *don* Santiago (más abajo dice don Quijote *don* San Diego). En Cataluña, *mossènyer* Sant Jordi, a San Jorge.

trabajador incansable en la viña del Señor, doctor de las
gentes, a quien sirvieron de escuelas los cielos y de catedrático y maestro que le enseñase el mismo Jesucristo.

No había más imágines, y así, mandó don Quijote
que las volviesen a cubrir, y dijo a los que las llevaban:

—Por buen agüero he tenido, hermanos, haber visto
lo que he visto, porque estos santos y caballeros profesaron lo que yo profeso, que es el ejercicio de las armas;
sino que la diferencia que hay entre mí y ellos es que
ellos fueron santos y pelearon a lo divino, y yo soy pecador y peleo a lo humano. Ellos conquistaron el cielo a
fuerza de brazos, porque el cielo padece fuerza[4], y yo
hasta agora no sé lo que conquisto a fuerza de mis trabajos; pero si mi Dulcinea del Toboso saliese de los que
padece, mejorándose mi ventura y adobándoseme el juicio, podría ser que encaminase mis pasos por mejor camino del que llevo.

—Dios lo oiga y el pecado sea sordo —dijo Sancho
a esta ocasión.

Admiráronse los hombres así de la figura como de las
razones de don Quijote, sin entender la mitad de lo que
en ellas decir quería. Acabaron de comer, cargaron con
sus imágines, y despidiéndose de don Quijote, siguieron
su viaje.

Quedó Sancho de nuevo como si jamás hubiera conocido a su señor, admirado de lo que sabía, pareciéndole
que no debía de haber historia en el mundo ni suceso que no lo tuviese cifrado en la uña y clavado en la
memoria, y díjole:

—En verdad, señor nuestramo, que si esto que nos ha
sucedido hoy se puede llamar aventura, ella ha sido de
las más suaves y dulces que en todo el discurso de nuestra peregrinación nos ha sucedido: della habemos salido
sin palos y sobresalto alguno, ni hemos echado mano a
las espadas, ni hemos batido la tierra con los cuerpos, ni
quedamos hambrientos. Bendito sea Dios, que tal me ha
dejado ver con mis propios ojos.

· —Tú dices bien, Sancho —dijo don Quijote—; pero
has de advertir que no todos los tiempos son unos, ni corren de una misma suerte, y esto que el vulgo suele lla-

---

[4] *regnum caelorum vim patitur*, San Mateo, XI, 12.

mar comúnmente agüeros, que no se fundan sobre natural razón alguna, del que es discreto han de ser tenidos y juzgar[5] por buenos acontecimientos. Levántase uno destos agoreros por la mañana, sale de su casa, encuéntrase con un fraile de la Orden del bienaventurado San Francisco, y como si hubiera encontrado con un grifo, vuelve las espaldas y vuélvese a su casa. Derrámasele al otro Mendoza[6] la sal encima de la mesa, y derrámasele a él la melancolía por el corazón; como si estuviese obligada la naturaleza a dar señales de las venideras desgracias con cosas tan de poco momento como las referidas. El discreto y cristiano no ha de andar en puntillos con lo que quiere hacer el cielo. Llega Cipión[7] a África, tropieza en saltando en tierra, tiénenlo por mal agüero sus soldados; pero él, abrazándose con el suelo, dijo: «Nó te me podrás huir, África, porque te tengo asida y entre mis brazos». Así que, Sancho, el haber encontrado con estas imágines ha sido para mí felicísimo acontecimiento.

—Yo así lo creo —respondió Sancho—, y querría que vuestra merced me dijese qué es la causa por que dicen los españoles cuando quieren dar alguna batalla, invocando aquel San Diego Matamoros: «¡Santiago, y cierra España!» ¿Está por ventura España abierta, y de modo que es menester cerrarla, o qué ceremonia es ésta[8]?

—Simplicísimo eres, Sancho —respondió don Quijote—; y mira que este gran caballero de la cruz bermeja háselo dado Dios a España por patrón y amparo suyo, especialmente en los rigurosos trances que con los moros los españoles han tenido, y así, le invocan y llaman como a defensor suyo en todas las batallas que acometen, y muchas veces le han visto visiblemente en ellas, derribando, atropellando, destruyendo y matando los agarenos escuadrones; y desta verdad te pudiera traer muchos ejemplos que en las verdaderas historias españolas se cuentan.

Mudó Sancho plática, y dijo a su amo:

[5] *y juzgar*, y juzgados (o sea: «se han de juzgar»).
[6] A los miembros de la familia *Mendoza* se los consideraba tan dados a las supersticiones que con frecuencia se encuentra la voz *mendocino* con el valor de «supersticioso» (cfr. R. Marín, IX, 203).
[7] *Cipión*, Escipión.
[8] En este grito de guerra *cerrar* tiene el valor «atacar» (*cerrar con el enemigo* significa acometerle, atacarle). Don Quijote no contesta a la pregunta que le hace Sancho.

—Maravillado estoy, señor, de la desenvoltura de Altisidora, la doncella de la duquesa: bravamente la debe de tener herida y traspasada aquel que llaman Amor, que dicen que es un rapaz ceguezuelo que, con estar lagañoso, o por mejor decir sin vista, si toma por blanco un corazón, por pequeño que sea, le acierta y traspasa de parte a parte con sus flechas. He oído decir también que en la vergüenza y recato de las doncellas se despuntan y embotan las amorosas saetas; pero en esta Altisidora más parece que se aguzan que despuntan.

—Advierte, Sancho —dijo don Quijote—, que el amor ni mira respetos ni guarda términos de razón en sus discursos, y tiene la misma condición que la muerte: que así acomete los altos alcázares de los reyes como las humildes chozas de los pastores, y cuando toma entera posesión de una alma, lo primero que hace es quitarle el temor y la vergüenza; y así, sin ella declaró Altisidora sus deseos, que engendraron en mi pecho antes confusión que lástima.

—¡Crueldad notoria! —dijo Sancho—. ¡Desagradecimiento inaudito! Yo de mí sé decir que me rindiera y avasallara la más mínima razón amorosa suya. ¡Hideputa, y qué corazón de mármol, qué entrañas de bronce y qué alma de argamasa! Pero no puedo pensar qué es lo que vio esta doncella en vuestra merced que así la rindiese y avasallase: qué gala, qué brío, qué donaire, qué rostro, qué cada cosa por sí déstas, o todas juntas, le enamoraron; que en verdad en verdad que muchas veces me paro a mirar a vuestra merced desde la punta del pie hasta el último cabello de la cabeza, y que veo más cosas para espantar que para enamorar; y habiendo yo también oído decir que la hermosura es la primera y principal parte que enamora, no teniendo vuestra merced ninguna, no sé yo de qué se enamoró la pobre.

—Advierte, Sancho —respondió don Quijote—, que hay dos maneras de hermosura: una del alma y otra del cuerpo; la del alma campea y se muestra en el entendimiento, en la honestidad, en el buen proceder, en la liberalidad y en la buena crianza, y todas estas partes caben y pueden estar en un hombre feo; y cuando se pone la mira en esta hermosura, y no en la del cuerpo, suele na-

cer[9] el amor con ímpetu y con ventajas. Yo, Sancho, bien
veo que no soy hermoso; pero también conozco que no
soy disforme; y bástale a un hombre de bien no ser monstruo para ser bien querido, como tenga los dotes del
alma que te he dicho.

En estas razones y pláticas, se iban entrando por una
selva que fuera del camino estaba, y a deshora, sin pensar en ello, se halló don Quijote enredado entre unas redes de hilo verde, que desde unos árboles a otros estaban
tendidas; y sin poder imaginar qué pudiese ser aquello,
dijo a Sancho:

—Paréceme, Sancho, que esto destas redes debe de
ser una de las más nuevas aventuras que pueda imaginar.
Que me maten si los encantadores que me persiguen no
quieren enredarme en ellas y detener mi camino, como
en venganza de la riguridad que con Altisidora he tenido. Pues mándoles[10] yo que aunque estas redes, si como
son hechas de hilo verde fueran de durísimos diamantes,
o más fuertes que aquella con que el celoso dios de los
herreros[11] enredó a Venus y a Marte, así la rompiera
como si fuera de juncos marinos o de hilachas de algodón.

Y queriendo pasar adelante y romperlo todo, al improviso se le ofrecieron delante, saliendo de entre unos
árboles, dos hermosísimas pastoras; a lo menos, vestidas
como pastoras, sino que los pellicos[12] y sayas eran de fino
brocado, digo, que las sayas eran riquísimos faldellines de
tabí[13] de oro. Traían los cabellos sueltos por las espaldas,
que en rubios podían competir con los rayos del mismo
sol; los cuales se coronaban con dos guirnaldas de verde
laurel y de rojo amaranto tejidas. La edad, al parecer, ni
bajaba de los quince ni pasaba de los diez y ocho.

Vista fue ésta que admiró a Sancho, suspendió a don
Quijote, hizo parar al sol en su carrera para verlas, y
tuvo en maravilloso silencio a todos cuatro. En fin, quien
primero habló fue una de las dos zagalas, que dijo a don
Quijote:

—Detened, señor caballero, el paso, y no rompáis las

---

[9] *suele nacer*, en la primera edición *suelen hacer*.
[10] *mandar*, asegurar.
[11] *dios de los herreros*, Vulcano.
[12] *pellico*, zamarra de pastor.
[13] *tabí*, tela de seda con labores ondeantes.

redes, que no para daño vuestro, sino para nuestro pasatiempo, ahí están tendidas; y porque sé que nos habéis de preguntar para qué se han puesto y quién somos, os lo quiero decir en breves palabras. En una aldea que está hasta dos leguas de aquí, donde hay mucha gente principal y muchos hidalgos y ricos, entre muchos amigos y parientes se concertó que con sus hijos, mujeres y hijas, vecinos, amigos y parientes, nos viniésemos a holgar a este sitio, que es uno de los más agradables de todos estos contornos, formando entre todos una nueva y pastoril Arcadia[14], vistiéndonos las doncellas de zagalas y los mancebos de pastores. Traemos estudiadas dos églogas, una del famoso poeta Garcilaso, y otra del excelentísimo Camoes, en su misma lengua portuguesa, las cuales hasta agora no hemos representado. Ayer fue el primero día que aquí llegamos; tenemos entre estos ramos plantadas algunas tiendas, que dicen se llaman de campaña, en el margen de un abundoso arroyo que todos estos prados fertiliza; tendimos la noche pasada estas redes de estos árboles para engañar los simples pajarillos que, ojeados[15] con nuestro ruido, vinieren a dar en ellas. Si gustáis, señor, de ser nuestro huésped, seréis agasajado liberal y cortésmente; porque por agora en este sitio no ha de entrar la pesadumbre ni la melancolía.

Calló y no dijo más; a lo que respondió don Quijote:

—Por cierto, hermosísima señora, que no debió de quedar más suspenso ni admirado Anteón[16] cuando vio al improviso bañarse en las aguas a Diana, como yo he quedado atónito en ver vuestra belleza. Alabo el asumpto de vuestros entretenimientos, y el de vuestros ofrecimientos agradezco; y si os puedo servir, con seguridad de ser obedecidas me lo podéis mandar; porque no es ésta[17] la profesión mía sino de mostrarme agradecido y bienhechor con todo género de gente, en especial con la principal que vuestras personas representa; y si como estas re-

---

[14] *Arcadia*, región de Grecia que los poetas y autores de novelas pastoriles consideraban arbitrariamente el lugar ideal para situar sus ficciones literarias.

[15] *ojear*, espantar la caza para poderle tirar.

[16] *Anteón*, se trata de Acteón (que sorprendió a Diana en una fuente de Beocia), cuyo nombre confundían algunos autores del tiempo de Cervantes con el gigante Anteo o Anteón.

[17] *no es ésta*, casi todos los editores modernos enmiendan en *no es otra*, lo que es más congruente.

des, que·deben de ocupar algún pequeño espacio, ocu-
paran toda la redondez de la tierra, buscara yo nuevos
mundos por do pasar sin romperlas; y porque deis algún
crédito a esta mi exageración, ved que os lo promete,
por lo menos, don Quijote de la Mancha, si es que ha
llegado a vuestros oídos este nombre.

—¡Ay, amiga de mi alma —dijo entonces la otra za-
gala—, y qué ventura tan grande nos ha sucedido! ¿Ves
este señor que tenemos delante? Pues hágote saber que es
el más valiente, y el más enamorado, y el más comedido
que tiene el mundo, si no es que nos miente, y nos engaña una historia que de sus hazañas anda impresa, y yo
he leído. Yo apostaré que este buen hombre que viene
consigo es un tal Sancho Panza, su escudero, a cuyas
gracias no hay ningunas que se le igualen.

—Así es la verdad —dijo Sancho—: que yo soy ese
gracioso y ese escudero que vuestra merced dice, y este
señor es mi amo, el mismo don Quijote de la Mancha
historiado y referido.

—¡Ay! —dijo la otra—. Supliquémosle, amiga, que
se quede; que nuestros padres y nuestros hermanos gus-
tarán infinito dello; que también he oído yo decir de su
valor y de sus gracias lo mismo que tú me has dicho, y,
sobre todo, dicen dél que es el más firme y más leal enamorado que se sabe, y que su dama es una tal Dulcinea
del Toboso, a quien en toda España la dan la palma de
la hermosura.

—Con razón se la dan —dijo don Quijote—, si ya
no lo pone en duda vuestra sin igual belleza. No os canséis,
señoras, en detenerme, porque las precisas obligaciones
de mi profesión no me dejan reposar en ningún cabo.

Llegó, en esto, adonde los cuatro estaban un hermano de una de las dos pastoras, vestido asimismo de pastor,
con la riqueza y galas que a las de las zagalas correspondía; contáronle ellas que el que con ellas estaba era el
valeroso don Quijote de la Mancha, y el otro. su escudero Sancho, de quien tenía él ya noticia, por haber
leído su historia. Ofreciósele el gallardo pastor; pidióle
que se viniese con él a sus tiendas, húbolo de conceder
don Quijote, y así lo hizo.

Llegó, en esto, el ojeo, llenáronse las redes de pajarillos diferentes que, engañados de la color de las redes,

caían en el peligro de que iban huyendo. Juntáronse en aquel sitio más de treinta personas, todas bizarramente de pastores y pastoras vestidas, y en un instante quedaron enteradas de quiénes eran don Quijote y su escudero, de que no poco contento recibieron, porque ya tenían dél noticia por su historia. Acudieron a las tiendas, hallaron las mesas puestas, ricas, abundantes y limpias; honraron a don Quijote dándole el primer lugar en ellas; mirábanle todos, y admirábanse de verle.

Finalmente, alzados los manteles, con gran reposo alzó don Quijote la voz, y dijo:

—Entre los pecados mayores que los hombres cometen, aunque algunos dicen que es la soberbia, yo digo que es el desagradecimiento, ateniéndome a lo que suele decirse: que de los desagradecidos, está lleno el infierno. Este pecado, en cuanto me ha sido posible, he procurado yo huir desde el instante que tuve uso de razón; y si no puedo pagar las buenas obras que me hacen con otras obras, pongo en su lugar los deseos de hacerlas, y cuando éstos no bastan, las publico; porque quien dice y publica las buenas obras que recibe, también las recompensara con otras, si pudiera; porque, por la mayor parte, los que reciben son inferiores a los que dan, y así, es Dios sobre todos, porque es dador sobre todos, y no pueden corresponder las dádivas del hombre a las de Dios con igualdad, por infinita distancia; y esta estrecheza y cortedad, en cierto modo, la suple el agradecimiento. Yo, pues, agradecido a la merced que aquí se me ha hecho, no pudiendo corresponder a la misma medida, conteniéndome en los estrechos límites de mi poderío, ofrezco lo que puedo y lo que tengo de mi cosecha; y así, digo que sustentaré dos días naturales en metad de ese camino real que va a Zaragoza, que estas señoras zagalas contrahechas[18] que aquí están son las más hermosas doncellas y más corteses que hay en el mundo, excetado sólo a la sin par Dulcinea del Toboso, única señora de mis pensamientos, con paz sea dicho de cuantos y cuantas me escuchan.

Oyendo lo cual, Sancho, que con grande atención le había estado escuchando, dando una gran voz, dijo:

---

[18] *contrahechas*, imitadas, fingidas.

—¿Es posible que haya en el mundo personas que se atrevan a decir y a jurar que este mi señor es loco? Digan vuestras mercedes, señores pastores: ¿hay cura de aldea, por discreto y por estudiante que sea, que pueda decir lo que mi amo ha dicho, ni hay caballero andante, por más fama que tenga de valiente, que pueda ofrecer lo que mi amo aquí ha ofrecido?

Volvióse don Quijote a Sancho, y encendido el rostro y colérico, le dijo:

—¿Es posible, ¡oh Sancho!, que haya en todo el orbe alguna persona que diga que no eres tonto, aforrado de lo mismo, con no sé qué ribetes de malicioso y de bellaco? ¿Quién te mete a ti en mis cosas, y en averiguar si soy discreto o majadero? Calla y no me repliques, sino ensilla, si está desensillado Rocinante: vamos a poner en efecto mi ofrecimiento; que con la razón que va de mi parte puedes dar por vencidos a todos cuantos quisieren contradecirla.

Y con gran furia y muestras de enojo, se levantó de la silla, dejando admirados a los circunstantes, haciéndoles dudar si le podían tener por loco o por cuerdo. Finalmente, habiéndole persuadido que no se pusiese en tal demanda, que ellos daban por bien conocida su agradecida voluntad y que no era menester nuevas demostraciones para conocer su ánimo valeroso, pues bastaban las que en la historia de sus hechos se referían, con todo esto, salió don Quijote con su intención, y puesto sobre Rocinante, embrazando su escudo y tomando su lanza, se puso en la mitad de un real camino que no lejos del verde prado estaba. Siguióle Sancho sobre su rucio, con toda la gente del pastoral rebaño, deseosos de ver en qué paraba su arrogante y nunca visto ofrecimiento.

Puesto, pues, don Quijote en mitad del camino —como os he dicho—, hirió el aire con semejantes palabras:

—¡Oh vosotros, pasajeros y viandantes, caballeros, escuderos, gente de a pie y de a caballo que por este camino pasáis, o habéis de pasar en estos dos días siguientes! Sabed que don Quijote de la Mancha, caballero andante, está aquí puesto para defender que a todas las hermosuras y cortesías del mundo exceden las que se encierran en las ninfas habitadoras destos prados y bosques, dejando a un lado a la señora de mi alma Dulcinea del Toboso. Por eso, el que fuere de parecer contrario, acuda; que aquí le espero.

Dos veces repitió estas mismas razones, y dos veces no fueron oídas de ningún aventurero; pero la suerte, que sus cosas iba encaminando de mejor en mejor, ordenó que de allí a poco se descubriese por el camino muchedumbre de hombres de a caballo, y muchos dellos con lanzas en las manos, caminando todos apiñados, de tropel y a gran priesa. No los hubieron bien visto los que con don Quijote estaban, cuando, volviendo las espaldas, se apartaron bien lejos del camino, porque conocieron que si esperaban les podía suceder algún peligro; sólo don Quijote, con intrépido corazón, se estuvo quedo, y Sancho Panza se escudó con las ancas de Rocinante.

Llegó el tropel de los lanceros, y uno dellos, que venía más delante, a grandes voces comenzó a decir a don Quijote:

—¡Apártate, hombre del diablo, del camino, que te harán pedazos estos toros!

—¡Ea, canalla —respondió don Quijote—, para mí no hay toros que valgan, aunque sean de los más bravos que cría Jarama en sus riberas! Confesad, malandrines, así, a carga cerrada[19], que es verdad lo que yo aquí he publicado; si no, conmigo sois en batalla.

No tuvo lugar de responder el vaquero, ni don Quijote le tuvo de desviarse, aunque quisiera; y así, el tropel de los toros bravos y el de los mansos cabestros, con la multitud de los vaqueros y otras gentes que a encerrar los llevaban a un lugar donde otro día habían de correrse, pasaron sobre don Quijote, y sobre Sancho, Rocinante y el rucio, dando con todos ellos en tierra, echándole a rodar por el suelo. Quedó molido Sancho, espantado don Quijote, aporreado el rucio y no muy católico Rocinante; pero, en fin, se levantaron todos, y don Quijote, a gran priesa, tropezando aquí y cayendo allí, comenzó a correr tras la vacada, diciendo a voces:

—¡Deteneos y esperad, canalla malandrina; que un solo caballero os espera, el cual no tiene condición ni es

---

[19] *a carga cerrada,* sin reflexionar.

de parecer de los que dicen que al enemigo que huye, hacerle la puente de plata!

Pero no por eso se detuvieron los apresurados corredores, ni hicieron más caso de sus amenazas que de las nubes de antaño. Detúvole el cansancio a don Quijote, y, más enojado que vengado, se sentó en el camino, esperando a que Sancho, Rocinante y el rucio llegasen. Llegaron, volvieron a subir amo y mozo, y sin volver a despedirse de la Arcadia fingida o contrahecha, y con más vergüenza que gusto, siguieron su camino.

CAPÍTULO LIX

Donde se cuenta del extraordinario suceso, que se puede tener por aventura, que le sucedió a don Quijote

AL polvo y al cansancio que don Quijote y Sancho sacaron del descomedimiento de los toros, socorrió una fuente clara y limpia que entre una fresca arboleda hallaron, en el margen de la cual, dejando libres, sin jáquima y freno, al rucio y a Rocinante, los dos asendereados amo y mozo se sentaron. Acudió Sancho a la repostería de sus alforjas, y dellas sacó de lo que él solía llamar condumio; enjuagóse la boca, lavóse don Quijote el rostro, con cuyo refrigerio cobraron aliento los espíritus desalentados. No comía don Quijote, de puro pesaroso, ni Sancho no osaba tocar a los manjares que delante tenía, de puro comedido, y esperaba a que su señor hiciese la salva[1], pero viendo que, llevado de sus imaginaciones, no se acordaba de llevar el pan a la boca, no abrió la suya, y atropellando por todo género de crianza, comenzó a embaular en el estómago el pan y queso que se le ofrecía.

—Come, Sancho amigo —dijo don Quijote—, sustenta la vida, que más que a mí te importa, y déjame

[1] *hacer la salva*, empezar a comer (de hecho la ceremonia que consiste en probar un bocado de la comida de un rey o un gran señor para asegurarse de que no está envenenada y que está en buenas condiciones).

morir a mí a manos de mis pensamientos y a fuerzas de mis desgracias. Yo, Sancho, nací para vivir muriendo, y tú para morir comiendo; y porque veas que te digo verdad en esto, considérame impreso en historias, famoso en las armas, comedido en mis acciones, respetado de príncipes, solicitado de doncellas; al cabo al cabo, cuando esperaba palmas, triunfos y coronas, granjeadas y merecidas por mis valerosas hazañas, me he visto esta mañana pisado y acoceado y molido, de los pies de animales inmundos y soeces. Esta consideración me embota los dientes, entorpece las muelas, y entomece las manos, y quita de todo en todo la gana del comer, de manera que pienso dejarme morir de hambre, muerte la más cruel de las muertes.

—Desa manera —dijo Sancho, sin dejar de mascar apriesa—, no aprobará vuestra merced aquel refrán que dicen «muera Marta, y muera harta». Yo, a lo menos, no pienso matarme a mí mismo; antes pienso hacer como el zapatero, que tira el cuero con los dientes hasta que le hace llegar donde él quiere; yo tiraré mi vida comiendo hasta que llegue al fin que le tiene determinado el cielo; y sepa, señor, que no hay mayor locura que la que toca en querer desesperarse como vuestra merced, y créame, y después de comido, échese a dormir un poco sobre los colchones verdes destas yerbas, y verá como cuando despierte se halla algo más aliviado.

Hízolo así don Quijote, pareciéndole que las razones de Sancho más eran de filósofo que de mentecato, y díjole:

—Si tú, ¡oh Sancho!, quisieses hacer por mí lo que yo ahora te diré, serían mis alivios más ciertos y mis pesadumbres no tan grandes; y es que mientras yo duermo, obedeciendo tus consejos, tú te desviases un poco lejos de aquí, y con las riendas de Rocinante, echando al aire tus carnes, te dieses trecientos o cuatrocientos azotes a buena cuenta de los tres mil y tantos que te has de dar por el desencanto de Dulcinea; que es lástima no pequeña que aquella pobre señora esté encantada por tu descuido y negligencia.

—Hay mucho que decir en eso —dijo Sancho—. Durmamos, por ahora, entrambos, y después, Dios dijo lo que será. Sepa vuestra merced que esto de azotarse un hombre a sangre fría es cosa recia, y más si caen los azotes sobre un cuerpo mal sustentado y peor comido: tenga paciencia mi señora Dulcinea, que cuando menos se cate, me verá hecho una criba, de azotes; y hasta la muerte, todo es vida; quiero decir, que aún yo la tengo, junto con el deseo de cumplir con lo que he prometido.

Agradeciéndoselo don Quijote, comió algo, y Sancho mucho, y echáronse a dormir entrambos, dejando a su albedrío y sin orden alguna[2] pacer del abundosa yerba de que aquel prado estaba lleno a los dos continuos compañeros y amigos Rocinante y el rucio. Despertaron algo tarde, volvieron a subir y a seguir su camino, dándose priesa para llegar a una venta que, al parecer, una legua de allí se descubría. Digo que era venta porque don Quijote la llamó así, fuera del uso que tenía de llamar a todas las ventas castillos.

Llegaron, pues, a ella; preguntaron al huésped si había posada. Fuéles respondido que sí, con toda la comodidad y regalo que pudiera hallar en Zaragoza. Apeáronse y recogió Sancho su repostería en un aposento, de quien el huésped le dio la llave; llevó las bestias a la caballeriza, echóles sus piensos, salió a ver lo que don Quijote, que estaba sentado sobre un poyo, le mandaba, dando particulares gracias al cielo de que a su amo no le hubiese parecido castillo aquella venta.

Llegóse la hora del cenar; recogiéronse a su estancia; preguntó Sancho al huésped que qué tenía para darles de cenar. A lo que el huésped respondió que su boca sería medida; y así, que pidiese lo que quisiese: que de las pajaricas del aire, de las aves de la tierra y de los pescados del mar estaba proveída aquella venta.

—No es menester tanto —respondió Sancho—; que con un par de pollos que nos asen tendremos lo suficiente, porque mi señor es delicado y come poco, y yo no soy tragantón en demasía.

Respondióle el huésped que no tenía pollos, porque los milanos los tenían asolados.

—Pues mande el señor huésped —dijo Sancho— asar una polla que sea tierna.

[2] *a su albedrío y sin orden alguna,* verso de unas octavas anónimas que gozó de mucha divulgación (véase L. Alberto Blecua, «Boletín de la Real Academia Española», XLVII, 1967, páginas 511-520).

—¿Polla? ¡Mi padre! —respondió el huésped—. En verdad en verdad que envié ayer a la ciudad a vender más de cincuenta; pero, fuera de pollas, pida vuestra merced lo que quisiere.

—Desa manera —dijo Sancho—, no faltará ternera o cabrito.

—En casa, por ahora —respondió el huésped—, no lo hay, porque se ha acabado; pero la semana que viene lo habrá de sobra.

—¡Medrados estamos con eso! —respondió Sancho—. Yo pondré que se vienen a resumirse todas estas faltas en las sobras que debe de haber de tocino y huevos.

—¡Por Dios —respondió el huésped—, que es gentil relente[3] el que mi huésped tiene! Pues hele dicho que ni tengo pollas ni gallinas, y ¿quiere que tenga huevos? Discurra, si quisiere, por otras delicadezas, y déjese de pedir gallinas.

—Resolvámonos, cuerpo de mí —dijo Sancho—, y dígame finalmente lo que tiene, y déjese de discurrimientos, señor huésped.

Dijo el ventero:

—Lo que real y verdaderamente tengo son dos uñas de vaca que parecen manos de ternera, o dos manos de ternera que parecen uñas de vaca; están cocidas con sus garbanzos, cebollas y tocino, y la hora de ahora están diciendo: «¡Coméme! ¡Coméme![4]».

—Por mías las marco desde aquí —dijo Sancho—, y nadie las toque; que yo las pagaré mejor que otro, porque para mí ninguna otra cosa pudiera esperar de más gusto, y no se me daría nada que fuesen manos, como fuesen uñas.

—Nadie las tocará —dijo el ventero—, porque otros huéspedes que tengo, de puro principales, traen consigo cocinero, despensero y repostería.

—Si por principales va —dijo Sancho—, ninguno más que mi amo; pero el oficio que él trae no permite despensas ni botillerías; ahí nos tendemos en mitad de un prado y nos hartamos de bellotas o de nísperos.

---

[3] *relente,* flema, tranquilidad.
[4] *Coméme,* comedme. Este pasaje está imitado, casi literalmente, de otro del *Quijote* de Avellaneda (cap. 4), que Cervantes es seguro que ya conocía, porque se había de él extensamente en el presente capítulo.

Ésta fue la plática que Sancho tuvo con el ventero, sin querer Sancho pasar adelante en responderle; que ya le había preguntado qué oficio o qué ejercicio era el de su amo.

Llegóse, pues, la hora del cenar, recogióse a su estancia don Quijote, trujo el huésped la olla, así como estaba, y sentóse a cenar muy de propósito. Parece ser que en otro aposento que junto al de don Quijote estaba, que no le dividía más que un sutil tabique, oyó decir don Quijote:

—Por vida de vuestra merced, señor don Jerónimo, que en tanto que trae⁵ la cena leamos otro capítulo de la segunda parte de *Don Quijote de la Mancha*⁶.

Apenas oyó su nombre don Quijote, cuando se puso en pie, y con oído alerto escuchó lo que dél trataban, y oyó que el tal don Jerónimo referido respondió:

—¿Para qué quiere vuestra merced, señor don Juan, que leamos estos disparates? Y el que hubiere leído la primera parte de la historia de don Quijote de la Mancha no es posible que pueda tener gusto en leer esta segunda.

—Con todo eso —dijo el don Juan—, será bien leerla, pues no hay libro tan malo, que no tenga alguna cosa buena. Lo que a mí en éste más desplace es que pinta a don Quijote ya desenamorado de Dulcinea del Toboso⁷.

Oyendo lo cual don Quijote, lleno de ira y de despecho, alzó la voz y dijo:

—Quienquiera que dijere que don Quijote de la Mancha ha olvidado, ni puede olvidar, a Dulcinea del Toboso, yo le haré entender con armas iguales que va muy lejos de la verdad; porque la sin par Dulcinea del Toboso ni puede ser olvidada, ni en don Quijote puede caber olvido: su blasón es la firmeza, y su profesión, el guardarla con suavidad y sin hacerse fuerza alguna.

—¿Quién es el que nos responde? —respondieron del otro aposento.

—¿Quién ha de ser —respondió Sancho— sino el mismo don Quijote de la Mancha, que hará bueno cuan-

---

⁵ *que* [el ventero] *trae.*
⁶ Se trata del *Quijote* apócrifo de Avellaneda.
⁷ En efecto, el continuador Avellaneda, incapaz de mantener la sutil figura de Dulcinea, hizo que don Quijote renunciara a ella y adoptara el nombre de *el caballero desamorado.*

to ha dicho, y aun cuanto dijere?; que al buen pagador no le duelen prendas.

Apenas hubo dicho esto Sancho, cuando entraron por la puerta de su aposento dos caballeros, que tales lo parecían, y uno dellos echando los brazos al cuello de don Quijote, le dijo:

—Ni vuestra presencia puede desmentir vuestro nombre, ni vuestro nombre puede no acreditar vuestra presencia: sin duda, vos, señor, sois el verdadero don Quijote de la Mancha, norte y lucero de la andante caballería, a despecho y pesar del que ha querido usurpar vuestro nombre y aniquilar vuestras hazañas como lo ha hecho el autor deste libro que aquí os entrego.

Y poniéndole un libro en las manos, que traía su compañero, le tomó don Quijote, y sin responder palabra, comenzó a hojearle, y de allí a un poco se le volvió, diciendo:

—En esto poco que he visto he hallado tres cosas en este autor dignas de reprehensión. La primera, es algunas palabras que he leído en el prólogo[8]; la otra, que el lenguaje es aragonés, porque tal vez[9] escribe sin artículos[10], y la tercera, que más le confirma por ignorante, es que yerra y se desvía de la verdad en lo más principal de la historia; porque aquí dice que la mujer de Sancho Panza mi escudero se llama Mari Gutiérrez, y no llama tal, sino Teresa Panza[11]; y quien en esta parte tan principal yerra, bien se podrá temer que yerra en todas las demás de la historia.

A esto dijo Sancho:

—¡Donosa cosa de historiador! ¡Por cierto, bien debe

---

[8] Se refiere a las frases contra Cervantes a que ya se ha aludido en las notas del prólogo de la segunda parte.

[9] *tal vez*, alguna vez.

[10] Este juicio de Cervantes ha dado lugar a múltiples interpretaciones. En resumen: en el *Quijote* de Avellaneda se omite una veintena de veces el artículo determinado y con mucha frecuencia se prescinde de la preposición *de*, denominada «artículo» por gramáticos de antaño. Por otra parte, en el texto de Avellaneda son frecuentes los aragonesismos. Hay que tener en cuenta, además, que la preceptiva renacentista condenó la omisión del artículo. J. Du Bellay, en la *Deffense de la langue françoyse* (1549), escribe: «Garde toy aussi de tumber en un vice commun, mesmes aux plus excellents de nostre langue, c'est l'omission des articles».

[11] Pero Cervantes también le da nombres diversos; cfr. I, 7, nota 17.

de estar en el cuento de nuestros sucesos, pues llama a
Teresa Panza, mi mujer, Mari Gutiérrez! Torne a tomar
el libro, señor, y mire si ando yo por ahí y si me ha mudado el nombre.

—Por lo que he oído hablar, amigo —dijo don Jerónimo—, sin duda debéis de ser Sancho Panza, el escudero del señor don Quijote.

—Sí soy —respondió Sancho—, y me precio dello.

—Pues a fe —dijo el caballero— que no os trata este
autor moderno con la limpieza que en vuestra persona
se muestra: píntaos comedor, y simple, y no nada gracioso, y muy otro del Sancho que en la primera parte
de la historia de vuestro amo se describe[12].

—Dios se lo perdone —dijo Sancho—. Dejárame en
mi rincón, sin acordarse de mí, porque quien las sabe las
tañe, y bien se está San Pedro en Roma.

Los dos caballeros pidieron a don Quijote se pasase a
su estancia a cenar con ellos, que bien sabían que en
aquella venta no había cosas pertenecientes para[13] su persona. Don Quijote, que siempre fue comedido, condecendió con su demanda y cenó con ellos; quedóse Sancho
con la olla con mero mixto imperio[14]; sentóse en cabecera de mesa, y con él el ventero, que no menos que Sancho
estaba de sus manos y de sus uñas aficionado.

En el discurso de la cena preguntó don Juan a don
Quijote qué nuevas tenía de la señora Dulcinea del Toboso: si se había casado, si estaba parida o preñada, o si,
estando en su entereza, se acordaba —guardando su honestidad y buen decoro— de los amorosos pensamientos
del señor don Quijote. A lo que él respondió:

—Dulcinea se está entera, y mis pensamientos, más
firmes que nunca; las correspondencias, en su sequedad
antigua; su hermosura, en la de una soez labradora transformada.

Y luego les fue contando punto por punto el encanto
de la señora Dulcinea, y lo que le había sucedido en la

[12] Uno de los mayores desaciertos de Avellaneda está en la figura de Sancho, que convierte en un ser soez, estúpido, sucio y
glotón.

[13] *pertenecientes para,* dignas de.

[14] *mero [y] mixto imperio,* o sea con dominio absoluto. El *mero
imperio* es la facultad para imponer penas a los delincuentes; el
mixto imperio, la de fallar y ejecutar en causas civiles.

cueva de Montesinos, con la orden que el sabio Merlín le había dado para desencantarla, que fue la de los azotes de Sancho.

Sumo fue el contento que los dos caballeros recibieron de oír contar a don Quijote los estraños sucesos de su historia, y así quedaron admirados de sus disparates como del elegante modo con que los contaba. Aquí le tenían por discreto, y allí se les deslizaba por mentecato, sin saber determinarse qué grado le darían entre la discreción y la locura.

Acabó de cenar Sancho, y dejando hecho equis[15] al ventero, se pasó a la estancia de su amo, y en entrando, dijo:

—Que me maten, señores, si el autor deste libro que vuesas mercedes tienen quiere que no comamos buenas migas juntos; yo querría que ya que me llama comilón, como vuesas mercedes dicen, no me llamase también borracho.

—Sí llama —dijo don Jerónimo—; pero no me acuerdo en qué manera, aunque sé que son malsonantes las razones, y además, mentirosas, según yo echo de ver en la fisonomía del buen Sancho que está presente.

—Créanme vuesas mercedes —dijo Sancho— que el Sancho y el don Quijote desa historia deben de ser otros que los que andan en aquella que compuso Cide Hamete Benengeli, que somos nosotros: mi amo, valiente, discreto y enamorado; y yo, simple gracioso, y no comedor ni borracho.

—Yo así lo creo —dijo don Juan—; y si fuera posible, se había de mandar que ninguno fuera osado a tratar de las cosas del gran don Quijote, si no fuese Cide Hamete su primer autor, bien así como mandó Alejandro que ninguno fuese osado a retratarle sino Apeles.

—Retráteme el que quisiere —dijo don Quijote—, pero no me maltrate; que muchas veces suele caerse la paciencia cuando la cargan de injurias.

—Ninguna —dijo don Juan— se le puede hacer al señor don Quijote de quien él no se pueda vengar, si no la repara en el escudo de su paciencia, que, a mi parecer, es fuerte y grande.

[15] *hecho equis,* borracho, porque las piernas atravesadas una con otra recuerdan la figura de la letra equis.

En estas y otras pláticas se pasó gran parte de la noche; y aunque don Juan quisiera que don Quijote leyera más del libro, por ver lo que discantaba[16], no lo pudieron acabar con él[17], diciendo que él lo daba por leído y lo confirmaba por todo necio, y que no quería, si acaso llegase a noticia de su autor que le había tenido en sus manos, se alegrase con pensar que le había leído; pues de las cosas obscenas y torpes, los pensamientos se han de apartar, cuanto más los ojos. Preguntáronle que adónde llevaba determinado su viaje. Respondió que a Zaragoza, a hallarse en las justas del arnés, que en aquella ciudad suelen hacerse todos los años. Díjole don Juan que aquella nueva historia contaba como don Quijote, sea quien se quisiere, se había hallado en ella en una sortija, falta de invención, pobre de letras, pobrísima de libreas[18], aunque rica de simplicidades.

—Por el mismo caso —respondió don Quijote— no pondré los pies en Zaragoza, y así sacaré a la plaza del mundo la mentira dese historiador moderno, y echarán de ver las gentes como yo no soy el don Quijote que él dice.

—Hará muy bien —dijo don Jerónimo—; y otras justas hay en Barcelona, donde podrá el señor don Quijote mostrar su valor.

—Así lo pienso hacer —dijo don Quijote—; y vuesas mercedes me den licencia, pues ya es hora para irme al lecho, y me tengan y pongan en el número de sus mayores amigos y servidores.

—Y a mí también —dijo Sancho—: quizá seré bueno para algo.

Con esto, se despidieron, y don Quijote y Sancho se retiraron a su aposento, dejando a don Juan y a don Jerónimo admirados de ver la mezcla que había hecho de su discreción y de su locura, y verdaderamente creye-

---

[16] *discantar,* hablar mucho de una materia, comentarla.
[17] *acabar con él,* convencerle.
[18] La *sortija* era un juego caballeresco, o deporte, que consistía en acertar una sortija con la lanza. Los caballeros que participaban en ella llevaban pintadas en sus escudos *letras*, letrillas o motes, con frases o versos alusivos a sus damas. Avellaneda (capítulo 11) hace referencia a las *libreas* que en esta ocasión llevaban los caballeros, pero sin insistir mucho en ello. Este último reparo de Cervantes es de poca importancia.

ron que éstos eran los verdaderos don Quijote y Sancho, y no los que describía su autor aragonés.

Madrugó don Quijote, y dando golpes al tabique del otro aposento, se despidió de sus huéspedes. Pagó Sancho al ventero magníficamente, y aconsejóle que alabase menos la provisión de su venta, o la tuviese más proveída.

CAPÍTULO LX

De lo que sucedió a don Quijote yendo a Barcelona*

Era fresca la mañana, y daba muestras de serlo asimesmo el día en que don Quijote salió de la venta, informándose primero cuál era el más derecho camino para ir a Barcelona sin tocar en Zaragoza: tal era el de-

---

* El Roque Guinart que aparece en este capítulo es un personaje rigurosamente histórico y contemporáneo no tan sólo de los sucesos que se narran en el *Quijote* sino del momento en que Cervantes está escribiendo. Ya en el entremés *La cueva de Salamanca* había mencionado, con gran simpatía, a este bandolero, al hacer decir a un estudiante: «Robáronme los lacayos o compañeros de Roque Guinarde en Cataluña, porque él estaba ausente; que, a estar allí, no consintiera que se me hiciera agravio, porque es muy cortés y comedido y además limosnero». En las páginas del *Quijote* el histórico y real Perot Rocaguinarda se introduce con su mismo nombre (de hecho Roqueguinard, más fielmente conservado en el entremés), con su misma fisonomía (como se advierte por las descripciones de los bandos de la justicia cuando se le buscaba) y su edad, pues habiendo nacido en 1582 el bandolero tenía treinta y tres años al publicarse la segunda parte del *Quijote*. Hacía muy poco, en 1611, Rocaguinarda, tras haber dominado con sus bandoleros el Montseny, la Segarra y las cercanías de Barcelona, se había acogido al indulto ofrecido por el virrey de Cataluña don Pedro Manrique, y el 30 de junio de aquel año obtuvo la remisión a cambio de comprometerse a servir al Rey durante diez años en Italia o Flandes; y realmente pasó a Nápoles como capitán de un tercio de tropas regulares. No era la primera vez que ello ocurría, pues en 1588 don Luis de Queralt había reclutado un tercio entre bandoleros catalanes, que constó de tres mil hombres y que se distinguió en Flandes con el nombre de «Tercio Negro de los valones de España», llamado así por donaire a causa de que sus componentes apenas sabían hablar castellano. El bandolerismo catalán gozó de cierta boga en la literatura castellana, como se puede ver en la novela de Tirso de Molina *El bandolero*, en la comedia *El catalán Serrallonga* escrita en colaboración por Antonio Coello, Francisco de Rojas y Luis Vélez de Guevara, etc. Era, en realidad, un mal endémico en Cataluña, contra el cual luchaban con poco éxito los virreyes. Y precisamente mientras Cervantes estaba escribiendo la segunda parte del *Quijote*, o sea en diciembre de 1613, una facción de bandoleros catalanes había asombrado a toda España por su audacia y su fuerza:

seo que tenía de sacar mentiroso aquel nuevo historiador que tanto decían que le vituperaba.

Sucedió, pues, que en más de seis días no le sucedió cosa digna de ponerse en escritura, al cabo de los cuales, yendo fuera de camino, le tomó la noche entre unas espesas encinas o alcornoques; que en esto no guarda la puntualidad Cide Hamete que en otras cosas suele.

Apeáronse de sus bestias amo y mozo, y acomodándose a los troncos de los árboles, Sancho, que había merendado aquel día, se dejó entrar de rondón por las puertas del sueño; pero don Quijote, a quien desvelaban sus imaginaciones mucho más que la hambre, no podía pegar sus ojos; antes iba y venía con el pensamiento por mil géneros de lugares. Ya le parecía hallarse en la cueva de Montesinos; ya ver brincar y subir sobre su pollina a la convertida en labradora Dulcinea; ya que le sonaban en los oídos las palabras del sabio Merlín, que le referían las condiciones y diligencias que se habían de hacer y tener en el desencanto de Dulcinea. Desesperábase de ver la flojedad y caridad poca de Sancho su escudero, pues, a lo que creía, solos cinco azotes se había dado, número desigual y pequeño para los infinitos que le faltaban; y

al mando de un tal Pere Barbeta, había asaltado en el camino real, entre Hostalets de Cervera y Montmaneu (en el itinerario que forzosamente hubo de seguir don Quijote), las ciento once cargas de plata que, procedentes de Indias, se enviaban a Italia, como puede comprenderse bajo muy buena custodia. La partida de Barbeta se apoderó de plata por valor de 180.000 ducados (el ducado valía once reales). El bandolerismo catalán mantenía estrechas relaciones con los hugonotes franceses, lo que daba a este fenómeno, en parte derivado de luchas feudales medievales, un actualísimo matiz político, que explica la intranquilidad y las severas medidas tomadas por los virreyes de Cataluña. Es significativo que un famoso bandido fuera conocido por el mote de «Lo Luterà». En las filas del bandolerismo militaba buen número de gascones, en clara relación con Francia y con los hugonotes, y en este aspecto no hay que olvidar que Cervantes afirma de los bandoleros de Roque Guinart que «los más eran gascones, gente rústica y desbaratada». Quevedo, hablando de los bandoleros de Cataluña, dice que la mayoría eran «gabachos y gascones y herejes delincuentes de la Languedoca» (*La rebelión de Barcelona*). Las partidas de bandoleros que merodeaban por lugares montañosos de Cataluña tenían sus amigos y valedores en Barcelona, donde Rocaguinarda estuvo un tiempo escondido; y ello explica que el Roque Guinart del *Quijote* recomiende el hidalgo manchego a un su amigo don Antonio Moreno, residente en la ciudad. Para este capítulo véase el libro de L. Soler Terol, *Perot Rocaguinarda*, Manresa, 1910; y en general para los bandoleros catalanes en tiempos de Cervantes, los de J. Reglá, *Felip II i Catalunya*, Barcelona, 1956, y *Els virreis de Catalunya*, Barcelona, 1956.

desto recibió tanta pesadumbre y enojo, que hizo este discurso:

—Si nudo gordiano cortó el Magno Alejandro, diciendo: «Tanto monta cortar como desatar», y no por eso dejó de ser universal señor de toda la Asia, ni más ni menos podría suceder ahora en el desencanto de Dulcinea, si yo azotase a Sancho a pesar suyo; que si la condición deste remedio está en que Sancho reciba los tres mil y tantos azotes, ¿qué se me da a mí que se los dé él, o que se los dé otro, pues la sustancia está en que él los reciba, lleguen por do llegaren?

Con esta imaginación se llegó a Sancho, habiendo primero tomado las riendas de Rocinante, y acomodádolas en modo que pudiese azotarle con ellas, comenzóle a quitar las cintas, que es opinión que no tenía más que la delantera, en que se sustentaban los greguescos; pero apenas hubo llegado, cuando Sancho despertó en todo su acuerdo, y dijo:

—¿Qué es esto? ¿Quién me toca y desencinta?

—Yo soy —respondió don Quijote—, que vengo a suplir tus faltas y a remediar mis trabajos: véngote a azotar, Sancho, y a descargar, en parte, la deuda a que te obligaste. Dulcinea perece; tú vives en descuido; yo muero deseando; y así, desatácate por tu voluntad; que la mía es de darte en esta soledad, por los menos, dos mil azotes.

—Eso no —dijo Sancho—; vuesa merced se esté quedo; si no, por Dios verdadero que nos han de oír los sordos. Los azotes a que yo me obligué han de ser voluntarios, y no por fuerza, y ahora no tengo gana de azotarme; basta que doy a vuesa merced mi palabra de vapularme y mosquearme cuando en voluntad me viniere.

—No hay dejarlo a tu cortesía, Sancho —dijo don Quijote—, porque eres duro de corazón, y aunque villano, blando de carnes.

Y así, procuraba y pugnaba por desenlazarle, viendo lo cual Sancho Panza, se puso en pie, y arremetiendo a su amo, se abrazó con él a brazo partido, y echándole una zancadilla, dio con él en el suelo boca arriba; púsole la rodilla derecha sobre el pecho, y con las manos le tenía las manos, de modo que ni le dejaba rodear ni alentar. Don Quijote le decía:

—¿Cómo, traidor? ¿Contra tu amo y señor natural te desmandas? ¿Con quien te da su pan te atreves?

—Ni quito rey, ni pongo rey —respondió Sancho—, sino ayúdome a mí, que soy mi señor[1]. Vuesa merced me prometa que se estará quedo, y no tratará de azotarme por agora, que yo le dejaré libre y desembarazado; donde no,

> Aquí morirás, traidor,
> enemigo de doña Sancha[2].

Prometióselo don Quijote, y juró por vida de sus pensamientos no tocarle en el pelo de la ropa, y que dejaría en toda su voluntad y albedrío el azotarse cuando quisiese.

Levantóse Sancho, y desvióse de aquel lugar un buen espacio; y yendo a arrimarse a otro árbol, sintió que le tocaban en la cabeza, y alzando las manos topó con dos pies de persona, con zapatos y calzas. Tembló de miedo; acudió a otro árbol, y sucedióle lo mesmo. Dio voces llamando a don Quijote, que le favoreciese. Hízolo así don Quijote, y preguntándole qué le había sucedido y de qué tenía miedo, le respondió Sancho que todos aquellos árboles estaban llenos de pies y de piernas humanas. Tentólos don Quijote, y cayó luego en la cuenta de lo que podía ser, y díjole a Sancho:

—No tienes de qué tener miedo, porque estos pies y piernas que tientas y no vees, sin duda son de algunos forajidos y bandoleros que en estos árboles están ahorcados; que por aquí los suele ahorcar la justicia cuando los coge, de veinte en veinte y de treinta en treinta; por donde me doy a entender que debo de estar cerca de Barcelona.

Y así era la verdad como él lo había imaginado.

Al parecer alzaron los ojos, y vieron los racimos de aquellos árboles, que eran cuerpos de bandoleros. Ya, en esto, amanecía, y si los muertos los habían espantado, no

---

[1] Sancho se aplica a sí mismo la frase atribuida a Bertrand Duguesclin, o del Claquín, cuando en Montiel ayudó a Enrique de Trastámara en su lucha contra Pedro el Cruel.

[2] Versos del romance de los infantes de Salas «A cazar va don Rodrigo». En el segundo hay que leer *nemigo*, por razón de la métrica.

menos los atribularon más de cuarenta bandoleros vivos
que de improviso les rodearon, diciéndoles en lengua catalana que estuviesen quedos, y se detuviesen, hasta que
llegase su capitán.

Hallóse don Quijote a pie, su caballo sin freno, su
lanza arrimada a un árbol, y, finalmente, sin defensa alguna; y así, tuvo por bien de cruzar las manos e incli-
nar la cabeza, guardándose para mejor sazón y coyuntura.

Acudieron los bandoleros a espulgar al rucio, y a no
dejarle ninguna cosa de cuantas en las alforjas y la maleta traía; y avínole bien a Sancho que en una ventrera
que tenía ceñida venían los escudos del duque y los que
habían sacado de su tierra, y, con todo eso, aquella buena gente le escardara y le mirara hasta lo que entre el
cuero y la carne tuviera escondido, si no llegara en aquella sazón su capitán, el cual mostró ser de hasta edad de
treinta y cuatro años, robusto, más que de mediana proporción, de mirar grave y color morena. Venía sobre un
poderoso caballo, vestida la acerada cota, y con cuatro
pistoletes —que en aquella tierra se llaman pedreñales[3]—
a los lados. Vio que sus escuderos, que así llaman a los
que andan en aquel ejercicio, iban a despojar a Sancho
Panza; mandóles que no lo hiciesen, y fue luego obedecido; y así se escapó la ventrera. Admiróle ver lanza arrimada al árbol, escudo en el suelo, y a don Quijote armado y pensativo, con la más triste y melancólica figura que
pudiera formar la misma tristeza. Llegóse a él, diciéndole:

—No estéis tan triste, buen hombre; porque no habéis caído en las manos de algún cruel Osiris[4], sino en las
de Roque Guinart, que tienen más de compasivas que de
rigurosas.

—No es mi tristeza —respondió don Quijote— haber
caído en tu poder, ¡oh valeroso Roque, cuya fama no hay
límites en la tierra que la encierren!, sino por haber
sido tal mi descuido, que me hayan cogido tus soldados
sin el freno, estando yo obligado, según la orden de la

---

[3] *pedreñal*, escopeta corta que se disparaba con pedernal (en
catalán *pedrenyal*).
[4] *Osiris*, en realidad debería decir Busiris, rey egipcio que mataba a los extranjeros que le visitaban para ofrecerlos en sacrificio a los dioses.

andante caballería, que profeso, a vivir contino alerta,
siendo a todas horas centinela de mí mismo; porque te
hago saber, ¡oh gran Roque!, que si me hallaran sobre
mi caballo, con mi lanza y con mi escudo, no les fuera
muy fácil rendirme, porque yo soy don Quijote de la
Mancha, aquel que de sus hazañas tiene lleno todo el
orbe.

Luego Roque Guinart conoció que la enfermedad de
don Quijote tocaba más en locura que en valentía, y aunque algunas veces le había oído nombrar, nunca tuvo por
verdad sus hechos, ni se pudo persuadir a que semejante
humor reinase en corazón de hombre; y holgóse en estremo de haberle encontrado, para tocar de cerca lo que
de lejos dél había oído, y así le dijo:

—Valeroso caballero, no os despechéis ni tengáis a
siniestra fortuna esta en que os halláis; que podía ser que
en estos tropiezos vuestra torcida suerte se enderezase;
que el cielo, por estraños y nunca vistos rodeos, de los
hombres no imaginados, suele levantar los caídos y enriquecer los pobres.

Ya le iba a dar las gracias don Quijote, cuando sintieron a sus espaldas un ruido como de tropel de caballos,
y no era sino uno solo, sobre el cual venía a toda furia
un mancebo, al parecer de hasta veinte años, vestido de
damasco verde, con pasamanos[5] de oro, greguescos y saltaembarca[6], con sombrero terciado, a la valona[7], botas
enceradas y justas, espuelas, daga y espada doradas, una
escopeta pequeña en las manos y dos pistolas a los lados.
Al ruido volvió Roque la cabeza y vio esta hermosa figura, la cual, en llegando a él, dijo:

—En tu busca venía, ¡oh valeroso Roque!, para hallar en ti, si no remedio, a lo menos alivio en mi desdicha; y por no tenerte suspenso, porque sé que no me has
conocido, quiero decirte quién soy: y soy Claudia Jerónima, hija de Simón Forte, tu singular amigo y enemigo
particular de Clauquel Torrellas, que asimismo lo es
tuyo, por ser uno de los de tu contrario bando; y ya
sabes que este Torrellas tiene un hijo que don Vicente
Torrellas se llama, o, a lo menos, se llamaba no ha dos

---

[5] *pasamanos*, galones, borlas, flecos u otra clase de adornos.
[6] *saltaembarca*, ropilla que se vestía por la cabeza.
[7] *a la valona*, con plumas.

horas. Éste, pues, por abreviar el cuento de mi desventura, te diré en breves palabras la que me ha causado. Viome, requebróme, escuchéle, enamoréme, a hurto de mi padre; porque no hay mujer, por retirada que esté y recatada que sea, a quien no le sobre tiempo para poner en ejecución y efecto sus atropellados deseos. Finalmente, él me prometió de ser mi esposo, y yo le di la palabra de ser suya, sin que en obras pasásemos adelante. Supe ayer que, olvidado de lo que me debía, se casaba con otra, y que esta mañana iba a desposarse, nueva que me turbó el sentido y acabó la paciencia; y por no estar mi padre en el lugar, le tuve yo de ponerme en el traje que vees, y apresurando el paso a este caballo, alcancé a don Vicente obra de una legua de aquí, y, sin ponerme a dar quejas ni a oír disculpas, le disparé esta escopeta y, por añadidura, estas dos pistolas, y, a lo que creo, le debí de encerrar más de dos balas en el cuerpo, abriéndole puertas por donde envuelta en su sangre saliese mi honra. Allí le dejo entre sus criados, que no osaron ni pudieron ponerse en su defensa. Vengo a buscarte para que me pases a Francia, donde tengo parientes con quien viva, y asimesmo a rogarte defiendas a mi padre, porque los muchos de don Vicente no se atrevan a tomar en él desaforada venganza.

Roque, admirado de la gallardía, bizarría, buen talle y suceso de la hermosa Claudia, le dijo:

—Ven, señora, y vamos a ver si es muerto tu enemigo, que después veremos lo que más te importare.

Don Quijote, que estaba escuchando atentamente lo que Claudia había dicho y lo que Roque Guinart respondió, dijo:

—No tiene nadie para qué tomar trabajo en defender a esta señora; que lo tomo yo a mi cargo; denme mi caballo y mis armas, y espérenme aquí, que yo iré a buscar a ese caballero y, muerto o vivo, le haré cumplir la palabra prometida a tanta belleza.

—Nadie dude de esto —dijo Sancho—, porque mi señor tiene muy buena mano para casamentero, pues no ha muchos días que hizo casar a otro que también negaba a otra doncella su palabra; y si no fuera porque los encantadores que le persiguen le mudaron su verdadera

figura en la de un lacayo, ésta fuera la hora que ya la
tal doncella no lo fuera.

Roque, que atendía más a pensar en el suceso de la
hermosa Claudia que en las razones de amo y mozo, no
las entendió[8]; y mandando a sus escuderos que volviesen
a Sancho todo cuanto le habían quitado del rucio, mandándoles asimesmo que se retirasen a la parte donde
aquella noche habían estado alojados, y luego se partió
con Claudia a toda priesa a buscar al herido, o muerto,
don Vicente. Llegaron al lugar donde le encontró Claudia, y no hallaron en él sino recién derramada sangre;
pero tendiendo la vista por todas partes, descubrieron por
un recuesto arriba alguna gente, y diéronse a entender,
como era la verdad, que debía ser don Vicente, a quien
sus criados, o muerto o vivo, llevaban, o para curarle, o
para enterrarle; diéronse priesa a alcanzarlos, que, como
iban de espacio, con facilidad lo hicieron.

Hallaron a don Vicente en los brazos de sus criados,
a quien con cansada y debilitada voz rogaba que le dejasen allí morir, porque el dolor de las heridas no consentía que más adelante pasase.

Arrojáronse de los caballos Claudia y Roque, llegáronse a él, temieron los criados la presencia de Roque,
y Claudia se turbó en ver la de don Vicente; y así, entre
enternecida y rigurosa, se llegó a él, y asiéndole de las
manos, le dijo:

—Si tú me dieras éstas, conforme a nuestro concierto, nunca tú te vieras en este paso.

Abrió los casi cerrados ojos el herido caballero, y conociendo a Claudia, le dijo:

—Bien veo, hermosa y engañada señora, que tú has
sido la que me has muerto, pena no merecida ni debida
a mis deseos, con los cuales, ni con mis obras, jamás quise
ni supe ofenderte.

—Luego ¿no es verdad —dijo Claudia— que ibas
esta mañana a desposarte con Leonora, la hija del rico
Balvastro?

—No, por cierto —respondió don Vicente—; mi mala
fortuna te debió de llevar estas nuevas, para que, celosa,
me quitases la vida, la cual pues la dejo en tus manos y

* *entendió,* oyó.

en tus brazos, tengo mi suerte por venturosa. Y para asegurarte desta verdad, aprieta la mano y recíbeme por esposo, si quisieres, que no tengo otra mayor satisfacción que darte del agravio que piensas que de mí has recebido.

Apretóle la mano Claudia, y apretósele a ella el corazón, de manera que sobre la sangre y pecho de don Vicente se quedó desmayada, y a él le tomó un mortal parasismo[9]. Confuso estaba Roque, y no sabía qué hacerse. Acudieron los criados a buscar agua que echarles en los rostros, y trujéronla, con que se la bañaron. Volvió de su desmayo Claudia, pero no de su parasismo don Vicente, porque se le acabó la vida. Visto lo cual de Claudia, habiéndose enterado que ya su dulce esposo no vivía, rompió los aires con suspiros, hirió los cielos con quejas, maltrató sus cabellos, entregándolos al viento, afeó su rostro con sus propias manos, con todas las muestras de dolor y sentimiento que de un lastimado pecho pudieran imaginarse.

—¡Oh cruel e inconsiderada mujer —decía—, con qué facilidad te moviste a poner en ejecución tan mal pensamiento! ¡Oh fuerza rabiosa de los celos, a qué desesperado fin conducís a quien os da acogida en su pecho! ¡Oh esposo mío, cuya desdichada suerte, por ser prenda mía, te ha llevado del tálamo a la sepultura!

Tales y tan tristes eran las quejas de Claudia, que sacaron las lágrimas de los ojos de Roque, no acostumbrados a verterlas en ninguna ocasión. Lloraban los criados, desmayábase a cada paso Claudia, y todo aquel circuito parecía campo de tristeza y lugar de desgracia. Finalmente, Roque Guinart ordenó a los criados de don Vicente que llevasen su cuerpo al lugar de su padre, que estaba allí cerca, para que le diesen sepultura. Claudia dijo a Roque que querría irse a un monasterio donde era abadesa una tía suya, en el cual pensaba acabar la vida, de otro mejor esposo y más eterno acompañada. Alabóle Roque su buen propósito, ofreciósele de acompañarla hasta donde quisiese, y de defender a su padre de los parientes y de todo el mundo, si ofenderle quisiese. No quiso su compañía Claudia, en ninguna manera, y agra-

---

[9] *parasismo*, paroxismo.

deciendo sus ofrecimientos con las mejores razones que supo, se despidió dél llorando. Los criados de don Vicente llevaron su cuerpo, y Roque se volvió a los suyos, y este fin tuvieron los amores de Claudia Jerónima. Pero ¿qué mucho, si tejieron la trama de su lamentable historia las fuerzas invencibles y rigurosas de los celos?

Halló Roque Guinart a sus escuderos en la parte donde les había ordenado, y a don Quijote entre ellos, sobre Rocinante, haciéndoles una plática en que les persuadía dejasen aquel modo de vivir tan peligroso así para el alma como para el cuerpo; pero como los más eran gascones, gente rústica y desbaratada, no les entraba bien la plática de don Quijote. Llegado que fue Roque, preguntó a Sancho Panza si le habían vuelto y restituido las alhajas y preseas que los suyos del rucio le habían quitado. Sancho respondió que sí, sino que le faltaban tres tocadores, que valían tres ciudades.

—¿Qué es lo que dices, hombre? —dijo uno de los presentes—; que yo los tengo, y no valen tres reales.

—Así es —dijo don Quijote—; pero estímalos mi escudero en lo que ha dicho, por habérmelos dado quien me los dio.

Mandóselos volver al punto Roque Guinart, y mandando poner los suyos en ala, mandó traer allí delante todos los vestidos, joyas y dineros, y todo aquello que desde la última repartición habían robado; y haciendo brevemente el tanteo, volviendo lo no repartible y reduciéndolo a dineros, lo repartió por toda su compañía, con tanta legalidad y prudencia, que no pasó un punto ni defraudó nada de la justicia distributiva. Hecho esto, con lo cual todos quedaron contentos, satisfechos y pagados, dijo Roque a don Quijote:

—Si no se guardase esta puntualidad con éstos, no se podría vivir con ellos.

A lo que dijo Sancho:

—Según lo que aquí he visto, es tan buena la justicia, que es necesaria que se use aun entre los mesmos ladrones.

Oyólo un escudero, y enarboló el mocho[10] de un arcabuz, con el cual, sin duda, le abriera la cabeza a San-

---

[10] *mocho*, culata.

cho, si Roque Guinart no le diera voces que se detuviese. Pasmóse Sancho, y propuso de no descoser los labios en tanto que entre aquella gente estuviese.

Llegó, en esto, uno o algunos de aquellos escuderos que estaban puestos por centinelas por los caminos para ver la gente que por ellos venía y dar aviso a su mayor[11] de lo que pasaba, y éste dijo:

—Señor, no lejos de aquí, por el camino que va a Barcelona, viene un gran tropel de gente.

A lo que respondió Roque:

—¿Has echado de ver si son de los que nos buscan, o de los que nosotros buscamos?

—No sino de los que buscamos —respondió el escudero.

—Pues salid todos —replicó Roque—, y traédmelos aquí luego, sin que se os escape ninguno.

Hiciéronlo así, y quedándose solos don Quijote, Sancho y Roque, aguardaron a ver lo que los escuderos traían; y en este entretanto dijo Roque a don Quijote:

—Nueva manera de vida le debe de parecer al señor don Quijote la nuestra, nuevas aventuras, nuevos sucesos, y todos peligrosos; y no me maravillo que así le parezca, porque realmente le confieso que no hay modo de vivir más inquieto ni más sobresaltado que el nuestro. A mí me han puesto en él no sé qué deseos de venganza, que tienen fuerza de turbar los más sosegados corazones; yo, de mi natural, soy compasivo y bien intencionado; pero, como tengo dicho, el querer vengarme de un agravio que se me hizo, así da con todas mis buenas inclinaciones en tierra, que persevero en este estado, a despecho y pesar de lo que entiendo; y como un abismo llama a otro y un pecado a otro pecado, hanse eslabonado las venganzas de manera que no sólo las mías, pero las ajenas tomo a mi cargo; pero Dios es servido de que, aunque me veo en la mitad del laberinto de mis confusiones, no pierdo la esperanza de salir dél a puerto seguro.

Admirado quedó don Quijote de oír hablar a Roque tan buenas y concertadas razones, porque él se pensaba que entre los de oficios semejantes de robar, matar y sal-

---

[11] *mayor*, capitán, jefe.

tear no podía haber alguno que tuviese buen discurso, y respondióle:

—Señor Roque, el principio de la salud está en conocer la enfermedad y en querer tomar el enfermo las medicinas que el médico le ordena: vuestra merced está enfermo, conoce su dolencia, y el cielo, o Dios, por mejor decir, que es nuestro médico, le aplicará medicinas que le sanen, las cuales suelen sanar poco a poco y no de repente y por milagro; y más, que los pecadores discretos están más cerca de enmendarse que los simples; y pues vuestra merced ha mostrado en sus razones su prudencia, no hay sino tener buen ánimo y esperar mejoría de la enfermedad de su conciencia; y si vuestra merced quiere ahorrar camino y ponerse con facilidad en el de su salvación, véngase conmigo, que yo le enseñaré a ser caballero andante, donde se pasan tantos trabajos y desventuras, que, tomándolas por penitencia, en dos paletas le pondrán en el cielo.

Rióse Roque del consejo de don Quijote, a quien, mudando plática, contó el trágico suceso de Claudia Jerónima, de que le pesó en estremo a Sancho, que no le había parecido mal la belleza, desenvoltura y brío de la moza.

Llegaron, en esto, los escuderos de la presa, trayendo consigo dos caballeros a caballo, y dos peregrinos a pie, y un coche de mujeres con hasta seis criados, que a pie y a caballo las acompañaban, con otros dos mozos de mulas que los caballeros traían. Cogiéronlos los escuderos en medio, guardando vencidos y vencedores gran silencio, esperando a que el gran Roque Guinart hablase, el cual preguntó a los caballeros que quién eran y adónde iban, y qué dinero llevaban. Uno dellos le respondió:

—Señor, nosotros somos dos capitanes de infantería española; tenemos nuestras compañías en Nápoles y vamos a embarcarnos en cuatro galeras, que dicen están en Barcelona con orden de pasar a Sicilia; llevamos hasta docientos o trecientos escudos, con que, a nuestro parecer, vamos ricos y contentos, pues la estrecheza ordinaria de los soldados no permite mayores tesoros.

Preguntó Roque a los peregrinos lo mesmo que a los capitanes; fuele respondido que iban a embarcarse para pasar a Roma, y que entre entrambos podían llevar hasta sesenta reales. Quiso saber también quién iba en el coche, y adónde, y el dinero que llevaban, y uno de los de a caballo dijo:

—Mi señora doña Guiomar de Quiñones, mujer del regente de la Vicaría de Nápoles, con una hija pequeña, una doncella y una dueña, son las que van en el coche; acompañámosla seis criados, y los dineros son seiscientos escudos.

—De modo —dijo Roque Guinart—, que ya tenemos aquí novecientos escudos y sesenta reales; mis soldados deben de ser hasta sesenta; mírese a cómo le cabe a cada uno, porque yo soy mal contador.

Oyendo decir esto los salteadores, levantaron la voz, diciendo:

—¡Viva Roque Guinart muchos años, a pesar de los *lladres*[12] que su perdición procuran!

Mostraron afligirse los capitanes, entristecióse la señora regenta, y no se holgaron nada los peregrinos, viendo la confiscación de sus bienes. Túvolos así un rato suspensos Roque; pero no quiso que pasase adelante su tristeza, que ya se podía conocer a tiro de arcabuz, y volviéndose a los capitanes, dijo:

—Vuesas mercedes, señores capitanes, por cortesía, sean servidos de prestarme sesenta escudos, y la señora regenta ochenta, para contentar esta escuadra que me acompaña, porque el abad, de lo que canta yanta, y luego puédense ir su camino libre y desembarazadamente, con un salvoconducto que yo les daré, para que si toparen otras de algunas escuadras mías que tengo divididas por estos contornos, no les hagan daño; que no es mi intención de agraviar a soldados ni a mujer alguna, especialmente a las que son principales.

Infinitas y bien dichas fueron las razones con que los capitanes agradecieron a Roque su cortesía y liberalidad, que por tal la tuvieron, en dejarles su mismo dinero. La señora doña Guiomar de Quiñones se quiso arrojar del coche para besar los pies y las manos del gran Roque; pero él no lo consintió en ninguna manera; antes le pidió perdón del agravio que le hacía, forzado de cumplir con las obligaciones precisas de su mal oficio. Mandó la seño-

---

[12] *lladres,* ladrones, en catalán, aquí usado como insulto, pues se aplica precisamente a los enemigos de los bandoleros.

ra regenta a un criado suyo diese luego los ochenta escudos que le habían repartido, y ya los capitanes habían desembolsado los sesenta. Iban los peregrinos a dar toda su miseria; pero Roque les dijo que se estuviesen quedos, y volviéndose a los suyos, les dijo:

—Destos escudos dos tocan a cada uno, y sobran veinte; los diez se den a estos peregrinos, y los otros diez a este buen escudero, porque pueda decir bien de esta aventura.

Y trayéndole aderezo de escribir, de que siempre andaba proveído, Roque les dio por escrito un salvoconducto para los mayorales de sus escuadras, y despidiéndose dellos, los dejó ir libres, y admirados de su nobleza, de su gallarda disposición y estraño proceder, teniéndole más por un Alejandro Magno[13] que por ladrón conocido. Uno de los escuderos dijo en su lengua gascona y catalana:

—Este nuestro capitán más es para *frade*[14] que para bandolero: si de aquí adelante quisiere mostrarse liberal, séalo con su hacienda, y no con la nuestra.

No lo dijo tan paso el desventurado, que dejase de oírlo Roque, el cual, echando mano a la espada, le abrió la cabeza casi en dos partes, diciéndole:

—Desta manera castigo yo a los deslenguados y atrevidos.

Pasmáronse todos, y ninguno le osó decir palabra: tanta era la obediencia que le tenían.

Apartóse Roque a una parte y escribió una carta a un su amigo, a Barcelona, dándole aviso cómo estaba consigo el famoso don Quijote de la Mancha, aquel caballero andante de quien tantas cosas se decían, y que le hacía saber que era el más gracioso y el más entendido hombre del mundo, y que de allí a cuatro días, que era el de San Juan Bautista[15], se le pondría en mitad de la playa de la ciudad, armado de todas sus armas, sobre Rocinante su caballo, y a su escudero Sancho sobre un

---

[13] Alejandro Magno era considerado el prototipo de la liberalidad.

[14] *frade*, fraile. No es palabra catalana (sería *frare*) ni gascona (*frayre*), sino portuguesa, lo que aquí no viene a cuento. O se trata de un error de Cervantes o del impresor, y en este caso habría que enmendar en *frare*.

[15] El 29 de agosto, fiesta de la Degollación de San Juan Bautista, no el 24 de junio, la de su Natividad.

asno, y que diese noticia desto a sus amigos los Niarros, para que con él se solazasen; que él quisiera que carecieran deste gusto los Cadells, sus contrarios[16]; pero que esto era imposible, a causa que las locuras y discreciones de don Quijote y los donaires de su escudero Sancho Panza no podían dejar de dar gusto general a todo el mundo. Despachó estas cartas con uno de sus escuderos, que mudando el traje de bandolero en el de un labrador, entró en Barcelona y la dio a quien iba.

CAPÍTULO LXI

DE LO QUE LE SUCEDIÓ A DON QUIJOTE EN LA ENTRADA DE BARCELONA, CON OTRAS QUE TIENEN MÁS DE LO VERDADERO QUE DE LO DISCRETO

TRES días y tres noches estuvo don Quijote con Roque, y si estuviera trecientos años, no le faltara qué mirar y admirar en el modo de su vida: aquí amanecían, acullá comían; unas veces huían, sin saber de quién, y otras esperaban, sin saber a quién. Dormían en pie, interrumpiendo el sueño, mudándose de un lugar a otro. Todo era poner espías, escuchar centinelas, soplar las cuerdas de los arcabuces, aunque traían pocos, porque todos se servían de pedreñales. Roque pasaba las noches apartado de los suyos, en partes y lugares donde ellos no pudiesen saber dónde estaba; porque los muchos bandos que el visorrey de Barcelona[1] había echado sobre su vida le traían inquieto y temeroso, y no se osaba fiar de ninguno, temiendo que los mismos suyos, o le habían de matar, o entregar a la justicia: vida, por cierto, miserable y enfadosa.

---

[16] *Niarros* y *Cadells*, famosos bandos de Cataluña que luchaban entre sí fanáticamente. Los *nyerros* (pronúnciese *ñerros*) tenían como emblema un lechoncillo, y los *cadells* un cachorro (que es lo que significa *cadell* en catalán).

[1] *visorrey de Barcelona*, virrey de Cataluña, con autoridad sobre los condados de Rosellón y Cerdaña. En las fechas que aparecieron las dos partes del *Quijote* lo fueron Héctor Pignatelli y Colonna, duque de Monteleón (1603-1610), Pedro Manrique, obispo de Tortosa (1611) y Francisco Hurtado de Mendoza y Cárdenas, marqués de Almazán (1611-1615).

En fin, por caminos desusados, por atajos y sendas
encubiertas, partieron Roque, don Quijote y Sancho con
otros seis escuderos a Barcelona[2]. Llegaron a su playa la
víspera de San Juan en la noche, y abrazando Roque a
don Quijote y a Sancho, a quien dio los diez escudos pro-
metidos, que hasta entonces no se los había dado, los
dejó, con mil ofrecimientos que de la una a la otra parte
se hicieron.

Volvióse Roque; quedóse don Quijote esperando el
día, así, a caballo, como estaba, y no tardó mucho cuando
comenzó a descubrirse por los balcones del Oriente la faz
de la blanca aurora, alegrando las yerbas y las flores, en
lugar de alegrar el oído; aunque al mesmo instante alegraron también el oído el son de muchas chirimías y atabales, ruido de cascabeles, «¡trapa, trapa[3], aparta, aparta!» de corredores, que, al parecer, de la ciudad salían.
Dio lugar la aurora al sol, que, un rostro mayor que el
de una rodela, por el más bajo horizonte poco a poco se
iba levantando.

Tendieron don Quijote y Sancho la vista por todas
partes: vieron el mar, hasta entonces dellos no visto; parecióles espaciosísimo y largo, harto más que las lagunas
de Ruidera, que en la Mancha habían visto; vieron las galeras que estaban en la playa, las cuales, abatiendo las
tiendas, se descubrieron llenas de flámulas[4] y gallardetes,
que tremolaban al viento y besaban y barrían el agua;
dentro sonaban clarines, trompetas y chirimías, que cerca
y lejos llevaban[5] el aire de suaves y belicosos acentos.
Comenzaron a moverse y a hacer modo de escaramuza
por las sosegadas aguas, correspondiéndoles casi al mismo
modo infinitos caballeros que de la ciudad sobre hermosos caballos y con vistosas libreas salían. Los soldados de
las galeras disparaban infinita artillería, a quien respondían los que estaban en las murallas y fuertes de la ciudad,

[2] No se conoce la población exacta de Barcelona en este tiempo; el fogaje de 1553 registra 32.160 habitantes y el censo de
1725 da 34.005 (cfr. J. Iglesias, *La població catalana al primer
quart del segle XVIII*, Barcelona, 1959).
[3] *¡trapa!*, voz para dejar paso libre a una persona de categoría, como ¡afuera!, ¡paso!
[4] *flámula*, banderín.
[5] *llevaban*, los editores modernos enmiendan en *llenaban*, lo
que es más lógico; pero el *llevaban* de la primera edición también tiene sentido.

y la artillería gruesa con espantoso estruendo rompía los vientos, a quien respondían los cañones de crujía[6] de las galeras. El mar alegre, la tierra jocunda, el aire claro, sólo tal vez turbio del humo de la artillería, parece que iba infundiendo y engendrando gusto súbito en todas las gentes.

No podía imaginar Sancho cómo pudiesen tener tantos pies aquellos bultos que por el mar se movían. En esto, llegaron corriendo, con grita, lililíes[7] y algazara, los de las libreas adonde don Quijote suspenso y atónito estaba, y uno dellos, que era el avisado de Roque, dijo en alta voz a don Quijote:

—Bien sea venido a nuestra ciudad el espejo, el farol, la estrella y el norte de toda la caballería andante, donde más largamente se contiene[8]. Bien sea venido, digo, el valeroso don Quijote de la Mancha: no el falso, no el ficticio, no el apócrifo que en falsas historias estos días nos han mostrado, sino el verdadero, el legal y el fiel que nos describió Cide Hamete Benengeli, flor de los historiadores.

No respondió don Quijote palabra, ni los caballeros esperaron a que la respondiese, sino, volviéndose y revolviéndose con los demás que los seguían, comenzaron a hacer un revuelto caracol al derredor de don Quijote, el cual, volviéndose a Sancho, dijo:

—Éstos bien nos han conocido: yo apostaré que han leído nuestra historia y aun la del aragonés recién impresa.

Volvió otra vez el caballero que habló a don Quijote, y díjole:

—Vuesa merced, señor don Quijote, se venga con nosotros; que todos somos sus servidores y grandes amigos de Roque Guinart.

A lo que don Quijote respondió:

—Si cortesías engendran cortesías, la vuestra, señor caballero, es hija o parienta muy cercana de las del gran Roque. Llevadme do quisiéredes; que yo no tendré otra voluntad que la vuestra, y más si la queréis ocupar en vuestro servicio.

---

[6] *cañones de crujía,* los más pesados, que se situaban en el centro de la nave.

[7] *lililíes,* gritos de guerra de los moros.

[8] Aplicación ponderativa de una fórmula de juramento (véase I, 10, nota 14).

Con palabras no menos comedidas que éstas le respondió el caballero, y encerrándole todos en medio, al son de las chirimías y de los atabales, se encaminaron con él a la ciudad, al entrar de la cual, el malo[9], que todo lo malo ordena, y los muchachos, que son más malos que el malo, dos dellos traviesos y atrevidos se entraron por toda la gente, y alzando el uno de la cola del rucio y el otro la de Rocinante, les pusieron y encajaron sendos manojos de aliagas[10]. Sintieron los pobres animales las nuevas espuelas, y apretando las colas, aumentaron su disgusto de manera que, dando mil corcovos, dieron con sus dueños en tierra. Don Quijote, corrido y afrentado, acudió a quitar el plumaje de la cola de su matalote[11], y Sancho, el de su rucio. Quisieran los que guiaban a don Quijote castigar el atrevimiento de los muchachos, y no fue posible porque se encerraron entre más de otros mil que los seguían.

Volvieron a subir don Quijote y Sancho; con el mismo aplauso y música llegaron a la casa de su guía, que era grande y principal, en fin, como de caballero rico; donde le dejaremos por agora, porque así lo quiere Cide Hamete.

CAPÍTULO LXII

QUE TRATA DE LA AVENTURA DE LA CABEZA ENCANTADA, CON OTRAS NIÑERÍAS QUE NO PUEDEN DEJAR DE CONTARSE

DON Antonio Moreno se llamaba el huésped de don Quijote, caballero rico y discreto, y amigo de holgarse a lo honesto y afable, el cual, viendo en su casa a don Quijote, andaba buscando modos como, sin su perjuicio, sacase a plaza sus locuras; porque no son burlas las que duelen, ni hay pasatiempos que valgan si son con daño de tercero. Lo primero que hizo fue hacer desarmar a don Quijote y sacarle a vistas con aquel su estrecho y acamuzado vestido —como ya otras veces le hemos

---

[9] *el malo,* el diablo.
[10] *aliaga,* o aulaga, planta de la familia de las leguminosas, espinosa y con hojas terminadas en púas.
[11] *matalote,* o matalón, caballería flaca y endeble con mataduras.

descrito y pintado— a un balcón que salía a una calle de las más principales de la ciudad, a vista de las gentes y de los muchachos, que como a mona le miraban. Corrieron de nuevo delante dél los de las libreas, como si para él solo, no para alegrar aquel festivo día, se las hubieran puesto, y Sancho estaba contentísimo, por parecerle que se había hallado, sin saber cómo ni cómo no, otras bodas de Camacho, otra casa como la de don Diego de Miranda y otro castillo como el del duque.

Comieron aquel día con don Antonio algunos de sus amigos, honrando todos y tratando a don Quijote como a caballero andante, de lo cual, hueco y pomposo, no cabía en sí de contento. Los donaires de Sancho fueron tantos, que de su boca andaban como colgados todos los criados de casa y todos cuantos le oían. Estando a la mesa, dijo don Antonio a Sancho:

—Acá tenemos noticia, buen Sancho, que sois tan amigo de manjar blanco[1] y de albondiguillas[2], que si os sobran las guardáis en el seno para el otro día.

—No, señor, no es así —respondió Sancho—; porque tengo más de limpio que de goloso, y mi señor don Quijote, que está delante, sabe bien que con un puño de bellotas, o de nueces, nos solemos pasar entrambos ocho días. Verdad es que si tal vez me sucede que me den la vaquilla, corro con la soguilla; quiero decir, que como lo que me dan, y uso de los tiempos como los hallo, y quienquiera que hubiere dicho que yo soy comedor aventajado y no limpio, téngase por dicho que no acierta; y de otra manera dijera esto si no mirara a las barbas honradas que están a la mesa.

—Por cierto —dijo don Quijote—, que la parsimonia y limpieza con que Sancho come se puede escribir y grabar en láminas de bronce, para que quede en memoria eterna en los siglos venideros. Verdad es que cuando él tiene hambre, parece algo tragón, porque come apriesa y masca a dos carrillos; pero la limpieza siempre la tiene en su punto, y en el tiempo que fue gobernador aprendió a comer a lo melindroso: tanto, que comía con tenedor las uvas y aun los granos de la granada.

[1] *manjar blanco*, plato compuesto de pechuga de gallina, harina de arroz, leche y azúcar.
[2] En el *Quijote* de Avellaneda se narra el pequeño episodio que aquí está criticando Cervantes (cap. 12).

—¡Cómo! —dijo don Antonio—. ¿Gobernador ha sido Sancho?

—Sí —respondió Sancho—, y de una ínsula llamada la Barataria. Diez días la goberné a pedir de boca; en ellos perdí el sosiego, y aprendí a despreciar todos los gobiernos del mundo; salí huyendo della, caí en una cueva, donde me tuve por muerto, de la cual salí vivo por milagro.

Contó don Quijote por menudo todo el suceso del gobierno de Sancho, con que dio gran gusto a los oyentes.

Levantados los manteles y tomando don Antonio por la mano a don Quijote, se entró con él en un apartado aposento, en el cual no había otra cosa de adorno que una mesa, al parecer de jaspe, que sobre un pie de lo mesmo se sostenía, sobre la cual estaba puesta, al modo de las cabezas de los emperadores romanos, de los pechos arriba, una que semejaba ser de bronce. Paseóse don Antonio con don Quijote por todo el aposento, rodeando muchas veces la mesa, después de lo cual dijo:

—Agora, señor don Quijote, que estoy enterado que no nos oye y escucha alguno, y está cerrada la puerta, quiero contar a vuestra merced una de las más raras aventuras, o, por mejor decir, novedades que imaginarse pueden, con condición que lo que a vuestra merced dijere lo ha de depositar en los últimos retretes del secreto.

—Así lo juro —respondió don Quijote—, y aun le echaré una losa encima, para más seguridad; porque quiero que sepa vuestra merced, señor don Antonio —que ya sabía su nombre—, que está hablando con quien, aunque tiene oídos para oír, no tiene lengua para hablar; así, que con seguridad puede vuestra merced trasladar lo que tiene en su pecho en el mío y hacer cuenta que lo ha arrojado en los abismos del silencio.

—En fee de esa promesa —respondió don Antonio—, quiero poner a vuestra merced en admiración con lo que viere y oyere, y darme a mí algún alivio de la pena que me causa no tener con quien comunicar mis secretos, que no son para fiarse de todos.

Suspenso estaba don Quijote, esperando en qué habían de parar tantas prevenciones. En esto, tomándole la mano don Antonio, se la paseó por la cabeza de bronce

y por toda la mesa, y por el pie de jaspe sobre que se
sostenía, y luego dijo:

—Esta cabeza, señor don Quijote, ha sido hecha y
fabricada por uno de los mayores encantadores y hechiceros que ha tenido el mundo, que creo era polaco de nación y dicípulo del famoso Escotillo[3], de quien tantas maravillas se cuentan; el cual estuvo aquí en mi casa, y por
precio de mil escudos que le di labró esta cabeza, que tiene
propiedad y virtud de responder a cuantas cosas al oído
le preguntaren. Guardó rumbos, pintó carácteres, observó
astros, miró puntos, y, finalmente, la sacó con la perfeción que veremos mañana; porque los viernes está muda,
y hoy, que lo es[4], nos ha de hacer esperar hasta mañana.
En este tiempo podrá vuestra merced prevenirse de lo
que querrá preguntar; que por esperiencia sé que dice
verdad en cuanto responde.

Admirado quedó don Quijote de la virtud y propiedad de la cabeza, y estuvo por no creer a don Antonio;
pero por ver cuán poco tiempo había para hacer la experiencia, no quiso decirle otra cosa sino que le agradecía el haberle descubierto tan gran secreto. Salieron del
aposento, cerró la puerta don Antonio, con llave, y fuéronse a la sala, donde los demás caballeros estaban. En
este tiempo les había contado Sancho muchas de las
aventuras y sucesos que a su amo habían acontecido.

Aquella tarde sacaron a pasear a don Quijote, no
armado, sino de rúa[5], vestido un balandrán[6] de paño
leonado, que pudiera hacer sudar en aquel tiempo al
mismo yelo. Ordenaron con sus criados que entretuviesen
a Sancho, de modo que no le dejasen salir de casa. Iba
don Quijote, no sobre Rocinante, sino sobre un gran
macho de paso llano, y muy bien aderezado. Pusiéronle
el balandrán, y en las espaldas, sin que lo viese, le cosie-
ron un pargamino, donde le escribieron con letras grandes: *Éste es don Quijote de la Mancha*. En comenzando
el paseo, llevaba el rétulo los ojos de cuantos venían a

---

[3] *Escotillo*, tal vez Miguel Escoto, comentador y traductor de
Aristóteles en el siglo XIII (cfr. Schevill, IV, 446).

[4] Efectivamente, el 29 de agosto (fiesta de la Degollación de
San Juan) de 1614 (año en que transcurren estos hechos), cayó en
viernes.

[5] *de rúa*, con vestido de paseo (o sea, sin sus habituales armas).

[6] *balandrán*, vestidura talar, con esclavina.

verle, y como leían: «Éste es don Quijote de la Mancha», admirábase don Quijote de ver que cuantos le miraban le nombraban y conocían; y volviéndose a don Antonio, que iba a su lado, le dijo:

—Grande es la prerrogativa que encierra en sí la andante caballería, pues hace conocido y famoso al que la profesa por todos los términos de la tierra; si no, mire vuestra merced, señor don Antonio, que hasta los muchachos desta ciudad, sin nunca haberme visto, me conocen.

—Así es, señor don Quijote —respondió don Antonio—; que así como el fuego no puede estar escondido y encerrado, la virtud no puede dejar de ser conocida, y la que se alcanza por la profesión de las armas resplandece y campea sobre todas las otras.

Acaeció, pues, que yendo don Quijote con el aplauso que se ha dicho, un castellano que leyó el rétulo de las espaldas, alzó la voz, diciendo:

—¡Válgate el diablo por don Quijote de la Mancha! ¿Cómo que hasta aquí has llegado, sin haberte muerto los infinitos palos que tienes a cuestas? Tú eres loco, y si lo fueras a solas y dentro de las puertas de tu locura, fuera menos mal; pero tienes propiedad de volver locos y mentecatos a cuantos te tratan y comunican; si no, mírenlo por estos señores que te acompañan. Vuélvete, mentecato, a tu casa, y mira por tu hacienda, por tu mujer y tus hijos, y déjate destas vaciedades que te carcomen el seso y te desnatan el entendimiento.

—Hermano —dijo don Antonio—, seguid vuestro camino, y no deis consejos a quien no os los pide. El señor don Quijote de la Mancha es muy cuerdo, y nosotros, que le acompañamos, no somos necios; la virtud se ha de honrar dondequiera que se hallare, y andad enhoramala, y no os metáis donde no os llaman.

—Pardiez, vuesa merced tiene razón —respondió el castellano—; que aconsejar a este buen hombre es dar coces contra el aguijón; pero, con todo eso, me da muy gran lástima que el buen ingenio que dicen que tiene en todas las cosas este mentecato se le desagüe por la canal de su andante caballería; y la enhoramala que vuesa merced dijo, sea para mí y para todos mis descendientes si de hoy más, aunque viviese más años que Matusalén, diere consejo a nadie, aunque me lo pida.

Apartóse el consejero; siguió adelante el paseo; pero fue tanta la priesa[7] que los muchachos y toda la gente tenía leyendo el rétulo, que se le hubo de quitar don Antonio, como que le quitaba otra cosa.

Llegó la noche; volviéronse a casa; hubo sarao de damas, porque la mujer de don Antonio, que era una señora principal y alegre, hermosa y discreta, convidó a otras sus amigas a que viniesen a honrar a su huésped y a gustar de sus nunca vistas locuras. Vinieron algunas, cenóse espléndidamente y comenzóse el sarao casi a las diez de la noche. Entre las damas había dos de gusto pícaro y burlonas, y, con ser muy honestas, eran algo descompuestas, por dar lugar que las burlas alegrasen sin enfado. Éstas dieron tanta priesa en sacar a danzar a don Quijote, que le molieron, no sólo el cuerpo, pero el ánima. Era cosa de ver la figura de don Quijote, largo, tendido, flaco, amarillo, estrecho en el vestido, desairado, y sobre todo, no nada ligero. Requebrábanle como a hurto las damiselas, y él, también como a hurto, las desdeñaba; pero viéndose apretar de requiebros, alzó la voz y dijo:

—*Fugite, partes adversae!*[8]; dejadme en mi sosiego, pensamientos mal venidos. Allá os avenid, señoras, con vuestros deseos; que la que es reina de los míos, la sin par Dulcinea del Toboso, no consiente que ningunos otros que los suyos me avasallen y rindan.

Y diciendo esto, se sentó en mitad de la sala, en el suelo, molido y quebrantado de tan bailador ejercicio. Hizo don Antonio que le llevasen en peso a su lecho, y el primero que asió dél fue Sancho, diciéndole:

—¡Nora en tal, señor nuestro amo, lo habéis bailado! ¿Pensáis que todos los valientes son danzadores y todos los andantes caballeros bailarines? Digo que si lo pensáis, que estáis engañado; hombre hay que se atreverá a matar a un gigante antes que hacer una cabriola. Si hubiérades de zapatear, yo supliera vuestra falta, que zapateo

---

[7] *la priesa,* la prisa, en el sentido de el apiñarse tumultuosamente, aglomeración; algunos editores modernos enmiendan en *la risa.*

[8] «Huid, enemigos», expresión para ahuyentar al diablo, propia de los exorcismos.

como un girifalte; pero en lo del danzar, no doy puntada.

Con estas y otras razones dio que reír Sancho a los
del sarao, y dio con su amo en la cama, arropándole
para que sudase la frialdad de su baile.

Otro día le pareció a don Antonio ser bien hacer la
experiencia de la cabeza encantada, y con don Quijote,
Sancho y otros dos amigos, con las dos señoras que habían molido a don Quijote en el baile, que aquella propia
noche se habían quedado con la mujer de don Antonio, se
encerró en la estancia donde estaba la cabeza. Contóles la
propiedad que tenía, encargóles el secreto y díjoles que
aquél era el primero día donde se había de probar la
virtud de la tal cabeza encantada; y si no eran los dos
amigos de don Antonio, ninguna otra persona sabía el
busilis[9] del encanto, y aun si don Antonio no se le hubiera descubierto primero a sus amigos, también ellos
cayeran en la admiración en que los demás cayeron, sin
ser posible otra cosa: con tal traza y tal orden estaba fabricada.

El primero que se llegó al oído de la cabeza fue el
mismo don Antonio, y díjole en voz sumisa[10], pero no
tanto, que de todos no fuese entendida:

—Dime, cabeza, por la virtud que en ti se encierra:
¿qué pensamientos tengo yo agora?

Y la cabeza le respondió, sin mover los labios, con
voz clara y distinta, de modo que fue de todos entendida, esta razón:

—Yo no juzgo de pensamientos.

Oyendo lo cual todos quedaron atónitos, y más viendo que en todo el aposento ni al derredor de la mesa no
había persona humana que responder pudiese.

—¿Cuántos estamos aquí? —tornó a preguntar don
Antonio.

Y fuele respondido por el propio tenor, paso:

—Estáis tú y tu mujer, con dos amigos tuyos, y dos
amigas della, y un caballero famoso llamado don Quijote de la Mancha, y un su escudero que Sancho Panza
tiene por nombre.

¡Aquí sí que fue el admirarse de nuevo; aquí sí que

---

[9] *busilis,* secreto, dificultad de un asunto.
[10] *sumisa,* baja, queda.

fue el erizarse los cabellos a todos, de puro espanto!
Y apartándose don Antonio de la cabeza, dijo:

—Esto me basta para darme a entender que no fui
engañado del que te me vendió, ¡cabeza sabia, cabeza
habladora, cabeza respondona, y admirable cabeza! Llegue otro y pregúntele lo que quisiere.

Y como las mujeres de ordinario son presurosas y
amigas de saber, la primera que se llegó fue una de las
dos amigas de la mujer de don Antonio, y lo que le preguntó fue:

—Dime, cabeza, ¿qué haré yo para ser muy hermosa?

Y fuele respondido:

—Sé muy honesta.

—No te pregunto más —dijo la preguntanta.

Llegó luego la compañera, y dijo:

—Querría saber, cabeza, si mi marido me quiere
bien, o no.

Y respondiéronle:

—Mira las obras que te hace, y echarlo has[11] de ver.

Apartóse la casada, diciendo:

—Esta respuesta no tenía necesidad de pregunta;
porque, en efecto, las obras que se hacen declaran la
voluntad que tiene el que las hace.

Luego llegó uno de los dos amigos de don Antonio,
y preguntóle:

—¿Quién soy yo?

Y fuele respondido:

—Tú lo sabes.

—No te pregunto eso —respondió el caballero—,
sino que me digas si me conoces tú.

—Sí conozco —le respondieron—, que eres don Pedro
Noriz.

—No quiero saber más, pues esto basta para entender, ¡oh cabeza!, que lo sabes todo.

Y apartándose, llegó el otro amigo y preguntóle:

—Dime, cabeza, ¿qué deseos tiene mi hijo el mayorazgo?

—Ya yo he dicho —le respondieron— que yo no
juzgo de deseos; pero, con todo eso, te sé decir que los
que tu hijo tiene son de enterrarte.

---

[11] *echarlo has,* lo echarás.

—Eso es —dijo el caballero—: lo que veo por los ojos, con el dedo lo señalo.

Y no preguntó más. Llegóse la mujer de don Antonio, y dijo:

—Yo no sé, cabeza, qué preguntarte; sólo quería saber de ti si gozaré muchos años de buen marido.

Y respondiéronle:

—Sí gozarás, porque su salud y su templanza en el vivir prometen muchos años de vida, la cual muchos suelen acortar por su destemplanza.

Llegóse luego don Quijote, y dijo:

—Dime tú, el que respondes: ¿fue verdad o fue sueño lo que yo cuento que me pasó en la cueva de Montesinos? ¿Serán ciertos los azotes de Sancho mi escudero? ¿Tendrá efeto el desencanto de Dulcinea?

—A lo de la cueva —respondieron—, hay mucho que decir: de todo tiene; los azotes de Sancho irán de espacio; el desencanto de Dulcinea llegará a debida ejecución.

—No quiero saber más —dijo don Quijote—; que como yo vea a Dulcinea desencantada, haré cuenta que vienen de golpe todas las venturas que acertare a desear.

El último preguntante fue Sancho, y lo que preguntó fue:

—¿Por ventura, cabeza, tendré otro gobierno? ¿Saldré de la estrecheza de escudero? ¿Volveré a ver a mi mujer y a mis hijos?

A lo que le respondieron:

—Gobernarás en tu casa; y si vuelves a ella, verás a tu mujer y a tus hijos; y dejando de servir, dejarás de ser escudero.

—¡Bueno par Dios! —dijo Sancho Panza—. Esto yo me lo dijera: no dijera más el profeta Perogrullo.

—Bestia —dijo don Quijote—, ¿qué quieres que te respondan? ¿No basta que las respuestas que esta cabeza ha dado correspondan a lo que se le pregunta?

—Sí basta —respondió Sancho—; pero quisiera yo que se declarara más y me dijera más.

Con esto se acabaron las preguntas y las respuestas; pero no se acabó la admiración en que todos quedaron, excepto los dos amigos de don Antonio, que el caso sabían. El cual quiso Cide Hamete Benengeli declarar

luego, por no tener suspenso al mundo, creyendo que
algún hechicero y extraordinario misterio en la tal cabeza se encerraba, y así, dice que don Antonio Moreno,
a imitación de otra cabeza que vio en Madrid, fabricada
por un estampero[12], hizo ésta en su casa, para entretenerse y suspender a los ignorantes; y la fábrica era de
esta suerte: la tabla de la mesa era de palo, pintada y
barnizada como jaspe, y el pie sobre que se sostenía era
de lo mesmo, con cuatro garras de águila que dél salían,
para mayor firmeza del peso. La cabeza, que parecía
medalla y figura de emperador romano, y de color de
bronce, estaba toda hueca, y ni más ni menos la tabla
de la mesa, en que se encajaba tan justamente, que ninguna señal de juntura se parecía. El pie de la tabla era
ansimesmo hueco, que respondía a la garganta y pechos
de la cabeza, y todo esto venía a responder a otro aposento que debajo de la estancia de la cabeza estaba. Por
todo este hueco de pie, mesa, garganta y pechos de la
medalla y figura referida se encaminaba un cañón de
hoja de lata, muy justo, que de nadie podía ser visto.
En el aposento de abajo correspondiente al de arriba se
ponía el que había de responder, pegada la boca con el
mesmo cañón, de modo que, a modo de cerbatana, iba
la voz de arriba abajo y de abajo arriba, en palabras ar-
ticuladas y claras, y de esta manera no era posible conocer el embuste. Un sobrino de don Antonio, estudiante
agudo y discreto, fue el respondiente; el cual estando
avisado de su señor tío de los que habían de entrar con
él en aquel día en el aposento de la cabeza, le fue fácil
responder con presteza y puntualidad a la primera pregunta; a las demás respondió por conjeturas, y, como
discreto, discretamente. Y dice más Cide Hamete: que
hasta diez y doce días duró esta maravillosa máquina[13];
pero que divulgándose por la ciudad que don Antonio
tenía en su casa una cabeza encantada, que a cuantos le
preguntaban respondía, temiendo no llegase a los oídos
de las despiertas centinelas de nuestra Fe, habiendo declarado el caso a los señores inquisidores, le mandaron
que lo deshiciese y no pasase más adelante, porque el

---

[12] *estampero,* impresor. Parece más lógico que se tratara de
un escultor.
[13] *máquina,* artificio.

vulgo ignorante no se escandalizase; pero en la opinión de don Quijote y de Sancho Panza, la cabeza quedó por encantada y por respondona, más a satisfación de don Quijote que de Sancho.

Los caballeros de la ciudad, por complacer a don Antonio y por agasajar a don Quijote y dar lugar a que descubriese sus sandeces, ordenaron de correr sortija[14] de allí a seis días; que no tuvo efecto por la ocasión que se dirá adelante. Diole gana a don Quijote de pasear la ciudad a la llana y a pie, temiendo que si iba a caballo le habían de perseguir los mochachos, y así, él y Sancho, con otros dos criados que don Antonio le dio, salieron a pasearse.

Sucedió, pues, que yendo por una calle, alzó los ojos don Quijote, y vio escrito sobre una puerta, con letras muy grandes: *Aquí se imprimen libros*[15]; de lo que se contentó mucho, porque hasta entonces no había visto emprenta alguna, y deseaba saber cómo fuese. Entró dentro, con todo su acompañamiento, y vio tirar en una parte, corregir en otra, componer en ésta, enmendar en aquélla, y, finalmente, toda aquella máquina que en las emprentas grandes se muestra. Llegábase don Quijote a un cajón y preguntaba qué era aquello que allí se hacía; dábanle cuenta los oficiales; admirábase, y pasaba adelante. Llegó en otras a uno, y preguntóle qué era lo que hacía. El oficial le respondió:

—Señor, este caballero que aquí está —y enseñóle a un hombre de muy buen talle y parecer y de alguna gravedad— ha traducido un libro toscano en nuestra lengua castellana, y estoyle yo componiendo, para darle a la estampa.

—¿Qué título tiene el libro? —preguntó don Quijote.

A lo que el autor respondió:

—Señor, el libro, en toscano, se llama *Le Bagatele*[16].

—Y ¿qué responde *le bagatele* en nuestro castellano? —preguntó don Quijote.

—*Le bagatele* —dijo el autor— es como si en cas-

---

[14] *sortija*, deporte caballeresco (véase II, 59, nota 18).
[15] Tal vez se refiere a la imprenta de Sebastián de Cormellas, que estaba en la calle del Call.
[16] No se conoce libro italiano (toscano) de este título (véase Schevill, IV, 447).

tellano dijésemos *los juguetes*; y aunque este libro es en
el nombre humilde, contiene y encierra en sí cosas muy
buenas y sustanciales.

—Yo —dijo don Quijote— sé algún tanto del toscano, y me precio de cantar algunas estancias del Ariosto.
Pero dígame vuesa merced, señor mío, y no digo esto
porque quiero examinar el ingenio de vuestra merced,
sino por curiosidad no más: ¿ha hallado en su escritura
alguna vez nombrar *piñata*?

—Sí, muchas veces —respondió el autor.

—Y ¿cómo la traduce vuesa merced en castellano?
—preguntó don Quijote.

—¿Cómo la había de traducir —replicó el autor—,
sino diciendo *olla*?

—¡Cuerpo de tal —dijo don Quijote—, y qué adelante está vuesa merced en el toscano idioma! Yo apostaré una buena apuesta que adonde diga en el toscano
piace, dice vuesa merced en el castellano *place*; y adonde diga *più*, dice *más*, y el *su* declara con *arriba*, y el
giù con *abajo*.

—Sí declaro, por cierto —dijo el autor—, porque
ésas son sus propias correspondencias.

—Osaré yo jurar —dijo don Quijote— que no es
vuesa merced conocido en el mundo, enemigo siempre
de premiar los floridos ingenios ni los loables trabajos.
¡Qué de habilidades hay perdidas por ahí! ¡Qué de ingenios arrinconados! ¡Qué de virtudes menospreciadas!
Pero, con todo esto, me parece que el traducir de una
lengua en otra, como no sea de las reinas de las lenguas,
griega y latina, es como quien mira los tapices flamencos
por el revés, que aunque se veen las figuras, son llenas
de hilos que las escurecen, y no se veen con la lisura y
tez de la haz; y el traducir de lenguas fáciles, ni arguye
ingenio ni elocución, como no le arguye el que traslada
ni el que copia un papel de otro papel. Y no por esto
quiero inferir que no sea loable este ejercicio del traducir; porque en otras cosas peores se podría ocupar el
hombre, y que menos provecho le trujesen. Fuera desta
cuenta van los dos famosos traductores: el uno, el doctor Cristóbal de Figueroa, en su *Pastor Fido*[17], y el otro,

[17] *Il pastor Fido* de Battista Guarini (Venecia, 1590); la traducción de Cristóbal Suárez de Figueroa se publicó en Nápoles en 1602.

don Juan de Jáurigui, en su *Aminta*[18], donde felizmente ponen en duda cuál es la tradución o cuál el original. Pero dígame vuestra merced: este libro ¿imprímese por su cuenta, o tiene ya vendido el privilegio a algún librero?

—Por mi cuenta lo imprimo —respondió el autor—, y pienso ganar mil ducados, por lo menos, con esta primera impresión, que ha de ser de dos mil cuerpos[19], y se han de despachar a seis reales cada uno, en daca las pajas.

—¡Bien está vuesa merced en la cuenta! —respondió don Quijote—. Bien parece que no sabe las entradas y salidas de los impresores, y las correspondencias[20] que hay de unos a otros. Yo le prometo que cuando se vea cargado de dos mil cuerpos de libros, vea tan molido su cuerpo, que se espante, y más si el libro es un poco avieso y no nada picante.

—Pues ¿qué? —dijo el autor—. ¿Quiere vuesa merced que se lo dé a un librero, que me dé por el privilegio tres maravedís, y aún piensa que me hace merced en dármelos? Yo no imprimo mis libros para alcanzar fama en el mundo, que ya en él soy conocido por mis obras; provecho quiero; que sin él no vale un cuatrín[21] la buena fama.

—Dios le dé a vuesa merced buena manderecha —respondió don Quijote.

Y pasó adelante a otro cajón, donde vio que estaban corrigiendo un pliego de un libro que se intitulaba *Luz del alma*[22], y en viéndole, dijo:

—Estos tales libros, aunque hay muchos deste género, son los que se deben imprimir, porque son muchos los pecadores que se usan, y son menester infinitas luces para tantos desalumbrados.

Pasó adelante y vio que asimesmo estaban corrigiendo otro libro; y preguntando su título, le respondieron que se llamaba la *Segunda parte del Ingenioso Hidalgo*

---

[18] *L'Aminta* de Torcuato Tasso (Cremona, 1580); la traducción de Juan de Jáuregui se publicó en Roma en 1607.
[19] *cuerpos*, ejemplares, volúmenes.
[20] *correspondencias*, tratos comerciales.
[21] *cuatrín*, moneda de poco valor (un cuatrín, cuatro dineros).
[22] La obra de fray Felipe de Meneses titulada *Luz del alma cristiana contra la ceguedad y ignorancia* (Valladolid, 1554). Véase A. Castro, «Revista de Filología Española», XVIII, 1931, 344-358.

don Quijote de la Mancha, compuesta por un tal, vecino de Tordesillas[23].

—Ya yo tengo noticia deste libro —dijo don Quijote—, y en verdad y en mi conciencia que pensé que ya estaba quemado y hecho polvos, por impertinente; pero su San Martín se le llegará, como a cada puerco; que las historias fingidas tanto tienen de buenas y de deleitables cuanto se llegan a la verdad o la semejanza della, y las verdaderas, tanto son mejores cuanto son más verdaderas.

Y diciendo esto, con muestras de algún despecho, se salió de la emprenta. Y aquel mesmo día ordenó don Antonio de llevarle a ver las galeras que en la playa estaban, de que Sancho se regocijó mucho, a causa que en su vida las había visto. Avisó don Antonio al cuatralbo[24] de las galeras como aquella tarde había de llevar a verlas a su huésped el famoso don Quijote de la Mancha, de quien ya el cuatralbo y todos los vecinos de la ciudad tenían noticia; y lo que le sucedió en ellas se dirá en el siguiente capítulo.

CAPÍTULO LXIII

DE LO MAL QUE LE AVINO A SANCHO PANZA CON LA VISITA DE LAS GALERAS, Y LA NUEVA AVENTURA DE LA HERMOSA MORISCA

GRANDES eran los discursos[1] que don Quijote hacía sobre la respuesta de la encantada cabeza, sin que ninguno dellos diese en el embuste, y todos paraban con la promesa, que él tuvo por cierto, del desencanto de Dulcinea. Allí iba y venía, y se alegraba entre sí mismo, creyendo que había de ver presto su cumplimiento; y Sancho, aunque aborrecía el ser gobernador, como queda dicho, todavía deseaba volver a mandar y a ser obedecido; que esta mala ventura trae consigo el mando, aunque sea de burlas.

[23] No se tiene noticia de ninguna edición del *Quijote* de Avellaneda hecha en Barcelona en vida de Cervantes.
[24] *cuatralbo,* jefe de cuatro galeras.
[1] *discursos,* raciocinios.

En resolución, aquella tarde don Antonio Moreno, su huésped, y sus dos amigos, con don Quijote y Sancho, fueron a las galeras. El cuatralbo, que estaba avisado de su buena venida, por ver a los dos tan famosos Quijote y Sancho, apenas llegaron a la marina, cuando todas las galeras abatieron tienda[2], y sonaron las chirimías; arrojaron luego el esquife al agua, cubierto de ricos tapetes y de almohadas de terciopelo carmesí, y en poniendo que puso los pies en él don Quijote, disparó la capitana el cañón de crujía, y las otras galeras hicieron lo mesmo, y al subir don Quijote por la escala derecha, toda la chusma[3] le saludó como es usanza cuando una persona principal entra en la galera, diciendo: «¡Hu, hu, hu!» tres veces. Diole la mano el general, que con este nombre le llamaremos, que era un principal caballero valenciano; abrazó a don Quijote, diciéndole:

—Este día señalaré yo con piedra blanca, por ser uno de los mejores que pienso llevar en mi vida, habiendo visto al señor don Quijote de la Mancha; tiempo y señal que nos muestra que en él se encierra y cifra todo el valor del andante caballería.

Con otras no menos corteses razones le respondió don Quijote, alegre sobremanera de verse tratar tan a lo señor. Entraron todos en la popa, que estaba muy bien aderezada, y sentáronse por los bandines[4], pasóse el cómitre[5] en crujía, y dio señal con el pito que la chusma hiciese fuera ropa[6], que se hizo en un instante. Sancho, que vio tanta gente en cueros, quedó pasmado, y más cuando vio hacer tienda con tanta priesa, que a él le pareció que todos los diablos andaban allí trabajando; pero esto todo fueron tortas y pan pintado para lo que ahora diré. Estaba Sancho sentado sobre el estanterol[7], junto al espalder[8] de la mano derecha, el cual ya avisado de lo que había de hacer, asió de Sancho, y levantándole en los brazos, toda la chusma puesta en pie y alerta, comen-

---

[2] *abatir tienda*, recoger la cubierta de lona o toldo.
[3] *chusma*, marinería.
[4] *bandines*, asientos alrededor de los costados que forman la popa.
[5] *cómitre*, jefe de la marinería.
[6] *hacer fuera ropa*, desnudarse los remeros para aprestarse a remar.
[7] *estanterol*, madero situado a popa que sostiene el toldo.
[8] *espalder*, remero de popa, que está de espaldas a los demás.

zando de la derecha banda, le fue dando y volteando sobre los brazos de la chusma de banco en banco, con tanta priesa que el pobre Sancho perdió la vista de los ojos, y sin duda pensó que los mismos demonios le llevaban, y no pararon con él hasta volverle por la siniestra banda y ponerle en la popa. Quedó el pobre molido, y jadeando, y trasudando, sin poder imaginar qué fue lo que sucedido le había.

Don Quijote, que vio el vuelo sin alas de Sancho, preguntó al general si eran ceremonias aquéllas que se usaban con los primeros que entraban en las galeras; porque si acaso lo fuese, él, que no tenía intención de profesar en ellas, no quería hacer semejantes ejercicios, y que votaba a Dios que si alguno llegaba a asirle para voltearle, que le había de sacar el alma a puntillazos; y diciendo esto, se levantó en pie y empuñó la espada.

A este instante abatieron tienda, y con grandísimo ruido dejaron caer la entena de alto abajo. Pensó Sancho que el cielo se desencajaba de sus quicios y venía a dar sobre su cabeza; y agobiándola, lleno de miedo, la puso entre las piernas. No las tuvo todas consigo don Quijote; que también se estremeció y encogió de hombros y perdió la color del rostro. La chusma izó la entena con la misma priesa y ruido que la habían amainado, y todo esto, callando, como si no tuvieran voz ni aliento. Hizo señal el cómitre que zarpasen el ferro[9], y saltando en mitad de la crujía con el corbacho o rebenque[10], comenzó a mosquear las espaldas de la chusma, y a largarse poco a poco a la mar. Cuando Sancho vio a una moverse tantos pies colorados, que tales pensó él que eran los remos, dijo entre sí:

—Éstas sí son verdaderamente cosas encantadas, y no las que mi amo dice. ¿Qué han hecho estos desdichados, que ansí los azotan, y cómo este hombre solo, que anda por aquí silbando, tiene atrevimiento para azotar a tanta gente? Ahora yo digo que éste es infierno, o, por lo menos, el purgatorio.

Don Quijote, que vio la atención con que Sancho miraba lo que pasaba, le dijo:

[9] *zarpar el ferro*, levar el áncora.
[10] *corbacho o rebenque*, látigo con que el cómitre azuza o castiga a los remeros.

—¡Ah Sancho amigo, y con qué brevedad y cuán a poca costa os podíades vos, si quisiésedes, desnudar de medio cuerpo arriba, y poneros entre estos señores, y acabar con el desencanto de Dulcinea! Pues con la miseria y pena de tantos, no sentiríades vos mucho la vuestra; y más, que podría ser que el sabio Merlín tomase en cuenta cada azote déstos, por ser dados de buena mano, por diez de los que vos finalmente os habéis de dar.

Preguntar quería el general qué azotes eran aquéllos, o qué desencanto de Dulcinea, cuando dijo el marinero:

—Señal hace Monjuí[11] de que hay bajel de remos en la costa por la banda del poniente.

Esto oído, saltó el general en la crujía, y dijo:

—¡Ea, hijos, no se nos vaya! Algún bergantín de cosarios de Argel debe de ser este que la atalaya nos señala.

Llegáronse luego las otras tres galeras a la capitana, a saber lo que se les ordenaba. Mandó el general que las dos saliesen a la mar, y él con la otra iría tierra a tierra, porque ansí el bajel no se les escaparía. Apretó la chusma los remos, impeliendo las galeras con tanta furia, que parecía que volaban. Las que salieron a la mar a obra de dos millas descubrieron un bajel, que con la vista le marcaron por de hasta catorce o quince bancos, y así era la verdad; el cual bajel, cuando descubrió las galeras, se puso en caza[12], con intención y esperanza de escaparse por su ligereza; pero avínole mal, porque la galera capitana era de los más ligeros bajeles que en la mar navegaban, y así le fue entrando[13], que claramente los del bergantín conocieron que no podían escaparse, y así, el arráez[14] quisiera que dejaran los remos y se entregaran, por no irritar a enojo al capitán que nuestras galeras regía. Pero la suerte, que de otra manera lo guiaba, ordenó que ya que la capitana llegaba tan cerca, que podían los del bajel oír las voces que desde ella les decían que se rindiesen, dos *toraquís*, que es como decir dos turcos, borrachos, que en el bergantín venían con estos doce, dispararon dos escopetas, con que dieron muerte a dos soldados que sobre

[11] *Monjuí*, el castillo de Montjuich, al sur de Barcelona, donde estaba situada la torre del vigía.
[12] *en caza*, en fuga.
[13] *entrando*, dando alcance.
[14] *arráez*, capitán en una embarcación árabe.

nuestras arrumbadas[15] venían. Viendo lo cual, juró el general de no dejar con vida a todos cuantos en el bajel tomase, y llegando a embestir con toda furia, se le escapó por debajo de la palamenta[16]. Pasó la galera adelante un buen trecho; los del bajel se vieron perdidos, hicieron vela en tanto que la galera volvía, y de nuevo, a vela y a remo, se pusieron en caza; pero no les aprovechó su diligencia tanto como les dañó su atrevimiento; porque alcanzándoles la capitana a poco más de media milla, les echó la palamenta encima y los cogió vivos a todos.

Llegaron en esto las otras dos galeras, y todas cuatro con la presa volvieron a la playa, donde infinita gente los estaba esperando, deseosos de ver lo que traían. Dio fondo el general cerca de tierra, y conoció que estaba en la marina el virrey de la ciudad. Mandó echar el esquife para traerle, y mandó amainar la entena para ahorcar luego luego al arráez y a los demás turcos que en el bajel había cogido, que serían hasta treinta y seis personas, todos gallardos, y los más, escopeteros turcos. Preguntó el general quién era el arráez del bergantín, y fuele respondido por uno de los cautivos, en lengua castellana, que después pareció ser renegado español:

—Este mancebo, señor, que aquí vees es nuestro arráez.

Y mostróle uno de los más bellos y gallardos mozos que pudiera pintar la humana imaginación. La edad, al parecer, no llegaba a veinte años. Preguntóle el general:

—Dime, malaconsejado perro, ¿quién te movió a matarme mis soldados, pues veías ser imposible el escaparte? ¿Ese respeto se guarda a las capitanas? ¿No sabes tú que no es valentía la temeridad? Las esperanzas dudosas han de hacer a los hombres atrevidos, pero no temerarios.

Responder quería el arráez; pero no pudo el general, por entonces, oír la respuesta, por acudir a recebir al virrey, que ya entraba en la galera, con el cual entraron algunos de sus criados y algunas personas del pueblo.

—¡Buena ha estado la caza, señor general! —dijo el virrey.

—Y tan buena —respondió el general— cual la verá Vuestra Excelencia agora colgada de esta entena.

---

[15] *arrumbadas,* corredores en las bandas de una nave donde los soldados se colocaban para hacer fuego.
[16] *palamenta,* el conjunto de los remos.

—¿Cómo ansí? —replicó el virrey.

—Porque me han muerto —respondió el general—, contra toda ley y contra toda razón y usanza de guerra, dos soldados de los mejores que en estas galeras venían, y yo he jurado de ahorcar a cuantos he cautivado, principalmente a este mozo, que es el arráez del bergantín.

Y enseñóle al que ya tenía atadas las manos y echado el cordel a la garganta, esperando la muerte.

Miróle el virrey, y viéndole tan hermoso, y tan gallardo, y tan humilde, dándole en aquel instante una carta de recomendación su hermosura, le vino deseo de escusar su muerte, y así le preguntó:

—Dime, arráez, ¿eres turco de nación, o moro, o renegado?

A lo cual el mozo respondió, en lengua asimesmo castellana:

—Ni soy turco de nación, ni moro, ni renegado.

—Pues ¿qué eres? —replicó el virrey.

—Mujer cristiana —respondió el mancebo.

—¿Mujer, y cristiana, y en tal traje, y en tales pasos? Más es cosa para admirarla que para creerla.

—Suspended —dijo el mozo—, ¡oh señores!, la ejecución de mi muerte; que no se perderá mucho en que se dilate vuestra venganza en tanto que yo os cuente mi vida.

¿Quién fuera el de corazón tan duro que con estas razones no se ablandara, o, a lo menos, hasta oír las que el triste y lastimado mancebo decir quería? El general le dijo que dijese lo que quisiese, pero que no esperase alcanzar perdón de su conocida culpa. Con esta licencia, el mozo comenzó a decir desta manera:

—De aquella nación[17] más desdichada que prudente sobre quien ha llovido estos días un mar de desgracias, nací yo, de moriscos padres engendrada. En la corriente de su desventura fui yo por dos tíos míos llevada a Berbería, sin que me aprovechase decir que era cristiana, como, en efecto, lo soy, y no de las fingidas ni aparentes, sino de las verdaderas y católicas. No me valió con los que tenían a cargo nuestro miserable destierro decir esta verdad, ni mis tíos quisieron creerla; antes la tuvieron

[17] *nación,* raza.

por mentira y por invención para quedarme en la tierra donde había nacido, y así, por fuerza más que por grado, me trujeron consigo. Tuve una madre cristiana y un padre discreto y cristiano, ni más ni menos; mamé la fe católica en la leche; criéme con buenas costumbres; ni er. la lengua ni en ellas jamás, a mi parecer, di señal de ser morisca. Al par y al paso destas virtudes, que yo creo que lo son, creció mi hermosura, si es que tengo alguna; y aunque mi recato y mi encerramiento fue mucho, no debió de ser tanto, que no tuviese lugar de verme un mancebo caballero llamado don Gaspar Gregorio, hijo mayorazgo de un caballero que junto a nuestro lugar otro suyo tiene. Cómo me vio, cómo nos hablamos, cómo se vio perdido por mí y cómo yo no muy ganada por él, sería largo de contar, y más en tiempo que estoy temiendo que entre la lengua y la garganta se ha de atravesar el riguroso cordel que me amenaza; y así, sólo diré cómo en nuestro destierro quiso acompañarme don Gregorio. Mezclóse con los moriscos que de otros lugares salieron, porque sabía muy bien la lengua, y en el viaje se hizo amigo de dos tíos míos que consigo me traían; porque mi padre, prudente y prevenido, así como oyó el primer bando de nuestro destierro, se salió del lugar y se fue a buscar alguno en los reinos estraños que nos acogiese. Dejó encerradas y enterradas en una parte de quien yo sola tengo noticia muchas perlas y piedras de gran valor, con algunos dineros en cruzados[18] y doblones de oro. Mandóme que no tocase al tesoro que dejaba, en ninguna manera, si acaso antes que él volviese nos desterraban. Hícelo así, y con mis tíos, como tengo dicho, y otros parientes y allegados pasamos a Berbería, y el lugar donde hicimos asiento fue en Argel, como si le hiciéramos en el mismo infierno. Tuvo noticia el rey de mi hermosura, y la fama se la dio de mis riquezas, que, en parte, fue ventura mía. Llamóme ante sí, preguntóme de qué parte de España era y qué dineros y qué joyas traía. Díjele el lugar, y que las joyas y dineros quedaban en él enterrados; pero que con facilidad se podrían cobrar si yo misma volviese por ellos. Todo esto le dije, temerosa de que no le cegase mi hermosura, sino su codicia.

---

[18] *cruzado*, moneda de oro de Felipe II y Felipe III como reyes de Portugal; *doblón*, moneda de oro del valor de 20 reales.

Estando conmigo en estas pláticas, le llegaron a decir como venía conmigo uno de los más gallardos y hermosos mancebos que se podía imaginar. Luego entendí que lo decían por don Gaspar Gregorio, cuya belleza se deja atrás las mayores que encarecer se pueden. Turbéme, considerando el peligro que don Gregorio corría, porque entre aquellos bárbaros turcos en más se tiene y estima un mochacho o mancebo hermoso que una mujer, por bellísima que sea. Mandó luego el rey que se le trujesen allí delante para verle, y preguntóme si era verdad lo que de aquel mozo le decían. Entonces yo, casi como prevenida del cielo, le dije que sí era; pero que le hacía saber que no era varón, sino mujer como yo, y que le suplicaba me la dejase ir a vestir en su natural traje, para que de todo en todo mostrase su belleza y con menos empacho pareciese ante su presencia. Díjome que fuese en buena hora, y que otro día hablaríamos en el modo que se podía tener para que yo volviese a España a sacar el escondido tesoro. Hablé con don Gaspar, contéle el peligro que corría el mostrar ser hombre, vestíle de mora, y aquella mesma tarde le truje a la presencia del rey, el cual, en viéndole, quedó admirado, y hizo disignio de guardarla para hacer presente della al Gran Señor; y por huir del peligro que en el serrallo de sus mujeres podía tener y temer de sí mismo, la mandó poner en casa de unas principales moras que la guardasen y la sirviesen, adonde le llevaron luego. Lo que los dos sentimos, que no puedo negar que no le quiero, se deje a la consideración de los que se apartan si bien se quieren. Dio luego traza el rey de que yo volviese a España en este bergantín y que me acompañasen dos turcos de nación, que fueron los que mataron vuestros soldados. Vino también conmigo este renegado español —señalando al que había hablado primero—, del cual sé yo bien que es cristiano encubierto y que viene con más deseo de quedarse en España que de volver a Berbería; la demás chusma del bergantín son moros y turcos, que no sirven de más que de bogar al remo. Los dos turcos, codiciosos e insolentes, sin guardar el orden que traíamos de que a mí y a este renegado en la primer parte de España, en hábito de cristianos, de que venimos proveídos, nos echasen en tierra, primero quisieron barrer esta costa y hacer alguna presa, si pudiesen, temiendo que si primero nos echaban en tierra, por algún acidente que a los dos nos sucediese podríamos descubrir que quedaba el bergantín en la mar, y si acaso hubiese galeras por esta costa, los tomasen. Anoche descubrimos esta playa, y sin tener noticia destas cuatro galeras fuimos descubiertos, y nos ha sucedido lo que habéis visto. En resolución, don Gregorio queda en hábito de mujer entre mujeres, con manifiesto peligro de perderse, y yo me veo atadas las manos, esperando, o, por mejor decir, temiendo perder la vida, que ya me cansa. Éste es, señores, el fin de mi lamentable historia, tan verdadera como desdichada; lo que os ruego es que me dejéis morir como cristiana, pues, como ya he dicho, en ninguna cosa he sido culpante de la culpa en que los de mi nación han caído.

Y luego calló, preñados los ojos de tiernas lágrimas, a quien acompañaron muchas de los que presentes estaban. El virrey, tierno y compasivo, sin hablarle palabra, se llegó a ella y le quitó con sus manos el cordel que las hermosas de la mora ligaba.

En tanto, pues, que la morisca cristiana su peregrina historia trataba, tuvo clavados los ojos en ella un anciano peregrino que entró en la galera cuando entró el virrey; y apenas dio fin a su plática la morisca, cuando él se arrojó a sus pies, y abrazado dellos, con interrumpidas palabras de mil sollozos y suspiros, le dijo:

—¡Oh Ana Félix, desdichada hija mía! Yo soy tu padre Ricote, que volvía a buscarte por no poder vivir sin ti, que eres mi alma.

A cuyas palabras abrió los ojos Sancho, y alzó la cabeza —que inclinada tenía, pensando en la desgracia de su paseo—, y mirando al peregrino, conoció ser el mismo Ricote que topó el día que salió de su gobierno, y confirmóse que aquélla era su hija, la cual, ya desatada, abrazó a su padre, mezclando sus lágrimas con las suyas; el cual dijo al general y al virrey:

—Ésta, señores, es mi hija, más desdichada en sus sucesos que en su nombre. Ana Félix se llama, con el sobrenombre de Ricote, famosa tanto por su hermosura como por mi riqueza. Yo salí de mi patria a buscar en reinos estraños quien nos albergase y recogiese, y habién-

dole hallado en Alemania, volví en este hábito de peregrino, en compañía de otros alemanes, a buscar mi hija
y a desenterrar muchas riquezas que dejé escondidas. No
hallé a mi hija; hallé el tesoro, que conmigo traigo, y
agora, por el estraño rodeo que habéis visto, he hallado
el tesoro que más me enriquece, que es a mi querida
hija. Si nuestra poca culpa y sus lágrimas y las mías, por
la integridad de vuestra justicia, pueden abrir puertas
a la misericordia, usadla con nosotros, que jamás tuvimos pensamiento de ofenderos, ni convenimos en ningún modo con la intención de los nuestros, que justamente han sido desterrados.

Entonces dijo Sancho:

—Bien conozco a Ricote, y sé que es verdad lo que
dice en cuanto a ser Ana Félix su hija; que en esotras
zarandajas de ir y venir, tener buena o mala intención,
no me entremeto.

Admirados del estraño caso todos los presentes, el
general dijo:

—Una por una vuestras lágrimas no me dejarán
cumplir mi juramento; vivid, hermosa Ana Félix, los
años de vida que os tiene determinados el cielo, y lleven
la pena de su culpa los insolentes y atrevidos que la co-
metieron.

Y mandó luego ahorcar de la entena a los dos turcos
que a sus dos soldados habían muerto; pero el virrey le
pidió encarecidamente no los ahorcase, pues más locura
que valentía había sido la suya. Hizo el general lo que
el virrey le pedía, porque no se ejecutan bien las venganzas a sangre helada. Procuraron luego dar traza de sacar
a don Gaspar Gregorio del peligro en que quedaba; ofreció Ricote para ello más de dos mil ducados que en perlas
y en joyas tenía. Diéronse muchos medios; pero ninguno
fue tal como el que dio el renegado español que se ha
dicho, el cual se ofreció de volver a Argel en algún barco
pequeño, de hasta seis bancos, armado de remeros cristianos, porque él sabía dónde, cómo y cuándo podía y
debía desembarcar, y asimismo no ignoraba la casa donde don Gaspar quedaba. Dudaron el general y el virrey
el fiarse del renegado, ni confiar de los cristianos que
habían de bogar el remo; fióle Ana Félix, y Ricote, su

padre, dijo que salía a dar el rescate de los cristianos, si acaso se perdiesen.

Firmados[19], pues, en este parecer, se desembarcó el virrey, y don Antonio Moreno se llevó consigo a la morisca y a su padre, encargándole el virrey que los regalase y acariciase cuanto le fuese posible; que de su parte le ofrecía lo que en su casa hubiese para su regalo. Tanta fue la benevolencia y caridad que la hermosura de Ana Félix infundió en su pecho.

CAPÍTULO LXIV

QUE TRATA DE LA AVENTURA QUE MÁS PESADUMBRE DIO A DON QUIJOTE DE CUANTAS HASTA ENTONCES LE HABÍAN SUCEDIDO

LA mujer de don Antonio Moreno cuenta la historia que recibió grandísimo contento de ver a Ana Félix en su casa. Recibióla con mucho agrado, así enamorada de su belleza como de su discreción, porque en lo uno y en lo otro era estremada la morisca, y toda la gente de la ciudad, como a campana tañida, venían a verla.

Dijo don Quijote a don Antonio que el parecer que habían tomado en la libertad de don Gregorio no era bueno, porque tenía más de peligroso que de conveniente, y que sería mejor que le pusiesen a él en Berbería con sus armas y caballo; que él le sacaría a pesar de toda la morisma, como había hecho don Gaiferos a su esposa Melisendra.

—Advierta vuesa merced —dijo Sancho, oyendo esto— que el señor don Gaiferos sacó a su esposa de tierra firme y la llevó a Francia por tierra firme; pero aquí, si acaso sacamos a don Gregorio, no tenemos por dónde traerle a España, pues está la mar en medio.

—Para todo hay remedio, si no es para la muerte —respondió don Quijote—; pues llegando el barco a la marina, nos podremos embarcar en él, aunque todo el mundo lo impida.

[19] *firmados,* confirmados, decididos.

—Muy bien lo pinta y facilita vuestra merced —dijo Sancho—; pero del dicho al hecho hay gran trecho, y yo me atengo al renegado, que me parece muy hombre de bien y de muy buenas entrañas.

Don Antonio dijo que si el renegado no saliese bien del caso, se tomaría el espediente de que el gran don Quijote pasase en Berbería.

De allí a dos días partió el renegado en un ligero barco de seis remos por banda, armado de valentísima chusma, y de allí a otros dos se partieron las galeras a Levante, habiendo pedido el general al visorrey fuese servido de avisarle de lo que sucediese en la libertad de don Gregorio y en el caso de Ana Félix; quedó el visorrey de hacerlo así como se lo pedía.

Y una mañana, saliendo don Quijote a pasearse por la playa armado de todas sus armas, porque, como muchas veces decía, ellas eran sus arreos, y su descanso el pelear, y no se hallaba sin ellas un punto, vio venir hacia él un caballero, armado asimismo de punta en blanco, que en el escudo traía pintada una luna resplandeciente; el cual, llegándose a trecho que podía ser oído, en altas voces, encaminando sus razones a don Quijote, dijo:

—Insigne caballero y jamás como se debe alabado don Quijote de la Mancha, yo soy el Caballero de la Blanca Luna, cuyas inauditas hazañas quizá te le habrán traído a la memoria; vengo a contender contigo y a probar la fuerza de tus brazos, en razón de hacerte conocer y confesar que mi dama, sea quien fuere, es sin comparación más hermosa que tu Dulcinea del Toboso; la cual verdad si tú la confiesas de llano en llano, escusarás tu muerte y el trabajo que yo he de tomar en dártela; y si tú peleares y yo te venciere, no quiero otra satisfación sino que dejando las armas y absteniéndote de buscar aventuras, te recojas y retires a tu lugar por tiempo de un año, donde has de vivir sin echar mano a la espada, en paz tranquila y en provechoso sosiego, porque así conviene al aumento de tu hacienda y a la salvación de tu alma; y si tú me vencieres, quedará a tu discreción mi cabeza, y serán tuyos los despojos de mis armas y caballo, y pasará a la tuya la fama de mis hazañas. Mira lo que te está mejor, y respóndeme luego, porque hoy todo el día traigo de término para despachar este negocio.

Don Quijote quedó suspenso y atónito, así de la arrogancia del Caballero de la Blanca Luna como de la causa por que le desafiaba, y con reposo y además severo le respondió:

—Caballero de la Blanca Luna, cuyas hazañas hasta agora no han llegado a mi noticia, yo osaré jurar que jamás habéis visto a la ilustre Dulcinea; que si visto la hubiérades, yo sé que procuráredes no poneros en esta demanda, porque su vista os desengañara de que no ha habido ni puede haber belleza que con la suya comparar se pueda; y así, no diciéndoos que mentís, sino que no acertáis en lo propuesto, con las condiciones que habéis referido aceto vuestro desafío, y luego, porque no se pase el día que traéis determinado; y sólo exceto de las condiciones la de que se pase a mí la fama de vuestras hazañas, porque no sé cuáles ni qué tales sean: con las mías me contento, tales cuales ellas son. Tomad, pues, la parte del campo que quisiéredes; que yo haré lo mesmo, y a quien Dios se la diere, San Pedro se la bendiga.

Habían descubierto de la ciudad al Caballero de la Blanca Luna, y díchoselo al visorrey que estaba hablando con don Quijote de la Mancha. El visorrey, creyendo sería alguna nueva aventura fabricada por don Antonio Moreno o por otro algún caballero de la ciudad, salió luego a la playa con don Antonio y con otros muchos caballeros que le acompañaban, a tiempo cuando don Quijote volvía las riendas a Rocinante para tomar del campo lo necesario.

Viendo, pues, el visorrey que daban los dos señales de volverse a encontrar, se puso en medio, preguntándoles qué era la causa que les movía a hacer tan de improviso batalla. El Caballero de la Blanca Luna respondió que era precedencia de hermosura, y en breves razones le dijo las mismas que había dicho a don Quijote, con la acetación de las condiciones del desafío hechas por entrambas partes. Llegóse el visorrey a don Antonio, y preguntóle paso si sabía quién era el tal Caballero de la Blanca Luna, o si era alguna burla que querían hacer a don Quijote. Don Antonio le respondió que ni sabía quién era, ni si era de burlas ni de veras el tal desafío. Esta respuesta tuvo perplejo al visorrey en si les dejaría o no pasar adelante en la batalla; pero no pudiéndose persuadir a que fuese sino burla, se apartó diciendo:

—Señores caballeros, si aquí no hay otro remedio sino confesar o morir, y el señor don Quijote está en sus trece, y vuestra merced el de la Blanca Luna en sus catorce, a la mano de Dios, y dense.

Agradeció el de la Blanca Luna con corteses y discretas razones al visorrey la licencia que se les daba, y don Quijote hizo lo mesmo; el cual, encomendándose al cielo de todo corazón y a su Dulcinea —como tenía de costumbre al comenzar de las batallas que se le ofrecían—, tornó a tomar otro poco más del campo, porque vio que su contrario hacía lo mesmo, y sin tocar trompeta ni otro instrumento bélico que les diese señal de arremeter, volvieron entrambos a un mesmo punto las riendas a sus caballos; y como era más ligero el de la Blanca Luna, llegó a don Quijote a dos tercios andados de la carrera, y allí le encontró con tan poderosa fuerza, sin tocarle con la lanza —que la levantó, al parecer, de propósito—, que dio con Rocinante y con don Quijote por el suelo una peligrosa caída. Fue luego sobre él, y poniéndole la lanza sobre la visera, le dijo:

—Vencido, sois, caballero, y aun muerto, si no confesáis las condiciones de nuestro desafío.

Don Quijote, molido y aturdido, sin alzarse la visera, como si hablara dentro de una tumba, con voz debilitada y enferma, dijo:

—Dulcinea del Toboso es la más hermosa mujer del mundo, y yo el más desdichado caballero de la tierra, y no es bien que mi flaqueza defraude esta verdad. Aprieta, caballero, la lanza, y quítame la vida, pues me has quitado la honra[1].

—Eso no haré yo, por cierto —dijo el de la Blanca Luna—: viva, viva en su entereza la fama de la hermosura de la señora Dulcinea del Toboso; que sólo me con-

[1] Estas dramáticas palabras son similares a las que, en el *Persiles y Sigismunda* (II, 19) pronuncia el francés Renato al ser vencido en un duelo: «Aprieta, ¡oh más venturoso que valiente vencedor mío!, esta punta de espada, y sácame el alma, pues tan mal ha sabido defender su cuerpo; no esperes a que me rinda, que no ha de confesar mi lengua la culpa que no tengo. Pecados si tengo yo que merecen mayores castigos; pero no quiero añadirles este de levantarme testimonio a mí mismo, y así, más quiero morir con honra que vivir deshonrado».

tento con que el gran don Quijote se retire a su lugar un año, o hasta el tiempo que por mí le fuere mandado, como concertamos antes de entrar en esta batalla.

Todo esto oyeron el visorrey y don Antonio, con otros muchos que allí estaban, y oyeron asimismo que don Quijote respondió que como no le pidiese cosa que fuese en perjuicio de Dulcinea, todo lo demás cumpliría como caballero puntual y verdadero.

Hecha esta confesión, volvió las riendas el de la Blanca Luna, y haciendo mesura[2] con la cabeza al visorrey, a medio galope se entró en la ciudad.

Mandó el visorrey a don Antonio, que fuese tras él y que en todas maneras supiese quién era. Levantaron a don Quijote, descubriéronle el rostro y halláronle sin color y trasudando. Rocinante, de puro malparado, no se pudo mover por entonces. Sancho, todo triste, todo apesarado, no sabía qué decirse ni qué hacerse: parecíale que todo aquel suceso pasaba en sueños y que toda aquella máquina era cosa de encantamento. Veía a su señor rendido y obligado a no tomar armas en un año; imaginaba la luz de la gloria de sus hazañas escurecida, las esperanzas de sus nuevas promesas deshechas, como se deshace el humo con el viento. Temía si quedaría o no contrecho Rocinante, o deslocado[3] su amo; que no fuera poca ventura si deslocado quedara. Finalmente, con una silla de manos, que mandó traer el visorrey, le llevaron a la ciudad, y el visorrey se volvió también a ella, con deseo de saber quién fuese el Caballero de la Blanca Luna, que de tan mal talante había dejado a don Quijote.

CAPÍTULO LXV

Donde se da noticia quién era el de la Blanca Luna, con la libertad de don Gregorio, y de otros sucesos

Siguió don Antonio Moreno al Caballero de la Blanca Luna, y siguiéronle también, y aun persiguiéronle, muchos muchachos, hasta que le cerraron en un mesón,

[2] *hacer mesura,* hacer reverencia.
[3] *deslocado,* dislocado; inmediatamente se hace un juego de palabras con *deslocado,* de *deslocar,* dejar de ser loco.

dentro de la ciudad. Entró el don Antonio con deseo de
conocerle; salió un escudero a recebirle y a desarmarle;
encerróse en una sala baja, y con él don Antonio, que
no se le cocía el pan[1] hasta saber quién fuese. Viendo,
pues, el de la Blanca Luna que aquel caballero no le dejaba, le dijo:

—Bien sé, señor, a lo que venís, que es a saber quién
soy; y porque no hay para qué negároslo, en tanto que
este mi criado me desarma os lo diré, sin faltar un punto
a la verdad del caso. Sabed, señor, que a mí me llaman
el bachiller Sansón Carrasco; soy del mesmo lugar de
don Quijote de la Mancha, cuya locura y sandez mueve
a que le tengamos lástima todos cuantos le conocemos, y
entre los que más se la han tenido he sido yo; y creyendo que está su salud en su reposo, y en que se esté en su
tierra y en su casa, di traza para hacerle estar en ella,
y así, habrá tres meses que le salí al camino como caballero andante, llamándome el Caballero de los Espejos,
con intención de pelear con él y vencerle, sin hacerle
daño, poniendo por condición de nuestra pelea que el
vencido quedase a discreción del vencedor; y lo que yo
pensaba pedirle, porque ya le juzgaba por vencido, era
que se volviese a su lugar y que no saliese dél en todo
un año, en el cual tiempo podría ser curado; pero la
suerte lo ordenó de otra manera, porque él me venció
a mí y me derribó del caballo, y así, no tuvo efecto mi
pensamiento: él prosiguió su camino, y yo me volví,
vencido, corrido y molido de la caída, que fue además
peligrosa; pero no por esto se me quitó el deseo de volver a buscarle y a vencerle, como hoy se ha visto.
Y como él es tan puntual en guardar las órdenes de la
andante caballería, sin duda alguna guardará la que le
he dado, en cumplimiento de su palabra. Esto es, señor,
lo que pasa, sin que tenga que deciros otra cosa alguna:
suplícoos no me descubráis ni le digáis a don Quijote
quién soy, porque tengan efecto los buenos pensamientos míos y vuelva a cobrar su juicio un hombre que le
tiene bonísimo, como le dejen las sandeces de la caballería.

—¡Oh señor —dijo don Antonio—, Dios os perdone

---

[1] *no se le cocía el pan,* se impacientaba.

el agravio que habéis hecho a todo el mundo en querer volver cuerdo al más gracioso loco que hay en él! ¿No veis, señor, que no podrá llegar el provecho que cause la cordura de don Quijote a lo que llega el gusto que da con sus desvaríos? Pero yo imagino que toda la industria del señor bachiller no ha de ser parte para volver cuerdo a un hombre tan rematadamente loco; y si no fuese contra caridad, diría que nunca sane don Quijote, porque con su salud, no solamente perdemos sus gracias, sino las de Sancho Panza su escudero, que cualquiera dellas puede volver a alegrar a la misma melancolía. Con todo esto, callaré, y no le diré nada, por ver si salgo verdadero en sospechar que no ha de tener efecto la diligencia hecha por el señor Carrasco.

El cual respondió que ya una por una estaba en buen punto aquel negocio, de quien esperaba feliz suceso. Y habiéndose ofrecido don Antonio de hacer lo que más le mandase, se despidió dél, y hecho liar sus armas sobre un macho, luego al mismo punto, sobre el caballo con que entró en la batalla, se salió de la ciudad aquel mismo día y se volvió a su patria, sin sucederle cosa que obligue a contarla en esta verdadera historia.

Contó don Antonio al visorrey todo lo que Carrasco le había contado, de lo que el visorrey no recibió mucho gusto, porque en el recogimiento de don Quijote se perdía el[2] que podían tener todos aquellos que de sus locuras tuviesen noticia.

Seis días estuvo don Quijote en el lecho, marrido[3], triste, pensativo y malacondicionado, yendo y viniendo con la imaginación en el desdichado suceso de su vencimiento. Consolábale Sancho, y, entre otras razones, le dijo:

—Señor mío, alce vuestra merced la cabeza y alégrese, si puede, y dé gracias al cielo que, ya que le derribó en la tierra, no salió con alguna costilla quebrada; y pues sabe que donde las dan las toman, y que no siempre hay tocinos donde hay estacas[4], dé una higa al médico[5],

---

[2] *el* [gusto] *que.*
[3] *marrido*, afligido, melancólico, triste.
[4] Refrán que se aplica cuando se cree que uno es muy rico y luego resulta no serlo.
[5] Refrán: «Mee yo claro y una higa para el médico»; *higa*, gesto de desprecio.

pues no le ha menester para que le cure en esta enfermedad, volvámonos a nuestra casa y dejémonos de andar
buscando aventuras por tierras y lugares que no sabemos; y si bien se considera, yo soy aquí el más perdidoso,
aunque es vuestra merced el más mal parado. Yo, que
dejé con el gobierno los deseos de ser más gobernador,
no dejé la gana de ser conde, que jamás tendrá efecto si
vuesa merced deja de ser rey, dejando el ejercicio de su
caballería; y así, vienen a volverse en humo mis esperanzas.

—Calla, Sancho, pues ves que mi reclusión y retirada no ha de pasar de un año; que luego volveré a mis
honrados ejercicios, y no me ha de faltar reino que gane
y algún condado que darte.

—Dios lo oiga —dijo Sancho—, y el pecado[6] sea
sordo, que siempre he oído decir que más vale buena
esperanza que ruin posesión.

En esto estaban cuando entró don Antonio, diciendo
con muestras de grandísimo contento:

—¡Albricias, señor don Quijote; que don Gregorio
y el renegado que fue por él está en la playa! ¿Qué digo
en la playa? Ya está en casa del visorrey, y será aquí al
momento.

Alegróse algún tanto don Quijote, y dijo:

—En verdad que estoy por decir que me holgara que
hubiera sucedido todo al revés, porque me obligara a
pasar en Berbería, donde con la fuerza de mi brazo diera
libertad no sólo a don Gregorio, sino a cuantos cristianos
cautivos hay en Berbería. Pero, ¿qué digo, miserable?
¿No soy yo el vencido? ¿No soy yo el derribado? ¿No
soy yo el que no puede tomar arma en un año? Pues
¿qué prometo? ¿De qué me alabo, si antes me conviene
usar de la rueca que de la espada?

—Déjese deso, señor —dijo Sancho—: viva la gallina, aunque con su pepita[7]; que hoy por ti y mañana por
mí; y en estas cosas de encuentros y porrazos no hay to-
marles tiento alguno, pues el que hoy cae puede levantarse mañana, si no es que se quiere estar en la cama;

[6] *el pecado*, el diablo.
[7] Refrán: *pepita*, tumorcillo en la lengua de las gallinas, que
no les permite cacarear.

quiero decir que se deje desmayar, sin cobrar nuevos
bríos para nuevas pendencias. Y levántese vuestra merced agora para recebir a don Gregorio; que me parece que anda la gente alborotada, y ya debe de estar en
casa.

Y así era la verdad; porque habiendo ya dado cuenta don Gregorio y el renegado al visorrey de su ida y
vuelta, deseoso don Gregorio de ver a Ana Félix, vino
con el renegado a casa de don Antonio; y aunque don
Gregorio cuando le sacaron de Argel fue con hábitos de
mujer, en el barco los trocó por los de un cautivo que
salió consigo; pero en cualquiera que viniera, mostrara
ser persona para ser codiciada, servida y estimada, porque era hermoso sobremanera, y la edad, al parecer, de
diez y siete o diez y ocho años. Ricote y su hija salieron
a recebirle, el padre con lágrimas y la hija con honestidad. No se abrazaron unos a otros, porque donde hay
mucho amor no suele haber demasiada desenvoltura. Las
dos bellezas juntas de don Gregorio y Ana Félix admiraron en particular a todos juntos los que presentes estaban. El silencio fue allí el que habló por los dos amantes,
y los ojos fueron las lenguas que descubrieron sus alegres
y honestos pensamientos.

Contó el renegado la industria y medio que tuvo para
sacar a don Gregorio; contó don Gregorio los peligros y
aprietos en que se había visto con las mujeres con quien
había quedado, no con largo razonamiento, sino con breves palabras, donde mostró que su discreción se adelan-
taba a sus años. Finalmente, Ricote pagó y satisfizo liberalmente así al renegado como a los que habían bogado
al remo. Reincorporóse y redújose el renegado con la
Iglesia, y de miembro podrido, volvió limpio y sano con
la penitencia v el arrepentimiento.

De allí a dos días trató el visorrey con don Antonio
qué modo tendrían para que Ana Félix y su padre quedasen en España, pareciéndoles no ser de inconveniente
alguno que quedasen en ella hija tan cristiana y padre,
al parecer, tan bien intencionado. Don Antonio se ofreció venir a la corte a negociarlo, donde había de venir
forzosamente a otros negocios, dando a entender que en
ella, por medio del favor y de las dádivas, muchas cosas
dificultosas se acaban.

—No —dijo Ricote, que se halló presente a esta plática— hay que esperar en favores ni en dádivas; porque con el gran don Bernardino de Velasco, conde de Salazar[8], a quien dio Su Majestad cargo de nuestra expulsión, no valen ruegos, no promesas, no dádivas, no lástimas; porque aunque es verdad que él mezcla la misericordia con la justicia, como él vee que todo el cuerpo de nuestra nación está contaminado y podrido, usa con él antes del cauterio que abrasa que del ungüento que molifica; y así, con prudencia, con sagacidad, con diligencia y con miedos que pone, ha llevado sobre sus fuertes hombros a debida ejecución el peso desta gran máquina, sin que nuestras industrias, estratagemas, solicitudes y fraudes hayan podido deslumbrar sus ojos de Argos, que contino tiene alerta, porque no se le quede ni encubra ninguno de los nuestros, que como raíz escondida, que con el tiempo venga después a brotar, y a echar frutos venenosos en España, ya limpia, ya desembarazada de los temores en que nuestra muchedumbre la tenía. ¡Heroica resolución del gran Filipo Tercero, y inaudita prudencia en haberla encargado al tal don Bernardino de Velasco!

—Una por una[9], yo haré, puesto allá, las diligencias posibles, y haga el cielo lo que más fuere servido —dijo don Antonio—. Don Gregorio se irá conmigo a consolar la pena que sus padres deben tener por su ausencia; Ana Félix se quedará con mi mujer en mi casa, o en un monasterio, y yo sé que el señor visorrey gustará se quede en la suya el buen Ricote, hasta ver cómo yo negocio.

El visorrey consintió en todo lo propuesto; pero don Gregorio, sabiendo lo que pasaba, dijo que en ninguna manera podía ni quería dejar a doña Ana Félix; pero teniendo intención de ver a sus padres, y de dar traza de volver por ella, vino en el decretado concierto. Quedóse Ana Félix con la mujer de don Antonio, y Ricote en casa del visorrey.

Llegóse el día de la partida de don Antonio, y el de don Quijote y Sancho, que fue de allí a otros dos; que la caída no le concedió que más presto se pusiese en ca-

---

[8] Bernardino de Velasco, conde de Salazar, tuvo a su cargo el cumplimiento del decreto de expulsión de los moriscos, precisamente los de la Mancha.
[9] *Una por una*, de todos modos.

mino. Hubo lágrimas, hubo suspiros, desmayos, y sollozos al despedirse don Gregorio de Ana Félix. Ofrecióle
Ricote a don Gregorio mil escudos, si los quería; pero él
no tomó ninguno, sino solos cinco que le prestó don Antonio, prometiendo la paga dellos en la corte. Con esto,
se partieron los dos, y don Quijote y Sancho después,
como se ha dicho; don Quijote desarmado y de camino,
Sancho a pie, por ir el rucio cargado con las armas.

CAPÍTULO LXVI

QUE TRATA DE LO QUE VERÁ EL QUE LO LEYERE, O LO OIRÁ EL QUE LO ESCUCHARE LEER

A L salir de Barcelona, volvió don Quijote a mirar el
sitio donde había caído, y dijo:

—¡Aquí fue Troya! ¡Aquí mi desdicha, y no mi cobardía, se llevó mis alcanzadas glorias; aquí usó la fortuna conmigo de sus vueltas y revueltas; aquí se escure-
cieron mis hazañas; aquí, finalmente, cayó mi ventura
para jamás levantarse!

Oyendo lo cual Sancho, dijo:

—Tan de valientes corazones es, señor mío, tener sufrimiento en las desgracias como alegría en las prosperidades; y esto lo juzgo por mí mismo, que si cuando era
gobernador estaba alegre, agora que soy escudero de a
pie, no estoy triste; porque he oído decir que esta que
llaman por ahí Fortuna es una mujer borracha y antojadiza, y, sobre todo, ciega, y así, no vee lo que hace, ni
sabe a quién derriba, ni a quién ensalza.

—Muy filósofo estás, Sancho —respondió don Quijote—; muy a lo discreto hablas; no sé quién te lo en-
seña. Lo que te sé decir es que no hay fortuna en el
mundo, ni las cosas que en él suceden, buenas o malas
que sean, vienen acaso, sino por particular providencia
de los cielos, y de aquí viene lo que suele decirse: que
cada uno es artífice de su ventura. Yo lo he sido de la
mía; pero no con la prudencia necesaria, y así, me han

salido al gallarín[1] mis presunciones; pues debiera pensar
que al poderoso grandor del caballo del de la Blanca
Luna no podía resistir la flaqueza de Rocinante. Atreví-
me, en fin, hice lo que puede, derribáronme, y aunque
perdí la honra, no perdí, ni puedo perder, la virtud de
cumplir mi palabra. Cuando era caballero andante, atrevido y valiente, con mis obras y con mis manos acreditaba mis hechos; y agora, cuando soy escudero pedestre,
acreditaré mis palabras cumpliendo la que di de mi promesa. Camina, pues, amigo Sancho, y vamos a tener en
nuestra tierra el año del noviciado, con cuyo encerramiento cobraremos virtud nueva para volver al nunca
de mí olvidado ejercicio de las armas.

—Señor —respondió Sancho—, no es cosa tan gustosa el caminar a pie, que me mueva e incite a hacer
grandes jornadas. Dejemos estas armas colgadas de algún árbol, en lugar de un ahorcado, y ocupando yo las
espaldas del rucio, levantados los pies del suelo, haremos
las jornadas como vuestra merced las pidiere y midiere;
que pensar que tengo de caminar a pie y hacerlas grandes es pensar en lo escusado.

—Bien has dicho, Sancho —respondió don Quijote—: cuélguense mis armas por trofeo, y al pie dellas, o
alrededor dellas, grabaremos en los árboles lo que en el
trofeo de las armas de Roldán estaba escrito:

                Nadie las mueva
    que estar no pueda con Roldán a prueba[2].

—Todo eso me parece de perlas —respondió Sancho—; y si no fuera por la falta que para el camino nos
había de hacer Rocinante, también fuera bien dejarle
colgado.

—¡Pues ni él ni las armas —replicó don Quijote—
quiero que se ahorquen, porque no se diga que a buen
servicio, mal galardón!

—Muy bien dice vuestra merced —respondió San-

---

[1] *salir al gallarín*, perder o ganar de un modo exorbitante. El
gallarín es una cuenta que se hace doblando siempre el número
en progresión aritmética (véase J. López Navío, «Anales Cervantinos», V, 1955-1956, 276-287).
[2] Véase I, 13, nota 12.

cho—, porque según opinión de discretos, la culpa del asno no se ha de echar a la albarda; y pues deste suceso vuestra merced tiene la culpa, castíguese a sí mesmo, y no revienten sus iras por las ya rotas y sangrientas armas, ni por las mansedumbres de Rocinante, ni por la blandura de mis pies, queriendo que caminen más de lo justo.

En estas razones y pláticas se les pasó todo aquel día, y aun otros cuatro, sin sucederles cosa que estorbase su camino; y al quinto día, a la entrada de un lugar, hallaron a la puerta de un mesón mucha gente, que, por ser fiesta, se estaba allí solazando. Cuando llegaba a ellos don Quijote, un labrador alzó la voz diciendo:

—Alguno destos dos señores que aquí vienen, que no conocen las partes, dirá lo que se ha de hacer en nuestra apuesta.

—Sí diré, por cierto —respondió don Quijote—, con toda rectitud, si es que alcanzo a entenderla.

—Es, pues, el caso —dijo el labrador—, señor bueno, que un vecino deste lugar, tan gordo, que pesa once arrobas, desafió a correr a otro su vecino, que no pesa más que cinco. Fue la condición que habían de correr una carrera de cien pasos con pesos iguales; y habiéndole preguntado al desafiador cómo se había de igualar el peso dijo que el desafiado, que pesa cinco arrobas, se pusiese seis de hierro a cuestas, y así se igualarían las once arrobas del flaco con las once del gordo.

—Eso no —dijo a esta sazón Sancho, antes que don Quijote respondiese—. Y a mí, que ha pocos días que salí de ser gobernador, y juez, como todo el mundo sabe, toca averiguar estas dudas y dar parecer en todo pleito.

—Responde en buen hora —dijo don Quijote—, Sancho amigo; que yo no estoy para dar migas a un gato, según traigo alborotado y trastornado el juicio.

Con esta licencia, dijo Sancho a los labradores, que estaban muchos alrededor dél la boca abierta, esperando la sentencia de la suya:

—Hermanos, lo que el gordo pide no lleva camino, no tiene sombra de justicia alguna; porque si es verdad lo que se dice, que el desafiado puede escoger las armas, no es bien que éste las escoja tales que le impidan ni estorben el salir vencedor; y así, es mi parecer que el gor-

mos de guardar para nuestra aldea, que, a lo más tarde, llegaremos allá después de mañana[18].

Sancho respondió que hiciese su gusto; pero que él quisiera concluir con brevedad aquel negocio a sangre caliente y cuando estaba picado el molino[19], porque en la tardanza suele estar muchas veces el peligro; y a Dios rogando y con el mazo dando, y que más valía un «toma» que dos «te daré», y el pájaro en la mano que el buitre volando.

—No más refranes, Sancho, por un solo Dios —dijo don Quijote—; que parece que te vuelves al *sicut erat*[20]; habla a lo llano, a lo liso, a lo no intricado, como muchas veces te he dicho, y verás como te vale un pan por ciento.

—No sé qué mala ventura es esta mía —respondió Sancho—, que no sé decir razón sin refrán, ni refrán que no me parezca razón; pero yo me emendaré, si pudiere.

Y con esto, cesó por entonces su plática.

CAPÍTULO LXXII

DE CÓMO DON QUIJOTE Y SANCHO LLEGARON A SU ALDEA

Todo aquel día, esperando la noche, estuvieron en aquel lugar y mesón don Quijote y Sancho; el uno, para acabar en la campaña rasa la tanda de su diciplina, y el otro, para ver el fin della, en el cual consistía el de su deseo. Llegó en esto al mesón un caminante a caballo, con tres o cuatro criados, uno de los cuales dijo al que el señor dellos parecía:

—Aquí puede vuestra merced, señor don Álvaro Tarfe, pasar hoy la siesta: la posada parece limpia y fresca.

Oyendo esto don Quijote, le dijo a Sancho:

—Mira, Sancho: cuando yo hojeé aquel libro de la segunda parte de mi historia, me parece que de pasada topé allí este nombre de don Álvaro Tarfe[1].

[18] *después de mañana,* pasado mañana.
[19] Cuando la piedra de los molinos está recién picada se muele mejor la harina.
[20] Es decir: a lo que era antes.
[1] Don Álvaro Tarfe es un caballero, inventado por Avellaneda, que juega un papel de cierta importancia en el *Quijote* apócrifo, Cervantes toma este ser, creación de la fantasía de su enemigo, para desacreditar a éste.

—Bien podrá ser —respondió Sancho—. Dejémosle apear; que después se lo preguntaremos.

El caballero se apeó, y, frontero del aposento de don Quijote, la huéspeda le dio una sala baja, enjaezada con otras pintadas sargas, como las que tenía la estancia de don Quijote. Púsose el recién venido caballero a lo de verano, y saliéndose al portal del mesón, que era espacioso y fresco, por el cual se paseaba don Quijote, le preguntó:

—¿Adónde bueno camina vuestra merced, señor gentilhombre?

Y don Quijote le respondió:

—A una aldea que está aquí cerca, de donde soy natural. Y vuestra merced, ¿dónde camina?

—Yo, señor —respondió el caballero—, voy a Granada, que es mi patria.

—¡Y buena patria! —replicó don Quijote—. Pero dígame vuestra merced, por cortesía, su nombre; porque me parece que me ha de importar saberlo más de lo que buenamente podré decir.

—Mi nombre es don Álvaro Tarfe —respondió el huésped.

A lo que replicó don Quijote:

—Sin duda alguna pienso que vuestra merced debe de ser aquel don Álvaro Tarfe que anda impreso en la segunda parte de la *Historia de don Quijote de la Mancha,* recién impresa y dada a la luz del mundo por un autor moderno.

—El mismo soy —respondió el caballero—, y el tal don Quijote, sujeto principal de la tal historia, fue grandísimo amigo mío, y yo fui el que le sacó de su tierra, o, a lo menos, le moví a que viniese a unas justas que se hacían en Zaragoza, adonde yo iba; y en verdad en verdad que le hice muchas amistades, y que le quité de que no le palmease[2] las espaldas el verdugo, por ser demasiadamente atrevido.

—Y dígame vuestra merced, señor don Álvaro, ¿parezco yo en algo a ese tal don Quijote que vuestra merced dice?

—No, por cierto —respondió el huésped—: en ninguna manera.

[2] *palmear,* azotar (en lenguaje de rufianes).

—Y ese don Quijote —dijo el nuestro—, ¿traía consigo a un escudero llamado Sancho Panza?

—Sí traía —respondió don Álvaro—; y aunque tenía fama de muy gracioso, nunca le oí decir gracia que la tuviese.

—Eso creo yo muy bien —dijo a esta sazón Sancho—, porque el decir gracias no es para todos, y ese Sancho que vuestra merced dice, señor gentilhombre, debe de ser algún grandísimo bellaco, frión[3] y ladrón juntamente; que el verdadero Sancho Panza soy yo, que tengo más gracias que llovidas; y si no, haga vuestra merced la experiencia, y ándese tras de mí, por los menos[4] un año, y verá que se me caen a cada paso, y tales y tantas, que sin saber yo las más veces lo que me digo, hago reír a cuantos me escuchan; y el verdadero don Quijote de la Mancha, el famoso, el valiente y el discreto, el enamorado, el desfacedor de agravios, el tutor de pupilos y huérfanos, el amparo de las viudas, el matador de las doncellas, el que tiene por única señora a la sin par Dulcinea del Toboso, es este señor que está presente, que es mi amo; todo cualquier otro don Quijote y cualquier otro Sancho Panza es burlería y cosa de sueño.

—¡Por Dios que lo creo —respondió don Álvaro—, porque más gracias habéis dicho vos, amigo, en cuatro razones que habéis hablado que el otro Sancho Panza en cuantas yo le oí hablar, que fueron muchas! Más tenía de comilón que de bien hablado, y más de tonto que de gracioso, y tengo por sin duda que los encantadores que persiguen a don Quijote el bueno han querido perseguirme a mí con don Quijote el malo. Pero no sé qué me diga; que osaré yo jurar que le dejo metido en la casa del Nuncio[5], en Toledo, para que le curen, y agora remanece[6] aquí otro don Quijote, aunque bien diferente del mío.

—Yo —dijo don Quijote— no sé si soy bueno; pero sé decir que no soy el malo; para prueba de lo cual quiero que sepa vuesa merced, mi señor don Álvaro

---

[3] *frión,* frío, sin substancia ni gracia, desgarbado.
[4] *por los menos,* algunos editores enmiendan en *por lo menos.*
[5] *casa del Nuncio,* famoso manicomio de Toledo, donde, efectivamente, acaba recluido don Quijote en la segunda parte de Avellaneda (cap. 36).
[6] *remanecer,* aparecer de nuevo e inopinadamente.

Tarfe, que en todos los días de mi vida no he estado en
Zaragoza; antes, por haberme dicho que ese don Quijote
fantástico se había hallado en las justas desa ciudad, no
quise yo entrar en ella, por sacar a las barbas del mundo
su mentira; y así, me pasé de claro[7] a Barcelona, archivo
de la cortesía, albergue de los estranjeros, hospital de los
pobres, patria de los valientes, venganza de los ofendidos
y correspondencia grata de firmes amistades, y en sitio y
en belleza, única. Y aunque los sucesos que en ella me han
sucedido no son de mucho gusto, sino de mucha pesadumbre, los llevo sin ella, sólo por haberla visto. Finalmente, señor don Álvaro Tarfe, yo soy don Quijote de
la Mancha, el mismo que dice la fama, y no ese desventurado que ha querido usurpar mi nombre y honrarse con
mis pensamientos. A vuestra merced suplico, por lo que
debe a ser caballero, sea servido de hacer una declaración
ante el alcalde deste lugar, de que vuestra merced no me
ha visto en todos los días de su vida hasta agora, y de que
yo no soy el don Quijote impreso en la segunda parte, ni
este Sancho Panza mi escudero es aquel que vuestra merced conoció.

—Eso haré yo de muy buena gana —respondió don
Álvaro—, puesto que cause admiración ver dos don Quijotes y dos Sanchos a un mismo tiempo, tan conformes
en los nombres como diferentes en las acciones; y vuelvo
a decir y me afirmo que no he visto lo que he visto ni
ha pasado por mí lo que ha pasado.

—Sin duda —dijo Sancho— que vuestra merced debe
de estar encantado, como mi señora Dulcinea del Toboso, y pluguiera al cielo que estuviera su desencanto de
vuestra merced en darme otros tres mil y tantos azotes
como me doy por ella, que yo me los diera sin interés
alguno.

—No entiendo eso de azotes —dijo don Álvaro.

Y Sancho le respondió que era largo de contar; pero
que él se lo contaría si acaso iban un mesmo camino.

Llegóse en esto la hora de comer; comieron juntos
don Quijote y don Álvaro. Entró acaso el alcalde del
pueblo en el mesón, con un escribano, ante el cual alcalde pidió don Quijote, por una petición[8], de que a su

[7] *de claro*, directamente.
[8] *por una petición*, mediante una solicitud o instancia.

derecho convenía de que don Álvaro Tarfe, aquel caballero que allí estaba presente, declarase ante su merced como no conocía a don Quijote de la Mancha, que asimismo estaba allí presente, y que no era aquel que andaba impreso en una historia intitulada: *Segunda parte de don Quijote de la Mancha,* compuesta por un tal de Avellaneda, natural de Tordesillas. Finalmente, el alcalde proveyó jurídicamente; la declaración se hizo con todas las fuerzas que en tales casos debían hacerse; con lo que quedaron don Quijote y Sancho muy alegres, como si les importara mucho semejante declaración y no mostrara claro la diferencia de los dos don Quijotes y la de los dos Sanchos sus obras y sus palabras. Muchas de cortesías y ofrecimientos pasaron entre don Álvaro y don Quijote, en las cuales mostró el gran manchego su discreción, de modo que desengañó a don Álvaro Tarfe del error en que estaba; el cual se dio a entender que debía de estar encantado, pues tocaba con la mano dos tan contrarios don Quijotes.

Llegó la tarde, partiéronse de aquel lugar, y a obra de media legua se apartaban dos caminos diferentes, el uno que guiaba a la aldea de don Quijote, y el otro el que había de llevar don Álvaro. En este poco espacio le contó don Quijote la desgracia de su vencimiento y el encanto y el remedio de Dulcinea, que todo puso en nueva admiración a don Álvaro, el cual, abrazando a don Quijote y a Sancho, siguió su camino, y don Quijote el suyo, que aquella noche la pasó entre otros árboles, por dar lugar a Sancho de cumplir su penitencia, que la cumplió del mismo modo que la pasada noche, a costa de las cortezas de las hayas, harto más que de sus espaldas, que las guardó tanto, que no pudieran quitar los azotes una mosca, aunque la tuviera encima.

No perdió el engañado don Quijote un solo golpe de la cuenta, y halló que con los de la noche pasada eran tres mil y veinte y nueve. Parece que había madrugado el sol a ver el sacrificio, con cuya luz volvieron a proseguir su camino, tratando entre los dos del engaño de don Álvaro y de cuán bien acordado había sido tomar su declaración ante la justicia, y tan auténticamente.

Aquel día y aquella noche caminaron sin sucederles cosa digna de contarse, si no fue que en ella acabó San-

cho su tarea, de que quedó don Quijote contento sobremodo, y esperaba el día, por ver si en el camino topaba
ya desencantada a Dulcinea su señora; y siguiendo su
camino, no topaba mujer ninguna que no iba a reconocer
si era Dulcinea del Toboso, teniendo por infalible no poder mentir las promesas de Merlín.

Con estos pensamientos y deseos subieron una cuesta
arriba, desde la cual descubrieron su aldea, la cual, vista
de Sancho, se hincó de rodillas, y dijo:

—Abre los ojos, deseada patria, y mira que vuelve a
ti Sancho Panza tu hijo, si no muy rico, muy bien azotado. Abre los brazos y recibe también tu hijo don Quijote, que si viene vencido de los brazos ajenos, viene
vencedor de sí mismo; que, según él me ha dicho, es el
mayor vencimiento que desearse puede. Dineros llevo,
porque si buenos azotes me daban, bien caballero me
iba[9].

—Déjate desas sandeces —dijo don Quijote—; y vamos con pie derecho a entrar en nuestro lugar, donde
daremos vado[10] a nuestras imaginaciones, y la traza que
en la pastoral vida pensamos ejercitar.

Con esto, bajaron de la cuesta y se fueron a su pueblo.

CAPÍTULO LXXIII

DE LOS AGÜEROS QUE TUVO DON QUIJOTE AL ENTRAR DE
SU ALDEA, CON OTROS SUCESOS QUE ADORNAN Y ACREDITAN
ESTA GRANDE HISTORIA

A la entrada del cual[1], según dice Cide Hamete, vio
don Quijote que en las eras del lugar estaban ri-
ñendo dos mochachos, y el uno dijo al otro:

—No te canses, Periquillo, que no la has de ver en
todos los días de tu vida.

Oyólo don Quijote, y dijo a Sancho:

—¿No adviertes, amigo, lo que aquel mochacho ha

[9] Véase II, 36, nota 5.
[10] vado, salida, alivio.
[1] del cual, o sea, del pueblo, palabra con que acaba el capítulo
anterior. Parece, pues, que el epígrafe de éste se intercaló después de redactado el texto.

dicho: «no la has de ver en todos los días de tu vida»?

—Pues bien, ¿qué importa —respondió Sancho— que haya dicho eso el mochacho?

—¿Qué? —replicó don Quijote—. ¿No vees tú que aplicando aquella palabra a mi intención, quiere significar que no tengo de ver más a Dulcinea?

Queríale responder Sancho, cuando se lo estorbó ver que por aquella campaña venía huyendo una liebre, seguida de muchos galgos y cazadores, la cual, temerosa, se vino a recoger y a agazapar debajo de los pies del rucio. Cogióla Sancho a mano salva y presentósela a don Quijote, el cual estaba diciendo:

—*Malum signum! Malum signum!* Liebre huye; galgos la siguen: ¡Dulcinea no parece!

—Estraño es vuesa merced —dijo Sancho—; presupongamos que esta liebre es Dulcinea del Toboso y estos galgos que la persiguen son los malandrines encantadores que la transformaron en labradora; ella huye, yo la cojo y la pongo en poder de vuesa merced, que la tiene en sus brazos y la regala: ¿qué mala señal es ésta, ni qué mal agüero se puede tomar de aquí?

Los dos mochachos de la pendencia se llegaron a ver la liebre, y al uno dellos preguntó Sancho que por qué reñían. Y fuele respondido por el que había dicho «no la verás más en toda tu vida», que él había tomado al otro mochacho una jaula de grillos, la cual no pensaba volvérsela en toda su vida. Sacó Sancho cuatro cuartos de la faltriquera y dióselos al mochacho por la jaula, y púsosela en las manos a don Quijote, diciendo:

—He aquí, señor, rompidos y desbaratados estos agüeros, que no tienen que ver más con nuestros sucesos, según que yo imagino, aunque tonto, que con las nubes de antaño. Y si no me acuerdo mal, he oído decir al cura de nuestro pueblo que no es de personas cristianas ni discretas mirar en estas niñerías; y aun vuesa merced mismo me lo dijo los días pasados, dándome a entender que eran tontos todos aquellos cristianos que miraban en agüeros. Y no es menester hacer hincapié en esto, sino pasemos adelante y entremos en nuestra aldea.

Llegaron los cazadores, pidieron su liebre, y diósela don Quijote; pasaron adelante, y a la entrada del pueblo toparon en un pradecillo rezando al cura y al bachiller

Carrasco². Y es de saber que Sancho Panza había echado sobre el rucio y sobre el lío de las armas, para que sirviese de repostero³, la túnica de bocací⁴ pintada de llamas de fuego que le vistieron en el castillo del duque la noche que volvió en sí Altisidora. Acomodóle también la coroza en la cabeza, que fue la más nueva transformación y adorno con que se vio jamás jumento en el mundo.

Fueron luego conocidos los dos del cura y del bachiller, que se vinieron a ellos con los brazos abiertos. Apeóse don Quijote y abrazólos estrechamente; y los mochachos, que son linces no escusados, divisaron la coroza del jumento y acudieron a verle, y decían unos a otros:

—Venid, mochachos, y veréis el asno de Sancho Panza más galán que Mingo, y la bestia de don Quijote más flaca hoy que el primer día.

Finalmente, rodeados de mochachos y acompañados del cura y del bachiller, entraron en el pueblo, y se fueron a casa de don Quijote, y hallaron a la puerta della al ama y a su sobrina, a quien ya habían llegado las nuevas de su venida. Ni más ni menos se las habían dado a Teresa Panza, mujer de Sancho, la cual, desgreñada y medio desnuda, trayendo de la mano a Sanchica, su hija, acudió a ver a su marido; y viéndole no tan bien adeliñado⁵ como ella se pensaba que había de estar un gobernador, le dijo:

—¿Cómo venís así, marido mío, que me parece que venís a pie y despeado⁶, y más traéis semejanza de desgobernado que de gobernador?

—Calla, Teresa —respondió Sancho—; que muchas veces donde hay estacas no hay tocinos⁷, y vámonos a nuestra casa, que allá oirás maravillas. Dineros traigo, que es lo que importa, ganados por mi industria, y sin daño de nadie.

—Traed vos dinero, mi buen marido —dijo Teresa—,

² Recuérdese que Sansón Carrasco era clérigo de grados y corona.
³ *repostero,* paño con escudos o emblemas que se ponía sobre las caballerías de carga.
⁴ *bocací,* tela de hilo gruesa y basta.
⁵ *adeliñado,* aliñado.
⁶ *despeado,* con los pies maltratados por haber caminado mucho.
⁷ Sancho habla impropiamente, pues tenía que haber dicho «donde *no* hay estacas hay tocinos», o sea: donde no se ven indicios de algo provechoso hay realmente algo de provecho.

y sean ganados por aquí o por allí, que como quiera que los hayáis ganado, no habréis hecho usanza nueva en el mundo.

Abrazó Sanchica a su padre, y preguntóle si traía algo; que le estaba esperando como el agua de mayo; y asiéndole de un lado del cinto, y su mujer de la mano, tirando su hija al rucio, se fueron a su casa, dejando a don Quijote en la suya, en poder de su sobrina y de su ama, y en compañía del cura y del bachiller.

Don Quijote, sin guardar términos ni horas, en aquel mismo punto se apartó a solas con el bachiller y el cura, y en breves razones les contó su vencimiento, y la obligación en que había quedado de no salir de su aldea en un año, la cual pensaba guardar al pie de la letra, sin traspasarla en un átomo, bien así como caballero andante, obligado por la puntualidad y orden de la andante caballería, y que tenía pensado de hacerse aquel año pastor, y entretenerse en la soledad de los campos, donde a rienda suelta podía dar vado a sus amorosos pensamientos, ejercitándose en el pastoral y virtuoso ejercicio; y que les suplicaba, si no tenían mucho que hacer y no estaban impedidos en negocios más importantes, quisiesen ser sus compañeros; que él compraría ovejas y ganado suficiente que les diese nombre de pastores; y que les hacía saber que lo más principal de aquel negocio estaba hecho, porque les tenía puestos los nombres, que les vendrían como de molde. Díjole el cura que los dijese. Respondió don Quijote que él se había de llamar *el pastor Quijotiz*; y el bachiller, *el pastor Carrascón*; y el cura, *el pastor Curambro*; y Sancho Panza, *el pastor Pancino*.

Pasmáronse todos de ver la nueva locura de don Quijote; pero porque no se les fuese otra vez del pueblo a sus caballerías, esperando que en aquel año podría ser curado, concedieron[8] con su nueva intención, y aprobaron por discreta su locura, ofreciéndosele por compañeros en su ejercicio.

—Y más —dijo Sansón Carrasco—, que, como ya todo el mundo sabe, yo soy celebérrimo poeta y a cada paso compondré versos pastoriles, o cortesanos, o como más me viniere a cuento, para que nos entretengamos por esos

---

[8] *conceder*, condescender.

andurriales donde habemos de andar; y lo que más es menester, señores míos, es que cada uno escoja el nombre de la pastora que piensa celebrar en sus versos, y que no dejemos árbol, por duro que sea, donde no la retule y grabe su nombre, como es uso y costumbre de los enamorados pastores.

—Eso está de molde —respondió don Quijote—, puesto que yo estoy libre de buscar nombre de pastora fingida, pues está ahí la sin par Dulcinea del Toboso, gloria de estas riberas, adorno de estos prados, sustento de la hermosura, nata de los donaires, y, finalmente, sujeto sobre quien puede asentar bien toda alabanza, por hipérbole que sea.

—Así es verdad —dijo el cura—; pero nosotros buscaremos por ahí pastoras mañeruelas[9], que si no nos cuadraren, nos esquinen[10].

A lo que añadió Sansón Carrasco:

—Y cuando faltaren, darémosles los nombres de las estampadas e impresas, de quien está lleno el mundo: Fílidas, Amarilis, Dianas, Fléridas, Galateas y Belisardas; que pues las venden en las plazas, bien las podemos comprar nosotros y tenerlas por nuestras. Si mi dama, o, por mejor decir, mi pastora, por ventura se llamare Ana, la celebraré debajo del nombre de *Anarda*; y si Francisca, la llamaré yo *Francenia*; y si Lucía, *Lucinda*, que todo se sale allá; y Sancho Panza, si es que ha de entrar en esta cofadría[11], podrá celebrar a su mujer Teresa Panza con nombre de *Teresaina*.

Rióse don Quijote de la aplicación del nombre, y el cura le alabó infinito su honesta y honrada resolución, y se ofreció de nuevo a hacerle compañía todo el tiempo que le vacase de atender a sus forzosas obligaciones. Con esto, se despidieron dél, y le rogaron y aconsejaron tuviese cuenta con su salud, con regalarse lo que fuese bueno.

Quiso la suerte que su sobrina y el ama oyeron la plática de los tres; y así como se fueron, se entraron entrambas con don Quijote, y la sobrina le dijo:

—¿Qué es esto, señor tío? Ahora que pensábamos

---

[9] *mañeruelas*, de trato fácil, mansas.
[10] Véase II, 67, nota 2.
[11] *cofadría*, cofradía (vulgarismo).

nosotras que vuestra merced volvía a reducirse en su casa,
y pasar en ella una vida quieta y honrada, ¿se quiere
meter en nuevos laberintos, haciéndose

> Pastorcillo, tú que vienes,
> pastorcico, tú que vas[12]?

Pues en verdad que está ya duro el alcacel para zampoñas[13].

A lo que añadió el ama:

—Y ¿podrá vuestra merced pasar en el campo las
siestas del verano, los serenos del inverno, el aullido de
los lobos? No, por cierto; que éste es ejercicio y oficio
de hombres robustos, curtidos y criados para tal ministerio casi desde las fajas y mantillas. Aun, mal por mal,
mejor es ser caballero andante que pastor. Mire, señor,
tome mi consejo; que no se le doy sobre estar harta de pan
y vino, sino en ayunas, y sobre cincuenta años que tengo
de edad: estése en su casa, atienda a su hacienda, confiese a menudo, favorezca a los pobres, y sobre mi ánima
si mal le fuere.

—Callad, hijas —les respondió don Quijote—; que
yo sé bien lo que me cumple. Llevadme al lecho, que me
parece que no estoy muy bueno, y tened por cierto
que, ahora sea caballero andante, o pastor por andar, no
dejaré siempre de acudir a lo que hubiéredes menester,
como lo veréis por la obra.

Y las buenas hijas —que lo eran sin duda ama y sobrina— le llevaron a la cama, donde le dieron de comer
y regalaron lo posible.

---

[12] Versos de un villancico (cfr. Clemencín, 1945).
[13] Con *alcacel* o alcacer (cebada verde y en hierba) se hacían
ciertas *zampoñas*, o flautas; el refrán significa que uno ya no se
considera en edad de aprender o hacer algo.

CAPÍTULO LXXIV

De cómo don Quijote cayó malo, y del testamento que hizo, y su muerte

Como las cosas humanas no sean eternas, yendo siempre en declinación de sus principios hasta llegar a su último fin, especialmente las vidas de los hombres, y como la de don Quijote no tuviese privilegio del cielo para detener el curso de la suya, llegó su fin y acabamiento cuando él menos lo pensaba; porque, o ya fuese de la melancolía que le causaba el verse vencido, o ya por la disposición del cielo, que así lo ordenaba, se le arraigó una calentura, que le tuvo seis días en la cama, en los cuales fue visitado muchas veces del cura, del bachiller y del barbero, sus amigos, sin quitársele de la cabecera Sancho Panza, su buen escudero.

Éstos, creyendo que la pesadumbre de verse vencido y de no ver cumplido su deseo en la libertad y desencanto de Dulcinea le tenía de aquella suerte, por todas las vías posibles procuraban alegrarle, diciéndole el bachiller que se animase y levantase, para comenzar su pastoral ejercicio, para el cual tenía ya compuesta una écloga, que mal año para cuantas Sanazaro[1] había compuesto, y que ya tenía comprados de su propio dinero dos famosos perros para guardar el ganado, el uno llamado Barcino[2], y el otro Butrón, que se los había vendido un ganadero del Quintanar. Pero no por esto dejaba don Quijote sus tristezas.

Llamaron sus amigos al médico, tomóle el pulso, y no le contentó mucho, y dijo que, por sí o por no, atendiese a la salud de su alma, porque la del cuerpo corría peligro. Oyólo don Quijote con ánimo sosegado; pero no lo oyeron así su ama, su sobrina y su escudero, los cuales comenzaron a llorar tiernamente, como si ya le tuvieran muerto delante. Fue el parecer del médico que melanco-

---

[1] El escritor napolitano Jacopo Sannazaro (1458-1530), autor de la novela pastoril *Arcadia*, muy leía e imitada en España.

[2] *Barcino*, nombre común que se daba a perros de pelo pardo y blanco o rojo.

lías y desabrimientos le acababan. Rogó don Quijote que le dejasen solo, porque quería dormir un poco. Hiciéronlo así, y durmió de un tirón, como dicen, más de seis horas; tanto, que pensaron el ama y la sobrina que se había de quedar en el sueño. Despertó al cabo del tiempo dicho, y dando una gran voz, dijo:

—¡Bendito sea el poderoso Dios, que tanto bien me ha hecho! En fin, sus misericordias no tienen límite, ni las abrevian ni impiden los pecados de los hombres.

Estuvo atenta la sobrina a las razones del tío, y pareciéronle más concertadas que él solía decirlas, a lo menos, en aquella enfermedad, y preguntóle:

—¿Qué es lo que vuestra merced dice, señor? ¿Tenemos algo de nuevo? ¿Qué misericordias son éstas, o qué pecados de los hombres?

—Las misericordias —respondió don Quijote—, sobrina, son las que en este instante ha usado Dios conmigo, a quien, como dije, no las impiden mis pecados. Yo tengo juicio ya, libre y claro, sin las sombras caliginosas de la ignorancia, que sobre él me pusieron mi amarga y continua leyenda[3] de los detestables libros de las caballerías. Ya conozco sus disparates y sus embelecos, y no me pesa sino que este desengaño ha llegado tan tarde, que no me deja tiempo para hacer alguna recompensa, leyendo otros que sean luz del alma[4]. Yo me siento, sobrina, a punto de muerte; querría hacerla de tal modo, que diese a entender que no había sido mi vida tan mala, que dejase renombre de loco; que puesto que lo he sido, no querría confirmar esta verdad en mi muerte. Llámame, amiga, a mis buenos amigos: el cura, al bachiller Sansón Carrasco y a maese Nicolás el barbero, que quiero confesarme y hacer mi testamento.

Pero de este trabajo se escusó la sobrina con la entrada de los tres. Apenas los vio don Quijote, cuando dijo:

—Dadme albricias, buenos señores, de que ya yo no soy don Quijote de la Mancha, sino Alonso Quijano, a quien mis costumbres me dieron renombre de *Bueno*. Ya

---

[3] *leyenda,* lectura.
[4] Aquí Cervantes recuerda el título del libro de fray Felipe de Meneses que don Quijote vio en la imprenta barcelonesa (véase II, 62, nota 22).

soy enemigo de Amadís de Gaula y de toda la infinita caterva de su linaje; ya me son odiosas todas las historias profanas del andante caballería; ya conozco mi necedad y el peligro en que me pusieron haberlas leído; ya, por misericordia de Dios, escarmentando en cabeza propia, las abomino.

Cuando esto le oyeron decir los tres, creyeron, sin duda, que alguna nueva locura le había tomado. Y Sansón le dijo:

—¿Ahora, señor don Quijote, que tenemos nueva que está desencantada la señora Dulcinea, sale vuestra merced con eso? Y ¿agora que estamos tan a pique de ser pastores, para pasar cantando la vida, como unos príncipes, quiere vuesa merced hacerse ermitaño? Calle por su vida, vuelva en sí, y déjese de cuentos.

—Los de hasta aquí —replicó don Quijote—, que han sido verdaderos en mi daño, los ha de volver mi muerte, con ayuda del cielo, en mi provecho. Yo, señores, siento que me voy muriendo a toda priesa; déjense burlas aparte, y tráiganme un confesor que me confiese y un escribano que haga mi testamento; que en tales trances como éste no se ha de burlar el hombre con el alma; y así, suplico que en tanto que el señor cura me confiesa, vayan por el escribano.

Miráronse unos a otros, admirados de las razones de don Quijote, y, aunque en duda, le quisieron creer; y una de las señales por donde conjeturaron se moría fue el haber vuelto con tanta facilidad de loco a cuerdo; porque a las ya dichas razones añadió otras muchas tan bien dichas, tan cristianas y con tanto concierto, que del todo les vino a quitar la duda, y a creer que estaba cuerdo.

Hizo salir la gente el cura, y quedóse solo con él, y confesóle.

El bachiller fue por el escribano, y de allí a poco volvió con él y con Sancho Panza; el cual Sancho —que ya sabía por nuevas del bachiller en qué estado estaba su señor—, hallando a la ama y a la sobrina llorosas, comenzó a hacer pucheros y a derramar lágrimas. Acabóse la confesión, y salió el cura, diciendo:

—Verdaderamente se muere, y verdaderamente está cuerdo Alonso Quijano el Bueno; bien podemos entrar para que haga su testamento.

Estas nuevas dieron un terrible empujón a los ojos preñados de ama, sobrina, y de Sancho Panza su buen escudero; de tal manera, que los hizo reventar las lágrimas de los ojos y mil profundos suspiros del pecho; porque verdaderamente, como alguna vez se ha dicho, en tanto que don Quijote fue Alonso Quijano el Bueno, a secas, y en tanto que fue don Quijote de la Mancha, fue siempre de apacible condición y de agradable trato, y por esto no sólo era bien querido de los de su casa, sino de todos cuantos le conocían.

Entró el escribano con los demás, y después de haber hecho la cabeza del testamento y ordenado su alma don Quijote, con todas aquellas circunstancias cristianas que se requieren, llegando a las mandas, dijo:

—Ítem, es mi voluntad que de ciertos dineros que Sancho Panza, a quien en mi locura hice mi escudero, tiene, que porque ha habido entre él y mí ciertas cuentas, y dares y tomares, quiero que no se le haga cargo dellos, ni se le pida cuenta alguna, sino que si sobrare alguno después de haberse pagado de lo que le debo, el restante sea suyo, que será bien poco, y buen provecho le haga; y si como estando yo loco fui parte para darle el gobierno de la ínsula, pudiera agora, estando cuerdo, darle el de un reino, se le diera, porque la sencillez de su condición y fidelidad de su trato lo merece.

Y volviéndose a Sancho, le dijo:

—Perdóname, amigo, de la ocasión que te he dado de parecer loco como yo, haciéndote caer en el error en que yo he caído, de que hubo y hay caballeros andantes en el mundo.

—¡Ay! —respondió Sancho, llorando—: No se muera vuestra merced, señor mío, sino tome mi consejo, y viva muchos años; porque la mayor locura que puede hacer un hombre en esta vida es dejarse morir, sin más ni más, sin que nadie le mate, ni otras manos le acaben que las de la melancolía. Mire no sea perezoso, sino levántese desa cama, y vámonos al campo vestidos de pastores, como tenemos concertado: quizá tras de alguna mata hallaremos a la señora doña Dulcinea desencantada, que no haya más que ver. Si es que se muere de pesar de verse vencido, écheme a mí la culpa, diciendo que por haber yo cinchado mal a Rocinante le derribaron;

cuanto más que vuestra merced habrá visto en sus libros de caballerías ser cosa ordinaria derribarse unos caballeros a otros, y el que es vencido hoy ser vencedor mañana.

—Así es —dijo Sansón—, y el buen Sancho Panza está muy en la verdad destos casos.

—Señores —dijo don Quijote—, vámonos poco a poco, pues ya en los nidos de antaño no hay pájaros hogaño. Yo fui loco, y ya soy cuerdo: fui don Quijote de la Mancha, y soy agora, como he dicho, Alonso Quijano el Bueno. Pueda con vuestras mercedes mi arrepentimiento y mi verdad volverme a la estimación que de mí se tenía, y prosiga adelante el señor escribano. —Ítem, mando toda mi hacienda, a puerta cerrada[5], a Antonia Quijana, mi sobrina, que está presente, habiendo sacado primero de lo más bien parado della lo que fuere menester para cumplir las mandas que dejo hechas; y la primera satisfación que se haga quiero que sea pagar el salario que debo del tiempo que mi ama me ha servido, y más veinte ducados para un vestido. Dejo por mis albaceas al señor cura y al señor bachiller Sansón Carrasco, que están presentes. —Ítem, es mi voluntad que si Antonia Quijana, mi sobrina, quisiere casarse, se case con hombre de quien primero se haya hecho información que no sabe qué cosas sean libros de caballerías; y en caso que se averiguare que lo sabe, y, con todo eso, mi sobrina quisiere casarse con él, y se casare, pierda todo lo que le he mandado[6], lo cual puedan mis albaceas distribuir en obras pías, a su voluntad. —Ítem, suplico a los dichos señores mis albaceas que si la buena suerte les trujere a conocer al autor que dicen que compuso una historia que anda por ahí con el título de *Segunda parte de las hazañas de don Quijote de la Mancha,* de mi parte le pidan, cuan encarecidamente ser pueda, perdone la ocasión que sin yo pensarlo le di de haber escrito tantos y tan grandes disparates como en ella escribe; porque parto desta vida con escrúpulo de haberle dado motivo para escribirlos.

Cerró con esto el testamento, y tomándole un desmayo, se tendió de largo a largo en la cama. Alborotáronse

---

[5] *a puerta cerrada,* todo lo que queda dentro de la casa, de puertas a dentro.
[6] *he mandado,* he legado.

todos, y acudieron a su remedio, y en tres días que vivió
después deste donde hizo el testamento, se desmayaba muy
a menudo. Andaba la casa alborotada; pero, con todo, comía la sobrina, brindaba el ama, y se regocijaba Sancho
Panza; que esto del heredar algo borra o templa en el
heredero la memoria de la pena que es razón que deje
el muerto.

En fin, llegó el último[7] de don Quijote, después de
recebidos todos los sacramentos y después de haber abominado con muchas y eficaces razones de los libros de
caballerías. Hallóse el escribano presente, y dijo que
nunca había leído en ningún libro de caballerías que algún caballero andante hubiese muerto en su lecho tan
sosegadamente y tan cristiano como don Quijote; el cual,
entre compasiones y lágrimas de los que allí se hallaron,
dio su espíritu, quiero decir que se murió.

Viendo lo cual el cura, pidió al escribano le diese por
testimonio como Alonso Quijano el bueno, llamado comúnmente don Quijote de la Mancha, había pasado desta presente vida, y muerto naturalmente; y que el tal
testimonio pedía para quitar la ocasión de algún otro
autor que Cide Hamete Benengeli le resucitase falsamente, y hiciese inacabables historias de sus hazañas.

Este fin tuvo el Ingenioso Hidalgo de la Mancha,
cuyo lugar no quiso poner Cide Hamete puntualmente,
por dejar que todas las villas y lugares de la Mancha
contendiesen entre sí por ahijársele y tenérsele por suyo,
como contendieron las siete ciudades de Grecia por Homero[8].

Déjanse de poner aquí los llantos de Sancho, sobrina
y ama de don Quijote, los nuevos epitafios de su sepultura, aunque Sansón Carrasco le puso éste:

> Yace aquí el Hidalgo fuerte
> que a tanto estremo llegó
> de valiente, que se advierte
> que la muerte no triunfó
> de su vida con su muerte.

[7] *el último* [fin].
[8] Los antiguos suponían que siete ciudades helenas pretendían
ser la patria de Homero. El epigrama 297 del libro IV de la An-
tología de Planudes las enumera: Cime, Esmirna, Quíos, Colofón,
Pilos, Argos y Atenas.

Tuvo a todo el mundo en poco;
fue el espantajo y el coco
del mundo, en tal coyuntura,
que acreditó su ventura
morir cuerdo y vivir loco.

Y el prudentísimo Cide Hamete dijo a su pluma:

—Aquí quedarás, colgada desta espetera[9] y deste hilo de alambre, ni sé si bien cortada o mal tajada péñola mía, adonde vivirás luengos siglos, si presuntuosos y malandrines historiadores no te descuelgan para profanarte. Pero antes que a ti lleguen, les puedes advertir, y decirles en el mejor modo que pudieres:

¡Tate, tate[10], folloncicos!
De ninguno sea tocada;
porque esta impresa[11], buen rey,
para mí estaba guardada[12].

Para mí sola[13] nació don Quijote, y yo para él; él supo obrar y yo escribir; solos los dos somos para en uno, a despecho y pesar del escritor fingido y tordesillesco que se atrevió, o se ha de atrever, a escribir con pluma de avestruz grosera y mal deliñada las hazañas de mi valeroso caballero, porque no es carga de sus hombros ni asunto de su resfriado ingenio; a quien advertirás, si acaso llegas a conocerle, que deje reposar en la sepultura los cansados y ya podridos huesos de don Quijote, y no le quiera llevar, contra todos los fueros de la muerte, a Castilla la Vieja[14]; haciéndole salir de la fuesa[15] donde real y verdaderamente yace tendido de largo a largo,

---

[9] *espetera*, tabla con garfios para colgar utensilios de cocina.
[10] *¡tate, tate!*, ¡detente!, ¡poco a poco!
[11] *impresa*, empresa.
[12] Los dos últimos versos son adaptación de los de un romance que inserta Ginés Pérez de Hita en las *Guerras civiles de Granada*: «Aquesta empresa, señor, Para mí estaba guardada; Que mi señora la reina Ya me la tiene mandada».
[13] Sigue hablando la *péñola*, o pluma, de Cide Hamete Benengeli.
[14] Al final del *Quijote* apócrifo había escrito Avellaneda: «Pero como tarde la locura se cura, dicen que en saliendo de la corte [don Quijote], volvió a su tema, y que comprando otro mejor caballo, se fue la vuelta de Castilla la Vieja, en la cual le sucedieron estupendas y jamás oídas aventuras... llamándose el Caballero de los Trabajos, los cuales no faltará mejor pluma que los celebre».
[15] *fuesa*, huesa, sepultura.

imposibilitado de hacer tercera jornada y salida nueva; que para hacer burla de tantas como hicieron tantos andantes caballeros, bastan las dos que él hizo, tan a gusto y beneplácito de las gentes a cuya noticia llegaron, así en estos como en los estraños reinos. Y con esto cumplirás con tu cristiana profesión, aconsejando bien a quien mal te quiere, y yo quedaré satisfecho y ufano de haber sido el primero que gozó el fruto de sus escritos enteramente, como deseaba, pues no ha sido otro mi deseo que poner en aborrecimiento de los hombres las fingidas y disparatadas historias de los libros de caballerías, que por las de mi verdadero don Quijote van ya tropezando, y han de caer del todo, sin duda alguna. *Vale*[16].

[16] *Vale*, adiós (en latín). Con esta palabra acabó también Cervantes el prólogo de la primera parte del *Quijote*.

ÍNDICE DE NOMBRES PROPIOS
Y DE NOTAS LÉXICAS

ÍNDICE DE NOMBRES PROPIOS
Y DE NOTAS LÉXICAS

El índice que sigue sólo pretende facilitar al lector del *Quijote* el rápido hallazgo de un pasaje de la novela. Por esta razón se incluyen en él las voces que han sido objeto de alguna nota léxica, los nombres propios, reales o imaginarios, tanto de personas como topónimos, las situaciones o aventuras más importantes, los libros u obras literarias que se citan en el texto y el primer verso de las poesías en él insertas. Al principio del índice, y separado del orden alfabético, se da un apartado especial destinado al itinerario y acontecimientos propios de don Quijote y de Sancho Panza, con el propósito de dar al lector una pequeña guía de la acción de la novela.

DON QUIJOTE Y SANCHO PANZA

La acción del relato es reciente («no ha mucho tiempo»), 31; el apellido del protagonista es Quijada, Quesada o Quejana, 33, 38; se llama Alonso Quijano, 1133-1137. Su condición y ejercicio, 31. Al empezar la acción frisaba con los cincuenta años, 33. Su afición a la lectura de libros de caballerías, 34. Pierde el juicio, 34-36; decide hacerse caballero andante, 36, y adopta el nombre de don Quijote, 38. Limpia y apresta unas

viejas armas que habían sido de sus bisabuelos, 36-37; dispone
su viejo rocín al que da el nombre de Rocinante, 37, y decide
que será su dama «una moza labradora de muy buen parecer»
llamada Aldonza Lorenzo, que vive en el Toboso, «un lugar cerca del suyo», a la que da el nombre de Dulcinea del Toboso, 39.

Primera salida, 39-66. Llega a una venta, 43, donde burlescamente es armado caballero, 54. Aventura de Juan Haldudo el
rico y el muchacho Andrés, 56-59. Aventura de los mercaderes
toledanos, que apalean a don Quijote, 60-62. Es recogido por
su vecino Pedro Alonso, 64-66, quien lo lleva a su lugar, 66-68.

Don Quijote se levanta de la cama dos días después, 83, y
transcurridos otros quince solicita los servicios de Sancho Panza, que le promete servirle de escudero, 85.

Segunda salida, 85-556. Don Quijote y Sancho en el campo de
Montiel, 86. Aventura de los molinos, 88-90. Aventura de los frailes de San Benito y del vizcaíno, 92-97, 103-104. Estancia con los
cabreros, 111-145. Don Quijote pronuncia el discurso de la
Edad de Oro, 113-115. Aventura de los gallegos (yangüeses), 147-
148. Llegan a la venta de Palomeque el zurdo, 154. Sucesos y
pendencias en la venta, 159-170. Sancho es manteado, 170-171.
Aventura de los rebaños, 175-181. Aventura de los encamisados,
186-190. Sancho da a don Quijote el nombre de el Caballero de
la Triste Figura y don Quijote lo adopta, 190-191. Sancho dice
el primer refrán, 192. Aventura de los batanes, 193-206. Sancho
cuenta el cuento de la pastora Torralba, 199-200. Ganancia del
yelmo de Mambrino, 207-211. Aventura de los galeotes, 220-231.
Se internan en Sierra Morena, 233. Ginés de Pasamonte roba el
rucio a Sancho, 233, nota. Pendencia con Cardenio, 252-253.
Sancho parte para llevar una carta a Dulcinea, 272. Locuras y
penitencia de don Quijote en la Sierra, 272-275. Sancho vuelve
a la venta de Palomeque y se encuentra con el cura y el barbero, 275-278, y repite de memoria la carta de don Quijote, 278.
Sancho, el cura, el barbero y Dorotea encuentran a don Quijote en la Sierra, 318. Dorotea (Micomicona) pide ayuda a don
Quijote, 318-319. Sancho encuentra el rucio, 334, nota. Sancho
explica a don Quijote su fingida embajada a Dulcinea, 336-338.
Nuevo encuentro con el muchacho Andrés, 342-345. Todos vuelven a la venta de Palomeque, 345. Aventura de los cueros de
vino, 391-394. Don Quijote pronuncia el discurso de las armas
y las letras, 418-424. Don Quijote es atado por Maritornes, 480.
Don Quijote es prendido y enjaulado, 507. Conversación y debate con el canónigo sobre literatura y los libros de caballerías, 519-
541. Pendencia de don Quijote con el cabrero Eugenio, 550. Aventura de los disciplinantes, 552-554. Llegan a la aldea, don Quijote enjaulado, 555. Conversación de Sancho con su mujer,
556-557.

Un mes después don Quijote es visitado por el cura y el bar-

1062. Visita a la imprenta, 1063-1066. Visita a las galeras y apresamiento del bergantín turco, 1067-1076. Don Quijote es desafiado por el Caballero de la Blanca Luna, 1077-1078, y es vencido por él, 1079. Salen de Barcelona, 1086. Proyectos de vida pastoril, 1093-1098. La cerdosa aventura, 1097-1098. Nueva estancia en el castillo de los duques, 1102-1115. En un mesón encuentran a don Álvaro Tarfe, 1119-1125. Don Quijote y Sancho llegan a su pueblo, 1126-1128.

Enfermedad de don Quijote, 1132. Sana de su locura, 1133, hace testamento, 1135, recibe los sacramentos y muere, 1136-1137. Epitafio de don Quijote, 1137.

A

abatir tienda: recoger la cubierta, 1067.
abernuncio: abrenuncio, 854.
Abindarráez, 65, 66, 68.
absit!: ¡lejos de ti!, 930.
acabar con: convencer a, 242, 646, 659, 1035.
a cada triquete: a cada momento, 711, 840.
a carga cerrada: sin reflexionar, 1026.
a caso y de industria: cuando se ofrece ocasión y adrede, 440.
acción: correa de la silla de montar, 681.
acomodado: contentadizo, 587.
acto general: auto de fe, 276.
acto posesivo: hecho que califica la virtud, 111.
acusar: reconvenir, 606.
adahala: propina, 340.
adamado: propio de dama, femenino, 854.
adamar: amar con pasión, 589, 998, 1112.
Adán, 364, 746.
adarvar: quedarse estupefacto, 854.
adelantado: gobernador militar, 87.
adeliñado: aliñado, 1128.

adeliñar: aliñar, 895.
adeliño: aliño, 939.
¡aderézame esas medidas!: exclamación que se profiere al oír un disparate, 963.
a deshora: de improviso, 12, 240, 832.
a Dios, que me mudo: fórmula de despedida, 268.
adiva: mamífero de Asia, 1099.
adminícula: lenta, 933.
Adriano, 536.
adunia: bastante, 962.
a ella: a usted, 962.
aficionados: afectuosos, 302.
afincamiento: congoja, 508.
afirmar el pie llano, no: no conducirse serenamente, 618.
aforrar: abrigar, 96.
África, 523, 995, 1019.
a fuerza de brazos: a fuerza de trabajos, 22.
agible: factible, 279.
Agi Morato, 439, 443, 447, 451, 453, 454.
agobiarse: encorvarse, 1000.
Agrajes, 95.
Agramante, Campo de, 497, 502.
Agramante, Rey, 273, 497, 498.
aguardador: guardián, 418.
agua y lana, de: de poco valor, 671.
Aguilar, don Pedro de, 433.

H

O